SO-BCG-947

guide 1994

des hôtels-restaurants

Logis de France

guide édité par la

Fédération nationale

des Logis de France

83, avenue d'Italie

75013 Paris

tél. (1) 45 84 70 00

fax (1) 45 83 59 66

telex Logiaub 202 030 F

minitel 36 15 Logis de France

RTL
la radio de tous les publics

Sommaire

contents - Inhalt - inhoud
sommario - indice

Pictogrammes et abréviations

un "marque page" détachable est disponible à la dernière page de ce guide

office du tourisme syndicat d'initiative
tourist office, Fremdenverkehrsverein, tœristische dienst, ente per il turismo, oficina de turismo

m

mètres
altitude in meters, Meter, meter, metri, metros

hab

habitants
number of inhabitants, Einwohner, inwoners, abitanti, habitantes

hs

hors saison
off season, Nebensaison, buiten het seizoen, fuori stagione, fuera de temporada

*

classement tourisme
official grading, Hotelkategorie, klassement toerisme, categoria turistica, clasificación turismo

vac scol

vacances scolaires
school holidays, Schulferien, schoolvacantie, vacanze scolastiche, vacaciones escolares

ec

classement de l'hôtel en cours
official grading pending, Bewertung des Hotels nicht abgeschlossen, weldra geklasseerd, classificazione dell'albergo in corso, clasificación del hotel en trámite

Renseignements généraux

classement "cheminée"
"fireplace" grading, "Kamin"-Kategorie, classificatie in "Schoorstenen", classificazione "caminetto", clasificación "chimenea"

sans restaurant
no restaurant, ohne Restaurant, zonder restaurant, senza ristorante, sin restaurante

téléphone de l'hôtel
hotel telephone number, Telefonnummer des Hotels, telefoonnummer van het hotel, telefono dell'albergo, teléfono del hotel

telex
hotel telex number, Telex, telex, telex, télex

fax
hotel fax number, Fax

nombre de chambres
number of rooms, Anzahl der Zimmer, aantal kamers, numero di camere, número de habitaciones

prix des chambres
price of rooms, Zimmer-Preis, prijs kamers, prezzo delle camere, precio de las habitaciones

dates et jours de fermeture
closing days and periods, geschlossen an folgenden Tagen, jaarlijks verlof en sluitingsdag, date e giorni di chiusura, fechas y horas de cierre

prix menus
set menu prices, Menü-Preis, prijs menus, prezzo menu, precio de los menús

prix menu enfant à partir de
children's menu price (from), Kindermenü-Preis ab, prijs kindermenu, prezzo menu bambini, precio del menú para niños

prix pension complète
full board price, Preis für Vollpension, prijs volpension, prezzo pensione completa, precio en pensión completa

prix 1/2 pension
half board price, Preis für Halbpension, prijs halfpension, prezzo mezza pensione, precio en media pensión

E

anglais parlé
English spoken, man spricht Englisch, men spreekt engels, si parla l'inglese, se habla inglés

D

allemand parlé
German spoken, man spricht Deutsch, men spreekt duits, si parla il tedesco, se habla alemán

i

italien parlé
Italian spoken, man spricht Italienisch, men spreekt italiaans, si parla l'italiano, se habla italiano

SP

espagnol parlé
Spanish spoken, man spricht Spanisch, men spreekt spaans, si parla lo spagnolo, se habla español

Equipements de l'établissement

TV dans chambres
TV in rooms, Zimmer mit Fernsehen, TV in de kamers, TV nelle camere, TV en las habitaciones

téléphone dans chambres
telephone in rooms, Zimmer mit Telefon, telefoon in de kamers, telefono nelle camere, teléfono en las habitaciones

insonorisation
soundproofing, Schallisolierung, geluidswering, insonorizzazione, insonorización

climatisation
air-conditioning, Klimaanlage, air-conditioning, aria condizionata, climatización

4

chambres/restaurant équipés handicapés
rooms/restaurant suitable for the disabled, Zimmer/Restaurant mit Einrichtungen für Behinderte, kamers/restaurant ingericht voor minder-validen, camere/ristorante attrezzati per i disabili, habitaciones/restaurante equipados para minusválidos

restaurant équipé handicapés
restaurant suitable for the disabled, Restaurant mit Einrichtungen für Behinderte, restaurant ingericht voor minder-validen, ristorante attrezzato per i disabili, restaurante equipado para minusválidos

chambres équipées handicapés
rooms suitable for the disabled, Zimmer mit Einrichtungen für Behinderte, kamers ingericht voor minder-validen, camere attrezzate per i disabili, habitaciones equipadas para minusválidos

chiens acceptés chambres & restaurant
dogs allowed in rooms and restaurant, Hunde im Zimmer & Restaurant erlaubt, Honden toegelaten in kamers en restaurant, cani ammessi nelle camere e nel ristorante, se aceptan perros en las habitaciones & restaurante

chiens acceptés chambres
dogs allowed in rooms, Hunde im Zimmer erlaubt, honden toegelaten in kamers, cani ammessi nelle camere, se aceptan perros en las habitaciones

chiens acceptés restaurant
dogs allowed in restaurant, Hunde im Restaurant erlaubt, honden toegelaten in restaurant, cani ammessi nel ristorante, se aceptan perros en el restaurante

parking
car park, Parkplatz, parking, parcheggio, parking

garage fermé
covered car park, geschlossene Garage, gesloten garage, autorimessa chiusa, garaje cerrado

ascenseur
lift, Aufzug, Lift, ascensore, ascensor

parc ou jardin
park or garden, Park oder Garten, Park of tuin, parco e giardino, parque o jardín

CB *VISA* AE ◑ E
Carte Bleue-Visa, American Express, Diners Club, Eurocard

CV
"chèques vacances"
accepté, accepted

C
hôtel commercialisé par
Logis de France Services
hotel represented by LFS, von LFS angebotenes Hotel, hotel lid van LFS, albergo commercializzato da LFS, hotel comercializado por LFS

Services "affaires"

Etape Affaires
business stop, Etappe für Geschäftsleute, zaken etappe, Tappa affari, etapa de negocios

salles de réunion & séminaires
meeting and seminar facilities, Versammlungs- & Seminarsäle, vergader & seminariezalen, sala riunioni & seminari, sala de reunión & seminarios

Activités sportives
ou de détente

piscine plein air non chauffée
open-air unheated swimming pool, ungeheiztes Freibad, niet verwarmd openlucht zwembad, piscina all'aperto non riscaldata, piscina al aire libre a temperatura ambiente

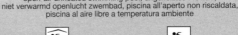

sauna, hammam, jacuzzi
sauna, turkish bath, jacuzzi, Sauna, Dampfbad, Whirlpool, sauna, hammam, jacuzzi, sauna, bagno turco, idromassaggio, sauna, baño turco, jacuzzi

piscine couverte chauffée
indoor heated swimming pool, geheiztes Hallenbad, overdekt verwarmd zwembad, piscina coperta riscaldata, piscina cubierta de agua caliente

piscine plein air chauffée
open-air heated swimming pool, geheiztes Freibad, verwarmd openlucht zwembad, piscina all'aperto riscaldata, piscina de agua caliente al aire libre

salle de gym
fitness center, Fitneß-Raum, gymzaal, palestra, gimnasio

tennis
tennis court, Tennisplatz, tennis, tennis, tenis

location de vélos
bicycle rental, Fahrradverleih, Fietsenverhuur, noleggio biciclette, alquiler de bicicletas

aire de jeux enfants
children's playground, Kinderspielplatz, kinderspeelplaats, area gioco per i bambini, zona de juegos para niños

mini golf
miniature golf, Minigolf, minigolf, minigolf, mini golf

golf 9 trous
9-hole golf course, Golf 9 Löcher, golf 9 holes, golf 9 buche, golf de 9 hoyos

golf 18 trous
18-hole golf course, Golf 18 Löcher, golf 18 holes, golf 18 buche, golf de 18 hoyos

L'ABUS D'ALCOOL EST DANGEREUX POUR
LA SANTÉ, CONSOMMEZ AVEC MODÉRATION

Vous avez entre les mains l'**édition "94" du Guide des Logis de France**. Bien plus qu'un Guide traditionnel, celui-ci est l'**instrument privilégié** qui doit vous permettre de choisir, en toute sécurité, votre étape sur la route de vos affaires ou de vos vacances. C'est avec un soin tout particulier que, cette année, nous avons amélioré sa présentation et son caractère fonctionnel. Ainsi, ce sont plus de **4.000 hôtels-restaurants**, respectueux des valeurs d'authenticité de notre terroir et de notre cuisine régionale qui **vous ouvrent désormais leurs portes**.

Notre volonté, sans cesse affirmée depuis la fondation de notre Mouvement en 1949, nous porte à être **profondément enracinés dans les provinces françaises** et à inscrire notre développement dans celui du tourisme "vert", que vous êtes de plus en plus nombreux à apprécier. Votre fidélité et l'amélioration constante de nos prestations font que, désormais, chacune de vos étapes dans un Logis de France doit vous procurer les plaisirs de la table et favoriser votre repos avec un **rapport qualité-prix sans égal**.

Bienvenue, donc, prochainement dans l'un de nos établissements...

Donatien de Sesmaisons
Président de la Fédération nationale
des Logis de France

Logis de France

La Qualité Logis de France

Les Logis de France sont une chaîne de plus de **4.000 établissements souscrivant tous au label de qualité "Logis de France"**. Ces hôtels-restaurants, à **gestion familiale**, répartis **dans toute la France**, sont différents par leur taille, leur aménagement ou leurs prestations. Mais ils ont en commun **une même idée de l'accueil** et le même **respect des critères de qualité** et **des prix**, consignés dans la Charte à laquelle ils adhèrent. Un **Service Suivi-Qualité** veille, depuis deux ans, au bon respect de celle-ci.

Classés en cheminées

pour votre confort

Depuis 1990, pour votre sécurité, les Logis de France sont classés en **une**, **deux** ou **trois** cheminées. Vous retrouverez ce classement à l'entrée de l'établissement et dans ce Guide, en regard du nom de l'hôtel. Ce **classement national** tient compte de plus de **150 critères objectifs** allant de la qualité de la table et du service à l'équipement de la chambre et de l'établissement. Ainsi, en fonction du niveau des prestations dont vous désirerez bénéficier, vous opterez pour un "1", "2" ou "3" cheminées. A noter qu' au sein d'un même établissement, **des chambres peuvent ne pas présenter exactement le même confort. Il convient donc, lors de votre réservation, que vous précisiez le niveau d'équipement désiré** afin de passer un agréable séjour dans les Logis de France. Ce classement, simple et complet, vous permet de sélectionner, **en toute sécurité**, l'hôtel qui répondra précisément à vos attentes et à votre budget.

LA FRANCE BUISSONNIÈRE

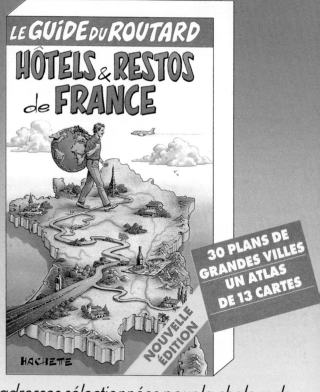

4000 adresses sélectionnées pour la chaleur de l'accueil, la qualité de la cuisine, le charme du décor et la douceur des prix. Sur plus de 600 pages, une France où il fait bon vivre.

HÔTELS & RESTOS de FRANCE
CHAQUE ANNÉE, POUR Y FIGURER, IL FAUT LE MÉRITER.

HACHETTE

dans les Logis de France

Veiller à la qualité de leur table, dans le respect du caractère régional, fait partie du "quotidien" des hôteliers-restaurateurs Logis. Cette cuisine de France, recherchée par les clients des Logis de France est une tradition inscrite dans l'histoire même de la Chaîne. Pour **nous aider à promouvoir cette conception de la restauration "authentique"**, cette année encore, **à l'aide du coupon réponse joint en annexe de ce guide**, vous distinguerez "vos" meilleures tables Logis. Notre service Suivi-Qualité regroupera toutes vos bonnes adresses et désignera les grands finalistes 1994.

Nous publions **ci-dessous les lauréats et les finalistes 1993**.

Lauréat du plat régional Logis de l'année : région Bretagne
La Poelée de St. Jacques et homard bleu de ST. Ké - Jean-Claude Lucas
Hôtel Le Gerbot d'Avoine
St. Quay Portrieux (Côtes d'Armor)

Lauréat du dessert régional Logis de l'année : région Alsace
Mousse au marc de Gewurztraminer
Jacques Bruckmann Hôtel A l'Etoile
Mittelhausen (Bas-Rhin)

Lauréat Apprenti Logis de l'année : région Limousin
Laurent Nadiras en apprentissage chez Jean-Michel Teyssier
Hôtel Teyssier Uzerche (Corrèze)

Finalistes régionaux présents à St. Quay Portrieux pour la finale 1993

Alsace
Hôtel A l'Etoile, J. Bruckmann
67170 Mittelhausen

Aquitaine
Auberge de la Truffe, J. Leymarie
24420 Sorges

Bourgogne
Hôtel Aux Terrasses, M. Carrette
71700 Tournus

Bretagne
Le Gerbot d'Avoine, J.C. Lucas
22410 St. Quay Portrieux

Centre
Auberge du Centre, G. Martinet
41120 Chitenay

Champagne-Ardenne
Auberge St.Vincent, J.C. Pelletier
51150 Ambonnay

Franche-Comté
La Vieille Auberge, D. Clerc
25870 Cussey sur l'Ognon

Ile de France
Aux Armes de France, L. Dejean
91100 Corbeil-Essonnes

Languedoc-Roussillon
Hôtel de la Gare et des Rochers, J. Teissier
48100 Marvejols

Limousin
Hôtel Teyssier, J.M. Teyssier
19140 Uzerche

Lorraine
Le Relais Rose, C. Loeffler
88300 Autreville

Nord-Pas de Calais
Au Jardin Fleuri, A. Delmotte
59990 Sebourg

Basse-Normandie
Hôtel de France, L. Petit
14230 Isigny-sur-Mer

Haute-Normandie
Hôtel de la Terrasse, F. Delafontaine
76119 Varengeville-sur-Mer

Pays de la Loire
Le Robinson, B. Besseau
85160 St. Jean de Monts

Picardie
Hôtel de France, M.F. Robert
60200 Compiègne

Poitou-Charentes
Hôtel de la Roue d'Or, J.C. Bozec
86200 Loudun

Provence-Alpes-Côte d'Azur
Hôtel les Géraniums, J. Roux
84330 Le Barroux

Rhône-Alpes
L'Echo des Montagnes, B. Colloud
74200 Armoy

départementales

Les **Associations départementales des Logis de France** assurent le relais de la Fédération nationale des Logis de France au plan local. Elles **coordonnent** l'activité, informent les différentes structures et **participent** à la promotion générale du Mouvement auprès des médias, des élus locaux, des organismes à vocation touristique ou économique... Elles sont **regroupées au sein de la Fédération nationale** des Logis de France.

01 Ain 4 rue Bourgmayer 01000 Bourg en Bresse tél. 74.22.54.73

02 Aisne C.D.T. 1 rue Saint Martin B.P. 116, 02005 Laon cedex tél. 23.26.70.00

03 Allier C.D.T. Hôtel de Rochefort 12 Crs A. France 03000 Moulins tél. 70.46.81.50

04 Alpes de Haute Provence C.C.I. bd Gassendi 04000 Digne tél. 92.30.80.80

05 Hautes Alpes C.C.I. 16 rue Carnot B.P. 6, 05001 Gap cedex tél. 92.51.73.73

06 Alpes Maritimes C.R.T. 55 promenade des Anglais 06000 Nice tél. 93.18.61.39

07 Ardèche C.D.T. 8 cours du Palais B.P. 221, 07002 Privas cedex tél. 75.64.04.66

08 Ardennes C.D.T. 18 Av. G. Corneau 08000 Charleville-Mezières tél. 24.56.06.08.

09 Ariège Hôtel du Département B.P. 143, 09000 Foix tél. 61.02.09.70

10 Aube C.D.T. 34 quai Dampière 10003 Troyes cedex tél. 25.42.50.92

11 Aude 57 rue d'Alsace B.P. 86, 11002 Carcassonne cedex tél. 68.11.42.24

12 Aveyron C.C.I. 10 place de la Cité 12033 Rodez cedex 09 tél. 65.77.77.00

13 Bouches du Rhône Loisirs-Accueil dom. du Vergon 13370 Mallemort tél. 90.59.18.05

14 Calvados Péricentre II 66 av. de Thiès 14000 Caen tél. 31.93.10.74

15 Cantal 8 rue Marie-Maurel 15000 Aurillac tél. 71.48.08.10

16 Charente C.D.T. place Bouillaud 16021 Angoulême tél. 45.69.79.09

17 Charente Maritime C.D.T. 11 bis rue des Augustins B.P. 1152, 17008 La Rochelle cedex tél. 46.41.43.33

18 Cher C.C.I. route d'Issoudun B.P. 54, 18001 Bourges cedex tél. 48.67.80.80

19 Corrèze C.C.I. 10 av. Maréchal Leclerc 19316 Brive cedex tél. 55.74.32.32

20 Corse (Haute) Hôtel du Vallon rue de l'Ancienne Poste 20131 Venaco tél. 95.31.99.10

20 Corse du Sud 4 rue Capitaine Livrelli 20000 Ajaccio tél. 95.21.21.26

21 Côte d'or C.R.C.I. 68 rue Chevreul B.P. 209, 21006 Dijon cedex tél. 80.63.52.51

22 Côtes d'Armor Hôtel de Diane 22240 Sables d'Or les Pins tél. 96.41.42.07

23 Creuse C.C.I. 1 av. de la République B.P. 35, 23001 Guéret cedex tél. 55.52.55.27

24 Dordogne Office du Tourisme 16 rue Pdt Wilson 24000 Périgueux tél. 53.53.44.35

25 Doubs 4 ter Fg. Rivotte 25000 Besançon tél. 81.82.80.48

26 Drôme C.D.T. 31 av. Pdt. Herriot 26000 Valence tél. 75.82.19.26

27 Eure C.D.T. Hôtel du Département bd Georges Chauvin B.P. 367, 27003 Evreux cedex tél. 32.31.51.51

28 Eure et Loir C.D.T. 19 pl. des Epars B.P. 67, 28002 Chartres tél. 37.36.90.90

29 Finistère 2 rue Frédéric-Le-Guyader 29000 Quimper tél. 98.95.12.31

30 Gard C.C.I. 12 rue de la République 30032 Nîmes cedex tél. 66.76.33.33

31 Haute Garonne C.D.T. 14 rue Bayard 31000 Toulouse tél. 61.99.44.00

32 Gers C.D.T. 7 rue Diderot B.P. 106, 32002 Auch cedex tél. 62.05.37.02

33 Gironde Maison du Tourisme 21 Cours de l'Intendance 33000 Bordeaux tél. 56.52.61.40

34 Hérault Office du Tourisme B.P. 522, 34305 Agde cedex tél. 67.26.38.58

35 Ille et Vilaine 4 quai Administrateur Thomas 35260 Cancale tél. 99.89.60.16

36 Indre C.C.I. 24 place Gambetta 36028 Chateauroux cedex tél. 54.53.52.51

37 Indre et Loire C.C.I. 4 bis rue Jules Favre 37010 Tours cedex tél. 47.47.20.00

38 Isère C.D.T. 14 rue de la République B.P. 227, 38019 Grenoble cedex tél. 76.54.34.36

39 Jura Hôtel du département B.P. 652, 39021 Lons le Saunier cedex tél. 84.85.89.81

40 Landes 38 cours Maréchal Joffre B.P. 364, 40108 Dax cedex tél. 58.74.08.03

41 Loir et Cher C.D.T. 5 rue de la Voûte du château 41000 Blois tél. 54.78.55.50

42 Loire C.D.T. 5 place Jean Jaurès 42021 Saint Etienne cedex 01 tél. 77.33.15.39

43 Haute Loire C.D.T. 12 bd Philippe Jourde B.P. 185, 43005 Le Puy en Velay cedex tél. 71.09.66.66

44 Loire Atlantique C.D.T. place du Commerce 44000 Nantes tél. 40.89.50.77

45 Loiret C.C.I. 23 Place du Martroi 45044 Orléans cedex 01 tél. 38.77.77.77

46 Lot C.C.I. 107 quai Cavaignac B.P. 79, 46002 Cahors cedex tél. 65.20.35.02

47 Lot et Garonne C.C.I. 52 cours Gambetta 47007 Agen tél. 53.77.10.00

48 Lozère Hôtel du Pont Roupt 48000 Mende tél. 66.65.01.43

49 Maine et Loire C.D.T. Anjou pl. Kennedy B.P. 2147, 49021 Angers cedex 02 tél. 41.23.51.51

50 Manche Maison du Département route de Villedieu 50008 Saint Lo tél. 33.05.98.83

51 Marne C.D.T. 2 bis bd. Vaubécourt 51000 Chalons-sur-Marne tél. 26.68.37.52

52 Haute Marne Centre adm. (Vieille cours) B.P. 509, 52011 Chaumont cedex tél. 25.32.87.70

53 Mayenne C.D.T. 84 av. Robert Buron B.P. 1429, 53014 Laval cedex tél. 43.53.18.18

54 Meurthe et Moselle C.D.T. 3 rue Mably B.P. 65, 54062 Nancy cedex tél. 83.35.56.56

55 Meuse C.D.T. Hôtel du département 55012 Bar le Duc tél. 29.79.48.10

56 Morbihan UDOTSI Hôtel du département B.P. 400, 56009 Vannes cedex tél. 97.54.99.75

57 Moselle C.C.I. 10-12 av. Foch B.P. 330, 57016 Metz cedex 01 tél 87.52.31.00

58 Nièvre Nièvre Tourisme 3 rue du Sort 58000 Nevers tél. 86.36.39.80

59 Nord C.D.T. 15-17 rue du Nouveau Siècle B.P. 135, 59027 Lille cedex tél. 20.57.00.61

60 Oise C.D.T. 19 rue Pierre Jacoby BP 822, 60008 Beauvais cedex tél.44.45.82.12

61 Orne C.D.T. 88 rue Saint Blaise B.P. 50, 61002 Alençon cedex tél. 33.28.88.71

62 Pas de Calais C.D.T. 24 rue Desille B.P. 279, 62200 Boulogne/Mer cedex tél. 21.83.32.59

63 Puy de Dôme C.D.T. 26 rue Saint Esprit 63038 Clermont-Ferrand cedex tél. 73.42.21.23

64 Pyrénées Atlantiques C.C.I. 1 rue de Donzac 64100 Bayonne tél. 59.46.59.57

65 Hautes Pyrénées Maison du Tourisme 9 rue A.Fourcade 65000 Tarbes tél. 62.93.01.10

66 Pyrénées Orientales C.C.I. quai de Lattre de Tassigny B.P. 941, 66020 Perpignan cedex tél. 68.35.66.33 (poste 389)

67 Bas Rhin Maison du tourisme 9 rue du Dôme B.P. 53, 67061 Strasbourg cedex tél. 88.22.01.02

68 Haut Rhin C.C.I. 8 rue du 17 Novembre 68051 Mulhouse cedex tél.89.66.71.71

69 Rhône C.C.I. 317 bd Gambetta B.P. 427, 69654 Villefranche/Saône cedex tél. 74.62.73.00

70 Haute Saône Maison du Tourisme Le Rialto rue des Bains B.P. 117, 70002 Vesoul cedex tél. 84.75.43.66

71 Saône et Loire C.C.I. place G.Genevès B.P. 531, 71010 Mâcon cedex tél. 85.38.93.33

72 Sarthe C.D.T. Hôtel du département 72072 Le Mans cedex 9 tél. 43.81.72.72

73 Savoie 11 bis av. de Lyon 73000 Chambéry tél. 79.69.26.18

74 Haute Savoie C.C.I. B.P. 128, 74004 Annecy cedex tél. 50.33.72.00

76 Seine Maritime C.R.C.I. 9 rue R. Schuman B.P. 124, 76002 Rouen cedex tél. 35.88.44.42

77 Seine et Marne Maison du Tourisme Château de Soubiran 170 av.H.Barbusse 77190 Dammarie les Lys tél. 64.37.19.36

78 Yvelines C.C.I. 21 av. de Paris 78021 Versailles cedex tél 30.84.79.47

79 Deux Sèvres C.D.T. 6 rue du Palais B.P. 49, 79002 Niort cedex tél. 49.24.76.79

80 Somme C.D.T. 21 rue Ernest Cauvin 80000 Amiens tél 22.92.26.39

81 Tarn C.D.T. Hôtel du Département 81013 Albi cedex 09 tél. 63.47.56.50 (poste 33)

82 Tarn et Garonne C.C.I. 16 al. Mortarieu B.P. 527, 82005 Montauban cedex tél. 63.63.22.35

83 Var Conseil Général 1 bd Foch B.P. 187, 83005 Draguignan cedex tél. 94.68.97.74

84 Vaucluse C.D.T. place Campana B.P. 147, 84008 Avignon cedex tél. 90.86.43.42

85 Vendée 8 place Napoléon 85000 la Roche-sur-Yon tél. 51.05.45.28

86 Vienne C.D.T. 15 rue Carnot B.P. 287, 86007 Poitiers tél. 49.41.58.22

87 Haute Vienne C.C.I. 16 place Jourdan 87000 Limoges tél. 55.45.15.15

88 Vosges C.D.T. 7 rue Gilbert B.P. 332, 88008 Epinal cedex tél. 29.82.49.93

89 Yonne C.D.T. 1/2 quai de la République 89000 Auxerre tél. 86.52.26.27

90 Territoire de Belfort C.C.I. 1 rue du Docteur Fréry B.P. 199, 90004 Belfort cedex tél. 84.21.62.12

91 Essonne 2 cours Monseigneur Roméro 91025 Evry cedex tél. 69.91.07.06

95 Val d'Oise Conseil Général du Val d'Oise, Hôtel du Département 2 Le Campus 95032 Cergy Pontoise cedex tél. 34.25.32.53

974 La Réunion 20 Cité Ah-Soune bd. Lancastel 97400 Saint Denis tél. 19 (262) 21.62.62

Simmons,
ça réveille la vie.

**Aujourd'hui votre énergie repose sur un matelas,
un matelas Simmons !**

Simmons, c'est une technologie exclusive, le ressort
ensaché. Confort total, tonus pour toute la journée.
Indépendance de couchage, relaxation muscle par
muscle, soutien point par point de la colonne vertébrale.
Et aussi une exceptionnelle souplesse de la suspension
pour s'adapter à tous les sommiers, fixes ou articulés…
Simmons, ça réveille la vie !

Comment réserver ?

• conditions de réservation

Si votre premier contact est téléphonique, il est bon, pour votre sécurité, de confirmer votre réservation par écrit auprès de l'hôtelier, en précisant l'équipement désiré, la date, l'heure d'arrivée et le prix convenu par téléphone. L'usage veut que la réservation soit accompagnée d'un versement, qui engage les parties conformément aux règles du droit civil. Vous pouvez confirmer de façon définitive en portant la mention : "bon pour acompte sur le prix". Le contrat est alors conclu, et seule la force majeure peut permettre de s'en dégager. Une réservation annulée, différée ou réduite, autorise l'hôtelier à conserver la somme que vous lui aurez versée préalablement, pour dédommagement de son préjudice.

Il n'existe pas de montant légal des acomptes versés (liberté contractuelle). L'usage consacre toutefois le barème suivant: pour une semaine, sans pension: 3 nuitées. Pour une semaine en pension complète: 4 jours de pension.

Les prix

Le guide 1994 mentionne des **prix communiqués au 1er septembre 1993**. Ils sont indicatifs et n'ont aucune valeur contractuelle. Lors de votre réservation, les conditions économiques ou la réglementation pouvant entraîner des variations et certaines prestations - parking, T.V., douche, salle de bain, animaux... pouvant faire l'objet d'un supplément -, il convient de vous faire confirmer les prix des prestations désirées et l'équipement de votre chambre. **Les prix** de pension et de 1/2 pension **s'entendent par jour et par personne**. Il sont calculés sur la base de 2 personnes par chambre.
-**prix pension**: chambre, petit déjeuner, déjeuner et dîner (par pers./jour).
-**prix 1/2 pension**: chambre, petit déjeuner, déjeuner ou dîner (par pers./jour).
Les prix des chambres s'entendent à la chambre sur la base de 2 pers./ch.

Logis de France Services

Logis de France Services vous propose, pour faciliter vos loisirs ou vos déplacements d'affaires, une gamme de produits aux meilleures conditions de confort, de prix et de sécurité.
Les hôtels commercialisés par Logis de France Services sont indiqués dans la liste des hôtels par le symbole **C**
• **Logis en liberté** vous permet de découvrir la France, d'hôtel en hôtel pour un prix unique.
• **Forfaits sportifs ou de détente** destinés aux amateurs de séjours à thème tels que : ski, remise en forme, vélo, randonnées pédestres, week-ends gastronomiques...
• Les "**Logis de pêche**" (forfaits week-end ou semaine) pour les amateurs de ce sport.

Pour tous renseignements, demandes de brochures ou réservations:
• **en FRANCE** : Logis de France Services 83, av d'Italie 75013 Paris tél: 45 84 83 84
télex: 202 030 F - fax: 44 24 08 74 - minitel: 36 15 Logis de France.
• **à L'ÉTRANGER** "Maison de la France" vous indiquera l'agence de voyage qui effectuera votre réservation.

> Pour en savoir plus sur les Logis de France, composez sur votre minitel : 36 15 Logis de France.

une hôtellerie à visage humain où il fait bon vivre...

" **Etape Affaires** "

overnight business stops

Logis de France

Notre proposition :
investissez
100
aujourd'hui dans vos
économies de demain !

Our solution :
Spend
FF
today and save
money tomorrow !

Avec la nouvelle carte **"Etape Affaires"** 94, pour **100 FF investis*** pour l'achat d'une carte individuelle, vous bénéficierez jusqu'à **28% de réduction**, sur les prix affichés, dans les hôtels. De plus, toute l'année 94, **une réduction de 5% sur les prix "affaires"**, ou sur les prix 1/2 pension de basse saison, vous sera accordée.

La carte **"Etape Affaires"** est valable pour toutes les entreprises, les sociétés de service, les VRP, les représentants. Les Logis de France **"Etape Affaires"** vous proposent donc une carte donnant accès à un forfait très compétitif. Ce forfait **"Etapes Affaires"** est valable pour une personne, une nuit, en 1/2 pension dans trois catégories de chambres :
• avec douche
• avec douche-WC ou bain-WC et téléphone
• avec douche-WC ou bain-WC, TV et téléphone direct.

With the new 94 **"Etape Affaires"** business card, by **spending 100 FF*** on an individual card, you can save up to **28% on normal rates**. And, for 1994, cardholders are entitled to a **discount of 5% on the business price** or on the off season half board prices.

The **"Etape Affaires"** card is available for all firms, service companies, licensed commercial travellers and sales representatives. The Logis de France **"business stops"** offer you a very competitive inclusive price, covering an overnight stay with a meal for one person. You can also choose from three types of room :
• with private shower,
• with private shower and toilet (or bathroom and toilet) and telephone,
• with private shower and toilet (or bathroom and toilet), T.V. and direct-dial telephone.

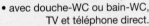

Les établissements **"Etape Affaires"** sont identifiés, dans ce guide, par le symbole

You will recognise the **"business stop"** hotels in the guide by the "Etape Affaires" sign

Pour tous renseignements demandes de cartes ou de brochures :

For information and application form, write or call :

Logis de France Services • 83, avenue d'Italie F-75013 Paris • tél : (1) 45 84 83 84
télex : Logiaub 202 030 F • fax : (1) 44 24 08 74 • minitel : 36 15 Logis de France

(*) pour les cartes multiples, merci de bien vouloir contacter Logis de France Services.
Des conditions particulièrement adaptées sont en effet proposées.
(*) If you need several company cards, please contact Logis de France Services for special terms.

LE MÉMORIAL DE CAEN:
Un voyage à travers l'histoire de notre siècle

50ᵉ

1944-1994

MEMORIAL
un musée pour la paix
CAEN NORMANDIE

ouvert tous les jours sans interruption
TEL. 31 06 06 44 - 36 15 MEMORIAL

Logis
of
Great Britain

Continue to follow the Logis sign across the Channel. There are over **500 Logis hotels** in England, Scotland, Wales and Ireland, all waiting to offer you a **personal welcome** and **excellent hospitality**.

Suivez l'enseigne des **Logis de France** de l'autre côté de la Manche. Plus de **500 hôtels-restaurants** en Angleterre en Ecosse, au Pays de Galles et en Irlande vous ouvrent leurs portes avec leur **accueil personnalisé** et leur **hospitalité toute particulière**.

Le Guide 94 des Logis of Great Britain and Ireland est disponible dans toutes les bonnes librairies, directement sur place à la Fédération nationale des Logis de France, 83 avenue d'Italie - 75013 Paris (France), ou en envoyant, à l'adresse ci-dessus, un chèque bancaire / postal de 68 FF (envoi franco de port).

The Logis of Great Britain and Ireland 1994 directory is available from all good bookshops, direct at the Fédération nationale des Logis de France, 83, avenue d'Italie - 75013 Paris (France), or by sending a cheque / postal order for 68 FF (inclusive of postage and packing) to the address above.

Logis of Great Britain
20 Church Road • Horspath • Oxford 0X9 1RU - ENGLAND
CENTRAL RESERVATIONS (0865) 875 888
Pour un appel de France : 19 44 865 875 888

Logis de France

You now have the **1994 guide to Logis de France**. This is much more than a standard guide. It is the ideal way to choose a welcoming place to stop, whether you are travelling on business or on holiday. This year we have made a special point of improving the way the guide is presented and made it easier to use. More than **4000 hotels** are waiting to offer you their hospitality in line with the true spirit of their own particular regions and local cuisine. Since 1949, the year Logis de France was founded, it has been our constant wish to have a Logis hotel in every corner of France.

Our future is firmly linked to "green tourism", now appreciated by more and more of you. Your support and our continuing effort to offer ever better service means that every one of your stays in a Logis de France will be both a time to relax and a memorable culinary experience, with **excellent value**.

We look forward to welcoming you soon in one of our Logis hotels.

Donatien de Sesmaisons
President of the "Fédération nationale des Logis de France".

Logis de France Quality

Logis de France is a voluntary organisation of **more than 4 000 independent hotels**, who adhere to the Logis de France label of quality. The hotels, **generally family run**, can be found throughout France and vary in size, features or the services they offer. They all share, however, **the same commitment to hospitality**, quality and value, laid down in the membership Charter. For the past two years, the **Quality Control department** has been closely monitoring the application of the Charter by all member hotels.

Fireplace grading system

for your comfort and ease of choice

Since 1990 we have graded Logis de France hotels by **one, two or three** fireplaces. This grading is displayed at the hotel entrance and shown next to the hotel name on the guide entry. The **national grading system** is based on more than **150 criteria** ranging from the quality of food and service to the standard of room and general facilities. Therefore, according to your own particular requirements, you have a choice between "1", "2", or "3" chimneys. **We should like to point out that not all rooms in the same hotel may offer the same level of comfort**, so we recommend that you specify your exact needs when booking, to ensure a pleasant stay.

With this simple, comprehensive grading system **you can be confident** of choosing the Logis de France with the right facilities at the price you want to pay.

Reservations

To avoid any misunderstanding, we advise you to confirm telephone reservations by writing to the hotel with details of the type of room(s), arrival date and time, length of stay and agreed price. To secure your booking a deposit is normally required and please specify that the deposit is sent with your reservation as part payment. This will bind both parties, under French law, to a legally enforceable contract so that only exceptional circumstances (force majeure) can free the parties from that contract. Cancelled, postponed or abridged reservations will entitle the hotel to retain the deposit in compensation.

The following deposits are suggested : one week without meals : 3 nights' deposit, one week full board : 4 nights including meals. Deposits for shorter or longer stays can be calculated accordingly.

Prices

The prices listed in the 1994 guide are as of **1st September 1993** and are therefore given as an indication and cannot be considered as binding. Please verify rates with the individual hotel when making your reservation as some prices may vary with economic and legal changes and certain facilities may be subject to an extra charge : car park, T.V., private shower, en-suite bathroom, animals etc.. Full board and half board prices are indicated **per person per day** on the basis of 2 guests per room.

- full board includes : room, breakfast lunch and dinner (per person per day).
- half board includes : room, breakfast, lunch or dinner (per person per day).
Room rates are also given per person on a double occupancy basis.

Logis de France Services

Whether you plan to travel for business or pleasure, Logis de France Services offer a variety of reliable options to help you organise your trips, at an attractive price with a high standard of comfort. The **C** sign in the list of the individual hotels' facilities indicates those represented by Logis de France Services.

• **Logis en Liberté**, a freewheeler programme at a flat rate for you to discover France, going as you please from Logis to Logis.
• **Sports or leisure breaks**, all-inclusive packages for sports and theme holiday enthusiasts : skiing, getting yourself in shape, cycling, hiking, gastronomic weekends...
• **Fishing Logis**, special arrangements during the week and at weekends for the keen angler.
For further information, brochures and reservations, please contact :
• **France** : Logis de France Services, 83 av. d'Italie, 75013 Paris,
tel. (1) 45 84 83 84, telex 202 030, fax (1) 44 24 08 74, minitel 36 15 Logis de France
• **Abroad** : The local French Government Tourist Office which will provide the name of an authorised travel agency for reservations.
When in France, for further information on Logis de France by minitel, dial **36 15 Logis de France.**

Logis de France

Was Sie vor sich haben, ist der **Reiseführer der Logis de France, Ausgabe '94**. Weit mehr als ein herkömmlicher Hotelführer, ist er ein **wertvoller Helfer**, der es Ihnen ermöglich, in völliger Sicherheit die Etappe auf Ihrer Geschäfts- oder Ferienreise auszuwählen. Wir haben dieses Jahr besonderen Wert auf eine verbesserte Aufmachung und eine leichtere Handhabung gelegt.

Mehr als **4000 Hotel-Restaurants**, die alle die Authentizität unserer Landschaften und unserer regionalen Küchen respektieren, **warten nun auf Ihren Besuch**.

Wir sind seit der Gründung unserer Vereinigung im Jahre 1949 ständig bestrebt, **tief in den französichen Provinzen verwurzelt** zu sein und uns im Rahmen eines naturgebundenen Tourismus zu entwickeln, den mehr und mehr Menschen zu schätzen wissen. Ihre Treue und unsere ständig verbesserten Leistungen haben dazu geführt, daß Ihnen zukünftig jede Etappe in einem Logis de France die feinsten Gerichte und den geruhsamsten Schlaf zu einem **unvergleichlichen Preis-Qualitätsverhältnis** bietet.

Wir hoffen Sie bald in einem unserer Hotels begrüßen zu können!

Donatien de Sesmaisons
Präsident der Fédération nationale
des Logis de France.

Die Qualität Logis

Die Logis de France sind eine Kette von mehr als **4000 Hotels, die alle das Gütezeichen "Logis de France"** tragen. Diese Hotel-Restaurants, ausnahmslos Familienbetriebe und auf **ganz Frankreich** verteilt, sind unterschiedlich in Größe, Einrichtung und angebotenen Leistungen. Allen gemeinsam aber ist der **gleiche herzliche Empfang** und die **gleiche Achtung der Qualitäts- und Preisbedingungen**, die in der von Ihnen anerkannten Satzung festgehalten sind. Ein **ständiger Qualitäts-Service** achtet seit zwei Jahren auf ihre Einhaltung.

Die Kamin-Kategorien

Für Ihr Wohlbefinden

Seit 1990 werden die Logis de France zu Ihrer Sicherheit mit **einem, zwei oder drei** Kaminen bewertet. Diese Bewertung finden Sie am Eingang des Hotels und in diesem Verzeichnis gegenüber dem Namen des Hotels wieder. Diese landesweite Einteilung richtet sich nach mehr als **150 objektiven Kriterien**, von der Qualität der Gerichte und des Service bis hin zur Zimmer- und Hoteleinrichtung. So wählen Sie je nach gewünschtem Niveau der Leistungen "1", "2" oder "3" Kamine. Beachten Sie, daß es im selben Hotel **verschiedene Zimmer mit nicht genau dem gleichen Komfort geben kann. Geben Sie dann bei Ihrer Reservierung genau die von Ihnen gewünschte Ausstattung an**, um einen angenehmen Aufenthalt in den Logis de France zu verbringen. Diese einfache und umfassende Einteilung ermöglicht es Ihnen, **in vollkommener Sicherheit** das Ihnen Erwartungen und Ihnen finanziellen Mitteln entsprechende Hotel auszuwählen.

Wie reservieren Sie ?

• Reservierunsbedingungen
Falls Sie zunächst telefonisch reserviert haben, empfehlen wir Ihnen, zu Ihrer Sicherheit die Reservierung schriftlich beim Hotel zu bestätigen, mit genauen Angaben über die gewünschte Ausstattung, den Tag und die Zeit Ihrer Ankunft und den am Telefon vereinbarten Preis. Es ist allgemein üblich, bei der Reservierung eine Anzahlung zu leisten, wodurch die Reservierung gemäß der zivilrechtlichen Regelungen bindend wird. Mit der Einverständniserklärung "bon pour acompte sur le prix" können Sie die Bestätigung endgültig machen. Der Vertrag ist damit abgeschlossen und kann nur aufgrund höherer Gewalt ungültig werden. Bei einer rückgängig gemachten, verchobenen oder eingeschränkten Reservierung darf der Leiter des Hotels Ihre Anzahlung einhalten, um sich den ihm entstandenen Schaden zu ersetzen. Es gibt keine gesetzlich vorgeschriebene Höhe für die Anzahlungen (Vertragsfreiheit). Allgemein üblich sind jedoch foldende Regeln : Für eine Woche ohne Pension: 3 Übernachtungen. Für eine Woche mit Vollpension: 4 Übernachtungen mit Vollpension.

Die Preise

Das Verzeichnis 1994 führt die uns zum **1. September 1993** übermittelten Preise auf. Diese sind unverbindlich und ohne Gewähr. Da es bis zum Zeitpunkt Ihrer Reservierung durch wirtschaftliche Umstände oder gesetzliche Regelungen zu Änderungen kommen kann und da gewisse Leistungen -Parkplatz, Fernsehen, Dusche, Badezimmer, Tierhaltung usw. - zu Preiszuschlägen führen können, empfehlen wir Ihnen, sich den Preis für die gewünschten Leistungen und die Zimmerausstattung bestätigen zu lassen. Die Preise für Vollpension und für Halbpension gelten **pro Tag und pro Person**. Sie gelten auf der Basis von 2 Personen pro Zimmer.
- Vollpension: Zimmer, Frühstück, Mittagessen und Abendessen (pro Person, pro Tag).
- Halbpension: Zimmer, Frühstück und Mittagessen oder Abendessen (pro Person, pro Tag).
Die Preise für Zimmer gelten pro Zimmer auf der Basis von 2 Personen pro Zimmer.

Logis de France Services

Logis de France Services bietet Ihnen zur Erleichterung Ihrer Ferien- oder Geschäftsreisen eine Reihe von Produkten zu besten Komfort-, Preis- und Sicherheitsbedingungen an. Die von Logis de France Services angebotenen Hotels sind in der Liste der Hotels mit dem Zeichen **C** versehen.
• Mit **Logis en liberté** können Sie Frankreich von Hotel zu Hotel einem Einheitspreis erkunden.
• Die **Pauschalangebote Sport und Entspannung** richten sich an die Liebhaber von Themen-Aufenthalten: Ski, Erholung, Radfahren, Wandern, Feinschmecker- Wochenenden usw.
• Die **Logis de pêche** (Pauschalpreise pro Wochenende oder pro Woche) richten sich an die Liebhaber des Angelsports.
Weitere Auskünfte, Prospekte und Reservierungen:
• **in Frankreich**: Logis de France Services, 83 av. d'Italie, F 75013 Paris, Tel (1) 45 84 83 84, Telex 202 030 F, Fax (1) 44 24 08 74, Minitel 36 15 Logis de France
• **im Ausland**: Im "Maison de la France" erfahren Sie, welches Reisebüro Ihre Reservierung durchführt.

Weitere Informationen im französischen Videotexnetz über Btx: *1333# und dann **36 15 Logis de France**

21

Welkom...

Voor U ligt **de editie „94" van de Gids van Logis de France**. De gids biedt U méér dan een gebruikelijke gids. De gids is het middel bij uitstek om U in de gelegenheid te stellen in alle rust Uw vakantie adres te kiezen, of Uw zakenreis voor te bereiden.

Dit jaar hebben wij de gids zorgvuldig verbeterd, en hij is nog handiger geworden. Zodoende, bevat de gids de adressen van meer dan **4000 hotel-restaurants**, die de authentieke waarden van de Franse landstreken, en van de **Franse regionale keuken respecteren**, en die hun deuren voortaan voor U openen.

Sinds de oprichting van Logis de France in 1949 hebben wij er voortdurend naar gestreefd om volledig **geintegreerd te zijn in de Franse provincies**, en om in onze ontwikkeling aan te sluiten op het „Groene Toerisme", dat steeds meer mensen waarderen. Het feit dat U steeds terugkeert, en dat wij onze diensten verbeteren, zorgen ervoor dat van nu af aan ieder bezoek aan een Logis de France U het gewenste tafelgenot en de rust verschaft. Met andere woorden, waar voor Uw geld. **Daarom heet ik U van harte welkom, binnenkort in één van onze vestigingen**.

Donatien de Sesmaisons
President van het Nationaal Verbond van Logis de France.

De kwaliteit van

Logis de France

Logis de France is een keten van meer dan **4000 vestigingen**, die een verbintenis zijn aangegaan met het kwaliteits-label van „Logis de France". De daarbij toebehorende hotel-restaurants worden beheerd door een familie, **zijn verspreid over heel Frankrijk**, maar verschillen in grootte, inrichting en dienstverlening. Zij delen echter dezelfde opvatting **wat betreft kwaliteit en prijs**, die zijn vastgelegd in een kwaliteitsovereenkomst, waarbij alle vestigingen zijn aangesloten. Sinds twee jaar controleert de **afdeling kwaliteitswaarborg** de naleving van deze overeenkomst.

Classificatie in „Schoorstenen"

voor Uw gemak

De Logis de France zijn sinds 1990 verdeeld in **een, twee, of drie** „Schoorstenen". Deze classificatie staat aangegeven bij de ingang van het hotel, en in deze gids, naast de naam van het hotel. Deze **nationale classificatie** gaat uit van meer dan **150 objectieve criteria**, die gaan van de kwaliteit van het restaurant en de bediening, tot de voorzieningen van de kamers en van het hotel-restaurant. Op deze manier kunt U afhankelijk van het niveau van de voorzieningen die U verwacht, kiezen voor een 1, 2, of 3 „Schoorstenen" hotel-restaurant. Houdt U er wel rekening mee, dat de hotels **soms kamers hebben die niet allemaal hetzelfde comfort bieden. Daarom is aan te raden, als U reserveert, dat U preciseert, welk niveau van voorzieningen U wenst**, zodat U plezierig logeert in de Logis de France. Deze simpele en complete classificatie, zorgt ervoor dat U in alle rust een hotel kunt kiezen dat volledig beantwoordt aan Uw verwachtingen en Uw budget.

• Reserverings woor warden

Als Uw eerste contact telefonisch is verlopen, kunt U het beste, voor de zekerheid, Uw reservering schriftelijk bevestigen, waarbij U de gewenste voorzieningen, de datum, de aankomsttijd, en de per telefoon overeengekomen prijs bevestigt. Het is gebruikelijk een aanbetaling mee te sturen met de reservering, die beide partijen bindt aan de regels van het Burgelijk Wetboek. U kunt definitief bevestigen door de vermelding ,,accoord voor aanbetaling op de prijs", erbij te schrijven. Het contract is daarmee gesloten, en alleen overmacht maakt ontheffing hiervan mogelijk. Als een reservering wordt geannuleerd, uitgesteld, of verkort, is het aan de hoteleigenaar toegestaan, om het reeds overgemaakte bedrag te behouden als schadevergoeding. Het is niet wettelijk vastgesteld hoeveel U aanbetaalt (vrijheid van contract).

In de praktijk worden de volgende tarieven gehandhaafd : voor één week zonder pension : 3 nachten. Voor één week met vol-pension : 4 dagen met vol-pension.

De prijzen

Deze gids 1994, geeft de prijzen die aangegeven staan vanaf **1 september 1993**. Het zijn geen definitieve prijzen. Het zijn prijzen die U een indicatie geven. Vraag, als U reserveert, om een bevestiging van de prijs, al naar gelang de gewenste diensten en voorzieningen van de kamer. Door economische omstandigheden, of door nieuwe regelingen van voorzieningen zoals de garage, t.v., douche, badkamer of huisdieren kunnen de prijzen verhoogd worden. De prijzen voor vol-pension en half-pension staan **per dag, per persoon aangegeven**. Ze zijn vastgesteld op basis van 2 personen per kamer.
- prijs vol-pension : kamer, ontbijt, lunch en diner (per persoon/per dag)
- prijs half-pension : kamer ontbijt lunch of diner (per persoon/per dag)
De prijzen van de kamers alleen zijn vastgesteld op basis van 2 personen per kamer.

Logis de France Services

De service-afdeling van Logis de France biedt U een reeks van voorzieningen aan op het gebied van comfort, prijs, en kwaliteits-garantie, om Uw vakantie of zakenreis aantrekkelijker te maken.
De bij de service-afdeling van Logis de France aangesloten hotels worden in de gids aangegeven met het teken **C**
• ,,**Logis Op Eigen Gelegenheid**" biedt U de mogelijkheid om Frankrijk van hotel naar hotel te ontdekken voor een vaste prijs.
• ,,**Sportieve Of Ontspanningsreis**", speciaal voor liefhebbers van reizen, waarbij U skiën, fitness, fietsen, wandelen of een gastronomisch weekend het thema zijn.
• ,,**Logis Voor Visliefhebbers**" (weekend of weekverblijf) voor visliefhebbers.
Voor informatie, of brochure of reservering :
• **in Frankrijk** : Logis de France Services, 83, av. d'Italie 75013 Paris - Tél 45 84 83 84 Télex 202030F - Fax 44 24 08 74 - Minitel (via Videotext) **36 15 Logis de France**.
• **in het buitenland** verwijst ,,Maison de la France", U naar een reisburo, waar U kunt reserveren.

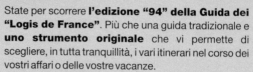

Logis de France

State per scorrere **l'edizione "94" della Guida dei "Logis de France"**. Più che una guida tradizionale e **uno strumento originale** che vi permette di scegliere, in tutta tranquillità, i vari itinerari nel corso dei vostri affari o delle vostre vacanze.

Quest'anno abbiamo studiato con particolare cura la sua presentazione e il suo carattere funzionale.

Più di **4000 alberghi-ristoranti**, attenti al rispetto dei valori autentici delle nostre regioni e della nostra cucina tradizionale **vi aprono sin da adesso le loro porte**.

La nostra volontà, costantemente espressa sin dalla creazione del nostro Movimento nel 1949, ci porta ad essere **fortemente inseriti nelle province francesi** e a seguire una politica di sviluppo in linea con quella del turismo verde, che sarete sempre più numerosi ad apprezzare. Grazie alla vostra fedeltà e al costante miglioramento delle nostre prestazioni ogni vostra tappa in un "Logis de France" è fatta per procurarvi i piaceri della tavola e per permettervi di rilassarvi, **con un rapporto qualità-prezzo senza pari.**

Benvenuti, quindi, a presto in uno dei nostri alberghi...

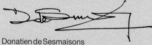

Donatien de Sesmaisons
Presidente della "Fédération nationale des Logis de France".

La Qualità Logis de France

Logis de France è una catena che raggruppa più di **4000 strutture, tutte aderenti al marchio di qualità "Logis de France"**. Questi alberghi-ristoranti, a **gestione familiare**, distribuiti in **tutta la Francia**, differiscono per la grandezza, l'arredamento o le prestazioni. Hanno tutti in comune però, **la stessa concezione dell'ospitalità** e lo stesso rispetto dei **criteri di qualità e dei prezzi**, definiti nella carta alla quale aderiscono. Da due anni è attivato **un servizio verifica-qualità** totalmente a favore di quest'ultima.

Classifica "caminetti"

per il vostro comfort

Dal 1990, i Logis de France sono divisi per categorie di **uno**, **due o tre** caminetti. Queste categorie sono indicate all'ingresso dell'albergo, e nella presente guida, a fronte del nome dell'albergo. **Questa classificazione nazionale** è stata stabilita in base ad oltre **150 criteri obiettivi** che vanno dalla qualità della tavola e del servizio al corredo della camera e dell'albergo. Di conseguenza, in funzione del livello delle prestazioni desiderate, potrete optare per "1","2", o "3" caminetti. Da notare che all'interno di uno stesso albergo, **certe camere possono non presentare lo stesso comfort. È quindi consigliabile precisare, al momento della vostra prenotazione, il tipo di optional desiderati** alfine di trascorrere un soggiorno piacevole nei "Logis de France". Questa classificazione, semplice e completa, vi consente di **selezionare in tutta tranquillità,** l'albergo che corrisponde esattamente alle vostre aspettative al vostro budget finanziario.

Come prenotare ?

• Condizioni per la prenotazione.

Se prendete contatto per telefono, è consigliabile, per maggiore sicurezza, confermare la vostra prenotazione per iscritto all'albergatore, precisando il tipo di comfort desiderato, la data e l'ora di arrivo, nonché il prezzo convenuto telefonicamente. È di regola versare un anticipo al momento della prenotazione : le due parti sono in tal modo vincolate conformemente alle norme del codice civile. Potete confermare in modo definitivo apponendo la dicitura : "Buono per anticipo sull'importo" (Bon pour acompte sur le prix). Il contratto è così concluso, e può essere revocato solo per causa di forza maggiore. Ogni prenotazione annullata, rimandata o ridotta, autorizza l'albergatore a consérvare la somma versata in anticipo, a titolo di risarcimento. Non esiste nessun importo legale degli anticipi versati (libertà contrattuale).

È di regola, tuttavia, versare per una settimana di solo pernottamento una somma equivalente a tre notti. Per una settimana con pensione completa : 4 giorni di pensione.

I prezzi

La guida 1994 riporta i prezzi che si riferiscono al **primo settembre 1993**. Essi sono a titolo indicativo e non hanno nessun valore contrattuale. Le condizioni economiche o il regolamento possono determinare delle variazioni, e certe prestazioni (parcheggio, T.V., doccia, bagno, animali...) possono richiedere un supplemento ; è quindi consigliabile chiedere, al momento della prenotazione, conferma dei prezzi delle prestazioni desiderate e degli optional della vostra camera. Per quanto riguarda la pensione completa e la mezza pensione i prezzi si riferiscono **al giorno e per persona**. Sono calcolati in base a 2 persone per camera.

- prezzi pensione completa : camera, colazione, pranzo e cena (per pers./al giorno).
- prezzi mezza pensione : camera, colazione, pranzo o cena (per pers./al giorno).
I prezzi della camere si riferiscono ad una singola camera in base a 2 persone per camera.

Logis de France Services

Per facilitare le vostre vacanze o i vostri viaggi d'affari, Logis de France Services vi propone una gamma di prodotti alle migliori condizioni di comfort, di prezzo e di sicurezza. Gli alberghi commercializzati da Logis de France Services sono indicati nella lista degli alberghi con il simbolo **C**

• **Logis in libertà** per scoprire la Francia, da hotel a hotel ad un prezzo unico.
• **Forfait sportivi e di relax** destinati agli appassionati di soggiorni a tema come : sci, fitness, ciclismo, escursioni a piedi, week-end gastronomici...
• **Logis di pesca** (prezzi per fine settimana o per settimana) per gli appassionati di questo sport.

Per informazioni, richieste di depliant o prenotazioni :
• **in Francia**: Logis de France Services, 83, Av. d'Italie 75013 Paris - Tél 45 84 83 84 Télex 202030F - Fax 44 24 08 74 - Minitel 36 15 Logis de France.
• **all'Estero**: "Maison de la France "vi indicherà l'agenzia di viaggi che effettuerà la vostra prenotazione.
Se desiderate avere maggiori informazioni sui "Logis de France", consultate il nostro servizio sul vostro Videotel **36 15 Logis de France**.

Logis de France

Tiene usted entre manos la **edición "94" de la Guía "Logis de France"** (Hoteles familiares). Se trata, más que de una Guía tradicional, de un **instrumento privilegiado**, que le permitirá elegir, con toda tranquilidad y seguridad, las diversas etapas de su itinerario de negocios o de vacaciones. Este año hemos puesto especial atención en mejorar su presentación y su funcionalidad. Gracias a ella, más de **4000 hoteles-restaurantes**, que se caracterizan por el respeto de los genuinos valores de nuestro terruño y de nuestra cocina regional, **le abren sus puertas**.

Nuestra voluntad, reiterada sin cesar desde la fundación de nuestro Movimiento en 1949, nos lleva a estar **profundamente enraigados en las distintas regiones francesas,** y a desarrollarnos dentro del marco del turismo "verde", cada vez más apreciado por todos. Su fidelidad y la constante mejora de nuestras prestaciones harán que, de ahora en adelante, cada una de sus etapas en un Logis de France ponga a su alcance los placeres de la buena mesa y le aporte un descanso reparador, con una **inigualable relación calidad-precio**. **Por lo tanto, sea usted bienvenido, en fecha muy próxima, a uno de nuestros establecimientos...**

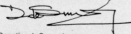

Donatien de Sesmaisons
Presidente de la "Fédération nationale des Logis de France".

La calidad Logis de France

Los Logis de France son una cadena de más de **4.000 establecimientos** que suscriben al lábel de calidad "Logis de France". Estos hoteles-restaurantes, cuya gestión es estrictamente familiar, están diseminados por toda Francia, y difieren por su tamaño, su acondicionamiento o sus prestaciones. Pero tienen en común una misma idea de la atención al cliente y un mismo respeto de los **criterios de calidad y de precio**, criterios que figuran en la carta de la que son signatarios. Un Servicio **Seguimiento-Calidad** cuida, desde hace dos años, por el respeto y cumplimiento de ésta.

Clasificados por número

de chimeneas en aras de su confort

Desde 1990 los Logis de France se vienen clasificando con **una**, **dos** o **tres** chimeneas, para brindarle una mayor seguridad. Esta clasificacíon puede verse a la entrada de cada establecimiento, así como frente al nombre del hotel correspondiente en la presente Guía. Es una clasificacíon nacional que toma en consideracíon más de **150 criterios objetivos**, que van de la calidad de la gastronomía y del servicio a las comodidades e instalaciones de la habitacíon y del propio establecimiento. De este modo, en función del nivel de los servicios prestados que desee solicitar, podrá usted optar por un hotel "1","2" ó "3" chimeneas. Cabe señalar que, dentro de un mismo establecimiento, el confort de las distintas hacitaciones quizás no sea totalmente idéntico. Por consiguiente, sería conveniente que, en el momento de efectuar la reserva, precise al máximo el tipo de comodidades y servicios que desea, para que su estancia en los Logis de France sea la más agradable posible. Esta sencilla clasificacíon, no por ello menos completa, le permite seleccionar, con la **máxima seguridad**, el hotel que mejor se adapte a sus expectativas y a su presupuesto.

¿Cómo efectuar

su reserva ?

• Condiciones de reserva de habitación

Si su primer contacto se lleva a cabo por teléfono, les recomendamos, de confirmar su reserva por escrito al responsable del hotel, precisando el tipo de instalaciones y comodidades que desea, la fecha y hora de llegada y el precio convenido por teléfono. El uso manda que la reserva vaya acompañada del pago de un adelanto que compromete a ambas partes, en virtud de lo estipulado por el derecho civil. Puede usted confirmar en firme añadiendo la frase : "en calidad de adelanto". Esta fórmula cierra el contrato, y sólo en caso de fuerza mayor se justifica su incumplimiento. Una reserva anulada, diferida o reducida permite al director del hotel conservar la suma que usted le ha abonado a modo de adelanto, como desagravio por el perjuicio causado. La ley no estipula cuál debe ser el importe de los adelantos abonados (libertad contractual). Habitualmente, se aplica el siguiente baremo : por una semana sin pensión : 3 noches pagadas. Por una semana con pensión completa : 4 días de pensión.

Los precios

La guía de 1994 menciona los precios comunicados al **1ro de septiembre de 1993**. Son precios indicativos, que no poseen ningún valor contractual. En el momento de efectuar su reserva, la situación económica o la reglamentación vigente pueden ser causa de diferencias, y algunos servicios -parking, TV, ducha, cuarto de baño, animales...- pueden ser objeto de un suplemento. Por eso, conviene que solicite la confirmación del precio de los servicios solicitados y de las comodidades que desea tenga su habitación. Los precios de la pensión completa y de la media pensión corresponden a **un día y a una persona**. Se calculan sobre la base de 2 personas por habitación.
- precio de la pensión completa : habitación, desayuno, almuerzo o comida y cena (por persona y por día)
- precio de la media pensión : habitación, desayuno, almuerzo o comida y cena (por persona y por día)
El precio de las habitaciones se calcula sobre la base de 2 personas por habitación.

Logis de France Services

Logis de France
Services

Logis de France Services le propone, para facilitar sus momentos de ocio o sus viajes de negocios, una gama de productos en las mejores condiciones de confort, precio y seguridad. Los hoteles comercializados por Logis de France Services figuran en la lista de hoteles, bajo el símbolo **C**

• **Logis en libertad** le permite descubrir Francia, hotel tras hotel, por un precio único.

• **Precio especial deportes o esparcimiento**, está destinado a los amantes de estancias temáticas, tales como : esquí, puesta en forma, bicicleta, senderismo, fines de semana gastronómicos...

• Los "**Logis de pesca**" (precios por fin de semana o por semana), para los aficionados a este deporte.

Si desea informaciones complementarias, folletos o reservas, diríjase a :
• **en Francia** : Logis de France Services, 83, Av. d'Italie 75013 Paris - Tél 45 84 83 84 Télex 202030F - Fax 44 24 08 74 - Minitel 36 15 Logis de France.

• **en el extranjero**, "Maison de la France" le indicará la agencia de viajes que puede efectuar su reserva.

Si desea más información, marque el **36 15 Logis de France** en el minitel.

Numéro Vert 05 05 05 72

APPEL GRATUIT

L'appel au calme

Brochure gratuite sur simple appel
Phone for your free brochure : **33 43 23 44 55**

36 pages en couleur pour s'évader !
36 colour pages to get away from it all

Vallée du Loir   The Loir Valley
——y'a tout à voir——   ——what a lot to see ——

VALLÉE DU LOIR – Passage du Commerce
72000 LE MANS - Fax 43 28 39 21

15 LOGIS DE FRANCE A VOTRE SERVICE / AT YOUR SERVICE

BAZOUGES-SUR-LE LOIR – LA CHARTRE-SUR-LE-LOIR – CHATEAU-DU-LOIR –
DISSAY-SOUS-COURCILLON – LA FLÈCHE – LUCHÉ-PRINGÉ – LE LUDE – MONTOIRE-SUR-LE-LOIR –
ST-HILAIRE-LA GRAVELLE – ST-MARTIN-DES BOIS – TROO – VENDÔME

Nomenclature des localités par départements

Comment repérer un hôtel
LOGIS DE FRANCE dans l'atlas

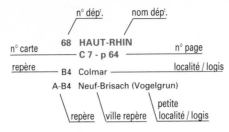

29

B3 Roquebillière
B3 Roquebrune-Cap-Martin
B3 Roure
B2 Saint-Auban
B-C2 Saint-Cézaire-sur-Siagne
B3 Saint-Dalmas-de-Tende
B3 Saint-Étienne-de-Tinée
B3 Saint-Jeannet
B2 Saint-Martin-d'Entraunes
B3 Saint-Martin-Vésubie
B3 Saint-Martin-Vésubie (le Boréon)
B2-3 Saint-Vallier-de-Thiey
B3 Sospel
B3 Suquet (le)
B3 Tende
B3 Thorenc
B3 Tourrette-Levens
B3 Tourrettes-sur-Loup
B3 Turini (Camp d'Argent)
B3 Turini (Col de)
B3 Utelle
B-C3 Valbonne
C3 Vallauris
B3 Vence
B2 Villefranche-sur-Mer
B3 Villeneuve-Loubet
B-C3 Villeneuve-Loubet-Plage

07 ARDÈCHE
C 13 - p 81- 82
B3 Aubenas
A3 Baix
A3 Béage (le)
A3 Beauvène
B3 Bourg-Saint-Andéol
B3 Chandolas
A3 Charmes-sur-Rhône
B3 Chauzon
A3 Cheylard (le)
A3 Coucouron
A3 Crestet (le)
B3 Cruas
B3 Davézieux
B3 Desaignes
B3 Jaujac
B3 Joyeuse
A3 Lac-d'Issarlès (le)
A3 Lalouvesc
A3 Lamastre
A3 Lanarce
B3 Lavilledieu
B3 Maisonneuve-Chandolas
A3 Mézilhac
A3 Montpezat-sous-Bauzon
A3 Ollières-sur-Eyrieux (les)
B3 Orgnac-l'Aven
A3 Peaugrès
B3 Pont-de-Labeaume
A3 Pouzin (le)
A3 Privas
A3 Privas (Col de l'Escrinet)
B3 Rocher
B3 Rosières
B3 Ruoms
A3 Saint-Agrève
A3 Saint-Cirgues-en-Montagne
A3 Saint-Laurent-du-Pape
B3 Saint-Martin-d'Ardèche
B3 Saint-Paul-le-Jeune
A3 Saint-Péray
B3 Saint-Pons
A3 Saint-Romain-d'Ay
A3 Sainte-Eulalie
B3 Salavas
A3 Sarras
A3 Satillieu

A3 Serrières
A3 Soyons
B3 Teil (le)
B3 Thueyts
A3 Tournon
B3 Valgorge
B3 Vallon-Pont-d'Arc
A-B3 Vals-les-Bains
B3 Voguë
A3 Voulte-sur-Rhône (la)

08 ARDENNES
C4 - p 53
B1-2 Apremont-sur-Aire
A1 Aubrives
A1 Charleville-Mézières
A1 Hautes-Rivières (les)
A1 Haybes-sur-Meuse
A1 Monthermé
A1 Neuville-lez-Beaulieu (la)
A2 Remilly-Aillicourt
B1 Rethel
A1 Sedan
A1 Signy-l'Abbaye

09 ARIÈGE
C 16 - p 87-88
C3 Argein
C3 Audressein
C3 Aulus-les-Bains
C4 Ax-les-Thermes
C3 Bastide-de-Sérou (la)
C3 Foix
C4 Foix (Saint-Paul-de-Jarrat)
C3 Foix (Saint-Pierre-de-Rivière)
C4 Lavelanet
C3 Lorp-Sentaraille
C4 Massat
C4 Mirepoix
C4 Montségur
C4 Pamiers
C4 Perles-et-Castelet
C3 Saint-Girons
C3 Tarascon-sur-Ariège

10 AUBE
C 3 - p 51-52
C3 Aix-en-Othe
B3 Arcis-sur-Aube
C4 Arsonval
C4 Bar-sur-Aube
C3-4 Bar-sur-Seine
C3 Bréviandes
C3-4 Brévonnes
C4 Clairvaux
C4 Dolancourt
C3 Estissac
C4 Gyé-sur-Seine
C3 Magnant
C3 Maisons-lès-Chaource
B3 Maizières-la-Grande-Paroisse
C3-4 Mesnil-Saint-Père
C3 Montiéramey
B-C3 Nogent-sur-Seine
C3 Piney
B3-4 Ramerupt
C3-4 Riceys (les)
B3 Romilly-sur-Seine
C4 Rothière (la)
C3 Saint-Lyé
C3 Sainte-Savine
C3 Troyes
B3 Villenauxe-la-Grande
B3 Voué

11 AUDE
C 17 - p 89-90
C1 Belcaire
B1 Belflou
B1 Bram
B1 Cailhau
B1 Carcassonne
B2 Carcassonne (Trèbes)

B1 Castelnaudary
B2 Caunes-Minervois
B1 Cavanac
B1 Coustaussa
C2 Cucugnan
B1 Cuxac-Cabardès
B1 Escouloubre-les-Bains
C1 Espezel
B2 Fabrezan
C1 Gincla
B2 Gruissan-Plage
B2 Gruissan-Port
B2 Homps
B1 Labastide-d'Anjou
B2 Lagrasse
B2 Laredorte
B2 Lézignan-Corbières
B1 Limoux
B2 Marseillette
B2 Montredon-des-Corbières
B2 Narbonne
B2 Narbonne-Plage
B2 Pépieux
B2 Peyriac-de-Mer
B2 Peyriac-Minervois
B1 Pézens
B2 Port-la-Nouvelle
C1 Quillan
B1-2 Rennes-les-Bains
B2 Rieux-Minervois
B2 Sigean
B2 Vinassan

12 AVEYRON
C13 - p 80-81
B2 Aguessac
B1 Albres (les)
B1 Arvieu
B2 Aubrac
B2 Baraqueville
B2 Bertholène
B2 Bois-du-Four
A1 Brommat
B1-2 Broquiès
B1 Brousse-le-Château
C2 Brusque
B2 Camarès
B1 Capdenac-Gare
B2 Cavalerie (la)
B1 Compolibat
B1 Conques
B1 Cransac-les-Thermes
B1 Decazeville (Port d'Agrès)
B1-2 Entraygues
B1-2 Espalion
B1 Estaing
B1 Fel (le)
B1 Foissac
B2 Gabriac
A-B2 Laguiole
B2 Laissac
B2 Millau
B1 Montbazens
B2 Mostuéjouls
A1-2 Mur-de-Barrez
B1 Najac
C2 Ouyre
C1 Plaisance
B1 Planques (les)
B1-2 Pont-de-Salars
B1 Rieupeyroux
B1 Rignac
B1 Rivière-sur-Tarn
B1 Rodez
B1-2 Roquette (la)
B2 Saint-Affrique
B1 Saint-Cyprien-sur-Dourdou
B2 Saint-Geniez-d'Olt
B2 Saint-Jean-du-Bruel
B2 Saint-Martin-de-Lenne
B2 Saint-Rome-de-Cernon
C1 Saint-Sernin
A2 Sainte-Geneviève-sur-Argence
B2 Séverac-le-Château
B1 Viaduc-du-Viaur

B1 Villefranche-de-Rouergue
B2 Vitarelle (la)

13 BOUCHES-DU-RHÔNE C 13 - p 82
C3 Albaron (l')
C3 Arles
C3 Arles (le Sambuc)
C4 Aubagne
C4 Aurons
C4 Barben (la)
C4 Beaurecueil
C4 Bouc-Bel-Air
C4 Carnoux-en-Provence
C4 Carry-le-Rouet
C4 Châteauneuf-le-Rouge
C3-4 Châteaurenard
C4 Ciotat (la)
C3-4 Cornillon-Confoux
C3-4 Eygalières
C3 Eyragues
C3 Fontvieille
C4 Gémenos
C3 Graveson
C4 Jouques
C4 Marseille
C4 Martigues
C3 Maussane-les-Alpilles
C4 Mimet
C4 Miramas-le-Vieux
C4 Peyrolles-en-Provence
C3 Rognonas
C4 Roque-d'Anthéron (la)
C4 Roquefavour
C3 Saint-Martin-de-Crau
C3 Saint-Rémy-de-Provence
C3 Saintes-Maries-de-la-Mer
C4 Sénas
C4 Trets
C4 Vauvenargues

14 CALVADOS
C 2 - p 47-48
B3 Annebault
B2 Arromanches
B2 Arromanches (Tracy-sur-Mer)
B2 Aunay-sur-Odon
B2 Bayeux
B2 Benouville
B2 Blonville-sur-Mer
B2 Cabourg
B2 Caen
A-B3 Canapville
B2 Clécy
B2 Condé-sur-Noireau
B2 Courseulles-sur-Mer
B2 Crépon
B2 Creully
B2 Crèvecœur-en-Auge
B2 Dozulé
B2 Falaise
B2 Grandcamp-Maisy
B2 Hérouville-Canal
B3 Honfleur
B3 Honfleur (Barneville-la-Bertran)
B3 Honfleur (Saint-Gatien-des-Bois)
B2 Houlgate
B2 Isigny-sur-Mer
B2 Langrune-sur-Mer
B2 Lion-sur-Mer
B2-3 Lisieux
B2-3 Livarot
B2 Luc-sur-Mer
B2 Merville-Franceville-Plage
B2 Noyers-Bocage
B3 Orbec-en-Auge
B2 Ouistreham Riva--Bella
B2-3 Pennedepie
B2 Pont-d'Ouilly
B2 Potigny

B2 Saint-Aignan-de-Cramesnil
B3 Saint-André-d'Hébertot
B2 Saint-Aubin-sur-Mer
B2 Saint-Germain-du-Crioult
B2 Saint-Pierre-sur-Dives
B2 Thury-Harcourt (Goupillières)
B2 Tilly-sur-Seulles
B2 Touffreville
B3 Touques
B2 Trévières
B2 Troarn
B2 Trouville
B2 Vierville-sur-Mer
B2 Villers-Bocage
B2-3 Villerville
B2 Vire

15 CANTAL
C 13 - p 80-81
A2 Albépierre
A1 Ally
A1 Arches
A1 Aurillac (Giou-de-Mamou)
A2 Brezons
A1 Calvinet
A1 Champagnac
A2 Chaudes-Aigues
A2 Claux (le)
A2 Condat
A2 Dienne
A1 Falgoux (le)
A2 Garabit
A1 Jussac
A1 Labesserette
A1 Lacapelle-Viescamp
A2 Landeyrat
A1 Lanobre
A1-2 Laveissière
A2 Lieutades
A2 Lioran (le) (Super Lorian)
A1 Mandailles-Saint-Julien
A1 Manhes
A1 Massiac
A1 Mauriac
A1 Mauriac (Chalvignac)
A1 Maurs
A1 Montsalvy
A2 Murat
A2 Neussargues
A2 Neuvéglise
A1 Omps
A1 Pailherols
A2 Paulhac
A1 Pleaux
A1 Polminhac
A2 Riom-ès-Montagnes
A1 Rouget (le)
A2 Ruynes-en-Margeride
A1 Saignes
A1 Saint-Cirgues-de-Jordanne
A1 Saint-Étienne-de-Chomeil
A2 Saint-Flour
A1-2 Saint-Jacques-des-Blats
A2 Saint-Martin-sous-Vigouroux
B1 Saint-Projet-de-Cassaniouze
A1 Salers
A1-2 Ségur-les-Villas
A1-2 Thiezac
A1 Trizac
A1 Vic-sur-Cère
A1 Vieillevie
A1 Vitrac
A1 Ydes Centre

16 CHARENTE
C10 - p 72
B2 Asnières-sur-Nouerre
B2 Angoulême
B2 Baignes
B2 Bassac
B2-3 Chasseneuil-sur-Bonnieure
A2 Chèvrerie (la)
B2 Cognac (Châteaubernard)
A3 Confolens
B2 Jarnac
B2 Mansle
A2 Mansle (Saint-Groux)
B3 Montbron
B2 Nonaville
B2 Roullet
B3 Roumazières-Loubert
B2 Saint-Romain
B2 Saint-Severin
A2 Verteuil
B2 Vibrac

17 CHARENTE-MARITIME
C 10 - p 71-72
A1 Ars-en-Ré
B1 Arvert
B1 Bois-Plage-en-Ré (le)
B1 Bourcefranc-le-Chapus
B2 Boutenac-Touvent
A1 Château-d'Oléron (le)
A1 Châtelaillon-Plage
A1 Cotinière (la)
A1 Fouras
B1-2 Gua (le)
A1 Marans
B2 Mortagne-sur-Gironde
B2 Pérignac
B2 Pons
A1 Rivedoux-Plage
A1 Rochefort
A1 Rochelle (la)
B1 Royan
A2 Saint-Jean-d'Angély
B1 Saint-Palais-sur-Mer
B1 Saint-Trojan-les-Bains
B2 Saintes
B1 Saujon
A2 Surgères
B1 Tremblade (la)

18 CHER C9 - p 68
A1 Argent-sur-Sauldre
A1 Aubigny-sur-Nère
B1 Avord
B1 Bannegon
A1 Belleville-sur-Loire
A1 Brinon-sur-Sauldre
B1 Bruère-Allichamps
A-B1 Bué
A1 Chapelle d'Angillon (la)
B1 Chapelle-Montlinard (la)
B1 Charost
B1 Dun-sur-Auron
B1 Fussy
B1 Guerche-sur-l'Aubois (la)
A-B1 Henrichemont
B1 Massay
B1 Mehun-sur-Yèvre
B1 Nérondes
A1 Neuvy-sur-Barangeon
C1 Préveranges
B1 Saint-Amand-Montrond
B1 Saint-Just
B1 Saint-Martin-d'Auxigny
A1 Saint-Satur
A1 Sainte-Montaine

A1 Sancerre
A-B1 Thenioux
A1 Vailly-sur-Sauldre

19 CORRÈZE
C 10 - p 73
B3-4 Allassac
C4 Argentat
C4 Argentat (Camps)
B4 Aubazine
C4 Beaulieu-sur-Dordogne
B4 Bort-les-Orgues
C3-4 Brive
C3 Brive (Larche)
B-C4 Brive (Malemort)
B3 Brive (Saint-Viance)
B4 Brive (Ussac)
B4 Chamberet
B4 Chamboulive
B4 Chaumeil
B4 Clergoux
B4 Corrèze
B4 Donzenac
B3-4 Donzenac (Sadroc)
B4 Gimel-les-Cascades
B-C4 Lagarde-Enval
C4 Lanteuil
B4 Masseret
B3-4 Meymac
C4 Meyssac
B4 Naves
B4 Neuvic
B3 Objat
B3 Pompadour
B3 Pompadour (Arnac)
B4 Peyrelevade
C4 Quatre-Routes-d'Albussac
B4 Roche-Canillac (la)
B3 Saint-Aulaire
B4 Saint-Hilaire-les-Courbes
B4 Saint-Martin-la-Méanne
B4 Saint-Merd-de-Lapleau
B4 Saint-Pardoux-la-Croisille
B4 Seilhac
B4 Tarnac
C4 Teulet (le)
B4 Treignac
B4 Tulle
B4 Ussel
B4 Ussel (Saint-Dézery)
B4 Uzerche
B3-4 Vigeois

2A CORSE-DU-SUD
2B HAUTE-CORSE
C 15 - p 85
B1 Ajaccio
B1 Bastelica
A1 Belgodère
B1 Bocognano
A1 Borgo
B1 Calvi
B1 Cuttoli-Corticchiato
A1 Evisa
B1 Filitosa-Sollacaro
A1 Folelli-Plage
B1 Olmeto-Plage
A1 Porto-Ota
B1 Porto-Vecchio
B1 Sainte-Marie-Siché
B1 Sartène
A1 Serriera
B1 Soccia
B1 Tarco
B1 Tiuccia
B1 Zonza

21 CÔTE-D'OR
C 7 - p 62-63
B2 Aisey-sur-Seine
C1 Arnay-le-Duc
C2 Auxonne
C2 Auxonne (Villers-les-Pots)
B1 Balot
C2 Beaune

C2 Beaune (Savigny-les-Beaune)
B2 Bèze
C2 Chevigny-Fenay
C2 Chevigny-Saint-Sauveur
C2 Dijon
C2 Dijon (Daix)
C2 Echigey
C2 Fixin
C2 Hauteville-lès-Dijon
C1 Lacanche
C2 Ladoix-Serrigny
C2 Lamarche-sur-Saône
B1 Marcenay-le-Lac
C2 Meursault
C2 Mirebeau-sur-Bèze
B2 Montbard
C2 Nolay
B-C2 Norges-la-Ville
C2 Nuits-Saint-Georges
C1 Pouilly-en-Auxois
C1 Précy-sous-Thil
C2 Saint-Jean-de-Losne
C2 Saint-Romain
B2 Saint-Seine-l'Abbaye
C1 Saulieu
B1 Semur-en-Auxois
B-C1 Semur-en-Auxois (Lac de Pont)
C2 Seurre
C2 Sombernon
B2 Til-Châtel
B-C2 Val Suzon
B1-2 Venarey-les-Laumes (les Laumes)
B2 Voulaines-les-Templiers

22 CÔTES D'ARMOR
C 5 - p 57
A2 Bégard
A-B2 Belle-Isle-en-Terre
B2 Caurel
B3 Dinan
B3 Dinan (Saint-Samson-sur-Rance)
A3 Erquy
A3 Fréhel
B2 Gouarec
A2 Ile de Bréhat
B3 Lamballe
A2 Lannion
A2 Lanvollon
A2 Loudéac
A2 Paimpol
A2 Paimpol (Ploubazlanec)
A2 Perros-Guirec
A2 Perros-Guirec (Ploumanach en)
B3 Plancoët
A2-3 Pléneuf-Val-André
B3 Pleudihen-sur-Rance
A2 Plouha
A2 Pors-Even
A2 Port-Blanc
A3 Quintin
A3 Sables-d'Or-les-Pins
A2 Saint-Brieuc (Plérin)
A3 Saint-Cast
B2 Saint-Gelven
B2 Saint-Gilles-Vieux-Marché
B2 Saint-Nicolas-du-Pelem
A2 Saint-Quay-Portrieux
A2 Trébeurden
A2 Trégastel
A2 Tréguier
B2 Trévé
A2 Tréven-Treguinec
A2 Yaudet-en-Ploulech (le)

23 CREUSE C 10 - p 73
A4 Aubusson
A4 Blessac
A4 Bonnat
A4 Bourganeuf
A4 Boussac
A4 Busseau-sur-Creuse
A4 Celle-Dunoise (la)

31

34

36

C4 Orschwiller
B4 Ottrott
B4 Petite-Pierre (la)
B4 Reichstett
C4 Saint-Blaise-la-
Roche
C4 Saales
B4 Saint-Jean-Saverne
C4 Sand
B3-4 Sarre-Union
C4 Saulxures
B4 Saverne
B4 Schaeffersheim
B4 Schirmeck (les
Quelles)
C4 Sélestat
B4 Souffelweyersheim
B4 Strasbourg
B4 Urmatt
C4 Vancelle (la)
C4 Vendenheim
C4 Villé
B4 Wangenbourg
B4 Wasselonne
B4 Wingen-sur-Moder
A-B4 Wissembourg
B4 Wolfisheim

68 HAUT-RHIN
C 7 - p 64
C4 Altkirch
A4 Ammerschwihr
A4 Andolsheim
A4 Artzenheim
B4 Bantzenheim
B4 Bartenheim
B4 Bettendorf
A4 Biesheim
A4 Blodelsheim
B4 Bollenberg-Rouffach
A4 Bonhomme (le)
B4 Bourbach-le-Bas
B4 Burnhaupt-le-Haut
B4 Cernay
B4 Colmar
A4 Eguisheim
A-B4 Eschbach-au-Val
(Obersolberg)
C4 Ferrette
B4 Froeningen
A4 Gaschney (le)
B4 Grand Ballon (le)
B4 Gueberschwihr
B4 Guebwiller
A4 Hachimette
B4 Hagenthal-le-Bas
B4 Hartmannswiller
A4 Hohrod
A4 Hohrodberg
A4 Horbourg-Wihr
A4 Husseren-les-
Châteaux
A4 Illhaeusern
A4 Ingersheim
B4 Isssenheim
B4 Jungholtz-
Thierenbach
A4 Katzenthal
A4 Kaysersberg
A4 Kaysersberg
(Kientzheim)
C4 Kiffis
B4 Kruth
B4 Kruth-Frenz
A4 Lapoutroie
A4 Liepvre
B4 Linthal
A4 Logelheim
C4 Lucelle
A4 Luttenbach
C4 Lutter
B4 Markstein
B4 Metzeral
B4 Moernach
A-B4 Muhlbach-sur-Munster
B4 Mulhouse
(Baldersheim)
A4 Munster
B4 Murbach
A-B4 Neuf-Brisach
(Vogelgrun)
A4 Niedermorschwihr
A4 Obermorschwihr

A4 Orbey
A4 Orbey (Basses-
Huttes)
A4 Ostheim
B4 Pfaffenheim
B4 Pulversheim
A4 Ribeauvillé
A4 Rimbach
A4 Riquewihr
B4 Rixheim
B4 Rouffach
B4 Saint-Amarin
A4 Saint-Hippolyte
B4 Saint-Louis
A4 Sainte-Marie-aux-
Mines
B4 Sewen
B4 Sierentz
B4 Soultz
A4 Soultzbach-les-
Bains
A4 Soultzeren
A4 Soultzmatt
B4 Stosswihr
B4 Thann
B4 Thannenkirch
A4 Trois-Epis
A4 Turckeim
B4 Uffholtz
B4 Wahlbach
B4 Westhalten
A4 Wettolsheim
A4 Wintzenheim
B4 Wittenheim
A4 Zellenberg

69 RHÔNE C 11 - p 75
A-B2 Anse
A2 Beaujeu
B2 Bessenay
B2 Chaponost
A2 Corcelles-en-
Beaujolais
A2 Cours-la-Ville
B3 Genas
A2 Juliénas
A2 Lamure-sur-
Azergues
B2-3 Lyon (Brignais)
B2-3 Lyon (Francheville)
B3 Mions
B2-3 Mornant
A2 Quincié-en-
Beaujolais
B2 Saint-Clément-sur-
Valsonne
B2 Saint-Martin-en-
Haut
B3 Saint-Pierre-de-
Chandieu
B3 Sainte-Colombe
A2 Salles-Arbuissonnas
en-Beaujolais
B2 Sarcey
B3 Sérezin-du-Rhône
A3 Taponas
B2 Tarare
B2 Thurins

70 HAUTE-SAÔNE
C7 - p 63-64
B3 Champagney
B2 Champlitte
B3 Combeaufontaine
B3 Esprels
B2 Gray
B3 Jussey
B3 Luxeuil-les-Bains
C2 Pesmes
B3 Port-sur-Saône
B3 Rioz
B3 Ronchamp
B3 Saint-Loup-sur-
Semouse
B3 Thillot (le)
(Col des Croix)
B3 Velleminfroy
C2 Venère
B3 Vesoul
B3 Villersexel

71 SAÔNE-ET-LOIRE
C 9 - p 69
B3 Autun
B3 Beaurepaire-en-
Bresse-Louhans
B2 Bourbon-Lancy
B3 Buxy
B3 Chagny
B3 Châlon-sur-Saône
B3 Châlon-sur-
Saône (Lux)
B3 Charette
B-C3 Charolles
B3 Chassey-le-Camp
B2-3 Chissey-en-Morvan
C2-3 Clayette (la)
B3 Cluny
B3 Cortevaix
C3 Coublanc
B3 Couches
C3 Croix-Blanche (la)
(Berzé-la-Ville)
B3 Cuiseaux
B3 Cuisery
B2 Digoin
B3 Fleurville
B2 Givry
B3 Gourdon
B2-3 Gueugnon
B3 Joncy
B3 Louhans
B3 Lugny
C3 Mâcon
C3 Mâcon (Sennecé-
lès-Mâcon)
B3 Malay
C2 Marcigny
B3 Messey-sur-Grosne
B-C3 Paray-le-Monial
B2 Petite-Verrière (la)
B3 Romenay
B3 Sagy
B3 Saint-Boil
B3 Saint-Gengoux-le-
National
B3 Saint-Germain-du-
Bois
B3 Saint-Martin-en-
Bresse
C3 Saint-Vérand
B3 Tournus
B3 Varennes-le-Grand

72 SARTHE C 6 - p 59
B-C1 Bazouges-sur-le-Loir
B1 Beaumont-sur-
Sarthe
B1 Chartre-sur-le-Loir
(la)
B-C1 Château-du-Loir
C1 Dissay-sous-
Courcillon
B1 Ferté-Bernard (la)
B1 Flèche (la)
B1 Fresnay-sur-Sarthe
B1 Fyé
B1 Luché-Pringé
C1 Lude (le)
B1 Mamers
B1 Sablé-sur-Sarthe
B1 Saint-Symphorien
B1 Savigné-l'Evêque
B1 Sillé-le-Guillaume
B1 Suze-sur-Sarthe (la)
B1 Thorigné-sur-Due
B1-2 Vibraye

73 SAVOIE C 11 - p 76
B3 Aiguebelette-le-Lac
B4 Aiguebelle
B4 Aime
B3 Aix-les-Bains
B4 Aix-les-Bains
(Trévignin)
B4 Albertville
B-C4 Albiez-Montrond
B3 Attignat Oncin
B4 Aussois
B4 Beaufort-sur-Doron
B3 Bessans
B4 Bonneval-sur-Arc
B3 Bourdeau

B4 Bourg-Saint-
Maurice
B3 Bourget-du-Lac (le)
B4 Brides-les-Bains
B4 Celliers
B4 Challes-les-Eaux
B3-4 Chambéry
B3 Chambéry (les
Charmettes)
B4 Chamousset
B4 Champagny-en-
Vanoise
B4 Courchevel
B4 Crest-Voland
B3 Échelles (les)
B4 Feclaz (la)
B4 Flumet
B4 Francin
B4 Giettaz (la)
B4 Jarrier
B4 Jarsy
B4 Lanslebourg
B4 Lanslevillard
B3 Lépin-le-Lac
B4 Modane-Valfréjus
B4 Modane-Valfréjus
(Fourneaux)
B4 Montmélian
B4 Moûtiers
B4 Notre-Dame-de-
Bellecombe
B4 Peisey-Nancroix
B4 Pralognan-la-
Vanoise
B4 Revard (le)
B4 Rochette (la)
B4 Rochette (la)
(Arvillard)
B4 Rosière
Montvalezan (la)
B3 Saint-Alban-de-
Montbel
B4 Saint-Colomban-
des-Villards
B3 Saint-Jean-de-
Chevelu
B4 Saint-Michel-de-
Maurienne
B4 Saint-Sorlin-d'Arves
B4 Sainte-Foy-
Tarentaise
B4 Sardières
B4 Séez
B4 Séez (Villard-
Dessus)
B4 Termignon
B4 Toussuire (la)
B4 Val-d'Isère
C4 Valloire
B4 Villard du Planay
B4 Villarodin-Bourget
B4 Villarembert (le
Corbier)
B4 Villarodin-Bourget
B3-4 Viviers-du-Lac
B3 Yenne

74 HAUTE-SAVOIE
C 11 - p 76
A4 Abondance
B4 Alby-sur-Chéran
A4 Allinges
A4 Allonzier-la-Caille
A4 Amphion-les-Bains
B3-4 Annecy
B4 Annecy (le Semnoz)
A4 Annecy-le-Vieux
A-B4 Annecy-le-Vieux-
Albigny
A4 Annemasse
(Etrembières)
A4 Anthy-sur-Léman
A4 Argentière
A4 Armoy
A4 Aviernoz
A3-4 Balme-de-Sillingy
(la)
A4 Bellevaux
A4 Bellevaux
(Hirmentaz)
A4 Bernex
A4 Bernex (la Beunaz)
A4 Biot (le)

A4 Bogève
A3-4 Bonlieu
A4 Bonne
A4 Bonneville
A4 Bons-en-Chablais
B4 Bouchet (le)
B4 Bredannaz-
Doussard
A4 Carroz-d'Araches
(les)
A3-4 Challonges
A4 Chamonix
A4 Chamonix (le
Lavancher)
A4 Chamonix (les
Bossons)
A4 Chamonix (les Praz)
A4 Champanges
A4 Chapelle-
d'Abondance (la)
A4 Châtel
A4 Chatillon-sur-Cluses
A-B4 Clusaz (la)
A3-4 Col du Mont Sion
B4 Combloux
B4 Contamines-
Montjoie (les)
A4 Cordon
B4 Doussard
B4 Duingt
A3 Éloise
A4 Évian-les-Bains
A4 Évian-les-Bains
(Neuvecelle)
B4 Faverges
B4 Faverges
(Seythenex)
A-B4 Fayet-les-Thermes
(le)
A4 Gets (les)
A4 Grand-Bornand-
Chinaillon (le)
A4 Grand-Bornand
Village (le)
B4 Gruffy
A4 Habère-Lullin
B4 Houches (les)
B4 Lathuile (Chaparon)
B4 Leschaux
A4 Lullin
A4 Magland
B4 Manigod (Col de la
Croix Fry)
A4 Margencel
B4 Megève
A4 Meillerie
A4 Messery
A4 Mieussy
A4 Mont-Saxonnex
B4 Montmin
A4 Montriond
A4 Morillon
A4 Morzine
A4 Naves-Parmelan
A4 Passy
A4 Plateau d'Assy
B4 Praz-sur-Arly
A4 Publier
B3 Rumilly-Moye
B4 Saint-Cergues
B4 Saint-Gervais-les-Bains
A4 Saint-Gingolph
A4 Saint-Jean-d'Aulps
A4 Saint-Jean-de-Sixt
B3 Saint-Jorioz
A4 Saint-Martin-
Bellevue
A4 Sallanches
A4 Samoëns
B4 Serraval
A4 Servoz
A4 Sévrier
A4 Sixt-Fer-à-Cheval
B3 Talloires
B3 Talloires (Angon)
A4 Taninges
A4 Thollon-les-
Memises
B3 Thones
A4 Thonon-les-Bains
A4 Thorens-Glières
A4 Vallorcine
A4 Verchaix
A-B4 Villards-sur-Thones
(les)

A4 Viuz-en-Sallaz
A4 Vougy
A4 Yvoire

**76 SEINE-MARITIME
C 2 - p 48-49**
A4 Aumale
A3 Caudebec-en-Caux
A3 Dieppe
A3 Doudeville
A-B3 Duclair
A4 Eu
A3 Fauville-en-Caux
A4 Forges-les-Eaux
A3 Martin-Eglise
A4 Londinières
B3-4 Mesnil-Esnard
A3-4 Mesnil-Val-Plage
B3 Montigny (Canteleu)
A4 Neufchâtel-en-Bray
B3 Norville
A3 Petites-Dalles (les)
A3 Pourville-sur-Mer
A3 Quiberville-sur-Mer
B3 Sahurs
A3 Saint-Léonard
A3 Saint-Valéry-en-
Caux
B3 Sotteville-lès-Rouen
A-B3 Tancarville
A3 Valmont
A3 Varengeville-sur-
Mer
A3 Veulettes-sur-Mer
A3 Yport
A3 Yvetot
A3 Yvetot (Croix Mare)

**77 SEINE-ET-MARNE
C 3 - p 51**
C2 Barbizon
C2 Bourron-Marlotte
C2 Château-Landon
B2 Châtelet-en-Brie (le)
B2 Chaumes-en-Brie
B2-3 Coulommiers
B2-3 Crécy-la-Chapelle
B3 Ferté-Gaucher (la)
B3 Ferté-sous-Jouarre
(la)
C2 Fontainebleau
B2-3 Jouarre
C2 Moncourt-
Fromonville
C2 Montigny-sur-Loing
C2 Moret-sur-Loing
B2-3 Nangis
B2-3 Nangis (Fontains)
B2-3 Nanteuil-sur-Marne
C2 Nemours
B2 Ozoir-la-Ferrière
B3 Provins
B2 Réau (Villaroche)
B2 Saint-Jean-les-
Deux-Jumeaux
C2 Saint-Pierre-lès-
Nemours
B2 Samois
C2 Souppes-sur-Loing
C2 Thomery
B2 Trilport
C2 Valence-en-Brie
B2 Voisins-de-Mouroux

**78 YVELINES
C 3 - p 50**
B1-2 Dampierre-en-
Yvelines
B1 Gazeran
B1 Montfort-l'Amaury
B1-2 Saint-Cyr-l'Ecole
B1-2 Senlisse
B1 Villepreux

**79 DEUX-SÈVRES
C 8 - p 66**
B2 Bressuire
C2 Celles-sur-Belle
B2 Cerizay
C2-3 Chenay

C2 Coulon
B2 Mauléon
C2 Mauzé-sur-le-
Mignon
C2 Melle
C2 Melle (Saint-Martin-
lès-Melle)
C2 Mothe-Saint-Heray
(la)
C2 Niort
C2 Niort (Saint-Rémy)
B2 Parthenay
B2-3 Reffannes
C2 Saint-Maixent-
l'Ecole
B2 Sainte-Pierre-des-
Echaubrognes
C2-3 Soudan
B2 Thouars
C2 Villiers-en-Bois

**80 SOMME
C 1- p 45-46**
B2 Albert
B1-2 Amiens
B1-2 Belloy-sur-Somme
B1 Chépy
B1 Crécy en Ponthieu
B2 Doullens
B1 Fort-Mahon-Plage
B2 Montdidier
B2 Péronne
B2 Roye
B1 St-Valéry-sur-
Somme

81 TARN C 16 - p 88
B4 Alban
B4 Albi
A-B4 Ambialet
B4 Anglès
B4 Bout du Pont de
Larn
A4 Carmaux
B4 Castres
B4 Castres (les
Salvages)
A4 Cordes
B4 Cuq-Toulza
B4 Graulhet
B4 Lacaune
B4 Lacrouzette
B4 Lagarrigue
B4 Massaguel
B4 Mazamet
B4 Mazamet (Saint-
Baudille)
A4 Monestiès
B4 Mont-Roc
B4 Montredon-
Labessonnie
B4 Nages
A4 Puylaurens
B3-4 Rabastens
B4 Réalmont
B4 Saint-Amans-Soult
A4 Tanus
A4 Valence-d'Albigeois
B4 Villefranche-
d'Albigeois

**82 TARN-ET-
GARONNE
C12 - p 79**
C3 Beaumont-de-
Lomagne
C3 Caussade
B4 Caylus
C3 Lafrancaise
C3 Moissac
C3 Montauban
C3 Montech
C3-4 Vaissac
C3 Valence-d'Agen
C3 Valence-d'Agen
(Pommevic)

83 VAR C 14 - p 83-84
C2-3 Adrets-de-l'Esterel
(les)
C3 Agay
B2 Aiguines
C2 Ampus
C2 Arcs (les)
C2 Aups
C1-2 Bandol
C2 Bargemon
C2 Barjols
B2 Bauduen
C2 Bormes-lès-
Mimosas
C2 Brignoles
C2 Callian
C2 Collobrières
B2 Comps-sur-Artuby
C2 Cotignac
C2 Draguignan
C2 Fox-Amphoux
C2 Fréjus
C2 Hyères
C2 Hyères (le Port)
C2 Hyères (l'Aygade)
C2 Hyères (Presqu'île
de Giens)
C2-3 Issambres (les)
C2 Lavandou (le)
C2 Lavandou (le)
(Pramousquier-
Plage)
C2 Lecques (les) (Saint-
Cyr-sur-Mer)
C2 Lorgues
C2 Montauroux
C2 Plan-d'Aups -
Sainte-Baume
C2 Pontevès
C2 Rians
C2-3 Saint-Aygulf
C2 Saint-Maximin
C2-3 Saint-Raphaël
C3 Saint-Raphaël (le
Dramont)
C2 Sainte-Maxime
B2 Salles-sur-Verdon
(les)
C2 Sanary-sur-Mer
C2 Six-Fours-les-Plages
C2 Six-Fours-les-Plages
(le Brusc)
C2-3 Tanneron
C2 Thoronet (le)
C2 Tourtour
C2 Tourves
B2 Trigance
B-C2 Vinon-sur-Verdon

**84 VAUCLUSE
C 13 - p 82**
C4 Apt
B4 Aurel
B3-4 Avignon
B3 Avignon (Ile de la
Barthelasse)
B-C3 Avignon (Montfavet)
B3-4 Avignon(Morières-
les-Avignon)
B4 Barroux (le)
C4 Bastide-des-
Jourdans (la)
B4 Bédoin
B3 Bollène
C4 Buoux
B4 Cabrières d'Avignon
C4 Cadenet
B4 Caromb
B4 Carpentras
B4 Carpentras
(Monteux)
B4 Carpentras (Saint
Didier)
C4 Cavaillon
C4 Cucuron
B3-4 Entraigues-sur-
Sorgues
B4 Fontaine-de-
Vaucluse
B3-4 Gigondas
B4 Gordes
B4 Isle-sur-Sorgue (l')

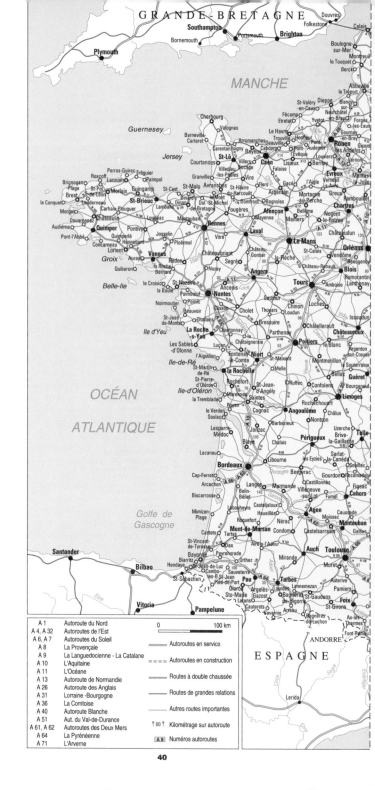

GRANDE-BRETAGNE

MANCHE

OCÉAN

ATLANTIQUE

Golfe de
Gascogne

ESPAGNE

ANDORRE

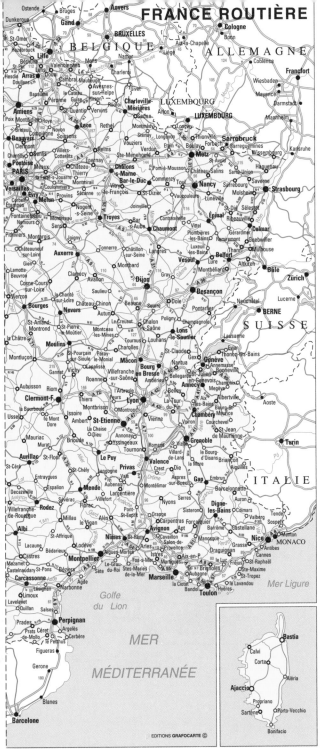

FRANCE ROUTIÈRE

Dunkerque
Calais
St-Omer
Boulogne-sur-Mer
NORD
62
PAS DE CALAIS
Béthune
1
Montreuil
Abbeville
Arras

80 SOMME
Amiens
Péronne
Montdidier

HAUTE-NORMANDIE
Dieppe
PICARD
Beauvais
Compiègne
76 SEINE-MARITIME
Le Havre
Rouen
Clermon
60 OISE
3

Cherbourg

Guernesey

50
MANCHE
Bayeux
St-Lô
14
Caen
Lisieux
Les Andelys
2
BASSE-
SEINE-
Jersey
27 EURE
Evreux
PARIS
ILE
MARN
Coutances
CALVADOS
Bernay
DE FRANC
Vire
Argentan
Dreux
Chartres
Pre
Melun

Lannion
Morlaix
St-Malo
Avranches
61 ORNE
Alençon
Mortagne au Perche
28
EURE-ET-LOIR
Pi
Montargis
Brest
Guingamp
St-Brieuc
29
FINISTÈRE
22
Dinan
Fougères
Mayenne
53
Nogent le-Rotrou
Châteaudun
Pithiviers
6
Orléans
45 LOIRET
Châteaulin
CÔTES-D'ARMOR
BRETAGNE
35 ILLE-ET-
VILAINE
MAYENNE
Laval
72 SARTHE
Quimper
56
Pontivy
Rennes
Le Mans
Blois
41
MORBIHAN
5
Château-Gontier
Lorient
Vanne
Redon
Châteaubriant
Ségré
La Flèche
LOIR-ET-CHER
Romorantin-
Lanthenay
18 CHER
Bourges
Belle-Ile
St-Nazaire
44 LOIRE-
ATLANTIQUE
Ancenis
Angers
49
Tours
37
CENTRE
St Amand
Mont-Rond
Noirmoutier
Nantes
Cholet
Saumur
MAINE-ET-LOIRE
INDRE-ET-LOIRE
Chinon
Loches
Issoudun
PAYS DE
LA LOIRE
Bressuire
Châtellerault
Châteauroux
8
La Roche-sur-Yon
Parthenay
Poitiers
36 INDRE
Le Blanc
La Châtre
Mou
Les Sables d'Olonne
79
85 VENDÉE
DEUX-
SÈVRES
Montmorillon
03
Fontenay-le-Comte
Niort
86
VIENNE
I. de Ré
La Rochelle
87
Guéret
63
I. d'Oléron
St-Jean d'Angély
POITOU-CHARENTES
Bellac
HAUTE-
23 CREUSE
PUY-DE
17
Confolens
VIENNE
Aubusson
DÔME
Rochefort
CHARENTE-MARITIME
16 CHARENTE
Rochechouart
Limoges
Clermo
Saintes
Cognac
10
LIMOUSIN
Isso
Angoulême
Ussel
Jonzac
Périgueux
19 CORRÈZE
Tulle
Mauriac
AUV
Brive-la-
Gaillarde
15 CANTAL
Lesparre-Médoc
Aurillac
St-
Blaye
24 DORDOGNE
Bergerac
Sarlat
Gourdon
Figeac
Libourne
Bordeaux
33 GIRONDE
46 LOT
Cahors
Villefranche-de-Rouer
Rode
12
47 LOT-ET-
GARONNE
Agen
82
TARN-ET-GARONNE
Castelsarrasin
12 AVEYRO
AQUITAINE
Nérac
Montauban
Albi
40 LANDES
Condom
MIDI-PYRÉNÉES
Mont-de-Marsan
32 GERS
Auch
Toulouse
81 TARN
Dax
Castres
3
Bayonne
Muret
16
31
64 PYRÉNÉES-
ATLANTIQUES
Pau
Tarbes
St-Gaudens
HAUTE-GARONNE
Carcassonne
11 AUDE
Oloron-Ste-Marie
Bagnères-
de-Bigorre
Gaudens
St-Girons
Foix
17
RO
Argelès-Gazost
65 HAUTES-
PYRÉNÉES
09 ARIÈGE
Prades
P
PYRÉNÉES ORIENT
66
Cé
ANDORRE

DÉCOUPAGE DE LA FRANCE PAR CARTES

**Echelle des cartes
de l'atlas 1/1 120 000**

Logis de France

LÉGENDE

O Cabourg	Logis de France
O *Orléans*	Villes repères (Logis à proximité)
O *Meaux*	Villes repères
	Autoroutes
	Routes à double chaussée
	Grands axes de circulation
	Routes principales
	Autres routes
	Car-ferries
	Distances kilométriques
	Frontières d'Etats
	Limites de régions
	Limites de départements
	Régions de sports d'hiver

Certains Hôtels, situés dans de très petites localités figurant sur ces cartes, sont référencés à l'intérieur du Guide sous le nom d'une autre commune. Pour les retrouver, veuillez vous reporter, à la liste alphabétique des localités regroupées par département.

ÉDITIONS **GRAFOCARTE**

Réalisé par les Editions GRAFOCARTE
125, rue Jean-Jacques Rousseau
92130 ISSY-LES-MOULINEAUX

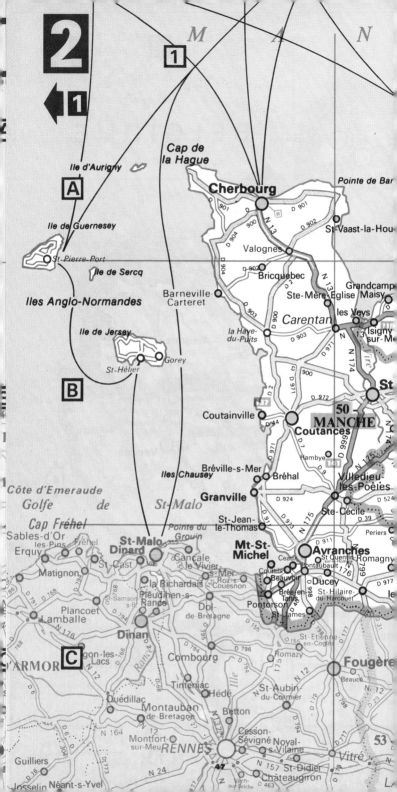

2

← **1**

1

MAN...

A

B

C

Ile d'Aurigny

Cap de
la Hague

Pointe de Bar

Cherbourg

D 901

N 13

D 901

D 902

St-Vaast-la-Hou

Ile de Guernesey

Valognes

D 904

D 902

St-Pierre-Port

Ile de Sercq

D 904

D 902

Bricquebec

N 13

Grandcamp
Maisy

Iles Anglo-Normandes

Barneville-
Carteret

Ste-Mère-Eglise

D 900

les Veys

Carentan

Isigny
sur-M

Ile de Jersey

la Haye-
du-Puits

D 903

D 971

N 13

N 174

Gorey

St-Hélier

900

D 971

D 2

D 972

St

137

50

Coutainville

MANCHE

N 74

D 44

Coutances

D 971

D 7

D 9999

Hambye

D 9

D 175

141

Bréville-s-Mer

Bréhal

**Villedieu-
les-Poêles**

Iles Chausey

D 524

Granville

D 924

Ste-Cécile

Côte d'Emeraude

Golfe de St-Malo

St-Jean-
le-Thomas

D 973

N 175

D 39

Periers

Cap Fréhel

*Pointe du
Grouin*

D 911

Sables-d'Or
les-Pins

Fréhel

St-Malo

**Mt-St-
Michel**

Avranches

St-Quentin-Romagny

Erquy

Dinard

Cancale

Ceaux

N 799

N 176

Matignon

St-Cast

le Vivier-
s-Mer

Courtils

Pontaubault

Ducey

D 977

N 794

Roz-s-
Couesnon

Beauvoir

St-Hilaire-
du-Harcouet

le

la Richardais

Bréé-en-
Tanis

D 998

Plancoet

Pleudihen-s-
Rance

St-Samson

Dol-
de-Bretagne

Pontorson

St-James

Lamballe

N 176

D 794

Combourg

Dinan

gon-les-
Lacs

D 766

D 796

St-Etienne-
en-Coglès

D 155

D 155

Romazy

N 12

Fougère

ARMOR

C

N 12

Tinteniac

Beaucé

N. 12

Quédillac

Hédé

St-Aubin-
du-Cormier

D 118

D 20

Montauban
de-Bretagne

Betton

N 164

Cesson-
Sévigné

Noyal-
s-Vilaine

N 794

53

Guilliers

Montfort-
sur-Meu

RENNES

47

D 77

Josselin Néant-s-Yvel

N 24

Vern-
sur-Seiche

St-Didier

Châteaugiron

Vitré

ALLEMAGNE

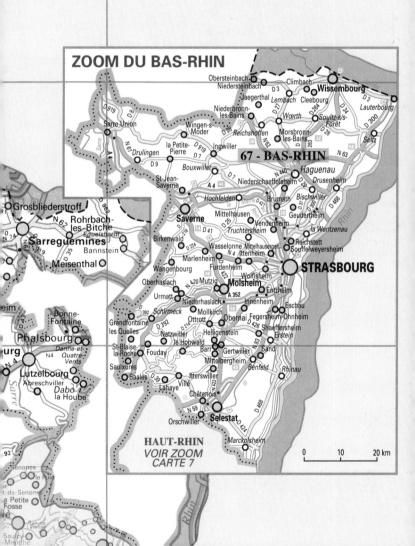

ZOOM DU BAS-RHIN

Obersteinbach
Niedersteinbach
Climbach
Wissembourg
Jaegerthal
Lembach
Cleebourg
Lauterbourg
Niederbronn-
les-Bains
Wœrth
Soultz-s/s-
Forêt
Seltz
Sarre-Union
Wingen-s-
Moder
Reichshoffen
Morsbronn-
les-Bains
la Petite-
Pierre
Ingwiller
Drulingen
Bouxwiller

67 - BAS-RHIN
Haguenau
St-Jean-
Saverne
Niederschaeffolsheim
Drusenheim
Hochfelden
Brumath
Bischwiller
Grosbliederstroff
Saverne
Mittelhausen
Geudertheim
Rohrbach-
les-Bitche
Eguelshardt
Birkenwald
Truchtersheim
la Wentzenau
Sarreguemines
Bannstein
Wasselonne
Mittelhausbergen
Reichstett
Souffelweyersheim
Meisenthal
Marlenheim
Ittenheim
Wangenbourg
Furdenheim
Oberhaslach
Mutzig
Molsheim
Wolfisheim
STRASBOURG
Bonne-
Fontaine
Urmatt
Niederhaslach
Innenheim
Entzheim
Phalsbourg
Schirmeck
Mollkirch
Obernai
Eschau
Danne-et-
Quatre-
Vents
Grandfontaine
les Quelles
Ottrott
Fegersheim
Ohnheim
Natzwiller
Helligenstein
Shaeffersheim
Lutzelbourg
St-Blaise-
la-Roche
le Hohwald
Barr
Erstein
Abreschviller
Fouday
Gertwiller
Sand
Dabo
la Hoube
Saulxures
Mittelbergheim
Benfeld
Rhinau
Saales
Itterswiller
Villé
Châtenois
Lahaye
Orschwiller
Sélestat
Marckolsheim

HAUT-RHIN
*VOIR ZOOM
CARTE 7*

0   10   20 km

0   10   20 km

5

Certains Hôtels, situés dans de très petites localités figurant sur ces cartes, sont référencés à l'intérieur du Guide sous le nom d'une autre commune. Pour les retrouver, veuillez vous reporter à la liste alphabétique des localités regroupées par département.

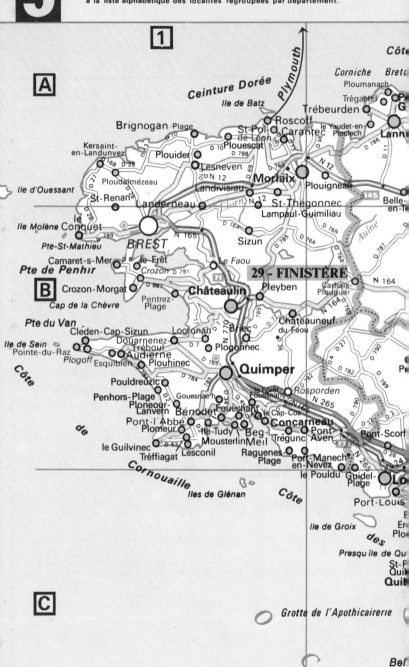

1

A

Côte

Corniche Bretonne

Ploumanach

Trégastel

Trébeurden

Ceinture Dorée

Ile de Batz

le Yaudet-en-Ploulech

Lann

Brignogan-Plage

Roscoff

Carantec

St-Pol-de-Léon

Plouescat

Kersaint-en-Landunvez

Plouider

Lesneven

Landivisiau

Morlaix

Plouigneau

Belle-en-T

Ploudalmézeau

Ile d'Ouessant

St-Renan

Landerneau

St-Thégonnec

Lampaul-Guimiliau

145

le

Ile Molène Conquet

Sizun

Aulne

BREST

Pte-St-Mathieu

Camaret-s-Mer

le Frêt

Crozon

Le Faou

29 - FINISTÈRE

Pte de Penhir

Carhaix-Plouguer

N 164

B

Crozon-Morgat

Pentrez-Plage

Châteaulin

Pleyben

Cap de la Chèvre

Châteauneuf-du-Faou

Pte du Van

Cléden-Cap-Sizun

Locronan

Briec

Ile de Sein Douarnenez

Pointe-du-Raz Tréboul

Plogonnec

Plogoff Esquibien

Audierne

Plouhinec

Quimper

Côte

Pouldreuzic

Gouesnac'h

Rosporden

Penhors-Plage

la Forêt-Fouesnant

Ploneour-Lanvern

Bénodet

Fouesnant

le Cap-Coz

Pont-l'Abbé

Concarneau

Plomeur

Ile-Tudy

Beg-Meil

Pont-Scor

le Guilvinec

Lesconil

Trégunc

Aven

Tréffiagat

Raguenes-Plage

Port-Manech-en-Nevez

77

de

Mousterlin

Côte

Cornouaille

Iles de Glénan

le Pouldu Guidel-Plage

Lo

Port-Louis

Ile de Groix

E

Er

Plo

des

Presqu'île de Qu

St-F

Quil

Quil

C

Grotte de l'Apothicairerie

Bel

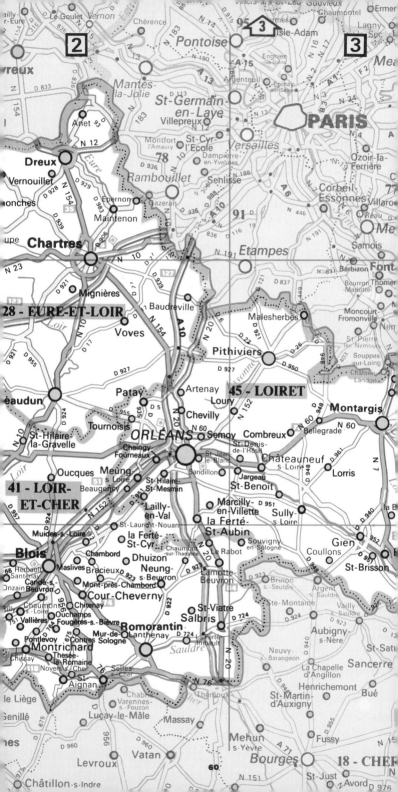

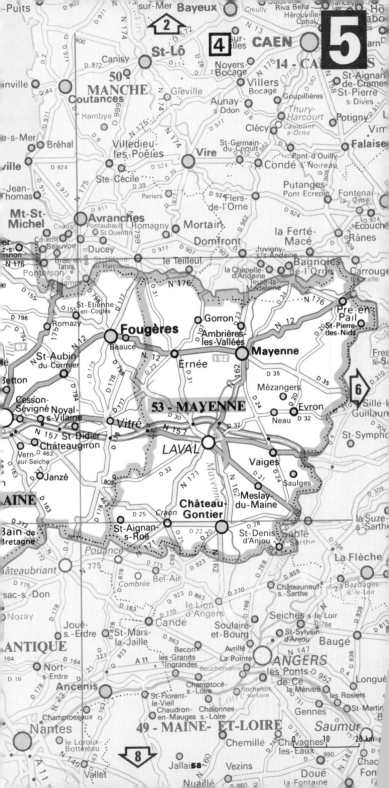

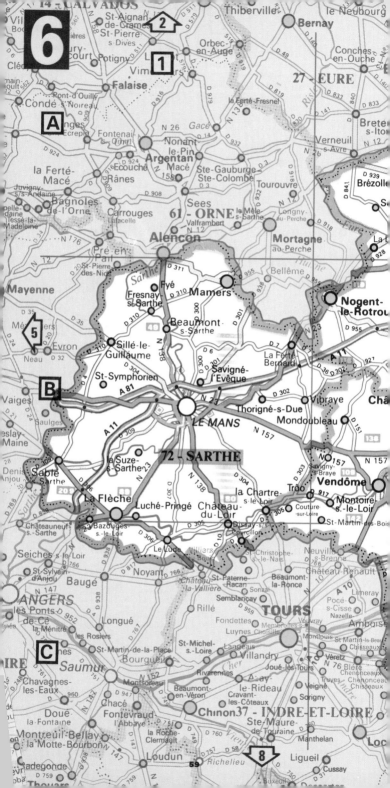

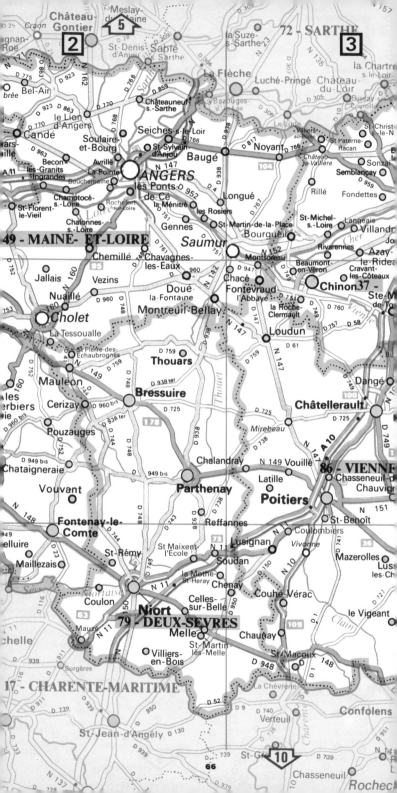

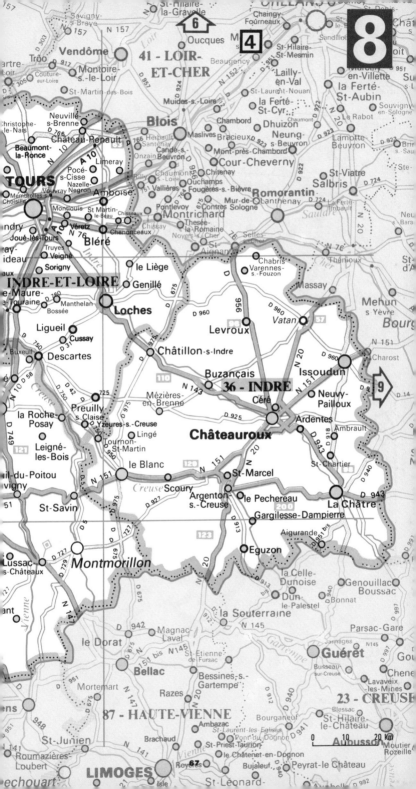

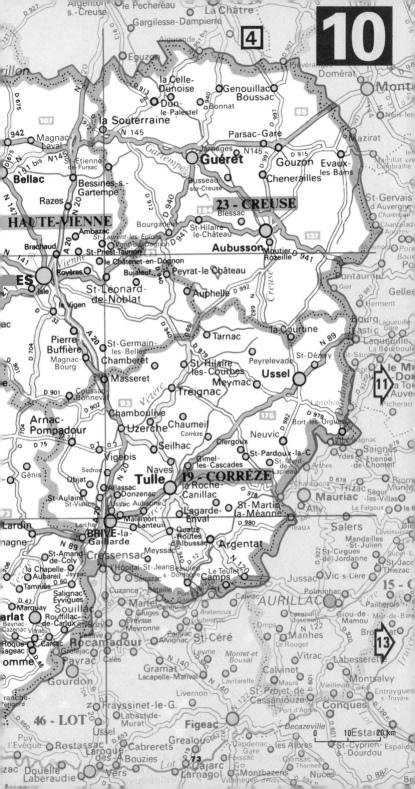

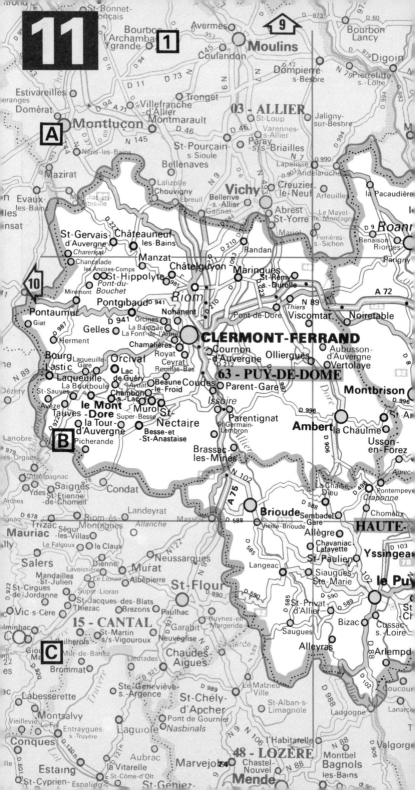

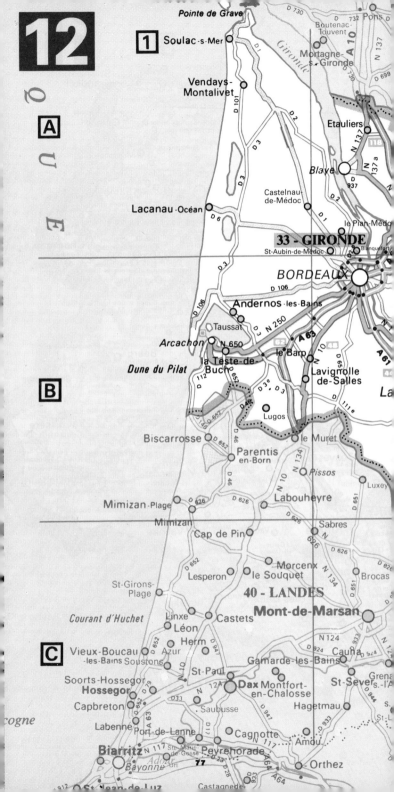

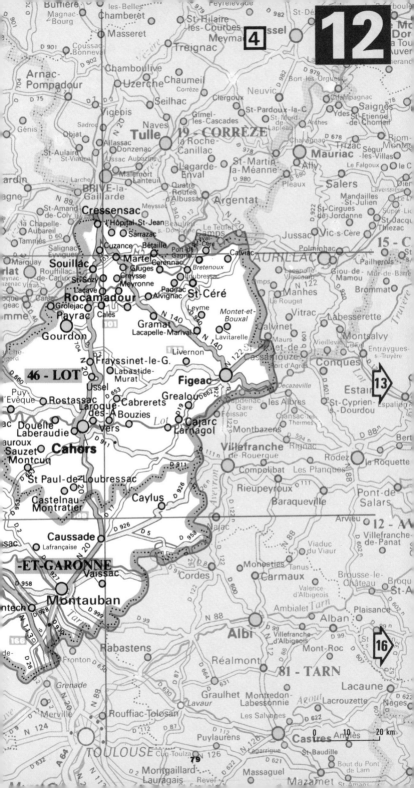

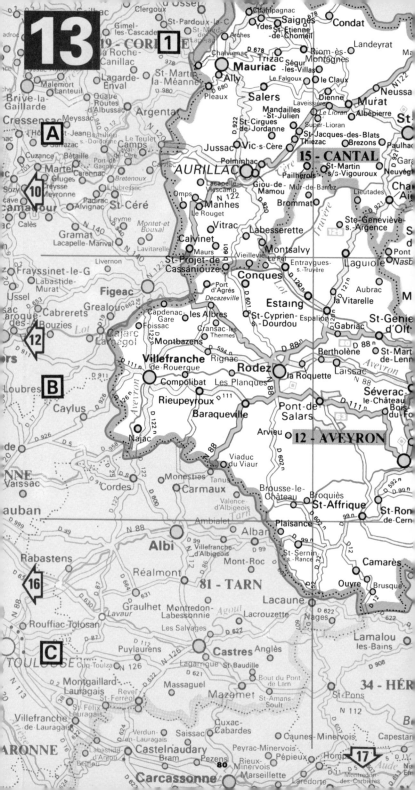

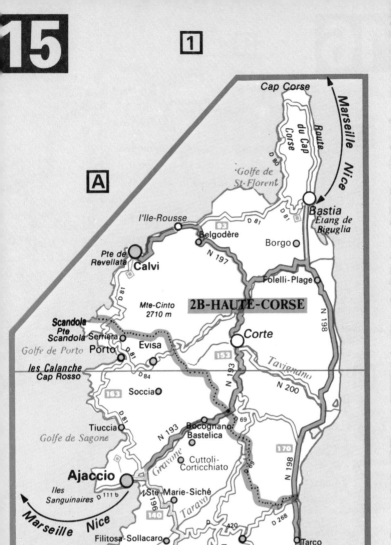

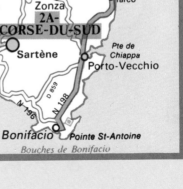

Cap Corse

du Cap Corse

Route

Marseille Nice

D 80

Golfe de St-Florent

D 81

D 81

D 81

Bastia
Étang de Biguglia

A

l'Ile-Rousse

Belgodère

Borgo

N 197

D 81

Pte de Revellata

Calvi

Folelli-Plage

N 198

Mte-Cinto 2710 m

2B-HAUTE-CORSE

D 81

Scandola
Pte Scandola

Serriera

Porto

Evisa

Corte

Golfe de Porto

D 81

les Calanche
Cap Rosso

D 84

Tavignano

N 193

N 200

163

Soccia

163

Tiuccia

D 81

Gravone

N 193

Bocognano
Bastelica

D 69

D 69

170

N 198

Cuttoli-Corticchiato

Golfe de Sagone

Ajaccio

Iles Sanguinaires

D 111 b

Ste-Marie-Siché

N 196

Tavaro

Marseille Nice

140

Filitosa-Sollacaro

A20

D 268

Tarco

Zonza

Cap de Muro

Olmeta

N 196

2A-CORSE-DU-SUD

B

Golfe de Valinco

Pointe d'Eccica

Sartène

Pte de Chiappa

Porto-Vecchio

D 859

N 196

D 198

Bonifacio   Pointe St-Antoine

Bouches de Bonifacio

0   10   20 km

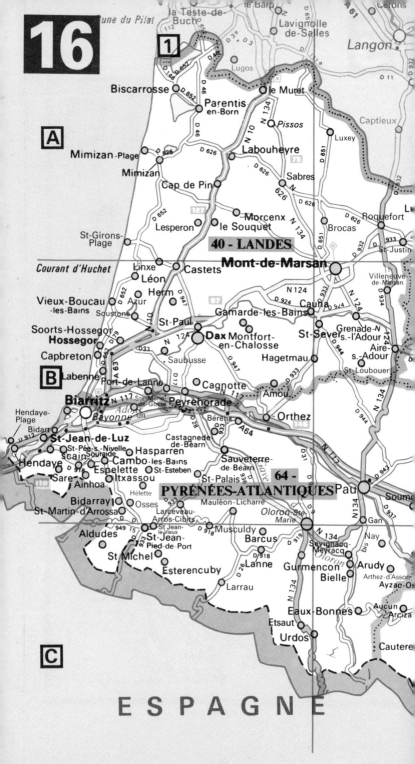

16

Sévérac-
le-Château
Bois-
du-Four
Mostuéjouls
le Rozier
Rivière-s.-Tarn
Aguessac
Millau
RUN
2
Meyrueis
les Plantiers
N 106
13
Bessèges
La F
St-Jean-
du-Gard
3
Chambon
Alès
la Cavalerie
l'Espérou
Vallerague
Anduze
Vézénobres
Uzès
St-Rome-
de-Cernon
St-Jean-
du-Bruel
Aulas
Avèze
le Vigan
982
Collias
Rem
Camarès
Brusque
Ceilhes-
et-Rocozels
Lodève
Navacelles
Causse de
la Selle
St-Jean-
de-la-Blaquière
Aniane
115
MONTPELLIER
St-Hippolyte-
du-Fort
Sauve
St-Géniès-
de-Malgoirès
Laroque
Nîmes
Vergèze
St-Géniès-
des-Mourgues
N 110
34 - HÉRAULT
amalou-
les-Bains
Clermont-l'Hérault
Fabrègues
152
Pézenas
90
Vic-la-Gardiole
Aigues-
Mortes
l'Albaron
Béziers
Valros
Nézignan-
l'Évêque
Montagnac
Bassin de
Thau
Balaruc-
les-Bains
Sète
Frontignan
Stes-Maries-
de-la-Mer
Capestang
Villeneuve
Cers
Nissan-
lez-Ensérune
Vias-s-
Mer
La Redoute
Agde
le Grau-d'Agde
Narbonne
Vinassan
Valras-Plage
Golfe
du
Lion
Narbonne-Plage
Gruissan-Port
Gruissan-Plage
Peyriac-de-Mer
Sigean
Port-la-Nouvelle
Étang de
Leucate
le Barcarès
St-Laurent-
de-la-Salanque
Perpignan
Canet-Plage
Elne
Côte Vermeille
MER
Argelès-Plage
Collioure
Argelès-
s.-Mer
Banyuls-s.-Mer

0   10   20

90

Golfe de Rosas

97-4 RÉUNION

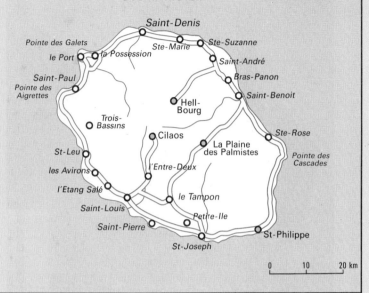

OCÉAN INDIEN

Saint-Denis

Ste-Marie · Ste-Suzanne

Pointe des Galets

le Port · la Possession · Saint-André

Bras-Panon

Saint-Paul

Pointe des Aigrettes · Saint-Benoit

Hell-Bourg

Trois-Bassins

Cilaos · Ste-Rose

La Plaine des Palmistes

St-Leu · Pointe des Cascades

les Avirons

l'Entre-Deux

l'Etang Salé

le Tampon

Saint-Louis

Petite-Ile

Saint-Pierre · St-Philippe

St-Joseph

0   10   20 km

Liste des hôtels de l'Ile de la Réunion

CILAOS
97413 Réunion
1200 m. • 5740 hab. ℹ️

▲▲▲ LE VIEUX CEP ★★
2, rue des Trois Mares. Mme Dijoux
☎ 31 71 89 ℡ 916 895 RE 🖷 31 77 68
🛏 20 🔲 385 F. 🍴 80 F. ⌷ 35 F.
🍴 355 F. 🍽 265 F.
🔲🖬🕿🛏🛎🏊🎿♿ CV 🍴🔋
CB VISA **E**

PLAINE DES PALMISTES
97431 Réunion
1134 m. • 2049 hab. ℹ️

▲▲ DES PLAINES ★★★
(2ème Village). M. Doki-Thonon
☎ 51 31 97 ℡ 916 894
🛏 15 🔲 420 F. 🍴 120 F. ⌷ 45 F.
🍴 450 F. 🍽 330 F.
🔲🖬🕿🛏🛎⏱ CV 🍴
CB VISA **E**

HELL BOURG
97433 Réunion
1300 m. • 950 hab.

▲▲ RELAIS DES CIMES ★★
Rue Général de Gaulle. M. Javel
☎ 47 81 58 ℡ 916 728 🖷 47 82 11
🛏 15 🔲 340 F. 🍴 68/ 85 F. ⌷ 35 F.
🍴 370 F. 🍽 270 F.
🔲🕿🛎🏊 CV 🍴🔋
CB VISA **E**

SAINT PHILIPPE
97442 Réunion
4000 hab. ℹ️

▲▲ LE BARIL ★★
Sur N. 2. M. Tesnière
☎ 37 01 04 🖷 37 07 62
🛏 11 🔲 300/330 F. 🍴 75/230 F.
⌷ 30 F. 🍴 240/255 F.
🔲🖬🕿🛏🛎⏱♿ CV 🔋
CB VISA **E**

36 15 LOGIS DE FRANCE

une authentique qualité de la vie...

A

ABONDANCE
74360 Haute Savoie
1050 m. • 1500 hab.

▲ DE L'ABBAYE ★
M. Maxit ☎ 50 73 02 03
🍴 23 ☒ 130/220 F. 🛏 85/190 F.
🍴 50 F. 🍴 200/285 F. 🍴 170/250 F.
☒ 15/30 juin.

▲▲ LE FERRAILLON ★★
(A Richebourg, 2Km). M. Girard-Soppet
☎ 50 73 07 75 Ⅲ 50 73 04 35
🍴 24 ☒ 180/210 F. 🛏 65/210 F.
🍴 40 F. 🍴 200/225 F. 🍴 170/190 F.
☒ 30 avr./30 mai et 4 oct./15 déc.

ABRESCHVILLER
57560 Moselle
1300 hab.

▲▲▲ DES CIGOGNES ★★
92, rue Jordy. M. Baillet
☎ 87 03 70 09 ⅢX 861472 ⅢX 87 03 79 06
🍴 29 ☒ 200/300 F. 🛏 73/190 F.
🍴 60 F. 🍴 260/320 F. 🍴 210/260 F.

ABRETS (LES)
38490 Isère
2500 hab.

▲▲ LE SAVOY ★★
5, rue de la République. M. Lantiat
☎ 76 32 03 54 ⅢX 74 97 65 57
🍴 9 ☒ 160/180 F. 🛏 75/220 F. 🍴 52 F.
🍴 210/245 F. 🍴 160/180 F.

ACCOLAY
89460 Yonne
384 hab.

▲▲ HOSTELLERIE DE LA FONTAINE
D'ACCOLAY ★★
16, rue de Reigny. M. Guedon
☎ 86 81 54 02 ⅢX 86 81 52 78
🍴 11 ☒ 200/350 F. 🛏 85/230 F.
🍴 55 F. 🍴 360 F. 🍴 250 F.
☒ Hôtel 15 nov./5 janv. et rest. 15 nov.
/1er mars.

ADRETS (LES)
38190 Isère
800 m. • 400 hab.

▲▲ LE VIEUX MANEGE ★★
Les Avons, les Adrets. M. Savioz-Fouillet
☎ 76 71 09 91 ⅢX 76 71 03 95
🍴 16 ☒ 207/222 F. 🛏 85/260 F.

🍴 60 F. 🍴 293/302 F. 🍴 217/226 F.
☒ lun.

ADRETS DE L'ESTEREL (LES)
83600 Var
1400 hab.

▲ CHEZ PIERRE - LE RELAIS DES ADRETS ★
Quartier Panestel. M. Dimeo
☎ 94 40 90 88
🍴 8 ☒ 225/275 F. 🛏 90/135 F. 🍴 35 F.
🍴 310/325 F. 🍴 225/245 F.

▲ LE CHRYSTALLIN
Les Gieiris, chemin des Philippons.
Mme Butor-Blamont
☎ 94 40 97 56 ⅢX 94 40 94 66
🍴 14 ☒ 280/380 F. 🛏 85/170 F.
🍴 50 F. 🍴 370/420 F. 🍴 280/330 F.
☒ 1er nov./31 déc. (restaurant à 50 m.).

AGAY
83700 Var
1200 hab.

▲ LE LIDO ★★
Bld de la Plage. M. Cavataio
☎ 94 82 01 59 ⅢX 94 82 09 75
🍴 20 ☒ 250/400 F. 🛏 50/200 F.
🍴 40 F. 🍴 285/325 F.
☒ 5 nov./25 mars.

AGDE
34300 Hérault
14378 hab.

▲ LES DEUX FRERES ★★
7, av. Victor-Hugo. MM. Serrano
☎ 67 21 14 42
🍴 14 ☒ 210/275 F. 🍴 45 F.
🍴 220/270 F. 🍴 190/240 F.

AGEN
47000 Lot et Garonne
32800 hab.

▲▲▲ CHATEAU HOTEL DES JACOBINS ★★★★
1 ter, place des Jacobins. Mme Bujan
☎ 53 47 03 31 ⅢX 53 47 02 80
🍴 14 ☒ 450/600 F.

▲▲ LE PERIGORD ★★
42, cours du 14 Juillet. Mme Barrat
☎ 53 66 10 01 ⅢX 53 47 47 31
🍴 21 ☒ 210 F. 🛏 100/170 F. 🍴 59 F.
🍴 335/410 F. 🍴 250/330 F.

93

AGEN (suite)

▲▲ LE PROVENCE ★★★
22, cours du 14 Juillet. M. Garrigues
☎ 53 47 39 11 ▨ 560800 ⊠ 53 68 26 24
🍴 23 ⌁ 310/350 F. ⯑ 35 F.
▣ SP ⬚ 🕿 🖥 ☎ 🛉 🏠 ⛺ 🍽 🌊
CB▨ AE E

AGEN (COLAYRAC SAINT CIRQ)
47450 Lot et Garonne
743 hab.

▲▲▲ LA CORNE D'OR ★★★
M. Loisillon
☎ 53 47 02 76 ⊠ 53 66 87 23
🍴 14 ⌁ 230/350 F. ⯑ 95/230 F.
⯑ 60 F. ⯑ 320/380 F. ⯑ 220/280 F.
⊠ dim. soir sauf Pâques et Pentecôte.
▣ SP ⬚ 🕿 🖥 🏠 🛉 CV 🍽 🌊
CB▨ AE ⊙ E

AGUESSAC
12520 Aveyron
700 hab.

▲▲▲ LE RASCALAT ★★
Sur N. 9. M. Ramondenc
☎ 65 59 80 43 ⊠ 65 59 73 90
🍴 20 ⌁ 90/285 F. ⯑ 95/240 F. ⯑ 45 F.
⯑ 255/350 F. ⯑ 165/260 F.
⊠ 1er janv./28 fév., dim. soir et lun.
oct./fin mars.
▣ ⬚ 🕿 🖥 🛉 🌊 CV 🍽 🌊 CB▨ E C

AIGLUN
06910 Alpes Maritimes
624 m. • 94 hab.

▲ AUBERGE DE CALENDAL
Mme Blanc ☎ 93 05 82 32
🍴 6 ⌁ 165 F. ⯑ 82/125 F. ⯑ 42 F.
⯑ 240 F. ⯑ 180 F.
⊠ fév., mer. soir et jeu. hs.
▣ 🌊 CB▨ E

AIGUEBELETTE LE LAC
73610 Savoie
150 hab.

▲▲ DE LA COMBE ★★
M. Dufour
☎ 79 36 05 02 ⊠ 79 44 11 93
🍴 9 ⌁ 180/280 F. ⯑ 130/220 F.
⯑ 70 F. ⯑ 235/300 F.
⊠ 31 oct./3 déc., lun. soir et mar.
▣ SP ⬚ 🕿 🖥 🍽 🛉 🌊 CB▨ E

AIGUEBELLE
73220 Savoie
1100 hab.

▲ DE LA POSTE ★★
Mme Vincent-Ivanoff ☎ 79 36 20 05
🍴 21 ⌁ 160/300 F. ⯑ 60/150 F.
⯑ 35 F. ⯑ 235 F. ⯑ 200 F.
⊠ 23 déc./1er fév. et sam.
⬚ 🕿 🖥 🍽 🛉 ⛺ 🌊 CB▨ AE ⊙ E

▲ DU SOLEIL
Grand'Rue. M. Rattier ☎ 79 36 20 29
🍴 12 ⌁ 120/260 F. ⯑ 65/200 F.
⯑ 50 F. ⯑ 200/250 F. ⯑ 160/180 F.
⊠ 15 oct./30 nov., dim. soir et lun.
🖥 ⛺ 🛉 🌊 CB▨ ⊙ E

AIGUES MORTES
30220 Gard
4475 hab. ⓘ

▲▲ LE MAS DES SABLES ★★★
(Sur CD. 979). M. Ramain
☎ 66 53 79 73 ⊠ 66 53 77 12
🍴 34 ⌁ 290/390 F. ⯑ 75/150 F.
⯑ 50 F. ⯑ 350/390 F. ⯑ 280/320 F.
⊠ nov./mars.
▣ ⬚ 🕿 🖥 ⛺ 🛉 🏊 ⯑ CV 🍽 🌊
CB▨ AE E

AIGUILLES
05470 Hautes Alpes
1470 m. • 310 hab. ⓘ

▲ LES BALCONS DE COMBE-ROUSSET ★★
Mme Simond
☎ 92 46 77 15 ⊠ 92 46 74 36
🍴 24 ⌁ 200/275 F. ⯑ 55/110 F.
⯑ 38 F. ⯑ 255/305 F. ⯑ 220/265 F.
▣ ⓘ ⬚ 🕿 🖥 🛉 ⯑ CV 🍽 🌊 CB▨ AE E

AIGUILLON
47190 Lot et Garonne
4800 hab. ⓘ

▲ LA TERRASSE DE L'ETOILE ★★
8, cours Alsace Lorraine. M. Jeanroy
☎ 53 79 64 64
🍴 18 ⌁ 250 F. ⯑ 72/170 F. ⯑ 45 F.
⯑ 300 F. ⯑ 225 F.
▣ SP ⬚ 🕿 🖥 🍽 🍴 🛉 ⯑ CV 🍽
🌊 CB▨ AE E ▣

▲▲▲ LE JARDIN DES CYGNES ★★
Route de Villeneuve. M. Benito
☎ 53 79 60 02 ⊠ 53 88 10 22
🍴 24 ⌁ 185/270 F. ⯑ 69/148 F.
⯑ 38 F. ⯑ 170/277 F.
⊠ 18 déc./10 janv. et sam. sauf 10 juil.
/août.
▣ SP ⬚ 🕿 🖥 🍽 🍴 🛉 ⌔ CV 🍽
🌊 CB▨ AE E ▣

AIGUINES
83630 Var
823 m. • 160 hab. ⓘ

▲ ALTITUDE 823
Mme Feola ☎ 94 70 21 09
🍴 13 ⌁ 120/260 F. ⯑ 80/195 F.
⯑ 50 F. ⯑ 260/330 F. ⯑ 205/270 F.
⊠ début nov./fin mars et ven. hs.
▣ ⓘ 🌊 CB▨ E

▲▲ DU GRAND CANYON DU VERDON ★★
Sur D. 71 (Rive Gauche, à 15 Km).
M. Fortini ☎ 94 76 91 31 ⊠ 94 76 92 29
🍴 16 ⌁ 250/460 F. ⯑ 120/180 F.
⯑ 65 F. ⯑ 250/360 F.
⊠ 17 oct./1er mai, ven. 1er mai/14 juil.
et 15 sept./17 oct.
▣ ⓘ ⬚ 🕿 🖥 ⛺ 🛉 🌊 CB▨ AE ⊙ E

AIGURANDE
36140 Indre
1952 hab. ⓘ

▲ RELAIS DE LA MARCHE ★★
M. Chambon ☎ 54 06 31 58
🍴 7 ⌁ 210 F. ⯑ 98/198 F. ⯑ 50 F.
⯑ 290 F. ⯑ 250 F.
⊠ Rest. sam. soir et dim. soir.
▣ SP ⬚ 🕿 ⛺ 🍽 🌊 CB▨ E

AIME
73210 Savoie
690 m. • 2500 hab. 🛈

♨ PALANBO ★★
(Prés Roux). M. Boch ☎ 79 55 67 55
🛏 20 ◵ 230/320 F. 🍽 70/ 80 F.
🍴 50 F. 🍲 270/320 F. 🍷 210/245 F.
Restaurant à 600 m.

AINHOA
64250 Pyrénées Atlantiques
544 hab.

♨♨♨ OPPOCA ★★
Rue Principale. M. Derungs ☎ 59 29 90 72
🛏 12 ◵ 190/400 F. 🍽 120/200 F.
🍴 62 F. 🍲 275/400 F.
⊠ mi-nov./Rameaux et rest. lun. sauf
juil./août.

AIRE SUR ADOUR
40800 Landes
8000 hab. 🛈

♨ DU COMMERCE ★★
3, bld des Pyrénées. M. Labadie
☎ 58 71 60 06
🛏 19 ◵ 95/180 F. 🍽 66/180 F. 🍴 25 F.
🍲 180/245 F. 🍷 140/200 F.
⊠ dim. soir et lun.

♨♨ LES PLATANES ★★
Place de la Liberté. M. Dedeban
☎ 58 71 60 36
🛏 12 ◵ 140/280 F. 🍽 65/200 F.
🍴 40 F. 🍲 210/240 F. 🍷 150/280 F.
⊠ 18 oct./10 nov. et ven.

AISEY SUR SEINE
21400 Côte d'Or
150 hab.

♨♨♨ DU ROY ★★
M.Damond ☎ 80 93 21 63 ⟱ 80 93 25 74
🛏 10 ◵ 160/260 F. 🍽 70/160 F.
🍴 39 F. 🍲 270/300 F. 🍷 250/270 F.
⊠ 1er déc./3 janv. et mar. sauf juil./août.

AIX EN OTHE
10160 Aube
2349 hab. 🛈

♨♨♨ AUBERGE DE LA SCIERIE ★★★
(La Vove). M. Duguet
☎ 25 46 71 26 ⟱ 25 46 65 69
🛏 12 ◵ 350/380 F. 🍽 125/230 F.
🍴 60 F. 🍷 700/780 F.
⊠ fév., lun. soir et mar. 15 oct./1er avr.

AIX LES BAINS
73100 Savoie
25000 hab. 🛈

♨♨ AU PETIT VATEL ★★
11, rue du Temple. M. Kahlouch
☎ 79 35 04 80 ⟱ 79 34 01 51
🛏 27 ◵ 180/240 F. 🍽 57/130 F.

🍴 47 F. 🍲 240/270 F. 🍷 210/243 F.

♨ CHEZ LA MERE MICHAUD ★★
82 bis, rue de Genève. Mlle Chappel
☎ 79 35 06 03 ⟱ 79 61 57 72
🛏 18 ◵ 160/240 F. 🍽 55/140 F.
🍴 38 F. 🍲 165/229 F. 🍷 135/190 F.
⊠ 16 nov./15 janv., dim. soir et mar.

♨♨ COTTAGE HOTEL ★★
9, rue Davat. M. Collet
☎ 79 35 00 55 ⟱ 79 88 22 85
🛏 48 ◵ 260/320 F. 🍽 90/110 F.
🍴 45 F. 🍲 230/300 F. 🍷 200/270 F.
⊠ 10 nov./10 mars.

♨♨ DAUPHINOIS ET NIVOLET ★★
14, av. de Tresserve. M. Cochet
☎ 79 61 22 56 ⟱ 79 34 04 62
🛏 40 ◵ 145/260 F. 🍽 95/175 F.
🍴 60 F. 🍲 190/260 F. 🍷 170/230 F.
⊠ 15 déc./15 fév.

♨♨ DAVAT ★★
21, chemin des Bateliers. M. Me Davat
☎ 79 63 40 40 ⟱ 79 54 35 68
🛏 20 ◵ 320/360 F. 🍽 100/250 F.
🍴 65 F. 🍲 320/360 F. 🍷 290/330 F.
⊠ 2 nov./26 mars, lun. soir et mar.

♨♨ DE LA PAIX ★★
11, rue Lamartine. M. Montréal
☎ 79 35 02 10 ⟱ 79 88 16 48
🛏 66 ◵ 200/260 F. 🍽 75 F.
🍲 235/275 F. 🍷 215/255 F.
⊠ 10 nov./1er mars.

♨♨♨ LA PASTORALE ★★★
221, av. du Grand Port.
M. Aimonier-Davat
☎ 79 63 40 60 ⟱ 309709 ⟱ 79 63 44 26
🛏 30 ◵ 350/420 F. 🍽 90/205 F.
🍴 60 F. 🍲 390/420 F. 🍷 340/370 F.
⊠ 1er fév./20 mars. Rest. dim. soir et
lun. hs.

♨♨ THERMAL ★★
2, rue Davat. M. Montréal
☎ 79 35 20 00 ⟱ 980940 ⟱ 79 88 16 48
🛏 68 ◵ 200/260 F. 🍽 75 F.
🍲 265/295 F. 🍷 235/275 F.

AIX LES BAINS (TREVIGNIN)
73100 Savoie
620 m. • 400 hab.

♨♨ BELLEVUE ★★
(A Trevignin). M. Traversaz
☎ 79 61 48 32 ⟱ 79 61 47 98
🛏 19 ◵ 200/260 F. 🍽 95/250 F.
🍴 40 F. 🍲 238/260 F. 🍷 208/230 F.
⊠ 31 oct./31 janv., dim. soir et soirs fériés.

AJACCIO
20000 Corse
66000 hab. 🛈

✻ NAPOLEON ✶✶✶
4, rue Lorenzo-Vero. M. Fratani
☎ 95 21 30 01 ﬁⁿ 95 21 80 40
🛏 62 ◻ 300/360 F. ⏲ 75/100 F.
Ⓔ Ⓓ ⓈⓅ ⓘ 🖻 🕾 🛏 🛏 ⓣ 🐕 ⤬ CV
🎬 🖰 CB🅥🅸🆂🅰 AE ⑩ E

ALBAN
81250 Tarn
610 m. • 1150 hab. 🛈

▲▲ AU BON ACCUEIL ✶✶
49, route de Millau. M. Bardy
☎ 63 55 81 03
🛏 13 ◻ 170/240 F. ⏲ 69/169 F.
🍴 48 F. ⏲ 240 F. 🍽 190 F.
✉ 1er mer. janv./1er lun. fév. et lun.
soir.
Ⓔ ⓈⓅ 🕾 CV 🎬 🖰 CB🅥🅸🆂🅰 E

ALBARON (L')
13123 Bouches du Rhône
50 hab.

▲▲ LE FLAMANT ROSE ✶✶
Sur D. 37. M. Coulet
☎ 90 97 10 18 ﬁⁿ 90 97 12 47
🛏 17 ◻ 140/400 F. ⏲ 80/170 F.
🍴 50 F. ⏲ 300/320 F. 🍽 220/240 F.
✉ 3 premières semaines mars et mar.
sauf juil./août.
Ⓔ Ⓓ ⓘ 🕾 🛏 🖰 CB🅥🅸🆂🅰 E

ALBEPIERRE
15300 Cantal
1050 m. • 300 hab.

▲ LA BELLE ARVERNE
M. Rigal
☎ 71 20 02 00
🛏 4 ◻ 170/190 F. ⏲ 68/130 F. 🍴 45 F.
⏲ 210 F. 🍽 190 F.
✉ nov.
⤬ 🐕 CB🅥🅸🆂🅰 AE ⑩ E

ALBERT
80300 Somme
10500 hab. 🛈

▲▲ DE LA BASILIQUE ✶✶
3-5, rue Gambetta. M. Petit
☎ 22 75 04 71 ﬁⁿ 22 75 10 47
🛏 10 ◻ 280 F. ⏲ 85/220 F. 🍴 48 F.
🍽 250 F.
✉ vac. scol. Noël, 2 semaines août,
dim., sam. soir hs.
Ⓔ 🖻 🕾 🛏 ⓣ CV 🎬 🖰 CB🅥🅸🆂🅰 E

▲▲ GRAND HOTEL DE LA PAIX ✶
39-47, rue Victor Hugo. M. Duthoit
☎ 22 75 01 64
🛏 14 ◻ 130/230 F. ⏲ 60/160 F.
🍴 50 F. ⏲ 160/210 F. 🍽 180/240 F.
✉ 2 semaines fév. et Rest. dim. soir.
Ⓔ Ⓓ 🖻 🕾 🛏 ⓣ 🍽 CV 🎬 🖰 CB🅥🅸🆂🅰
AE ⑩ E

ALBERTVILLE
73200 Savoie
20000 hab. 🛈

▲▲ RESIDENCE ᵉᶜ
(RN 90). M. Nael
☎ 79 37 01 02 \ 79 37 00 33
ﬁⁿ 79 37 00 47
🛏 12 ◻ 300/350 F. ⏲ 99/240 F.
🍴 65 F. ⏲ 408 F. 🍽 309 F.
Ⓔ Ⓓ 🖻 🕾 🛏 ⓣ 🐕 🎬 🖰 CB🅥🅸🆂🅰
AE ⑩ E

ALBI
81000 Tarn
48340 hab. 🛈

✻ DU PARC ✶✶ & ✶
3, av. du Parc. M. Ricard
☎ 63 54 12 80 ﬁⁿ 63 54 69 59
🛏 18 ◻ 150/260 F.
🖻 🕾 🐕 CV 🖰 CB🅥🅸🆂🅰 E

▲▲ LAPEROUSE ✶✶
21, place Laperouse. Mme Chartrou
☎ 63 54 69 22 ﬁⁿ 63 38 03 69
🛏 22 ◻ 180/240 F. ⏲ 60/135 F.
🍴 60 F. 🍽 200/230 F.
✉ Rest. dim. et lun. sauf juil./août. lun.
seulement.
Ⓔ 🖻 🕾 ⓣ ◻ CV CB🅥🅸🆂🅰 E 🖰

▲▲ LE VIEIL ALBY ᵉᶜ
25, rue Toulouse-Lautrec. M. Sicard
☎ 63 54 14 69 ﬁⁿ 63 54 96 75
🛏 9 ◻ 220/260 F. ⏲ 85/250 F. 🍴 50 F.
🍽 240/260 F.
✉ 19 juin/3 juil., 1er/23 janv., dim. soir
et lun. sept./juin, dim. juil./août.
Ⓔ ⓈⓅ 🖻 🛏 🖰 CB🅥🅸🆂🅰 AE E

▲▲ RELAIS GASCON ET AUBERGE
LANDAISE ✶✶
1-3, rue Balzac. Mme Garcia
☎ 63 54 26 51 ﬁⁿ 63 49 74 89
🛏 17 ◻ 150/220 F. ⏲ 55/150 F.
🍴 45 F. ⏲ 230/250 F. 🍽 190/220 F.
✉ dim. soir et lun. midi.
Ⓔ ⓈⓅ 🖻 🕾 🛏 🍴 🐕 CV 🎬 🖰 CB🅥🅸🆂🅰 E

ALBIEZ MONTROND
73300 Savoie
1500 m. • 295 hab. 🛈

▲▲ LA RUA ✶✶
M. Constantin
☎ 79 59 30 76 ﬁⁿ 79 59 33 15
🛏 22 ◻ 220/240 F. ⏲ 76/138 F.
🍴 50 F. ⏲ 225/290 F. 🍽 190/255 F.
✉ 20 avr. 15 juin et 15 sept./15 déc.
Ⓔ ⓘ 🖻 🛏 ⓣ 🐕 CV 🖰 CB🅥🅸🆂🅰 E

ALBRES (LES)
12220 Aveyron
100 hab.

▲▲ FRECHET ✶✶
M. Oberheidt
☎ 65 80 42 46
🛏 18 ◻ 170/235 F. ⏲ 60/180 F.
🍴 47 F. ⏲ 232/285 F. 🍽 172/227 F.
✉ dernière semaine août.
Ⓔ 🖻 🕾 ⓣ ◻ 🖰 CB🅥🅸🆂🅰 E

ALBY SUR CHERAN
74540 Haute Savoie
1015 hab.

ALB'HOTEL ★★
Sur N. 201. M. Blanc
☎ 50 68 24 93 Ⅲ 50 68 13 01
🍽 37 ⌧ 270/300 F. ⅢⅠ 70/145 F.
🍴 35 F. 🍴 282 F. 🛏 212 F.
⌧ Rest. sam. midi et dim. hs.
⬛⬛⬛⬛⬛⬛⬛⬛⬛⬛⬛ CV
⬛ ● CB🚾 AE ⊙ E C

ALDUDES
64430 Pyrénées Atlantiques
1690 hab.

SAINT SYLVESTRE ★★
(Quartier Esnazu). M. Baudour
☎ 59 37 58 13
🍽 10 ⌧ 150 F. ⅢⅠ 70/ 92 F. 🍴 45 F.
🍴 200 F. 🛏 160 F.
SP ⬛ ⬛ CV ● CB🚾

ALENCON
61000 Orne
35000 hab. ℹ

DE L'INDUSTRIE ★★
22, place Général de Gaulle. M. Lomnitz
☎ 33 27 19 30 Ⅲ 33 28 49 56
🍽 9 ⌧ 130/260 F. ⅢⅠ 56/150 F. 🍴 42 F.
🛏 150/250 F.
⌧ sam. midi.
⬛⬛ SP ℹ ⬛⬛⬛⬛ CV ●
CB🚾 E

GRAND HOTEL DE LA GARE ★★
50, av. Wilson. M. Rumeau
☎ 33 29 03 93 Ⅲ 33 29 28 59
🍽 22 ⌧ 135/240 F. ⅢⅠ 60/125 F.
🍴 42 F. 🍴 210/250 F. 🛏 180/220 F.
⌧ 22 déc./5 janv., Rest. sam.
5 janv./30 mai et dim.
⬛⬛⬛⬛⬛⬛ CV ● CB🚾 AE E ⬛

LE GRAND SAINT MICHEL ★★
7, rue du Temple. M. Canet
☎ 33 26 04 77 Ⅲ 33 26 71 82
🍽 13 ⌧ 135/240 F. ⅢⅠ 85/250 F.
🍴 45 F.
⌧ juil., vac. scol. fév., lun. et dim. soir
oct./mai.
⬛⬛ SP ℹ ⬛⬛⬛ ● CB🚾 E

ALIXAN
26300 Drôme
1099 hab.

ALPES PROVENCE ★★
Sur N. 532, Aire de Bayanne. M. Bocaud
☎ 75 47 02 84 Ⅲ 75 47 11 72
🍽 22 ⌧ 125/320 F. ⅢⅠ 82/205 F.
🍴 50 F. 🍴 250/300 F. 🛏 170/215 F.
⌧ Rest. 14/30 nov.
⬛⬛⬛⬛⬛⬛⬛⬛⬛⬛ CV ●
CB🚾 E C

DE FRANCE ★
M. Sanfilippo
☎ 75 47 03 44
🍽 9 ⌧ 120/250 F. ⅢⅠ 45/220 F. 🍴 40 F.
🍴 205 F. 🛏 175 F.
⌧ dim. soir.
⬛ ℹ ⬛⬛ ● CV ⬛ CB🚾 AE ⊙

ALLAIRE
56350 Morbihan
2680 hab.

LE GAUDENCE Rest. AU RELAIS ★★
Route de Redon. M. Sebillet
☎ 99 71 93 64 ⅢⅢ 99 71 92 83
🍽 17 ⌧ 238/263 F. ⅢⅠ 57/168 F.
🍴 50 F. 🍴 190/267 F.
⌧ Rest. dim. soir.
⬛ SP ⬛⬛⬛⬛ CV ⬛ ● CB🚾 E

ALLASSAC
19240 Corrèze
3600 hab. ℹ

DU MIDI ★
14, av. Victor Hugo. M. Mery
☎ 55 84 90 35
🍽 7 ⌧ 180/220 F. ⅢⅠ 80/120 F.
🍴 210/240 F. 🛏 190/230 F.
⌧ 18 déc./18 janv.
⬛ CV ● CB🚾 E

ALLEGRE
43270 Haute Loire
1000 m. ● 1000 hab.

DES VOYAGEURS ★★
M.Leydier ☎ 71 00 70 12 ⅢⅢ 71 00 20 67
🍽 20 ⌧ 150/250 F. ⅢⅠ 65/150 F.
🍴 45 F. 🍴 200/260 F. 🛏 160/210 F.
⌧ 15 déc./15 mars.
⬛⬛⬛⬛⬛⬛⬛ CV ⬛ ● CB🚾

ALLEMANS DU DROPT
47800 Lot et Garonne
600 hab. ℹ

ETAPE GASCONNE ★★
M. Fournier
☎ 53 20 23 55 ⅢⅢ 53 93 51 42
🍽 20 ⌧ 200/270 F. ⅢⅠ 60/220 F.
🍴 45 F. 🍴 380 F. 🛏 310 F.
⌧ Rest. sam. midi et dim. soir hs.
⬛⬛⬛⬛⬛⬛ CV ⬛ ● CB🚾 E

ALLEVARD LES BAINS
38580 Isère
2400 hab. ℹ

LA BONNE AUBERGE
Rue Laurent Chataing. M. Vial
☎ 76 97 53 04 ⅢⅢ 76 45 84 62
🍽 14 ⌧ 98/175 F. ⅢⅠ 48/350 F. 🍴 48 F.
🍴 185/216 F. 🛏 140/170 F.
⬛⬛ SP ⬛⬛ CV ● CB🚾 AE E ⬛

LES ALPES ★★
Place du Temple. M. Chaumy
☎ 76 97 51 18 ⅢⅢ 76 45 80 81
🍽 13 ⌧ 175/245 F. ⅢⅠ 59/180 F.
🍴 50 F. 🍴 213/275 F. 🛏 188/245 F.
⌧ 11 nov./16 déc., 10 jours fin
avr., dim. soir et lun. midi hs.
⬛⬛⬛⬛⬛⬛⬛ CV ⬛ ● CB🚾 E

LES PERVENCHES ★★
Route de Grenoble M. Badin
☎ 76 97 50 73 ⅢⅢ 76 45 09 52
🍽 30 ⌧ 265/340 F. ⅢⅠ 110/235 F.
🍴 55 F. 🍴 345/390 F. 🛏 275/310 F.
⌧ 10 oct./1er fév. et Pâques/9 mai.
⬛⬛⬛⬛⬛⬛⬛ CV ⬛ ● CB🚾
AE ⊙ E

ALLEVARD LES BAINS (suite)

▲▲▲ SPERANZA ★★
Route du Moutaret. M. Janot ☎ 76 97 50 56
🛏 20 ⊡ 190/290 F. 🍴 82/120 F. 🍴 50 F.
🍴 225/295 F. 🚗 185/255 F.
⊠ oct./fév., 15 mars/12 mai.
☎ 🚗 ⨉ 🏕 🏃 CV ♠ CB VISA

ALLEVARD LES BAINS (PINSOT)
38580 Isère
730 m. • 80 hab.

▲▲▲ PIC DE LA BELLE ETOILE ★★
M. Raffin ☎ 76 97 53 62 🖷 76 97 55 47
🛏 33 ⊡ 263/395 F. 🍴 95/183 F.
🍴 63 F. 🍴 388/425 F. 🚗 325/362 F.
⊠ 16 avr./15 mai et 15 oct./18 déc.
E D 🗋 🗋 🚗 🏕 ⨉ 🏕 🗋 🖦 ♥ ♠
🏃 ⊙ ॐ CV 🔅 ♠ CB VISA E 🖪

ALLEYRAS
43580 Haute Loire
670 m. • 290 hab.

▲▲ DU HAUT ALLIER ★★
Pont d'Alleyras. Mme Brun
☎ 71 57 57 63 🖷 71 57 57 99
🛏 12 ⊡ 220/300 F. 🍴 100/250 F.
🍴 60 F. 🍴 280/300 F. 🚗 230/250 F.
⊠ Hôtel 30 nov./1er mars. Rest. 1er
janv./1er mars. et lun. hs.
E SP 🗋 🗋 🚗 ⨉ ॐ 🔅 CB VISA E

ALLINGES
74200 Haute Savoie
540 m. • 3000 hab.

▲ L'EAU VIVE
(A Noyer). Mme Buffet ☎ 50 70 51 32
🛏 10 ⊡ 152/216 F. 🍴 67/ 69 F.
🍴 50 F. 🍴 208/242 F. 🚗 153/185 F.
⊠ 1 semaine début mai, 1 semaine fin
sept., dim. hs.
🚗 🏕 ॐ CV ♠ CB VISA E 🖪

ALLONZIER LA CAILLE
74350 Haute Savoie
700 m. • 850 hab.

▲▲▲ LE MANOIR ★★★
M. Rivoire ☎ 50 46 81 82 🖷 50 46 88 55
🛏 16 ⊡ 300/360 F. 🍴 140/280 F.
🍴 60 F. 🍴 400/450 F. 🚗 350/400 F.
⊠ 1er nov./30 déc. et lun. hs jan./mai, oct.
E 🗋 🗋 🗋 🚗 🚗 ⨉ 🏕 ॐ CV 🔅 ♠
CB VISA AE ⊙ E C 🖪

ALLOS (LE SEIGNUS)
04260 Alpes de Haute Provence
1500 m. • 705 hab. 🗋

▲ ALTITUDE 1500 ★★
(Le Seignus). M. Me Bourdiol
☎ 92 83 01 07 🖷 92 83 04 73
🛏 15 ⊡ 240/280 F. 🍴 75/145 F.
🍴 35 F. 🍴 210/260 F.
⊠ 2 mai/15 juin et 15 sept./15 déc.
E SP 🗋 🚗 ⨉ CV ♠ CB VISA E

ALLY
15700 Cantal
720 m. • 876 hab.

▲ AU RELAIS DE POSTE ★
M. Gouvart ☎ 71 69 03 44 🖷 71 69 03 07
🛏 11 ⊡ 170/205 F. 🍴 60/140 F.
🍴 35 F. 🍴 270/305 F. 🚗 250/285 F.
E D 🗋 🚗 ⨉ ॐ CV 🔅 ♠ CB VISA ⊙ E

ALTKIRCH
68130 Haut Rhin
6000 hab. 🗋

▲▲ AUBERGE SUNDGOVIENNE ★★
Direction Rte de Belfort, sortie Altkirch
M. Keller ☎ 89 40 97 18 🖷 89 40 67 73
🛏 29 ⊡ 180/290 F. 🍴 68/260 F.
🍴 60 F. 🍴 250/360 F. 🚗 195/300 F.
⊠ 23 déc./1er fév., lun. et rest. mar./17h.
E D 🗋 🗋 🗋 🚗 🚗 🏕 ⨉ ॐ CV
🔅 ♠ CB VISA AE ⊙ E

ALVIGNAC
46500 Lot
600 hab. 🗋

▲▲ DU CHATEAU ★★
M. Darnis ☎ 65 33 60 14 🖷 65 33 69 28
🛏 35 ⊡ 165/290 F. 🍴 60/180 F.
🍴 36 F. 🍴 264/320 F. 🚗 245/270 F.
⊠ 15 nov./15 mars.
E 🗋 🏕 ॐ CV ♠ CB VISA AE ⊙ E

▲ NOUVEL HOTEL ★★
M. Battut ☎ 65 33 60 30
🛏 13 ⊡ 110/200 F. 🍴 60/160 F.
🍴 40 F. 🍴 200/250 F. 🚗 170/215 F.
⊠ 20 déc./1er mars, ven. soir et sam.
nov./Pâques.
E SP 🗋 🚗 🏕 ♠ CB VISA E

ALZON
30770 Gard
600 m. • 201 hab. 🗋

▲ LE CEVENOL ★★
Route Nationale. M. Dupont
☎ 67 82 06 05 🖷 67 81 86 79
🛏 7 ⊡ 190/260 F. 🍴 75/140 F. 🍴 38 F.
🍴 270/295 F. 🚗 200/225 F.
⊠ vac. scol. fév. et mer.
E 🗋 🚗 🚗 ⨉ 🏕 ♥ 🏃 ॐ CV ♠
CB VISA E

AMBAZAC
87240 Haute Vienne
5000 hab. 🗋

▲ DE FRANCE
Place de l'Eglise. M. Joly ☎ 55 56 61 51
🛏 8 ⊡ 85/160 F. 🍴 59/150 F. 🍴 35 F.
🍴 160/200 F. 🚗 140/170 F.
⊠ 21 déc./15 janv. et rest. dim.
1er nov./1er avr.
E 🗋 🏕 CV 🔅 ♠ CB VISA E

AMBERT
63600 Puy de Dôme
8000 hab. 🗋

▲▲ LA CHAUMIERE ★★
41, av. Maréchal Foch. M. Ollier
☎ 73 82 14 94 🖷 73 82 33 52
🛏 23 ⊡ 280 F. 🍴 82/190 F. 🍴 55 F.
🍴 300/330 F. 🚗 240/260 F.
⊠ janv., hôtel sam. oct./mai, rest. sam.
sauf juil./août et dim. soir.
E 🗋 🗋 🚗 🏕 ॐ CV 🔅 ♠ CB VISA AE
⊙ E 🖪

98

AMBERT (suite)

⌂ LES COPAINS ★★
42, bld Henri-IV. M. Chelle
☎ 73 82 01 02 📠 73 82 67 34
🛏 12 ⌧ 150/280 F. ⏻ 65/150 F.
🍴 50 F. ⏢ 220/350 F. 🍽 170/300 F.
⌧ sept., sam. et dim. soir sauf fêtes,
juil./août.
▯ ◻ ☎ CV ◆ CB𝗩𝗜𝗦𝗔 E

AMBIALET
81340 Tarn
450 hab. 🅹

⌂⌂ DU PONT ★★
M. Saysset ☎ 63 55 32 07 📠 63 55 37 21
🛏 20 ⌧ 265/280 F. ⏻ 90/280 F.
🍴 55 F. ⏢ 338/360 F. 🍽 250/270 F.
⌧ 15 nov./15 déc.
▯ ◻ ☎ ◻ ♻ ☂ ⚡ ♿ 🕍 ◆ CB𝗩𝗜𝗦𝗔
𝗔𝗘 ⓪ E

AMBLENY
02290 Aisne
1169 hab.

⌂ LE MILLERY ★★
8, rue des Fosses. M. Petit
☎ 23 74 29 64 📠 23 74 29 96
🛏 7 ⌧ 260/280 F. ⏻ 65/320 F. 🍴 39 F.
⏢ 370 F. 🍽 300 F.
▯ ◻ ⛽ ♻ ☂ ♿ ⏲ ▶ 🕍 CV 🕍 ◆
CB𝗩𝗜𝗦𝗔 ⓪ E

AMBOISE
37400 Indre et Loire
11000 hab. 🅹

✳ BELLEVUE et Annexe PETIT
LUSSAULT ★★★ & ★★
12, quai Charles Guinot et N. 152.
M. Levesque ☎ 47 57 02 26
🛏 52 ⌧ 260/320 F.
⌧ Hôtel Belle Vue 15 nov./15 mars
et Aux Petit Lussault 1er nov./1er avr.
▯ 🅹 ◻ ◻ ⛽ ♻ ☂ ⬥ ♿ ♿ CB𝗩𝗜𝗦𝗔 E

⌂⌂ DU PARC ★★
8, av. Léonard de Vinci. Mme Poppe
☎ 47 57 06 93 📠 47 30 52 06
🛏 17 ⌧ 200/425 F. ⏻ 100/200 F.
🍴 55 F. 🍽 275/360 F.
⌧ Rest. 1er nov./15 mars, Hôtel 15 déc.
/15 janv. et dim. soir 1er nov./1er mars.
▯ ▯ 🅹 ◻ ◻ ⛽ ♻ ☂ ♿ CV 🕍 ◆
CB𝗩𝗜𝗦𝗔 𝗔𝗘 E

⌂⌂ LA BRECHE ★★
26, rue Jules Ferry. M. Girard
☎ 47 57 00 79
🛏 13 ⌧ 160/360 F. ⏻ 78/175 F.
🍴 49 F. ⏢ 450/590 F. 🍽 345/485 F.
⌧ 23 déc./10 janv. et dim. soir hs.
▯ ◻ ◻ ◻ ⛽ ⏲ CV 🕍 ◆ CB𝗩𝗜𝗦𝗔 E ▣

⌂⌂ LE LION D'OR ★★
17, quai Charles Guinot. M. Renard
☎ 47 57 00 23
🛏 23 ⌧ 175/310 F. ⏻ 115/249 F.
🍴 67 F. ⏢ 407/475 F. 🍽 264/332 F.
⌧ 1er janv./15 fév., dim. soir et lun. hs.
▯ ◻ ◆ CB𝗩𝗜𝗦𝗔 E ▣

AMBOISE (NAZELLES NEGRON)
37530 Indre et Loire
3547 hab.

⌂ LES PLATANES
7, bld des Platanes. Mme Bonachéra
☎ 47 57 08 60 📠 47 30 55 16
🛏 18 ⌧ 120/170 F. ⏻ 65/130 F.
🍴 35 F. ⏢ 190/230 F. 🍽 150/180 F.
⌧ 20 déc./30 janv. et dim. soir hs.
𝗦𝗣 ◻ ☂ ♿ 🕍 ◆ CB𝗩𝗜𝗦𝗔 ⓪ E ▣

AMBONNAY
51150 Marne
820 hab.

⌂⌂⌂ AUBERGE SAINT VINCENT ★★
M. Pelletier
☎ 26 57 01 98 📠 26 57 81 48
🛏 10 ⌧ 290/380 F. ⏻ 140/350 F.
🍴 50 F. ⏢ 465/485 F. 🍽 325/345 F.
⌧ dim. soir et lun.
▯ ◻ ☎ 🕍 ◆ CB𝗩𝗜𝗦𝗔 𝗔𝗘 ⓪ E

AMBRAULT
36120 Indre
600 hab.

⌂ LE COMMERCE ★
M. Maleplate
☎ 54 49 01 07
🛏 7 ⌧ 110/160 F. ⏻ 60/160 F.
⏢ 250/270 F. 🍽 170/200 F.
⌧ 1er/15 oct., 1er/15 janv., dim. soir,
lun. et soirs de fêtes.
⛽ CB𝗩𝗜𝗦𝗔 E

AMBRIERES LES VALLEES
53300 Mayenne
2000 hab. 🅹

⌂ LE GUE DE GENES ★★
27, rue Notre-Dame. M. Postel
☎ 43 04 95 44 📠 43 08 80 06
🛏 8 ⌧ 140/220 F. ⏻ 62/165 F. 🍴 48 F.
⏢ 220/260 F. 🍽 180/230 F.
⌧ 15 fév./9 mars, 20/27 oct. et mer.
oct./fin avr.
▯ ◻ ◻ ⛽ ☂ ♿ 🕍 ◆ CB𝗩𝗜𝗦𝗔 ⓪ E

AMELIE LES BAINS
66110 Pyrénées Orientales
3500 hab. 🅹

⌂⌂ CENTRAL ★
14, Av. du Vallespir M. Sitja
☎ 68 39 05 49 📠 68 83 91 21
🛏 28 ⌧ 120/190 F. ⏻ 80/110 F.
🍴 35 F. ⏢ 390/435 F. 🍽 330/375 F.
⌧ 12 déc./31 janv.
𝗦𝗣 ◻ ☎ 🛏 ♿ CV ◆ CB𝗩𝗜𝗦𝗔 E

⌂⌂⌂ LE PALMARIUM ★★
44, av. de Vallespir. M. Villot
☎ 68 39 19 38 📠 68 39 04 23
🛏 65 ⌧ 250/285 F. ⏻ 100/160 F.
🍴 55 F. ⏢ 260/300 F. 🍽 230/270 F.
⌧ 15 déc./18 janv.
▯ ▯ 𝗦𝗣 ◻ ☎ ◻ 🛏 ⛽ ☂ ♿ CV
🕍 ◆ CB𝗩𝗜𝗦𝗔 E ▣

99

AMIENS
80000 Somme
136358 hab. $\boxed{i}$

▲▲ LE PRIEURE ★★
17, rue Porion. M. Boulet
☎ 22 92 27 67 ⏺ 140 754 ⏺ 22 92 46 16
🛏 21 ⬚ 195/400 F. ⏹ 95/195 F.
🍴 70 F. 🍽 315/450 F.
✉ Rest. 15/31 août, dim. soir et lun.
🔲🔲🔲🔲🔲🔲 CB📶 AE ⏺ E

AMMERSCHWIHR
68770 Haut Rhin
1500 hab. $\boxed{i}$

▲▲ A L'ARBRE VERT ★★
MM. Gebel/Tournier
☎ 89 47 12 23 ⏺ 89 78 27 21
🛏 17 ⬚ 200/350 F. ⏹ 70/210 F.
🍴 45 F. 🍽 250/380 F.
✉ 10 fév./25 mars, 25 nov./6 déc. et mar.
🔲🔲🔲🔲🔲 CB📶 AE ⏺ E

▲ AUX TROIS MERLES ★
5, rue de la 5ème DB. M. Louveau
☎ 89 78 24 35
🛏 16 ⬚ 150/250 F. ⏹ 80/320 F.
🍴 40 F. 🍽 315/355 F. 🍽 215/280 F.
✉ lun. juil./nov., dim. soir et lun. nov./juil.
🔲🔲🔲🔲🔲🔲 CB📶 AE E

AMOU
40330 Landes
1500 hab. $\boxed{i}$

▲ AU FEU DE BOIS ★★
M. Martinet ☎ 58 89 00 86
🛏 14 ⬚ 140/210 F. ⏹ 45/130 F.
🍴 40 F. ⏹ 180/210 F. 🍽 150/190 F.
🔲🔲🔲🔲 CV 🔲 CB📶 E

▲▲ LE COMMERCE ★★
Place de la Poste. M. Darracq
☎ 58 89 02 28 ⏺ 58 89 24 45
🛏 18 ⬚ 240/260 F. ⏹ 75/200 F.
🍴 60 F. ⏹ 300 F. 🍽 230 F.
✉ 12 nov./1er déc., 12/28 fév. et lun. hs.
🔲🔲🔲🔲🔲 CV 🔲 CB📶 AE ⏺ E

▲▲ LES VOYAGEURS ★★
Place de la Tecouère. Mme Laffitau
☎ 58 89 02 31 ⏺ 58 89 25 12
🛏 9 ⬚ 200/280 F. ⏹ 60/190 F. 🍴 45 F.
⏹ 240/250 F. 🍽 195/210 F.
✉ 1er fév./8 mars et ven. soir.
🔲🔲🔲🔲 CV 🔲 CB📶 E

AMPHION LES BAINS
74500 Haute Savoie
5000 hab. $\boxed{i}$

▲▲ DE LA PLAGE ★★
Mme Barras ☎ 50 70 00 06 ⏺ 50 70 88 05
🛏 37 ⬚ 260/340 F. ⏹ 98/180 F. 🍴 42 F.
⏹ 260/420 F. 🍽 230/385 F.
✉ 30 sept./21 mai.
🔲 SP 🔲🔲🔲🔲🔲🔲🔲🔲🔲
🔲 🔲 CB📶 E

AMPUS
83111 Var
630 m. • 534 hab. $\boxed{i}$

▲ LA BONNE AUBERGE cc
Route de Chateaudouble. MM. Richard

☎ 94 70 97 10 ⏺ 94 70 98 01
🛏 11 ⬚ 220 F. ⏹ 60/120 F. 🍴 45 F.
⏹ 240 F. 🍽 195 F.
🔲🔲🔲🔲🔲🔲 CV 🔲 CB📶 E 🔲

ANCENIS
44150 Loire Atlantique
7310 hab. $\boxed{i}$

▲▲ DU VAL DE LOIRE ★★
Route d'Angers. M. Bodineau
☎ 40 96 00 03 ⏺ 711592 ⏺ 40 83 17 30
🛏 40 ⬚ 250/300 F. ⏹ 66/185 F.
🍴 50 F. ⏹ 260 F. 🍽 204 F.
✉ entre Noël/Nouvel An et rest. sam.
🔲🔲 SP 🔲🔲🔲🔲🔲🔲🔲🔲
🔲 CB📶 E

▲▲ LES VOYAGEURS ★★
98, rue Georges Clémenceau.
M. Chollou ☎ 40 83 10 06
🛏 16 ⬚ 160/245 F. ⏹ 68/168 F.
🍴 48 F. ⏹ 280 F. 🍽 220 F.
✉ dim. soir 15 sept./15 juin.
🔲🔲🔲🔲🔲🔲🔲 CB📶 E

ANCY LE FRANC
89000 Yonne
1188 hab. $\boxed{i}$

▲▲ HOSTELLERIE DU CENTRE ★★
Grande Rue. M. Rollet
☎ 86 75 15 11 ⏺ 86 75 14 13
🛏 18 ⬚ 195/330 F. ⏹ 78/210 F.
🍴 48 F. 🍽 200/300 F.
✉ 20 déc./5 janv., ven. soir et dim. soir hs.
🔲🔲🔲🔲🔲🔲🔲🔲 CB📶 E 🔲

ANDELAROCHE
03120 Allier
300 hab.

▲▲▲ RELAIS AUBERGE DE LA
MARGUETIERE ★★
Mme Fouilland ☎ 70 55 20 32
🛏 10 ⬚ 190/215 F. ⏹ 78/195 F.
🍴 45 F. 🍽 204/226 F.
🔲🔲🔲🔲🔲🔲🔲🔲 CV 🔲🔲 CB📶
AE ⏺ E 🔲

ANDELOT
52700 Haute Marne
916 hab.

▲ LE CANTAREL ★
Place Cantarel. M. Royer
☎ 25 01 31 13 ⏺ 25 03 15 41
🛏 8 ⬚ 150/200 F. ⏹ 60/100 F. 🍴 40 F.
⏹ 200/240 F. 🍽 160/200 F.
✉ fév., 1 semaine fin sept. et lun.
🔲🔲🔲🔲🔲🔲 CV 🔲 CB📶 E

ANDELOT EN MONTAGNE
39110 Jura
630 m. • 555 hab.

▲ BOURGEOIS ★★
Mme Bourgeois
☎ 84 51 43 77
🛏 15 ⏹ 60/120 F. 🍴 40 F.
⏹ 185/200 F. 🍽 160/175 F.
✉ 15 nov./15 déc.
🔲🔲🔲 CV 🔲

ANDERNOS LES BAINS
33510 Gironde
5985 hab. ⓘ

▲ CENTRAL Rest. LE RETRO ★★
20, av. Thiers. Mme Bonnet
☎ 56 82 02 10 ⛫ 56 82 37 08
🛏 15 ⬚ 160/250 F. 🍴 40 F.
🍽 260/340 F. 🛎 230/280 F.
⊠ Rest. midi et week-ends oct./Pâques.
🄴 SP 🗇 🗟 �car 🕎 🌡 🔆 CB🆅🆂🅰 E

ANDOLSHEIM
68280 Haut Rhin
1100 hab.

▲▲ DU SOLEIL ★★
1, rue de Colmar. M. Carbonnel
☎ 89 71 40 53
🛏 18 ⬚ 100/210 F. 🍴 115/230 F.
🍽 75 F. 🛎 205/255 F.
⊠ 25 janv./5 mars, rest. mer., et mar.
nov./janv.
🄴 🄳 🗟 🚗 🕎 🌡 🔆 CB🆅🆂🅰 AE ⓞ E 🎁

ANDUZE
30140 Gard
2787 hab. ⓘ

▲▲ LA REGALIERE ★★
Route de Saint-Jean du Gard. M. Guillen
☎ 66 61 81 93 ⛫ 66 61 85 94
🛏 12 ⬚ 230/280 F. 🍴 85/240 F.
🍽 35 F. 🍽 285/310 F. 🛎 225/250 F.
⊠ 1er déc./15 mars et Rest. mer. sauf
juil./août.
🄴 🗇 🗟 🚗 🕎 🔆 🔆 🔆 ▶ 🌡 CV 🔆
CB🆅🆂🅰 AE E

▲▲▲ PORTE DES CEVENNES ★★
1630, route de St Jean Du Gard.
M. Kovac ☎ 66 61 99 44 ⛫ 66 61 73 65
🛏 41 ⬚ 200/280 F. 🍴 85/150 F.
🍽 50 F. 🛎 235 F.
⊠ 24 oct./31 mars et Rest. midi sauf
groupes.
🄴 🗇 🗟 🚗 🕎 🌡 CV CB🆅🆂🅰 AE ⓞ E

ANET
28260 Eure et Loir
2300 hab. ⓘ

▲ AUBERGE DE LA ROSE ★★
6, rue Charles Lechevrel. M. Zanga
☎ 37 41 90 64
🛏 8 ⬚ 180/240 F. 🍴 153/240 F.
🍽 55 F. 🍽 410/470 F. 🛎 310/370 F.
⊠ dim. soir et lun.
ⓘ 🗟 🚗 🔆 🔆 CB🆅🆂🅰 E

ANGLES
81260 Tarn
750 m. • 650 hab. ⓘ

▲ LE MANOIR ★★
Route de Lacabarède. M. Senegas
☎ 63 70 96 06
🛏 14 ⬚ 230 F. 🍴 70/230 F. 🍽 285 F.
🛎 215 F.
⊠ Rest. 1er oct./mi-juin.
🄴 ⓘ 🗟 🚗 🕎 🔆 🔆 🔆 CV 🔆

ANGLES (LES)
30133 Gard
5000 hab. ⓘ

▲▲▲ LE PETIT MANOIR ★★
Av. Jules Ferry. M. Chailly
☎ 90 25 03 36 ⛫ 214235 MISIV.MA
⛫ 90 25 49 13
🛏 40 ⬚ 200/340 F. 🍴 85/180 F.
🍽 50 F. 🍽 305/375 F. 🛎 220/290 F.
🄴 🄳 ⓘ 🗟 🚗 🕎 ⚓ 🌡 🔆 🔆 🔆 🔆 ⊘
🔆 🔆 ⚓ CB🆅🆂🅰 E

ANGLES (LES)
66210 Pyrénées Orientales
1595 m. • 528 hab. ⓘ

▲▲ LLARET HOTEL ★★
12, av. de Balcère. M. Bascaing
☎ 68 30 90 90 ⛫ 68 30 91 66
🛏 26 ⬚ 225/320 F. 🍴 80/140 F.
🍽 45 F. 🍽 300/345 F. 🛎 225/295 F.
⊠ 15 mai/15 juin, 15 oct./15 nov. et
mer. hs.
🗇 🗟 🚗 🔆 🔆 CV 🔆 CB🆅🆂🅰 E Ⓒ

ANGOULEME
16000 Charente
60000 hab. ⓘ

▲ D'ORLEANS ★★
133 av. Gambetta. Mme Le Calvez
☎ 45 92 07 53 ⛫ 45 92 05 25
🛏 20 ⬚ 160/240 F. 🍴 60 F. 🍽 35 F.
🍽 220/265 F. 🛎 160/205 F.
⊠ Rest. sam. et dim.
🄴 SP 🗇 🗟 ⓘ 🔆 🔆 CV 🔆 CB🆅🆂🅰 AE ⓞ E 🎁

▲ LE CRAB ★★
27, rue Kléber. M. Bouchet
☎ 45 95 51 80 ⛫ 45 95 38 52
🛏 21 ⬚ 130/220 F. 🍴 60/160 F.
🍽 40 F. 🍽 210/260 F. 🛎 150/200 F.
⊠ Rest. sam. et dim.
🄴 🗇 🗟 🚗 CV 🔆 🔆 CB🆅🆂🅰 E 🎁

ANIANE
34150 Hérault
1620 hab. ⓘ

▲▲ HOSTELLERIE SAINT BENOIT ★★
Route de Saint Guilhem. M. Raoul
☎ 67 57 71 63 ⛫ 67 57 47 10
🛏 30 ⬚ 255/310 F. 🍴 99/245 F.
🍽 42 F. 🍽 330/365 F. 🛎 245/275 F.
⊠ 15 déc./12 fév.
🄴 🗟 🚗 ⚓ 🕎 🔆 🔆 🔆 🔆 ⊘ 🔆 🔆
CB🆅🆂🅰 E 🎁

ANNEBAULT
14430 Calvados
253 hab.

▲▲ LE CARDINAL ★★
M. Peudecoeur
☎ 31 64 81 96 ⛫ 31 64 64 65
🛏 6 ⬚ 280/350 F. 🍴 90/240 F. 🍽 58 F.
🛎 290/350 F.
⊠ 15 janv./28 fév., mar. soir et mer.
sauf juil./août.
🄴 🄳 🗇 🗟 🚗 🔆 🔆 CV CB🆅🆂🅰 AE ⓞ E

ANNECY
74000 Haute Savoie
51000 hab. 🛈

▲▲▲ AU FAISAN DORE ★★★
34, av. d'Albigny. M. Me Clavel
☎ 50 23 02 46 ᴵᴬˣ 50 23 11 10
🛏 40 ▫ 320/450 F. 🍽 130/200 F.
🍴 360/450 F. ▫ 290/380 F.
✉ 18 déc./23 janv. et rest. dim. soir hs.
🛑 🅳 🏠 📶 ♿ 🎵 ♥ CB💳 E

ANNECY (LE SEMNOZ)
74000 Haute Savoie
1700 m. • 10 hab.

▲▲ LES ROCHERS BLANCS ★★
Le Semnoz, crêt de Chatillon.
M. Anselmet
☎ 50 01 23 60 ᴵᴬˣ 50 01 40 68
🛏 18 ▫ 180/320 F. 🍽 70/200 F.
🍴 45 F. 🍴 240/310 F. ▫ 210/260 F.
✉ nov.
🛑 🅳 🏠 🚗 🎿 ⛷ CV 🏧 ♥ CB💳 E C

ANNECY LE VIEUX
74940 Haute Savoie
10000 hab.

▲▲ L'ARC EN CIEL ★★
26, rue de l'Arc en Ciel.
MeM. Tarnaud/Rey
☎ 50 23 08 86 ᴵᴬˣ 50 23 13 95
🛏 11 ▫ 220/250 F. 🍽 65/120 F.
🍴 50 F. 🍴 250/260 F. ▫ 190/200 F.
✉ Rest. sam. et dim. soir.
🛑 🅳 🏠 🚗 🎿 CV ♥ CB💳 E ▪

▲▲ LA MASCOTTE ★★
Rue Capitaine-Baud. M. Domenjoud
☎ 50 23 51 47
🛏 14 ▫ 155/285 F. 🍽 70/160 F.
🍴 60 F. 🍴 275/340 F. ▫ 230/295 F.
✉ 15 sept./10 oct., dim. soir et lun.
🛑 🅳 🏠 🚗 🎿 ⛷ CV 🏧 ♥ CB💳

ANNECY LE VIEUX ALBIGNY
74940 Haute Savoie
15000 hab. 🛈

▲ DES MUSES ★
61, rue Centrale. M. Gay
☎ 50 23 29 26 ᴵᴬˣ 50 23 74 18
🛏 30 ▫ 120/245 F. ▫ 170/290 F.
✉ 3/24 janv.
🛑 🛈 🏠 🚗 🎿 🏧 ♥ CB💳 E C ▪

ANNEMASSE (ETREMBIERES)
74100 Haute Savoie
1374 hab. 🛈

⚜ MAISON BLANCHE ★★
41, route de St-Julien. Mme Bajulaz
☎ 50 92 01 01
🛏 12 ▫ 210/280 F. 🍽 70/170 F.
🍴 55 F. 🍴 250/280 F. ▫ 190/220 F.
✉ dernière semaine oct., nov., et dim. hs.
🛑 🏠 🚗 🎿 ♥ CB💳 AE ① E ▪

ANSE
69480 Rhône
3800 hab. 🛈

▲▲▲ SAINT-ROMAIN ★★
Route de Graves. M. Levet

☎ 74 60 24 46 ᴵᴬˣ 74 67 12 85
🛏 24 ▫ 240/298 F. 🍽 95/300 F.
🍴 65 F. 🍴 329/336 F. ▫ 236/243 F.
✉ 28 nov./4 déc. et dim. soir
30 oct./30 avr.
🛑 🅳 🏠 🚗 🎿 🎵 ⛷ 🏧 CV ♥
CB💳 AE ① E

ANTHY SUR LEMAN
74200 Haute Savoie
1260 hab.

▲▲ L'AUBERGE D'ANTHY ★★
Rue des Ecoles. M. Dubouloz
☎ 50 70 35 00 ᴵᴬˣ 50 70 40 90
🛏 7 ▫ 242/292 F. 🍽 75/190 F. 🍴 65 F.
🍴 270/310 F. ▫ 205/240 F.
✉ 20 fév./14 mars, dernière semaine
oct. et rest. mar. dim. soir.
🛑 🅳 🏠 🚗 🎿 CV ♥ CB💳 AE ① E

▲▲▲ LES CINQ CHEMINS ★★
(Les Cinq Chemins). M. Me Denarie
☎ 50 72 63 45 ᴵᴬˣ 50 72 30 69
🛏 28 ▫ 260/370 F. 🍽 75/160 F.
🍴 48 F. 🍴 335/415 F. ▫ 250/330 F.
✉ 6/20 juin, 19 déc./18 janv., rest. dim.
soir et lun. midi.
🛑 🅳 🏠 🚗 📶 🎵 ⛷ 🎿 🏧
♥ CB💳 E

ANTIBES
06600 Alpes Maritimes
80000 hab. 🛈

▲▲ AUBERGE PROVENCALE ★
61, place Nationale. M. Martin
☎ 93 34 13 24
🛏 7 ▫ 250/400 F. 🍽 145/240 F.
🍴 80 F.
✉ mi-avr./mi-mai, mi-nov./mi-déc.
et rest. lun.
🏠 🏠 CB💳 AE ① E

▲▲ LE PONTEIL ★★
11, impasse Jean Mensier. M. Riedinger
☎ 93 34 67 92 ᴵᴬˣ 93 34 49 47
🛏 10 ▫ 210/360 F. 🍽 100 F. 🍴 75 F.
▫ 240/330 F.
✉ 20 nov./28 déc.
🛑 🅳 🏠 🏠 🚗 🎵 CV ♥ CB💳

AOSTE
38490 Isère
1500 hab. 🛈

▲▲▲ AU COQ EN VELOURS ★★
M. Bellet
☎ 76 31 60 04 ᴵᴬˣ 76 31 77 55
🛏 8 ▫ 240/320 F. 🍽 95/270 F. 🍴 70 F.
🍴 340/380 F. ▫ 250/290 F.
✉ 2/25 janv., dim. soir et lun.
🛑 🅳 🏠 🏠 🚗 📶 🎵 🎿 🏧 ♥ CB💳
AE E

▲▲▲ LA VIEILLE MAISON ★★
M. Bertrand
☎ 76 31 60 15 ᴵᴬˣ 76 31 69 75
🛏 16 ▫ 270/300 F. 🍽 110/290 F.
🍴 65 F. 🍴 360/380 F. ▫ 270/280 F.
✉ 15 jours sept., 20 déc./2 janv., mer.
et dim. soir sauf juil./août.
🛑 🏠 🏠 🚗 📶 🎵 ⛷ 🏧 ♥ CB💳
E ▪

AOUSTE SUR SYE
26400 Drôme
1800 hab.

⌂ DE LA GARE ★★
M. Guier ☎ 75 25 14 12
🛏 12 🛏 150/270 F. 🍽 75/190 F.
🍴 50 F. 🏠 230 F.
⊠ ven. soir et sam. hs.
🄴🗎🕾🚗🍽🛏🎾🚻🍴 CB🆅🆂🅴 E

APREMONT SUR AIRE
08250 Ardennes
180 hab.

⌂ DE L'ARGONNE ★
M. Leblan ☎ 24 30 53 88
🛏 3 🛏 130/140 F. 🍽 80/160 F.
🍽 240/250 F. 🏠 190/200 F.
⊠ ven.
🄳🚗🍴🚻🍴 CB🆅🆂🅰🅴 ⓞ E

APT
84400 Vaucluse
12000 hab. ⓘ

⌂⌂⌂ RELAIS DE ROQUEFURE ★★
(Pres le Chêne, à 6 Km d'Apt).
M. Rousset ☎ 90 04 88 88
🛏 15 🛏 190/340 F. 🍽 110 F. 🍴 50 F.
🍽 240/300 F.
⊠ 5 janv./15 fév.
🄸🕾🚗🚻🍽🏊🎾🍻🚻🍴
CB🆅🆂🅴

ARBOIS
39600 Jura
4000 hab. ⓘ

⌂⌂ DES CEPAGES ★★
Route de Villette. M. Ortola
☎ 84 66 25 25 🆃🆇 361621 🆇 84 37 49 62
🛏 33 🛏 220/345 F. 🍽 90 F. 🍴 50 F.
🍽 350 F. 🏠 270 F.
🄸🄳🅾🕾🚗🚗🛏🍽🚻🏊🚻🍴🍻
CB🆅🆂🅰🅴 ⓞ E 🄲

✳ LES MESSAGERIES ★★
2, rue de Courcelles. Mme Ricoux
☎ 84 66 15 45 🆇 84 37 41 09
🛏 26 🛏 170/310 F.
⊠ 15/30 nov., 1er/30 janv. et mer.
11h/17h hs.
🄸🄸🅾🕾🚗🍽🍴🚻🍻 CB🆅🆂🅴

ARBOIS (LES PLANCHES)
39600 Jura
75 hab. ⓘ

⌂⌂⌂ LE MOULIN DE LA MERE MICHELLE ★★★
Lieu-dit Les Planches. M. Delavenne
☎ 84 66 08 17 🆇 84 37 49 69
🛏 22 🛏 350/650 F. 🍽 135/380 F.
🍴 60 F. 🏠 450/600 F.
⊠ janv.
🄸🅾🕾🚗🚗🛏🎾🍽🍽🚻🚻🏊
🍴🚻🍴🍻 CB🆅🆂🅰🅴 E

ARCHES
15200 Cantal
630 m. • 198 hab.

⌂⌂ LE DONJON ★★
M. Lenormand ☎ 71 69 74 00
🛏 7 🛏 250/290 F. 🍽 90/160 F. 🍴 38 F.

🍽 260/290 F. 🏠 210/240 F.
⊠ vac. scol. Toussaint, vac. scol.
fév., dim. soir et lun. mi-saison.
🄸🕾🚗🍽🚻🚻🍴🍻🍴 CB🆅🆂🅴 E

ARCIS SUR AUBE
10700 Aube
3260 hab. ⓘ

⌂ DU PONT DE L'AUBE
Sortie Aut. A 26, Vallée de l'Aube.
M. Lebboucher ☎ 25 37 84 81
🛏 10 🛏 160/195 F. 🍽 72/ 85 F.
🍴 37 F. 🍽 180/200 F. 🏠 155/175 F.
⊠ 8 jours vac. scol. fév., 15 premiers
jours oct., dim. et jours fériés.
🚗🍻 CB🆅🆂🅴 E

ARCIZANS AVANT
65400 Hautes Pyrénées
650 m. • 250 hab.

⌂⌂ LE CABALIROS ★★
M. Saint-Martin ☎ 62 97 04 31
🛏 8 🛏 240/260 F. 🍽 85/230 F. 🍴 45 F.
🍽 260/270 F. 🏠 215/225 F.
⊠ oct./nov. et mer. hs.
🄸🆂🅿🕾🚗🍽🚻🍴🍴 CB🆅🆂🅴 E

ARCS (LES)
83460 Var
3915 hab. ⓘ

⌂⌂ AURELIA Rest. DU PONT D'ARGENS ★★
Le Pont d'Argens, sur N. 7. M. Scrimali
☎ 94 47 49 69 🆇 94 73 23 86
🛏 20 🛏 250/350 F. 🍽 95/150 F.
🍴 40 F. 🍽 330/350 F. 🏠 235/255 F.
⊠ Rest. lun.
🄸🄸🅾🕾🚗🍽🚻🍴🍴 CB🆅🆂🅴 ⓞ
E 🄼

⌂⌂⌂ LE LOGIS DU GUETTEUR ★★★
Place du Château. M. Callegari
☎ 94 73 30 82 🆇 94 73 39 95
🛏 10 🛏 400/450 F. 🍽 125/260 F.
🍴 50 F. 🍽 520 F. 🏠 440 F.
⊠ 15 janv./15 fév.
🄸🄸🅾🕾🚗🚗🍽🚻🍻🍻 CB🆅🆂🅰🅴
ⓞ E

ARCY SUR CURE
89270 Yonne
509 hab. ⓘ

⌂ DES GROTTES ★
M. Nolle
☎ 86 81 91 47
🛏 7 🛏 125/200 F. 🍽 72/155 F. 🍴 45 F.
🏠 193/248 F.
⊠ 15 déc./25 janv. et mer. hs.
🕾🚗🍴🚻🍻 CB🆅🆂🅴 E 🄲 🄼

ARDENTES
36120 Indre
3500 hab.

⌂⌂ LE CHENE VERT ★★
20-22, av. de Verdun. M. Mimault
☎ 54 36 22 40 🆇 54 36 64 33
🛏 7 🛏 165/345 F. 🍽 115/220 F.
🍴 65 F. 🍽 360/396 F. 🏠 260/295 F.
⊠ 1er/12 août, 2/22 janv., dim. soir et lun.
🄸🄳🅾🕾🍽🍻 CB🆅🆂🅰🅴 ⓞ E 🄼

ARDRES
62610 Pas de Calais
3165 hab.

▲▲ CLEMENT ★★★
91, Esplanade Maréchal Leclerc.
M. Coolen
☎ 21 82 25 25 ⊠ 21 82 98 92
🛏 16 ⊗ 235/335 F. 🍽 95/320 F.
🍴 50 F. 🍽 340/390 F. 🍽 240/290 F.
⊠ 15 janv./15 fév., lun. et mar. midi
hiver.
CB⟦VISA⟧ AE ⊕ E

▲▲ LE RELAIS ★★
66, bld Senlecq. M. Rivelon
☎ 21 35 42 00 ⊠ 21 85 39 36
🛏 11 ⊗ 150/300 F. 🍽 66/180 F.
🍴 50 F.
CB⟦VISA⟧ AE E

ARFEUILLES
03640 Allier
800 hab.

▲ DU NORD ★
Place des Victoires. M. Auroux
☎ 70 55 50 22
🛏 9 ⊗ 120/210 F. 🍽 78/180 F. 🍴 50 F.
🍽 200/220 F. 🍽 180/200 F.
⊠ 7/20 mars, 11 nov/11 déc., dim. soir
et lun. sept./juin.
CB⟦VISA⟧ E

ARGEIN
09140 Ariège
534 m. • 193 hab.

▲ LA TERRASSE ★★
M. Cramparet ☎ 61 96 70 11
🛏 10 ⊗ 140/250 F. 🍽 70/200 F.
🍴 45 F. 🍽 250 F. 🍽 200 F.
⊠ 1er déc./1er fév. et lun.

ARGELES GAZOST
65400 Hautes Pyrénées
4500 hab. 🛈

▲▲ BEAU SITE ★★
10, rue Capitaine Digoy. Mme Taïk-Colpi
☎ 62 97 08 63 ⊠ 62 97 06 01
🛏 16 ⊗ 190/250 F. 🍽 72 F. 🍴 45 F.
🍽 210/225 F. 🍽 190/200 F.
⊠ 5 nov./5 déc.
CB⟦VISA⟧ E

▲▲ BON REPOS ★★
Avenue du Stade. Mlle Domec
☎ 62 97 01 49 ⊠ 62 97 03 97
🛏 18 ⊗ 170/210 F. 🍽 75 F. 🍴 45 F.
🍽 210/230 F. 🍽 180/200 F.
⊠ oct./mai sauf vac. scol. hiver.
CB⟦VISA⟧ E

▲▲ DES PYRENEES ★★
M. Rode
☎ 62 97 07 90 ⊠ 62 97 59 56
🛏 20 ⊗ 170/300 F. 🍽 80/200 F.

🍴 40 F. 🍽 220/300 F. 🍽 180/260 F.
⊠ 1ère quinzaine déc. et lun. sauf vac. scol.
CB⟦VISA⟧ ⊙ E

▲▲ HOSTELLERIE LE RELAIS ★★
25, rue Maréchal Foch M. Hourtal
☎ 62 97 01 27
🛏 23 ⊗ 195/280 F. 🍽 75/240 F.
🍴 45 F. 🍽 232/300 F. 🍽 200/260 F.
⊠ 10 oct./10 fév.
CB⟦VISA⟧ E

▲▲▲ LES CIMES ★★
1, place d'Ourout. M. Bat
☎ 62 97 00 10 ⊠ 62 97 10 19
🛏 31 ⊗ 230/265 F. 🍽 72/190 F.
🍴 40 F. 🍽 253/275 F. 🍽 220/240 F.
⊠ 5 nov./18 déc.
CB⟦VISA⟧ E

▲▲ PRIMEROSE ★★
23, rue de l'yser. Mme Castellini
☎ 62 97 06 72 ⊠ 62 97 23 08
🛏 26 ⊗ 210/310 F. 🍽 60/160 F.
🍴 47 F. 🍽 220/295 F. 🍽 190/245 F.
⊠ 26 sept./14 mai.
CB⟦VISA⟧

▲▲▲ SOLEIL LEVANT ★★
21, av. des Pyrénées. Mme Jaussant
☎ 62 97 08 68 ⊠ 62 97 04 60
🛏 33 ⊗ 190/250 F. 🍽 50/180 F.
🍴 40 F. 🍽 230/250 F. 🍽 200/220 F.
⊠ 1er/20 déc.
CB⟦VISA⟧ AE ⊕ E

ARGELES GAZOST (BEAUCENS)
65400 Hautes Pyrénées
244 hab.

▲▲▲ THERMAL ★★
Parc Thermal. Mme Coiquil
☎ 62 97 04 21 ⊠ 62 97 16 60
🛏 30 ⊗ 200/290 F. 🍽 70/170 F.
🍴 50 F. 🍽 260/290 F. 🍽 220/250 F.
⊠ 10 oct./9 mai.
CB⟦VISA⟧ E

ARGELES PLAGE
66700 Pyrénées Orientales
1500 hab. 🛈

▲▲ LA CHAUMIERE MATIGNON ★★
30, av. du Tech. Mme Jampy
☎ 68 81 09 84
🛏 10 ⊗ 200/260 F. 🍽 70/160 F.
🍴 48 F. 🍽 296/321 F. 🍽 222/247 F.
⊠ 1er oct./15 avr. Rest. mar. midi.
CB⟦VISA⟧

▲▲ LES MIMOSAS ★★
51, av. des Mimosas. M. Blasy
☎ 68 81 14 77＼68 81 41 52
⊠ 68 81 69 96
🛏 28 ⊗ 220/320 F. 🍽 75/160 F.
🍴 50 F. 🍽 270/330 F. 🍽 230/280 F.
⊠ déc./mars, mar. soir et mer. hs.
CB⟦VISA⟧ AE E

ARGELES SUR MER
66700 Pyrénées Orientales
6000 hab. 🛈

🏨🏨 GRAND HOTEL LE COMMERCE ★★
14, route de Collioure. M. Rius
☎ 68 81 00 33 📠 68 81 69 49
📞 38 🛏 180/280 F. 🍽 65/175 F.
🍴 43 F. 🛏 258/312 F. 🍽 205/263 F.
⌧ 25 déc./3 fév., dim. soir et lun.
1er oct./31 mai.
📺 🆂🅿 🖥 📶 🛏 🎿 CV 🕮 🅿 CB🆅🆂
🆎 🅾 E C 🛎

🏨 L'HOSTALET
32, rue de la République.
Mme Alexander ☎ 68 81 06 62
📞 7 🛏 135/180 F. 🍽 65/150 F. 🍴 50 F.
🍽 180/195 F.
⌧ nov. et déc.
📺 🅳 CV 🅿 CB🆅🆂 E

🏨🏨🏨 LE COTTAGE ★★★
Rue Arthur Rimbaud. Mme Claudel-Paret
☎ 68 81 07 33 📠 68 81 59 69
📞 26 🛏 290/490 F. 🍽 95/240 F.
🍴 60 F. 🛏 370/485 F. 🍽 290/410 F.
⌧ Toussaint/Pâques.
📺 🅳 🆂🅿 🖥 📶 🍴 🏊 🎿 🚶 🅰 CV
🕮 🅿 CB🆅🆂 🆎 E

ARGENT SUR SAULDRE
18410 Cher
3000 hab. 🛈

🏨🏨🏨 RELAIS DE LA POSTE ★★★
3, rue Nationale. M. Pinault
☎ 48 73 60 25 📠 48 73 30 62
📞 10 🛏 230/300 F. 🍽 90/290 F.
🍴 60 F. 🛏 330/460 F. 🍽 250/350 F.
⌧ 15 janv./10 fév., 20/25 juin,
20/25 sept. et lun. hs.
📺 🅳 🖥 🏨 📶 🚗 🏹 🍴 CV 🕮 🅿
CB🆅🆂 E 🛎

ARGENTAN
61200 Orne
16413 hab. 🛈

🏨🏨 DE FRANCE ★★
8, bld Carnot. M. Hazard
☎ 33 67 03 65 📠 33 36 62 24
📞 13 🛏 145/270 F. 🍽 68/178 F.
🍴 45 F. 🛏 215/300 F. 🍽 180/200 F.
⌧ 15/28 fév., rest. dim. soir et lun.
📺 🖥 🏨 📶 🏹 🍴 CV 🕮 🅿 CB🆅🆂 E

🏨🏨 DES VOYAGEURS ★★
6, bld Carnot. M. Gendre
☎ 33 36 15 60 📠 33 39 93 29
📞 42 🛏 190/240 F. 🍽 50/172 F.
🍴 50 F. 🍽 170/190 F.
⌧ 1er/20 août, 25 déc./7 janv. et dim. soir.
📺 🅳 🖥 🏨 📶 🚗 🏊 🚶 CV 🕮
🅿 CB🆅🆂 🆎 E

🏨🏨 LA RENAISSANCE
20, av. 2ème DB. Mme Moulin
☎ 33 36 14 20 📠 33 36 65 50
📞 13 🛏 170/295 F. 🍽 85/170 F.
🍴 50 F. 🛏 266/326 F. 🍽 186/245 F.
⌧ 24 déc./4 janv. et dim. sauf fériés.
📺 🖥 🏨 📶 🍴 CV 🕮 🅿 CB🆅🆂 🆎 E

ARGENTAN (ECOUCHE)
61150 Orne
1409 hab. 🛈

🏨🏨 HOSTELLERIE DU LION D'OR ★★★
1, rue Pierre Pigot. M. Brunello
☎ 33 35 16 92 📠 33 36 60 48
📞 9 🛏 213/350 F. 🍽 92/245 F. 🍴 85 F.
🍽 340/450 F. 🍽 250/380 F.
⌧ dim. soir et lun.
📺 🅳 🖥 🏨 📶 🚗 🏹 🎿 🅰 CV 🕮 🅿
CB🆅🆂 🆎 E

ARGENTAT
19400 Corrèze
3800 hab. 🛈

🏨🏨 FOUILLADE ★★
Place Gambetta. M. Fouillade
☎ 55 28 10 17 📠 55 28 90 52
📞 15 🛏 150/215 F. 🍽 70/160 F.
🍴 40 F. 🛏 230/275 F. 🍽 185/225 F.
⌧ 3 nov./7 déc. et lun. 21 sept./15 juin.
📺 🖥 🏨 📶 🍴 CV 🕮 🅿 CB🆅🆂 E

🏨 LE GAMBETTA
15, place Gambetta. M. Garcia
☎ 55 28 16 08
📞 5 🛏 120/210 F. 🍽 58/145 F. 🍴 40 F.
🍽 190 F. 🍽 140 F.
⌧ 3 semaines fin sept. -oct., 10-15 jours
vac. hiver fév. ou mars et lun.
📺 🏨 🍴 🅿 CB🆅🆂 E

ARGENTAT (CAMPS)
19430 Corrèze
340 hab.

🏨🏨 DU LAC ★★
M. Solignac
☎ 55 28 51 83 📠 55 28 53 71
📞 11 🛏 135/240 F. 🍽 55/190 F.
🍴 50 F. 🛏 250/295 F. 🍽 180/230 F.
⌧ vac. scol. Toussaint et fév., dim. soir
et lun. hiver.
📺 🖥 🏨 🚶 🏊 🅰 CV 🕮 🅿 CB🆅🆂 E

ARGENTEUIL
95100 Val d'Oise
96045 hab.

🏨🏨 DE L'EUROPE ᵉᶜ
5, place Pierre Semard. M. Beurel
☎ (1) 39 61 65 65 ＼(1) 39 61 00 34
📠 (1) 39 61 09 41
📞 35 🛏 330/380 F. 🍽 70 F.
🍽 330/460 F. 🍽 260/390 F.
📺 🆂🅿 🖥 🏨 📶 🖼 🏹 🅰 CV 🕮
🅿 CB🆅🆂 🆎 E C

ARGENTIERE
74400 Haute Savoie
1250 m. • 600 hab. 🛈

🏨🏨 LE DAHU ★★
325, rue Charlet Straton.
M. Devouassoux
☎ 50 54 01 55
📞 22 🛏 200/300 F. 🍽 60/120 F.
⌧ 10 oct./12 déc., 15 mai/15 juin et
mer. 15 sept./10 oct.
📺 🅳 🖥 CV 🅿 CB🆅🆂 🆎 E

105

ARGENTON SUR CREUSE
36200 Indre
6921 hab. [i]

AA CHEVAL NOIR ★★
27, rue Auclert-Descottes. M. Jeanrot
☎ 54 24 00 06 [TX] 751183 [FAX] 54 24 11 22
🛏 29 ⊠ 195/285 F. 🍴 60 F.
🍽 275/310 F. 🍴 200/235 F.
[E] [icons] CB[VISA] E

AA DE LA GARE ET DU TERMINUS ★★
7, rue de la Gare. M. Leron
☎ 54 01 10 81 [FAX] 54 24 02 54
🛏 14 ⊠ 95/320 F. 🍴 70/180 F. 🍴 40 F.
🍽 230/310 F. 🍴 170/250 F.
⊠ 2ème et 3ème semaine janv. et lun.
[E] [SP] [icons] CB[VISA] E [icon]

ARLEMPDES
43490 Haute Loire
840 m. • 250 hab.

A DU MANOIR ★
M. Celle ☎ 71 57 17 14
🛏 15 ⊠ 210/230 F. 🍴 82/180 F.
🍴 48 F. 🍽 250 F. 🍴 215 F.
⊠ 1er nov./1er sam. mars.
[icons] CB[VISA] AE [icon] E

ARLES
13200 Bouches du Rhône
50000 hab. [i]

※ DE LA MUETTE ★★
15, rue des Suisses. M. Me Deplancke
☎ 90 96 15 39 [TX] 440096 [FAX] 90 49 73 16
🛏 18 ⊠ 130/300 F.
[E] [icons] CB[VISA] AE [icon] E

ARLES (LE SAMBUC)
13200 Bouches du Rhône
300 hab.

AA LONGO MAI ★★
Sur D. 36. MM. Raynaud ☎ 90 97 21 91
🛏 16 ⊠ 223/388 F. 🍴 95/115 F.
🍴 50 F. 🍴 240/318 F.
⊠ janv./mars.
[E] [icons] CB[VISA] E

ARLES SUR TECH
66150 Pyrénées Orientales
3000 hab. [i]

AAA LES GLYCINES ★★
M. Bassole ☎ 68 39 10 09 [FAX] 68 39 83 02
🛏 32 ⊠ 160/250 F. 🍴 65/150 F.
🍴 55 F. 🍽 225/275 F. 🍴 175/225 F.
⊠ fin nov./fév.
[E] [SP] [icons] CB[VISA] AE E

ARMOY
74200 Haute Savoie
630 m. • 700 hab.

AAA L'ECHO DES MONTAGNES ★★
Mme Colloud
☎ 50 73 94 55 [FAX] 50 70 54 07
🛏 47 ⊠ 220/270 F. 🍴 88/185 F.
🍴 50 F. 🍽 280/295 F. 🍴 242/255 F.
⊠ mi-déc./vac. scol. fév. et rest. dim.
soir, lun. oct./mai.
[E] [D] [icons]
[icon] CB[VISA] E [icon]

ARNAY LE DUC
21230 Côte d'Or
2500 hab. [i]

AAA CHEZ CAMILLE ★★★
1, place Edouard Herriot. Mme Poinsot
☎ 80 90 01 38 [FAX] 80 90 04 64
🛏 11 ⊠ 395 F. 🍴 130/360 F. 🍴 70 F.
🍽 490 F.
[E] [D] [SP] [icons] CB[VISA]
AE [icon] E

※ DE LA POSTE ★★
20, rue St-Jacques. M. Menevaut
☎ 80 90 00 76
🛏 14 ⊠ 160/270 F.
⊠ oct./avr.
[E] [D] [icons] CB[VISA] E

A DU DAUPHINE
Rue René Laforge. M. Thierry
☎ 80 90 14 25
🛏 8 ⊠ 110/230 F. 🍴 55/150 F. 🍴 34 F.
🍽 190/230 F. 🍴 165/200 F.
⊠ 20 nov./15 déc., 1er/12 juin
et lun. hs.
[icons] CB[VISA] AE [icon] E

A TERMINUS
2, rue de l'Arquebuse, sur N. 6.
M. Prefot ☎ 80 90 00 33
🛏 11 ⊠ 160/300 F. 🍴 80/210 F.
🍴 45 F. 🍽 230/350 F. 🍴 200/250 F.
⊠ 6 janv./6 fév. et mer.
[icons] CB[VISA] E

ARQUES
62510 Pas de Calais
9245 hab.

AA LA GRANDE SAINTE CATHERINE ★★
51, rue Adrien d'Anvers. M. Hemery
☎ 21 38 03 73 [FAX] 21 38 17 39
🛏 11 ⊠ 150/270 F. 🍴 65/195 F.
🍴 40 F. 🍽 240/260 F. 🍴 190/210 F.
[E] [icons] CB[VISA]
AE [icon] E [icon]

ARRADON
56610 Morbihan
4000 hab. [i]

AAA LE STIVELL ★★★
Rue Plessis D'Arradon. M. Chalet
☎ 97 44 03 15 [FAX] 97 44 78 90
🛏 25 ⊠ 250/340 F. 🍴 55/240 F.
🍴 39 F. 🍽 310/355 F. 🍴 230/275 F.
⊠ 15 nov./15 déc. et lun.
15 sept./15 juin.
[E] [D] [SP] [icons]
CB[VISA] [icon] E [icon]

ARRAS EN LAVEDAN
65400 Hautes Pyrénées
640 m. • 450 hab.

AA AUBERGE DE L'ARRAGNAT ★★
Mme Duchesne ☎ 62 97 14 23
🛏 15 ⊠ 210/250 F. 🍴 75/150 F.
🍴 38 F. 🍽 260/285 F. 🍴 215/230 F.
⊠ 1er oct./vac. Pâques.
[E] [SP] [icons] CB[VISA]

ARREAU
65240 Hautes Pyrénées
700 m. • 900 hab. [i]

ANGLETERRE ★★
Route de Luchon. M. Aubiban
☎ 62 98 63 30 FAX 62 98 69 66
24 ⌂ 200/270 F. 73/200 F.
42 F. 250/300 F. 210/260 F.
15 oct./25 déc., 5/23 avr. et lun. hs.
CB VISA E

DE FRANCE ★★
Place Office du Tourisme.
Mme Cazeneuve ☎ 62 98 61 12
16 ⌂ 160/260 F. 70/160 F.
40 F. 287/336 F. 204/250 F.
1er oct./25 déc., 1er/31 mai, mar.
soir et mer. hs.
CB VISA E

ARROMANCHES
14117 Calvados
450 hab. [i]

D'ARROMANCHES Rest. LE PAPPAGALL ★★
2, rue du Colonel René Michel.
M. Destercke
☎ 31 22 36 26 FAX 31 22 23 29
9 ⌂ 230/280 F. 75/170 F. 42 F.
220/245 F.
1er janv./6 fév., mar. après-midi et
mer. hors vac. scol.
CB VISA E

DE LA MARINE ★★
Quai du Canada. M. Verdier
☎ 31 22 34 19 FAX 31 22 98 80
30 ⌂ 200/360 F. 90/250 F.
50 F. 390/460 F. 300/360 F.
15 nov./15 fév.
CB VISA AE E

LE MOUNTBATTEN ★★
20, bld Longuet. M. Ollier
☎ 31 22 59 70
9 ⌂ 250/260 F. 70/135 F. 55 F.
250 F.
nov. et lun.
CB VISA

ARROMANCHES (TRACY SUR MER)
14117 Calvados
217 hab. [i]

LA ROSIERE ★★
Route de Bayeux, 1km500. M. Bernard
☎ 31 22 36 17 FAX 31 22 19 33
26 ⌂ 150/320 F. 75/195 F.
45 F. 340/420 F. 240/320 F.
10 oct./25 mars.
CB VISA E

ARS EN RE
17590 Charente Maritime
1083 hab. [i]

LE PARASOL ★★
Route du Phare des Baleines. M. Laporte
☎ 46 29 46 17 FAX 46 29 05 09
29 ⌂ 330/430 F. 120/180 F.
410/473 F. 305/363 F.
nov./mars.
CB VISA E

ARS SUR FORMANS
01480 Ain
700 hab. [i]

GRAND HOTEL DE LA BASILIQUE ★
M. Patrou
☎ 74 00 73 76 FAX 74 00 78 46
60 ⌂ 125/190 F. 70/170 F.
50 F. 200/265 F. 150/200 F.
1er nov./1er avr.
CB VISA E

LA BONNE ETOILE ★★
Rue J. M. Vianney. Mme Tauvie
☎ 74 00 77 38 FAX 74 08 10 18
11 ⌂ 180/320 F. 70/180 F.
40 F. 350/380 F. 280/320 F.
15 nov./15 déc., lun. soir et mar.
CB VISA E

REGINA ★★
M. Pelot ☎ 74 00 73 67 TN 305767F
FAX 74 00 73 37
36 ⌂ 185/195 F. 82/175 F.
50 F. 270/276 F. 188/194 F.
nov./mars.
CB VISA E

ARSONVAL
10200 Aube
340 hab.

HOSTELLERIE DE LA CHAUMIERE
Sur N. 19. M. Guillerand
☎ 25 27 91 02 FAX 25 27 90 26
3 ⌂ 160/260 F. 98/180 F. 60 F.
dim. soir et lun. sauf fériés.
CB VISA AE E

ARTENAY
45410 Loiret
2003 hab.

DE LA FONTAINE ★
2, place de l'hôtel de Ville. M. Julien
☎ 38 80 00 06 FAX 38 80 09 79
10 ⌂ 85/180 F. 59/155 F. 42 F.
181/423 F. 122/268 F.
CB VISA E

ARTHEZ D'ASSON
64800 Pyrénées Atlantiques
478 hab.

L'ESTIBETTE ★
Mme Berducou ☎ 59 71 40 83
7 ⌂ 110 F. 55 F. 30 F. 160 F.
CB VISA AE E

ARTZENHEIM
68320 Haut Rhin
510 hab.

AUBERGE D'ARTZENHEIM ★★
30, rue du Sponeck.
Mme Husser-Schmitt
☎ 89 71 60 51 TN 716051 FAX 89 71 68 21
10 ⌂ 245/330 F. 110/310 F.
68 F. 285/350 F.
15 fév./15 mars, lun. soir et mar. soir.
CB VISA E

ARUDY
64260 Pyrénées Atlantiques
2960 hab. [i]

▲▲ DE FRANCE ★★
1, place de l'Hôtel de Ville. M. Berneteix
☎ 59 05 60 16 🟦 59 05 70 06
📶 19 ⬧ 150/240 F. 🍴 68/110 F.
🍽 48 F. 🛏 225/265 F. 🏨 160/200 F.
⬜ mai et sam. hs.
[E] [SP] 🕿 🖨 ♿ [CV] [❂] CB[VISA] E

ARVERT
17530 Charente Maritime
2500 hab. [i]

▲▲▲ VILLA FANTAISIE ★★★
Rue du Vieux Moulin. M. Giraud-Ancelet
☎ 46 36 40 09
📶 20 ⬧ 300/400 F. 🍴 170/290 F.
🍽 60 F. 🛏 450/510 F. 🏨 350/410 F.
⬜ dim. soir et lun. oct./mai.
[E] [D] 🕿 🖨 🖨 ⤫ 🏃 ♿ [❂] ♠
CB[VISA] AE E

ARVIEU
12120 Aveyron
720 m. • 980 hab. [i]

▲ AU BON ACCUEIL ★
M. Pachins ☎ 65 46 72 13
📶 12 ⬧ 135/200 F. 🍴 68/150 F.
🍽 45 F. 🛏 195/225 F. 🏨 160/190 F.
[E] 🕿 🖨 ♿ ♠ CB[VISA] AE E

▲ LES TILLEULS
M. Grimal ☎ 65 46 75 44
📶 8 ⬧ 140/170 F. 🍴 60/100 F. 🍽 40 F.
🛏 180/210 F. 🏨 170/190 F.
[E] [SP] ♠ CB[VISA] AE ◉ E

ARVIEUX
05350 Hautes Alpes
1650 m. • 350 hab. [i]

▲▲ LA BORNE ENSOLEILLEE ★★
La Chalp. M. Durosne
☎ 92 46 72 89 🟦 92 46 79 96
📶 21 ⬧ 240/265 F. 🍴 78/130 F.
🍽 30 F. 🛏 280/305 F. 🏨 225/250 F.
⬜ 30 sept./12 déc.
🕿 🖨 ⤫ 🏃 [CV] [❂] ♠ CB[VISA] AE ◉ E

ASCAIN
64310 Pyrénées Atlantiques
1880 hab. [i]

▲▲▲ DU PARC "TRINQUET-LARRALDE" ★★
M. Salha ☎ 59 54 00 10 🟦 59 54 01 23
📶 24 ⬧ 290/360 F. 🍴 98/180 F.
🍽 40 F. 🛏 300/370 F. 🏨 260/310 F.
⬜ janv., dim. soir et lun. oct./juin.
[E] [SP] 🕿 🖨 🖨 ⤫ 🏃 [❂] ♠ CB[VISA] AE E

ASNIERES SUR NOUERE
16290 Charente
1015 hab.

▲▲▲ HOSTELLERIE DU MAINE BRUN ★★★★
Lieu-dit La Vigerie. M. Ménager
☎ 45 90 83 00 🟦 45 96 91 14
📶 20 ⬧ 450/750 F. 🍴 125/360 F.

🍽 70 F. 🏨 470/620 F.
⬜ 1er nov./31 déc., dim. soir et lun.
1er janv./30 avr.
[E] [D] 🕿 🖨 🖨 ⤫ 🔺 [CV] [❂] ♠ CB[VISA] AE
◉ E 🖴

ASPIN EN LAVEDAN
65100 Hautes Pyrénées
280 hab.

▲ DU LAVEDAN ★
Mme Azavant ☎ 62 94 15 24
📶 20 ⬧ 200/300 F. 🍴 50/150 F.
🍽 30 F. 🛏 195 F. 🏨 160 F.
⬜ 11 nov./11 fév. et 14 mars/9 avr.
[E] [SP] 🕿 🖨 ⤫ ♿ [CV] ♠ CB[VISA] AE ◉ E

▲▲ LE MONTAIGU ★★
Mme Bosch ☎ 62 94 44 65 🟦 62 94 75 44
📶 33 ⬧ 238/299 F. 🍴 64/142 F.
🍽 45 F. 🛏 217/244 F. 🏨 170/196 F.
⬜ 30 oct./Pâques.
[E] [SP] 🖨 🖨 🖨 ⤫ 🏃 ♿ ♠ CB[VISA] E

ASPREMONT
06790 Alpes Maritimes
530 m. • 1200 hab. [i]

▲▲ HOSTELLERIE D'ASPREMONT ★★
Place Saint Claude. Mme Marin
☎ 93 08 00 05 🟦 93 08 34 58
📶 10 ⬧ 190/230 F. 🍴 75/300 F.
🍽 50 F. 🛏 280/315 F. 🏨 230/265 F.
⬜ Rest. lun. hiver.
[E] [i] 🕿 🖨 [CV] ♠ CB[VISA] E

▲▲ LE SAINT JEAN ★
Route de Castagniers M. Viano
☎ 93 08 00 66 🟦 93 08 06 46
📶 9 ⬧ 150/210 F. 🍴 75/155 F. 🍽 55 F.
🛏 195 F. 🏨 250 F.
⬜ 2/31 janv., dim. soir et lundi.
🕿 [❂] ♠ CB[VISA] AE ◉

ASPRES SUR BUECH
05140 Hautes Alpes
760 m. • 700 hab. [i]

▲ DU PARC ★★
Mme Pignaud
☎ 92 58 60 01 🟦 92 58 67 84
📶 24 ⬧ 165/275 F. 🍴 99/160 F.
🍽 65 F. 🏨 266/343 F.
[E] [D] [SP] 🖨 🕿 🖨 🖨 ⤫ [CV] ♠ CB[VISA]
AE ◉ E

ATTIGNAT
01340 Ain
1682 hab. [i]

▲▲ DOMINIQUE MARCEPOIL ★★
(Attignat sortie A. Bourg en Bresse
Nord) M. Marcepoil
☎ 74 30 92 24 🟦 74 25 93 48
📶 9 ⬧ 300/450 F. 🍴 105/350 F.
🍽 80 F. 🏨 400/450 F.
⬜ 10/23 janv., 12/18 sept.,
14/20 nov., dim. soir et lun.
[E] [i] 🖨 🕿 🖨 🖨 ⤫ 🔺 🏃 ♿ [❂] ♠
CB[VISA] AE E

ATTIGNAT ONCIN
73610 Savoie
590 m. • 397 hab. 🛈

🔺🔺 LE MONT GRELE ✶✶
M. Botinelly
☎ 79 36 07 06 ᴲᴬˣ 79 36 09 54
🛏 11 ◩ 210/290 F. ⫟ 90/195 F.
🍽 65 F. ⫟⫟ 320/340 F. 🔋 250/270 F.
⊠ 2 janv./15 fév., lun. soir et mar. sauf
juil./août.

AUBAGNE
13400 Bouches du Rhône
41100 hab. 🛈

🔺🔺 DE L'ETOILE ✶✶
N. 396 (sortie A. péage Pont de l'Etoile).
M. Brarda ☎ 42 04 55 54 ᴲᴬˣ 42 04 59 78
🛏 36 ◩ 225/250 F. ⫟ 70/160 F.
⫟⫟ 353 F. 🔋 273 F.

AUBAZINE
19190 Corrèze
800 hab. 🛈

🔺🔺 DE LA TOUR ✶✶
M. Lachaud ☎ 55 25 71 17
🛏 20 ◩ 185/290 F. ⫟ 85/200 F.
🍽 45 F. ⫟⫟ 250/320 F. 🔋 220/270 F.
⊠ fév., dim. soir et lun. hs.

🔺🔺 SAUT DE LA BERGERE ✶
M. Boutot ☎ 55 25 74 09
ᵀˣ 590209 CHAMCOM ᴲᴬˣ 55 84 63 05
🛏 9 ◩ 150/240 F. ⫟ 75/165 F. 🍽 40 F.
⫟⫟ 270/310 F. 🔋 190/230 F.
⊠ 1er janv./28 fév.

AUBENAS
07200 Ardèche
13700 hab. 🛈

🔺🔺 LA PINEDE ✶✶
Route du Camping des Pins D. 235.
M. Mazet ☎ 75 35 25 88
🛏 30 ◩ 220/350 F. ⫟ 90/170 F.
🍽 48 F. ⫟⫟ 310/350 F. 🔋 260/300 F.
⊠ 15 déc./15 janv.

AUBIGNY SUR NERE
18700 Cher
6000 hab. 🛈

🔺🔺 LA FONTAINE ✶✶
2, av. Général Leclerc. M. Masse
☎ 48 58 02 59 ᴲᴬˣ 48 58 36 80
🛏 16 ◩ 220/270 F. ⫟ 80/160 F.
🍽 60 F. ⫟⫟ 280/310 F. 🔋 210/240 F.
⊠ 15/31 janv. et dim. soir.

AUBRAC
12470 Aveyron
800 m. • 491 hab.

🔺 DE LA DOMERIE "MAISON AUGUY" ✶✶
Mme David ☎ 65 44 28 42

🛏 24 ◩ 170/370 F. ⫟ 92/190 F.
🍽 60 F. ⫟⫟ 280/385 F. 🔋 200/305 F.
⊠ 11 oct./6 mai, Rest. mer. midi mai,
juin, sept. et oct.

AUBREVILLE
55120 Meuse
355 hab.

🔺🔺 DU COMMERCE ✶
Pont Ciraumont. M. Labrosse
☎ 29 87 40 35 ᴲᴬˣ 29 87 43 69
🛏 10 ◩ 150/210 F. ⫟ 60/110 F.
🍽 40 F. ⫟⫟ 190/290 F. 🔋 160/250 F.
⊠ 1er/20 oct.

AUBRIVES
08320 Ardennes
1022 hab.

🔺🔺 A L'IMPERATRICE EUGENIE ✶✶
Route Nationale 51. Mme Gattucci
☎ 24 41 61 25
🛏 13 ◩ 190/320 F. ⫟ 95/280 F.
🍽 45 F. ⫟⫟ 265/315 F. 🔋 200/265 F.
⊠ Fêtes fin année, rest. dim. soir et lun.

AUBUSSON
23200 Creuse
6400 hab. 🛈

🔺🔺 DE LA SEIGLIERE ✶✶
(Vallée du Léonardet). M. Delarbre
☎ 55 66 37 22 ᵀˣ SEIGLI 590073
ᴲᴬˣ 55 66 22 47
🛏 42 ◩ 320 F. ⫟ 120/150 F. 🍽 60 F.
⫟⫟ 700 F. 🔋 550/570 F.
⊠ 15 déc./15 fév.

🔺 DU LION D'OR ✶✶
Place d'Espagne. Mme Chaussoy
☎ 55 66 13 88 ᴲᴬˣ 55 66 84 73
🛏 11 ◩ 200/350 F. ⫟ 78/130 F.
🍽 55 F. ⫟⫟ 290/340 F. 🔋 270/310 F.
⊠ 15 janv./8 fév., ven. soir et sam. midi.

🔺🔺 LA TUILERIE ✶✶
(à Fourneaux, sur D. 942) M. Lépine
☎ 55 66 28 09 ᴲᴬˣ 55 83 00 50
🛏 24 ◩ 290/300 F. ⫟ 63/171 F.
🍽 50 F. ⫟⫟ 320/330 F. 🔋 270/280 F.
⊠ 1er déc./28 fév. Hôtel mar. soir hs.
Rest. mer.

AUBUSSON D'AUVERGNE
63120 Puy de Dôme
180 hab.

🔺 AU BON COIN ✶
M. Decouzon ☎ 73 53 55 78
🛏 7 ◩ 100/200 F. ⫟ 85/250 F. 🍽 80 F.
⫟⫟ 250/280 F. 🔋 190/220 F.
⊠ 20 déc./25 janv. et lun. hs.

AUCUN
65400 Hautes Pyrénées
865 m. • 170 hab. ℹ️

🏨🏨 LE PICORS ★★
Route de l'Aubisque. M. Fournier
☎ 62 97 40 90 🖷 62 97 41 56
🛏 48 ◎ 230/250 F. 🍽 55/170 F.
🍴 40 F. 🍽 240/260 F. 🛏 205/225 F.
✉ 12 nov./26 déc.

AUDIERNE
29770 Finistère
3975 hab. ℹ️

🏨🏨 AU ROI GRADLON ★★
Sur la Plage. M. Auclert
☎ 98 70 04 51 🖷 98 70 14 73
🛏 19 ◎ 290/340 F. 🍽 95/270 F.
🍴 60 F. 🍽 420/500 F. 🛏 330/410 F.
✉ 8 janv./24 fév. Rest. dim. soir et lun.
1er oct./1er avr.

AUDIERNE (ESQUIBIEN)
29770 Finistère
2000 hab.

🏨🏨 LE CABESTAN ★★
M. Rinquin ☎ 98 70 08 82
🛏 17 ◎ 140/260 F. 🍽 70/210 F.
🍴 46 F. 🛏 220/250 F.
✉ 1er oct./30 mars.

AUDRESSEIN
09800 Ariège
600 m. • 123 hab. ℹ️

🏨 L'AUBERGE ★
M. Barbisan
☎ 61 96 11 80
🛏 9 ◎ 120/180 F. 🍽 68/178 F. 🍴 45 F.
🍽 250/300 F. 🛏 185/215 F.
✉ 15 nov./6 fév.

AUDUN LE TICHE
57390 Moselle
6390 hab. ℹ️

🏨🏨 DE LA POSTE ★★
59, rue Maréchal Foch. M. Cruchten
☎ 82 52 10 40
🛏 15 ◎ 140/250 F. 🍽 60/150 F.
🍴 45 F. 🍽 205/260 F. 🛏 145/210 F.

AUGIGNAC
24300 Dordogne
818 hab.

🏨 PELISSIER ★★
Route du Maine du Bost. M. Degroote
☎ 53 56 40 30 🖷 53 56 29 73
🛏 8 ◎ 220 F. 🍽 85/160 F. 🍴 45 F.
🍽 285 F. 🛏 255 F.
✉ fév., dim. soir et lun. midi.

AULAS
30120 Gard
340 hab.

🏨🏨🏨 LE MAS QUAYROL ★★
M. Grenouillet ☎ 67 81 12 38
🛏 16 ◎ 360 F. 🍽 125/280 F. 🍴 45 F.
🍽 330 F.
✉ 3 janv./1er avr.

AULUS LES BAINS
09140 Ariège
785 m. • 200 hab. ℹ️

🏨 BEAU SEJOUR ★★
Mme Calvet ☎ 61 96 00 06
🛏 8 ◎ 145/250 F. 🍽 60/120 F. 🍴 50 F.
🍽 280/350 F. 🛏 230/300 F.
✉ 15 sept./1er juil.

🏨 DE FRANCE ★★
M. Amiel ☎ 61 96 00 90
🛏 23 ◎ 110/200 F. 🍽 70/150 F.
🍴 40 F. 🍽 200/240 F. 🛏 160/200 F.
✉ 10 oct./20 déc.

AUMALE
76390 Seine Maritime
3500 hab. ℹ️

🏨 LE MOUTON GRAS ★
2, rue de Verdun. M. Gauthier
☎ 35 93 41 32
🛏 6 ◎ 200/300 F. 🍽 100/170 F.
🍴 50 F. 🛏 290/300 F.
✉ 18 août/7 sept., lun. soir et mar.

AUMESSAS
30770 Gard
215 hab.

🏨🏨 LA VIALLE ★
Place de la Gare. M. Labinal
☎ 67 82 01 34
🛏 7 ◎ 195 F. 🍽 80/136 F. 🍴 41 F.
🍽 250 F. 🛏 200 F.
✉ 24 déc./2 mars, Rest. mer. et ven. midi.

AUNAY SUR ODON
14260 Calvados
3000 hab. ℹ️

🏨 DE LA PLACE ★★
10, rue du 12 Juin. M. Boone
☎ 31 77 60 73\31 77 47 46
🖷 31 77 90 07
🛏 17 ◎ 140/200 F. 🍽 52/148 F.
🍴 40 F. 🍽 200/240 F. 🛏 160/205 F.
✉ dim. soir en hiver.

🏨🏨 SAINT MICHEL ★★
6-8, rue de Caen. M. Leroux
☎ 31 77 63 16 🖷 31 77 05 83
🛏 7 ◎ 150/205 F. 🍽 49/195 F. 🍴 48 F.
🍽 230/270 F. 🛏 185/220 F.
✉ dim. soir et lun. sauf juil./août.

AUPS
83630 Var
1652 hab. 🛈

🏠 LE SAINT MARC
Rue J. P. Aloïsi. M. Martinez
☎ 94 70 06 08
🛏 7 ⬦ 190/230 F. 🍴 65/160 F. 🍳 40 F.
🏨 235/255 F. 🛎 175/195 F.
⊠ 31 mai/15 juin, 13 nov./8 déc., mar.
et mer. sauf juil./août.
📧 🚫 🖵 🛌 CB VISA ⊙ E

AURAY
56400 Morbihan
12400 hab. 🛈

🏠 DE LA MAIRIE ★★
32/34, place de la Mairie.
M. Me Stephant ☎ 97 24 04 65
🛏 21 ⬦ 145/260 F. 🍴 70/140 F.
🍳 42 F. 🛎 180/220 F.
⊠ 3 dernières semaines nov., 2 premières
semaines janv., sam. soir et dim. hs.
🚫 ☎ 🛌 🖵 CB VISA

🏠🏠 DU LOCH Rest. LA STERNE ★★
2, rue Guhur "La Forêt". Mme Claussen
☎ 97 56 48 33 🆃🆇 951025 🖷 97 56 63 55
🛏 30 ⬦ 280/370 F. 🍴 102/254 F.
🍳 65 F. 🛎 300/320 F.
⊠ 24 et 25 déc. Rest. dim. soir mi-oct.
/Pâques.
📧 🚫 🖵 ☎ 🛌 🍴 🏊 🏋 CB VISA E

AUREC SUR LOIRE (SEMENE)
43110 Haute Loire
4294 hab. 🛈

🏠 COSTE ★★
6, allée des Amis. M. Coste
☎ 77 35 40 15 🖷 77 35 39 05
🛏 7 ⬦ 165/285 F. 🍴 85/199 F. 🍳 55 F.
🏨 264/320 F. 🛎 189/240 F.
⊠ 3 premières semaines août, vac.
fév., sam. midi et dim. soir sauf juin, juil.
📧 🚫 ☎ 🛌 🍴 🏋 🖵 🛎 🖵 CB VISA E 🖹

AUREL
84390 Vaucluse
890 m. • 113 hab.

🏠🏠 RELAIS DU MONT VENTOUX ★
Mme Pantoustier ☎ 90 64 00 62
🛏 14 ⬦ 150/210 F. 🍴 130/210 F.
🍳 50 F. 🛎 190/220 F.
⊠ déc./fév. et ven. hs.
📧 🚫 🛈 🛌 CB VISA E

AURIGNAC
31420 Haute Garonne
1128 hab. 🛈

🏠🏠 LE CERF BLANC ★★
Rue Saint-Michel. M. Picard ☎ 61 98 95 76
🛏 9 ⬦ 150/260 F. 🍴 85/260 F. 🍳 50 F.
🛎 320/380 F.
⊠ lun. hs.
📧 🚫 🖵 ☎ 🛌 ✉ CB VISA E

AURILLAC (GIOU DE MAMOU)
15130 Cantal
630 m. • 461 hab.

🏠 AUBERGE LA ROCADE
Sur N. 122 à 4 Km d'Aurillac.

M. Teulière ☎ 71 63 49 18
🛏 4 ⬦ 105 F. 🍴 75/ 90 F. 🍳 36 F.
🏨 200/220 F. 🛎 150/170 F.
⊠ 20 juin/4 juil. et 5/26 sept., dim. sauf
juil./août.
📧 🆂🅿 🛌 🍴 🖵 🛎 CB VISA

AURIS EN OISANS
38142 Isère
1600 m. • 130 hab. 🛈

🏠🏠 AUBERGE DE LA FORET ★
M. Decarroz
☎ 76 80 06 01
🛏 9 ⬦ 170/210 F. 🍴 65/150 F. 🍳 60 F.
🏨 245/280 F. 🛎 220/245 F.
📧 ☎ 🛌 🖵 🛎 CB VISA

🏠 BEAU SITE ᵉᶜ
(Les Orgières). M. Gardent
☎ 76 80 06 39 🖷 76 80 19 04
🛏 21 ⬦ 145/267 F. 🍴 60/133 F.
🍳 36 F. 🏨 254/280 F. 🛎 218/244 F.
⊠ week-ends hs.
☎ 🛌 🍴 🖵 🛎 CB VISA ⊙ E

AURON
06660 Alpes Maritimes
1600 m. • 2000 hab. 🛈

🏠🏠 LAS DONNAS ★★
Grande Place. M. Roques
☎ 93 23 00 03 🆃🆇 470300 🖷 93 23 07 37
🛏 20 ⬦ 200/450 F. 🍴 100/125 F.
🍳 65 F. 🏨 225/400 F. 🛎 185/350 F.
⊠ 1er avr./13 juil. et 31 août/18 déc.
📧 🚫 🛎 CB VISA E

AURONS
13121 Bouches du Rhône
282 hab.

🏠🏠 HOSTELLERIE DOMAINE DE LA
REYNAUDE ★★
Mme Mille
☎ 90 59 30 24 🆃🆇 403922 🖷 90 59 36 06
🛏 32 ⬦ 320/600 F. 🍴 120/180 F.
🍳 60 F. 🏨 440/530 F. 🛎 320/410 F.
⊠ dim. soir.
📧 🆂🅿 🚫 ☎ 🛌 🏠 🍴 🏊 🏋 🖵 🛎
🛌 CB VISA E

AUSSOIS
73500 Savoie
1500 m. • 600 hab. 🛈

🏠🏠 LE CHOUCAS ★★
15, le Plan Champ. M. Pelissier
☎ 79 20 32 77 🖷 79 20 39 87
🛏 28 ⬦ 280/290 F. 🍴 75/190 F.
🍳 60 F. 🏨 290/305 F. 🛎 260/270 F.
⊠ mai et 15 oct./31 nov.
📧 🆂🅿 ☎ 🛌 🍴 🖵 🛎 🛌 CB VISA
⊙ E

🏠🏠 LES MOTTETS ★★
6, rue les Mottets. M. Montaz
☎ 79 20 30 86 🖷 79 20 34 22
🛏 25 ⬦ 290/325 F. 🍴 90/170 F.
🍳 48 F. 🏨 295/350 F. 🛎 255/315 F.
📧 🚫 ☎ 🛌 🍴 🏋 🏊 ⏱ 🖵 🛎 🛌
CB VISA ⊙ 🖹

111

AUTIGNY LE GRAND
52300 Haute Marne
230 hab. ⓘ

⌂ HOSTELLERIE DU MOULIN DE LA PLANCHOTTE
Château de la Planchotte. Mme Flament
☎ 25 94 84 39 ⅍ 25 94 57 04
🛏 8 ◧ 170/250 F. ⅔ 84/215 F. 🍴 45 F.
⊠ 1er/7 mars, 3/31 oct., Rest. dim. soir et lun. sauf pensionnaires.
🅴 🅳 ⬚ 🛏 📺 🚶 🎿 🍴 ● CB🆅🆂🅰 E

AUTRANS
38880 Isère
1050 m. • 1600 hab. ⓘ

⌂ AU FEU DE BOIS ★★
Lieu-dit Le Tonkin. M. Maizeret
☎ 76 95 33 32
🛏 11 ◧ 265/285 F. ⅔ 85/145 F.
🍴 50 F. ⅔ 305/340 F. 🛏 280/305 F.
⬚ 🛏 📺 🚶 🎿 ● CB🆅🆂🅰 E

⌂⌂⌂ DE LA BUFFE ★★★
M. Aribert ☎ 76 85 14 85 ⅍ 76 95 72 48
🛏 23 ◧ 290/510 F. ⅔ 78/190 F.
🍴 60 F. ⅔ 350/445 F. 🛏 300/395 F.
⊠ 2/15 avr., 28 nov./18 déc. et mer. hs.
🅴 🅳 ⬚ 🛏 📺 🚶 📶 ❄ 🎿 🍴 🛎
CB🆅🆂🅰 E

⌂⌂⌂ DE LA POSTE ★★★
M. Barnier ☎ 76 95 31 03 ⅍ 76 95 30 17
🛏 29 ◧ 250/320 F. ⅔ 80/220 F.
🍴 50 F. ⅔ 345/375 F. 🛏 285/305 F.
⊠ 25 oct./15 déc.
🅴 ⬚ 🛏 🚶 📺 🎿 📶 ❄ 🎿 CV 🛎
● CB🆅🆂🅰 E

⌂⌂ LE VERNAY ★★
M. Repellin ☎ 76 95 31 24 🆃🆇 308495
🛏 19 ◧ 240/280 F. ⅔ 78/130 F.
🍴 50 F. ⅔ 290/330 F. 🛏 250/290 F.
⊠ 17/30 avr. et oct.
🅴 🅳 ⬚ 🛏 📺 🚶 📶 🎿 🎿 CV 🛎
● CB🆅🆂🅰

⌂⌂ MA CHAUMIERE ★★
M. Faure ☎ 76 95 30 12
🛏 18 ◧ 250/265 F. ⅔ 75/145 F.
🍴 43 F. ⅔ 310/330 F. 🛏 270/280 F.
⊠ 5/30 avr. et 20 sept./20 oct.
🅴 🅳 ⬚ 🛏 CV 🛎 CB🆅🆂🅰 🅰🅴 ⓦ E

AUTREVILLE
88300 Vosges
100 hab.

⌂⌂⌂ LE RELAIS ROSE ★★★
Mme Loeffler
☎ 83 52 04 98 \ 83 52 82 37
⅍ 83 52 06 03
🛏 18 ◧ 150/400 F. ⅔ 90/180 F.
🍴 35 F. ⅔ 240/360 F. 🛏 200/280 F.
🅴 🅳 SP ⬚ 🛏 🛏 📺 🚶 🎿 CV 🛎
● CB🆅🆂🅰 🅰🅴 E

AUTREY
88700 Vosges
204 hab.

⌂⌂ AUBERGE MOTEL LA SCEGOTTE ★★
8, route de Brouvelieures. M. Weyer
☎ 29 65 94 11

🛏 10 ◧ 200/300 F. ⅔ 55/130 F.
🍴 50 F. ⅔ 280 F. 🛏 230 F.
⊠ 2ème quinzaine sept. Rest. mar.
🅴 🅳 ⬚ 🛏 🛏 📺 🎿 🎿 🎿 CV ●
CB🆅🆂🅰 🛎

AUTUN
71400 Saône et Loire
20000 hab. ⓘ

⌂ DE LA TETE NOIRE ★★
1-3, rue de l'Arquebuse. M. Maugé
☎ 85 52 25 39 ⅍ 85 86 33 90
🛏 19 ◧ 135/300 F. ⅔ 55/160 F.
🍴 42 F. ⅔ 250/440 F. 🛏 270/360 F.
⊠ Rest. mer. midi nov./mars sauf fêtes.
🅴 🅳 ⬚ 🛏 🛏 CV ● CB🆅🆂🅰 E C 🛎

※ LES ARCADES ★★
22, av. de la République. Mme Lapierre
☎ 85 52 30 03
🛏 18 ◧ 150/300 F.
⊠ 1er nov./15 mars et dim.
🅴 ⬚ 🛏 🛏 ● CB🆅🆂🅰 🅰🅴 E

AUXERRE
89000 Yonne
40698 hab. ⓘ

⌂⌂⌂ DE SEIGNELAY ★★
2, rue du Pont. M. Rafestin
☎ 86 52 03 48 ⅍ 86 52 32 39
🛏 21 ◧ 280 F. ⅔ 72/190 F. 🍴 60 F.
⅔ 390 F. 🛏 280 F.
⊠ mi-fév./mi-mars, hôtel lun., rest. dim. et lun. oct./juin.
🅴 🅳 ⬚ 🛏 🛏 📺 CB🆅🆂🅰 E

⌂⌂⌂ LES CLAIRIONS ★★
Av. de Worms Sur N. 6. M. Faron
☎ 86 46 85 64 🆃🆇 800039
🛏 62 ◧ 240/300 F. ⅔ 90/150 F.
🍴 45 F. ⅔ 340/365 F. 🛏 250/265 F.
🅴 🅳 ⬚ 🛏 🛏 🚶 📺 🎿 ❄ 🎿 🛎
● CB🆅🆂🅰 🅰🅴 ⓦ E C 🛎

AUXONNE
21130 COTE D'OR
7000 hab. ⓘ

⌂⌂ DU CORBEAU ★★
Place de l'Eglise. M. Henderyckx
☎ 80 31 11 88 ⅍ 80 31 17 01
🛏 10 ◧ 190/250 F. ⅔ 58/135 F.
🍴 40 F. ⅔ 330 F. 🛏 230 F.
⊠ 24 déc./8 janv. et dim. soir sauf vac. scol.
🅴 🅳 ⬚ 🛏 🛏 ● CB🆅🆂🅰 E

AUXONNE (VILLERS LES POTS)
21130 Côte d'Or
700 m. • 800 hab.

⌂⌂ AUBERGE DU CHEVAL ROUGE ★★
Rue Armand Roux. M. Henderyckx
☎ 80 31 44 88 ⅍ 80 31 17 01
🛏 10 ◧ 170/210 F. ⅔ 98/280 F.
🍴 55 F. ⅔ 330/340 F. 🛏 230/240 F.
⊠ dim. soir sauf vac. scol.
🅴 🅳 ⬚ 🛏 🛏 🛏 📺 🎿 🛎 ● CB🆅🆂🅰
🅰🅴 E 🛎

AVALLON
89200 Yonne
10000 hab. 🛈

🏠 DU PARC
3, place de la Gare. Mme Hurion
☎ 86 34 17 00
🛏 27 ⌧ 128/160 F. 🍴 57/128 F.
⌧ 15 déc./15 janv. et rest. dim.
▫▫▫ CB🌐 E

🏠🏠 LES CAPUCINS ★★
6, av. Paul Doumer. (Direction GARE).
M. Aublanc
☎ 86 34 06 52 ⌧ 86 34 58 47
🛏 8 ⌧ 290 F. 🍴 128/225 F. 🍽 55 F.
🍽 370 F. 🍽 280 F.
⌧ fin nov./mi-janv., mer. et mar. soir hs.
▫▫▫▫ CB🌐 AE E ▫

AVALLON (SAUVIGNY LE BOIS)
89200 Yonne
330 hab.

🏠🏠🏠 LE RELAIS FLEURI ★★★
Sur N. 6. M. Schiever
☎ 86 34 02 85 ⌧ 800084 ⌧ 86 34 09 98
🛏 48 ⌧ 300/450 F. 🍴 145/260 F.
🍽 95 F. 🍽 350/400 F.
▫▫▫▫▫▫▫▫▫▫ CB🌐 AE ⓞ E ▫

AVESNES SUR HELPE
(AVESNELLES)
59440 Nord
3030 hab.

🏠🏠 LES PATURELLES Rest. LA PEN'TIERE ★★
21, route de Paris. M. Hubière
☎ 27 61 22 22 ⌧ 27 61 03 45
⌧ 27 57 97 98
🛏 12 ⌧ 240/310 F. 🍴 66/160 F.
🍽 60 F. 🍽 260 F. 🍽 230 F.
▫▫▫▫▫▫▫▫▫▫ CB🌐 E

AVEUX
65370 Hautes Pyrénées
587 m. • 49 hab.

🏠🏠 LE MOULIN D'AVEUX ★★
M. Vayssières
☎ 62 99 20 68 ⌧ 62 99 22 27
🛏 12 ⌧ 130/250 F. 🍴 65/210 F.
🍽 35 F. 🍽 210/260 F. 🍽 145/205 F.
⌧ mar. hs et hors vac. scol.
▫▫▫▫▫▫▫▫ CB🌐 E

AVEZE
30120 Gard
950 hab.

🏠 AUBERGE COCAGNE ★★
Place du Château. M. Me Welker
☎ 67 81 02 70
🛏 7 ⌧ 145/240 F. 🍴 60/190 F. 🍽 45 F.
🍽 230/275 F. 🍽 175/220 F.
⌧ 20 déc./15 mars et vac. scol.
Toussaint.
▫▫▫▫▫▫▫ CB🌐 E

AVEZE
63690 Puy de Dôme
840 m. • 100 hab.

🏠 AUDIGIER ★★
Mme Peignier
☎ 73 21 10 16 ⌧ 73 21 17 43
🛏 8 ⌧ 230/360 F. 🍴 90/165 F. 🍽 45 F.
🍽 260/330 F. 🍽 220/280 F.
⌧ 15 oct./15 fév.
▫▫▫▫▫▫ CB🌐 E

AVIERNOZ
74570 Haute Savoie
830 m. • 356 hab. 🛈

🏠🏠 AUBERGE CAMELIA ★★
M. Me Farrel/Cook
☎ 50 22 44 24 ⌧ 50 22 43 25
🛏 12 ⌧ 295/390 F. 🍴 85/ 99 F.
🍽 30 F. 🍽 270/345 F. 🍽 210/285 F.
▫▫▫▫▫▫▫▫▫▫▫ CB🌐
E ▫

AVIGNON
84000 Vaucluse
100000 hab. 🛈

⚜ D'ANGLETERRE ★★
29, bld Raspail. M. Pons
☎ 90 86 34 31 ⌧ 90 86 86 74
🛏 40 ⌧ 170/380 F.
⌧ 20 déc./25 janv.
▫▫▫▫▫▫ CB🌐 E

🏠 LE MAGNAN ★★
63, rue Portail Magnanen. M. Jesset
☎ 90 86 36 51 ⌧ 90 85 48 90
🛏 30 ⌧ 245/335 F. 🍽 35 F.
🍽 225/270 F.
⌧ Rest. juil./août, sam. et dim.
▫▫▫▫▫▫▫▫▫ CB🌐
AE E C ▫

AVIGNON (ILE DE LA
BARTHELASSE)
84000 Vaucluse
500 hab. 🛈

🏠🏠 LA FERME ★★
Chemin des Bois. M. Warzyniak
☎ 90 82 57 53 ⌧ 90 27 15 47
🛏 20 ⌧ 300/450 F. 🍴 100/200 F.
🍽 50 F. 🍽 310/340 F.
⌧ 2 janv./10 fév., rest. sam. midi et lun.
oct./mars.
▫▫▫▫▫▫▫▫ CB🌐 E

AVIGNON (MONTFAVET)
84140 Vaucluse
3500 hab. 🛈

🏠🏠🏠 AUBERGE DE BONPAS ★★
Route de Cavaillon. M. Genovardo
☎ 90 23 07 64 ⌧ 90 23 07 00
🛏 10 ⌧ 200/360 F. 🍴 110/290 F.
🍽 80 F. 🍽 490 F. 🍽 340 F.
▫▫▫▫▫▫▫▫▫▫▫ CB🌐 AE ⓞ E

113

AVIGNON (MORIERES LES AVIGNON)
84310 Vaucluse
5800 hab.

▲▲▲ LE PARADOU ✶✶
Av. Léon Blum. Mme Beslay
☎ 90 33 34 15 ℡ 432407 ℻ 90 33 46 93
🛏 29 ◎ 340/360 F. 🍽 100/180 F.
🍴 50 F. 🍽 370/400 F. 🍽 280/310 F.
⊠ 1er nov./25 mars, 31 oct./31 déc. et sam. midi.
▯▯▯▯▯▯▯▯▯▯
CB🃏 AE ① E C ▯

AVORD
18520 Cher
3000 hab.

▲ PECILE
18, rue Maurice Bourbon. M. Pecile
☎ 48 69 13 09
🛏 9 ◎ 130/195 F. 🍽 70 F. 🍴 39 F.
🍽 185/230 F. 🍽 160/197 F.
⊠ 20 déc./8 janv., 1er/17 sept., dim., ven. et jours fériés.
▯▯▯▯▯▯ CV CB🃏 E

AVRANCHES
50300 Manche
10419 hab. ⓘ

▲▲▲ DU JARDIN DES PLANTES ✶✶
10, place Carnot. M. Me Leroy
☎ 33 58 03 68 ℻ 33 60 01 72
🛏 19 ◎ 150/320 F. 🍽 65/200 F.
🍴 55 F. 🍽 280/350 F. 🍽 200/260 F.
⊠ 2 jours Noël et 2 jours Nouvel an.
▯▯▯▯▯▯▯▯ CV ▯ CB🃏 E

AVRANCHES (PONTAUBAULT)
50300 Manche
483 hab.

▲▲ MOTEL DES 13 ASSIETTES ✶✶
(Le Val Saint-Père). M. Dubruille
☎ 33 58 14 03 ℡ 772173 ℻ 33 68 28 41
🛏 34 ◎ 180/300 F. 🍽 82/200 F.
🍴 45 F. 🍽 350/390 F. 🍽 250/290 F.
⊠ 2 janv./15 mars et mer. hs.
▯▯▯▯▯▯▯▯▯
AE E C ▯

AVRILLE
49240 Maine et Loire
11380 hab. ⓘ

▲▲ DU BOIS DU ROY ✶✶
8, av. Pierre Mendès France. M. Brin
☎ 41 69 20 18 ℻ 41 34 49 84
🛏 25 ◎ 200/260 F. 🍽 64/160 F.
🍴 39 F. 🍽 265 F. 🍽 210 F.
▯▯▯▯▯▯▯▯ CB🃏 AE E

▲▲ DU CAVIER ✶✶
Route de Laval. M. Huez
☎ 41 42 30 45 ℻ 41 42 40 32
🛏 43 ◎ 270/300 F. 🍽 98/160 F.
🍴 50 F. 🍽 331/346 F. 🍽 233/248 F.
⊠ 23 déc./5 janv. Rest. dim.
▯▯▯▯▯▯▯▯▯▯
CB🃏 AE ① E ▯

AX LES THERMES
09110 Ariège
720 m. ● 1500 hab. ⓘ

▲▲ DE FRANCE ✶✶
10, av. Delcassé. M. Fabre-Aumont
☎ 61 64 20 30
🛏 38 ◎ 150/280 F. 🍽 65/210 F.
🍴 40 F. 🍽 240/310 F. 🍽 215/258 F.
⊠ 20 déc./4 fév. et rest. 28 nov./18 avr.
▯ SP ▯▯▯▯ CV ▯ CB🃏 AE ① E

▲ DES PYRENEES ✶✶
3, av. Delcassé. Mme Miro
☎ 61 64 21 01
🛏 19 ◎ 160/250 F. 🍽 60/100 F.
🍴 52 F. 🍽 240/300 F. 🍽 160/190 F.
⊠ 1er nov./22 déc. et mer. hors vac.
▯ SP ▯ CV ▯ CB🃏 E

▲▲ LA LAUZERAIE ✶✶
Av. Delcassé. M. Marty
☎ 61 64 20 70 ℻ 61 64 38 50
🛏 33 ◎ 220/420 F. 🍽 79/190 F.
🍴 45 F. 🍽 280/350 F. 🍽 240/310 F.
⊠ 15 nov./20 déc.
▯ SP ▯▯▯▯▯▯▯ CV ▯▯
CB🃏 AE E C ▯

▲ LE CHALET ✶✶
Av. de Turrel. M. Boyer
☎ 61 64 24 31
🛏 10 ◎ 210/240 F. 🍽 65/135 F.
🍴 35 F. 🍽 520 F. 🍽 405 F.
⊠ 11 nov./20 déc., dim. soir et lun. 15 oct./15 mai.
SP ▯▯ CV ▯ CB🃏 AE E

▲▲ LE ROY RENE ✶✶
11, av. Docteur Gomma. Mme Denoize
☎ 61 64 22 28 ℡ 530955 poste280
℻ 61 64 32 54
🛏 28 ◎ 210/320 F. 🍽 85/260 F.
🍴 55 F. 🍽 255/340 F. 🍽 210/310 F.
⊠ 1er nov./1er fév.
▯ SP ▯▯▯▯▯▯▯ CB🃏
AE E

AYDAT (ROUILLAS BAS)
63970 Puy de Dôme
850 m. ● 120 hab. ⓘ

▲ AU VIEUX LOGIS ✶
Sur D. 213. Mlle Boyer ☎ 73 79 37 30
🛏 12 ◎ 140/210 F. 🍽 60/100 F.
🍴 35 F. 🍽 200/230 F. 🍽 160/190 F.
⊠ janv., 1er/15 oct., dim. soir et lun. hs.
▯▯▯▯ CB🃏 AE E

AYZAC OST
65400 Hautes Pyrénées
375 hab.

▲▲ LE VAL DU BERGONS ✶✶
M. Longo ☎ 62 97 08 76
🛏 16 ◎ 160/195 F. 🍽 70/150 F.
🍴 45 F. 🍽 220/235 F. 🍽 170/185 F.
⊠ 15 jours vac. Toussaint, 3 dernières semaines janv. et mer. oct./mai, hors vac. scol.
▯ SP ▯▯▯▯▯▯ CV ▯ CB🃏 E

AZAY LE RIDEAU
37190 Indre et Loire
3200 hab. [i]

✻ DE BIENCOURT ✭✭
7, rue Balzac (rue piétonne).
Mme Marioton ☎ 47 45 20 75
🛏 16 ◎ 200/360 F.
⊠ 15 nov./1er mars.
🄴 🄳 SP 🗔 ☎ 👜 🕭 CB🆅🆂🅰 E

▲ LE BALZAC ✭
4-6, rue Adélaïde Riche. Mme Thireau
☎ 47 45 42 08 🕿 47 45 29 87
🛏 11 ◎ 185/235 F. ⊞ 68/145 F.
🍴 40 F. ⊞ 250/300 F. 🍴 185/240 F.
⊠ janv. et lun. oct./Pâques.
SP ☎ 🚗 CV 🖐 CB🆅🆂🅰 E

▲▲ LE GRAND MONARQUE ✭✭
Place de la République. Mme Forest
☎ 47 45 40 08 🕿 47 45 46 25
🛏 27 ◎ 275/600 F. ⊞ 150/395 F.
🍴 95 F. ⊞ 440/620 F. 🍴 310/480 F.
⊠ Hôtel 16 déc./31 janv. et rest.
7 nov./14 mars.
🄴 🄳 SP 🗔 ☎ 🚗 👜 🕭 🖐 🚻 🖐
CB🆅🆂🅰 🄰🄴 ⓞ E

AZERAILLES
54122 Meurthe et Moselle
792 hab.

▲ DE LA GARE ✭
M. Steimer ☎ 83 75 15 17 🕿 83 75 28 67
🛏 7 ◎ 120/220 F. ⊞ 65/200 F. 🍴 45 F.
⊞ 150/200 F. 🍴 120/160 F.
⊠ 16 janv./8 fév., 12/17 juil., 26 et
31 déc., dim. soir, lun.
🗔 🚗 👜 🕭 🖐 CB🆅🆂🅰 E

AZUR
40140 Landes
365 hab.

▲ AUBERGE DU SOLEIL
M. Verdoux ☎ 58 48 10 17
🛏 8 ◎ 190/220 F. ⊞ 120/160 F.
🍴 50 F. 🍴 190/200 F.
⊠ 15 jours oct., 15 jours mars, dim.
soir, lun. hs et sam. matin saison.
SP 🚗 👜 CB🆅🆂🅰 E

BACCARAT
54120 Meurthe et Moselle
5000 hab. [i]

▲▲ LA RENAISSANCE ✭
31, rue des Cristalleries. Mme Colin
☎ 83 75 11 31 🕿 83 75 21 09
🛏 10 ◎ 160/250 F. ⊞ 60/180 F.
🍴 40 F. ⊞ 220/280 F. 🍴 170/220 F.
⊠ ven. soir et sam. hs.
🗔 ☎ 🚗 👜 🖐 CV 🖐 CB🆅🆂🅰 🄰🄴 ⓞ E
🄲 🖐

BADEN
56870 Morbihan
2000 hab.

▲▲▲ LE GAVRINIS ✭✭✭
Lieu-dit Toulbroche. M. Justum
☎ 97 57 00 82 🕿 97 57 09 47
🛏 19 ◎ 258/454 F. ⊞ 139/345 F.
🍴 84 F. ⊞ 396/492 F. 🍴 296/392 F.
⊠ déc. et janv. Hôtel lun. hs. Rest. lun.
midi, lun. soir hs.
🄴 🗔 ☎ 🚗 🍴 🖐 🖐 🖐 CV 🚻 🖐
CB🆅🆂🅰 🄰🄴 ⓞ E 🖐

BAGNERES DE BIGORRE
65200 Hautes Pyrénées
550 m. ● *8000 hab.* [i]

▲ LE FLORIDA ✭✭
1, av. Maréchal Joffre. M. Masanaba
☎ 62 95 03 84 🕿 62 91 09 77
🛏 35 ◎ 170/350 F. ⊞ 65/160 F.
🍴 38 F. ⊞ 200/230 F. 🍴 180/200 F.
☎ 🍴 CV 🚻 🖐 CB🆅🆂🅰 E

▲ LES VIGNAUX ✭✭
16, rue de la République. M. Doucet
☎ 62 95 03 41 🕿 62 95 42 24
🛏 15 ◎ 105/210 F. ⊞ 65/160 F.
🍴 42 F. ⊞ 164/207 F. 🍴 125/167 F.
⊠ 18 déc./8 janv.
🄴 ☎ ⤵ CV 🖐 CB🆅🆂🅰 E

▲▲ TRIANON ✭✭
Place des Thermes. M. Ripalda
☎ 62 95 09 34 🕿 62 91 11 33
🛏 30 ◎ 110/270 F. ⊞ 75/150 F.
🍴 45 F. ⊞ 290 F. 🍴 270 F.
⊠ 30 oct./3 avr.
🄴 SP ☎ 🚗 🍴 🖐 🖐 🖐 CB🆅🆂🅰

BAGNOLES DE L'ORNE
61140 Orne
875 hab. [i]

▲▲ ALBERT 1er ✭✭
7, av. du Docteur Poulain. M. Le Douget
☎ 33 37 80 97 🕿 33 30 03 64
🛏 20 ◎ 195/280 F. ⊞ 95/145 F.
🍴 50 F. ⊞ 270/350 F. 🍴 200/280 F.
⊠ Hôtel 15 déc./15 janv. et rest.
1er nov./28 fév.
🄴 🗔 ☎ 🛏 CV 🖐 CB🆅🆂🅰 🄰🄴 ⓞ E 🄲

▲▲▲ CAPRICORNE ✭✭✭
Allée Montjoie. M. Turmel
☎ 33 37 96 99 🕿 170 525 🕿 33 38 19 56
🛏 24 ◎ 300/420 F. ⊞ 105/180 F.
🍴 65 F. ⊞ 340/440 F. 🍴 300/340 F.
⊠ 11 oct./31 mai.
🄴 🄳 🗔 ☎ 🚗 🛏 🚻 CB🆅🆂🅰 🄰🄴
ⓞ E

▲▲ DE NORMANDIE ✭✭
2, av. du Docteur Paul Lemuet.
M. Bondiau
☎ 33 30 80 16 🕿 33 37 06 19
🛏 22 ◎ 190/260 F. ⊞ 90/230 F.
🍴 35 F. ⊞ 250/290 F. 🍴 200/240 F.
⊠ 3 nov./1er avr., rest. dim. soir et lun.
midi.
🄴 🄳 🗔 ☎ 🚗 🍴 🖐 🚻 🖐 CB🆅🆂🅰 🄰🄴
ⓞ E 🖐

BAGNOLES DE L'ORNE (suite)

▲▲▲ LE BEAUMONT ★★
26, bld Le Meunier de la Raillère.
Mme Alardin
☎ 33 37 91 77 ⨳ 33 38 90 61
🛏 38 ⊠ 200/370 F. ⑪ 85/200 F.
🍽 50 F. ⑪ 275/370 F. 🍴 240/335 F.
⊠ 1er nov./31 mars.
Ⓔ 🗄 ☎ 🛏 🛆 🏃 🛀 CV 🎱 🎣 CB𝖵𝖨𝖲𝖠 AE
Ⓞ E

BAGNOLES DE L'ORNE (TESSE LA MADELEINE)
61140 Orne
1200 hab. 🛈

▲ DE TESSE ★★
1, av. de la Baillée. M. Désert
☎ 33 30 80 07 ⨳ 33 38 51 92
🛏 51 ⊠ 250/370 F. ⑪ 85/100 F.
🍽 35 F. ⑪ 260/330 F. 🍴 220/290 F.
⊠ 1er nov./30 mars.
Ⓔ SP 🗄 ☎ 🛏 🛀 ⚓ 🛆 CV 🎣
CB𝖵𝖨𝖲𝖠 E C

▲▲ LE CELTIC ★★
14, bld Albert Christophle. M. Alirol
☎ 33 37 92 11
🛏 13 ⊠ 210/270 F. ⑪ 68/160 F.
🍽 45 F. ⑪ 250/280 F. 🍴 220/250 F.
⊠ janv., dim. soir et lun. hs.
🗄 ☎ 🎱 🎣 CB𝖵𝖨𝖲𝖠

▲▲▲ NOUVEL HOTEL ★★
M. Chancerel
☎ 33 37 81 22 ⨳ 33 38 04 68
🛏 30 ⊠ 226/306 F. ⑪ 79/215 F.
🍽 45 F. ⑪ 284/320 F. 🍴 264/300 F.
⊠ fin oct./début avr.
Ⓔ Ⓓ 🗄 ☎ 🛏 🛀 ⚓ 🛆 🎣 CB𝖵𝖨𝖲𝖠 E

BAGNOLS LES BAINS
48190 Lozère
913 m. • 240 hab. 🛈

▲▲ MODERN HOTEL - LE MALMONT ★★ & ★★★
9, place du Pont. M. Castan
☎ 66 47 60 04 ⨳ 66 47 62 73
🛏 41 ⊠ 190/320 F. ⑪ 68/180 F.
🍽 38 F. ⑪ 240/330 F. 🍴 200/280 F.
⊠ 23 oct./26 déc.
Ⓔ 🗄 ☎ 🛏 🛏 ⌂ 🏂 🛀 🎣 🏊 ♨ 🎾
CV 🎱 🎣 E C

▲▲ RESIDENCE DU PONT ET BRIDGE HOTEL ★★
7, place du Pont, 1 av. des Thermes.
M. Buisson ☎ 66 47 60 03 ⨳ 66 47 62 78
🛏 25 ⊠ 198/320 F. ⑪ 60/150 F.
🍽 60 F. ⑪ 245/320 F. 🍴 220/270 F.
⊠ 10 oct./fin mars.
Ⓔ SP 🗄 ☎ 🛏 🏂 🛀 ⛵ 🛀 CV 🎣
CB𝖵𝖨𝖲𝖠 E C

BAIGNES
16360 Charente
1600 hab.

▲ LE CENTRAL
Place de l'Horloge. M. Vigier
☎ 45 78 40 30
🛏 9 ⊠ 100/160 F. ⑪ 54/150 F. 🍽 36 F.

---

⑪ 200 F. 🍴 170 F.
⊠ dim. soir et fériés.
Ⓔ 🎣 CB𝖵𝖨𝖲𝖠 E

BAIN DE BRETAGNE
35470 Ille et Vilaine
5316 hab. 🛈

▲ DES 4 VENTS ★
1-3, route de Rennes. M. Quere
☎ 99 43 71 49 ⨳ 99 43 74 80
🛏 20 ⊠ 115/205 F. ⑪ 70/180 F.
🍽 42 F. ⑪ 230/250 F. 🍴 170/190 F.
⊠ 20 déc./15 janv., dim. soir
nov./Pâques et 1er mai.
Ⓔ ☎ 🛏 🛀 CV 🎱 🎣 CB𝖵𝖨𝖲𝖠 Ⓞ E 🏠

BAINS LES BAINS
88240 Vosges
1757 hab. 🛈

▲▲ DE LA PROMENADE ★★
8, av. Colonel Chavane. M. Chevallier
☎ 29 36 30 06 \ 29 36 31 15
⨳ 29 30 44 28
🛏 30 ⊠ 170/235 F. ⑪ 73/230 F.
🍽 45 F. ⑪ 285/320 F.
⊠ 1er nov./15 mars.
Ⓔ 🗄 ☎ 🛏 🎣 CB𝖵𝖨𝖲𝖠 E

BAIX
07210 Ardèche
1050 hab.

▲▲ DES QUATRE VENTS ★★
Route de Chomèrac. M. Halin
☎ 75 85 84 49 \ 75 85 80 64
🛏 16 ⊠ 145/220 F. ⑪ 65/140 F.
🍽 50 F. ⑪ 450 F. 🍴 350 F.
☎ 🛏 🛏 🎣 🏂 🎱 CB𝖵𝖨𝖲𝖠 E

BALARUC LES BAINS
34540 Hérault
3500 hab. 🛈

✳ DES PINS ★★
11, square Marius Bordes. Mme Delsol
☎ 67 48 50 15
🛏 20 ⊠ 140/250 F.
⊠ 15 déc./14 mars.
SP 🗄 ☎ 🛏 🎣 🎣 CB𝖵𝖨𝖲𝖠

BALLON D'ALSACE (LEPUIX GY)
90200 Territoire de Belfort
1250 m. • 12 hab. 🛈

▲▲ DU SAUT DE LA TRUITE ★★
M. Goepfert
☎ 84 29 32 64 ⨳ 84 29 57 42
🛏 7 ⑪ 85/180 F. 🍽 40 F. ⑪ 300 F.
🍴 240 F.
⊠ déc. et janv. ven. sauf juil./août.
Ⓔ Ⓓ 🗄 ☎ 🛏 🎣 🎣 CV CB𝖵𝖨𝖲𝖠 AE Ⓞ E

▲ GRAND HOTEL DU SOMMET ★★
M. Feuvrier
☎ 84 29 30 60 ⨳ 84 23 95 60
🛏 20 ⊠ 200/300 F. ⑪ 90/190 F.
🍽 35 F. ⑪ 280 F. 🍴 240 F.
🗄 ☎ 🛏 🛏 🛆 CV 🎱 CB𝖵𝖨𝖲𝖠 AE Ⓞ E

BALME DE SILLINGY (LA)
74330 Haute Savoie
3000 hab.

▲▲▲ LES ROCHERS ET LA CHRISSANDIERE ★★
M. Puthod ☎ 50 68 70 07 📠 50 68 82 74
🛏 36 ◈ 200/350 F. ⏶ 82/260 F.
🍽 50 F. ⏶ 250/350 F. ⏶ 230/320 F.
⊠ 1er/12 nov., 2/31 janv., dim. soir et lun.
🄴 ⓘ 🗇 🕾 🚗 🚿 🐾 ▶ 🄰 🄸🄸 🔦
CB🆅🆂🆀 🄰🄴 E ▦

BALOT
21330 Côte d'Or
96 hab.

▲▲ AUBERGE DE LA BAUME ★★
Mme Prieur ☎ 80 81 40 15
🛏 10 ◈ 180/230 F. ⏶ 65/130 F.
🍽 55 F. ⏶ 240 F. ⏶ 200 F.
⊠ Fêtes de fin d'année, et ven. soir hs.
🄴 🗇 🕾 🄳 🐾 CB🆅🆂🆀 E

BAN DE LAVELINE
88520 Vosges
1100 hab.

▲▲ AUBERGE LORRAINE ★★
5, rue du 8 Mai. M. Antoine
☎ 29 51 78 17 📠 29 51 71 72
🛏 7 ◈ 120/210 F. ⏶ 85/176 F. 🍽 50 F.
⏶ 250/285 F. ⏶ 170/220 F.
⊠ 3/20 oct., dim. soir et lun. sauf
14 juil./31 août.
🄳 🗇 🕾 🚗 🐾 🄰 🄸🄸 🔦 CB🆅🆂🆀 E

BANDOL
83150 Var
6700 hab. ⓘ

▲▲ BEL OMBRA ★★
31, rue de la Fontaine. Mme Maille
☎ 94 29 40 90
🛏 20 ◈ 200/310 F. ⏶ 110 F. 🍽 45 F.
⏶ 248/303 F.
⊠ 15 oct./31 mars.
🄴 🆂🄿 🗇 🕾 🚗 🐾 CB🆅🆂🆀 E

▲▲ L'AUBERGE DES PINS ★★
Route du Beausset, quartier des Hautes.
M. M Jourdan/Combellas
☎ 94 29 59 10 📠 94 32 43 46
🛏 7 ◈ 250/300 F. ⏶ 88/210 F. 🍽 46 F.
⏶ 334/359 F. ⏶ 246/271 F.
⊠ lun. soir et mar. sauf pension.
🄴 ⓘ 🗇 🕾 🚗 🐾 🄰 🄸🄸 🔦 CB🆅🆂🆀 E ▦

▲▲ L'ERMITAGE ★★
(Résidence du Château). M. Hecq
☎ 94 29 46 50 📠 F409000 - C5815
📠 94 32 47 01
🛏 32 ◈ 236/406 F. ⏶ 100 F. 🍽 60 F.
⏶ 268/398 F.
⊠ Rest. 18 sept./10 juin sauf soir saison.
🄴 🗇 🕾 🚗 🐾 🄲🄵 🔦 CB🆅🆂🆀 🄰🄴 E

▲▲ L'OASIS ★★
15, rue des Ecoles. M. Fernandez
☎ 94 29 41 69 📠 94 32 50 39
🛏 13 ◈ 260 F. ⏶ 95/210 F. 🍽 45 F.
⏶ 395 F. ⏶ 310 F.
⊠ Rest. dim. soir nov./mars.
🄴 🆂🄿 🗇 🕾 🚗 🚿 🕾 🄲🄵 🐾 CB🆅🆂🆀 E

▲▲ LE PROVENCAL ★★★
Rue des Ecoles. M. Calvinhac
☎ 94 29 52 11 📠 94 29 67 57
🛏 20 ◈ 290/350 F. ⏶ 98/150 F.
🍽 60 F. ⏶ 400/450 F. ⏶ 300/350 F.
⊠ Rest. oct./Pâques.
🄴 🆂🄿 🗇 🕾 🚗 🚿 🔦 CB🆅🆂🆀 🄰🄴 E

⚸ SPLENDID HOTEL ★★
Plage de Renecros. M. David
☎ 94 29 41 61 📠 400 383
🛏 26 ◈ 210/450 F.
⊠ 1er oct./1er avr.
🄴 🗇 🕾 🚗 🕾 🔦 🄲🄵 CB🆅🆂🆀 🄰🄴 E

BANNEGON
18210 Cher
351 hab.

▲▲▲ AUBERGE DU MOULIN DE CHAMERON ★★★
M. Candore ☎ 48 61 83 80 \48 61 84 48
📠 48 61 84 92
🛏 13 ◈ 320/550 F. ⏶ 140/200 F.
🍽 58 F.
⊠ 15 nov./1er mars et mar. hs.
🄴 🄳 🆂🄿 🗇 🕾 🚗 🕾 🚿 🔦 🐾 CB🆅🆂🆀
🄰🄴 E

BANNES
52360 Haute Marne
393 hab.

▲ CHEZ FRANCOISE
Mme Collignon
☎ 25 84 08 81 📠 25 84 47 78
🛏 9 ◈ 150/170 F. ⏶ 60/ 75 F. 🍽 35 F.
⏶ 170/225 F.
⊠ dim. soir.
🗇 🕾 🚗 🕾 🄳🄸 🐾 CB🆅🆂🆀 E

BANTZENHEIM
68490 Haut Rhin
1500 hab.

▲ DE LA POSTE ★★
1, rue de Bâle. M. Behe
☎ 89 26 04 26
🛏 15 ◈ 150/250 F. ⏶ 60/120 F.
🍽 25 F. ⏶ 200/220 F. ⏶ 160/180 F.
⊠ 24 déc./2 janv., rest. sam. midi et
dim.
🄴 🄳 🗇 🕾 🚗 🕾 🐾 CB🆅🆂🆀 E

BANYULS SUR MER
66650 Pyrénées Orientales
5000 hab. ⓘ

▲ AL FANAL [cc]
Av. du Fontaulé. M. Sagols
☎ 68 88 00 81 📠 68 88 13 37
🛏 13 ◈ 200/340 F. ⏶ 70/160 F.
🍽 45 F. ⏶ 275/345 F. ⏶ 200/270 F.
⊠ 20 déc./1er fév., mar. soir et mer.
🗇 🕾 🚗 🛏 🕾 🄳 🐾 CB🆅🆂🆀 E

▲ LE MANOIR ★
20, av. Maréchal Joffre. M. Espinos
☎ 68 88 32 98
🛏 20 ◈ 150/220 F. ⏶ 65/150 F.
🍽 40 F. ⏶ 185/220 F.
⊠ oct./nov.
🄴 🆂🄿 🕾 🕾 🐾 CB🆅🆂🆀 🄰🄴 E

BANYULS SUR MER (suite)

▲▲▲ LES ELMES ★★
Plage des Elmes. M. Sannac
☎ 68 88 03 12 ᴴᴬˣ 68 88 53 03
🛏 31 🍴 220/480 F. ⏹ 90/250 F.
🍴 60 F. ⏹ 290/490 F. 📷 240/390 F.
⊠ 15 nov./15 déc., 5/23 janv. et mer.
1er nov./1er mars.
[icons] CB VISA AE E

BAPAUME
62450 Pas de Calais
4085 hab.

▲▲▲ DE LA PAIX ★★
11, avenue Abel Guidet. M. Bauchet
☎ 21 07 11 03 ᴴᴬˣ 21 07 43 66
🛏 13 🍴 240/420 F. ⏹ 65/245 F.
🍴 42 F. ⏹ 410 F. 📷 180 F.
[icons] CB VISA E

BAR LE DUC
55000 Meuse
22000 hab. ℹ

▲▲ DE LA GARE ★★
Place de la République. M. Joliot
☎ 29 79 01 45 ᴴᴬˣ 29 76 39 19
🛏 45 🍴 220 F. ⏹ 65/160 F.
[icons] CB VISA E

BAR SUR AUBE
10200 Aube
7146 hab. ℹ

▲▲ RELAIS DES GOUVERNEURS ★★★
38, rue Nationale. Mme Guilleminot
☎ 25 27 08 76 ᴴᴬˣ 25 27 20 80
🛏 15 🍴 270/380 F. ⏹ 88/300 F.
🍴 60 F. 📷 540/580 F.
⊠ sam. midi, dim. soir et lun. midi.
[icons] CB VISA AE
E

BAR SUR LOUP
06620 Alpes Maritimes
1691 hab. ℹ

▲ LA THEBAIDE ★
54, chemin de la Santoline. Mlle Reboul
☎ 93 42 41 19
🛏 9 🍴 120/260 F. ⏹ 70 F.
📷 175/245 F.
[icons] CB VISA AE E

BAR SUR SEINE
10110 Aube
3850 hab. ℹ

▲ LE CERES ★★
11, faubourg de Champagne.
Mme Delsaux ☎ 25 29 86 65
🛏 8 🍴 190/210 F. ⏹ 58/150 F. 🍴 35 F.
⏹ 205/220 F. 📷 155/165 F.
⊠ dim. soir.
[icons] CB VISA E

BARAQUEVILLE
12160 Aveyron
800 m. • 2600 hab. ℹ

▲ DE L'AGRICULTURE ★
449, av. du Centre. M. Philippe
☎ 65 69 09 79
🛏 10 🍴 120/180 F. ⏹ 57/165 F.
🍴 35 F. ⏹ 230/290 F. 📷 175/235 F.
⊠ lun. sauf juil./août.
[icons] CB VISA E

▲ DE LA GARE ★
426, av. de la Gare. M. Lutran
☎ 65 69 01 62
🛏 14 ⏹ 100/160 F. 🍴 40 F.
⏹ 190/240 F. 📷 160/170 F.
[icons] CB VISA
E

▲ DU CENTRE ★
299, av. du Centre. M. Costes
☎ 65 69 00 05
🛏 8 🍴 120 F. ⏹ 65/160 F. 🍴 40 F.
⏹ 130 F.
[icons] CB VISA AE E

BARATIER
05200 Hautes Alpes
870 m. • 370 hab.

▲▲ LES PEUPLIERS ★★
M. Guerre-Genton ☎ 92 43 03 47
🛏 24 🍴 160/280 F. ⏹ 80/120 F.
🍴 45 F. ⏹ 250/300 F. 📷 190/250 F.
⊠ oct.
[icons] CB VISA E

BARBAZAN
31510 Haute Garonne
400 hab. ℹ

▲▲ HOSTELLERIE DE L'ARISTOU ★★★
Route de Sauveterre de Comminges.
M. Géraud
☎ 61 88 30 67 ᴴᴬˣ 61 95 55 66
🛏 7 🍴 350/620 F. ⏹ 120/250 F.
🍴 60 F. ⏹ 390 F. 📷 290 F.
⊠ 20 déc./1er fév., dim. soir et lun.
15 oct./Pâques.
[icons] CB VISA E

▲▲ LE PANORAMIQUE ★★
(Hameau de Burs). M. Me Clerc
☎ 61 88 35 23 ᴴᴬˣ 61 89 06 02
🛏 20 🍴 240/270 F. ⏹ 88/220 F.
📷 250 F.
⊠ 15 déc./10 janv., dim. soir et lun. hs.
[icons] CB VISA E

BARBEN (LA)
13330 Bouches du Rhône
350 hab.

▲ LA TOULOUBRE ★★
Mme Martinez
☎ 90 55 16 85 ᴴᴬˣ 90 55 17 99
🛏 6 🍴 240 F. ⏹ 120/240 F. 🍴 65 F.
⏹ 365 F. 📷 290 F.
⊠ 2ème quinzaine nov., vac. scol.
fév., dim. soir et lun.
[icons] CB VISA E

BARBIZON
77630 Seine et Marne
1200 hab. i

AA LES CHARMETTES **
40, Grande Rue. M. Karampournis
☎ (1) 60 66 40 21 ⚏ (1) 60 66 49 74
🛏 12 ◲ 305/580 F. 🍽 145/200 F.
🍴 50 F. 🍽 460/595 F. 🍽 315/450 F.
[E] 🗇 🗟 🛋 🛉 🕙 🕹 CB𝓥𝓘𝓢𝓐 AE ⓞ E

BARCARES (LE)
66420 Pyrénées Orientales
2400 hab.

AA LES REGATES
51, bld du Golfe du Lion. Mme Moulis
☎ 68 86 11 81
🛏 16 ◲ 190/370 F. 🍽 85/140 F.
🍴 50 F. 🍽 410/520 F.
⊠ 31 sept./1er mai et mar. hs.
[E] SP 🗇 🛉 🕙 🖎 🕹 CB𝓥𝓘𝓢𝓐 AE ⓞ E

BARCELONNETTE
04400 Alpes de Haute Provence
1132 m. • 2976 hab. i

AA LA GRANDE EPERVIERE ***
18, rue des Trois Frères Armand.
M. Me Geremia/Houbron
☎ 92 81 00 70 ⚏ 92 81 29 50
🛏 10 ◲ 270/380 F. 🍽 99/119 F.
🍴 45 F. 🍽 370/430 F. 🍽 270/330 F.
🗇 🗟 🛋 🛉 ╲ 🕙 🏂 🕹 CV 🕹 🖎
CB𝓥𝓘𝓢𝓐 AE ⓞ E

BARCUS
64130 Pyrénées Atlantiques
920 hab.

AA DU FRONTON **
Place du Fronton. M. Ilharreguy
☎ 59 28 91 88 ⚏ 59 28 91 09
🛏 21 ◲ 160/250 F. 🍽 75/200 F.
🍴 45 F. 🍽 220/250 F. 🍽 185/200 F.
⊠ vac. scol. fév., lun. soir et mar. hs.
[E] 🗟 🛋 🕙 CV 🕹 🖎 CB𝓥𝓘𝓢𝓐 E

BAREGES
65120 Hautes Pyrénées
1250 m. • 300 hab. i

AA DE L'EUROPE **
Mme Lons ☎ 62 92 68 04 ⚏ 62 92 65 29
🛏 35 ◲ 290 F. 🍽 67/165 F. 🍴 47 F.
🍽 310/340 F. 🍽 270/300 F.
[E] SP 🗇 🗟 🛉 🕙 🔛 🖎 CB𝓥𝓘𝓢𝓐 E

AA RICHELIEU **
Rue Ramond. Mme Asin
☎ 62 92 68 11 ⚏ 62 92 66 00
🛏 35 ◲ 230/300 F. 🍽 40/120 F.
🍴 40 F. 🍽 260/270 F. 🍽 220/280 F.
⊠ 12 oct./19 déc. et 4 avr./4 juin.
[E] SP 🗟 🛉 ╾ 🔛 CV 🖎 CB𝓥𝓘𝓢𝓐 AE E

BARGEMON
83830 Var
1200 hab. i

AA LES ARCADES **
Av. Pasteur. Mme Blond
☎ 94 76 60 36 ⚏ 94 76 68 33
🛏 10 ◲ 130/280 F. 🍽 100/150 F.

🍴 45 F. 🍽 330/390 F. 🍽 280/330 F.
⊠ 15 nov./15 déc. et mar. hs.
[E] 🗇 🗟 🛋 🛉 🕙 CV 🖎 CB𝓥𝓘𝓢𝓐 AE E

BARJOLS
83670 Var
2016 hab. i

AA DU PONT D'OR **
Route de Saint-Maximin. Mme Gros
☎ 94 77 05 23 ⚏ 94 77 09 95
🛏 16 ◲ 210/330 F. 🍽 90/200 F.
🍴 48 F. 🍽 317/347 F. 🍽 227/257 F.
⊠ 30 nov./16 janv., rest. dim. soir
1er nov./Rameaux et lun. mi-sept./fin
juin.
[E] i 🗇 🗟 🛋 CV 🖎 CB𝓥𝓘𝓢𝓐 E

BARNEVILLE CARTERET
50270 Manche
2325 hab. i

A DE LA PLAGE ET DU CAP *
Route de la Plage. M. Breda
☎ 33 53 85 89
🛏 11 ◲ 160/290 F. 🍽 85/400 F.
🍴 60 F. 🍽 300/350 F. 🍽 220/300 F.
⊠ déc./fév. et mer. sauf juil./août.
[E] i 🗇 🗟 🛉 🖎 CB𝓥𝓘𝓢𝓐

AA LES ISLES **
M. Masson ☎ 33 04 90 76
🛏 33 ◲ 195/315 F. 🍽 85/180 F.
🍴 45 F. 🍽 300/370 F. 🍽 225/295 F.
⊠ 15 nov./10 fév. et lun. hs.
[E] 🗇 🗟 🛉 🕙 CV 🕹 🖎 CB𝓥𝓘𝓢𝓐 E

BARP (LE)
33114 Gironde
2240 hab.

A LE RESINIER **
Sur N. 10. M. Balleton ☎ 56 88 60 07
🛏 9 ◲ 195/250 F. 🍽 65/220 F. 🍴 45 F.
🍽 320/380 F. 🍽 280/320 F.
[E] [D] SP 🗇 🗟 🛋 🛋 🛏 ╾ 🛉 CV 🕹
CB𝓥𝓘𝓢𝓐 AE ⓞ E

BARR
67140 Bas Rhin
4800 hab. i

⚘ DU CHATEAU D'ANDLAU **
113, vallée St Ulrich. M. Weisgerber
☎ 88 08 96 78 ╲ 88 08 98 54
⚏ 88 08 00 93
🛏 24 ◲ 220/320 F.
[E] [D] 🗇 🗟 🛋 🛋 🛉 🕹 CB𝓥𝓘𝓢𝓐

A LA COURONNE ᶜᶜ
4, rue des Boulangers. Mme Christen
☎ 88 08 44 22 ⚏ 88 08 02 12
🛏 7 ◲ 180/220 F. 🍽 50/135 F. 🍴 40 F.
🍽 280/300 F. 🍽 220/250 F.
⊠ dim. soir et lun.
[D] 🗇 🗟 🛋 CV 🖎 CB𝓥𝓘𝓢𝓐 E

AA MAISON ROUGE **
1, rue de la Gare. M. Eichenberger
☎ 88 08 90 40
🛏 12 ◲ 120/260 F. 🍽 70/150 F.
🍴 45 F. 🍽 320/350 F. 🍽 240/270 F.
[E] [D] 🗇 🗟 🛋 🛋 CV 🕹 🖎 CB𝓥𝓘𝓢𝓐 E

119

BARROUX (LE)
84330 Vaucluse
450 hab.

▲▲▲ LES GERANIUMS ★
Place de la Croix. M. Roux
☎ 90 62 41 08 ᶠᴬˣ 90 62 56 48
🛏 22 ▨ 200/240 F. 🍴 80/250 F.
🍽 40 F. 🍲 310/330 F. 🍷 220/240 F.
✉ janv./9 fév. et mer. hs.
Ⓔ SP 🕿 🚗 🚗 🚂 🎿 CV 🅘🅞 ◗ CB🆅🅢🅐
🄰🄴 Ⓞ E

BARTENHEIM
68870 Haut Rhin
2452 hab.

▲▲ AU LION ROUGE ᵉᶜ
1, rue Général de Gaulle. M. Koenig
☎ 89 68 30 29 ᶠᴬˣ 89 68 26 98
🛏 20 ▨ 120/250 F. 🍴 110/250 F.
🍽 45 F. 🍲 190/280 F. 🍷 160/220 F.
✉ Rest. mar. et mer.
Ⓔ 🄳 🗇 🕿 🚗 🚗 🚂 🎿 🎿 🅘🅞 ◗
CB🆅🅢 E ▣

BAS EN BASSET
43210 Haute Loire
2521 hab. 🅛

▲▲ DE LA LOIRE ★★
M. Cottier ☎ 71 66 72 15 ᶠᴬˣ 71 66 98 85
🛏 10 ▨ 230/310 F. 🍴 68/150 F.
🍽 50 F. 🍲 230 F. 🍷 192 F.
✉ 2 premières semaines janv., vac. scol.
fév. et vac. Toussaint.
Ⓔ SP 🗇 🕿 🚗 🚂 🎿 🎿 CV 🅘🅞 ◗ CB🆅🅢

BASSAC
16120 Charente
540 hab.

▲ CHANTECLER ★
Mme Chapeau ☎ 45 81 94 55
🛏 10 ▨ 160/260 F. 🍴 79/220 F.
🍽 40 F. 🍲 190/260 F. 🍷 160/230 F.
🄳 🗇 🕿 🚗 🏠 🚂 🎿 🅘🅞 ◗ CB🆅🅢 E

BASSE SUR LE RUPT
88120 Vosges
650 m. • 786 hab. 🅛

▲▲ AUBERGE DU HAUT DU ROC ★★
(A Planois). M. Perrin
☎ 29 61 77 94 ᶠᴬˣ 29 24 91 77
🛏 10 ▨ 200 F. 🍴 50/120 F. 🍽 35 F.
🍲 245 F. 🍷 200 F.
✉ 1ère semaine sept. et mer. soir hs.
🗇 🕿 🚗 🚂 🎿 CV 🅘🅞 ◗ CB🆅🅢 E ▣

BASSILLAC
24330 Dordogne
1547 hab.

▲ L'ESCALE
M. Pean ☎ 53 54 42 95
🛏 5 ▨ 205/245 F. 🍴 88/175 F.
🍲 330/360 F. 🍷 305/335 F.
🄳 🗇 🚗 🚂 🎿 CV ◗ CB🆅🅢 E ▣

BASTELICA
20119 Corse
850 m. • 800 hab.

▲▲▲ U CASTAGNETU ★★
M. Folacci
☎ 95 28 70 71 🖳 460 918 ᶠᴬˣ 95 28 74 02
🛏 15 ▨ 145/165 F. 🍴 85/145 F.
🍲 330/370 F. 🍷 265/310 F.
✉ 2 nov./31 mars sauf week-ends janv.,
fév. et jeu.
Ⓔ 🄳 SP 🅘 🕿 🚗 🅘🅞 CB🆅🅢 🄰🄴 Ⓞ E

BASTIDE DE SEROU (LA)
09240 Ariège
1000 hab.

▲▲ DELRIEU
M. Delrieu ☎ 61 64 50 26
🛏 10 ▨ 98 F. 🍴 68/158 F. 🍽 42 F.
🍲 220 F. 🍷 160 F.
✉ janv. dim. soir et lun. hs.
Ⓔ 🄳 SP 🚗 ◗ CB🆅🅢 E

BASTIDE DES JOURDANS (LA)
84240 Vaucluse
724 hab. 🅛

▲▲ AUBERGE DU CHEVAL BLANC ★
Le Cours. M. Moullet ☎ 90 77 81 08
🛏 8 ▨ 200/320 F. 🍴 135/210 F.
🍽 90 F. 🍲 340/400 F. 🍷 240/300 F.
✉ fév. et jeu.
Ⓔ 🄳 🗇 🕿 🚗 🚂 🎿 CB🆅🅢 🄰🄴 Ⓞ E

BAUD
56150 Morbihan
4658 hab.

▲ AUBERGE DU CHEVAL BLANC ★★
16, rue de Pontivy. Mme Le Croller
☎ 97 51 00 85
🛏 10 ▨ 180/240 F. 🍴 65/230 F.
🍽 45 F. 🍲 235/250 F. 🍷 175/190 F.
✉ lun.
🗇 🕿 🅘🅞 CB🆅🅢 E ▣

BAUDREVILLE
28310 Eure et Loir
250 hab.

▲ LE RELAIS D'OC
3, rue de la Revanche. M. Rouzies
☎ 37 99 56 50
🛏 10 ▨ 180/220 F. 🍴 53/250 F.
🍽 50 F. 🍲 230 F. 🍷 180 F.
✉ dim. soir et lun. sauf pensionnaires.
🄳 🗇 🚗 🚂 ◗ CB🆅🅢 Ⓞ E

BAUDUEN
83630 Var
230 hab. 🅛

▲▲ AUBERGE DU LAC ★★
Mme Bagarre
☎ 94 70 08 04 ᶠᴬˣ 94 84 39 41
🛏 10 ▨ 300/380 F. 🍴 98/170 F.
🍽 55 F. 🍲 370/410 F. 🍷 300/340 F.
✉ 15 nov./15 mars.
Ⓔ 🄳 🗇 🕿 ◗ CB🆅🅢 E

▲▲ LES CAVALETS
M. Blanc
☎ 94 70 08 64 ᶠᴬˣ 94 84 39 37
🛏 23 ▨ 250/290 F. 🍴 85/185 F.
🍽 48 F. 🍲 328/348 F. 🍷 242/262 F.
✉ 20 nov./26 déc. et mar.
1er oct./31 mai.
🕿 🚗 🚂 🎿 🎿 🖐 ◗ CB🆅🅢 Ⓞ E

BAUGE
49150 Maine et Loire
4000 hab. 🛈

🏨🏨 LA BOULE D'OR ★★
4, rue du Cygne. M. Jolly ☎ 41 89 82 12
🛏 10 ⊠ 295/390 F. 🍽 90/190 F.
🍴 50 F. 🍴 280/450 F.
⊠ vac. scol. Noël, Pâques, dim. soir et lun.
🅵 🗇 🛅 🚗 🚶 🍴 CB🟦 E

BAULE (LA)
44500 Loire Atlantique
16000 hab. 🛈

🏨🏨 HOSTELLERIE DU BOIS ★★
65, av. Lajarrige. Mme Dabouis
☎ 40 60 24 78 🆔 40 42 05 88
🛏 15 ⊠ 340/380 F. 🍽 90/145 F.
🍴 55 F. 🍴 295/350 F. 🍴 375/440 F.
⊠ 1er nov./15 fév.
🅵 🗇 🛅 🚗 🍴 🚶 ♿ 🍴 🍴 CB🟦 E

🏨🏨 LA MASCOTTE ★★
26, av. Marie-Louise. M. Landais
☎ 40 60 26 55 🆔 40 60 15 67
🛏 21 ⊠ 380/460 F. 🍽 98/245 F.
🍴 75 F. 🍴 490/530 F. 🍴 370/410 F.
⊠ 11 nov./1er mars.
🅵 🗇 🛅 🚗 🍴 CB🟦 🆔 E

🏨🏨 LA PALMERAIE ★★
7, allée des Cormorans. M. Brillard
☎ 40 60 24 41 🆔 40 42 73 71
🛏 23 ⊠ 280/410 F. 🍽 130/150 F.
🍴 320/405 F. 🍴 290/365 F.
⊠ 1er oct./début avr.
🅵 🗇 🛅 🍴 🍴 CB🟦 🆔 ⦿ E

🏨🏨 LE CLEMENCEAU ★★
42, av. Georges Clémenceau. M. Lebert
☎ 40 60 21 33 🆔 40 42 72 46
🛏 16 ⊠ 260/380 F. 🍽 70/143 F.
🍴 40 F. 🍴 310 F. 🍴 265 F.
⊠ 1 semaine oct., 15 janv./15 fév., dim.
soir et lun.
🅵 🗇 🛅 🍴 🍴 CB🟦 🆔 E 🍴

🏨🏨 LE LUTETIA ★★
13, av. des Evens. M. Fornareso
☎ 40 60 25 81 🆔 40 42 73 52
🛏 14 ⊠ 250/400 F. 🍽 115/235 F.
🍴 70 F. 🍴 350/420 F. 🍴 260/370 F.
⊠ 8 janv./8 fév., Rest. dim. soir et lun. hs.
🅵 🗇 🛅 🍴 🍴 🍴 CB🟦 🆔 ⦿ E

🏨 LE SAINT PIERRE ★★
124, av. de Lattre de Tassigny.
Mme Glaudis
☎ 40 24 05 41 🆔 40 11 03 41
🛏 19 ⊠ 195/310 F. 🍽 78/130 F.
🍴 38 F. 🍴 250/350 F. 🍴 240/310 F.
⊠ oct.
🅵 🗇 🛅 🍴 CB🟦 🆔 ⦿ E

🏨🏨 SAINT CHRISTOPHE ★★
Place Notre Dame. M. Joüon
☎ 40 60 35 35 🆔 40 60 11 74
🛏 30 ⊠ 180/690 F. 🍽 90/150 F.
🍴 50 F. 🍴 315/650 F. 🍴 225/530 F.
🅵 🗇 🛅 🚗 🍴 🍴 CB🟦 🆔 E 🍴

BAULNE EN BRIE
02330 Aisne
243 hab.

🏨 AUBERGE DE L'OMOIS ★★
Grande Rue. M. Dubus ☎ 23 82 08 13
🛏 7 ⊠ 140 F. 🍽 65 F. 🍴 25 F.
🍴 210/275 F. 🍴 180/235 F.
⊠ lun.
🅵 🗇 CV 🍴 🍴 CB🟦 🆔 ⦿ E

BAUME LES DAMES
25110 Doubs
6000 hab. 🛈

🏨 LE BAMBI ★★
19, fg. Danroz. Mme Vuillaume
☎ 81 84 12 44
🛏 10 ⊠ 190 F. 🍽 55 F. 🍴 35 F.
🍴 260/280 F. 🍴 230/240 F.
🗇 🛅 🚗 🍴 🍴 CV 🍴 🍴 CB🟦 ⦿ E

BAYENGHEM LES SENINGHEM
62380 Pas de Calais
350 hab.

🏨🏨 HOSTELLERIE LE RELAIS
Mme Micielski
☎ 21 39 64 54
🛏 4 ⊠ 180/250 F. 🍽 120/150 F.
🍴 80 F. 🍴 290/325 F. 🍴 210/250 F.
⊠ 3ème et 4ème semaine août, mar.
soir et mer. midi sauf pensionnaires.
🅵 🗇 🚗 🍴 🍴 CV 🍴 🍴 CB🟦 E

BAYEUX
14400 Calvados
16000 hab. 🛈

🏨🏨 DE BRUNVILLE Rest. LA MARMITE ★★
9, rue Genas Duhomme. Mme Morel
☎ 31 21 18 00 📠 171663 🆔 31 92 54 26
🛏 38 ⊠ 200/350 F. 🍽 79/197 F.
🍴 48 F. 🍴 250/280 F.
🅵 🗇 🗇 🛅 🚗 🍴 🍴 CV 🍴 🍴 CB🟦
🆔 E C 🍴

🏨🏨🏨 DU LUXEMBOURG Rest. LES 4 SAISONS ★★★
25, rue des Bouchers. M. Morel
☎ 31 92 00 04 📠 171663 🆔 31 92 54 26
🛏 22 ⊠ 300/550 F. 🍽 99/345 F.
🍴 88 F. 🍴 326/530 F.
🅵 🗇 🗇 🛅 🚗 🍴 🍴 🍴 🍴 CV 🍴 🍴
CB🟦 🆔 E C 🍴

🏨🏨🏨 LE LION D'OR ★★★
71, rue Saint-Jean. Mme Jouvin-Bessière
☎ 31 92 06 90 🆔 31 22 15 64
🛏 27 ⊠ 240/900 F. 🍽 110/320 F.
🍴 80 F. 🍴 415/745 F. 🍴 315/645 F.
⊠ 20 Déc./20 janv.
🅵 🗇 🗇 🛅 🚗 🚗 🍴 🍴 🍴 CB🟦 🆔
⦿ E

🏨🏨 NOTRE DAME ★
44, rue des Cuisiniers. Mme Magne
☎ 31 92 87 24 🆔 31 92 67 11
🛏 24 ⊠ 120/260 F. 🍽 55/160 F.
🍴 50 F. 🍴 250/320 F. 🍴 170/240 F.
⊠ 15 nov./15 déc., dim. soir et lun.
midi du 15 oct./15 avr.
🅵 🗇 🗇 🍴 🍴 CB🟦 E

BAYON
54290 Meurthe et Moselle
1530 hab.

⚑⚑ DE L'EST
6, place du Château. M. Cuny
☎ 83 72 53 68
🛏 7 ⊠ 110/255 F. 🍴 54/150 F. 🍽 39 F.
🏨 220/260 F. 🍽 170/210 F.
⊠ 2ème et 3ème semaine oct., rest.
sam., dim.
🄴 ⬜ ⬛ ♿ CV ♥ CB🆅🅼🅰 🄴 ▣

BAZAILLES
54620 Meurthe et Moselle
193 hab.

⚑ AU GENTIL VAL
2, rue Blanche Fontaine. Mme Minette
☎ 82 89 60 60
🛏 7 ⊠ 210/330 F. 🍴 60/180 F. 🍽 39 F.
🏨 210/300 F. 🍽 170/250 F.
⊠ 26 déc./12 janv., dim. soir et lun.
⬜ ⬛ ⬛ ⬛ ⬛ ▣ CB🆅🅼🅰 🄴

BAZOUGES SUR LE LOIR
72200 Sarthe
1400 hab. [i]

⚑⚑ LE MOULIN DE LA BARBEE
M. Doire
☎ 43 45 33 17
🛏 3 ⊠ 320 F. 🍴 95/150 F. 🍽 40 F.
⊠ 15 janv./20 fév., lun. soir et mar.
sept./fin mars.
🄴 🄳 ⬜ ⬛ ⬛ ⬛ ▣ CB🆅🅼🅰 🄴

BEAGE (LE)
07630 Ardèche
1200 m. • 500 hab.

⚑ BEAUSEJOUR ★
Mme Vernet
☎ 75 38 85 02
🛏 11 ⊠ 110/225 F. 🍴 59/110 F.
🍽 45 F. 🍴 190/220 F. 🍽 160/190 F.
⬛ CV ♥

BEAUCAIRE
30300 Gard
14000 hab. [i]

⚑ L'OLIVERAIE ★★
Route de Nîmes. Mme Valota
☎ 66 59 16 87 🖷 66 59 08 91
🛏 13 ⊠ 220/280 F. 🍴 75/140 F.
🍽 60 F. 🍴 250/320 F. 🍽 230/280 F.
⊠ 22 déc./15 janv.
🄴 [i] ⬜ ⬛ ⬛ ⬛ ⬛ ▣
♥ CB🆅🅼🅰 🄴

⚑ LE PARC
Route de Bellegarde. M. Rayret
☎ 66 01 11 45
🛏 7 ⊠ 200/270 F. 🍴 90/290 F. 🍽 40 F.
🍴 250/300 F. 🍽 220/250 F.
⊠ lun. soir et mat.
🄴 SP ⬜ ⬛ ⬛ ▣ ♥ CB🆅🅼🅰 🅾 🄴

⚑⚑⚑ ROBINSON ★★
Route de Remoulin. Mme Léon-Blanc
☎ 66 59 21 32 🖷 66 59 00 03
🛏 30 ⊠ 250/350 F. 🍴 88/180 F.

🍽 62 F. 🍴 325/375 F. 🍽 250/300 F.
⊠ fév.
⬛ [i] ⬜ ⬛ ⬛ ⬛ ⬛ ⬛ ♿ ▣
♥ CB🆅🅼🅰 🄴

BEAUCROISSANT
38140 Isère
1052 hab.

⚑ LE PONT DE CHAMP ★★
M. Ruel-Gallay
☎ 76 65 22 10 🖷 76 91 53 45
🛏 14 ⊠ 220/260 F. 🍴 68/160 F.
🍽 50 F. 🍴 260/300 F. 🍽 220/280 F.
⊠ 26 déc./1er janv., dim. soir et lun.
midi.
⬜ ⬛ ⬛ ▣ ♥ CB🆅🅼🅰 🄴

BEAUDEAN
65710 Hautes Pyrénées
650 m. • 410 hab. [i]

⚑⚑⚑ LE CATALA ★★
Rue Larrey. Mme Brau-Nogue
☎ 62 91 75 20 🖷 62 91 79 72
🛏 24 ⊠ 250/400 F. 🍴 70/200 F.
🍽 40 F. 🍴 300/500 F. 🍽 230/300 F.
⊠ 24/30 déc., ven. soir et dim. soir hors
vac.
⬜ ⬛ ⬛ ⬛ ⬛ ⬛ ♿ ⬛ ⬛ CV ▣
CB🆅🅼🅰 🄴 ▣

BEAUFORT SUR DORON
73270 Savoie
750 m. • 1000 hab. [i]

⚑ DU DORON ★
M. Bouchage
☎ 79 38 33 18
🛏 18 ⊠ 140/290 F. 🍴 75/140 F.
🍽 45 F. 🍴 220/280 F. 🍽 210/260 F.
⬛ ⬛ CV ▣ CB🆅🅼🅰 🄰🄴 🅾 🄴

⚑ DU GRAND MONT ★★
Place de l'Eglise. Mme Frison-Roche
☎ 79 38 33 36 🖷 79 38 39 07
🛏 12 ⊠ 230/250 F. 🍴 85/140 F.
🍽 55 F. 🍴 285/295 F. 🍽 255/265 F.
⊠ oct./1ère semaine nov., dim. soir et
lun. hs.
🄴 ⬛ CV ▣ ♥ CB🆅🅼🅰 🄴

BEAUGENCY
45190 Loiret
7000 hab. [i]

⚑⚑ HOSTELLERIE DE L'ECU DE
BRETAGNE ★★
Place du Martroi. Mme Renucci
☎ 38 44 67 60 🖷 38 44 68 07
🛏 25 ⊠ 230/350 F. 🍴 90/200 F.
🍽 65 F. 🍴 258/310 F.
⊠ fév.
🄴 ⬜ ⬛ ⬛ ⬛ ♿ ▣ ♥ CB🆅🅼🅰 🄰🄴 🅾 🄴

⚑⚑ LA MAILLE D'OR ★★
M. Billard
☎ 38 44 53 43 ╲ 38 44 55 34
🖷 38 44 55 58
🛏 21 ⊠ 160/320 F. 🍴 68/135 F.
🍽 45 F. 🍴 250/320 F. 🍽 180/250 F.
⊠ ven. soir et dim. 1er oct./30 mars.
⬜ ⬛ ⬛ ⬛ ▣ ♥ CB🆅🅼🅰 🄰🄴 ▣

BEAUJEU
69430 Rhône
2200 hab. ⓘ

▲▲ ANNE DE BEAUJEU ★★
28, rue République. M. Cancela
☎ 74 04 87 58 🗺 74 69 22 13
🛏 7 ⌷ 250/350 F. 🍴 106/340 F.
🍴 70 F. 🍽 280/320 F.
⊠ 20 déc./20 janv., 10 jours août, dim.
soir et lun.
🔲 🅳 🕿 🖶 ⛵ 🕙 🏨 🐾 CB🌐 E

BEAULIEU SUR DORDOGNE
19120 Corrèze
1200 hab. ⓘ

▲▲ CENTRAL HOTEL FOURNIE ★★
4, place du Champ de Mars.
Mme Fournie
☎ 55 91 01 34 🗺 55 91 23 57
🛏 27 ⌷ 160/320 F. 🍴 80/250 F.
🍴 55 F. 🍴 260/350 F. 🍽 210/300 F.
⊠ 11 nov./mi-mars.
🔲 🕿 🖶 ⛵ 🕙 🏨 🐾 CB🌐 E

▲▲ LE TURENNE ★★
1, bld Saint-Rodolphe de Turenne.
M. Cave ☎ 55 91 10 16 🗺 55 91 22 42
🛏 16 ⌷ 255/270 F. 🍴 80/300 F.
🍴 55 F. 🍴 345/365 F. 🍽 245/265 F.
⊠ janv./fév., dim. soir et lun. hs.
🔲 🅳 🕿 🏨 🛁 🏨 🐾 CB🌐 AE ⑨ E 🖶

BEAUMONT DE LOMAGNE
82500 Tarn et Garonne
4000 hab. ⓘ

▲▲ LE COMMERCE ★★
M. Hamon ☎ 63 02 31 02
🛏 12 ⌷ 140/200 F. 🍴 69/180 F.
🍴 45 F. 🍴 208/240 F. 🍽 158/190 F.
⊠ 1 semaine vac. scol. fév., 1er/8 mai,
10/23 oct., dim. soir et lun.
🔲 🅳 🕿 🖶 🐾 CB🌐 E

BEAUMONT LA RONCE
37360 Indre et Loire
901 hab.

▲ LES TROIS MARCHANDS
Mme Simon ☎ 47 24 44 85
🛏 7 ⌷ 150/180 F. 🍴 65/150 F. 🍴 30 F.
🍴 200 F. 🍽 170 F.
⊠ mer. soir et dim. soir mars/oct., dim.
oct./mars.
🔲 🖶 🐾 CB🌐 E

BEAUMONT SUR SARTHE
72170 Sarthe
2224 hab. ⓘ

▲▲ DU CHEMIN DE FER ★★
Place de la Gare. M. Hary
☎ 43 97 00 05 🗺 43 33 52 17
🛏 15 ⌷ 150/336 F. 🍴 76/215 F.
🍴 53 F. 🍴 204/305 F. 🍽 168/252 F.
⊠ 20 fév./15 mars, 16 oct./4 nov., dim.
soir et lun. nov./Pâques.
🔲 🕿 🖶 🛁 🏨 CV 🐾 CB🌐 E

BEAUMONT SUR VESLE
51360 Marne
700 hab.

▲▲ LA MAISON DU CHAMPAGNE ★★
2, rue du Port. Mme Boulard
☎ 26 03 92 45 🗺 26 03 97 59
🛏 13 ⌷ 160/250 F. 🍴 70/180 F.
🍴 40 F. 🍴 290 F. 🍽 220 F.
⊠ 15 jours oct., 15 jours fév., dim. et
lun. soir sauf fêtes.
🔲 🅳 🕿 🖶 🕿 🛁 🏨 🐾
CB🌐 AE ⑨ E

BEAUNE
21200 Côte d'Or
20000 hab. ⓘ

❊ AU RAISIN DE BOURGOGNE ★★
164, route de Dijon. Mme Forasacco
☎ 80 24 69 48 🗺 80 24 99 77
🛏 11 ⌷ 160/280 F.
⊠ dim.
🕿 🖶 🐾 CB🌐 AE ⑨ E

▲▲ AUBERGE BOURGUIGNONNE ★★
4, place Madeleine. M. Autin
☎ 80 22 23 53 🗺 80 22 51 64
🛏 8 ⌷ 230/295 F. 🍴 89/198 F. 🍴 62 F.
⊠ 4/11 juil., 10 déc./15 janv., lun. sauf
fériés, dim. soir fin nov./fin fév.
🔲 🅳 🕿 🖶 CV 🐾 CB🌐 E

▲ DE FRANCE ET TERMINUS ★★
35, av. du 8 Septembre. Mme Berger
☎ 80 24 10 34 🗺 80 24 96 78
🛏 22 🍴 70/160 F. 🍴 40 F.
🍴 560/620 F. 🍽 440/500 F.
🔲 🕿 🖶 ⛵ 🐾 CB🌐 AE E

▲▲ GRILLON ★★
21, route Seurre. M. Grillon
☎ 80 22 44 25 🗺 80 24 94 89
🛏 18 ⌷ 255/320 F. 🍴 85/330 F.
🍴 55 F.
⊠ Rest. mer.
🔲 🕿 🖶 🖶 ⛵ 🛁 🏨 🐾 CB🌐 AE
⑨ E

BEAUNE (SAVIGNY LES BEAUNE)
21420 Côte d'Or
1500 hab. ⓘ

▲▲ L'OUVREE ★★
Route de Bouilland. M. Pierrat
☎ 80 21 51 52 🗺 80 26 10 04
🛏 22 ⌷ 240/270 F. 🍴 95/225 F.
🍴 50 F. 🍴 336/352 F. 🍽 240/257 F.
🔲 🕿 🖶 ⛵ 🛁 🏨 CV 🐾 CB🌐 E

BEAURECUEIL
13100 Bouches du Rhône
466 hab.

▲▲▲ RELAIS SAINTE VICTOIRE ★★★
M. Jugy-Berges
☎ 42 66 94 98 🗺 42 86 85 96
🛏 10 ⌷ 350/600 F. 🍴 170/400 F.
🍴 125 F. 🍽 450/600 F.
⊠ 1 semaine Toussaint, dim. soir et lun.
🔲 🅳 ⓘ 🕿 🖶 🏨 🛁 🏨 📞 🏨 🐾
CB🌐 AE ⑨ E

123

BEAUREPAIRE
38270 Isère
3800 hab. 🛈

▲▲▲ FIARD-ZORELLE ★★
Av. des Terreaux. Mme Zorelle
☎ 74 84 62 02 📠 74 84 71 13
🛏 15 ⊗ 200/350 F. 🍽 130/280 F.
🍴 55 F.
⊠ 2ème quinzaine janv., dim. soir hs et lun. midi sauf fêtes.
📧 🔲 SP 🖥 🖨 📞 🖂 🚿 🚹 ⚙ 📞 CB🃏 E 🏠

BEAUREPAIRE EN BRESSE/LOUHANS
71580 Saône et Loire
505 hab.

▲▲▲ AUBERGE DE LA CROIX BLANCHE ★★
Mme Poulet
☎ 85 74 13 22 📠 85 74 13 25
🛏 14 ⊗ 160/250 F. 🍽 85/300 F.
🍴 70 F. 🍽 305/400 F. 🎁 250/300 F.
⊠ 25/30 sept., 12/30 nov., dim. soir et lun. hs.
📧 🔲 🖥 🖨 🖂 🚶 🚿 🚹 ⚙ 🚹 CV 📞 CB🃏 E 🏠

BEAUVAIS
60000 Oise
54147 hab. 🛈

▲ DE LA POSTE ★
19, rue Gambetta. M. De Faria
☎ 44 45 14 97 📠 44 45 02 31
🛏 14 ⊗ 105/195 F. 🍽 79/120 F.
🍴 40 F. 🍽 310 F. 🎁 250 F.
⊠ dim.
📧 🖥 🖨 🖂 🖂 CB🃏 AE E

BEAUVAIS (WARLUIS)
60430 Oise
1160 hab. 🛈

▲▲ LES ALPES FRANCO-SUISSES Rest. LE CHAMOIS ★★
M. Maillard
☎ 44 89 26 51 📠 44 89 26 56
🛏 27 ⊗ 200/240 F. 🍽 75/140 F.
🍴 64 F. 🍽 277/297 F. 🎁 202/222 F.
⊠ Rest. lun. midi et ven.
🖥 🖨 🖂 🖂 🚶 ⚙ 🚹 CV 📞 CB🃏 AE E

BEAUVENE
07190 Ardèche
230 hab.

▲▲ DES TOURISTES Rest. PERRIER ★★
(Pont de Chervil). M. Perrier
☎ 75 29 06 19
🛏 8 ⊗ 185/245 F. 🍽 65/ 87 F. 🍴 38 F.
🍽 215 F. 🎁 180 F.
⊠ hôtel 2 sept./31 mars et mer.
🖨 🖂 🖂 📞

BEAUVILLE
47470 Lot et Garonne
600 hab. 🛈

▲ DU MIDI ★
Mme Serres ☎ 53 95 41 18
🛏 7 ⊗ 100/120 F. 🍽 60/140 F. 🍴 45 F.
🍽 180 F. 🎁 160 F.

⊠ 1ère quinzaine sept. et lun. soir.
📧 🖨 🖂 CV ⚙ 📞 CB🃏 E

BEAUVOIR
50170 Manche
480 hab.

▲▲ LE BEAUVOIR ★★
M. Guiton
☎ 33 60 09 39 📠 33 48 59 65
🛏 18 ⊗ 265/320 F. 🍽 88/240 F.
🍴 50 F.
⊠ 15 nov./15 fév.
📧 🖨 🖂 🖂 ⚙ 📞 CB🃏 E

BEAUVOIR
60120 Oise
180 hab.

▲ LA TAVERNE
Lieu-dit la Folie, sur D. 916. M. Cayez
☎ 44 07 03 57
🛏 8 ⊗ 160/180 F. 🍽 65/160 F. 🍴 42 F.
🍽 200/250 F. 🎁 155/175 F.
⊠ lun.
🖂 ⚙ 📞 CB🃏 ⊕ E

BEAUVOIR SUR MER
85230 Vendée
3040 hab. 🛈

▲ DES TOURISTES ★★
1, rue du Gois. M. Briand
☎ 51 68 70 19 📠 51 49 33 45
🛏 36 ⊗ 148/334 F. 🍽 50/290 F.
🍴 50 F. 🍽 282/392 F. 🎁 235/335 F.
⊠ 5 janv./15 fév.
📧 🖥 🖨 🖂 🖂 🚶 🚹 ⚙ CV ⚙ 📞
CB🃏 AE ⊕ E

BECON LES GRANITS
49370 Maine et Loire
2300 hab.

▲▲ LES 3 MARCHANDS ★★
Place de l'Eglise. M. Lechêne
☎ 41 77 90 21
🛏 5 ⊗ 180/200 F. 🍽 120/230 F.
🍴 50 F. 🍽 250 F. 🎁 240 F.
⊠ dernière semaine déc., dim. soir et lun.
📧 🖥 🖨 CB🃏 E

BEDOIN
84410 Vaucluse
2000 hab. 🛈

▲▲ DES PINS ★★
Chemin des Crans. Mmes Pauleau/Haud
☎ 90 65 92 92 📠 90 65 60 66
🛏 25 ⊗ 300/320 F. 🍽 120/130 F.
🍴 60 F. 🎁 300/310 F.
⊠ Hôtel 2 janv./2 fév. et rest. nov./fin mars.
📧 🔲 🖥 🖨 🖂 🚶 🚹 ⚙ 📞 CB🃏 E 🏠

BEG MEIL
29170 Finistère
700 hab. 🛈

▲▲ DE BRETAGNE ★★
M. Jan ☎ 98 94 98 04 📠 98 94 90 58
🛏 28 ⊗ 270/360 F. 🍽 90/195 F.
🍴 55 F. 🍽 300/380 F. 🎁 260/340 F.
⊠ 1er oct./31 mars et rest. mar. 30 juin.
📧 🔲 🖥 🖨 🖂 🖂 🚶 🚿 🚹 ⚙ 📞
CB🃏 E

BEG MEIL (suite)

AA THALAMOT ★★
Le Chemin Creux, Pointe de Beg-Meil.
M. Le Borgne
☎ 98 94 97 38 ᴴᴹ 98 94 49 92
🛏 35 ◐ 215/395 F. ⫿ 98/258 F.
🍴 60 F. ⫿ 285/410 F. 🍽 245/360 F.
⊠ début oct./10 avr.
[ᴇ] [ᴅ] ⌂ ⌂ ♈ ⚷ ⚲ ⚿ ● CB🆅🆂🅰 ᴀᴇ
ᴇ ■

BEGARD
22140 Côtes d'Armor
5000 hab.

AA LA POMME D'OR ★★
7, rue Pierre Perron. M. Le Goff
☎ 96 45 21 68
🛏 9 ◐ 180/240 F. ⫿ 55/200 F. 🍴 38 F.
⫿ 200/240 F.
⊠ 25 août/15 sept. et lun.
[ᴇ] ⌂ ⌂ ⚿ ⚿ CB🆅🆂🅰 ᴀᴇ ⦿ ᴇ

BEGUDE DE MAZENC (LA)
26160 Drôme
1024 hab. ⓘ

AA DU JABRON ★★
MM. Sadeler/Pottier
☎ 75 46 28 85 ᴴᴹ 75 46 24 31
🛏 12 ◐ 180 F. ⫿ 65/160 F. 🍴 50 F.
⫿ 230 F. 🍽 180 F.
⊠ 2/31 janv., mar. soir et mer. sauf
juil./août.
[ᴇ] [ᴅ] [ꜱᴘ] ⌂ ⌂ ⌂ ⌂ ♈ ♉ 🍴 ⚿
● CB🆅🆂🅰 ᴀᴇ ᴇ

BELCAIRE
11340 Aude
1000 m. • 463 hab. ⓘ

AA BAYLE ★★
38, av. d'Ax-les-Thermes M. Bayle
☎ 68 20 31 05 ᴴᴹ 68 20 35 24
🛏 13 ◐ 100/250 F. ⫿ 68/220 F.
🍴 45 F. ⫿ 210/280 F. 🍽 170/235 F.
⊠ 2 nov./15 déc., lun. sauf juin/sept et
vac. scol.
[ᴇ] [ꜱᴘ] ⌂ ⌂ ⌂ ⌂ ♈ ⚷ ⚲ CV ⚿ ●
CB🆅🆂🅰 ᴇ

BELFLOU
11410 Aude
84 hab.

A AUBERGE LE CATHARE ᵉᶜ
Mlle Cazanave
☎ 68 60 32 49 ᴴᴹ 68 60 37 90
🛏 5 ◐ 140/150 F. ⫿ 55/136 F. 🍴 45 F.
⫿ 240/385 F. 🍽 190/290 F.
⊠ ven. soir et sam. midi 1er oct/30 avr.
[ꜱᴘ] ⌂ ♈ ♉ ▶ ⚿ CV ● CB🆅🆂🅰 ᴇ

BELFORT
90000 Territoire de Belfort
55000 hab. ⓘ

AA LES CAPUCINS ★★
20, faubourg de Montbéliard.
Mme Girods
☎ 84 28 04 60 ᴴᴹ 84 55 00 92

🛏 35 ◐ 245/300 F. ⫿ 87/195 F.
🍴 50 F. ⫿ 320/350 F. 🍽 235/260 F.
⊠ 24 juil./8 août, 20 déc./8 janv. Rest.
sam. midi, dim. été, sam. et dim. hiver.
[ᴅ] ⌂ ⌂ ⌂ ⌸ ♉ CV ● CB🆅🆂🅰 ᴇ ■

A SAINT CHRISTOPHE ★★
Place d'Armes. Mme Goize
☎ 84 28 02 14 ᴴᴹ 84 54 08 77
🛏 39 ◐ 230/260 F. ⫿ 55/145 F.
🍴 50 F. ⫿ 250/265 F. 🍽 200/210 F.
⊠ entre Noël/Nouvel An et rest. dim.
[ᴇ] ⌂ ⌂ ⌸ ● CB🆅🆂🅰 ᴇ

BELGODERE
20226 Corse
453 hab.

A NIOBEL ★★
M. Maestracci
☎ 95 61 34 00 ᴴᴹ 95 61 35 85
🛏 10 ◐ 230/380 F. ⫿ 75/110 F.
🍴 50 F. ⫿ 333/350 F. 🍽 238/280 F.
⊠ fin oct./début avr.
[ᴇ] ⓘ ⌂ ⌂ ⚷ ●

BELLAC
87300 Haute Vienne
6000 hab. ⓘ

AA CENTRAL HOTEL ★★
M. Mesrine
☎ 55 68 00 34
🛏 15 ◐ 185/370 F. ⫿ 83/190 F.
🍴 50 F.
⊠ 2 premières sem. janv., 2 premières
sem. oct., dernière sem. sept., dim. soir
et lun. hs.
[ᴇ] [ꜱᴘ] ⌂ ⌂ ⌂ ♉ ⚿ CB🆅🆂🅰 ᴀᴇ

AAA LES CHATAIGNIERS ★★
(A 2 Km route de Poitiers).
M. Beaucourt
☎ 55 68 14 82 ᴴᴹ 55 68 77 56
🛏 27 ◐ 186/360 F. ⫿ 108/243 F.
🍴 50 F.
⊠ nov., dim. soir et lun. hs.
[ᴇ] [ᴅ] ⌂ ⌂ ♈ ♉ ▣ ● CB🆅🆂🅰 ᴀᴇ ᴇ

BELLE ILE EN MER (SAUZON)
56360 Morbihan
600 hab.

A DU PHARE
(A Sauzon). Mme Pacalet
☎ 97 31 60 36
🛏 15 ◐ 190/270 F. ⫿ 85/200 F.
🍴 45 F. ⫿ 340 F. 🍽 260 F.
⊠ début nov./début avr.
[ᴇ] ⌂ ⌂ ♈ ⚷ ● CB🆅🆂🅰

BELLE ISLE EN TERRE
22810 Côtes d'Armor
1100 hab. ⓘ

AA LE RELAIS DE L'ARGOAT ★★
Rue du Guic. M. Marais
☎ 96 43 00 34 ᴴᴹ 96 43 00 76
🛏 8 ◐ 175/210 F. ⫿ 110/250 F.
🍴 75 F. ⫿ 350/390 F. 🍽 260/300 F.
⊠ fév., dim. soir et lun.
[ᴇ] ⌂ ⌂ ⚲ CV ⚿ CB🆅🆂🅰 ᴀᴇ ⦿ ᴇ

BELLEFONTAINE
39400 Jura
1360 m. • 420 hab.

▲▲ LA CHAUMIERE ★★
M. Me Bourgeois
☎ 84 33 00 16 ⊞ 84 33 01 40
🛏 11 ▨ 220/275 F. 🍴 55/ 82 F.
🍽 35 F. 🍴 250 F. 🛎 210 F.
CB▨ AE E

BELLEGARDE
45270 Loiret
1442 hab. 🅸

▲▲ LE COMMERCE ★★
1, rue de la République. M. Chanteloup
☎ 38 90 10 45
🛏 10 ▨ 135/240 F. 🍴 63/110 F.
🍽 220/280 F. 🛎 190/240 F.
⊠ 24 oct./7 nov, vac. scol. Noël et mer.
CB▨ E

BELLEGARDE EN DIOIS
26470 Drôme
850 m. • 60 hab.

▲▲ LE GITE ★
M. Knotter
☎ 75 21 40 74 ⊞ 75 21 40 56
🛏 12 ▨ 160/220 F. 🍴 60/ 90 F.
🍽 40 F. 🍴 230/320 F. 🛎 170/270 F.
CB▨ AE E

BELLEGARDE SUR VALSERINE
01200 Ain
12000 hab. 🅸

▲ AUBERGE LE CATRAY ★
(à 12km, Plateau de Retord, alt. 1000m.
M. Chappuis
☎ 50 56 56 25
🛏 7 ▨ 140/220 F. 🍴 80/130 F. 🍽 45 F.
🍴 275/300 F. 🛎 215/240 F.
⊠ 29 août/9 sept., 24 oct./4 nov., lun.
soir et mar.
CB▨ E

▲▲ BELLE EPOQUE ★★★
10, place Gambetta. M. Sevin
☎ 50 48 14 46 ⊞ 50 56 01 71
🛏 20 ▨ 250/400 F. 🍴 120/250 F.
🛎 350/400 F.
⊠ 4/19 juil. et 14 nov./6 déc.
CB▨ AE E

BELLEGARDE SUR VALSERINE
(LANCRANS)
01200 Ain
800 hab.

▲▲ DU SORGIA ★★
(A Lancrans). M. Marion
☎ 50 48 15 81 ⊞ 50 48 44 72
🛏 17 ▨ 130/220 F. 🍴 70/200 F.
🍽 45 F. 🍴 230/280 F. 🛎 160/210 F.
⊠ 26 août/20 sept., 4/14 janv., dim. soir
et lun. midi.
CB▨ E

BELLEME
61130 Orne
1849 hab. 🅸

▲ LE RELAIS SAINT LOUIS ᵉᶜ
1, bld Bansard des Bois. Mme Wattiez
☎ 33 73 12 21
🛏 7 ▨ 220/250 F. 🍴 75/155 F. 🍽 45 F.
🛎 225/305 F.
⊠ dim. soir.
CB▨ E

BELLENAVES
03330 Allier
1150 hab.

▲ L'AUBERGE
Rue des Forges. M. Jaffeux
☎ 70 58 34 06
🛏 4 ▨ 100/150 F. 🍴 52/200 F. 🍽 40 F.
🍴 170/220 F. 🛎 140/190 F.
SP CB▨

BELLEVAUX
74470 Haute Savoie
950 m. • 1050 hab. 🅸

▲ GAI SOLEIL ★
Lieu-dit la Côte. M. Converset
☎ 50 73 71 52
🛏 20 ▨ 190/210 F. 🍴 55/ 75 F.
🍽 40 F. 🍴 210/250 F. 🛎 190/230 F.
⊠ 15 avr./26 juin.

▲▲ LA CASCADE ★
M. Bergoen
☎ 50 73 70 22
🛏 18 ▨ 140/220 F. 🍴 85/140 F.
🍽 60 F. 🍴 200/230 F. 🛎 180/210 F.
⊠ 15 avr./1er juin et 15 sept./20 déc.
CB▨ E

▲▲▲ LES MOINEAUX ★★
M. Meynet
☎ 50 73 71 11 ⊞ 50 73 75 79
🛏 14 ▨ 190/240 F. 🍴 80/125 F.
🍽 60 F. 🍴 240/260 F. 🛎 220/240 F.
⊠ 18 avr./18 juin.
CB▨ E

BELLEVAUX (HIRMENTAZ)
74470 Haute Savoie
1200 m. • 40 hab. 🅸

▲ LES SKIEURS ★★
(A Hirmentaz - 1200m). M. Bernaz
☎ 50 73 70 46
🛏 22 ▨ 200/220 F. 🍽 50 F.
🍴 245/270 F. 🛎 220/245 F.
⊠ 20 avr./20 juin et 1er sept./20 déc.
CB▨

BELLEVILLE SUR LOIRE
18240 Cher
1009 hab.

▲ AUBERGE DE LA BONNE HUMEUR
10, route de Beaulieu. M. Classiot
☎ 48 72 64 01 ⊞ 48 72 59 98
🛏 4 ▨ 180/200 F. 🍴 90/200 F. 🍽 40 F.
🍴 380/420 F. 🛎 270/310 F.
CB▨ E

BELLEY
01300 Ain
8372 hab. 🛈

⚑⚑ DU BUGEY ★★
10, Rue Georges Girerd. M. Guinet
☎ 79 81 01 46
🛏 12 ⊚ 225/260 F. ⑪ 66/150 F.
🍴 50 F. ⑪ 270/290 F. 🛎 205/225 F.
✉ 23 déc./15 janv. Rest. sam. et dim. soir.
🅴 🗇 🕿 🖃 🖂 🎛 ⬥ CB🚾 ⓞ E

BELLOY SUR SOMME
80310 Somme
620 hab.

⚑⚑ HOSTELLERIE DE BELLOY ★
29, route Nationale. Mme Wilbert
☎ 22 51 41 05
🛏 8 ⊚ 155/190 F. ⑪ 80/190 F. 🍴 45 F.
⑪ 280/300 F. 🛎 200/220 F.
✉ 16 août/2 sept. Rest. lun.
🅴 SP 🗇 🕿 🖃 🎛 CV 🎛 ⬥ CB🚾 AE E 🖿

BELVES
24170 Dordogne
1553 hab. 🛈

⚑⚑ LE BELVEDERE DE BELVES ★★
1, av. Paul Crampel. M. Giraudel
☎ 53 29 90 50 ⮑ 53 29 90 74
🛏 20 ⊚ 215/275 F. 🍴 50/160 F.
🍴 40 F. ⑪ 330 F. 🛎 240 F.
✉ 15 nov./15 avr.
🅴 SP 🕿 🖃 CV 🎛 ⬥ CB🚾 E 🖿

BELZ
56550 Morbihan
3500 hab.

⚑⚑ RELAIS DE KERGOU ★★
Route d'Auray. M. Lorvellec ☎ 97 55 35 61
🛏 12 ⊚ 144/315 F. ⑪ 90/120 F. 🍴 42 F.
⑪ 233/325 F. 🛎 166/255 F.
✉ vac. scol. hiver, lun. et dim. soir hiver.
🅴 🗇 SP 🕿 🖃 🎛 ⬥ CB🚾 AE E

BENODET
29950 Finistère
2000 hab. 🛈

⚑⚑ DES BAINS DE MER ★★
11, rue de Kerguelen. M. Paris
☎ 98 57 03 41 ⮑ 98 57 11 07
🛏 32 ⊚ 220/320 F. 🍴 70/200 F.
🍴 45 F. ⑪ 320/380 F. 🛎 250/310 F.
✉ 14 nov./12 mars.
🅴 🗇 🕿 🖃 🎛 🖃 🎛 CV ⬥ CB🚾 AE E C

⚑⚑ DOMAINE DE KEREVEN ★★
Mme Berrou ☎
98 57 02 46 ⮑ 98 57 02 46
🛏 12 ⊚ 325/390 F. 🍴 120 F. 🍴 55 F.
🛎 310/340 F.
✉ 15 oct./1er avr. et 10 avr./10 mai.
🅴 🗇 🕿 🖃 🖂 🎛

⚑⚑ LE CORNOUAILLE ★★
62, av. de la Plage. M. Després
☎ 98 57 03 78 ⮑ 98 57 15 43
🛏 30 ⊚ 220/360 F. 🍴 75/160 F.
🍴 50 F. ⑪ 260/340 F. 🛎 230/300 F.
✉ 1er oct./1er mai.
🅴 🗇 🕿 🖂 🖃 CV ⬥ CB🚾 E

⚑⚑ LE MINARET ★★
(Corniche de l'Estuaire). Mme Kervran
☎ 98 57 03 13
🛏 20 ⊚ 260/410 F. 🍴 90/210 F.
🍴 40 F. 🛎 270/390 F.
✉ 1er oct./31 mars et mar. avr./mai.
🅴 🗇 🗇 🕿 🎛 🎛 CV ⬥ CB🚾 E

BENONCES
01470 Ain
300 hab.

⚑ AUBERGE DE LA TERRASSE ★★
M. Joannan ☎ 74 36 73 56
🛏 7 ⊚ 140/250 F. 🍴 95/240 F. 🍴 40 F.
⑪ 195/245 F. 🛎 165/220 F.
✉ 2 janv./1er avr., Rest. dim. soir et lun.
🅴 🗇 🕿 🖃 🎛 🗓 🎛 ⬥ CB🚾 AE E

BENOUVILLE
14970 Calvados
1366 hab.

⚑⚑ GLYCINE ★★
11, place du Commando. M. Decker
☎ 31 44 61 94 ⮑ 31 43 67 30
🛏 25 ⊚ 230/270 F. 🍴 85/280 F.
🍴 80 F. ⑪ 360/380 F. 🛎 260/280 F.
✉ 1er/15 mars.
🅴 🗇 🕿 🖃 🖂 🗓 🎛 ⬥ CB🚾 E C

BERCK
62600 Pas de Calais
15671 hab. 🛈

⚑ DE L'ENTONNOIR ★★
Av. Francis Tattegrain. M. Wyart
☎ 21 09 12 13
🛏 12 ⊚ 185/230 F. 🍴 65/150 F.
🍴 48 F. ⑪ 260 F. 🛎 210 F.
✉ déc. et lun. hs.
🅴 🗇 🕿 🎛 🗓 CV 🎛 ⬥ CB🚾 E

BERCK PLAGE
62600 Pas de Calais
18000 hab. 🛈

⚑⚑ LE LITTORAL ★★
36, place de l'Entonnoir. M. Devoucoux
☎ 21 09 07 76
🛏 19 ⊚ 220/240 F. 🍴 65/100 F.
🍴 45 F. ⑪ 265/285 F. 🛎 230/250 F.
✉ 1er/25 oct. et 13 nov./20 déc.
🗇 🕿 🗓 🎛 ⬥ CB🚾 AE ⓞ E

⚑⚑ LES FLOTS BLEUS ★★
17, rue du Calvaire. M. Tardieu
☎ 21 09 03 42
🛏 9 ⊚ 200/250 F. 🍴 70/150 F. 🍴 40 F.
⑪ 250/300 F. 🛎 220/265 F.
✉ janv./fév.
🅴 🗇 🕿 🎛 🗓 CV ⬥ CB🚾 AE E

BERENX
64300 Pyrénées Atlantiques
471 hab.

⚑⚑ AUBERGE DU RELAIS ★★
Route de Saliès. M. Larrouture
☎ 59 65 30 56 ⮑ 59 65 36 39
🛏 19 ⊚ 180/240 F. 🍴 55/136 F.
🍴 40 F.
✉ 23 déc./8 janv. et sam. hs.
🅴 SP 🗇 🕿 🖃 🖂 🎛 🖃 🗓 CV 🎛 ⬥
CB🚾 AE ⓞ E C 🖿

127

BERGERAC
24100 Dordogne
28000 hab. ℹ️

▲▲▲ DE BORDEAUX ***
38, place Gambetta. M. Maury
☎ 53 57 12 83 ℡ 550412 📠 53 57 72 14
🛏 40 ⊗ 330/550 F. ⫔ 92/210 F.
🍴 60 F. ⫔ 440/490 F. ◨ 350/400 F.
⊠ mi-déc./mi-janv., rest. ven. soir et sam. midi hs.

▲▲ DU COMMERCE LA CREMAILLERE ***
36, place Gambetta. Mme Chassagne
☎ 53 27 30 50 ℡ 541888 📠 53 58 23 82
🛏 35 ⊗ 210/350 F. ⫔ 95/160 F.
🍴 55 F. ◨ 250/315 F.
⊠ dim. soir 15 nov./15 avr.

▲▲ LE CYRANO **
2, bld Montaigne. M. Turon
☎ 53 57 02 76 📠 53 57 78 15
🛏 11 ⊗ 210/230 F. ⫔ 90/200 F.
🍴 60 F. ⫔ 315/325 F. ◨ 225/235 F.
⊠ 24 et 25 déc., dim. soir nov./avr.

▲▲▲ RELAIS DE LA FLAMBEE ***
153, av. Pasteur. M. Bournizel
☎ 53 57 52 33 📠 53 61 07 57
🛏 20 ⊗ 270/460 F. ⫔ 100/280 F.
⫔ 110 F. ◨ 360 F.
⊠ 2 janv./2 avr., rest. dim. soir et lun.

BERGERAC (LEMBRAS)
24100 Dordogne
1138 hab.

▲ RELAIS DE LA RIBEYRIE **
74 route de Périgueux. Mme Domet
☎ 53 27 01 92
🛏 8 ⊗ 230 F. ⫔ 50/160 F. 🍴 35 F.
◨ 390 F.
⊠ janv., rest. lun. et dim. soir.

BERGUES
59380 Nord
4743 hab. ℹ️

▲▲ AU TONNELIER **
4, rue du Mont de Piété. Mme Declercq
☎ 28 68 70 05 📠 28 68 21 87
🛏 11 ⊗ 180/330 F. ⫔ 80/200 F.
🍴 65 F. ◨ 200/275 F.
⊠ 18 août/6 sept., 30 déc./18 janv. et rest. ven.

BERNAY
27300 Eure
12000 hab. ℹ️

▲ D'ANGLETERRE ET DU CHEVAL BLANC ᵉᶜ
10, rue Général de Gaulle. M. Cabourg
☎ 32 43 12 59
🛏 20 ⊗ 130/240 F. ⫔ 80/180 F.
🍴 40 F. ⫔ 250/300 F. ◨ 200/250 F.

BERNERIE EN RETZ (LA)
44760 Loire Atlantique
1826 hab. ℹ️

▲▲ DE NANTES **
12, rue Georges Clemenceau.
Mme Henriot-Grandjean
☎ 40 82 70 14 📠 40 64 73 89
🛏 34 ⊗ 130/350 F. ⫔ 67/210 F.
🍴 42 F. ⫔ 240/330 F. ◨ 190/290 F.

BERNEX
74500 Haute Savoie
950 m. • 613 hab. ℹ️

▲▲▲ CHEZ TANTE MARIE **
M. Birraux
☎ 50 73 60 35 📠 50 73 61 73
🛏 27 ⊗ 300/350 F. ⫔ 85/200 F.
🍴 50 F. ⫔ 300/350 F. ◨ 270/320 F.
⊠ 15 oct./15 déc.

BERNEX (LA BEUNAZ)
74500 Haute Savoie
1000 m. • 1100 hab. ℹ️

▲ LE RELAIS SAVOYARD *
M. Touffe
☎ 50 73 60 14
🛏 9 ⊗ 120/200 F. ⫔ 68/160 F. 🍴 50 F.
⫔ 200/280 F. ◨ 165/230 F.
⊠ 15 nov./1er déc.

BERRE LES ALPES
06390 Alpes Maritimes
680 m. • 630 hab.

▲ DES ALPES *
Au Borriglionne Mme Puons
☎ 93 91 80 05
🛏 9 ⊗ 220/250 F. ⫔ 70/135 F.
🍴 100 F. ⫔ 270/290 F. ◨ 240/260 F.
⊠ 2 nov./6 déc. et lun. hs.

BERTHEMONT LES BAINS
06450 Alpes Maritimes
930 m. • 60 hab.

▲ CHALET DES ALPES *
M. Monni-Peda
☎ 93 03 51 65
🛏 7 ⊗ 200/209 F. ⫔ 80/120 F. 🍴 50 F.
⫔ 280/540 F. ◨ 250/460 F.
⊠ 31 oct./1er avr.

BERTHOLENE
12310 Aveyron
1000 hab.

▲ BANCAREL *
Situé au Pied Forêt des Palanges.
M. Brun
☎ 65 69 62 10 📠 65 70 72 88
🛏 13 ⊗ 150/240 F. ⫔ 55/150 F.
🍴 40 F. ⫔ 240/270 F. ◨ 190/230 F.
⊠ dernière semaine janv., 1ère semaine fév. et 25 sept./18 oct.

BESSANS
73480 Savoie
1750 m. • 260 hab. 🛈

▲▲ LA VANOISE ★★
M. Clappier ☎ 79 05 96 79
🛌 29 🛏 250/310 F. ⏸ 70/120 F.
🍴 50 F. ⏸ 280/345 F. 🖼 240/300 F.
▫️ 🛈 🚗 🚗 🚗 🍽 ♨ ✠ 🎿 🐾 CB🆅🆂🆐 AE ⦿ E

▲▲ LE MONT ISERAN ★★
Place de la Mairie. M. Clappier
☎ 79 05 95 97 📠 79 05 84 67
🛌 19 🛏 210/320 F. ⏸ 70/150 F.
🍴 45 F. ⏸ 260/310 F. 🖼 225/265 F.
✉ 26 avr./20 juin.
🛈 🚗 🚗 🚗 🍽 CV 🐾 CB🆅🆂🆐

BESSAT (LE)
42660 Loire
1170 m. • 220 hab. 🛈

▲ DE FRANCE ★★
Mme Tardy ☎ 77 20 40 99
🛌 30 🛏 150/185 F. ⏸ 60/180 F.
⏸ 230/260 F. 🖼 185/215 F.
✉ 1er/15 sept., vac. scol. Noël, dim.
soir et lun.
▫️ 🚗 🍽 🎿 CV 🐾 CB🆅🆂🆐 AE E ■

BESSE ET SAINT ANASTAISE
63610 Puy de Dôme
1050 m. • 1850 hab. 🛈

▲ DE LA PROVIDENCE ET DE LA POSTE ★★
Rue de l'Abbé Blot. Mme Chassard
☎ 73 79 51 49
🛌 17 🛏 220/350 F. ⏸ 75/142 F.
🍴 38 F. ⏸ 250/270 F. 🖼 210/220 F.
✉ week-ends automne sauf vac. scol.
▫️ 🚗 🚗 🚗 🍽 🎿 🐾 CB🆅🆂🆐 E ■

▲▲ DU LEVANT ★★
20, rue Abbé Blot. M. Crégut
☎ 73 79 50 17
🛌 16 🛏 220/250 F. ⏸ 95/150 F.
🍴 45 F. ⏸ 250/285 F. 🖼 220/250 F.
✉ 20 avr./20 juin et 25 sept./20 déc.
▫️ 🚗 🚗 🚗 🚗 🍽 CB🆅🆂🆐 E

▲▲▲ LE CLOS ★★
Lieu-dit La Villetour. M. Sugères
☎ 73 79 52 77 📠 73 79 56 67
🛌 29 🛏 225/245 F. ⏸ 95/170 F.
🍴 40 F. ⏸ 260/295 F. 🖼 225/295 F.
✉ 4/8 avr., 9/27 mai et 26 sept./16 déc.
▫️ 🚗 🚗 🍽 ♨ ✠ 🎿 🐾 CB🆅🆂🆐 E

BESSE ET SAINT ANASTAISE
(SUPER BESSE)
63610 Puy de Dôme
1350 m. • 1800 hab. 🛈

▲▲ LE CHAMOIS ★★
Av. du Sancy. Mlle Charron
☎ 73 79 60 60
🛌 15 🛏 270/350 F. ⏸ 95/140 F.

🍴 48 F. ⏸ 300/360 F. 🖼 250/300 F.
✉ 15 avr./10 juin et 15 sept./20 nov.
▫️ SP 🚗 🚗 🚗 🍽 ♨ ✠ 🎿 🐾 CV 🐾 CB🆅🆂🆐 AE E

BESSEGES
30160 Gard
3500 hab. 🛈

▲▲ DU MIDI ★★
20, rue Albert Chambonnet. Mme Hugo
☎ 66 25 03 02
🛌 8 🛏 260/280 F. ⏸ 65/130 F. 🍴 45 F.
⏸ 300 F. 🖼 220 F.
▫️ 🛈 SP 🚗 🚗 🚗 🍽 🎿 🐾 CV 🐾 CB🆅🆂🆐 E

BESSENAY
69690 Rhône
1500 hab.

▲▲▲ AUBERGE DE LA BREVENNE ★★★
La Brevenne. M. Rigaud
☎ 74 70 80 01 📠 74 70 82 31
🛌 20 🛏 270/310 F. ⏸ 90/250 F.
🍴 60 F. ⏸ 450 F. 🖼 350 F.
✉ Rest. dim. soir.
▫️ 🛈 SP 🚗 🚗 🚗 🍽 ✠ 🎿 🐾 🐾 CB🆅🆂🆐 AE E ■

BESSINES SUR GARTEMPE
87250 Haute Vienne
3010 hab. 🛈

▲▲ DE LA VALLEE ★★
4, Av. de la Gartempe. Mme Moreau
☎ 55 76 01 66 📠 55 76 60 16
🛌 20 🛏 132/248 F. ⏸ 67/200 F.
🍴 43 F. ⏸ 225/283 F. 🖼 158/216 F.
✉ dim. soir.
▫️ SP 🚗 🚗 🚗 🎿 CV 🐾 CB🆅🆂🆐 E ■

▲▲▲ MANOIR HENRI IV ★★
Lieu-dit la Croix du Breuil. M. Broussac
☎ 55 76 00 56 📠 55 76 14 14
🛌 14 🛏 180/270 F. ⏸ 110/260 F.
🍴 60 F.
✉ dim. soir et lun. 1er oct./1er mai.
▫️ 🚗 🚗 🍽 🎿 🐾 CB🆅🆂🆐 E

BETAILLE
46110 Lot
800 hab.

▲ L'AUBERGE
Mme Macquet
☎ 65 32 41 17
🛌 5 🛏 110/190 F. ⏸ 50/130 F. 🍴 35 F.
⏸ 180/220 F. 🖼 140/180 F.
✉ 1er/10 oct., 19 déc./2 janv. et sam. hs.
▫️ 🐾 CB🆅🆂🆐 E

BETHUNE
62400 Pas de Calais
26110 hab. 🛈

▲▲ DU VIEUX BEFFROY ★★
48, Grand Place. M. Delmotte
☎ 21 68 15 00 📠 21 56 66 32
🛌 30 🛏 180/300 F. ⏸ 68/185 F.
🍴 42 F. 🖼 225/250 F.
▫️ 🛈 🚗 🚗 🎿 CV 🐾 CB🆅🆂🆐 AE ⦿ E C

BETTENDORF
68560 Haut Rhin
350 hab.

⌂ CHEVAL BLANC ★
M. Petit-Richard ☎ 89 40 50 58
🛏 6 ◎ 200 F. 🍽 42/125 F. 🍴 28 F.
🍴 200 F. 🍴 170 F.
✉ 16 fév./3 mars, 13/30 juil., mer. soir et jeu.
📶 🄳 🔿 🚗 🖂 CB📶 E

BETTON
35830 Ille et Vilaine
6000 hab.

⌂ DE LA LEVEE ★
4, rue d'Armorique. M. Louazel
☎ 99 55 81 18
🛏 10 ◎ 125/235 F. 🍽 50/115 F.
🍴 50 F. 🍴 180/220 F. 🍴 130/172 F.
✉ vac. fév., 1ère quinzaine juil., dim. soir et lun.
📶 🔿 🖂 🔿 CV 🖂 CB📶 ⊕ E C 🖂

BEUIL
06470 Alpes Maritimes
1450 m. • 387 hab. ⓘ

⌂⌂ L'ESCAPADE ★★
M. Mary ☎ 93 02 31 27
🛏 9 ◎ 210/300 F. 🍽 98/145 F. 🍴 60 F.
🍴 325/370 F. 🍴 225/310 F.
✉ 20 nov./20 déc.
📶 ⓘ 🔿 🖂

BEUZEVILLE
27210 Eure
2702 hab. ⓘ

⌂⌂ COCHON D'OR et PETIT CASTEL ★★
M. Folleau
☎ 32 57 70 46 ☎ 32 42 25 70
🛏 21 ◎ 160/310 F. 🍽 75/225 F.
🍴 250/300 F.
✉ 15 déc./15 janv. et lun. sauf Petit Castel.
📶 🔿 🔿 🖂 CB📶 E

⌂⌂ DE LA POSTE ★★
60, rue Constant Fouché. Mme Bosquer
☎ 32 57 71 04 ☎ 32 42 11 01
🛏 16 ◎ 180/330 F. 🍽 74/168 F.
🍴 49 F. 🍴 315/345 F. 🍴 230/270 F.
✉ 15 nov./15 mars, rest. mar. soir et mer. hs.
📶 🄳 🔿 🚗 🖂 🖂 🔿 🖂 CB📶 AE E

BEYNAC CAZENAC
24220 Dordogne
411 hab. ⓘ

⌂ PONTET HOSTELLERIE MALEVILLE ★★
Mme Maleville
☎ 53 29 50 06 ☎ 53 28 28 52
🛏 13 ◎ 220/300 F. 🍽 90/300 F.
🍴 50 F. 🍴 295/310 F. 🍴 245/260 F.
🔿 🔿 CV 🖂 🖂 CB📶 AE E

BEZ ET ESPARON
30120 Gard
338 hab.

⌂⌂ DU LION D'OR ★★
M. Amblard

☎ 67 81 07 55
🛏 8 ◎ 130/242 F. 🍽 60/ 96 F. 🍴 38 F.
🍴 204/254 F. 🍴 145/196 F.
✉ 15 nov./15 mars.
📶 🆂🅿 🔿 🖂 🔿 🖂 CV 🖂 CB📶 E

BEZE
21310 Côte d'Or
550 hab.

⌂⌂ AUBERGE DE LA QUATR'HEURIE ★★
Mme Feuchot
☎ 80 75 30 13 ☎ 80 75 32 92
🛏 15 ◎ 140/380 F. 🍽 120/280 F.
🍴 50 F. 🍴 300/350 F. 🍴 200/250 F.
📶 🄳 🔿 🔿 🚗 🖂 🔿 🖂 CV 🖂 CB📶 E 🖂

⌂⌂ LE BOURGUIGNON ★★
Rue de la Porte de Bessey. M. Bourgeois
☎ 80 75 34 51 ☎ 80 75 37 06
🛏 10 ◎ 130/180 F. 🍽 60/185 F.
🍴 45 F. 🍴 210/260 F. 🍴 150/200 F.
✉ 20/31 déc.
📶 🄳 🔿 🚗 🖂 🖂 🔿 CB📶 E

BIARRITZ
64200 Pyrénées Atlantiques
26650 hab. ⓘ

⌂⌂ DU CENTRE ★★
7, rue de Gascogne. Mme Bilek
☎ 59 24 36 42 ☎ 59 22 36 54
🛏 21 ◎ 190/265 F. 🍽 55/115 F.
🍴 45 F. 🍴 360/390 F. 🍴 260/290 F.
✉ Rest. dim. soir et lun.
📶 🆂🅿 ⓘ 🔿 🔿 🖂 🔿 CV 🖂 CB📶 AE ⊕ E

⌂⌂ LES FLOTS BLEUS ★★
41, Perspective Côte des Basques.
Mme Lorenzon
☎ 59 24 10 03 \ 59 24 37 69
☎ 59 24 91 73
🛏 15 ◎ 157/475 F. 🍽 80/114 F.
🍴 50 F. 🍴 331/489 F. 🍴 217/380 F.
✉ 1er/15 déc.
ⓘ 🔿 🔿 🖂 CV 🖂 CB📶 E 🖂

BIDARRAY
64780 Pyrénées Atlantiques
630 hab.

⌂⌂ NOBLIA ★
M. Larrart
☎ 59 37 70 89
🛏 18 ◎ 150/240 F. 🍽 60/140 F.
🍴 50 F. 🍴 200/220 F. 🍴 180/200 F.
✉ 15 déc./15 janv. et mer.
🔿 🚗 🖂 CV 🖂 🖂 CB📶 AE E

BIDART
64210 Pyrénées Atlantiques
4000 hab. ⓘ

⌂⌂ YPUA ★★
Rue de la Chapelle. Mme Rousseau
☎ 59 54 93 11
🛏 12 ◎ 185/275 F. 🍽 85/190 F.
🍴 45 F. 🍴 390/450 F. 🍴 290/350 F.
📶 🆂🅿 🔿 🔿 🚗 🖂 🖂 CV 🖂 CB📶 AE ⊕ E 🖂

BIELLE
64260 Pyrénées Atlantiques
420 hab.

▲▲ L'AYGUELADE ★★
M. Lartigau ☎ 59 82 60 06
🛏 12 ⬭ 140/230 F. 🍴 76/160 F.
🍽 38 F. 🛏 195/260 F. 🖼 150/200 F.
⊠ 2/31 janv., lun. soir et mar. hs.
E SP 🖥 ☎ 🚗 🚗 🛎 🏃 CV CB▨ E

BIESHEIM
68600 Haut Rhin
3000 hab.

▲▲▲ 2 CLEFS ★★★
50, Grand'Rue. M. Groff
☎ 89 72 51 20 ▥ 89 72 92 94
🛏 28 ⬭ 280/350 F. 🍽 60 F.
🖼 320/400 F.
⊠ 1er/15 janv.
E D 🖥 ☎ 🚗 🚗 🚗 🛑 🏃 🦽 CV 🔳
🗝 CB▨ AE ⊙ E

BILLIERS
56190 Morbihan
1000 hab. 🅻

▲ DES GLYCINES
Place de l'Eglise. M. Bedouet
☎ 97 41 64 63
🛏 11 ⬭ 130/175 F. 🍴 78/180 F.
🍽 45 F. 🖼 175/210 F.
⊠ fév. et lun. hs.
CV 🔳 🗝 CB▨ E

BIOT (LE)
74430 Haute Savoie
820 m. • 350 hab. 🅻

▲▲ LES TILLEULS ★★
M. Gehaut
☎ 50 72 13 41 ▥ 50 72 14 57
🛏 17 ⬭ 240/260 F. 🍴 80/180 F.
🍽 45 F. 🍴 270/320 F. 🖼 230/260 F.
⊠ 1er/15 mai, 15/30 oct., dim. soir et mer.
E 🖥 ☎ 🚗 🚗 🛎 🔳 🗝 CB▨

BIRKENWALD
67440 Bas Rhin
220 hab.

▲▲▲ AU CHASSEUR ★★
8, rue du Cimetière. M. Gass
☎ 88 70 61 32 ▥ 88 70 66 02
🛏 26 ⬭ 290/470 F. 🍴 90/380 F.
🍽 60 F. 🍴 340/450 F. 🖼 290/420 F.
⊠ 27 juin./4 juil., lun. et mar. matin.
E D 🖥 ☎ 🚗 🚗 🛎 🏃 🦽 🏊 🍳 CV 🔳 🗝
CB▨ AE E 🖪

BISCARROSSE
40600 Landes
8600 hab. 🅻

▲ HOSTELLERIE D'EN CHON ★
12, quartier d'En Chon. M. Ramiere
☎ 58 78 13 52
🛏 18 ⬭ 150/200 F. 🍴 80 F. 🍽 35 F.
🍴 250 F. 🖼 180/200 F.

⊠ 15 sept./15 juin sauf week-end et
jours fériés.
🛑 ☎ 🚗 🛎 🏃 🦽 CV 🔳 🗝 CB▨ AE
⊙ E

▲▲ LA CARAVELLE (BAIE D'ISPE) ★★
Rte des Lacs, N. 5314, lacNord, Direct.
Golf. M. Me Meurice/Charlotteaux
☎ 58 09 82 67
🛏 11 ⬭ 240/360 F. 🍴 85/230 F.
🍽 39 F. 🖼 260/300 F.
⊠ Rest. 1er nov./1er mars.
E D SP 🖥 ☎ 🚗 🚗 🛎 🔳 🗝 E

▲ LE POSEIDON ★★
236, av. de la République.
M. Me Morello/Castillo
☎ 58 78 10 16 ▥ 58 78 85 28
🛏 12 ⬭ 190/466 F. 🍴 68/159 F.
🍽 37 F. 🍴 238/306 F. 🖼 178/248 F.
⊠ 1er oct./Pâques.
E SP ☎ 🚗 🦽 CV 🔳 🗝 CB▨ AE ⊙ E

BIZAC
43370 Haute Loire
950 m. • 50 hab.

▲ RELAIS DE LA DILIGENCE ★★
Sur N. 88. Mlle Bonnefoy
☎ 71 03 11 50
🛏 19 ⬭ 160/260 F. 🍴 75/200 F.
🍽 25 F. 🍴 160/220 F. 🖼 140/200 F.
⊠ janv., ven. soir et sam. hs.
D 🖥 ☎ 🚗 🚗 CV 🔳 🗝 CB▨ E

BLAIN
44130 Loire Atlantique
7434 hab. 🅻

▲▲ LA GERBE DE BLE ★★
4, place Jean Guihard. M. Cormerais
☎ 40 79 10 50 ▥ 40 79 93 04
🛏 10 ⬭ 140/290 F. 🍴 60/130 F.
🍽 32 F. 🍴 380/440 F. 🖼 300/380 F.
⊠ Rest. ven. soir, sam. soir et dim. soir.
🖥 ☎ 🛎 🦽 CV 🗝 CB▨ AE E

BLANC (LE)
36300 Indre
7361 hab. 🅻

▲ L'ILE D'AVANT ★★
69, av. Pierre Mendès France.
Mme Chéroute
☎ 54 37 01 56 ▥ 54 37 38 06
🛏 15 ⬭ 205/300 F. 🍴 62/120 F.
🍽 34 F. 🍴 250/320 F. 🖼 190/260 F.
⊠ 15 jours Noël/Nouvel An, dim. soir et
lun. hs.
E 🖥 ☎ 🚗 🦽 CV 🔳 🗝 CB▨ E

BLANQUEFORT
33290 Gironde
12843 hab. 🅻

▲▲▲ HOSTELLERIE LES CRIQUETS ★★★
130, av. du 11 Novembre. M. Criq
☎ 56 35 09 24 ▥ 56 57 13 83
🛏 20 ⬭ 310 F. 🍽 65 F. 🍴 380 F.
🖼 280 F.
⊠ dim. soir.
E 🖥 ☎ 🚗 🛎 🏃 🦽 CV 🔳 🗝
CB▨ AE ⊙ E

BLENDECQUES
62575 Pas de Calais
5341 hab.

▲▲ LE SAINT SEBASTIEN ★★
2, Grand Place. M. Duhamel-Wils
☎ 21 38 13 05 ℻ 21 39 77 85
🛏 7 ◎ 245/270 F. ⅋ 70/149 F. 🍴 50 F.
⅌ 260 F. 🖼 210 F.
✉ sam. midi et dim. soir.
[icons] CB🆅🆂🅰 E

BLENEAU
89220 Yonne
1600 hab. 🅸

▲▲▲ HOSTELLERIE BLANCHE DE CASTILLE ★★
17, rue d'Orléans. M. Gaspard
☎ 86 74 92 63 ℻ 86 74 94 43
🛏 13 ◎ 250/720 F. ⅋ 80/160 F.
🍴 40 F. ⅌ 380/500 F. 🖼 300/400 F.
✉ Rest. dim. soir.
[icons] CB🆅🆂🅰 E C

BLERE
37150 Indre et Loire
4400 hab. 🅸

▲▲▲ DU CHEVAL BLANC ★★
Place de l'Eglise. M. Bleriot
☎ 47 30 30 14 ℻ 47 23 52 80
🛏 12 ◎ 270/380 F. ⅋ 98/260 F.
🍴 50 F. 🖼 295 F.
✉ janv., dim. soir et lun. sauf juil./août.
[icons] CB🆅🆂🅰 E

BLESSAC
23200 Creuse
550 m. • 495 hab. 🅸

▲ LE RELAIS DES FORETS ★
M. Gironde
☎ 55 66 15 10 ℻ 55 83 87 91
🛏 14 ◎ 110/300 F. ⅋ 56/160 F.
🍴 40 F. ⅌ 180/230 F. 🖼 140/190 F.
✉ mi-fév./mi-mars et dim. soir.
[icons] CB🆅🆂🅰 E

BLETTERANS
39140 Jura
1380 hab. 🅸

▲ LE CHEVREUIL ★★
1, rue des Granges. Mme Pelissard
☎ 84 85 00 83 ℻ 84 85 12 25
🛏 16 ◎ 128/300 F. ⅋ 73/280 F.
🍴 50 F. ⅌ 235/265 F. 🖼 210/235 F.
✉ janv., dim. soir et lun.
[icons] CB🆅🆂🅰 E

BLEYMARD (LE)
48190 Lozère
1069 m. • 448 hab.

▲▲ LA REMISE ★★
Mme Aubenque
☎ 66 48 65 80 ℻ 66 48 63 70
🛏 19 ◎ 200/250 F. ⅋ 78/168 F.
🍴 35 F. ⅌ 240 F. 🖼 190 F.
✉ déc./fév.
[icons] CB🆅🆂🅰 E

BLODELSHEIM
68740 Haut Rhin
1100 hab.

▲ AU LION D'OR ★
Mme Deckert-Baur
☎ 89 48 60 47
🛏 15 ◎ 170/230 F. ⅋ 55/180 F.
🍴 45 F. ⅌ 270/300 F. 🖼 196/255 F.
✉ mar. et ven. à partir de 15 H.
[icons] CB🆅🆂🅰 E

BLOIS
41000 Loir et Cher
55000 hab. 🅸

✳ ANNE DE BRETAGNE ★★
31, av. J. Laigret. Mme Loyeau
☎ 54 78 05 38 ℻ 54 74 37 79
🛏 28 ◎ 200/360 F.
✉ 20 fév./20 mars.
[icons] CB🆅🆂🅰 🅰🅴 ⓞ E

▲▲▲ LE MEDICIS ★★★
2, allée François 1er - Route d'Angers.
M. Garanger
☎ 54 43 94 04 ℻ 54 42 04 05
🛏 12 ◎ 380 F. ⅋ 100/150 F. 🍴 60 F.
⅌ 450 F. 🖼 350 F.
✉ 2 semaines janv. et dim. soir hs.
[icons] CB🆅🆂🅰
🅰🅴 ⓞ E

▲ LE MONARQUE ★★
61, rue Porte Chartraine. M. Corée
☎ 54 78 02 35 ℻ 54 74 82 76
🛏 25 ◎ 190/350 F. ⅋ 70/180 F.
🍴 45 F. ⅌ 270/350 F. 🖼 190/270 F.
✉ 17 déc./3 janv. Rest. dim.
[icons] CB🆅🆂🅰 E

▲ LE VIENNOIS
5 Quai Amédée Contant. M. Heuze
☎ 54 74 12 80
🛏 11 ◎ 120/250 F. ⅋ 65/170 F.
🍴 45 F.
✉ 15 déc./15 janv., dim. soir et lun.
[icons] CB🆅🆂🅰 E

BLONVILLE SUR MER
14910 Calvados
889 hab. 🅸

▲▲ L'EPI D'OR ★★
23, av. Michel d'Ornano. M. Nee
☎ 31 87 90 48 ℻ 31 87 08 98
🛏 12 ◎ 300/480 F. ⅋ 90/320 F.
🍴 75 F. ⅌ 450/510 F. 🖼 320/380 F.
✉ 23 fév./18 mars, dernière semaine
oct., dernière semaine déc., mer. et jeu.
sauf juil./août.
[icons] CB🆅🆂🅰 🅰🅴 E

BOCOGNANO
20136 Corse
620 hab.

▲▲ BEAU SEJOUR ★
M. Ferri-Pisani
☎ 95 27 40 26
🛏 16 ◎ 190/250 F. ⅋ 75/120 F.
🍴 50 F. ⅌ 297/312 F. 🖼 238/253 F.
✉ 16 oct./30 avr.
[icons] CB🆅🆂🅰 🅰🅴 ⓞ E

BOESCHEPE
59299 Nord
2000 hab.

▲▲ AUBERGE DU MONT NOIR **
1129, route de Meteren. Mme Sevin
☎ 28 42 51 33 ⁞ 28 49 47 21
🛏 7 ◎ 150/230 F. ⑪ 68/200 F. 🍴 38 F.
⑩ 240/280 F. 🖼 190/240 F.
⊠ fév. et ven. sauf juil./août
🖥 🗜 ☎ ⛟ 🏃 ▶ 🛌 CV ▥ ● CB𝗩𝗜𝗦𝗔
AE C

▲▲ AUBERGE DU VERT MONT **
Route du Mont Noir.
M. Me Ladeyn/Dubrulle
☎ 28 49 41 26 ⁞ 132089 ⁞ 28 49 48 58
🛏 8 ◎ 220/260 F. ⑪ 85/160 F. 🍴 45 F.
⑩ 280/320 F. 🖼 240/260 F.
🖥 🗜 🗜 ☎ 🏠 ✖ ⛟ 🔌 🏃 CV ▥ ●
CB𝗩𝗜𝗦𝗔 AE ⓪ E ⓫

BOGEVE
74250 Haute Savoie
925 m. • 530 hab. 🛈

▲ DES BRASSES *
M. Julliard ☎ 50 36 62 34
🛏 12 ◎ 130/200 F. ⑪ 70/130 F.
🍴 30 F. ⑩ 230 F. 🖼 190 F.
⊠ 15 sept./20 déc. et 15 avr./15 juin.
🖥 🗜 🚻 🛌 CV ● CB𝗩𝗜𝗦𝗔 E

BOIS DU FOUR
12780 Aveyron
810 m. • 15 hab.

▲▲ RELAIS DU BOIS DU FOUR **
Mme Rodier Galière
☎ 65 61 86 17
🛏 27 ◎ 125/260 F. ⑪ 70/170 F.
🍴 50 F. ⑩ 230/285 F. 🖼 200/250 F.
⊠ 1er déc./15 mars, mercredi hs.
🗜 🗜 ☎ 🛌 ● CB𝗩𝗜𝗦𝗔 E

BOIS PLAGE EN RE (LE)
17580 Charente Maritime
1561 hab. 🛈

▲▲ L'OCEAN **
4, rue Saint-Martin. M. Vergnault
☎ 46 09 23 07
🛏 24 ◎ 290/350 F. 🍴 F.
⑩ 390/420 F. 🖼 290/320 F.
⊠ 15 nov./1er fév., dim. soir et lun. fév.
🖥 🗇 🗜 🗜 ☎ CB𝗩𝗜𝗦𝗔 E ⓫

BOLLENBERG ROUFFACH
68250 Haut Rhin
5102 hab. 🛈

▲▲▲ DU BOLLENBERG ***
(Domaine du Bollenberg).
Mme Holtzheyer
☎ 89 49 62 47 ⟍ 89 49 60 04 ⁞ 880896 F
⁞ 89 49 77 66
🛏 45 ◎ 300/360 F. ⑪ 85/395 F.
🍴 65 F. ⑩ 370/380 F.
🖥 🗇 🗜 🗜 ☎ 🖼 ✖ 🔌 ▥ ●
CB𝗩𝗜𝗦𝗔 AE ⓪ E

BOLLENE
84500 Vaucluse
11520 hab. 🛈

▲ LE CHENE VERT **
(Quartier Saint-Pierre). Mme Vandenbos
☎ 90 30 53 11 ⁞ 90 30 40 65
🛏 14 ◎ 180/220 F. ⑪ 75/150 F.
🍴 50 F. ⑩ 230/270 F. 🖼 200/240 F.
⊠ dim. soir hs.
🖥 SP 🗜 🗜 ☎ 🛌 CV ● CB𝗩𝗜𝗦𝗔 AE E

▲▲ MAS DES GRES **
Route de Saint-Restitut. M. Me Delarque/
Coppier
☎ 90 30 10 79
🛏 13 ◎ 225/300 F. ⑪ 95/250 F.
🍴 60 F. ⑩ 300 F. 🖼 240 F.
🗜 🗜 ☎ ▥ ● CB𝗩𝗜𝗦𝗔 AE E

BOLLEZEELE
59470 Nord
1500 hab.

▲▲▲ HOSTELLERIE SAINT LOUIS ***
47, rue de l'Eglise. M. Dubreucq
☎ 28 68 81 83 ⁞ 28 68 01 17
🛏 27 ◎ 320/450 F. ⑪ 140/320 F.
🍴 70 F. 🖼 325 F.
⊠ janv., dim. soir et lun. sauf
réservations.
🖥 🗇 🗜 🗜 ☎ 🚻 🛌 ▥ ● CB𝗩𝗜𝗦𝗔
AE E ⓫

BOLOGNE
52310 Haute Marne
2230 hab.

▲ DU COMMERCE **
4, rue de Chaumont. Mme Grandpré
☎ 25 01 41 18
🛏 7 ◎ 150/280 F. ⑪ 65/ 95 F. 🍴 50 F.
🖼 270/300 F.
⊠ 23 déc./5 janv. et dim.
🗇 🗜 🗜 ☎ ▥ ● CB𝗩𝗜𝗦𝗔 E

BOLQUERE
66210 Pyrénées Orientales
1613 m. • 646 hab. 🛈

▲ LASSUS *
Place de la Mairie. M. Chancel
☎ 68 30 09 75
🛏 18 ◎ 200/210 F. ⑪ 77/110 F.
🍴 40 F. ⑩ 220 F. 🖼 200 F.
⊠ 23 avr./20 juin et vac. scol. Toussaint.
SP 🗜 🗜 CV ● CB𝗩𝗜𝗦𝗔 E

BON ENCONTRE
47240 Lot et Garonne
3893 hab. 🛈

▲▲▲ LE PARC ***
41, rue de la République. M. Mariottat
☎ 53 96 17 75 ⁞ 53 96 29 05
🛏 10 ◎ 240/250 F. ⑪ 95/250 F.
🍴 60 F. 🖼 260/270 F.
⊠ vac. scol. fév. Rest. dim. soir et lun.
🖥 🗇 🗜 🗜 ☎ 🏃 ● CB𝗩𝗜𝗦𝗔 AE ⓪ E

133

BONHOMME (LE)
68650 Haut Rhin
700 m. • 628 hab. ⓘ

▲▲ DE LA POSTE ★★
Rue du 5ème Spahi.
MM. Toscani/Petitdemange
☎ 89 47 51 10 🅵🅰🆇 89 47 23 85
🛏 20 ⬙ 140/265 F. ⅋ 65/200 F.
🍴 40 F. ⅋ 260/320 F. 🍽 180/260 F.
✉ 13 nov./22 déc. et 10 jours mars.
🅴 🅳 ⬚ ☎ ➪ 🛏 🕇 🧍 CV ⚏ ⬅ CB🆅🆂🅰
🅰🅴 🅴

▲ TETE DES FAUX ★
M. Me Secourgeon
☎ 89 47 51 11
🛏 12 ⬙ 165/210 F. ⅋ 65/150 F.
🍴 45 F. 🍽 170/200 F.
✉ 25 sept./15 oct. et mar. hs.
🅴 🅳 ☎ ➪ 🛏 🕇 CV CB🆅🆂🅰 🅰🅴
Ⓜ 🅴

BONLIEU
39130 Jura
800 m. • 170 hab.

▲▲▲ L'ALPAGE ★★
Sur N. 78. M. Lerch
☎ 84 25 57 53 🅵🅰🆇 84 25 50 74
🛏 9 ⬙ 195/275 F. ⅋ 110/190 F.
🍴 50 F. 🍽 350 F. 🍽 300 F.
✉ Rest. 15 nov./15 déc. et lun. hs
🅴 SP ⬚ ☎ ➪ 🛏 🚶 🕇 ⬙ 🎿 ⚏ ⬅
CB🆅🆂🅰 🅰🅴 🅴 🛎

▲▲ LA POUTRE ★★
M. Moureaux
☎ 84 25 57 77
🛏 10 ⬙ 200/420 F. ⅋ 120/450 F.
🍴 60 F. 🍽 300/400 F.
✉ 11 nov./15 fév.
🅴 🅳 ⬚ ☎ ➪ 🛏 🕇 🎿 ⬅ CB🆅🆂🅰 🅴

BONLIEU
74270 Haute Savoie
250 hab.

▲ DU PONT DE BONLIEU
M. Tournier
☎ 50 77 82 12
🛏 9 ⬙ 150/200 F. ⅋ 70/150 F. 🍴 50 F.
🍽 200 F. 🍽 180 F.
✉ nov. et mer.
➪ 🛏 🕇 🧍 ⬅ CB🆅🆂🅰 🅰🅴 Ⓜ 🅴

BONNAT
23220 Creuse
1500 hab. ⓘ

▲ LE BEL AIR ★★
Route de Guéret. Lieu-dit le Bel Air.
Mme Tirot
☎ 55 62 11 84
🛏 10 ⬙ 165/240 F. ⅋ 89/180 F.
🍴 38 F. 🍽 220/255 F. 🍽 165/200 F.
✉ 15 janv./1er mars, dim. soir et lun.
hs.
🅴 SP ⬚ ☎ ➪ 🛏 🕇 🧍 CV ⚏ ⬅ CB🆅🆂🅰 🅴

BONNE
74380 Haute Savoie
542 m. • 1815 hab.

▲▲ BAUD ★★
MM. Roussel/Baker
☎ 50 39 20 15 🅵🅰🆇 50 36 28 96
🛏 12 ⬙ 190/270 F. ⅋ 85/240 F.
🍴 45 F. 🍽 255/310 F. 🍽 195/260 F.
✉ 2/15 janv. et 1er/15 juil.
🅴 🅳 ⓘ ⬚ ☎ ➪ 🛏 🕇 CV ⚏ ⬅ CB🆅🆂🅰
🅴 🛎

BONNETAGE
25210 Doubs
900 m. • 600 hab.

▲▲ ETANG DU MOULIN ★★
M. Barnachon
☎ 81 68 92 78 🅵🅰🆇 81 68 94 42
🛏 18 ⬙ 200/240 F. ⅋ 100/240 F.
🍴 50 F. 🍽 245/285 F. 🍽 195/245 F.
✉ 15 nov./15 déc. et lun.
15 sept./15 juin.
🅳 ⬚ ☎ ➪ 🛏 🎿 CV ⚏ ⬅ CB🆅🆂🅰 🅴

▲▲ LES PERCE-NEIGE ★★
M. Bole
☎ 81 68 91 51 \ 81 68 91 52
🅵🅰🆇 81 68 95 25
🛏 12 ⬙ 195/250 F. ⅋ 65/180 F.
🍴 45 F. 🍽 225/250 F. 🍽 190/230 F.
✉ 20 oct./6 nov.
🅴 🅳 ⬚ ☎ CV ⬅ CB🆅🆂🅰 🅴

BONNEVAL SUR ARC
73480 Savoie
1850 m. • 210 hab. ⓘ

▲▲ LA MARMOTTE ★★
M. Ginet
☎ 79 05 94 82 🅵🅰🆇 79 05 90 08
🛏 28 ⬙ 310/340 F. ⅋ 105/195 F.
🍴 65 F. 🍽 310/380 F. 🍽 250/310 F.
✉ 2 mai/20 juin et 20 sept./20 déc.
🅴 ⓘ ⬚ ☎ ➪ 🛏 🚶 ⚒ 🎿 🎿 ⚏
CB🆅🆂🅰 Ⓜ 🅴

BONNEVILLE
74130 Haute Savoie
9100 hab. ⓘ

▲▲ DES ALPES ★★
85, rue de la Gare. M. Charrière
☎ 50 97 10 47 🅵🅰🆇 50 97 13 28
🛏 16 ⬙ 260 F. ⅋ 70/120 F. 🍴 45 F.
🍽 300 F. 🍽 240 F.
✉ Rest. dim.
🅴 ⓘ ⬚ ☎ ➪ 🛏 🕇 🎿 🧍 CV ⚏ ⬅
CB🆅🆂🅰 Ⓜ 🅴 🛎

▲▲▲ SAPEUR HOTEL Rest. L'EAU SAUVAGE ★★★
Place de l'Hôtel de Ville. M. Guenon
☎ 50 97 20 68 🅵🅰🆇 50 25 73 48
🛏 12 ⬙ 290/350 F. ⅋ 200/260 F.
🍴 80 F. 🍽 320/350 F.
✉ dim. soir et lun.
🅴 ⓘ ⬚ ☎ 🛏 ➪ 🎿 ⚏ CB🆅🆂🅰 🅰🅴 Ⓜ 🅴

BONO (LE)
56400 Morbihan
1747 hab.

▲ LE FORBAN ★★
1, rue du Général de Gaulle. M. Le Gall
☎ 97 57 88 65 🅵🅰🆇 97 57 92 76
🛏 20 ⬙ 200/250 F. ⅋ 65/135 F.
🍴 35 F. 🍽 260/320 F. 🍽 200/240 F.
✉ 15/29 fév. et rest. dim. soir.
⬚ ☎ ➪ 🛏 🎿 ⚏ ⬅ CB🆅🆂🅰 🛎

BONS EN CHABLAIS
74890 Haute Savoie
548 m. • 2780 hab. 🛈

▲▲ LE PROGRES ★★
Route de l'Annexion. M. Colly
☎ 50 36 11 09 ⅲ 50 39 44 16
🛏 10 ◎ 280/300 F. Ⅲ 140/260 F.
🍴 50 F. Ⅲ 290 F. 🌃 250 F.
✉ dim. soir et lun. sauf 15 juil./15 août.
🄴 🗖 🕾 🚗 🛏 ↦ 🚶 🎿 🕪 🛒 CB🆅🆂🅰 E

BONSON
42160 Loire
4500 hab.

▲▲ DES VOYAGEURS ★
4, av. de Saint Rambert. M. Meschi
☎ 77 55 16 15 ⅲ 77 36 76 33
🛏 7 ◎ 200/235 F. Ⅲ 55/140 F. 🍴 55 F.
🌃 190/200 F.
✉ 8/28 août, vac. scol. fév./mars, rest.
sam. et dim. soir.
🄴 🄳 🗖 🕾 🚗 🚶 🕪 CV 🛒 CB🆅🆂🅰 🄰🄴 ⓞ
E 📞

BORDERES LOURON
65590 Hautes Pyrénées
840 m. • 180 hab. 🛈

▲ DU PEYRESOURDE
M. Marsalle ☎ 62 98 62 87
🛏 19 ◎ 120/240 F. Ⅲ 60/200 F.
🍴 35 F. Ⅲ 180/240 F. 🌃 130/190 F.
✉ oct.
🄴 🆂🄿 🗖 🕾 🚗 ↦ 🎿 CV 🛒 CB🆅🆂🅰
🄰🄴 ⓞ E 📞

BORGO
20290 Corse
3413 hab.

▲▲▲ CASTELLU ROSSU ★★
Route de l'Aéroport. M. Micheli
☎ 95 36 08 71 ⅲ 95 36 17 38
🛏 20 ◎ 230/350 F. Ⅲ 90 F. 🍴 45 F.
Ⅲ 295/340 F. 🌃 235/280 F.
🄴 🄳 🛈 🗖 🕾 🕾 🕾 🛏 📺 ↦ 🕾 ⅲ
🐚 🎿 🕪 🛒 CB🆅🆂🅰 E

BORMES LES MIMOSAS
83230 Var
3000 hab. 🛈

▲ BELLE VUE ★
Mme Bret ☎ 94 71 15 15
🛏 13 ◎ 160/230 F. Ⅲ 80/125 F.
🍴 45 F. Ⅲ 260 F. 🌃 200 F.
✉ 1er oct./1er fév.
🄴 CV 🛒 CB🆅🆂🅰 E

BORT LES ORGUES
19110 Corrèze
5000 hab. 🛈

▲▲ CENTRAL HOTEL ★★
Av. de la Gare. Mme Lefevre
☎ 55 96 74 82
🛏 22 ◎ 97/221 F. Ⅲ 69/150 F. 🍴 39 F.
Ⅲ 251/313 F. 🌃 164/227 F.
🄴 🛈 🗖 🕾 🚗 🚶 🕪 🛒 CB🆅🆂🅰 E

BOSSEE
37240 Indre et Loire
308 hab.

AUBERGE DES GOURMANDEURS
Mme Mangeot ☎ 47 92 20 03
🛏 4 ◎ 210/240 F. Ⅲ 60/190 F. 🍴 38 F.
🌃 185/205 F.
✉ 26 sept./9 oct., vac. scol. fév. et mer.
15 sept./15 mai.
🗖 🕾 🚗 🚶 🚶 CV 🛒 CB🆅🆂🅰 E

BOUAYE
44830 Loire Atlantique
4508 hab.

▲▲▲ LES CHAMPS D'AVAUX ★★
Route de Pornic-Noirmoutier.
Mlle Barbereau
☎ 40 65 43 50 ⅲ 40 32 64 83
🛏 42 ◎ 265/290 F. Ⅲ 78/250 F.
🍴 50 F. Ⅲ 325 F. 🌃 240 F.
✉ dernière quinzaine déc. Rest. ven.
soir, sam. midi et dim. soir, seulement
dim. soir juil./août.
🄴 🄳 🆂🄿 🗖 🕾 🚗 ↦ 📺 🐚 🎿 🚶 🎿
🕪 🛒 CB🆅🆂🅰 🄰🄴 ⓞ E 🄲 📞

BOUC BEL AIR
13320 Bouches du Rhône
12000 hab. 🛈

▲▲ L'ETAPE ★★
(direction et sorties Gardanne). Sur D.
M. Me Lani
☎ 42 22 61 90 ⅲ 403639 ⅲ 42 22 68 67
🛏 20 ◎ 160/335 F. Ⅲ 150/240 F.
🍴 80 F. Ⅲ 260/440 F. 🌃 190/310 F.
✉ Rest. 23/31 déc., 15/31 août et dim.
soir.
🄴 🛈 🗖 🕾 🚗 🚗 ⅲ ↦ 📺 🐚 🎿 🚶
CV 🕪 🛒 CB🆅🆂🅰 🄰🄴 ⓞ E 📞

BOUCHEMAINE
49080 Maine et Loire
5574 hab. 🛈

▲ LE RABELAIS
17, rue Chevrière. M. Chaillou
☎ 41 77 10 51 ⅲ 41 77 19 14
🛏 5 ◎ 240 F. Ⅲ 65/200 F. 🍴 50 F.
🗖 🕾 🚗 🚶 🚶 CV 🕪 🛒 CB🆅🆂🅰 E

BOUCHEMAINE (LA POINTE)
49080 Maine et Loire
6200 hab. 🛈

▲▲ L'ANCRE DE MARINE Rest. LA
TERRASSE ★
(A la Pointe de Bouchemaine).
M. Proust ☎ 41 77 14 46 ⅲ 41 77 11 96
ⅲ 41 77 25 71
🛏 10 ◎ 210/350 F. Ⅲ 80/280 F.
🍴 50 F. Ⅲ 280/330 F. 🌃 230/250 F.
✉ Rest. L'Ancre de Marine dim. soir et lun.
🄴 🄳 🗖 🕾 🚶 🛒 CB🆅🆂🅰 E

BOUCHET (LE)
74230 Haute Savoie
940 m. • 160 hab.

▲ LE RELAIS DU MONT CHARVIN ★
M. Curt ☎ 50 27 50 14 ⅲ 50 27 50 23
🛏 13 ◎ 120/180 F. Ⅲ 65/160 F.
🍴 50 F. Ⅲ 210/250 F. 🌃 205/215 F.
✉ 2/18 sept. et mer.
🕾 CV 🛒 CB🆅🆂🅰 🄰🄴 ⓞ E

BOUCHOUX (LES)
39370 Jura
960 m. • 280 hab.

⚘⚘ AUBERGE DE LA CHAUMIERE ⋆
M. Benhamou
☎ 84 42 71 63 📠 84 42 71 08
🍴 7 ⊠ 120/210 F. 🍽 60/180 F. 🍴 48 F.
🏠 190/240 F. 🛏 140/190 F.
⊠ 10 nov./20 déc.
🄴 🆂🄿 📞 🛋 🍵 🆅🄲 🌴 CB🆅🅸🅂🄰 E

BOULOU (LE)
66160 Pyrénées Orientales
4290 hab. ℹ️

⚘⚘ LE CANIGOU ⋆⋆
Rue J. B. Bousquet. M. Carrère
☎ 68 83 15 29
🍴 17 ⊠ 195/300 F. 🍽 80/250 F.
🍴 42 F. 🏠 265/285 F. 🛏 220/260 F.
⊠ 30 oct./15 avr.
🄴 🆂🄿 📞 🛋 🍵 🆅🄲 🌴 CB🆅🅸🅂🄰 🄰🄴

BOUNIAGUES
24560 Dordogne
300 hab.

⚘⚘ DES VOYAGEURS ⋆⋆
Sur N. 21. Mme Feytout
☎ 53 58 32 26
🍴 9 ⊠ 120/280 F. 🍽 70/230 F. 🍴 45 F.
🏠 220/290 F. 🛏 160/290 F.
⊠ janv., dim. soir et lun. hs.
🄴 📞 🛋 🍵 🆅🄲 🈁 🌴 CB🆅🅸🅂🄰 E

BOURBACH LE BAS
68290 Haut Rhin
520 hab.

⚘ LA COURONNE D'OR ⋆⋆
9, rue Principale. M. Muninger
☎ 89 82 51 77
🍴 7 ⊠ 260 F. 🍽 50/290 F. 🍴 45 F.
🏠 295 F. 🛏 250 F.
⊠ lun.
🄳 📞 🛋 🌴 CB🆅🅸🅂🄰 E

BOURBON L'ARCHAMBAULT
03160 Allier
2700 hab. ℹ️

⚘⚘⚘ GRAND HOTEL
MONTESPAN-TALLEYRAND ⋆⋆
1-3, place des Thermes. M. Livertout
☎ 70 67 00 24 📠 70 67 12 00
🍴 30 ⊠ 168/320 F. 🍽 85/140 F.
🍴 65 F. 🏠 262/340 F. 🛏 232/310 F.
⊠ 25 oct./1er avr.
🄴 🄳 📞 🛋 🛏 🍵 🈁 🆇 🍵 🈁 🌴
CB🆅🅸🅂🄰 🄰🄴 E ◾

BOURBON LANCY
71140 Saône et Loire
7000 hab. ℹ️

⚘⚘⚘ LE MANOIR DE SORNAT ⋆⋆⋆
Allée de Sornat. M. Raymond
☎ 85 89 17 39 📠 85 89 29 47
🍴 13 ⊠ 300/650 F. 🍽 150/380 F.
🍴 80 F. 🏠 550/700 F. 🛏 400/550 F.

⊠ 2 semaines entre 15 janv./15 fév.,
lun. midi et dim. soir hs.
🄴 📞 🛋 🍵 🆅🄲 🈁 🌴 CB🆅🅸🅂🄰
◉ E

⚘⚘ VILLA DU VIEUX PUITS ᵉᶜ
7, rue de Bel Air. M. Perraudin
☎ 85 89 04 04
🍴 7 ⊠ 200/300 F. 🍽 90/250 F. 🍴 60 F.
🏠 355/400 F. 🛏 280/320 F.
⊠ fév., dim. soir et lun. oct./mars.
📞 🛋 🍴 🈁 🆇 🍵 🌴 CB🆅🅸🅂🄰 E

BOURBONNE LES BAINS
52400 Haute Marne
2500 hab. ℹ️

⚘ BEAU SEJOUR ⋆⋆
17, rue d'Orfeuil. M. Escudier
☎ 25 90 00 34 📠 25 88 78 02
🍴 55 ⊠ 175/220 F. 🍽 70/115 F.
🍴 36 F. 🏠 210/225 F. 🛏 190/205 F.
⊠ 17 oct./23 avr.
🄴 ℹ️ 📞 🛋 🍴 🈁 🆇 🍵 🆅🄲 🈁 🌴
CB🆅🅸🅂🄰 E

⚘ DE L'AGRICULTURE ⋆
4, av. du Lieutenant Gouby.
Mme Clément
☎ 25 90 00 25
🍴 11 ⊠ 140/180 F. 🍽 77/145 F.
🍴 34 F. 🏠 200/300 F. 🛏 170/270 F.
⊠ 1er déc./31 janv., dim. soir et soirs
fériés.
📞 🛋 🍵 CB🆅🅸🅂🄰 🄰🄴 E

⚘⚘ DES LAURIERS ROSES ⋆⋆
Place des Bains. M. Escudier
☎ 25 90 00 97 📠 25 88 78 02
🍴 68 ⊠ 200/240 F. 🍽 70/115 F.
🍴 36 F. 🏠 225/250 F. 🛏 195/220 F.
⊠ 17 oct./2 avr.
🄴 🄳 📞 🛋 🍴 🈁 🆇 🍵 🆅🄲 🈁
🌴 CB🆅🅸🅂🄰 E

⚘ DES SOURCES ⋆⋆
Place des bains.
M. Me Jacomino-Troisgros
☎ 25 87 86 00
🍴 18 ⊠ 210/220 F. 🍽 80/200 F.
🍴 50 F. 🏠 230/245 F. 🛏 210/225 F.
⊠ 19 nov./2 avr. et mer. soir.
🄴 🄳 📞 🛋 🍴 🈁 🆇 🍵 🆅🄲 🌴 CB🆅🅸🅂🄰 E

⚘⚘ HERARD ⋆⋆
29, Grande Rue. M. Arends
☎ 25 90 13 33 📠 25 88 77 67
🍴 43 ⊠ 190/270 F. 🍽 70/180 F.
🏠 265/315 F. 🛏 225/275 F.
⊠ 15 déc./15 janv.
🄴 📞 🛋 🍴 🈁 🆇 🍵 🆅🄲 🈁 🌴 CB🆅🅸🅂🄰
🄰🄴 ◉ E 🄲

⚘⚘ JEANNE D'ARC ⋆⋆⋆
12, rue Amiral Pierre. M. Bouland
☎ 25 90 12 55 📠 25 88 78 71
🍴 33 ⊠ 279/310 F. 🍽 130/200 F.
🏠 288/364 F. 🛏 203/265 F.
⊠ 26 nov./5 fév. et lun. fév.
🄴 🄳 🆂🄿 📞 🛋 🍴 🈁 🍵 🌴
CB🆅🅸🅂🄰 🄰🄴 ◉ E 🄲

136

BOURBONNE LES BAINS
(ENFONVELLE)
52400 Haute Marne
128 hab.

⌂ AUBERGE DU MOULIN DE LACHAT ★★
M. Arends ☎ 25 90 09 54 ⓕ 25 90 21 82
🛏 8 ◎ 220/330 F. ⫟ 95/170 F. ⫙ 55 F.
⫟ 350 F. ⫙ 295 F.
⊠ 5 nov./26 mars.
[icons]
CB🅥🅘🅢🅐 E

BOURBOULE (LA)
63150 Puy de Dôme
850 m. • 2700 hab. ⓘ

⌂ AVIATION-HOTEL ★★
Mme Nore ☎ 73 65 50 50 ⓕ 73 81 02 85
🛏 34 ◎ 200/350 F. ⫟ 90/110 F.
⫟ 50 F. ⫟ 250/310 F. ⫙ 220/280 F.
⊠ 1er oct./26 déc.
[icons] CB🅥🅘🅢🅐 AE ◉ E

⌂ DU PARC ★★
Quai Maréchal Fayolle. Mme Perretière
☎ 73 81 01 77 ⓕ 73 93 40 61
🛏 40 ◎ 185/330 F. ⫟ 90/120 F.
⫟ 38 F. ⫟ 230/300 F. ⫙ 215/270 F.
⊠ 30 sept./20 mai.
[icons] CB🅥🅘🅢🅐 AE ◉ E

⌂ LA JOIE DE VIVRE ★
Rue Pierre Curie. M. Vazeille
☎ 73 81 01 80
🛏 16 ◎ 123/225 F. ⫟ 68/ 75 F.
⫟ 50 F. ⫟ 192/258 F. ⫙ 172/238 F.
⊠ 30 sept./15 janv.
[icons]

⌂⌂ LE CHARLET ★★
94 Bld Louis Choussy. M. Bigot
☎ 73 65 51 84 ⓕ 73 65 50 82
🛏 38 ◎ 220/310 F. ⫟ 35/160 F.
⫟ 35 F. ⫟ 200/320 F. ⫙ 170/290 F.
⊠ 15 oct./15 déc.
[icons]
CB🅥🅘🅢🅐 E

⌂⌂ LE PAVILLON ★★
Av. d'Angleterre. M. Montrieul
☎ 73 65 50 18 ⓕ 73 81 00 93
🛏 24 ◎ 220/320 F. ⫟ 75/ 95 F.
⫟ 45 F. ⫟ 230/280 F. ⫙ 200/250 F.
⊠ 15 oct./3 janv.
[icons] CB🅥🅘🅢🅐 AE E

⌂⌂ LES FLEURS ★★
Av. Gueneau de Mussy. M. Fournier
☎ 73 81 09 44 ⓕ 73 65 52 03
🛏 24 ◎ 160/350 F. ⫟ 85/130 F.
⫟ 47 F. ⫟ 180/320 F. ⫙ 150/290 F.
⊠ 10 oct./20 déc.
[icons]
CB🅥🅘🅢🅐 E C ◉

⌂⌂ REGINA ★★
Av. Alsace-Lorraine. M. Me Quéroux
☎ 73 81 09 22 ⓕ 73 81 08 55
🛏 25 ◎ 230/290 F. ⫟ 75/190 F.
⫟ 48 F. ⫟ 240/340 F. ⫙ 220/300 F.
⊠ 2 nov./26 déc. et 2 janv./7 fév.
[icons]
CB🅥🅘🅢🅐 AE E

BOURCEFRANC LE CHAPUS
17560 Charente Maritime
3000 hab. ⓘ

⌂⌂ LE TERMINUS ★★
2, av. Général de Gaulle. M. Monti
☎ 46 85 02 42 ⓕ 46 85 32 39
🛏 10 ◎ 200/230 F. ⫟ 65/180 F.
⫟ 35 F. ⫟ 300/320 F. ⫙ 215/240 F.
⊠ 11 janv./10 fév., 2 oct./14 oct., dim.
soir et lun. 1er oct./30 mars.
[icons] CB🅥🅘🅢🅐 E

BOURDEAU
73370 Savoie
350 hab.

⌂⌂ DE LA TERRASSE ★★
M. Novel
☎ 79 25 01 01 ⓕ 79 25 09 97
🛏 12 ◎ 280 F. ⫟ 95/230 F. ⫟ 50 F.
⫟ 400 F. ⫙ 320 F.
⊠ 15 oct./15 mars, lun., dim. soir hs et
mar. midi saison.
[icons] CB🅥🅘🅢🅐 E

BOURG ARGENTAL
42220 Loire
2800 hab. ⓘ

⌂ DU LION D'OR ★
10, place de la Liberté. M. Clot
☎ 77 39 62 25
🛏 7 ◎ 110/168 F. ⫟ 55/115 F. ⫟ 35 F.
⫟ 165/185 F. ⫙ 135/155 F.
⊠ mer. et mar. soir hs.
[icons] CB🅥🅘🅢🅐 AE E

BOURG D'OISANS
38520 Isère
720 m. • 3000 hab. ⓘ

⌂ LE FLORENTIN ★★
Rue Thiers. M. Nervo
☎ 76 80 01 61 ⓕ 76 80 05 49
🛏 18 ◎ 175/310 F. ⫟ 98/190 F.
⫟ 45 F. ⫟ 240/330 F. ⫙ 180/240 F.
⊠ 1er nov./26 déc. et mar. oct.
[icons]
CB🅥🅘🅢🅐 E ◼

⌂ LE TERMINUS Rest. MOULIN DES
TRUITES BLEUES
Av. de la Gare (Face à la Gare VFD).
M. Menant
☎ 76 80 00 26
🛏 8 ◎ 114/299 F. ⫟ 67/176 F. ⫟ 42 F.
⫟ 229/279 F. ⫙ 182/227 F.
⊠ 1er/15 mai, 1er/15 sept., ven. soir,
sam. midi uniquement hs.
[icons] CB🅥🅘🅢🅐 E

BOURG D'OISANS (LA GARDE
EN OISANS)
38520 Isère
1450 m. • 64 hab. ⓘ

⌂⌂ LA FORET DE MARONNE ★
Hameau du Châtelard. M. Me Ougier
☎ 76 80 00 06
🛏 12 ◎ 180/360 F. ⫟ 95/185 F.
⫟ 55 F. ⫟ 285/330 F. ⫙ 230/275 F.
⊠ mai, oct./20 déc.
[icons] CB🅥🅘🅢🅐 E

BOURG D'OUEIL
31110 Haute Garonne
1340 m. • 21 hab.

🔺🔺 LE SAPIN FLEURI ✶✶
M. Toucouere ☎ 61 79 21 90
📞 20 🛏 250/280 F. 🍽 120/300 F.
🍴 60 F. 🍽 280/320 F. 🍽 240/290 F.
✉ 30 sept./1er juin sauf vac. scol. hiver
et printemps.
SP 🈁 🚗 🛏 CB🆚 AE ⓞ E

BOURG EN BRESSE
01000 Ain
50000 hab. ℹ

🔺🔺🔺 LE MAIL ✶✶
46, av. du Mail. M. Charolles
☎ 74 21 00 26 ℻ 74 21 29 55
📞 9 🛏 180/280 F. 🍽 125/300 F.
🍴 80 F. 🍽 380/460 F. 🍽 260/340 F.
✉ 11/26 juil., 23 déc./13 janv., dim. soir
et lun.
🈁 🏠 🚗 🛏 🛏 🈁 🍽 🛏 🈁 🔌 CB🆚
AE ⓞ E

BOURG LASTIC
63760 Puy de Dôme
750 m. • 1500 hab. ℹ

🔺 LA POMME D'OR
Mlle Gay ☎ 73 21 80 18
📞 7 🛏 130/280 F. 🍽 60/200 F. 🍴 35 F.
🍽 240/300 F. 🍽 200/250 F.
✉ 10 janv./10 fév. et mer. hs.
🈁 🚗 🈁 🔌 CV 🔌 CB🆚 AE ⓞ E

BOURG SAINT ANDEOL
07700 Ardèche
7665 hab.

🔺🔺 LE PRIEURE ✶✶
Quai Fabry. Mme Julien
☎ 75 54 62 99 ℻ 75 54 63 73
📞 16 🛏 280/380 F. 🍽 68/260 F.
🍴 50 F. 🍽 280/320 F. 🍽 350/380 F.
✉ 2ème semaine sept., rest. sam. midi
et dim. soir hs.
🈁 🈁 🔌 🔌 CB🆚 AE E

BOURG SAINT CHRISTOPHE
01800 Ain
650 hab.

🔺 CHEZ GINETTE ✶
Mme Gouttefangeas
☎ 74 61 01 49 ℻ 74 61 36 13
📞 7 🛏 125/220 F. 🍽 58/165 F. 🍴 39 F.
🍽 210/250 F. 🍽 180/220 F.
✉ 23 déc./17 janv. et 1er/21 août.
🈁 🚗 CV 🔌 CB🆚 E

BOURG SAINT MAURICE
73700 Savoie
850 m. • 6000 hab. ℹ

🔺🔺🔺 LE CONCORDE ✶✶
Av. Maréchal Leclerc. M. Doin
☎ 79 07 08 90 ℻ 79 07 33 79
📞 32 🛏 280/350 F. 🍽 80/150 F.
🍴 50 F. 🍽 320/400 F. 🍽 280/350 F.
✉ oct./nov.
🈁 🈁 🏠 🈁 🚗 🛏 🈁 🔌 CV 🔌
CB🆚 E

BOURG SAINTE MARIE
52150 Haute Marne
195 hab.

🔺🔺🔺 SAINT-MARTIN ✶✶
M. Faynot
☎ 25 01 10 15 ℻ 25 03 91 68
📞 14 🛏 150/230 F. 🍽 73/220 F.
🍴 54 F. 🍽 240/290 F.
✉ 15 déc./15 janv. et rest. dim. soir sauf
pensionnaires.
🈁 **SP** 🏠 🈁 🚗 🛏 🚴 🔌 CV 🔌 🔌
CB🆚 AE ⓞ E

BOURGANEUF
23400 Creuse
3940 hab. ℹ

🔺🔺 LE COMMERCE ✶✶
12, rue de verdun. Mme Jabet
☎ 55 64 14 55
📞 14 🛏 145/330 F. 🍽 70/270 F.
🍴 55 F.
✉ 22 déc./15 fév., dim. soir et lun. sauf
juil./août et fêtes.
🈁 🏠 🚗 🈁 🛏 🔌 🔌 🔌 CB🆚 E

BOURGET DU LAC (LE)
73370 Savoie
2270 hab. ℹ

🔺 LA CERISAIE
618, route des Tournelles. M. Coutier
☎ 79 25 01 29 ℻ 79 25 26 19
📞 7 🛏 180/250 F. 🍽 95/220 F. 🍴 58 F.
🍽 280/320 F. 🍽 210/250 F.
✉ Toussaint, mer. et dim. soir hs.
🈁 🈁 🏠 🚗 🈁 🛏 🔌 CB🆚 AE E

🔺 SAVOY HOTEL ✶✶
600, route du Tunnel. M. Cevoz-Mamy
☎ 79 25 00 07 ℻ 75 25 28 97
📞 15 🛏 200/260 F. 🍽 110/175 F.
🍴 45 F. 🍽 260/310 F. 🍽 190/240 F.
✉ janv. et dim. soir.
🈁 🏠 🚗 🈁 🔌 CB🆚 AE ⓞ E

BOURGOIN JALLIEU
38300 Isère
22950 hab.

🔺🔺 LA COMMANDERIE DE CHAMPAREY ✶✶
7 Bld de Champaret M. Me Ruel
☎ 74 93 04 26 ℻ 74 28 67 49
📞 11 🛏 250/260 F. 🍽 100/170 F.
🍴 60 F. 🍽 295 F.
✉ 1er/16 août et dim.
🈁 🏠 🚗 🈁 🚴 🔌 CB🆚 E ▪

BOURGOIN JALLIEU (DOMARIN)
38300 Isère
1250 hab.

🔺🔺 MENESTRET ✶
68, route de Lyon. M. Menestret
☎ 74 93 13 01 ℻ 74 28 46 70
📞 9 🛏 190/255 F. 🍽 80/190 F. 🍴 48 F.
🍽 320/340 F. 🍽 240/300 F.
✉ 24 déc./3 janv., dim. soir et lun. midi.
🈁 🈁 🏠 🈁 🚗 🈁 🔌 CB🆚 E ▪

138

BOURGUEIL
37140 Indre et Loire
4185 hab.

L'ECU DE FRANCE
Rue de Tours. Mme Royer ☎ 47 97 70 18
9 160/245 F. 80/160 F. 50 F.
260/280 F. 190/210 F.
vac. scol. toussaint, Noël, fév., dim. soir et lun. sauf juil./août.
E CV CB VISA E

BOURRON MARLOTTE
77780 Seine et Marne
3000 hab.

DE LA PAIX Rest. LE CHAUDRON ⋆
Place de l'Eglise. M. Montreuil
☎ (1) 64 45 99 81 FAX (1) 64 45 78 21
16 180 F. 78/150 F. 40 F.
300 F. 250 F.
15/28 fév. et mer.
E SP CV CB VISA AE E C

BOUSSAC
23600 Creuse
1652 hab.

CENTRAL HOTEL ⋆
4, rue du 11 Novembre. M. Jolivet
☎ 55 65 00 11 FAX 55 65 84 15
11 105/240 F. 76/150 F.
46 F. 280/370 F. 200/290 F.
26 déc./16 janv. et ven. soir oct./mars.
CV CB VISA E

LE BOEUF COURONNE ⋆
Place de l'Hôtel de Ville. Mme Pinot
☎ 55 65 15 92
11 106/210 F. 60/170 F.
25 F. 198/240 F. 140/180 F.
dim. soir sauf juin/août.
CV CB VISA AE E

BOUSSENS
31360 Haute Garonne
735 hab.

DU LAC ⋆⋆
7, promenade du Lac. M. Soulie
☎ 61 90 01 85
12 130/280 F. 80/180 F.
40 F. 220/260 F. 200/220 F.
ven. soir et sam. oct./avr.
SP CB VISA AE E

BOUT DU PONT DE L'ARN
81660 Tarn
1053 hab.

AU LOGIS DE LA VALLEE DE L'ARN ⋆⋆
Mme Bonnery ☎ 63 61 14 54
17 120/200 F. 65/120 F.
35 F. 180/260 F. 140/210 F.
E SP CB VISA AE E

BOUTENAC TOUVENT
17120 Charente Maritime
231 hab.

LE RELAIS DE TOUVENT ⋆⋆
M. Mairand
☎ 46 94 13 06 FAX 46 94 10 40
12 240/260 F. 90/170 F.
45 F. 320 F. 280 F.
dim. soir et lun. sauf juil./août.
E CB VISA

BOUVANTE (COL DU PIONNIER)
26190 Drôme
1060 m. • 3 hab.

AUBERGE DU PIONNIER ⋆
Mme Brusegan
☎ 75 48 57 12 FAX 75 48 58 26
9 145/210 F. 75/150 F. 52 F.
225/270 F. 165/210 F.
nov./19 déc.
E i CV

BOUZIES
46330 Lot
70 hab.

LES FALAISES ⋆⋆
M. Deschamps
☎ 65 31 26 83 FAX 65 30 23 87
39 222/311 F. 73/230 F.
45 F. 338/381 F. 241/284 F.
1er déc./3 janv.
E D SP CV CB VISA AE E

BRACIEUX
41250 Loir et Cher
1200 hab.

LE CYGNE ⋆⋆
20, Rue Roger Brun. M. Autebert
☎ 54 46 41 07 FAX 54 46 04 87
13 240/400 F. 82/160 F.
60 F. 300 F. 220 F.
mi-janv./mi-fév., mer. et dim. soir hs.
E CB VISA E

BRAM
11150 Aude
2750 hab.

DE LA GARE
M. Peralta ☎ 68 76 11 91
8 135 F. 34 F. 180 F.
160 F.
ven. soir et dim. soir.
SP CV CB VISA AE E

BRANNE
33420 Gironde
850 hab.

DE FRANCE ⋆⋆
7-9, place du Marché. Mme Lespine
☎ 57 84 50 06
13 210/295 F. 85/145 F.
35 F. 355/405 F. 285/335 F.
1er/20 janv., dim. soir et lun. 1er oct./30 avr.
E SP CB VISA E

BRANTOME
24310 Dordogne
2000 hab.

HOSTELLERIE DU PERIGORD VERT ⋆⋆
6, av. André Maurois. M. Conseil
☎ 53 05 70 58
17 245/290 F. 95/230 F.
55 F. 320/355 F. 250/280 F.
Rest. ven. et dim. soir. nov./mars.
E CV CB VISA E

BRASSAC LES MINES
63570 Puy de Dôme
4000 hab. [i]

AA LE LIMANAIS ★★
11, av. de Sainte-Florine. M. Marcon
☎ 73 54 13 98
[†] 17 [⊠] 185/255 F. [‖] 80/300 F.
[占] 50 F. [‖] 258/303 F. [☶] 195/230 F.
[⊠] 2/31 janv., ven. et sam. midi sauf
juil./août.
[E] [SP] [i] [□] [☎] [▱] [▱] [T] [▥] [⌂] CB[VISA] E

BRAX
47310 Lot et Garonne
1120 hab.

AAA LA RENAISSANCE DE L'ETOILE ★★★
Route de Mont de Marsan. M. Gruel
☎ 53 68 69 23 [FAX] 53 68 62 89
[†] 10 [⊠] 265/375 F. [‖] 110/300 F.
[占] 60 F.
[⊠] 1 semaine vac. scol. mi-fév., sam.
midi, dim. soir et lun. midi.
[E] [SP] [□] [☎] [▱] [▱] [▭] [T] [⌖] [占] [▥] [⌂]
CB[VISA] E

BREDANNAZ DOUSSARD
74210 Haute Savoie
50 hab. [i]

AA PORT ET LAC ★★
Mme Rassat
☎ 50 68 67 20
[†] 19 [⊠] 155/340 F. [‖] 70/200 F.
[占] 45 F. [‖] 280/400 F. [☶] 220/325 F.
[⊠] nov./janv.
[☎] [▱] [▱] [T] [占] [▥] [⌂] CB[VISA] E

BREHAL
50290 Manche
2392 hab. [i]

AA DE LA GARE ★★
1, place Commandant Godart. M. Coffre
☎ 33 61 61 11
[†] 9 [⊠] 160/290 F. [‖] 72/218 F. [占] 49 F.
[‖] 350 F. [☶] 270 F.
[⊠] 25 avr./9 mai, 22 déc./31 janv., dim.
soir et lun.
[E] [□] [☎] [▱] [▱] [T] [CV] [⌂] CB[VISA] E [▦]

BREIL SUR ROYA
06540 Alpes Maritimes
2160 hab. [i]

AAA CASTEL DU ROY ★★
Route de Tende. M. Huyghe
☎ 93 04 43 66 [FAX] 93 04 91 83
[†] 19 [⊠] 290/380 F. [‖] 100/210 F.
[占] 70 F. [‖] 340/420 F. [☶] 255/320 F.
[⊠] 1er nov./28 fév. et rest. mar. hs.
[i] [□] [☎] [▱] [T] [⌖] [占] [▥] [CV] [⌂]
CB[VISA] [AE] E [C]

AA LE ROYA ★★
Place Bianchéri. M. Mathieu
☎ 93 04 48 10
[†] 12 [⊠] 280 F. [‖] 90/210 F. [占] 55 F.
[‖] 290 F. [☶] 250 F.

[⊠] vac. fév./début mars et ven. sauf
juil/août.
[i] [□] [☎] [▱] [⌖] [⌂] [⌖] CB[VISA] E

BRESSE (LA)
88250 Vosges
635 m. • 5400 hab. [i]

AA AUBERGE DES SKIEURS ★★
1 route de Lispach. M. Bouchez
☎ 29 25 41 10 [FAX] 29 25 58 60
[†] 21 [⊠] 210/220 F. [‖] 90/120 F.
[占] 40 F. [‖] 230/240 F. [☶] 200/210 F.
[⊠] 11 nov./6 déc.
[□] [☎] [▱] [▱] [T] [▥] [♥] [⌖] [占] [▥] [⌂]
CB[VISA] E [C]

AA AUBERGE DU PECHEUR ★★
76, route de Vologne. M. Germain
☎ 29 25 43 86 [FAX] 29 25 52 59
[†] 5 [⊠] 230 F. [‖] 70/130 F. [占] 45 F.
[⊠] 15/30 juin, 1er/15 déc., mar. soir et
mer. sauf saison mer.
[E] [D] [SP] [□] [☎] [▱] [T] [⌖] [占] [⌂] CB[VISA] [AE]
[⊕] E

AA CHAUME DE SCHMARGULT ★★
(à 1200 m., route des Crêtes).
Mme Friederich/Neff
☎ 29 63 11 49
[†] 8 [⊠] 200/220 F. [‖] 68/ 93 F. [占] 40 F.
[‖] 250/270 F. [☶] 190/210 F.
[⊠] Hôtel 1er oct./26 déc., avr. et rest.
fin oct./déc. mar.
[D] [☎] [占] CV [⌂] CB[VISA] E

A DE LA POSTE ★
5, rue de l'Eglise. M. Jeangeorge
☎ 29 25 43 29
[†] 7 [⊠] 155/210 F. [‖] 55/120 F. [占] 60 F.
[‖] 215/230 F. [☶] 170/185 F.
[⊠] mi-oct./mi-nov. Rest. dim. soir.
[▱] [▱] [T] CV [⌂] CB[VISA] E

AAA DES VALLEES ★★★
31, rue Paul Claudel. M. Rémy
☎ 29 25 41 39\29 25 55 10 [TX] 960573
[FAX] 29 25 64 38
[†] 54 [⊠] 340/380 F. [‖] 90/230 F.
[占] 50 F. [‖] 340/390 F. [☶] 252/302 F.
[E] [D] [□] [☎] [▱] [▱] [▱] [↕] [T] [▥] [♥] [⌖]
[⌖] [占] [占] CV [▥] [⌂] CB[VISA] [AE] [⊕] E

AA DU LAC DES CORBEAUX ★★
103, rue du Hohneck. M. Lemaire
☎ 29 25 41 17
[†] 17 [⊠] 90/210 F. [‖] 60/100 F. [占] 30 F.
[‖] 380/450 F. [☶] 260/370 F.
[⊠] 15/30 juin, 1er/15 oct. et mer. hs.
[E] [D] [□] [☎] [▱] [▱] [T] [⌖] [占] CV [▥] CB[VISA]
[AE] [⊕] E

AA LE CHALET DES ROCHES ★★
10, rue des Noisettes. M. Holveck
☎ 29 25 50 22 [FAX] 29 25 66 00
[†] 27 [⊠] 180/230 F. [‖] 60/120 F.
[占] 30 F. [‖] 200/235 F. [☶] 170/200 F.
[⊠] fin oct./20 nov.
[D] [☎] [▱] [▱] [T] [⌖] [占] CV [▥] [⌂] CB[VISA] [AE]
[⊕] E [▦]

BRESSUIRE
79300 Deux Sèvres
19000 hab. ⓘ

▲▲ DES TROIS MARCHANDS ★★
Les Sicaudières, route de Nantes.
M. Brossard
☎ 49 65 01 19 🕮 49 65 82 16
🛏 10 ⬙ 240/260 F. 🍴 65/160 F.
🍽 40 F.
✉ dim.
⬜🔲🛋🚗🕎🚿♿ CV 🔱 🍴 CB🆚 AE E

▲ LA BOULE D'OR ★★
15, place Emile Zola. Mme Labrot
☎ 49 65 02 18 🕮 49 74 11 19
🛏 20 ⬙ 200/265 F. 🍴 65/190 F.
🍽 45 F. 🍴 275/310 F. 🍱 200/235 F.
✉ 12/26 janv., 1er/25 août et dim. soir.
🔲 🅳 🆂🅿 🔲 🛋 🚗 🕎 CV 🔱 🍴 CB🆚
E 🛎

▲ LA SAPINIERE ★★
Route de Boisme. M. Boissinot
☎ 49 74 24 22 🕮 49 65 80 38
🛏 30 ⬙ 230/270 F. 🍴 75/170 F.
🍽 55 F.
✉ 20 déc./10 janv.
🔲 🅳 🔲 🛋 🚗 🕎 ♿ 🔱 CB🆚 AE E

BRETENOUX (PORT DE GAGNAC)
46130 Lot
686 hab.

▲ AUBERGE DU VIEUX PORT ★
Mme Lasfargeas ☎ 65 38 50 05
🛏 13 ⬙ 145/250 F. 🍴 60/180 F.
🍽 45 F. 🍴 200/260 F. 🍱 170/220 F.
🔲 🛋 🚗 🍴 CB🆚

BRETEUIL SUR ITON
27160 Eure
3415 hab. ⓘ

▲ DU LION D'OR ★★
66, rue Georges Clemenceau.
M. Thomine ☎ 32 29 81 09
🛏 12 ⬙ 130/260 F. 🍴 75/160 F.
🍽 50 F.
✉ Rest. 18 juil./8 août, dim. soir et lun.
🔲 🔲 🛋 🚗 🚿 🕎 🔱 🍴 CB🆚 E

BREVIANDES
10450 Aube
1685 hab.

▲▲ DU PAN DE BOIS ★★
35, av. Général Leclerc, route de Dijon.
Mme Vadrot
☎ 25 75 02 31 🕮 25 49 67 84
🛏 31 ⬙ 260/275 F. 🍴 85/160 F.
🍽 55 F.
✉ dim. soir. Rest. lun.
🔲 🔲 🛋 🚗 🕎 ♿ 🔱 🍴 CB🆚 E C

BREVILLE SUR MER
50290 Manche
570 hab.

▲ AUBERGE DES 4 ROUTES ★★
M. Roger ☎ 33 50 20 10
🛏 7 ⬙ 150/280 F. 🍴 85/130 F. 🍽 40 F.
🍴 280/320 F. 🍱 195/240 F.
✉ 2/17 janv. et mer. hs.
🔱 🕎 🍴 CB🆚 E

BREVONNES
10220 Aube
600 hab.

▲▲ LE VIEUX LOGIS ★★
Rue de Piney. M. Baudesson
☎ 25 46 30 17 🕮 25 46 37 20
🛏 5 ⬙ 170/260 F. 🍴 67/215 F. 🍽 45 F.
🍴 272/300 F. 🍱 224/260 F.
✉ 1er/15 fév., dim. soir et lun. hs.
🔲 🔲 🛋 🚗 🚿 ♿ ⊙ CV 🕎 🍴 CB🆚 E

BREZOLLES
28270 Eure et Loir
1900 hab.

▲▲ LE RELAIS ★★
M. Marteau
☎ 37 48 20 84 🕮 37 48 28 46
🛏 20 ⬙ 200/230 F. 🍴 72/150 F.
🍽 46 F. 🍴 225 F. 🍱 205 F.
✉ 2/9 janv., 1er/28 août, ven. soir et
dim. soir.
🔲 🔲 🛋 🚗 🚿 🔱 CV 🕎 🍴 CB🆚 ⊙
E 🛎

BREZONS
15230 Cantal
900 m. • 350 hab.

▲ AUBERGE DE LA CASCADE ★
(A Lustrande de Brezons). M. Artis
☎ 71 73 41 51
🛏 9 ⬙ 140/150 F. 🍴 60/100 F. 🍽 40 F.
🍴 190/200 F. 🍱 150/160 F.
✉ mer. après-midi hs.
🛋 🚗 🕎 CB🆚 AE ⊙ E

BRIANCON
05100 Hautes Alpes
1326 m. • 14300 hab. ⓘ

▲▲ AUBERGE "LE MONT PROREL" ★★
5, rue René Froger. M. Moranval-Vincent
☎ 92 20 22 88 🕮 92 21 27 76
🛏 18 ⬙ 190/380 F. 🍴 100/180 F.
🍽 50 F. 🍴 275/410 F. 🍱 230/350 F.
🔲 🔲 🛋 🚗 🚿 🕎 🔱 ♿ CV 🕎 🍴 CB🆚
AE ⊙ E

▲▲ CRISTOL ★★
6, route d'Italie. Mme Huet
☎ 92 20 20 11 🕮 92 21 02 58
🛏 19 ⬙ 260/320 F. 🍴 70/100 F.
🍽 45 F. 🍴 340/370 F. 🍱 250/280 F.
🔲 🔲 ⓘ 🔲 🛋 🚗 CV 🍴 CB🆚 AE E

▲ DE LA CHAUSSEE ★★
4, rue Centrale. M. Bonnaffoux
☎ 92 21 10 37 🕮 92 20 00 93
🛏 12 ⬙ 150/300 F. 🍴 80/145 F.
🍽 45 F. 🍴 260/335 F. 🍱 180/250 F.
✉ 1er/15 mai, 1er/15 nov. et lun.
🔲 🛋 🚗 CV 🕎 🍴 CB🆚 E 🛎

BRIARE
45250 Loiret
6300 hab. ℹ️

▲▲ HOSTELLERIE LE CANAL ★★
Quai du Pont-Canal. M. Rimbau
☎ 38 31 22 54 ℻ 38 31 25 17
🛏 18 ⌧ 270/410 F. 🍽 120/200 F.
🍴 60 F. 🍽 400/450 F. 📷 310/350 F.
⌧ 15 déc./1er fév., dim. soir et lun. sauf juil./août.
[icons] CBⱽⁱˢᵃ AE E ▣

BRICQUEBEC
50260 Manche
4721 hab. ℹ️

▲▲▲ DU VIEUX CHATEAU ★★★
M. Hardy ☎ 33 52 24 49 ℻ 33 52 62 71
🛏 20 ⌧ 165/320 F. 🍽 79/170 F.
🍴 45 F. ⌧ 310/390 F. 📷 215/295 F.
[icons] CV ▦ CBⱽⁱˢᵃ AE E ▣

BRIDES LES BAINS
73570 Savoie
600 m. • 620 hab. ℹ️

▲▲ ALTIS - VAL VERT ★★
M. Chedal
☎ 79 55 22 62 ℻ 79 55 29 12
🛏 35 ⌧ 320/480 F. 🍽 100/160 F.
🍴 70 F. 🍽 325/405 F. 📷 285/365 F.
⌧ 1er nov./15 déc.
[icons] CBⱽⁱˢᵃ AE E

▲▲ LES BAINS ★★
Rue Joseph Fontanet. M. Russo
☎ 79 55 22 05
🛏 33 ⌧ 280/300 F. 🍽 95/135 F.
🍴 50 F. 🍽 340/470 F.
[icons] CBⱽⁱˢᵃ AE ⓓ E

BRIEC
29510 Finistère
4000 hab. ℹ️

▲▲ DU MIDI ★★
M. Le Long ☎ 98 57 90 10
🛏 13 ⌧ 250/270 F. 🍽 70/145 F.
🍴 45 F. 🍽 230 F.
⌧ vac. scol. Noël, sam. et dim. soir sauf juil./août.
[icons] CBⱽⁱˢᵃ E

BRIEY
54150 Meurthe et Moselle
4514 hab. ℹ️

▲▲ DU COMMERCE ★★
63, rue de Metz. M. Spitoni
☎ 82 46 21 00 ℻ 82 20 29 85
🛏 21 ⌧ 236 F. 🍽 68/155 F. 🍴 32 F.
🍽 260/286 F. 📷 225 F.
[icons] CV ▦ CBⱽⁱˢᵃ AE E ▣

BRIGNOGAN PLAGE
29890 Finistère
856 hab. ℹ️

AR REDER MOR ★★
35, rue Général de Gaulle.
M. Me Le Bars/Jaffres
☎ 98 83 40 09 ℻ 98 83 56 11
🛏 25 ⌧ 155/295 F. 🍽 68/140 F.
🍴 45 F. 🍽 280/350 F. 📷 210/330 F.
⌧ 1er oct./10 avr.
[icons] CBⱽⁱˢᵃ E ▣

BRIGNOLES
83170 Var
13000 hab. ℹ️

▲▲ CHATEAU DE BRIGNOLES ★★
Av. Dreo, route de Nice. M. Blache
☎ 94 69 06 88 ℻ 94 59 26 85
🛏 39 ⌧ 200/370 F. 🍽 110/220 F.
🍴 65 F. 🍽 365 F. 📷 270 F.
⌧ Rest. dim. soir.
[icons] CBⱽⁱˢᵃ AE ⓓ E ▣

BRIGUE (LA)
06430 Alpes Maritimes
800 m. • 600 hab.

▲▲ LE MIRVAL ★★
M. Dellepiane ☎ 93 04 63 71
🛏 13 ⌧ 260/320 F. 🍽 90/150 F.
🍴 50 F. 🍽 320/350 F. 📷 250/280 F.
⌧ 2 nov./1er avr.
[icons] CBⱽⁱˢᵃ AE ⓓ E

BRINON SUR SAULDRE
18410 Cher
1200 hab.

▲▲▲ AUBERGE LA SOLOGNOTE ★★
M. Girard
☎ 48 58 50 29 ℻ 48 58 56 00
🛏 13 ⌧ 290/400 F. 🍽 160/320 F.
🍴 90 F. 📷 375/420 F.
⌧ 15 fév./15 mars, 24 mai/2 juin,
13/23 sept., mer. et mar. soir
1er oct./30 juin.
[icons] CBⱽⁱˢᵃ E

BRIONNE
27800 Eure
5038 hab. ℹ️

▲▲ LE LOGIS DE BRIONNE ★★
1, place Saint-Denis. M. Depoix
☎ 32 44 81 73 ℻ 32 45 10 92
🛏 12 ⌧ 280/350 F. 🍽 140/350 F.
🍴 70 F. 📷 330/370 F.
⌧ 1 semaine vac. scol. fév. et lun., dim. soir hs.
[icons] CV ▦ CBⱽⁱˢᵃ AE E

BRIOUDE
43100 Haute Loire
8427 hab. ℹ️

▲▲▲ MODERNE ★★
12, av Victor Hugo. MM. Delmas
☎ 71 50 07 30 ℻ 71 50 22 35
🛏 17 ⌧ 250/360 F. 🍽 80/210 F.
🍴 50 F. 📷 260/300 F.
[icons] CV ▦ CBⱽⁱˢᵃ AE ⓓ E

BRIVE
19100 Corrèze
60000 hab. 🛈

🏨🏨 LA CREMAILLERE ★★
53, av. de Paris. M. Reynal ☎
55 74 32 47
🛏 8 ◎ 220/280 F. 🍽 100/240 F.
🍴 60 F.
⊠ dim. soir et lun.
🅵 🗇 🕿 🍽 CB🆅🆂🅰

🏨 LE CHENE VERT ★★
24, bld. Jules Ferry. MM. Brunie
☎ 55 24 10 07 🆖 55 24 25 73
🛏 28 ◎ 140/200 F. 🍽 60/160 F.
🍴 40 F. 🍽 210/270 F. 🛌 160/210 F.
⊠ dim.
🅵 🗇 🕿 🚗 CV CB🆅🆂🅰 AE ⓞ E

🏨 LE MONTAUBAN ★★
6, av. Edouard Hérriot M. Viginiat
☎ 55 24 00 38 🆖 55 84 80 30
🛏 18 ◎ 156/230 F. 🍽 90/200 F.
🍴 40 F. 🍽 248/295 F. 🛌 175/205 F.
⊠ Rest. lun. midi.
🅵 🆂🅿 🗇 🕿 🚗 🚗 🕿 CV 🕮 CB🆅🆂🅰 E

BRIVE (LARCHE)
19600 Corrèze
1200 hab. 🛈

🏨🏨 LE JARDIN DE LA VEZERE ★★
(à Larche, 22, rue Alexis Joubert).
M. Panais ☎ 55 85 30 11
🛏 20 ◎ 180/250 F. 🍽 85/240 F.
🍴 45 F. 🍽 290/320 F. 🛌 220/240 F.
⊠ 2/15 janv., 1er/15 oct. et sam. hs
🅵 🗇 🕿 🚗 🕿 🔲 🔲 CV 🕮 🍴
CB🆅🆂🅰 E 📠

BRIVE (MALEMORT)
19360 Corrèze
6000 hab.

🏨🏨 AUBERGE DES VIEUX CHENES ★★
31, av. Honoré de Balzac. M. Bouny
☎ 55 24 13 55 🆖 55 24 56 82
🛏 14 ◎ 170/240 F. 🍽 62/180 F.
🍴 38 F. 🛌 205/285 F.
⊠ dim.
🅵 🗇 🕿 🚗 🚗 CV 🕮 🍴 CB🆅🆂🅰 AE ⓞ
E 📠

BRIVE (SAINT VIANCE)
19240 Corrèze
1700 hab. 🛈

🏨🏨🏨 AUBERGE DES PRES DE LA VEZERE ★★
M. Parveaux
☎ 55 85 00 50 🆖 55 84 25 36
🛏 11 ◎ 240/300 F. 🍽 105/180 F.
🍴 50 F. 🛌 300/330 F.
⊠ mi-oct./début mai.
🅵 🗇 🕿 🚗 🕿 🕮 🍴 CB🆅🆂🅰 E

🏨🏨 DU RIEUX ★★
Sortie Brive, route de Varetz-Objat.
Mme Bounaix
☎ 55 85 01 49 🆖 55 84 26 33
🛏 16 ◎ 170/200 F. 🍽 55/150 F.

🍴 35 F. 🍽 240/280 F. 🛌 190/240 F.
⊠ 20 août/1er sept., 20 déc./03 janv., et
sam. hs.
🗇 🕿 🚗 🕿 🕿 🍴 CB🆅🆂🅰 E

BRIVE (USSAC)
19270 Corrèze
3000 hab.

🏨🏨 AUBERGE SAINT-JEAN ★★
Place de l'Eglise. Mme Corcoral-Cournil
☎ 55 88 30 20 🆖 55 87 28 50
🛏 30 ◎ 200/280 F. 🍽 75/220 F.
🍴 50 F. 🍽 280/300 F. 🛌 240/260 F.
🅵 🗇 🕿 🚗 🚗 🕿 🕿 🚴 🍴 🏂 🚴 🕮
CB🆅🆂🅰 E

BROCAS
40420 Landes
616 hab. 🛈

🏨 DE LA GARE ★
Route de Bélis. M. Taris ☎ 58 51 40 67
🛏 7 ◎ 160/220 F. 🍽 80/230 F. 🍴 50 F.
🍽 235/260 F. 🛌 185/195 F.
⊠ 10 jours oct., 10 jours fév. et mer. hs
🕿 🚗 🕿 🕿 🚴 🕮 🍴 CB🆅🆂🅰 E

BROMMAT
12600 Aveyron
648 m. • 150 hab.

🏨 DES BARRAGES
Mme Viers ☎ 65 66 00 84
🛏 13 ◎ 100/150 F. 🍽 50/150 F.
🍴 40 F. 🍽 350/400 F. 🛌 250/300 F.
⊠ sam.
🅵 🆂🅿 🗇 🚗 🚴 🍴 CB🆅🆂🅰 E

BROQUIES
12480 Aveyron
800 hab.

🏨 LE PESCADOU ★
(Le Navech). M. Wantiez ☎ 65 99 40 21
🛏 14 ◎ 190/230 F. 🍽 73/195 F.
🍴 46 F. 🍽 220/260 F. 🛌 195/230 F.
⊠ 15 oct./15 mars.
🅵 🆂🅿 🛈 🗇 🚗 🕿 🏂 🚴 🍴

BROUCKERQUE
59630 Nord
1064 hab.

🏨🏨 LE MIDDEL-HOUCK
6, place du Village. MM. Morez
☎ 28 27 13 46 🆖 28 27 13 80
🛏 5 ◎ 200 F. 🍽 69/175 F. 🍴 50 F.
🍽 260/360 F. 🛌 180/280 F.
⊠ dim. soir.
🅵 🅳 🗇 🕿 🚗 🚴 CV 🕮 🍴 CB🆅🆂🅰 ⓞ E

BROUSSE LE CHATEAU
12480 Aveyron
60 hab.

🏨🏨 LE RELAYS DU CHASTEAU ★★
Mme Senegas ☎ 65 99 40 15
🛏 12 ◎ 170/210 F. 🍽 67/175 F.
🍴 40 F. 🍽 225/235 F. 🛌 185/195 F.
⊠ 20 déc./20 janv. ven. soir et sam.
midi 1er oct./1er mai.
🅵 🆂🅿 🗇 🚗 🕿 🚴 CV 🕮 🍴 CB🆅🆂🅰 E

BROUVELIEURES
88600 Vosges
600 hab.

▲▲ DOSSMANN-GHEERAERT ★★
M. Gheeraert ☎ 29 50 20 14
🛏 15 ⌷ 160/240 F. ⑪ 40/180 F.
🍴 40 F. ⑩ 305 F. 🍽 250 F.
⬚ 🕾 CV 🖐 CBⅦ E

BRUERE ALLICHAMPS
18200 Cher
649 hab.

▲▲ LES TILLEULS
Route de Noirlac. M. Dauxerre
☎ 48 61 02 75
🛏 12 ⌷ 160/210 F. ⑪ 100/215 F.
🍴 65 F. 🍽 205/245 F.
⬚ fév., 21/31 déc., lun. et dim. soir hs.
E 🕾 🖐 🖐 CBⅦ E

BRUMATH
67170 Bas Rhin
8000 hab.

▲▲▲ L'ECREVISSE ★★
4, av. de Strasbourg. M. Orth
☎ 88 51 11 08 🖷 88 51 89 02
🛏 21 ⌷ 290/340 F. ⑪ 150/395 F.
🍴 60 F.
⬚ lun. soir et mar.
E D ⬚ 🕾 ⬚ ⬚ ⬚ 🕾 🖐 CV 🎛
🖐 CBⅦ AE ⊙ E

BRUSQUE
12360 Aveyron
527 hab.

▲ LA DENT DE ST-JEAN ★
Mme Bousquet ☎ 65 99 52 87
🛏 16 ⌷ 155/200 F. ⑪ 95/190 F.
🍴 42 F. ⑩ 220/232 F. 🍽 190/200 F.
⬚ 1er nov., 1er week-end mars, dim.
soir et lun. hs.
E 🕾 ⬚ 🖐 🖐 CBⅦ E

BRUYERES (LES ROUGES EAUX)
88600 Vosges
80 hab.

▲▲ AUBERGE DE LA CHOLOTTE
Mme Cholé
☎ 29 50 56 93 🖷 29 50 24 12
🛏 4 ⌷ 350 F. ⑪ 100/200 F. 🍴 60 F.
⑩ 300 F. 🍽 250 F.
⬚ janv./fév. et lun.
⬚ 🕾 🖐 🎛 🖐 CBⅦ E 🖼

BUBRY
56310 Morbihan
2300 hab.

▲▲ AUBERGE DE COET DIQUEL ★★
(A Coet-Diquel). M. Romieux
☎ 97 51 70 70 🖷 97 51 73 08
🛏 20 ⌷ 265/315 F. ⑪ 78/188 F.
⑩ 335/360 F. 🍽 285/310 F.
⬚ 1er déc./15 mars.
🕾 ⬚ 🖐 🖐 🖐 🖐 🎛 🖐 CBⅦ E

BUE
18300 Cher
360 hab.

▲▲ L'ESTERILLE ★★
M. Guery ☎ 48 54 21 78

🛏 9 ⌷ 225/300 F. ⑪ 95/210 F.
🍽 280/310 F.
⬚ 2ème quinzaine déc., 1ère quinzaine
fév., mar. et mer.
SP ⬚ 🕾 ⬚ 🖐 CBⅦ E

BUGUE (LE)
24260 Dordogne
2800 hab. 🛈

▲ LE CYGNE ★★
(Le Cingle). M. Denis
☎ 53 07 17 77 🖷 53 03 93 74
🛏 13 ⌷ 185/250 F. ⑪ 85/225 F.
🍴 45 F. ⑩ 275/285 F. 🍽 210/230 F.
⬚ fin déc. et janv., dim. soir et lun. hs.
E ⬚ 🕾 ⬚ 🖐 🖐 🖐 CV 🖐 CBⅦ E

BUJALEUF
87460 Haute Vienne
1000 hab. 🛈

▲ DES TOURISTES ★
M. Brousse ☎ 55 69 50 01
🛏 12 ⌷ 130/200 F. ⑪ 75/185 F.
🍴 45 F. ⑩ 170/240 F. 🍽 160/240 F.
⬚ mer. 1er janv./30 mai et 1er oct./31 déc.
🖐 🖐 CV 🖐 CBⅦ E

BULGNEVILLE
88140 Vosges
1280 hab.

▲▲▲ LE COLIBRI ★★
Route de Neufchâteau. M. Colin
☎ 29 09 15 70 🖷 29 09 21 40
🛏 17 ⌷ 230/290 F. ⑪ 65/200 F.
🍴 45 F. ⑩ 275/360 F. 🍽 210/275 F.
E D SP 🛈 ⬚ 🕾 ⬚ 🖐 🖐 🖐 🖐
🎛 🖐 CBⅦ AE E

BUOUX
84480 Vaucluse
103 hab.

▲ AUBERGE DES SEGUINS
Mme Pessemesse
☎ 90 74 16 37 🖷 90 74 16 37
🛏 27 ⌷ 150/300 F. ⑪ 100/150 F.
🍴 50 F. ⑩ 280/320 F. 🍽 220/320 F.
⬚ 15 nov./1er mars.
E D 🛈 🖐 🕾 🖐 🖐 🖐

BURNHAUPT LE HAUT
68520 Haut Rhin
1426 hab.

▲▲ DE L'AIGLE D'OR ★★
24, rue du Pont d'Aspach. M. Gebel
☎ 89 83 10 10 🖷 89 83 10 33
🛏 26 ⌷ 220/330 F. ⑪ 79/235 F.
🍴 38 F. ⑩ 285/320 F. 🍽 235/265 F.
⬚ 3/16 janv. et rest. sam. midi.
E D ⬚ 🕾 ⬚ 🖐 🖐 🖐 🖐 CV 🎛 🖐
CBⅦ E C 🖼

BUSSANG
88540 Vosges
625 m. • 1990 hab. 🛈

▲▲ DES DEUX CLEFS ★★
Mme Gapp ☎ 29 61 51 01
🛏 14 ⌷ 90/220 F. ⑪ 60/120 F. 🍴 35 F.
⑩ 180/240 F. 🍽 150/180 F.
🖐 🖐 🖐 CV 🖐 CBⅦ AE ⊙ E

BUSSANG (suite)

▲▲▲ DES SOURCES ★★
12, route des Sources. M. Jolly
☎ 29 61 51 94 𝖥𝖠𝖷 29 61 60 61
🛏 11 ◎ 270/340 F. ⏷ 103/340 F.
🍴 52 F. ⏷ 300/330 F. 🍽 250/280 F.
🅴 🅳 🖻 ☎ 🚗 🛅 ✚ 🛩 CV 🎱
CB🆅🆂🅰 E C

▲▲▲ DU TREMPLIN ★★
Rue du 3ème R. T. A. M. Gabriel
☎ 29 61 50 30 𝖥𝖠𝖷 29 61 50 89
🛏 19 ◎ 150/380 F. ⏷ 75/250 F.
🍴 55 F. ⏷ 220/280 F. 🍽 180/220 F.
⊠ oct., dim. soir et lun. sauf vac. scol.,
week-ends.
🅴 🅳 🖻 ☎ 🚗 🚗 🛅 CV 🎱 🏃 CB🆅🆂🅰
🅰🅴 ⊙ E

BUSSEAU SUR CREUSE
23150 Creuse
2000 hab. 🅸

▲▲▲ DU VIADUC ★★
M. Le Mestre
☎ 55 62 40 62 𝖥𝖠𝖷 55 62 55 80
🛏 7 ◎ 190/230 F. ⏷ 70/198 F. 🍴 55 F.
⏷ 300/320 F. 🍽 250/270 F.
⊠ janv., dim. soir et lun.
🅴 ☎ 🚗 🛅 CV 🎱 🏃 CB🆅🆂🅰 E C

BUSSIERE (LA)
45230 Loiret
656 hab.

▲▲ LE NUAGE ★★
95 bis rue de Briare. M. Karbowski
☎ 38 35 90 73 𝖥𝖠𝖷 38 35 90 62
🛏 16 ◎ 280/285 F. ⏷ 69/175 F.
🍴 35 F. ⏷ 295/303 F. 🍽 230/235 F.
🅴 𝖲𝖯 🅸 🖻 ☎ 🚗 🛩 🛅 ✚ 🛩 🛩
🛩 🏃 CV 🎱 🏃 CB🆅🆂🅰 🅰🅴 E C 🍴

BUXEUIL
37160 Indre et Loire
951 hab.

▲ AUBERGE DE L'ISLETTE
Lieu-dit Lilette. M. Marchenoir
☎ 47 59 72 22
🛏 17 ◎ 100/165 F. ⏷ 54/155 F.
🍴 54 F. ⏷ 165/250 F. 🍽 160/220 F.
⊠ sam. hs.
🚗 🛩 🏃 🎱 🏃 CB🆅🆂🅰 E

BUXY
71390 Saône et Loire
2000 hab. 🅸

▲▲ LE RELAIS DU MONTAGNY ★★
M. Girardot
☎ 85 92 04 04 ╲ 85 92 19 90
𝖥𝖠𝖷 85 92 07 19
🛏 37 ◎ 210/360 F. ⏷ 90/200 F.
🍴 50 F. ⏷ 360/400 F. 🍽 270/310 F.
🅴 🅳 🖻 ☎ 🚗 🚗 🛩 🛩 🛩 🏃 CV 🎱
🏃 CB🆅🆂🅰 🅰🅴 E C 🍴

BUZANCAIS
36500 Indre
5000 hab. 🅸

▲▲▲ DU CROISSANT ★★
53, rue Grande. M. Desroches

☎ 54 84 00 49 𝖥𝖠𝖷 54 84 20 60
🛏 14 ◎ 225/270 F. ⏷ 78/230 F.
🍴 55 F. ⏷ 260/300 F. 🍽 210/280 F.
⊠ 6 fév./6 mars et ven. après-midi/sam.
18h.
🅴 🅳 ☎ 🛩 🛩 🎱 🏃 CB🆅🆂🅰 E

▲▲▲ HERMITAGE ★★
Route d'Argy. M. Sureau
☎ 54 84 03 90 𝖥𝖠𝖷 54 02 13 19
🛏 14 ◎ 150/305 F. ⏷ 78/265 F.
🍴 62 F. ⏷ 255/320 F. 🍽 180/250 F.
⊠ 11/20 sept., 2/18 janv., dim. soir et
lun. sauf hôtel juil./août.
🅴 🅳 🖻 🚗 🚗 🛩 🏃 🏃 CB🆅🆂🅰 E

CABOURG
14390 Calvados
3300 hab. 🅸

▲ AUBERGE DU PARC ★
31, av. Général Leclerc. M. Hamelin
☎ 31 91 00 82
🛏 10 ◎ 180/240 F. ⏷ 85/140 F.
🍴 45 F. ⏷ 290/320 F. 🍽 230/260 F.
⊠ 30 sept./Pâques sauf vac. scol., mar.
et mer.
🅴 🅳 🖻 ☎ 🚗 🏃 CV 🏃 CB🆅🆂🅰 E

▲ L'AUBERGE DES VIVIERS ᵉᶜ
Av. Charles de Gaulle. M. Delatte
☎ 31 91 05 10 𝖥𝖠𝖷 31 91 77 72
🛏 7 ◎ 210/360 F. ⏷ 83/188 F. 🍴 58 F.
⏷ 290/390 F. 🍽 250/320 F.
⊠ 11 janv./12 fév.
🅴 𝖲𝖯 🅸 🖻 🚗 🏃 CV 🏃 CB🆅🆂🅰 E

▲▲ L'OIE QUI FUME ★
18, av. de la Brèche Buhot. M. Duteurtre
☎ 31 91 27 79
🛏 20 ◎ 200/280 F. ⏷ 120/180 F.
🍴 70 F. ⏷ 315/360 F. 🍽 230/280 F.
⊠ 17 nov./10 fév., dim. soir/mer. matin
10 fév./fin avr. et oct. hors vac. scol.
🅴 ☎ 🛩 🏃 CV 🎱 CB🆅🆂🅰 E

CABRERETS
46330 Lot
220 hab. 🅸

▲▲ AUBERGE DE LA SAGNE ★★
Route de Pech-Merle à 1 Km.
M. Labrousse
☎ 65 31 26 62
🛏 10 ◎ 165/270 F. ⏷ 78/125 F.
🍴 65 F. 🍽 228/255 F.
⊠ 1er janv./15 mai et 1er oct./31 déc.
🅴 🅳 🖻 🚗 🛩 🏃 CB🆅🆂🅰 E

▲▲ DES GROTTES ★★
Mme Theron
☎ 65 31 27 02
🛏 18 ◎ 162/300 F. ⏷ 86/158 F.
🍴 58 F. 🍽 203/266 F.
⊠ 1er nov./15 avr. et sam. midi.
🅴 𝖲𝖯 🖻 🚗 🏃 🏃 CV 🏃 CB🆅🆂🅰 E

CABRIERES D'AVIGNON
84220 Vaucluse
1004 hab.

▲▲ LE MAS DES ORTOLANS
Route de Lagnes. M. Jublou
☎ 90 76 96 06
🛏 7 ⬡ 385 F. 🍴 155 F. 🍽 72 F.
🍴 445 F. 🛌 362 F.
⊠ début nov./fin mars et mer.
🄴 🄳 ⬚ 🕿 🛋 🛏 🏊 🐕 CB🚾 E

CABRIS
06530 Alpes Maritimes
1100 hab. 🛈

▲▲▲ L'HORIZON ★★
M. Léger-Roustan
☎ 93 60 51 69 📠 93 60 56 29
🛏 22 ⬡ 310/550 F. 🍴 95 F.
⊠ 30 oct./1er avr.
🄴 🄳 🛈 ⬚ 🕿 🛋 🛏 🏊 CB🚾 🄐🄴 ⓄⓄ E

CADEAC
65240 Hautes Pyrénées
725 m. • 170 hab.

▲▲ VAL D'AURE ★★
Route de Saint-Lary. M. Me Arrias/Jouin
☎ 62 98 60 63 📠 62 98 68 99
🛏 23 ⬡ 215/250 F. 🍴 59/120 F.
🍴 39 F. 🍽 280/295 F. 🛌 245/260 F.
⊠ 15 avr./15 juin.
🄴 🆂🅿 🕿 🛋 🛏 ⛵ 🏊 🎾 🎿 🚵 ♿
🄲🅅 ♥ CB🚾 E

CADENET
84160 Vaucluse
2340 hab.

▲▲ AUX OMBRELLES ★★   *Stayed here*
Av. de la Gare. M. Drabin
☎ 90 68 02 40 📺 90 68 06 82
📠 90 68 06 82
🛏 11 ⬡ 115/235 F. 🍴 90/165 F.
🍴 50 F. 🍽 285/345 F. 🛌 200/250 F.
⊠ 23 déc./1er fév., dim. soir et lun.
🄴 🕿 🛋 🛏 🚵 🎚 ♥ CB🚾 E

CAEN
14000 Calvados
117120 hab.

▲▲▲ LE DAUPHIN ★★★
29, rue Gemare. M. Chabredier
☎ 31 86 22 26 📠 31 86 35 14
🛏 21 ⬡ 350/510 F. 🍴 95/290 F.
🍴 65 F. 🍽 440/525 F. 🛌 340/425 F.
⊠ Rest. sam. midi.
🄴 🄳 🕿 🛋 🛏 🍴 🄲🅅 🎚 ♥ CB🚾 🄐🄴 Ⓞ
E 🄲 🄲

CAGNOTTE
40300 Landes
450 hab.

▲▲ BONI Rest. LE FOURNIL ★★
M. Demen
☎ 58 73 03 78 📠 58 73 13 48
🛏 10 ⬡ 170/240 F. 🍴 80/220 F.
🍴 70 F. 🍽 280/330 F. 🛌 200/250 F.
⊠ 3/20 janv. et lun. oct./mai.
🄴 🆂🅿 🕿 🛋 🛏 🍴 🎚 ♥ CB🚾 🄐🄴
E 🄲

CAHORS
46000 Lot
27000 hab. 🛈

▲▲ CHARTREUSE ★★★
Rue Saint-Georges. M. Gardillou
☎ 65 35 17 37 📺 533 743 📠 65 22 30 03
🛏 51 ⬡ 230/300 F. 🍴 75/200 F.
🍴 45 F. 🍽 330/365 F. 🛌 240/275 F.
⊠ 1ère quinzaine janv.
🄴 🆂🅿 🕿 🛋 🛏 🍴 🏊 🎚 ♥ CB🚾 E

▲ DE LA PAIX ★
30, place Saint-Maurice. Mme Firmy
☎ 65 35 03 40
🛏 22 ⬡ 120/160 F. 🍴 60/210 F.
🍴 40 F. 🍽 160/200 F. 🛌 140/170 F.
⊠ dim.
CB🚾 🄐🄴 Ⓞ E

▲ LE MELCHIOR ★★
Place de la Gare. M. Cabanes
☎ 65 35 03 38 📠 65 23 92 75
🛏 20 ⬡ 170/220 F. 🍴 68/180 F.
🍴 43 F. 🍽 250/275 F. 🛌 180/230 F.
⊠ 2 semaines janv. et dim. hs.
🄴 🆂🅿 🕿 🛋 🛌 🄲🅅 ♥ CB🚾 E 🄲

▲▲▲ TERMINUS Rest. LE BALANDRE ★★★
M. Darnal ☎ 65 35 24 50 📠 65 22 06 40
🛏 30 ⬡ 240/440 F. 🍴 120/300 F.
🍴 80 F.
⊠ Rest. vac. scol. fév., 1ère semaine
juil., sam. midi saison, dim. soir et lun. hs.
🄴 🄳 🆂🅿 🕿 🛋 🛏 🍴 ♿ 🎚 🎚 ♥
CB🚾 E

CAHORS (LABERAUDIE)
46090 Lot
1500 hab.

▲▲ LE CLOS GRAND ★★
M. Soupa ☎ 65 35 04 39 📠 65 22 56 69
🛏 21 ⬡ 200/270 F. 🍴 80/200 F.
🍴 45 F. 🍽 300/330 F. 🛌 220/250 F.
⊠ 7/14 mars, 30 avr./9 mai, 8/24 oct.,
23/27 déc., dim. soir et lun. sauf juil./août.
🆂🅿 ⬚ 🕿 🛋 🛏 🏊 🎚 CB🚾 Ⓞ E

CAHORS (LAROQUE DES ARCS)
46090 Lot
300 hab.

▲▲ BEAU RIVAGE ★★
Mme Calmon ☎ 65 35 30 58 \ 65 22 16 28
🛏 14 ⬡ 190/330 F. 🍴 75/150 F.
🍴 50 F. 🛌 210/280 F.
⊠ Hôtel fin nov./Pâques, rest.
janv./1er mars dim. et lun. hs
uniquement rest.
🄴 🆂🅿 ⬚ 🕿 🛋 🛏 🍴 ♥ CB🚾 🄐🄴 E 🄲

CAILHAU
11240 Aude
180 hab. 🛈

▲▲ LE RELAIS TOURISTIQUE DE BELVEZE -
LE FRICASSOU ★★
(Carrefour de Belvèze - Sur D. 623).
M. Cardeynaels
☎ 68 69 08 78 📠 68 69 07 65
🛏 7 ⬡ 150/200 F. 🍴 70/250 F. 🍴 50 F.
🍽 250 F. 🛌 235 F.
🄴 🄳 ⬚ 🕿 🛋 🛏 🍴 🄲🅅 🎚 ♥
CB🚾 🄐🄴 Ⓞ E

CAILLY SUR EURE
27490 Eure
181 hab.

▲▲ AUBERGE DES 2 SAPINS ★★
Rue de la Mairie. M. Juhel
☎ 32 67 75 13 FAX 32 67 73 62
🛏 16 ⬡ 220/350 F. 🍴 82/170 F.
🍽 60 F. 🍴 310/350 F. 🛌 220/260 F.
⊠ 15 août/5 sept., dim. soir et lun.
🄴 ⬜ ☎ 🚗 ⬜ 🛁 👶 ⬜ 🖐 CB VISA AE ⬜

CAJARC
46160 Lot
1200 hab. 🅸

▲ DE LA PROMENADE
Rue de la Promenade. M. Moulinier
☎ 65 40 61 21
🛏 4 ⬡ 190/215 F. 🍴 55/140 F. 🍽 45 F.
🍴 230 F. 🛌 200 F.
⊠ dernière semaine juin, 1ère semaine
juil., 3ème semaine nov. et lun.
🄴 CV 🍴 🖐 CB VISA AE ⬛ E

CALAIS
62100 Pas de Calais
60000 hab. 🅸

▲▲▲ LE GEORGE V ★★★
36, rue Royale. M. Beauvalot
☎ 21 97 68 00 TX 135159 FAX 21 97 34 73
🛏 37 ⬡ 210/360 F. 🍴 80/250 F.
🍽 41 F.
🄴 ⬜ D 🅸 ⬜ ☎ 🚗 🍴 🖐 👶 🍴 ⬜
CB VISA AE ⬛ E C

CALES
46350 Lot
150 hab.

▲▲ LE PAGES ★★
Route de Payrac. MeM. Pages
☎ 65 37 95 87
🛏 20 ⬡ 180/450 F. 🍴 85/230 F.
🍽 40 F. 🍴 330/470 F. 🛌 230/370 F.
⊠ 15/28 oct., 3 janv./3 fév. et mar.
1er nov./Pâques.
🄴 ☎ 🚗 🍴 🛁 🍴 CB VISA E C

▲▲ PETIT RELAIS ★★
Mme Xiberas
☎ 65 37 96 09 FAX 65 37 95 93
🛏 9 ⬡ 190/320 F. 🍴 70/250 F. 🍽 38 F.
🛌 240/310 F.
⊠ 20 déc./10 janv. et sam. midi hs.
🄴 SP ⬜ ☎ 👶 CV 🍴 CB VISA ⬛ E

CALLIAN
83440 Var
1800 hab. 🅸

▲ AUBERGE DES MOURGUES ★
Quartier des Mourgues. Mme Villette
☎ 94 76 53 99 FAX 94 76 53 99
🛏 13 ⬡ 210/310 F. 🍴 70/140 F.
🍽 35 F. 🍴 300/320 F. 🛌 240/270 F.
⊠ 15 janv./15 fév. et mar. hs.
🄴 ⬜ D SP 🅸 ⬜ ☎ 🚗 🍴 🛁 🍴 ⬜
🍴 CB VISA E

CALVI
20260 Corse
3500 hab. 🅸

▲▲ LA CARAVELLE ★★
La Plage. Mmes Levy/Ruse
☎ 95 65 01 21 FAX 95 65 00 03
🛏 30 ⬡ 290/490 F. 🍴 110/160 F.
🍽 65 F. 🛌 290/490 F.
⊠ 18 oct./1er avr.
🄴 ⬜ D 🅸 ⬜ ☎ 🚗 🍴 🛁 CV CB VISA E

▲▲ RESIDENCE HOTEL LE PADRO ★★
(A 6Km, sur route de Calenzana).
Mme Fratacci
☎ 95 65 08 89 FAX 95 65 08 88
🛏 13 ⬡ 260/380 F. 🍴 105/115 F.
🍽 65 F. 🍴 395/435 F. 🛌 280/340 F.
⊠ Rest. 1er oct./30 avr.
🄴 🅸 ⬜ ☎ 🚗 🍴 🛁 🖐 🛁 👶 ⬜ 🍴
CV 🍴 CB VISA E C

CALVIAC
46190 Lot
600 m. • 293 hab.

▲ LE RANFORT ★
Lieu-dit Pont de Rhodes. Mme Delbert
☎ 65 33 01 06
🛏 11 ⬡ 160/180 F. 🍴 60/190 F.
🍽 48 F. 🍴 230/240 F. 🛌 190/200 F.
⊠ 30 sept./15 oct.
⬜ ☎ 🚗 🍴 🛁 👶 🍴 CV 🍴 CB VISA E ⬛

CALVINET
15340 Cantal
600 m. • 493 hab.

▲▲▲ BEAUSEJOUR ★★
Route de Maurs. M. Puech
☎ 71 49 91 68
🛏 10 ⬡ 220/250 F. 🍴 85/250 F.
🍽 60 F. 🍴 250/280 F. 🛌 220/250 F.
⊠ 15 janv./15 fév., dim. soir et lun. hs.
🄴 SP ⬜ ☎ 🚗 🖐 CV 🍴 🍴 CB VISA E

CAMARES
12360 Aveyron
1258 hab. 🅸

▲▲ DU PONT VIEUX ★★
2, rue du Barry. M. Granier
☎ 65 99 59 50 FAX 65 49 56 38
🛏 10 ⬡ 190/320 F. 🍴 65/220 F.
🍽 40 F. 🍴 240/305 F. 🛌 180/245 F.
⊠ déc./fév., lun. hs.
🄴 ⬜ ☎ 🚗 🍴 🍴 CB VISA E

CAMARET SUR MER
29570 Finistère
3000 hab. 🅸

▲▲ DE FRANCE ★★
Sur le Port. M. Moreau
☎ 98 27 93 06 FAX 98 27 88 14
🛏 20 ⬡ 200/440 F. 🍴 75/280 F.
🍽 58 F. 🍴 275/440 F. 🛌 215/380 F.
⊠ 1er nov./31 mars.
🄴 ⬜ D ⬜ ☎ 🚗 🖐 CV 🍴 🍴 CB VISA
AE ⬛

147

CAMBO LES BAINS
64250 Pyrénées Atlantiques
5000 hab. [i]

▲▲ AUBERGE CHEZ TANTE URSULE ★★
Quartier du Bas Cambo. M. Bort
☎ 59 29 78 23 [FAX] 59 29 28 57
[🛏] 17 [◳] 165/300 F. [🍴] 90/180 F.
[🍴] 55 F. [🍴] 225/285 F. [🍽] 195/250 F.
[⊠] fév. et mar.
[E] [SP] [◻] [◻] [◻] [◻] [◻] CB[VISA] [AE] E

▲▲▲ LE RELAIS DE LA POSTE ★★★
Place de la Mairie. M. Auber
☎ 59 29 73 03
[🛏] 10 [◳] 270/310 F. [🍴] 98/170 F.
[🍴] 50 F. [🍴] 350 F. [🍽] 300 F.
[⊠] 1er nov./3 avr., dim. soir et lun. hs.
[i] [◻] [◻] [◻] [◻] [◻] [◻] CB[VISA] [AE] ⊚ E

CAMBRAI
59400 Nord
33000 hab. [i]

▲▲ LA CHOPE ★★
17, rue des Docks. M. Roussel
☎ 27 81 36 78 [FAX] 27 83 97 60
[🛏] 18 [◳] 130/235 F. [🍴] 78/170 F.
[🍴] 55 F. [🍴] 230/330 F. [🍽] 210/280 F.
[⊠] Rest. dim.
[i] [D] [◻] [◻] [◻] [◻] [◻] [◻] CV [◻] [◻] CB[VISA]
E

▲▲ MOTEL ULYS ★★★
67, route d'Arras. M. Roux
☎ 27 83 83 25 [FAX] 27 83 91 88
[🛏] 22 [◳] 239/248 F. [🍴] 75/160 F.
[🍴] 50 F. [🍴] 340 F. [🍽] 280 F.
[i] [D] [◻] [◻] [◻] [◻] [◻] [◻] CV [◻] [◻]
CB[VISA] E

▲▲ MOUTON BLANC ★★★
Centre ville-gare. M. Lesnes
☎ 27 81 30 16 [TX] 133365 [FAX] 27 81 83 54
[🛏] 33 [◳] 220/350 F. [🍴] 95/225 F.
[🍴] 50 F. [🍴] 310/350 F. [🍽] 210/250 F.
[⊠] Rest. 25 juil./13 août, dim. soir et lun.
[E] [D] [SP] [◻] [◻] [◻] [◻] [◻] CV [◻] [◻]
CB[VISA] [AE] E

CAMIERS
62176 Pas de Calais
2126 hab. [i]

▲▲ LES CEDRES ★★
64, rue du Vieux Moulin. Mme Codron
☎ 21 84 94 54 [FAX] 21 09 23 29
[🛏] 29 [◳] 235/305 F. [🍴] 85/140 F.
[🍴] 38 F. [🍴] 350 F. [🍽] 291 F.
[⊠] 15 déc./15 janv.
[i] [◻] [◻] [◻] [◻] [◻] [◻] [◻] CV [◻] [◻] CB[VISA]
[AE] ⊚ E

CAMORS
56330 Morbihan
2300 hab.

▲▲ AR BRUG ★
14, rue Principale. M. Audo
☎ 97 39 20 10
[🛏] 18 [◳] 157/245 F. [🍴] 44/160 F.
[🍴] 40 F. [🍴] 220/279 F. [🍽] 182/215 F.
[i] [◻] [◻] [◻] [◻] CV [◻] [◻] CB[VISA] E

CAMPAN
65710 Hautes Pyrénées
650 m. • 1540 hab. [i]

▲ BEAU SEJOUR ★
Mme Garcia ☎ 62 91 75 30
[🛏] 19 [◳] 160/210 F. [🍴] 55/150 F.
[🍴] 40 F. [🍴] 245/275 F. [🍽] 172/215 F.
[⊠] 15 nov./15 déc.
[i] [SP] [◻] [◻] [◻] CV [◻] CB[VISA] [AE] ⊚ E

CAMPENEAC
56800 Morbihan
1405 hab.

▲▲ A L'OREE DE LA FORET ★★
Route de Rennes. M. Jourdran
☎ 97 93 40 27 [FAX] 97 93 11 75
[🛏] 14 [◳] 138/225 F. [🍴] 61/178 F.
[🍴] 47 F. [🍴] 215/270 F. [🍽] 180/220 F.
[⊠] 1er/15 mars, 1ère quinzaine oct. et
ven. hs.
[i] [◻] [◻] [◻] [◻] [◻] [◻] [◻] CV [◻] [◻]
CB[VISA] E

CANAPVILLE
14800 Calvados
180 hab.

▲▲ L'AUBERGADE ★★
Route de Paris. M. Coursault
☎ 31 65 22 59
[🛏] 12 [◳] 250/312 F. [🍴] 85/195 F.
[🍴] 50 F. [🍴] 338/375 F. [🍽] 248/285 F.
[i] [D] [◻] [◻] [◻] [◻] [◻] [◻] CV [◻] [◻]
CB[VISA] [AE] ⊚ E

CANCALE
35260 Ille et Vilaine
5000 hab. [i]

▲▲ DE LA POINTE DU GROUIN ★★
Mme Simon
☎ 99 89 60 55 [FAX] 99 89 92 22
[🛏] 17 [◳] 280/500 F. [🍴] 110/310 F.
[🍴] 70 F. [🍽] 320/435 F.
[⊠] 2 oct./26 mars et mar.
[i] [◻] [◻] [◻] [◻] [◻] CB[VISA] E

▲▲ EMERAUDE ★★
7, quai Albert Thomas.
M. Chouamier-Grossin
☎ 99 89 61 76 [FAX] 99 89 88 21
[🛏] 15 [◳] 285/480 F. [🍴] 95/250 F.
[🍴] 50 F. [🍽] 300/395 F.
[⊠] Hôtel 15 nov./15 janv., rest.
15 nov./15 fév. et jeu. hs.
[i] [◻] [◻] [◻] [◻] [◻] [◻] CB[VISA] E

▲▲▲ LE CONTINENTAL ★★★
Sur le Port. M. Chouamier
☎ 99 89 60 16 [FAX] 99 89 69 58
[🛏] 19 [◳] 350/680 F. [🍴] 98/250 F.
[🍴] 70 F. [🍽] 315/480 F.
[⊠] 15 nov./15 fév. Rest. lun. et mar. midi.
[E] [SP] [i] [◻] [◻] [◻] [◻] [◻] [◻] CB[VISA]
[AE] ⊚ E

▲▲ LE PHARE ★★
6, quai Albert Thomas. M. Lebret
☎ 99 89 60 24 [FAX] 99 89 91 75
[🛏] 11 [◳] 250/450 F. [🍴] 95/300 F.
[🍴] 70 F. [🍽] 290/400 F.
[⊠] 1er déc./30 janv. et mer.
[i] [D] [◻] [◻] [◻] CB[VISA] E

148

CANDE
49440 Maine et Loire
2800 hab. 🛈

⚑ LES TONNELLES
8, place des Halles. M. Boudet
☎ 41 92 71 12
🍽 9 ⌸ 115/140 F. ⏹ 65/165 F. ⏣ 44 F.
⏢ 230/265 F. ⏩ 205/225 F.
⊠ vac. scol. hiver, 15 premiers jours oct. et mer.
🚗 CV ➶ CB VISA E

CANDE SUR BEUVRON
41120 Loir et Cher
1000 hab. 🛈

⚑⚑ LE LION D'OR ★★
1, rue de Blois. M. Pigoreau
☎ 54 44 04 66 FAX 54 44 06 19
🍽 10 ⌸ 90/250 F. ⏹ 68/180 F. ⏣ 42 F.
⏢ 205/295 F. ⏩ 140/230 F.
⊠ 15 déc. 1/15 janv. Rest. mar.
E 🗋 🗃 🚗 T CV ➶ CB VISA E 📠

CANET PLAGE
66140 Pyrénées Orientales
4600 hab. 🛈

⚑⚑ LE GALION ★★★
20 bis, av. du Grand Large. Mme Reina
☎ 68 80 28 23 ╲ 68 80 20 46
FAX 68 73 24 41
🍽 28 ⌸ 250/398 F. ⏹ 70/135 F.
⏣ 39 F. ⏢ 290/380 F. ⏩ 215/315 F.
⊠ 30 sept./1er avr.
E SP 🗋 🗃 🚗 ♨ T 🖳 👤 ➶ CB VISA
E C

⚑⚑⚑ SAINT GEORGES ★★
45, promenade Côte Vermeille.
M. Martinez
☎ 68 80 33 77 FAX 68 80 65 04
🍽 49 ⌸ 180/310 F. ⏹ 90/95 F.
⏣ 35 F. ⏢ 210/300 F. ⏩ 190/270 F.
⊠ 1er oct./1er avr.
E D SP 🗋 🗃 🚗 ♨ T 🖳 🕮 ➶
CB VISA AE C 📠

CANOURGUE (LA)
48500 Lozère
1877 hab. 🛈

⚑⚑ DU COMMERCE ★★
Place du Portal. M. Mirmand
☎ 66 32 80 18 FAX 66 32 94 79
🍽 28 ⌸ 250/290 F. ⏹ 75/150 F.
⏣ 60 F. ⏢ 300/320 F. ⏩ 260/280 F.
⊠ 30 nov./1er mars, ven. soir et sam. hs, sauf vac. scol.
E SP 🗋 🗃 🚗 ♨ T 👤 CV 🕮 ➶
CB VISA E

CAP COZ (LE)
29170 Finistère
6000 hab. 🛈

⚑⚑ BELLE-VUE ★★
30, descente de Belle Vue.
Mme Kernevez
☎ 98 56 00 33 FAX 98 51 60 85

🍽 20 ⌸ 160/300 F. ⏹ 85/125 F.
⏣ 65 F. ⏢ 205/285 F. ⏩ 255/340 F.
⊠ 15 oct./15 mars.
E D 🛈 🗃 🚗 T 🖳 CV CB VISA E

⚑⚑ DE LA POINTE ★★
81, av. de la Pointe. Mme Le Torch
☎ 98 56 01 63 FAX 98 56 53 20
🍽 18 ⌸ 220/380 F. ⏹ 99/225 F.
⏣ 57 F. ⏢ 308/388 F. ⏩ 240/320 F.
⊠ 1er jan./15 fév., dim. soir sauf 15 juin/15 sept. et mer.
E D 🗃 🚲 👤 CV 🕮 CB VISA E

CAP D'AIL
06320 Alpes Maritimes
5000 hab. 🛈

⚑⚑ LA CIGOGNE ★★
Route de la Plage-Mala. M. Macchi
☎ 93 78 29 60
🍽 15 ⌸ 350/400 F. ⏹ 100/130 F.
⏩ 275/300 F.
⊠ 15 nov./15 mars.
E D 🛈 🗃 🚗 CB VISA E

CAP DE PIN
40210 Landes
486 hab.

⚑⚑ RELAIS NAPOLEON III ★★
(N. 10 sortie N° 15). M. Goudin
☎ 58 07 20 52 FAX 58 04 26 24
🍽 12 ⌸ 150/235 F. ⏹ 72/160 F.
⏣ 45 F. ⏢ 245/290 F. ⏩ 175/220 F.
⊠ 15 oct./5 nov., dim. soir et lun. sauf juil./août.
E SP 🗃 🚗 T 🔥 ▶ 👤 ➶ CB VISA E

CAPBRETON
40130 Landes
5000 hab. 🛈

⚑⚑⚑ L'OCEAN ★★★
85, av. Georges Pompidou. M. Gelos
☎ 58 72 10 22
🍽 22 ⌸ 410/510 F. ⏹ 65/120 F.
⏣ 50 F. ⏢ 325/375 F.
⊠ 10 oct./15 mars.
E SP 🗋 🗃 🚗 ♨ 👤 CV 🕮 ➶ CB VISA
⊙ E

⚑ LES ALLEES MARINES ★★
20, allées Marines. M. Lafourcade
☎ 58 72 10 13 FAX 58 72 61 80
🍽 8 ⌸ 220/400 F. ⏹ 70/155 F. ⏣ 35 F.
⏢ 320 F. ⏩ 240 F.
⊠ Rest. midi déc./mars sauf vac. scol., week-ends et pension.
E SP 🗋 🗃 🚲 CV ➶ CB VISA E

CAPDENAC GARE
12700 Aveyron
6000 hab. 🛈

⚑⚑⚑ AUBERGE LA DIEGE ★★
(A Saint-Julien d'Empare). M. Nicoulau
☎ 65 64 70 54 FAX 65 80 81 58
🍽 23 ⌸ 187/309 F. ⏹ 58/225 F.
⏣ 58 F. ⏢ 239/307 F. ⏩ 166/237 F.
⊠ 24 déc./3 janv., ven. soir et sam.
E 🗋 🗃 🚲 ♨ T 🖳 👜 ➰ 🔥 ⊙
▶ 👤 🕮 ➶ CB VISA E 📠

CAPDENAC GARE (suite)

▲ DE PARIS ★
12, av. Gambetta. M. Soulignac
☎ 65 64 74 72
🛏 15 ◯ 100/200 F. 🍽 55/170 F.
🅰 45 F. 🍴 185/225 F. 🍽 145/175 F.
✉ Toussaint, 20 déc./6 janv. et dim.
🖻 🕾 🚗 CV 🔌 CB🅥🅢🅐 AE ⊙ E

CAPELLE (LA)
02260 Aisne
2270 hab. 𝒊

▲ DE LA THIERACHE ★★
16, av. du Général de Gaulle. M. Lefèvre
☎ 23 97 33 80 🔟 23 97 85 88
🛏 13 ◯ 140/260 F. 🍽 59/170 F.
🅰 35 F. 🍴 260/380 F. 🍽 200/320 F.
🖻 𝒊 🕾 🚗 🚵 🔌 ● CB🅥🅢🅐 E

CAPESTANG
34310 Hérault
2550 hab. 𝒊

▲▲ FRANCHE-COMTE ★★
39 cours Belfort. Mme Giner
☎ 67 93 31 21
🛏 15 ◯ 190/250 F. 🍽 70 F.
🍽 190/220 F.
✉ Rest. midis.
🖻 🅳 SP 🚗 🔀 🖨 CV 🔌 CB🅥🅢

CAPTIEUX
33840 Gironde
1742 hab.

▲ LE CAP DES LANDES ★
Route de Bazas. M. Boutin ☎ 56 65 64 93
🛏 7 ◯ 160/200 F. 🍽 60/180 F. 🅰 35 F.
🍴 220 F. 🍽 180 F.
🚗 🕾 CV 🔌 CB🅥🅢 AE ⊙ E

CAPVERN LES BAINS
65130 Hautes Pyrénées
1000 hab. 𝒊

▲▲ AUBERGE DE LA GOUTILLE ★★
Rue des Thermes. Mme Labat
☎ 62 39 03 62
🛏 8 ◯ 170/220 F. 🍽 45/ 85 F. 🅰 35 F.
🍴 240 F. 🍽 210 F.
✉ 22 oct./23 avr.
🖻 🕾 🚗 🕾 🚵 🚶 CV ●

▲ BELLEVUE ★★
Route de Mauvezin. M. Dariés
☎ 62 39 00 29
🛏 25 ◯ 75/185 F. 🍽 85/150 F. 🅰 55 F.
🍴 180/296 F. 🍽 180/216 F.
✉ 8 oct./2 mai.
🖻 SP 🕾 🚗 🕾 CV ● CB🅥🅢

▲ LEMOINE ★★
M. Lemoine ☎ 62 39 02 18
🛏 12 ◯ 120/210 F. 🍽 75/ 95 F.
🅰 50 F. 🍴 155/205 F. 🍽 130/180 F.
✉ 22 oct./1er mai.
🕾 🚗 🚗 🔀 🕾 CB🅥🅢 E

CARANTEC
29660 Finistère
2600 hab. 𝒊

▲▲ DU PORS POL ★★
7, rue Surcouf. M. Bohic

☎ 98 67 00 52
🛏 30 ◯ 232/252 F. 🍽 87/240 F.
🅰 52 F. 🍴 288/304 F. 🍽 206/250 F.
✉ Hôtel 20 sept./2 avr. et rest.
20 sept./9 avr.
🖻 🕾 🚗 🕾 🚵 ● CB🅥🅢 E

CARCASSONNE
11000 Aude
45000 hab. 𝒊

▲▲ BRISTOL ★★★
7, av. Foch. M. Sartore
☎ 68 25 07 24 🔟 505039 🔟 68 25 71 89
🛏 59 ◯ 250/300 F. 🍽 85/170 F.
🅰 35 F. 🍽 250/320 F.
✉ 1er déc./1er mars.
🖻 🅳 𝒊 🚗 🕾 🚗 ✥ 🔀 CV 🔌 ●
CB🅥🅢 E

▲▲▲ DAME CARCAS ★★★
La Cité. M. Signoles
☎ 68 71 37 37 🔟 505296 🔟 68 71 50 15
🛏 30 ◯ 320/680 F. 🍽 100/200 F.
🅰 50 F. 🍴 240 F. 🍽 120 F.
✉ Rest. fév. et mer.
🖻 SP 𝒊 🚗 🕾 🚗 ✥ 🔀 🌴 ▶.
🚶 🔌 ● CB🅥🅢 AE ⊙ E C

▲▲▲ DES TROIS COURONNES ★★★
2, rue des Trois Couronnes. M. Berlan
☎ 68 25 36 10 🔟 68 25 92 92
🛏 69 ◯ 375/495 F. 🍽 100/275 F.
🅰 40 F. 🍴 450/495 F. 🍽 350/395 F.
🖻 🅳 SP 𝒊 🚗 🕾 🚗 ✥ 🔀 🌴 🔀
🕾 🏊 ✥ 🚶 🚵 CV 🔌 ● CB🅥🅢 AE ⊙
E C 🖨

▲▲▲ DU DONJON ★★★
2, rue Comte Roger (La Cité).
Mme Pujol
☎ 68 71 08 80 🔟 505012 🔟 68 25 06 60
🛏 38 ◯ 350/490 F. 🍽 70/120 F.
🅰 50 F.
✉ Rest. dim. soir 1er nov./31 mars.
🖻 🅳 SP 𝒊 🚗 🕾 🚗 ✥ 🔀 🌴 🕾
🚶 CV 🔌 ● CB🅥🅢 AE ⊙ E C 🖨

▲▲▲ MONTSEGUR ★★★
27, allée d'Iéna. M. Faugeras
☎ 68 25 31 41 🔟 505261 🔟 68 47 13 22
🛏 20 ◯ 390/490 F. 🍽 135/260 F.
🅰 75 F. 🍴 500/630 F. 🍽 365/490 F.
✉ rest. dim. soir et lun. sauf été lun.
seulement.
🖻 SP 𝒊 🚗 🕾 🚗 ✥ 🔀 🚵 🔌 ●
CB🅥🅢 AE ⊙ E

CARCASSONNE (TREBES)
11800 Aude
5600 hab. 𝒊

▲▲ LA GENTILHOMMIERE ★★
A Trèbes - ZAC de Sautes le Bas.
M. Anrich
☎ 68 78 74 74 🔟 68 78 65 80
🛏 31 ◯ 230/340 F. 🍽 70/180 F.
🅰 40 F. 🍴 540/580 F. 🍽 220/240 F.
🖻 SP 🚗 🕾 🌴 🔀 🕾 🚶 🔌 ●
CB🅥🅢 AE E

CARENNAC
46110 Lot
350 hab. 🛈

⚐⚐ AUBERGE DU VIEUX QUERCY ★★
M. Chaumeil
☎ 65 10 96 59 📠 65 10 94 05
🛏 24 ⌧ 230/300 F. 🍴 85/200 F.
🍽 50 F. 🍷 345/375 F. 🎰 275/300 F.
⊠ 1er janv./15 mars, 15 nov./31 déc. et
lun. hs.
🄴🗗🕿🚗🏊🎿🌳 CV 🏧 🐾
CB💳 E

⚐ DES TOURISTES
Mme Brillant ☎ 65 10 94 31
🛏 10 ⌧ 130/200 F. 🍴 70/130 F.
🍽 30 F.
⊠ 15 oct./1er avr.
SP 🚗🚗🍴 🐾 CB💳 E

⚐⚐ HOSTELLERIE FENELON ★★
M. Raynal
☎ 65 10 96 46 📠 65 10 94 86
🛏 16 ⌧ 270/290 F. 🍴 90/300 F.
🍽 48 F. 🍷 340/360 F. 🎰 270/300 F.
⊠ 4 janv./10 mars, ven. et sam. midi
oct./Pâques.
🗗🕿🚗🏧 CV 🐾 CB💳 AE E

CARENTAN (LES VEYS)
50500 Manche
392 hab. 🛈

⚐⚐ AIRE DE LA BAIE ★★
Sur N. 13. M. Lepaisant
☎ 33 42 00 99 📡 772085 📠 33 71 06 94
🛏 40 ⌧ 240/280 F. 🍴 70/150 F.
🍽 40 F. 🍷 335 F. 🎰 255 F.
⊠ 20 déc./10 janv. Rest. dim. soir hs.
🄴🄳 SP 🗗🕿🚗🏧 CV 🏧 🐾 CB💳
AE ⊙ E C 🖿

CARHAIX PLOUGUER
29270 Finistère
9100 hab. 🛈

⚐⚐ LE GRADLON ★★
12, bld de la République M. Macedo
☎ 98 93 15 22 📠 98 99 16 97
🛏 44 ⌧ 280 F. 🍴 60/188 F. 🍽 49 F.
🍷 330 F.
🄴🄳 SP 🗗🕿🚗🏧🎾🏧🚶🍴🎿🏧
🐾 CB💳 AE ⊙ E

CARMAUX
81400 Tarn
13400 hab. 🛈

⚐ TERMINUS
56, av. Jean jaurès. M. Bozzola
☎ 63 76 50 28
🛏 13 ⌧ 129/189 F. 🍴 65/170 F.
🍽 35 F. 🍷 165/195 F. 🎰 145/175 F.
⊠ 1er/28 août, 23 déc./2 janv., sam. et
dim. soir sauf réservations.
🄴 🚗 CV 🏧 🐾 CB💳

CARNAC
56340 Morbihan
3735 hab. 🛈

⚐ DU TUMULUS ★★
31, rue du Tumulus. Mme Brohon
☎ 97 52 08 21 📠 97 52 81 88
🛏 25 ⌧ 260/350 F. 🍴 85/130 F.
🍽 38 F. 🍷 330/460 F. 🎰 260/390 F.
⊠ fin sept./Pâques.
🄴🄳🗗🕿🚗🍴🎿🌳 CV 🏧
CB💳 E C 🖿

⚐⚐ HOSTELLERIE LES AJONCS D'OR ★★
(Kerbachique - Route de Plouharnel).
Mme Le Maguer
☎ 97 52 32 02 📠 97 52 40 36
🛏 19 ⌧ 260/340 F. 🍴 98/130 F.
🍽 45 F. 🎰 265/305 F.
⊠ 2 nov./1er mars.
🄴🄳🗗🕿🚗🍴🎿🌳 CV 🏧 🐾 CB💳 E

⚐⚐ LA MARINE Rest. LE BISTROT DU
PECHEUR ★★
4, place de la Chapelle. M. Gekière
☎ 97 52 07 33 📡 951 974 📠 97 52 85 17
🛏 29 ⌧ 310/550 F. 🍴 85/120 F.
🍽 60 F. 🎰 315 F.
⊠ 15 nov./15 janv. et lun. hs.
🄴 SP 🗗🕿🚗 🐾 CB💳 AE ⊙ E

⚐⚐ LANN ROZ ★★
36, rue de la Poste. Mme Le
Calvez-Rousseau
☎ 97 52 10 48 📠 97 52 03 69
🛏 13 ⌧ 360/400 F. 🍴 125/260 F.
🍽 65 F. 🎰 320/340 F.
⊠ 3 janv./3 fév. et lun. hs et vac. scol.
🄴🄳🗗🕿🚗🏧🍴🎿🏧 CB💳 E

⚐⚐⚐ LE PLANCTON ★★★
12, bld de la Plage. Mme Bouchez
☎ 97 52 13 65 📠 97 52 87 63
🛏 23 ⌧ 395/580 F. 🍴 90/180 F.
🍽 60 F. 🍷 458/565 F. 🎰 375/470 F.
⊠ oct./mars.
🄴🄳🗗🕿🚗🏧🎿🏧 🐾 CB💳 E 🖿

CARNOUX EN PROVENCE
13470 Bouches du Rhône
6000 hab. 🛈

⚐⚐ HOSTELLERIE DE LA CREMAILLERE ★★
Rue Tony Garnier. Mme Denis
☎ 42 73 71 52 📠 42 73 67 26
🛏 19 ⌧ 195/290 F. 🍴 65/195 F.
🍽 48 F. 🍷 250/310 F. 🎰 185/245 F.
🄴🄳🗗🕿🍴🎿 CV 🏧 🐾 CB💳 AE ⊙
E 🖿

CAROMB
84330 Vaucluse
2500 hab. 🛈

⚐⚐ LA MIRANDE ★
Place de l'Eglise. M. Hugon
☎ 90 62 40 31 \ 90 62 46 03
📠 90 62 34 48
🛏 11 ⌧ 165/270 F. 🍴 75/170 F.
🍽 50 F. 🍷 240/330 F. 🎰 175/265 F.
⊠ fév., rest. janv. et mer. hs.
🄴🄳🕿🎿 CV 🏧 🐾 CB💳 E

CARPENTRAS
84200 Vaucluse
28000 hab. 🄸

▲▲▲ SAFARI HOTEL Rest. HIBISCUS ✶✶✶
Av. Jean-Henri Fabre. M. Roux
☎ 90 63 35 35 ℻ 431553 ℻ 90 60 49 99
🍴 42 🛏 295/380 F. 🍽 90/140 F.
🍴 60 F. 🍽 470 F. 🍽 370 F.
⊠ Rest. dim. 1er oct./31 mars.

CARPENTRAS (MONTEUX)
84170 Vaucluse
7752 hab. 🄸

▲▲ HOSTELLERIE DU BLASON DE
PROVENCE ✶✶✶
Route de Carpentras à Monteux, à 4km.
M. Duvillet
☎ 90 66 31 34 ℻ 90 66 83 05
🍴 18 🛏 340 F. 🍽 100/298 F. 🍴 50 F.
🍽 460 F. 🍽 330 F.
⊠ 2/31 janv., Hôtel dim. soir nov./déc.
et rest. sam. midi.

CARPENTRAS (SAINT DIDIER)
84210 Vaucluse
1313 hab.

▲▲▲ LES 3 COLOMBES ✶✶✶
148, av. des Garrigues à St-Didier.
M. Montorfano
☎ 90 66 07 01 ℻ 90 66 11 54
🍴 30 🛏 320/400 F. 🍽 105/195 F.
🍴 60 F. 🍽 310/350 F.
⊠ janv./fév.

CARROS (PLAN DE)
06510 Alpes Maritimes
10000 hab.

▲▲▲ LOU CASTELET ✶✶
(Plan de Carros). M. Servella
☎ 93 29 16 66 ℻ 93 08 73 96
🍴 14 🛏 120/350 F. 🍽 80/180 F.
🍴 60 F. 🍽 200/300 F. 🍽 160/240 F.
⊠ nov. et lun.

▲▲▲ PROMOTEL ✶✶
Première av. de Carros. M. Servella
☎ 93 08 77 80 ℻ 460 130 ℻ 93 08 73 96
🍴 27 🛏 295 F. 🍽 90/115 F. 🍴 60 F.
🍽 300/330 F. 🍽 240/260 F.
⊠ Rest. dim.

CARROUGES
61320 Orne
800 hab. 🄸

▲ DU NORD ✶✶
Place Général Charles de Gaulle.
Mme Masseron
☎ 33 27 20 14 ℻ 33 28 83 13

🍴 15 🛏 120/380 F. 🍽 56/130 F.
🍴 40 F. 🍽 180/250 F. 🍽 130/200 F.
⊠ 15 déc./20 janv. et ven. sauf
juil./août.

▲▲ SAINT PIERRE
M. Ciroux ☎ 33 27 20 02
🍴 4 🛏 90/215 F. 🍽 65/210 F.
⊠ fév., dim. soir sauf juil./août et lun.

CARROZ D'ARACHES (LES)
74300 Haute Savoie
1140 m. • 1550 hab. 🄸

▲ LA CROIX DE SAVOIE ✶✶
768, route du Pernant. Mme Sapin
☎ 50 90 00 26
🍴 19 🛏 300/320 F. 🍽 80/120 F.
🍴 48 F. 🍽 290/355 F. 🍽 270/335 F.
⊠ 15 avr./10 ou 15 juin et 15 sept./15 déc.

▲ LES AIRELLES ✶
346, route des Moulins. M. Duguet
☎ 50 90 01 02
🍴 10 🛏 265/330 F. 🍽 80/130 F.
🍴 50 F. 🍽 250/280 F. 🍽 220/260 F.
⊠ 10 mai/10 juin.

CARRY LE ROUET
13620 Bouches du Rhône
4570 hab. 🄸

▲▲ LA TUILIERE ✶✶
34, av. Draio de la Mar. Mme Larribère
☎ 42 44 79 79 ℻ 42 44 74 40
🍴 22 🛏 200/395 F. 🍽 89/249 F.
🍽 355/395 F. 🍽 265/305 F.
⊠ Rest. 20 déc./6 janv. et le ven.
8 nov./27 mars.

CARSAC AILLAC
24200 Dordogne
1000 hab.

▲ DELPEYRAT
M. Delpeyrat
☎ 53 28 10 43
🍴 13 🛏 95/240 F. 🍽 70/120 F. 🍴 46 F.
🍽 185/210 F. 🍽 165/185 F.
⊠ mi-oct./mi-nov. et vac. scol. fév.

CASTAGNEDE DE BEARN
64270 Pyrénées Atlantiques
192 hab.

▲▲ LA BELLE AUBERGE ✶✶
Mme Vicassiau
☎ 59 38 15 28
🍴 8 🛏 170/200 F. 🍽 60/100 F. 🍴 40 F.
🍽 240 F. 🍽 220 F.
⊠ 15 déc./1er fév. et dim. soir sauf
juil./août.

CASTAGNIERS
06670 Alpes Maritimes
1076 hab.

CHEZ MICHEL ★★
Place St Michel M. Michel
☎ 93 08 05 15 ╲ 93 08 06 66
⊠ 93 08 05 38
🛏 16 ⊗ 250/270 F. ⑪ 95/150 F.
⍁ 50 F. ⑪ 300 F. ▣ 255 F.
⊠ nov. et mer.
🛏 👤 📷 ☎ 📺 🛋 📶 🖐 CB⁌ AE E ■

DES MOULINS ★
M. Servella
☎ 93 08 10 62 ⍰ 461547
🛏 14 ⊗ 180/250 F. ⑪ 90/190 F.
⍁ 50 F. ⑪ 270/300 F. ▣ 200/230 F.
⊠ 15 oct./10 nov. et 5/20 mars.
🛏 👤 📷 ☎ 📺 🛋 🐟 🖐 CV 📶
🐟 CB⁌ AE ⑩ E

SERVOTEL ★★★
M. Servella ☎ 93 08 22 00 ⍰ 461 547 F
⊠ 93 29 03 66
🛏 36 ⊗ 230/330 F. ⑪ 90/190 F.
⍁ 50 F. ⑪ 310/340 F. ▣ 240/270 F.
🛏 📀 👤 📷 ☎ 📺 🛋 🖐 🐟
🐟 🛋 CV 📶 CB⁌ AE E C ■

CASTEIL
66820 Pyrénées Orientales
750 m. • 60 hab.

MOLIERE ★★
M. Trillas ☎ 68 05 50 97
🛏 10 ⊗ 150/230 F. ⑪ 70/160 F.
⍁ 42 F. ⑪ 270/290 F. ▣ 230/250 F.
⊠ Toussaint/fin janv. sauf fêtes fin
d'années, mar. soir et mer. hs.
🛏 📀 📶 📷 ☎ 🛋 🛋 CV 📶 CB⁌ E

CASTELJALOUX
47700 Lot et Garonne
6000 hab. Ⓘ

DES CORDELIERS ★★
1, rue des Cordeliers. M. Wicky
☎ 53 93 02 19
🛏 24 ⊗ 150/290 F.
⊠ oct.
🛏 📷 ☎ 📷 📷 🖐 🛋 CB⁌ E

CASTELLANE
04120 Alpes de Haute Provence
725 m. • 1200 hab. Ⓘ

AUBERGE BON ACCUEIL
Place Marcel Sauvaire. M. Tardieu
☎ 92 83 62 01
🛏 16 ⊗ 130/340 F. ⑪ 78/150 F.
⍁ 45 F. ▣ 180/240 F.
⊠ fin sept./début avr. et mar.
🛏 📷 🛋 CV 🖐 CB⁌ E

AUBERGE DU TEILLON ★★
(A la Garde, 6 Km - Route Napoléon).
M. Lépine ☎ 92 83 60 88 ⊠ 92 83 74 08
🛏 9 ⊗ 170/250 F. ⑪ 95/200 F. ⍁ 45 F.
⑪ 320/360 F. ▣ 220/260 F.
⊠ 1er/10 oct., 2/31 janv., dim. soir et
lun. oct./Pâques.
📀 📷 ☎ 📷 🖐 🖐 CB⁌ E

CASTELNAU DE MEDOC
33480 Gironde
2773 hab.

LES LANDES ★★
7, Place Romain Videau. Mme Baron
☎ 56 58 73 80 ⊠ 56 88 81 59
🛏 11 ⊗ 230/380 F. ⑪ 75/150 F.
⍁ 40 F. ⑪ 210/330 F. ▣ 185/250 F.
⊠ dim.
🛏 👤 📷 ☎ 📷 🖐 🛋 📶 🖐 CB⁌ E ■

CASTELNAU MAGNOAC
65230 Hautes Pyrénées
950 hab.

DUPONT ★★
Mme Dupont
☎ 62 39 80 02
🛏 32 ⊗ 150/180 F. ⑪ 55/120 F.
⍁ 40 F. ⑪ 200/230 F. ▣ 180/190 F.
🛏 📶 🛋 🖐 ▶ CV 📶 🖐 CB⁌ E ■

CASTELNAU MONTRATIER
46170 Lot
2080 hab. Ⓘ

DES ARCADES
Place Gambetta. M. Picot
☎ 65 21 90 22
🛏 8 ⊗ 100/180 F. ⑪ 55/170 F. ⍁ 55 F.
⑪ 170/205 F. ▣ 115/150 F.
⊠ janv.
🛏 📶 🖐 CB⁌ E

DES TROIS MOULINS ★★
M. Bassinot
☎ 65 21 92 95 ⊠ 65 21 83 22
🛏 22 ⊗ 200/280 F. ⑪ 65/220 F.
⍁ 45 F. ⑪ 280/300 F. ▣ 240/250 F.
🛏 📶 📷 ☎ 📷 📷 📶 🖐 CB⁌ AE ⑩
E ■

CASTELNAUDARY
11400 Aude
12000 hab. Ⓘ

DE FRANCE ★★★
2, av. Frédéric Mistral. M. Dunod
☎ 68 23 10 18 ⊠ 68 94 04 64
🛏 17 ⊗ 240/270 F. ⑪ 68/220 F.
⍁ 40 F. ⑪ 290 F. ▣ 230 F.
🛏 📶 📷 ☎ 📷 🖐 🛋 📶 🖐 CB⁌ AE
⑩ E C ■

DU CENTRE ET DU LAURAGAIS ★★
31, cours de la République.
M. Campigotto
☎ 68 23 25 95 ⊠ 68 94 01 66
🛏 16 ⊗ 180/220 F. ⑪ 88/250 F.
⑪ 300/340 F. ▣ 220/250 F.
⊠ 12 nov./12 déc.
🛏 👤 📷 ☎ 📷 🛋 🖐 CB⁌ E

GRAND HOTEL FOURCADE ★★
14, rue des Carmes. Mme THOMELET
☎ 68 23 02 08
🛏 12 ⊗ 120/280 F. ⑪ 80/270 F.
⍁ 50 F. ⑪ 260/290 F.
⊠ 3 dernières semaines janv., dim. soir
et lun. 15 sept./15 avr.
🛏 👤 📷 ☎ 📷 📷 CV 📶 🖐 CB⁌ AE ⑩ E

153

CASTELNAUDARY (suite)

LE CLOS ST-SIMEON ★★
Route de Carcassonne. M. Baure
☎ 68 94 01 20 FAX 68 94 05 47
🍴 31 🛏 220/250 F. 🍴 70/160 F.
🛏 40 F. 🍴 280/320 F. 🚗 210/250 F.
⊠ 23 déc./3 janv.
SP 🍴 🛏 🚗 🕆 🐕 👤 CV ❚ ❧
CB VISA AE E

LE SIECLE
24, cours de la République. M. Davy
☎ 68 23 13 16 \ 68 23 27 23
FAX 68 94 09 30
🍴 9 🛏 130/170 F. 🍴 52/140 F. 🛏 35 F.
🍴 200/220 F. 🚗 170/190 F.
⊠ fin déc./début janv. et lun. sauf
juil/août
E SP 🍴 🛏 CV ❧ CB VISA E

CASTERINO
06430 Alpes Maritimes
1600 m. • 25 hab. 🅸

LES MELEZES ★
MM. Boulanger
☎ 93 04 64 95 FAX 93 04 77 49
🍴 15 🛏 60 F. 🍴 265/320 F.
🚗 210/260 F.
⊠ 11 nov./1er janv.
E 🅸 🍴 🚗 🕆 👤 CV ❧ CB VISA E

CASTETS
40260 Landes
1750 hab. 🅸

LE RELAIS LANDAIS ★
Sur N. 10. M. Lesbats ☎ 58 89 40 28
🍴 9 🛏 175/190 F. 🍴 82/230 F. 🛏 37 F.
🍴 240 F. 🚗 180 F.
⊠ 15/31 janv., ven. soir et dim.
E 🍴 🛏 🚗 👤 CV ❚ ❧ CB VISA AE
E ❑

CASTILLON DU GARD
30210 Gard
759 hab. 🅸

LES TUILERIES
R. N. 86 - Route de Bagnol.
M. Berthézène ☎ 66 37 08 47
🍴 11 🛏 150/260 F. 🍴 59/120 F.
🛏 35 F. 🍴 230/270 F. 🚗 180/220 F.
⊠ dim. soir et lun.
🍴 🛏 🚗 🕆 👤 CV ❚ ❧ CB VISA E

CASTRES
81100 Tarn
50000 hab. 🅸

L'OCCITAN ★★★
201, av. Général de Gaulle. M. Rey
☎ 63 35 34 20 FAX 63 35 70 32
🍴 44 🛏 200/380 F. 🍴 75/180 F.
🛏 55 F. 🍴 340/390 F. 🚗 280/360 F.
⊠ Rest. 23 déc./10 janv. et sam. midi.
E D SP 🍴 🛏 🚗 🍴 ⨝ 🕆 👤 CV
❚ ❧ CB VISA AE E C ❑

CASTRES (LES SALVAGES)
81090 Tarn
1313 hab.

CAFE DU PONT
(Les Salvages à 5km, av. du Sidobre).

M. Bonnot
☎ 63 35 08 21 FAX 63 51 09 82
🍴 4 🛏 180/240 F. 🍴 85/250 F.
🚗 250 F.
⊠ fév., dim. soir et lun.
🕆 👤 CB VISA AE E

CATEAU CAMBRESIS (LE)
59360 Nord
8315 hab. 🅸

FLORIDA ★★
54, rue Théophile Boyer. M. Viret
☎ 27 84 01 07
🍴 10 🛏 170/190 F. 🍴 80/170 F.
🛏 60 F. 🍴 230/250 F. 🚗 170/180 F.
E SP 🍴 🛏 🚗 👤 🕆 CV ❚ CB VISA E
C ❑

CATTENOM SENTZICH
57570 Moselle
2800 hab.

LA TABLE LORRAINE ★★
(A Sentzich) 5, rue de la Synaguogue.
M. Fisher ☎ 82 55 31 77
🍴 8 🛏 190/270 F. 🍴 60/200 F. 🛏 38 F.
🍴 235/285 F. 🚗 195/235 F.
⊠ 15 août/1er sept. et lun. soir.
E D 🍴 🛏 🚗 🍴 ⨝ 🕆 👤 🐕 CV
❚ ❧ CB VISA AE E

CAUDEBEC EN CAUX
76490 Seine Maritime
3000 hab. 🅸

DE NORMANDIE ★★
19, quai Guilbaud Mme Gremond
☎ 35 96 25 11 FAX 35 96 68 15
🍴 15 🛏 200/360 F. 🍴 69/169 F.
🛏 59 F.
⊠ 12 fév./8 mars et rest. dim. soir.
E 🍴 🛏 🚗 ❧ CB VISA AE E

LE CHEVAL BLANC ★
4, place René Coty. M. Grenet
☎ 35 96 21 66 FAX 35 95 35 40
🍴 10 🛏 160/280 F. 🍴 65/168 F.
🛏 48 F. 🍴 225/275 F. 🚗 160/210 F.
⊠ dernière semaine janv. et 2 premières
semaines fév. Rest. dim. soir, lun. sauf
fêtes.
🍴 🛏 🐕 CV ❚ ❧ CB VISA AE E ❑

NORMOTEL Rest. LA MARINE ★★
18, quai Guilbaud. M. Lefebvre
☎ 35 96 20 11 FAX 35 56 54 40
🍴 29 🛏 250/420 F. 🍴 78/230 F.
🛏 60 F. 🍴 335/420 F. 🚗 245/330 F.
⊠ 2 janv./1er fév. et rest. dim. soir
15 nov./15 mars.
E 🍴 🛏 🚗 🍴 🕆 ❚ ❧ CB VISA AE E C ❑

CAUNA
40500 Landes
410 hab.

LE RELAIS DE LA CHALOSSE ★
M. Costedoat ☎ 58 76 10 47
🍴 9 🛏 120/200 F. 🍴 80/200 F. 🛏 45 F.
🍴 240 F. 🚗 200 F.
⊠ dim. soir hs.
E SP 🍴 🛏 ⨝ 🕆 👤 CV ❧ CB VISA
AE E

CAUNES MINERVOIS
11160 Aude
1556 hab.

🏨🏨 D'ALIBERT ✯✯
Place de la Mairie. M. Guiraud
☎ 68 78 00 54
🛏 7 ⊗ 160/350 F. 🍴 70/180 F. 🍷 45 F.
🍽 240/300 F. 🍴 220/250 F.
✉ 23 déc./1er mars, dim. soir et lun. hs.
🄴 🄢🅿 🛏 🚗 ⛱ 🍴 CB🆅🆂🄰 E

CAUREL
22530 Côtes d'Armor
376 hab.

🏨🏨 LE BEAU RIVAGE ✯✯
M. Le Roux ☎ 96 28 52 16 🄵🄰🅇 96 26 01 16
🛏 8 ⊗ 250/320 F. 🍴85/270 F.🍷70 F.
🍽 350/420 F.
✉ 15/30 nov., 5 janv./2 fév., lun. soir et
mar.
🄴 🄳🄰🚗🚗 ⋈ 🄸🄸 CB🆅🆂🄰 E

CAUSSADE
82300 Tarn et Garonne
5890 hab. 🅸

🏨🏨 DUPONT ✯✯
25, rue des Récollets. M. Dupont
☎ 63 65 05 00 🄵🄰🅇 63 65 12 62
🛏 25 ⊗ 190/300 F. 🍴 82/250 F.
🍷 50 F. 🍽 260/300 F. 🍴 240/280 F.
✉ 1ère quinzaine nov., 1ère quinzaine
mars, sam. et dim. hiver.
🄴 🄢🄳🄰🚗🚗🚗 ♿ 🄸🄸 🄴 CB🆅🆂🄰 E

🏨🏨🏨 LARROQUE ✯✯
Av. de la Gare. M. Larroque
☎ 63 65 11 77 🄵🄰🅇 63 65 12 04
🛏 21 ⊗ 150/280 F. 🍴 78/230 F.
🍷 50 F. 🍽 250/300 F. 🍴 210/250 F.
✉ 20 déc./15 janv.
🄴 🄢🄳🄰🚗🚗 ⋈ ⛱ 🏊 🎾 ♿ ⛳ 🄲🅅
🄸🄸 🄴 CB🆅🆂🄰 🄰🄴 ⓞ E

CAUSSE DE LA SELLE
34380 Hérault
170 hab.

🏨🏨 HOSTELLERIE LE VIEUX CHENE
(Plan du Lac). M. Fancelli ☎ 67 73 11 00
🛏 3 ⊗ 310 F. 🍴145/310 F.🍷75 F.
🍴 375 F.
✉ 20/30 sept. et lun., lun. au jeudi
15 nov./15 mars.
🄴 🄳🄰🚗 ⛱ CB🆅🆂🄰 🄰🄴 ⓞ E

CAUTERETS
65110 Hautes Pyrénées
1000 m. • 1350 hab. 🅸

🏨 BELLEVUE ET GEORGE V ✯✯
M. Volff
☎ 62 92 50 21 🅃🅇 533 933 POSTE T
🛏 41 ⊗ 260/285 F. 🍴 75 F. 🍷 45 F.
🍽 270/290 F. 🍴 225/245 F.
✉ 15 oct./20 déc. et mai.
🄴 🄢🄳🄰🛏 🄴 CB🆅🆂🄰 🄰🄴 E

🏨 CENTRE POSTE ✯
M. Kaeser ☎ 62 92 52 69
🛏 32 ⊗ 170/195 F. 🍴 70/100 F.

🛏 185/210 F. 🍴 160/185 F.
✉ 30 sept./19 déc. et 5 avr./1er mai.
🄢 CB🆅🆂🄰

🏨 CESAR ✯✯
3, rue César. M. Fontan ☎ 62 92 52 57
🛏 18 ⊗ 160/290 F. 🍴 70/200 F.
🍽 205/260 F. 🍴 250/315 F.
✉ 20 avr./20 mai et 30 sept./25 oct.
🄴 🄳🄰🄢 CB🆅🆂🄰 🄰🄴 ⓞ E

🏨🏨 ETCHE ONA ✯✯
20, rue de Richelieu. Mme Marquassuzaa
☎ 62 92 51 43 🅃🅇 530 337 🄵🄰🅇 62 92 54 99
🛏 29 ⊗ 200/320 F. 🍴 65/195 F.
🍷 45 F. 🍽 280/350 F. 🍴 200/275 F.
✉ 8/30 mai et 6 oct./30 nov.
🄴 🄢🄳🄰🄳🄰 ♿ 🄴 CB🆅🆂🄰 🄰🄴 E 🄳

🏨 LE PAS DE L'OURS ✯
21, rue de la Raillère. M. Barret
☎ 62 92 58 07
🛏 11 ⊗ 210/250 F. 🍴 78 F. 🍷 50 F.
🍽 225/275 F. 🍴 200/240 F.
✉ 15 avr./15 mai et 5 oct./5 déc.
🄴 🄳🄰 ♿ 🄲🅅 🄴 CB🆅🆂🄰 E

🏨🏨 WELCOME ✯✯
3, rue Victor Hugo. MM. Eulacia
☎ 62 92 50 22 🄵🄰🅇 62 92 50 22
🛏 26 ⊗ 225/290 F. 🍴 95/195 F.
🍷 60 F. 🍽 240/300 F. 🍴 215/260 F.
✉ 15 oct./1er déc.
🄴 🄢🄳🄰🄳🄰 ⋈ 🄲🅅 🄸🄸 🄴 CB🆅🆂🄰 E

CAVAILLON
84300 Vaucluse
24000 hab. 🅸

🏨 TOPPIN ✯✯
70, cours Gambetta. M. Gesnot
☎ 90 71 30 42 🄵🄰🅇 90 71 91 94
🛏 32 ⊗ 200/320 F. 🍴 85/180 F.
🍷 40 F. 🍽 270/280 F. 🍴 200/210 F.
✉ Rest. sam., dim. midi 1er avr./31 sept. et
sam. midi, dim. 1er oct./31 mars.
🄴 🄸 🄳🄰🄳🄰 ⋈ 🄲🅅 🄸🄸 🄴 CB🆅🆂🄰 🄰🄴
ⓞ E

CAVALERIE (LA)
12230 Aveyron
800 m. • 1280 hab.

🏨 DE LA POSTE
52 rue du Grand Chemin
Mme Bonnemayre ☎ 65 62 70 66
🛏 8 ⊗ 140/170 F. 🍴 80/160 F. 🍷 45 F.
🍽 230/250 F. 🍴 210/230 F.
✉ janv. et dim. soir.
🄳🄰 ♿ 🄴 CB🆅🆂🄰 ⓞ E

CAVANAC
11570 Aude
580 hab.

🏨🏨🏨 AUBERGE DU CHATEAU ✯✯✯
(Château de Cavanac). M. Me Gobin
☎ 68 79 61 04 🄵🄰🅇 68 79 79 67
🛏 14 ⊗ 250/580 F. 🍴 180 F. 🍷 65 F.
✉ mi-janv./mi-fév., dim. soir et lun.
🄴 🄢🄸 🄳🄰🄳🄰 🄴 ⋈ ⛱ 🏊 ♿
🏊 🎣 🎾 ⛳ 🄸🄸 🄴 CB🆅🆂🄰 E

CAYLUS
82160 Tarn et Garonne
1500 hab. [i]

⌂ LA RENAISSANCE ★★
Avenue du Père Huc. M. Marty
☎ 63 67 07 26
[*] 9 ⌧ 230/260 F. [*] 65/200 F. [*] 40 F.
[*] 250/280 F. [*] 200/220 F.
⌧ vac. scol. fév., vac. scol.
Toussaint, dim. soir et lun. sauf
juil./août.
[icons] CB VISA E

CAZAUBON
32150 Gers
1605 hab. [i]

⌂⌂⌂ CHATEAU BELLEVUE ★★★
19, rue Joseph Cappin. Mme Consolaro
☎ 62 09 51 95 [TX] 521 429 [FAX] 62 09 54 57
[*] 25 ⌧ 300/500 F. [*] 150/320 F.
[*] 405/475 F. [*] 305/425 F.
⌧ janv. et fév. (sauf séminaires), mar.
soir et mer. en déc.
[icons]
CV [icons] CB VISA AE ① E

CAZERES
31220 Haute Garonne
3295 hab.

⌂ LE COCHON DE LAIT ★★
9, av. Pasteur. M. Cappellazzo
☎ 61 97 08 73
[*] 10 ⌧ 220/330 F. [*] 60/220 F.
[*] 40 F. [*] 230 F. [*] 180 F.
⌧ courant janv.
[icons] CB VISA AE E

CEAUX
50220 Manche
460 hab.

⌂ AU P'TIT QUINQUIN ★★
(Les Forges). M. Pochon
☎ 33 70 97 20
[*] 20 ⌧ 145/240 F. [*] 68/165 F.
[*] 40 F. [*] 185/230 F.
⌧ 11 nov./1er mars, dim. soir et lun. hs.
[icons] CB VISA E

⌂ LE POMMERAY ★★
Lieu-dit le Pommeray. M. Hamon
☎ 33 70 92 45 [FAX] 33 70 95 33
[*] 20 ⌧ 140/250 F. [*] 66/145 F.
[*] 40 F. [*] 246/296 F. [*] 180/230 F.
⌧ 15/30 nov., 15 jours fév. sauf vac.
scol. et mer. hs.
[icons] CB VISA AE
E

⌂⌂ LE RELAIS DU MONT ★★
(La Buvette). M. Baudu
☎ 33 70 92 55 [TX] 772 425 [FAX] 33 70 94 57
[*] 25 ⌧ 220/360 F. [*] 78/185 F.
[*] 42 F. [*] 230 F. [*] 260 F.
[icons]
CB VISA AE E C

CEILHES ET ROCOZELS
34260 Hérault
360 hab. [i]

⌂ BESSIERE ★★
10, av. du Lac. Mme Besssière

☎ 67 23 42 09
[*] 9 ⌧ 140/230 F. [*] 65/210 F. [*] 50 F.
[*] 200/250 F. [*] 150/200 F.
⌧ 1er nov./1er mars.
[icons] CB VISA E

CEILLAC
05600 Hautes Alpes
1640 m. • 290 hab. [i]

⌂⌂ LA CASCADE ★★
M. Bérard
☎ 92 45 05 92
[*] 23 ⌧ 208/343 F. [*] 68/145 F.
[*] 48 F. [*] 230/339 F. [*] 200/309 F.
⌧ 18 avr./3 juin et 5 sept./20 déc.
[icons] CV [icons] CB VISA E

CELLE DUNOISE (LA)
23800 Creuse
700 hab. [i]

⌂ AUBERGE DES PECHEURS ★
Mme Durand
☎ 55 89 02 45 [FAX] 55 89 09 51
[*] 7 ⌧ 120/180 F. [*] 60/150 F. [*] 50 F.
[*] 180/210 F. [*] 120/150 F.
⌧ mar. sauf juil./août.
[icons] CV
CB VISA E C

⌂ HOSTELLERIE PASCAUD ★★
Mme Dupoirier
☎ 55 89 10 66
[*] 10 ⌧ 140/180 F. [*] 60/200 F.
[*] 35 F. [*] 215/240 F. [*] 170/200 F.
⌧ 5/20 janv., 15/30 oct., dim. soir et
lun. hs.
[icons] CV [icons] CB VISA E

CELLE SAINT CYR (LA)
89116 Yonne
600 hab.

⌂⌂⌂ AUBERGE DE LA FONTAINE AUX MUSES ★★
M. Pointeau-Langevin
☎ 86 73 40 22 [FAX] 86 73 48 66
[*] 17 ⌧ 330 F. [*] 175 F. [*] 40 F.
[*] 380/490 F.
⌧ lun. et mar. midi.
[icons]
CB VISA AE E

CELLES SUR BELLE
79370 Deux Sèvres
3300 hab. [i]

⌂ HOSTELLERIE DE L'ABBAYE ★★
1, place des Epoux Laurent. M. Robelin
☎ 49 32 93 32 [FAX] 49 79 72 65
[*] 16 ⌧ 200/270 F. [*] 70/165 F.
[*] 47 F. [*] 240/250 F. [*] 180/200 F.
⌧ Rest. dim. soir.
[icons] CV [icons] CB VISA E

⌂ LE NATIONAL ★
6, rue Ancienne Mairie. M. Brunet
☎ 49 79 80 34
[*] 14 ⌧ 130/190 F. [*] 58/150 F.
[*] 46 F. [*] 230 F. [*] 190 F.
⌧ dim.
[icons] CV CB VISA AE ① E

CELLIERS
73260 Savoie
1300 m. • 40 hab. [i]

⌂ LE GRAND PIC ★★
M. Me Leger/Dubaux
☎ 79 24 03 72 [FAX] 79 24 38 78
[🛏] 13 [◎] 170/250 F. [🍴] 75/135 F.
[🍴] 40 F. [🍴] 220/260 F. [🍽] 180/320 F.
[⊠] 1er oct./15 déc., 10/28 mai, mer. juin et sept.
[E] [D] [☎] [🚗] [♿] [CV] [▥] [🐕] CB[VISA] E

CENSEAU
39250 Jura
850 m. • 300 hab.

⌂ CENTRAL
M. Thiboud
☎ 84 51 30 46
[🛏] 8 [◎] 95/120 F. [🍴] 55/105 F. [🍴] 30 F.
[🍴] 170/180 F. [🍽] 140/150 F.
[⊠] 20 oct./2 nov.
[CV] [🐕] CB[VISA] E

CERCY LA TOUR
58340 Nièvre
2258 hab. [i]

⌂⌂ DU VAL D'ARON ★★★
5, rue des Ecoles. M. Terrier
☎ 86 50 59 66 [FAX] 86 50 04 24
[🛏] 12 [◎] 240/340 F. [🍴] 95/245 F.
[🍴] 60 F.
[☎] [🚗] [🌳] [♿] [▥] [🐕] CB[VISA] E [C]

CERET
66400 Pyrénées Orientales
6910 hab.

⌂⌂ VIDAL ★
4, place du 4 Septembre. M. Hecquet
☎ 68 87 00 85
[🛏] 10 [◎] 125/200 F. [🍴] 70/150 F.
[🍴] 38 F. [🍴] 200/250 F. [🍽] 160/190 F.
[⊠] 15 oct./15 nov. et sam.
[E] [☎] [🐕] CB[VISA] E

CERGNE (LE)
42460 Loire
673 m. • 800 hab.

⌂ LE BEL'VUE ★
M. Vaillant
☎ 74 89 87 73 [FAX] 74 89 78 61
[🛏] 4 [◎] 95/145 F. [🍴] 88/260 F. [🍴] 50 F.
[⊠] 1er/12 août, dim. soir et lun.
[E] [🚗] [♿] [CV] [▥] [🐕] CB[VISA] [AE] [⊙] E

CERIZAY
79140 Deux Sèvres
4880 hab. [i]

⌂ DE FRANCE ★★
1, av. du 25 Août. Mme Rouot
☎ 49 80 13 13
[🛏] 14 [◎] 150/220 F. [🍴] 55/ 90 F.
[🍴] 380 F. [🍽] 300 F.
[E] [☎] [🚗] [🚗] [CV] CB[VISA] E

⌂⌂ DU CHEVAL BLANC ★★
33, av. du 25 Août. M. Boutin
☎ 49 80 05 77 [FAX] 49 80 08 74
[🛏] 20 [◎] 235/295 F. [🍴] 68/118 F.

[🍴] 48 F. [🍴] 325/350 F. [🍽] 240/265 F.
[⊠] 12/15 mai, 17 déc./15 janv., sam. et dim. hs sauf hôtel sur réservations.
[E] [☎] [🚗] [🌳] [♿] [🐕] CB[VISA] E

CERNAY
68700 Haut Rhin
11000 hab. [i]

⌂⌂ BELLE-VUE ★★
10, rue Maréchal Foch. M. Rietsch
☎ 89 75 40 15 [FAX] 89 75 74 81
[🛏] 25 [◎] 160/390 F. [🍴] 70/200 F.
[🍴] 50 F. [🍽] 270 F.
[⊠] 20 déc./20 janv., dim. et sam. midi.
[D] [☎] [🚗] [🌳] [🌳] [♿] [CV] [▥] CB[VISA] E

⌂ DES TROIS ROIS ★★★
2, rue de Thann. Mme Zampieri
☎ 89 75 40 54 [FAX] 89 39 91 78
[🛏] 10 [◎] 240/260 F. [🍴] 60/190 F.
[🍴] 40 F. [🍴] 250/260 F. [🍽] 200/210 F.
[⊠] 4/25 fév., ven. et dim. soir hs.
[D] [i] [☎] [♨] [♿] [CV] [▥] [🐕] CB[VISA] [⊙]
E [C] [▦]

⌂⌂ HOSTELLERIE D'ALSACE ★★
61, rue Poincaré. M. Liermann
☎ 89 75 59 81 [FAX] 89 75 70 22
[🛏] 11 [◎] 254/280 F. [🍴] 98/295 F.
[🍴] 60 F. [🍽] 260/280 F.
[⊠] 18 juil./1er août, 26 déc./2 janv., dim. soir et lun.
[D] [☎] [🚗] [🚗] [🐕] CB[VISA] [AE] [⊙] E

CERONS
33720 Gironde
1300 hab.

⌂⌂⌂ GRILLOBOIS ★★
Sur N. 113. Mme Fleury
☎ 56 27 11 50
[🛏] 10 [◎] 250 F. [🍴] 80/170 F. [🍴] 54 F.
[⊠] 2 janv./1er fév., dim. soir et lun.
[E] [D] [SP] [☎] [🚗] [🌳] [🌴] [🏊] [⚓] [🎣]
[▥] [🐕] CB[VISA] E

CESSIEU
38110 Isère
1610 hab.

⌂⌂⌂ LA GENTILHOMMIERE ★★
M. Cottaz
☎ 74 88 30 09 [FAX] 74 88 32 61
[🛏] 7 [◎] 240/300 F. [🍴] 100/280 F.
[🍴] 60 F.
[⊠] 15 nov./1er déc., dim. soir et lun.
[E] [☎] [🚗] [🌳] [🐕] CB[VISA] [AE] [⊙] E [▦]

CESSON SEVIGNE
35510 Ille et Vilaine
18000 hab.

⌂⌂⌂ GERMINAL ★★★
9, cours de la Vilaine. M. Goualin
☎ 99 83 11 01 [TX] 740 600 F
[FAX] 99 83 45 16
[🛏] 19 [◎] 320/380 F. [🍴] 88/250 F.
[🍴] 50 F.
[⊠] 23 déc./4 janv. Rest. dim. soir.
[E] [☎] [♨] [🌳] [🎣] [♿] [▥] [🐕] CB[VISA] E

CEYRAT
63122 Puy de Dôme
562 m. • 5283 hab.

⌂ LA RENAISSANCE ★★
1, av. Wilson. M. Péda
☎ 73 61 40 46 FAX 73 61 43 77
🛏 10 ⬡ 200/250 F. 🍽 100/240 F.
🅰 60 F. 🏠 300/350 F. 🍴 220/270 F.
⊠ dim. soir sauf 1er juil./30 sept.
E SP i ⬜ ☎ 🛏 🖂 👶 🕴 ⬤ CB VISA
E C ⬛

CEYZERIAT
01250 Ain
2000 hab. ⓘ

⌂ RELAIS DE LA TOUR ★★
Rue Joseph Bernier. Mme Andreoli
☎ 74 30 01 87 FAX 74 25 03 36
🛏 10 ⬡ 220/280 F. 🍽 75/170 F.
🅰 55 F. 🏠 270/290 F. 🍴 200/230 F.
⊠ 15 oct./15 nov., lun. et dim. soir hs.
⬜ ☎ 🕴 ⬤ CB VISA E

CHABEUIL
26120 Drôme
3916 hab. ⓘ

⌂⌂⌂ RELAIS DU SOLEIL ★★★
Sur D. 538. M. Rigollet
☎ 75 59 01 81 FAX 75 59 11 82
🛏 16 ⬡ 220/450 F. 🍽 90/250 F.
🅰 55 F. 🏠 330/380 F. 🍴 280/330 F.
E D SP ⬜ ☎ 🛏 🖂 👣 🏊 🐎 👶 CV
🕴 ⬤ CB VISA AE ① E ⬛

⌂ ROCH HOTEL ★
M. Roch ☎ 75 59 00 23
🛏 17 ⬡ 170/200 F.
☎ 🖂 CV 🕴 ⬤ CB VISA AE ① E

CHABLIS
89800 Yonne
2414 hab. ⓘ

⌂⌂ DE L'ETOILE Rest. BERGERAND ★ & ★★
4, rue des Moulins. M. Prévost
☎ 86 42 10 50 FAX 86 42 81 21
🛏 11 ⬡ 150/265 F. 🍽 95/280 F.
🅰 45 F. 🍽 370 F. 🍴 260 F.
⊠ 20 déc./15 janv., dim. soir et lun. hs.
E SP ☎ 🖂 🖂 ⬤ CB VISA E

⌂⌂⌂ HOSTELLERIE DES CLOS ★★★
Rue Jules Rathier. M. Vignaud
☎ 86 42 10 63 FAX 86 42 17 11
🛏 26 ⬡ 268/570 F. 🍽 160/400 F.
🅰 90 F. 🍴 470/670 F.
⊠ 22 déc./7 janv., mer. et jeu. midi
1er oct./31 mai.
E D ⬜ ⬜ ☎ 🖂 🛏 👣 🏊 🐎 ▶ 👶
🕴 ⬤ CB VISA E

CHABRIS
36210 Indre
3000 hab. ⓘ

⌂⌂ DE LA PLAGE ★★
42, rue du Pont. M. Pinault
☎ 54 40 02 24 FAX 54 40 08 59
🛏 8 ⬡ 174/262 F. 🍽 100/230 F.

🅰 60 F. 🏠 240/260 F. 🍴 190/220 F.
⊠ 22 déc./10 fév., 3ème semaine
sept. dim. soir et lun. hs.
E D ⬜ ☎ 🖂 🖂 👶 🕴 CB VISA E

CHACE
49400 Maine et Loire
1000 hab.

⌂ AUBERGE DU THOUET ★★
46, place de la Mairie. M. Me Perrot
☎ 41 52 97 02 FAX 41 52 40 37
🛏 14 ⬡ 130/280 F. 🍽 65/190 F.
🅰 40 F. 🏠 245/320 F. 🍴 165/240 F.
⊠ vac. scol. Toussaint, Noël, sam. et
dim. 1er oct./30 mars.
E SP ⬜ ☎ 👶 CV ⬤ CB VISA AE ① E

CHAGNY
71150 Saône et Loire
6000 hab. ⓘ

⌂ AUBERGE DE LA MUSARDIERE ★★
30, route de Chalon.
Mmes Gautier/Crinquant
☎ 85 87 04 97 FAX 85 87 20 51
🛏 15 ⬡ 200/350 F. 🍽 70/200 F.
🅰 50 F. 🏠 225/350 F. 🍴 175/300 F.
⊠ 2/15 janv. et lun.
E SP ⬜ ☎ 👣 🕴 ⬤ CB VISA E

⌂⌂ BONNARD ★★
Sur N. 6. Mme Bonnard
☎ 85 87 21 49 FAX 85 87 06 54
🛏 20 ⬡ 195/280 F. 🍽 78/200 F.
🅰 45 F. 🍴 285 F. 🍴 230 F.
⊠ 1er janv./1er mars et mer.
E 🖂 🖂 🏊 ⬤ CB VISA E

CHAINGY FOURNEAUX
45380 Loiret
3200 hab. ⓘ

⌂ LES PETITES ARCADES ★★
42, route de Blois. M. Kelagopian
☎ 38 88 85 11 \ 38 88 87 43
🛏 25 ⬡ 120/235 F. 🍽 70/ 90 F.
🅰 40 F. 🏠 220/240 F. 🍴 170/190 F.
⊠ dim. hs.
E ⬜ ☎ 🖂 👣 CV CB VISA AE ① E

CHAISE DIEU (LA)
43160 Haute Loire
1080 m. • 750 hab. ⓘ

⌂⌂ AU TREMBLANT ★★
Sur D. 906, rue Picasso. M. Boyer
☎ 71 00 01 85
🛏 27 ⬡ 150/335 F. 🍽 90/220 F.
🅰 68 F. 🏠 300/360 F. 🍴 250/300 F.
⊠ Hôtel 3 nov./30 avr.
E ⬜ ☎ 🖂 👣 🏊 ⬤ CB VISA E

⌂⌂ DE LA CASADEI ★★
Mme Faure-Liotier
☎ 71 00 00 58 FAX 71 00 01 67
🛏 11 ⬡ 160/290 F. 🍽 75/ 85 F.
🅰 50 F. 🍴 240/270 F.
E ⬜ ☎ CV ⬤ CB VISA AE ① E

CHAISE DIEU (LA) (suite)

▲▲▲ ECHO ET ABBAYE ★★
Mme Chirouze
☎ 71 00 00 45 ⅢⅩ 71 00 00 22
🛏 11 � 290/320 F. 🍽 80/220 F.
🍴 70 F. 🍴 300/320 F.
✉ 3 nov./20 avr. Rest. dim. soir et lun.
midi hs.
Ⓔ 🗖 🕾 ♿ CB🚾 AE ⑩ E

▲ TERMINUS ET MONASTERE ★★
Place de la Gare. M. Sciortino
☎ 71 00 00 73 ⅢⅩ 71 00 09 18
🛏 12 ⌕ 145/255 F. 🍽 75/160 F.
🍴 40 F. 🍽 400/460 F. 🍴 310/370 F.
✉ 1er/24 fév., dim. soir et lun. hs.
Ⓔ SP ⓘ 🗖 🕾 🔒 🕃 ⌂ CB🚾 AE E

CHALANDRAY
86190 Vienne
720 hab.

▲ LES 4 AS ★★
Mme Russeil ☎ 49 60 14 07
🛏 9 ⌕ 155/195 F. 🍽 68/ 83 F. 🍴 35 F.
🍽 200/250 F. 🍴 160/210 F.
✉ dim. hs.
Ⓔ 🗖 🕾 ♿ 🕃 ⌂ CB🚾 AE E

CHALLANS
85300 Vendée
14203 hab. ⓘ

▲▲ LE MARAIS ★★
16, Place de Gaulle. M. Pajot
☎ 51 93 15 13 ⅢⅩ 51 49 44 96
🛏 11 ⌕ 180/200 F. 🍽 74/200 F.
🍴 45 F. 🍽 266/280 F. 🍴 192/210 F.
Ⓔ Ⓓ SP 🗖 🕾 🕾 CV 🕃 ⌂ CB🚾 E

CHALLES LES EAUX
73190 Savoie
2500 hab. ⓘ

▲ DE LA MAIRIE
117, av. Charles Pillet. Mme Bernard
☎ 79 72 86 26 ⅢⅩ 320772 ⅢⅩ 79 72 76 60
🛏 22 ⌕ 115/250 F. 🍽 75/150 F.
🍴 50 F. 🍽 210/285 F. 🍴 150/220 F.
✉ 24 déc./4 janv., 6/14 mars, sam. et
dim. soir 1er oct/31 mars.
Ⓔ 🕾 🕃 ⌂ CB🚾 E

CHALLONGES
74910 Haute Savoie
300 hab.

▲ LES DEUX SABOTS ★
Au bourg. M. Clary ☎ 50 77 93 92
🛏 7 ⌕ 180/220 F. 🍽 70/110 F. 🍴 35 F.
🍽 230/245 F. 🍴 170/185 F.
✉ nov. et sam.
🕾 🕾 CB🚾 E

CHALON SUR SAONE
71100 Saône et Loire
72000 hab. ⓘ

▲ AUX VENDANGES DE BOURGOGNE ★★
21, rue Général Leclerc. Mme Thomas
☎ 85 48 01 90
🛏 15 ⌕ 150/310 F. 🍽 50/ 60 F.
🍴 30 F. 🍽 250/340 F. 🍴 200/290 F.
Ⓔ 🗖 🕾 🕾 CV ⌂ CB🚾 AE ⑩ E

CHALON SUR SAONE (LUX)
71100 Saône et Loire
1619 hab.

▲ LES CHARMILLES ★★
(à Lux 1km, sortie A6 Châlon Sud).
M. Bellia ☎ 85 48 58 08 ⅢⅩ 85 93 04 49
🛏 30 ⌕ 200/260 F. 🍽 70/230 F.
🍴 50 F. 🍴 210/230 F.
✉ 29 oct./14 nov., 23/28 déc., lun. midi
et dim. hs.
Ⓔ ⓘ 🗖 🕾 🕾 🕾 ⌂ CB🚾 E

CHALONNES SUR LOIRE
49290 Maine et Loire
5000 hab. ⓘ

▲▲ DE FRANCE ★★
5, rue Nationale. M. Bourget
☎ 41 78 00 12 ⅢⅩ 41 78 09 24
🛏 14 ⌕ 180/250 F. 🍽 65/210 F.
🍴 38 F. 🍽 260/280 F. 🍴 180/205 F.
✉ 20 déc./5 janv.
Ⓔ 🗖 🕾 🕾 CV ⌂ CB🚾 E 🖳

CHAMARANDES
52000 Haute Marne
895 hab.

▲▲ AU RENDEZ-VOUS DES AMIS ★★
4, place du Tilleul. M. Nicard
☎ 25 32 20 20 ⅢⅩ 25 02 60 90
🛏 14 ⌕ 200/270 F. 🍽 85/250 F.
🍴 45 F. 🍽 235/300 F. 🍴 190/250 F.
✉ 1er/24 août, 20 déc./5 janv., ven. soir
et sam.
Ⓔ 🗖 🕾 ⋔ CV 🕃 ⌂ CB🚾 E

CHAMBERET
19370 Corrèze
1470 hab. ⓘ

▲▲ DE FRANCE ★★
Place de la Mairie. Mme Pouget
☎ 55 98 30 14 ⅢⅩ 55 73 47 15
🛏 12 ⌕ 150/230 F. 🍴 60 F.
🍽 210/250 F. 🍴 200/210 F.
✉ fin janv. - début fév., et dim. soir
oct./Pâques.
Ⓔ Ⓓ 🗖 🕾 🕾 🕾 CV 🕃 ⌂ CB🚾
AE ⑩ E

CHAMBERY
73000 Savoie
70000 hab. ⓘ

▲▲ SAVOYARD ★★
35, place Monge. M. Gachet
☎ 79 33 36 55 ⅢⅩ 79 85 25 70
🛏 10 ⌕ 250/295 F. 🍽 72/180 F.
🍴 55 F. 🍽 280/350 F. 🍴 210/270 F.
✉ dim. sauf fêtes.
Ⓔ SP ⓘ 🗖 🕾 🕾 🕃 ⌂ CB🚾 E

CHAMBERY (LES CHARMETTES)
73000 Savoie
56788 hab. ⓘ

▲▲ AUX PERVENCHES ★★
Les charmettes. Mme Piquet
☎ 79 33 34 26 ⅢⅩ 79 60 02 52
🛏 13 ⌕ 110/160 F. 🍽 110/240 F.
🍴 60 F.
✉ 15/31 août, dim. soir et mer.
🗖 🕾 ⋈ 🕾 🕃 ⌂ CB🚾 AE

CHAMBON SUR LAC
63790 Puy de Dôme
870 m. • 600 hab. 🛈

AA BEAU SITE **
Lac Chambon. Mme Meallet
☎ 73 88 61 29 \ 73 88 65 66
📠 73 88 66 73
🛏 16 ⊠ 200/250 F. ⏱ 65/180 F.
🍴 40 F. ⏱ 240/260 F. 🔲 200/240 F.
⊠ 30 sept./10 fév.
📺 ⬛ 🕾 🚗 🕁 🚴 CV 🅿 CB🆚 ⊕ E

AA LE GRILLON **
Lac Chambon. M. Planeix
☎ 73 88 60 66 📠 73 88 65 55
🛏 22 ⊠ 180/240 F. ⏱ 55/170 F.
🍴 35 F. ⏱ 230/300 F. 🔲 190/260 F.
⊠ fin vac. Toussaint/début vac. fév.
📺 ⬛ 🕾 🚗 🕁 🚴 CV 🅿 CB🆚 AE ⊕
E ⬛

CHAMBON SUR LIGNON (LE)
43400 Haute Loire
1000 m. • 3000 hab. 🛈

AA BEL HORIZON ***
24, chemin de Molle. M. Charreyron
☎ 71 59 74 39
🛏 20 ⊠ 320/340 F. ⏱ 100/140 F.
🍴 60 F. ⏱ 320/400 F. 🔲 280/360 F.
⊠ 10/25 oct., 10/25 janv., dim. soir et
lun.
⬛ 🕾 🚗 🕁 🚴 🔲 🚴 🔲 CB🆚 E

AAA CLAIR MATIN ***
(Les Barandons) Sur D. 185. M. Bard
☎ 71 59 73 03 📠 71 65 87 66
🛏 30 ⊠ 210/420 F. ⏱ 120/200 F.
🍴 60 F. ⏱ 360/440 F. 🔲 310/380 F.
⊠ mi-nov./mi-déc. Rest. mer.
1er oct./fin avr. sauf séminaires.
📺 ⬛ 🕾 🚗 🕁 🔲 🕁 🔲 🔲 🚴 ▶
🕁 CV 🔲 🅿 CB🆚 AE ⊕ E ⬛

A LA PLAGE BEAU RIVAGE *
Rue de la Grande Fontaine. M. Astier
☎ 71 59 70 56
🛏 18 ⊠ 130/250 F. ⏱ 75/120 F.
🍴 50 F. ⏱ 210/275 F. 🔲 170/235 F.
⊠ fin oct./fin avr.
📺 🕾 🚗 🔲 🅿 CB🆚 AE ⊕ E

AA LE BOIS VIALOTTE **
Route de la Suchere.
Mmes Marion/Heritier
☎ 71 59 74 03
🛏 25 ⊠ 170/290 F. ⏱ 75/120 F.
🍴 45 F. ⏱ 215/295 F. 🔲 205/275 F.
⊠ 1er oct./30 avr.
📺 🕾 🚗 🔲 🕁 🚴 CV 🔲 🅿 CB🆚 E

CHAMBORD
41250 Loir et Cher
360 hab. 🛈

AA DU GRAND SAINT MICHEL **
(Face au Château). M. Le Meur
☎ 54 20 31 31
🛏 39 ⊠ 320/450 F. ⏱ 130/210 F.
🍴 70 F.
⊠ 14 nov./16 déc.
📺 ⬛ 🕾 🚗 🕁 🔲 🅿 CB🆚 E

CHAMBORIGAUD
30530 Gard
874 hab.

AA LES CEVENNES *
Av. de la Plaine. M. Chomat
☎ 66 61 47 27
🛏 11 ⊠ 170/200 F. ⏱ 50/160 F.
🍴 35 F. ⏱ 230/245 F. 🔲 180/195 F.
⊠ 1er janv./14 fév. et mar.
📺 🕾 🚗 🕁 CV 🅿 CB🆚 E

CHAMBOULIVE
19450 Corrèze
1200 hab. 🛈

AA DESHORS FOUJANET **
Sur D. 940. Mme Foujanet Malaterre
☎ 55 21 62 05 📠 55 21 68 80
🛏 27 ⊠ 150/270 F. ⏱ 85/195 F.
🍴 55 F. ⏱ 240/300 F. 🔲 200/260 F.
⊠ oct., vac. scol. fév. Rest. dim. soir
nov./mai.
📺 SP ⬛ 🕾 🚗 🕁 🔲 🔲 🕁 🔲 CV
🔲 🅿 CB🆚 ⊕ E

CHAMONIX
74400 Haute Savoie
1050 m. • 10000 hab. 🛈

AA AU RELAIS DES GAILLANDS **
964, route des Gaillands. M. Onorati
☎ 50 53 13 58 📠 50 55 85 06
🛏 21 ⊠ 280/305 F. ⏱ 80/200 F.
🍴 50 F. ⏱ 325/340 F. 🔲 255/270 F.
⊠ 15 oct./15 nov.
🕾 🕁 🚴 CV 🅿 CB🆚 E

AA DE L'ARVE **
Rue Vallot, quai de l'Alpina. M.
Me Didillon/Lochet
☎ 50 53 02 31 📠 50 53 56 92
🛏 39 ⊠ 190/410 F. ⏱ 70/100 F.
🍴 50 F. ⏱ 262/357 F. 🔲 202/297 F.
⊠ Hôtel 1er nov./23 déc. et rest.
9 mai/4 juin.
📺 ⬛ 🕾 🚗 🕁 🔲 🅿 CB🆚 AE ⊕ E

AA L'ARVEYRON **
Chemin des Cristalliers. M. Schmitt
☎ 50 53 18 29 📠 50 53 06 43
🛏 31 ⊠ 189/300 F. ⏱ 65/100 F.
🍴 40 F. ⏱ 222/295 F. 🔲 181/255 F.
⊠ 26 sept./20 déc. et 10-15 avr./4 juin.
📺 🔲 ⬛ 🕾 🚗 🕁 🚴 CV 🅿 CB🆚 E

CHAMONIX (LE LAVANCHER)
74400 Haute Savoie
1240 m. • 120 hab. 🛈

AAA CHALET-HOTEL BEAU SOLEIL **
60, allée des Peupliers. M. Bossonney
☎ 50 54 00 78 📠 50 54 17 34
🛏 15 ⊠ 310/500 F. ⏱ 90/150 F.
🍴 55 F. ⏱ 320/430 F. 🔲 260/370 F.
⊠ 20 sept./20 déc. et rest. midi
11 avr./11 juin.
📺 🔲 ⬛ 🕾 🚗 🔲 🕁 🚴 🅿 CB🆚 AE E

CHAMONIX (LES BOSSONS)
74400 Haute Savoie
1032 m. • 110 hab. ℹ️

▲▲▲ L'AIGUILLE DU MIDI ★★
479, chemin Napoléon. M. Farini
☎ 50 53 00 65 ⊞ 50 55 93 69
🛏 47 ▭ 266/460 F. 🍽 115/220 F.
🍴 65 F. ⊞ 299/455 F. 🍲 255/408 F.
⊠ 5 janv./5 fév., 5/13 avr. et
20 sept./20 déc.
⏹ CB📇 E

CHAMONIX (LES PRAZ)
74400 Haute Savoie
1060 m. • 150 hab. ℹ️

▲▲ EDEN ★★
35, route des Gaudenays. M. Lesage
☎ 50 53 18 43 ⊞ 50 53 51 50
🛏 10 ▭ 300/450 F. 🍽 120/350 F.
⊞ 400/460 F. 🍲 330/350 F.
⊠ 1er/15 juin, 30 oct./6 déc. et lun. hs.
⏹ CB📇 AE ⓪ E

▲▲ LES RHODODENDRONS ★★
(Les Praz). M. Gavard ☎ 50 53 06 39
🛏 18 ▭ 240/330 F. 🍽 75/110 F.
🍴 45 F. ⊞ 240/300 F. 🍲 210/270 F.
⊠ 15 avr./10 juin et 20 sept./20 déc.
⏹ CB📇 AE ⓪ E 🧳

▲▲ SIMOND ET DU GOLF ★
14, rue de la Chapelle. M. Simond
☎ 50 53 06 08
🛏 24 ▭ 176/294 F. 🍽 55/110 F.
🍴 45 F. ⊞ 229/288 F. 🍲 196/255 F.
⊠ 20 sept./25 déc. et 5 mai/14 juin.
⏹ CB📇 E

CHAMOUILLEY
52410 Haute Marne
994 hab.

▲ DU CHEVAL BLANC ★★
11, place de la Mairie. M. Perez
☎ 25 55 59 92 ⊞ 25 04 04 93
🛏 8 ▭ 240/250 F. 🍽 60/100 F. 🍴 40 F.
⊞ 280/300 F. 🍲 250/260 F.
⊠ jeu. après-midi.
⏹ CB📇 E

CHAMOUSSET
73390 Savoie
380 hab.

▲▲ CHRISTIN ★★
M. Christin
☎ 79 36 42 06 ⊞ 79 36 45 43
🛏 11 ▭ 190/240 F. 🍽 68/150 F.
🍴 50 F. ⊞ 210/250 F. 🍲 190/210 F.
⊠ 15 sept./1er oct., Noël/Jour de l'An,
1 semaine printemps, dim. soir et lun.
⏹ CB📇 E 🧳

CHAMPAGNAC
15350 Cantal
622 m. • 1411 hab.

▲▲▲ LE LAVENDES ★★★
Château de Lavendes, Route de Neuvic.
M. Gimmig
☎ 71 69 62 79 ⊞ 393160 ⊞ 71 69 65 33

🛏 8 ▭ 400/550 F. 🍽 135/250 F.
🍴 62 F. ⊞ 530/630 F. 🍲 400/500 F.
⊠ 10 nov./1er mars, dim. soir et lun.
sauf 15 mai/30 sept.
⏹ CB📇 E

CHAMPAGNEY
70290 Haute Saône
3290 hab.

▲▲ DU COMMERCE ★★
4, av. Général Brosset. Mme Angly
☎ 84 23 13 24 ⊞ 84 23 24 33
🛏 20 ▭ 150/250 F. 🍽 65/220 F.
🍴 50 F. ⊞ 200/250 F.
⊠ 1er/15 fév. et lun. hs.
⏹ CB📇 AE ⓪ E

CHAMPAGNOLE
39300 Jura
545 m. • 10700 hab. ℹ️

▲▲▲ DU PARC ★★★
13, rue Paul Cretin.
Mmes Baron/Cattenot
☎ 84 52 13 20 ⊞ 84 52 27 62
🛏 18 ▭ 260/320 F. 🍽 75/180 F.
🍴 50 F. 🍲 250/280 F.
⊠ nov., rest. midi et dim. hs.
⏹ CB📇 AE ⓪ E 🧳

▲▲▲ GRAND HOTEL RIPOTOT ★★
Av. du Maréchal Foch.
Mme Winiecka-Ripotot
☎ 84 52 15 45 ⊞ 84 52 09 11
🛏 35 ▭ 200/310 F. 🍽 80/195 F.
🍴 45 F. ⊞ 290/350 F. 🍲 220/250 F.
⊠ fin oct./15 avr.
⏹ CB📇 AE ⓪ E 🧳

CHAMPAGNOLE (ARDON)
39300 Jura
600 m. • 152 hab.

▲▲ DU PONT DE GRATTEROCHE ★★
(à Ardon 5 km). Mme Schiavon
☎ 84 51 70 46 ⊞ 84 51 75 41
🛏 18 ▭ 230/260 F. 🍽 75/160 F.
🍴 45 F. ⊞ 260 F. 🍲 220 F.
⊠ 24 déc./3 janv., sam. et dim. soir.
⏹ CB📇 E

CHAMPAGNOLE (LE VAUDIOUX)
39300 Jura
640 m. • 145 hab. ℹ️

▲▲▲ AUBERGE DES GOURMETS ★★★
M. Prieur
☎ 84 51 60 60 ⊞ 84 51 62 83
🛏 7 ▭ 280/420 F. 🍽 85/260 F. 🍴 60 F.
⊞ 420 F. 🍲 320 F.
⊠ 6/22 juin, 14 nov./27 déc., dim. soir
et lun. oct./juin sauf vac. scol.
⏹ CB📇 AE E

CHAMPAGNY EN VANOISE
73350 Savoie
1250 m. • 400 hab. ⓘ

▲▲▲ L'ANCOLIE Rest. L'ALPENROSE ★★
Les Hauts du Crey. M. Me Pélican
☎ 79 55 05 00 FAX 79 55 04 42
🔑 31 🛏 260/640 F. 🍴 80/110 F.
🚸 48 F. ◐ 315/538 F. ⬤ 230/450 F.
☒ 23 avr./4 juin et 10 sept./17 déc.
Ⓔ Ⓓ ⌂ ☎ 🚗 ↕ ⋈ ≋ 👪 ✥ ♿ ▦ 🐕 CB VISA E Ⓒ

▲▲ LES GLIERES ★★
M. Lejeune
☎ 79 55 05 52 FAX 79 55 04 84
🔑 20 🛏 236/367 F. 🍴 85/150 F.
🚸 42 F. ◐ 270/424 F. ⬤ 229/383 F.
☒ 17 avr./18 juin et 5 sept./17 déc.
Ⓔ ☎ 👪 CV 🐕 CB VISA E

CHAMPANGES
74500 Haute Savoie
720 m. • 710 hab.

▲▲ DES ALPES ★★
M. Dutruel ☎ 50 73 45 76
🔑 15 🛏 165/220 F. 🍴 45/150 F.
🚸 35 F. ⬤ 170/200 F.
☒ lun. oct./avr.
Ⓔ ⓘ ☎ 🚗 ⛱ 🚶 ♂ CV ▦ 🐕 CB VISA E

CHAMPCEVINEL
24000 Dordogne
1847 hab.

▲ LA FORGE
Mme Nabat ☎ 53 04 61 65
🔑 7 🛏 150 F. 🍴 65/150 F. 🚸 40 F.
◐ 200/220 F. ⬤ 160/180 F.
Ⓔ SP ▦

CHAMPENOUX
54280 Meurthe et Moselle
1004 hab.

▲▲ LA LORETTE ★★
52, rue Saint-Barthélémy. M. Malgras
☎ 83 31 63 43 FAX 83 33 15 75
🔑 10 🛏 230 F. 🍴 80/170 F. 🚸 45 F.
◐ 235 F. ⬤ 175 F.
☒ Rest. dim. soir et lun.
Ⓔ Ⓓ ⌂ ☎ 🚗 🚙 ⋈ ▦ 🐕 CB VISA AE E 💼

CHAMPIER
38260 Isère
830 hab.

▲▲ AUBERGE DE LA SOURCE ★★
M. Chauffard
☎ 74 54 40 44
🔑 10 🛏 170/210 F. 🍴 80/230 F.
🚸 70 F. ◐ 240/260 F. ⬤ 200/210 F.
☒ 1 semaine nov.
⌂ ☎ 🚗 ⛱ ≋ 🐕 CB VISA ◑ E

CHAMPLITTE
70600 Haute Saône
2050 hab. ⓘ

▲ LE DONJON ★★
46, rue de la République. M. Maillot
☎ 84 67 66 95 FAX 84 67 81 06
🔑 12 🛏 130/210 F. 🍴 60/ 90 F.
🚸 30 F. ⬤ 147/172 F.
Ⓔ SP ⓘ ⌂ ☎ CV 🐕 CB VISA E 💼

CHAMPLIVE
25360 Doubs
200 hab.

▲ DU CHATEAU DE VAITE ★★
M. Beauquier ☎ 81 55 20 66
🔑 9 🛏 160/240 F. 🍴 85/185 F. 🚸 50 F.
◐ 220 F. ⬤ 180 F.
☒ janv. et lun.
⌂ ☎ 🚗 ⋈ ⛱ ♿ CV 🐕 CB VISA E

CHAMPTOCE SUR LOIRE
49123 Maine et Loire
1400 hab.

▲▲ CHEVAL BLANC ★
1, rue Gilles de Rais. Mlle Pavy
☎ 41 39 91 81 FAX 41 39 98 67
🔑 12 🛏 135/305 F. 🍴 65/130 F.
🚸 35 F. ◐ 250/280 F. ⬤ 190/220 F.
☒ 10 sept./25 sept., 1ère quinzaine mars et sam. hs.
⌂ ☎ 🚙 🚗 ▦ 🐕 CB VISA E

CHAMPTOCEAUX
49270 Maine et Loire
1600 hab. ⓘ

▲▲ LE CHAMPALUD ★
Promenade Champalud. M. Rabu
☎ 40 83 50 09 FAX 40 83 53 81
🔑 16 🛏 160/230 F. 🍴 59/200 F.
🚸 45 F. ◐ 220/240 F. ⬤ 160/180 F.
☒ entre Noël/5 janv. Rest. mer. sauf juin/sept.
Ⓔ ☎ ♂ ♿ CV ▦ 🐕 CB VISA E Ⓒ 💼

CHANAC
48230 Lozère
630 m. • 900 hab. ⓘ

▲▲ DES VOYAGEURS ★★
Mme Palmier/Arnal
☎ 66 48 20 16 FAX 66 48 28 16
🔑 17 🛏 150/220 F. 🍴 60/150 F.
🚸 45 F. ◐ 200/260 F. ⬤ 165/210 F.
☒ vac. scol. Noël, ven. soir et sam. nov./mars.
Ⓔ Ⓓ ☎ 🚗 ⛱ 🚶 🐕 CB VISA E

CHANAS
38150 Isère
1486 hab.

▲ PARIS NICE ★★
43, route de Marseille. Mme Besselia
☎ 74 84 21 22 FAX 74 84 29 34
🔑 15 🛏 180/280 F. 🍴 80/220 F.
🚸 42 F. ◐ 320/350 F. ⬤ 250/280 F.
☒ lun. midi.
Ⓔ Ⓓ SP ⌂ ☎ 🚙 🚗 ⋈ CV ▦ 🐕 CB VISA E Ⓒ 💼

CHANCELADE
24650 Dordogne
3295 hab.

▲▲ DU PONT DE LA BEAURONNE ★★
4 Route de Riberac. M. Mousnier
☎ 53 08 42 91 FAX 53 03 97 69
🔑 30 🛏 130/290 F. 🍴 70/200 F.
🚸 50 F. ⬤ 210/350 F.
☒ 20 sept./20 oct., dim. soir et lun. midi.
Ⓔ SP ⌂ ☎ 🚗 ▦ CB VISA AE ◑ E

CHANDOLAS
07230 Ardèche
385 hab.

▲▲ AUBERGE LES MURETS
M. Parrod
☎ 75 39 08 32
🛏 7 ⬧ 270 F. 🍽 90/120 F. 🍴 65 F.
🍽 345 F. 🍴 255 F.
⊠ en principe déc., janv., fév.
🚗 📶 📺 CV 📶 CB🆅🅸🆂🅰 E

CHANTILLY (GOUVIEUX)
60270 Oise
10000 hab. ⓘ

▲▲▲ CHATEAU DE LA TOUR ★★★
Chemin de La Chaussée. M. Jadas
☎ 44 57 07 39 TX 155 014 F
FAX 44 57 31 97
🛏 41 ⬧ 580/890 F. 🍽 190/280 F.
🍴 75 F. 🍽 655 F. 🍴 475 F.
🔲 🅳 📶 📶 🚗 📶 🏕 ⬧ 🎣 🏊 ⛷ ♿
🎱 📶 CB🆅🅸🆂🅰 AE E

▲▲ HOSTELLERIE DU PAVILLON
SAINT-HUBERT ★★
(A Toutevoie). M. Luck
☎ 44 57 07 04 FAX 44 57 75 42
🛏 20 ⬧ 250/320 F. 🍽 140/160 F.
🍴 80 F. 🍽 450 F. 🍴 300 F.
⊠ 15 janv./15 fév.
🔲 📶 📶 🚗 📶 🏕 🏊 🍴 🎱 📶 CB🆅🅸🆂🅰 E

CHANTONNAY
85110 Vendée
7430 hab. ⓘ

▲▲▲ LE MOULIN NEUF ★★
(A 800 m. Sur N. 137, au bord du lac).
M. Nex
☎ 51 94 30 27 FAX 51 94 57 76
🛏 60 ⬧ 210/300 F. 🍽 65/180 F.
🍴 35 F. 🍽 300/320 F. 🍴 225/245 F.
🔲 SP 📶 📶 🚗 📶 🏕 ♿ 🏊 📶 🎣 ⬧ 🏊
▶ 🏊 CV 🎱 📶 CB🆅🅸🆂🅰 AE E 🍴

CHAPAREILLAN
38530 Isère
1500 hab. ⓘ

▲▲ DE L'AVENUE ★
(Le Cernon). Mme Sache
☎ 76 45 23 35
🛏 8 ⬧ 150/250 F. 🍽 75/160 F. 🍴 42 F.
🍴 225/265 F.
⊠ 1 semaine avr., 15 jours-3 semaines
sept., dim. soir et lun.
🔲 📶 🚗 📶 🏕 🎱 📶 CB🆅🅸🆂🅰 E

CHAPELLE AUBAREIL (LA)
24290 Dordogne
320 hab.

▲ LA TABLE DU TERROIR ★★
(A Fougeras). M. Gibertie
☎ 53 50 72 14 FAX 53 51 16 23
🛏 16 ⬧ 280/320 F. 🍽 70/220 F.
🍴 60 F. 🍽 310/330 F. 🍴 250/270 F.
⊠ 15 nov./15 mars sauf dim.
🔲 SP 📶 📶 🚗 📶 🎣 🏊 ⛷ ▶ 🏊 CV 🎱
🎱 CB🆅🅸🆂🅰 AE ⓞ E C 🍴

CHAPELLE CARO (LA)
56460 Morbihan
1104 hab.

▲▲ LE PETIT KERIQUEL ★★
Place de l'Eglise. M. Havard
☎ 97 74 82 44
🛏 7 ⬧ 165/220 F. 🍽 60/160 F. 🍴 42 F.
🍽 200/225 F. 🍴 145/180 F.
⊠ vac. scol. fév., 1er/15 oct., dim. soir
et lun. hs.
🔲 📶 📶 🚗 📶 🏕 ⛷ 🏊 CV 📶 CB🆅🅸🆂🅰 E

CHAPELLE D'ABONDANCE (LA)
74360 Haute Savoie
1020 m. • 770 hab. ⓘ

▲▲ L'ALPAGE ★★
M. Ancey
☎ 50 73 50 25 FAX 50 73 52 43
🛏 32 🍽 90/210 F. 🍴 60 F.
🍽 280/380 F. 🍴 240/340 F.
⊠ 23 sept./23 oct. et 5/23 avr.
🔲 📶 📶 🚗 📶 🏕 🏕 ♿ CV 🎱 📶
CB🆅🅸🆂🅰 E 🍴

▲▲▲ L'ENSOLEILLE ★★
M. Trincaz
☎ 50 73 50 42 FAX 50 73 52 96
🛏 34 ⬧ 260/280 F. 🍽 95/280 F.
🍴 70 F. 🍽 270/330 F. 🍴 240/300 F.
⊠ Pâques/début juin et 20 sept./Noël.
🔲 📶 📶 🚗 📶 🏕 🏊 ♿ CB🆅🅸🆂🅰 E

▲▲ LE RUCHER ★★
M. Maxit
☎ 50 73 50 23 FAX 50 73 54 67
🛏 22 ⬧ 320/460 F. 🍽 80/130 F.
🍴 50 F. 🍽 250/340 F. 🍴 220/310 F.
⊠ 15 avr./15 juin et 15 sept./15 déc.
🔲 📶 🚗 📶 🏕 🏊 🍴 CV 🎱 📶 CB🆅🅸🆂🅰 E

▲▲ LE VIEUX MOULIN ★★
Route de Chevennes. M. Maxit
☎ 50 73 52 52 FAX 50 73 55 62
🛏 16 ⬧ 260 F. 🍽 100/250 F. 🍴 60 F.
🍽 250/320 F. 🍴 220/290 F.
⊠ 15 avr./15 mai, 20 oct./20 déc., dim.
soir et lun. hs.
📶 📶 🚗 📶 🏕 CV CB🆅🅸🆂🅰 E

▲▲▲ LES CORNETTES DE BISES ★★
M. Trincaz
☎ 50 73 50 24 FAX 50 73 54 16
🛏 40 ⬧ 240/340 F. 🍽 100/300 F.
🍴 70 F. 🍽 320/450 F. 🍴 270/400 F.
⊠ 18 oct./18 déc. et mi-avr./mi-mai.
🔲 📶 📶 🚗 📶 🏕 🏊 🍴 ♿ 🏊 ▶
CV 🎱 CB🆅🅸🆂🅰 AE ⓞ E C

CHAPELLE D'ANDAINE (LA)
61140 Orne
1500 hab. ⓘ

▲▲ LE CHEVAL BLANC ★★
8, rue de la Gare. M. Feret
☎ 33 38 11 88
🛏 12 ⬧ 120/210 F. 🍽 52/198 F.
🍴 52 F. 🍽 190/260 F. 🍴 150/220 F.
⊠ dim. soir.
📶 🚗 📶 🏊 🍴 🎱 ♿ CB🆅🅸🆂🅰 AE E

163

CHAPELLE D'ANGILLON (LA)
18380 Cher
687 hab.

▲ LA BONNE AUBERGE
6, av. Alain Fournier. M. Langlois
☎ 48 73 46 89
🛏 8 🅂 110/250 F. ⏚ 60/90 F. 🍴 40 F.
⏚ 205 F. 📷 155 F.
⊠ Noël/Nouvel An et lun., dim. soir hs.
🄳 🖻 🛏 🅼 🕇 🕺 ⌖ CB🆅🆂🅰 E 📷

CHAPELLE DES BOIS
25240 Doubs
1089 m. • 198 hab.

▲▲ LES MELEZES ★★
M. Pagnier ☎ 81 69 21 82 🆄 81 69 12 75
🛏 10 🅂 170/270 F. ⏚ 75/175 F.
🍴 42 F. ⏚ 230/355 F. 📷 200/320 F.
⊠ 30 juin/14 juil., 15 nov./20 déc. et 30 mars/1er mai. sauf week-ends et fêtes.
🆂🄿 🖻 🕇 🚠 🕺 ▶ CV ⌖

CHAPELLE DU CHATELARD (LA)
01240 Ain
250 hab.

▲ DES PLATANES
M. Malapel ☎ 74 24 50 42
🛏 5 🅂 130 F. ⏚ 108/165 F. 🍴 45 F.
⏚ 460 F. 📷 320 F.
⊠ 18 janv./18 fév., dim. soir et lun.
🄳 🖻 🕇 🕺 ⌖ CB🆅🆂🅰 E

CHAPELLE EN VERCORS (LA)
26420 Drôme
955 m. • 700 hab. ⓘ

▲▲ BELLIER ★★
M. Bellier
☎ 75 48 20 03 🆄 75 48 25 31
🛏 12 🅂 300/440 F. ⏚ 88/210 F.
🍴 69 F. ⏚ 370/490 F. 📷 270/380 F.
⊠ 25 sept./18 juin.
🄳 🄳 🖻 🛏 🕇 🚠 🕺 ⌖ CB🆅🆂🅰 🅰🅴
⓪ E 🄲

▲ DES SPORTS ★
M. Revol ☎ 75 48 20 39
🛏 14 🅂 135/250 F. ⏚ 80/140 F.
🍴 35 F. ⏚ 215/250 F. 📷 170/225 F.
⊠ 12 nov./1er fév. et. dim. soir hs.
🖻 🛏 ⌖ CB🆅🆂🅰 E

CHAPELLE MONTLINARD (LA)
18140 Cher
515 hab.

▲▲ LE LOGIS DE LA CHAUMIERE ★★★
12, av. Jacques Coeur.
M. Me Chrisment/Oudjit
☎ 48 79 50 56 🆄 48 79 57 48
🛏 10 🅂 360/500 F. ⏚ 82/220 F.
🍴 40 F. ⏚ 800/1000 F. 📷 340/500 F.
⊠ 15 fév./15 mars. dim. soir et lun. midi sauf été
🄳 🄳 🆂🄿 🖻 🖻 🛏 🕇 🅼 🕺
🚿 🕺 CV 🔌 CB🆅🆂🅰 E

CHAPONOST
69630 Rhône
8000 hab. ⓘ

▲ LE PRADEL ★★
22, rue René Chapard. Mme Brangi

☎ 78 45 20 11 🆄 78 45 41 24
🛏 28 🅂 220/300 F. ⏚ 60/195 F.
🍴 65 F. ⏚ 240/280 F. 📷 180/220 F.
⊠ dim. soir.
🄳 🖻 🛏 🕇 🚿 🕺 CV 🔌 ⌖ CB🆅🆂🅰 E

CHARAVINES
38850 Isère
1010 hab. ⓘ

▲▲ BEAU RIVAGE - PLAGE BEAU SITE ★★
Rue Principale le Bord du Lac.
M. Valentin
☎ 76 06 61 08 🆄 76 06 66 58
🛏 26 🅂 175/280 F. ⏚ 70/240 F.
🍴 55 F. ⏚ 265/295 F. 📷 220/240 F.
⊠ vac. Toussaint, 20 déc./1er fév., dim. soir et lun. sauf juil./août.
🄳 🄳 🖻 🛏 🛏 🕇 🕺 🔌 ⌖ CB🆅🆂🅰 E

▲▲▲ DE LA POSTE ★★
Mme Despierre Corporon
☎ 76 06 60 41 🆄 76 55 62 42
🛏 15 🅂 240/295 F. ⏚ 98/250 F.
🍴 60 F. ⏚ 315/340 F. 📷 260/290 F.
⊠ 15/30 nov., dim. soir et lun. hs.
🄳 🆂🄿 🖻 🔌 ⌖ CB🆅🆂🅰 🅰🅴 E

▲▲ HOSTELLERIE DU LAC BLEU ★★
(Lac de Paladru). Mlle Corino
☎ 76 06 60 48 🆄 76 06 66 81
🛏 14 🅂 150/250 F. ⏚ 75/200 F.
🍴 50 F. ⏚ 240/300 F. 📷 210/260 F.
⊠ 15 oct./15 mars, lun. soir et mar. hs.
🄳 🄳 🖻 🛏 🛏 🕇 🕺 🔌 ⌖ CB🆅🆂🅰 E
🄲 📷

CHARENSAT (CHANCELADE)
63640 Puy de Dôme
680 m. • 800 hab.

▲ LE CHANCELADE HOTEL
M. Lanouzière
☎ 73 52 21 77
🛏 7 🅂 140/180 F. ⏚ 65/140 F. 🍴 45 F.
⏚ 180/220 F. 📷 150/180 F.
🛏 🕇 🕺 ⌖ CB🆅🆂🅰 🅰🅴 ⓪ E

CHARETTE
71270 Saône et Loire
360 hab.

▲▲ DOUBS RIVAGE ★★
M. Reau
☎ 85 76 23 45 🆄 85 72 89 18
🛏 10 🅂 190/220 F. ⏚ 85/230 F.
🍴 50 F. ⏚ 250/270 F. 📷 225/245 F.
⊠ fév., 15 déc./6 janv., dim. soir et lun. sauf juil./août.
🄳 🖻 🛏 🕇 🕺 🚿 🚿 CV 🔌 ⌖ CB🆅🆂🅰 E

CHARITE SUR LOIRE (LA)
58400 Nièvre
6422 hab. ⓘ

▲▲ LE GRAND MONARQUE ★★
33, quai Clemenceau. M. Grennerat
☎ 86 70 21 73 🆄 86 69 62 32
🛏 9 🅂 220/350 F. ⏚ 98/220 F. 🍴 60 F.
📷 310/330 F.
⊠ vac. scol. fév./mars et ven.
10 nov./30 mars.
🄳 🄳 🖻 🛏 🕇 🕺 ⌖ CB🆅🆂🅰 🅰🅴 ⓪ E

CHARIX
01130 Ain
850 m. • 250 hab.

⚑ AUBERGE DU LAC GENIN
M. Godet
☎ 74 75 52 50 [FAX] 74 75 51 15
🛏 6 ⌧ 120/240 F. 🍽 60/100 F. 🍴 35 F.
⌧ 15 oct./1er déc., dim. soir et lun.
[icons] CB[VISA] E

CHARLEVAL
27380 Eure
1654 hab.

⚑ AUBERGE DE L'ECURIE
M. Robin
☎ 32 49 30 73 [FAX] 32 48 06 59
🛏 11 ⌧ 140/250 F. 🍽 65/185 F.
🍴 35 F. 🍽 235/275 F. 🛏 175/210 F.
⌧ fév., dim. soir et lun.
[icons] CB[VISA] E C ▢

CHARLEVILLE MEZIERES
08000 Ardennes
60000 hab. 🅸

⚑ LE PELICAN ★★
42, av. du Maréchal Leclerc. M. Homé
☎ 24 56 42 73
🛏 20 ⌧ 240 F. 🍽 75/165 F. 🍴 45 F.
🍽 285/300 F. 🛏 220/240 F.
⌧ dim.
[icons] CB[VISA] ⓪ E

⚑ RELAIS DU SQUARE ★★★
3, place de la Gare. Mme Puccianti
☎ 24 33 38 76 [FAX] 24 33 56 66
🛏 49 ⌧ 220/280 F. 🍽 89/260 F.
🍴 45 F. 🍽 370/430 F. 🛏 305/365 F.
⌧ 24 déc./1er janv.
[icons] CB[VISA] AE ⓪ E

CHARLIEU
42190 Loire
3500 hab. 🅸

⚑⚑ RELAIS DE L'ABBAYE ★★
(Le Pont de Pierre). M. Me Klein/Parenti
☎ 77 60 00 88 [FAX] 77 60 14 60
🛏 27 ⌧ 255/275 F. 🍽 87/175 F.
🍴 50 F. 🍽 330 F. 🛏 265 F.
⌧ janv. dim. soir hs et rest. lun. midi.
[icons]
CB[VISA] AE E

CHARMES
88130 Vosges
4500 hab. 🅸

⚑⚑⚑ DANCOURT ★★
6, place de l'Hôtel de Ville. M. Dancourt
☎ 29 38 80 80 [FAX] 29 38 09 15
🛏 15 ⌧ 200/280 F. 🍽 80/295 F.
🍴 63 F. 🍽 285/300 F. 🛏 220/240 F.
⌧ 20 déc./12 janv. et ven.
[icons]
CB[VISA] AE E ▢

⚑⚑ VAUDOIS ★★
4, rue des Capucins. M. Vaudois
☎ 29 38 02 40
🛏 7 ⌧ 195/250 F. 🍽 98/350 F. 🍴 65 F.

🍽 260/275 F. 🛏 215/230 F.
⌧ 22 août/7 sept., dim. soir et lun.
[icons]
CB[VISA] AE ⓪ E ▢

CHARMES (VINCEY)
88450 Vosges
2284 hab.

⚑⚑⚑ RELAIS DE VINCEY ★★★
33, rue de Lorraine. M. Grimon
☎ 29 67 40 11 [FAX] 29 67 36 66
🛏 27 ⌧ 180/300 F. 🍽 185/235 F.
🍴 60 F. 🍽 305/390 F. 🛏 270/345 F.
⌧ 2ème quinzaine août.
[icons]
[icons] CB[VISA] AE E ▢

CHARMES SUR RHONE
07800 Ardèche
1500 hab.

⚑ LE LOGIS CHARMANT ★
Sur N. 86. M. Bois ☎ 75 60 80 32
🛏 10 ⌧ 115/160 F. 🍽 57/ 60 F.
🍴 30 F. 🍽 185/195 F. 🛏 155/160 F.
[icons]

CHAROLLES
71120 Saône et Loire
4850 hab. 🅸

⚑⚑⚑ MODERNE ★★★
Av. J. Furtin. M. Bonin
☎ 85 24 07 02
🛏 17 ⌧ 250/420 F. 🍽 110/290 F.
🍴 60 F. 🍽 375/430 F. 🛏 270/325 F.
⌧ fin déc./1er fév., dim. soir et lun. hs.
[icons] CB[VISA] E

CHAROLS
26450 Drôme
400 hab.

⚑ DES VOYAGEURS ★
Mme Gaucherand ☎ 75 90 15 21
🛏 11 ⌧ 160/180 F. 🍽 70/180 F.
🍴 35 F. 🛏 170/200 F.
⌧ 3 premières semaines oct.,
24 déc./4 janv. et rest. sam.
[icons] CB[VISA] E

CHAROST
18290 Cher
1150 hab.

⚑⚑ RELAIS DE CHAROST ★★
11, av. du 8 Mai. M. Guemon
☎ 48 26 20 39
🛏 10 ⌧ 200/300 F. 🍽 95/250 F.
🍴 60 F.
⌧ dim. soir hs.
[icons] CB[VISA] E

CHARRIN
58300 Nièvre
700 hab.

⚑ DES VOYAGEURS
M. Jolivet ☎ 86 50 30 50
🛏 10 ⌧ 120/200 F. 🍽 68/180 F.
🍴 35 F. 🍽 200/220 F. 🛏 150/170 F.
⌧ 20 déc./5 janv. et lun.
[icons] CB[VISA]

CHARTRE SUR LE LOIR (LA)
72340 Sarthe
2000 hab. ⓘ

AAA DE FRANCE ★★
M. Pasteau ☎ 43 44 40 16 FAX 43 79 62 20
🛏 29 ⊗ 230/300 F. 🍴 70/270 F.
🍽 50 F. 🛏 285/315 F. 🛏 220/250 F.
✉ 15 nov./15 déc. dim. soir et lun.
15 déc./15 mars.
⌂ 🛏 🔊 🚗 🚗 🗏 🐕 🕍 ⚓ CB🆚 E C

CHARTRES
28000 Eure et Loir
41251 hab. ⓘ

AA DE LA POSTE ★★
3, rue Général Koenig. M. Sevetre
☎ 37 21 04 27 TX 760533 FAX 37 36 42 17
🛏 60 ⊗ 225/290 F. 🍴 76/165 F.
🍽 45 F. 🍴 325/355 F. 🛏 250/280 F.
⌂ 🛏 D SP 🔊 🚗 🚗 🚗 🗏 🐕 🕍 ⚓
CB🆚 AE ⊚ E C

AA DU BOEUF COURONNE ★★
15, place Châtelet. Mme Vinsot
☎ 37 21 11 26 FAX 37 21 72 13
🛏 27 ⊗ 149/275 F. 🍴 84/189 F.
🍽 52 F. 🍴 545/671 F. 🛏 377/503 F.
✉ dim. soir 1er déc./Pâques.
⌂ 🛏 D 🔊 🚗 🛏 CV ⚓ CB🆚 AE ⊚ E

CHASSENEUIL DU POITOU
86360 Vienne
2500 hab. ⓘ

AA CHATEAU LE CLOS DE LA RIBAUDIERE ★★★
M. Bini ☎ 49 52 86 66 FAX 49 52 86 32
🛏 19 ⊗ 280/500 F. 🍴 145/250 F.
🍽 95 F. 🍴 500/650 F. 🛏 400/550 F.
⌂ 🛏 SP 🔊 🚗 🚗 🗏 🐕 🕍 🏃 🝙 CV 🕍 ⚓
CB🆚 AE ⊚ E

CHASSENEUIL SUR BONNIEURE
16260 Charente
3800 hab.

AA DE LA GARE ★
9, rue de la Gare. M. Cormau
☎ 45 39 50 92 FAX 45 39 64 03
🛏 12 ⊗ 120/230 F. 🍴 60/250 F.
🍽 45 F. 🍴 200/250 F. 🛏 150/210 F.
✉ 1er/18 janv., 1er/19 juil., dim. soir et lun.
⌂ 🛏 D 🔊 🚗 🚗 🚗 CV ⚓ CB🆚 E

CHASSEY LE CAMP
71150 Saône et Loire
258 hab.

AAA AUBERGE DU CAMP ROMAIN ★★
M. Dressinval
☎ 85 87 09 91 TX 801583 FAX 85 87 11 51
🛏 40 ⊗ 145/360 F. 🍴 115/175 F.
🍽 50 F. 🛏 263/315 F.
✉ 2 janv./10 fév.
⌂ 🛏 🔊 🚗 🚗 🚗 🗏 🏖 🛶 🏃 🝙 🝙 ▶
🝙 🕍 ⚓ CB🆚 E

CHASTEL NOUVEL
48000 Lozère
1020 m. • 620 hab.

A DURAND
Mme Lauraire ☎ 66 65 13 02
🛏 7 ⊗ 100/130 F. 🍴 60 F. 🍽 40 F.

🍴 180 F. 🛏 130 F.
✉ 18 déc./11 janv. et dim. soir hs.
🚗 CV ⚓

CHATAIGNERAIE (LA)
85120 Vendée
3080 hab. ⓘ

AA AUBERGE DE LA TERRASSE ★★
7, rue de Beauregard. M. Leroy
☎ 51 69 68 68 FAX 51 52 67 96
🛏 14 ⊗ 237 F. 🍴 60/240 F. 🍽 45 F.
🛏 240 F.
✉ vac. scol. Noël/Nouvel an, sam. hs et
sauf week-ends fériés.
⌂ 🛏 SP 🔊 🚗 🝙 🕍 ⚓ CB🆚 AE ⊚ E

CHATEAU BERNARD (COL DE L'ARZELIER)
38650 Isère
1154 m. • 147 hab. ⓘ

AA DES DEUX SOEURS ★★
(Au Col de l'Arzelier). M. Riondet
☎ 76 72 37 68 FAX 76 72 20 25
🛏 24 ⊗ 195/215 F. 🍴 75/180 F.
🍽 50 F. 🍴 290/310 F. 🛏 225/245 F.
✉ 19 sept./7 oct.
⌂ 🛏 🔊 🚗 🚗 🗏 🐕 🝙 🏃 CV 🕍 ⚓
CB🆚 E

CHATEAU CHINON
58120 Nièvre
3500 hab. ⓘ

AA AU VIEUX MORVAN ★★
8, place Gudin. M. Duriatti
☎ 86 85 05 01 \ 86 85 10 11
FAX 86 85 02 78
🛏 23 ⊗ 270/350 F. 🍴 85/200 F.
🍽 55 F. 🛏 240/300 F.
✉ fin déc./fin janv.
🛏 🔊 🚗 🕍 ⚓ CB🆚 E

A LE LION D'OR ★
10, rue des Fosses. M. Dangelser
☎ 86 85 13 56
🛏 8 ⊗ 140/250 F. 🍴 70/135 F. 🍽 45 F.
🍴 210/230 F. 🛏 180/200 F.
✉ 24 déc./1er janv., dim. soir et lun.
🔊 🚗 🝙 CV ⚓ CB🆚 E

CHATEAU D'OLERON (LE)
17480 Charente Maritime
3411 hab.

A DE FRANCE ★★
11, rue du Maréchal Foch. M. Robert
☎ 46 47 60 07
🛏 11 🍴 85/145 F. 🍽 55 F.
🍴 330/370 F. 🛏 260/300 F.
✉ 24 déc./18 janv., dim. soir et lun.
sauf 1er juil./31 août.
⌂ 🛏 SP 🔊 🚗 🝙 🝙 🕍 CV ⚓ CB🆚 AE E

CHATEAU DU LOIR
72500 Sarthe
5891 hab. ⓘ

A DE LA GARE
M. Janière ☎ 43 44 00 14 FAX 43 44 11 79
🛏 16 ⊗ 125/240 F. 🍴 58/150 F.
🍽 40 F. 🍴 230/290 F. 🛏 180/220 F.
✉ 14/29 août, 19 déc./2 janv. et dim.
🔊 🚗 🚗 🝙 🕍 ⚓ CB🆚 E

CHATEAU DU LOIR (suite)

♨ GRAND HOTEL ★★
Place de l'Hôtel de Ville. Mme Massacret
☎ 43 44 00 17
🛏 20 ▧ 170/250 F. 🍽 90/190 F.
🍴 65 F. 🛎 250 F.
🏧 🔲 🕿 🛏 🔌 CB🆅🆂🅰 E

CHATEAU GONTIER
53200 Mayenne
10000 hab. ⓘ

⚜ DU CERF ★★
31, rue Garnier. Mme Mezière
☎ 43 07 25 13 🖷 43 07 02 90
🛏 22 ▧ 140/220 F.
🔲 🕿 🛏 🔌 CB🆅🆂🅰 ⓞ E

♨ HOSTELLERIE DE MIRWAULT ★★
Rue du Val de la Mayenne. M. Mitchell
☎ 43 07 13 17 🖷 43 07 82 96
🛏 11 ▧ 250 F. 🍽 85/220 F. 🍴 65 F.
🛎 240 F.
⊠ 1er janv./15 mars, lun. midi et mer. midi.
🏧 🔲 🕿 🛏 🕮 🎾 🎿 🎣 CV 🔌 🔌
CB🆅🆂🅰 🆎 E

♨♨ LA BRASSERIE ET LE PARC HOTEL ★★★& ★
2-46, av. Joffre. Mme Cadot
☎ 43 07 28 41 \ 43 07 10 80
🖷 43 70 01 13
🛏 35 ▧ 155/325 F. 🍽 95/300 F.
🍴 50 F. 🍽 350/400 F. 🛎 290/330 F.
⊠ dim. soir.
🏧 🆂🅿 🔲 🕿 🛏 🛏 🎾 🌲 🏂 🎣 🔌 🔌
🔌 CB🆅🆂🅰 E

CHATEAU LA VALLIERE
(VILLIERS AU BOUIN)
37330 Indre et Loire
677 hab. ⓘ

♨♨ HOSTELLERIE DU GRAND CERF ★★
(La Porrerie), D. 959. Route du Lude.
M. Meunier
☎ 47 24 11 06 🖷 47 24 18 95
🛏 24 ▧ 190/240 F. 🍽 68/150 F.
🍴 45 F. 🍽 270/290 F. 🛎 220/240 F.
⊠ 19 fév./6 mars, 22 oct./14 nov., et
dim. soir, sam. hs.
🏧 🔲 🕿 🛏 🎾 🔌 🔌 CB🆅🆂🅰 E C

CHATEAU LANDON
77570 Seine et Marne
3314 hab. ⓘ

♨ LE CHAPEAU ROUGE ★★
2, Place du Marché. M. Cadi
☎ (1) 64 29 30 52 🖷 (1) 64 29 44 10
🛏 10 ▧ 140/200 F. 🍽 90/160 F.
🍴 30 F. 🍽 180/240 F. 🛎 150/200 F.
🏧 🔲 D 🕿 CV 🔌 🔌 CB🆅🆂🅰 🆎 E C 🔌

CHATEAU RENAULT
37110 Indre et Loire
5787 hab. ⓘ

♨♨ L'ECU DE FRANCE ★★★
37, place Jean Jaurès. M. Lasnes
☎ 47 29 50 72
🛏 6 ▧ 250/450 F. 🍽 78/175 F. 🍴 55 F.

🛎 270 F.
⊠ 22 déc./4 janv., dim. soir et lun. midi
hs.
🔲 🕿 CV 🔌 CB🆅🆂🅰 🆎 E

♨♨ LE LION D'OR ★
166, rue de la République.
Mme Guignard
☎ 47 29 66 50
🛏 10 ▧ 120/200 F. 🍽 70/260 F.
🍴 60 F. 🍽 265/305 F. 🛎 185/225 F.
⊠ 2 semaines vac. scol. fév.,
2ème quinzaine oct., dim. soir et lun.
sauf saison été.
🏧 🕿 🛏 🛏 🔌 🔌 CB🆅🆂🅰 ⓞ E

CHATEAU SALINS
57170 Moselle
2800 hab. ⓘ

♨ LE CASTEL
26, rue de Metz. M. Nondier
☎ 87 05 17 05
🛏 10 ▧ 100/180 F. 🍽 55/150 F.
🍴 25 F. 🍽 150/180 F. 🛎 130/150 F.
⊠ fév.
🕿 🛏 CV 🔌 🔌 CB🆅🆂🅰 ⓞ E

♨ LE FLORIDE ★
M. Nondier
☎ 87 05 11 39
🛏 14 ▧ 100/180 F. 🍽 50/ 80 F.
🍴 30 F. 🍽 180/200 F. 🛎 150/170 F.
⊠ dim. soir.
🕿 🛏 🛏 🔌 CV 🔌 CB🆅🆂🅰 E

CHATEAUDUN
28200 Eure et Loir
16000 hab. ⓘ

♨♨ DE LA ROSE ★★
12, rue Lambert Licors M. Méraou
☎ 37 45 21 83 🖷 37 45 21 83
🛏 12 ▧ 245/255 F. 🍽 89/220 F.
🍴 65 F. 🍽 315 F. 🛎 235 F.
⊠ 15/30 nov. et dim. soir hs.
🔲 🕿 🛏 🔌 🔌 CB🆅🆂🅰 🆎 ⓞ E 🔌

CHATEAUGIRON
35410 Ille et Vilaine
4200 hab. ⓘ

♨♨ AUBERGE DU CHEVAL BLANC ★
M. Cottebrune
☎ 99 37 40 27 🖷 99 37 59 68
🛏 18 ▧ 145/230 F. 🍽 60/180 F.
🍴 40 F. 🍽 210/250 F. 🛎 150/190 F.
⊠ dim. soir, soirs jours fériés et rest.
lun. 1er oct./31 mars.
🏧 🔲 🕿 🛏 CV 🔌 🔌 CB🆅🆂🅰 E 🔌

CHATEAULIN
29150 Finistère
5500 hab. ⓘ

♨♨ AU BON ACCUEIL ★★
A Port Launay. Mme Le Guillou
☎ 98 86 15 77 🖷 98 86 36 25
🛏 51 ▧ 145/330 F. 🍽 75/220 F.
🍴 40 F. 🍽 310/370 F. 🛎 260/320 F.
⊠ 1er janv./15 fév., dim. soir et lun.
1er janv./1er mai, 1er sept./31 déc.
🏧 🔲 🕿 🛏 🛏 🎾 ▶ 🔌 CV 🔌 🔌
CB🆅🆂🅰 E

CHATEAULIN (suite)

▲▲ LE CHRISMAS ★★
33, Grand Rue. Mme Feillant
☎ 98 86 01 24 ⩘ 98 86 37 09
🛏 24 ⌧ 135/300 F. ⅲ 70/180 F.
🍽 45 F. ⓜ 220/300 F. 🛎 170/270 F.
⌧ vac. scol. Noël, sam. soir et dim.
oct./Pâques.
🏠 ⬚ ☎ ♨ CV ▥ ↔ CB⟁ E

CHATEAUNEUF DU FAOU
29520 Finistère
3800 hab. ⓘ

▲▲ RELAIS DE CORNOUAILLE ★★
9, rue Paul Serusier M. Gourtay
☎ 98 81 75 36 ⩘ 98 81 81 32
🛏 29 ⌧ 200/260 F. ⅲ 65/180 F.
🍽 50 F. ⓜ 250/300 F. 🛎 200/250 F.
⌧ oct., rest. sam. et dim. soir.
🏠 ⬚ ☎ 🚗 ♨ ⪦ 🦮 🎿 ♿ CV ▥
↔ CB⟁ E

CHATEAUNEUF LE ROUGE
13790 Bouches du Rhône
1300 hab.

▲▲▲ LA GALINIERE ★★★
Sur N. 7. Mme Gagnières
☎ 42 53 32 55 ⓉⅩ 403553 ⩘ 42 53 33 80
🛏 16 ⌧ 270/450 F. ⅲ 95/300 F.
🍽 60 F. ⓜ 460/520 F. 🛎 330/390 F.
🏠 ⬚ ☎ 🚗 🚗 🏊 ⪤ ♿ ▥ ↔
CB⟁ AE ⓞ E ▣

CHATEAUNEUF LES BAINS
63390 Puy de Dôme
400 hab. ⓘ

▲▲ DU CHATEAU ★★
M. Belaud
☎ 73 86 67 01
🛏 36 ⌧ 210/250 F. ⅲ 80/155 F.
🍽 35 F. ⓜ 210/265 F. 🛎 170/225 F.
⌧ 1er oct./30 avr.
🏠 ⬚ ☎ 🚗 🚗 ♨ CV ▥ ↔ CB⟁ E C

CHATEAUNEUF SUR LOIRE
45110 Loiret
7000 hab. ⓘ

▲▲▲ LA CAPITAINERIE ★★
Grande Rue. M. Tironneau
☎ 38 58 42 16 ⩘ 38 58 46 81
🛏 12 ⌧ 285/395 F. ⅲ 124/281 F.
🍽 84 F. ⓜ 504/557 F. 🛎 379/433 F.
⌧ fév., dim. soir et lun. sauf hôtel saison.
🏠 ⬚ ☎ ♨ ⪤ ▥ ↔ CB⟁ E

▲▲ NOUVEL HOTEL DU LOIRET ★★
4, place Aristide Briand. Mme Laine
☎ 38 58 42 28 ⩘ 38 58 43 99
🛏 16 ⌧ 210/250 F. ⅲ 75/195 F.
🍽 70 F. ⓜ 285/305 F. 🛎 210/230 F.
⌧ 20 déc./31 janv. et dim. soir.
🏠 ⬚ ☎ 🚗 ▥ ↔ CB⟁ AE ⓞ E

CHATEAUNEUF SUR SARTHE
49330 Maine et Loire
2370 hab. ⓘ

▲▲ DE LA SARTHE ★★
1, rue du Port. M. Houdebine
☎ 41 69 85 29
🛏 7 ⌧ 190/260 F. ⅲ 90/200 F. 🍽 60 F.
ⓜ 300 F. 🛎 255 F.

⌧ 7/29 oct., 2 semaines vac. scol.
fév., dim. soir et lun. sauf juil./août.
↗ CB⟁ E

▲▲ LES ONDINES ★★
Quai de la Sarthe. M. De Potter
☎ 41 69 84 38 ⩘ 41 69 83 59
🛏 24 ⌧ 247/327 F. ⅲ 72/199 F.
🍽 42 F. ⓜ 299/326 F. 🛎 219/237 F.
⌧ dim. soir 15 nov./15 mars.
🏠 ⬚ ☎ 🚗 ♨ CV ▥ ↔ CB⟁ AE E

CHATEAURENARD
13160 Bouches du Rhône
12000 hab. ⓘ

▲ LA PASTOURELLE
12, rue des Ecoles. M. Guiliani
☎ 90 94 10 68
🛏 9 ⌧ 80/160 F. ⅲ 50/100 F. 🍽 30 F.
ⓜ 175/260 F. 🛎 145/230 F.
⌧ lun. soir.
⬚ 🚗 ⪦ CV ↔ CB⟁ AE E

▲▲ LES GLYCINES ★★
14, av. Victor Hugo. M. Garagnon
☎ 90 94 78 10 ＼ 90 94 10 66
🛏 10 ⌧ 180/210 F. ⅲ 85/175 F.
🍽 45 F. ⓜ 280/320 F. 🛎 210/250 F.
⌧ 2ème quinzaine fév. et lun.
🏠 ⬚ ☎ CV ▥ ↔ CB⟁

CHATEAURENARD
45220 Loiret
2500 hab. ⓘ

▲ DU SAUVAGE
3, place de la République. Mme Schwab
☎ 38 95 23 55
🛏 6 ⌧ 180/220 F. ⅲ 99/230 F.
⌧ vac. scol. fév., dim. soir et lun. sauf
jours fériés.
⬚ ▥ ↔ CB⟁ E

CHATEAUROUX
36000 Indre
55620 hab. ⓘ

▲▲ DE LA GARE ★★
5, place de la Gare. M. Me Neuville
☎ 54 22 77 80 ⩘ 54 22 83 72
🛏 37 ⌧ 120/295 F. ⅲ 50/180 F.
🍽 33 F. ⓜ 280/455 F. 🛎 210/385 F.
⌧ Rest. sam. midi.
🏠 ⬚ ☎ 🚗 ⪤ ♨ CV ▥ ↔ CB⟁ AE
ⓞ E ▣

▲▲ LE CONTINENTAL ★★
17, rue du Palais de Justice. M. Cosnier
☎ 54 34 36 12 ⩘ 54 34 37 10
🛏 21 ⌧ 190/250 F. ⅲ 70/150 F.
🍽 40 F. ⓜ 260/350 F. 🛎 187/290 F.
🏠 ⬚ ☎ ⪦ ↔ CB⟁ E

CHATEAUROUX (CERE)
36130 Indre
1000 hab.

▲▲ LA PROMENADE ★★
(A Cere Coings). M. Broussin
☎ 54 22 04 00
🛏 16 ⌧ 110/260 F. ⅲ 49/ 98 F.
🍽 35 F.
⌧ sam. hs.
🏠 ⓓ SP ⬚ ☎ 🚗 ⪤ 🎿 CB⟁ AE ⓞ E

CHATEL
74390 Haute Savoie
1200 m. • 1000 hab. [i]

⚓ LA CHAUMIERE ★★
Route de THonon. M. Novaro
☎ 50 73 22 12 📠 50 81 30 45
🛏 10 ⬛ 75/ 95 F. 🍴 45 F.
🏨 220/290 F. 🍽 190/260 F.
✉ 30 avr./1er juil.
[icons] CBⓋⓈ E

⚓⚓ LE KANDAHAR ★★
(Clos du Tour). Mme Vuarand
☎ 50 73 30 60 📠 50 73 25 17
🛏 16 ⬛ 240/270 F. 🍴 85/180 F.
🏨 48 F. 🍽 270/360 F. 🍽 230/330 F.
✉ 15 avr./6 mai, 1er nov./15 déc., rest.
dim. soir mai/juin et sept./oct.
[icons] ⬅ CBⓋⓈ E

⚓⚓ LES TRIOLETS ★★
Route du Petit-Châtel. M. Grillet-Aubert
☎ 50 73 20 28 📠 385 856 📠 50 73 24 10
🛏 20 🍴 97/200 F. 🏨 55 F.
🍽 286/406 F. 🍽 261/381 F.
✉ 30 avr./15 juin et 10 sept./20 déc.
[icons] CBⓋⓈ E

CHATELAILLON PLAGE
17340 Charente Maritime
5469 hab. [i]

⚓⚓ LE RIVAGE Rest. LE SAINT VICTOR ★★
36, bld de la Mer.
Mme Blaineau-Chartier
☎ 46 56 25 79 📠 46 56 19 03
🛏 42 ⬛ 210/315 F. 🍽 502/567 F.
✉ 11 nov./31 mars.
[icons] CBⓋⓈ E C

⚓⚓ MAJESTIC ★★
Bld de la Libération. M. Aucouturier
☎ 46 56 20 53 📠 46 56 29 24
🛏 29 ⬛ 200/310 F. 🍴 98/145 F.
🏨 50 F. 🍽 300/370 F. 🍽 240/300 F.
✉ 28 oct./6 nov., 16 déc./8 janv., sam.
et dim. oct./mars.
[icons] CBⓋⓈ AE ⓪
E C

CHATELBLANC
25240 Doubs
1020 m. • 90 hab. [i]

⚓⚓ LE CASTEL BLANC ★★
M. Jacquier
☎ 81 69 24 56
🛏 11 ⬛ 180/290 F. 🍴 89/160 F.
🏨 60 F. 🍽 290/380 F. 🍽 240/330 F.
✉ 30 oct./15 déc., dim. soir et lun. hs.
[icons] ⬅ CBⓋⓈ E

CHATELET EN BRIE (LE)
77820 Seine et Marne
3772 hab.

⚓ LA CHAUMIERE ★
17, rue de Robillard. M. Roudsousky
☎ (1) 60 69 40 10
🛏 8 ⬛ 230/240 F. 🍴 68/110 F. 🏨 50 F.

🍽 235/245 F. 🍽 195/205 F.
✉ juil. ou août et dim.
CV ⬅ CBⓋⓈ E

CHATELGUYON
63140 Puy de Dôme
4000 hab. [i]

⚓⚓⚓ BELLEVUE ★★
4, rue Alfred Punett. M. Reichmuth
☎ 73 86 07 62 📠 73 86 02 56
🛏 38 ⬛ 235/270 F. 🍴 95/115 F.
🏨 45 F. 🍽 253/285 F. 🍽 223/255 F.
✉ 10 oct./Pâques.
[icons]
CBⓋⓈ E

⚓ CHANTE-GRELET ★★
32, av. Général de Gaulle. M. Alvès
☎ 73 86 02 05
🛏 35 ⬛ 170/280 F. 🍴 75/110 F.
🏨 45 F. 🍽 220/300 F. 🍽 190/230 F.
✉ 2 oct./24 avr.
[icons] CV ⬅ CBⓋⓈ E

⚓ DES BAINS ★★
12-14, av. Baraduc. M. Chalus
☎ 73 86 07 97
🛏 37 ⬛ 190/270 F. 🍴 95/135 F.
🏨 38 F. 🍽 235/330 F. 🍽 195/290 F.
✉ 1er oct./21 avr.
[icons] CV ⬅ CBⓋⓈ E

⚓⚓ PRINTANIA ★★
12, av. de Belgique. M. Cistrier
☎ 73 86 15 09 📠 73 86 22 87
🛏 39 ⬛ 175/310 F. 🍴 88/145 F.
🏨 46 F. 🍽 227/317 F. 🍽 204/286 F.
✉ début oct./mi-avr.
[icons] CV ⬅ CBⓋⓈ E

⚓⚓ REGENCE CENTRAL ★★
31, av. des Etats-Unis. M. Porte
☎ 73 86 02 60
🛏 27 ⬛ 200/220 F. 🍴 80/ 90 F.
🏨 40 F. 🍽 260/288 F. 🍽 240/268 F.
✉ Hôtel 1er nov./9 avr.
[icons] CV ⬅ CBⓋⓈ E

CHATELGUYON (SAINT HIPPOLYTE)
63140 Puy de Dôme
1100 hab. [i]

⚓ LE CANTALOU ★
(A Saint-Hippolyte). Mme Cheyrouse
☎ 73 86 04 67
🛏 33 ⬛ 140/210 F. 🍴 60/115 F.
🏨 42 F. 🍽 190/230 F. 🍽 160/190 F.
✉ Hôtel 3 nov./1er mars, rest.
15 oct./Pâques et lun. midi.
[icons] CV ⬅ CBⓋⓈ E

CHATELLERAULT
86100 Vienne
36870 hab. [i]

⚓⚓⚓ LE CROISSANT ★★
15, av. Kennedy. Mme Pied
☎ 49 21 01 77 📠 49 21 57 92
🛏 19 ⬛ 130/300 F. 🍴 78/180 F.
🏨 46 F. 🍽 200/300 F. 🍽 180/250 F.
✉ dim. soir et lun. sauf juil./août.
[icons] CBⓋⓈ AE ⓪ E

CHATENET EN DOGNON (LE)
87400 Haute Vienne
500 hab.

▲▲ RELAIS DES TILLEULS ★
M. Detivaud
☎ 55 57 10 24 📠 55 57 10 85
🛏 6 ◈ 175/235 F. 🍽 85/200 F. 🍴 50 F.
🍲 210/270 F. 🛏 180/240 F.
✉ dim. soir et lun.
🄴 🛇 🕿 🚗 ⚕ 🏂 🎔 CV 🕎 ⬤ CB🆅🆂🅰 E

CHATENOIS
67730 Bas Rhin
3200 hab. ℹ

▲▲ DONTENVILLE ★★
M. Dontenville ☎ 88 92 02 54
🛏 13 ◈ 200/350 F. 🍽 90/150 F.
🍴 35 F. 🛏 240/250 F.
✉ fev., mar. et ven. midi.
🄴 🄳 🛇 🕿 🚗 🕎 ⬤ CB🆅🆂🅰 E

CHATILLON EN BAZOIS
58110 Nièvre
1150 hab. ℹ

▲ AUBERGE DE L'HOTEL DE FRANCE ★★
Mme Chauvière
☎ 86 84 13 10 📠 86 84 14 32
🛏 14 ◈ 180/300 F. 🍽 68/170 F.
🍴 58 F. 🍲 230/295 F. 🛏 170/245 F.
✉ 22 déc./6 janv. et dim. soir hs.
🄳 🛇 🕿 🚗 🕎 ⬤ CB🆅🆂🅰 E

CHATILLON EN DIOIS
(TRESCHENU LES NONIERES)
26410 Drôme
850 m. • 118 hab.

▲▲ LE MONT BARRAL ★★
M. Favier
☎ 75 21 12 21 📠 75 21 12 70
🛏 24 ◈ 195/240 F. 🍽 80/150 F.
🍴 35 F. 🍲 290/310 F. 🛏 210/250 F.
✉ 15 nov./20 déc. et mar. hs.
🄴 🕿 🚗 🍴 🎿 🛝 🎣 🏂 CV 🕎 ⬤
CB🆅🆂🅰 E

CHATILLON SUR CHALARONNE
01400 Ain
3900 hab. ℹ

▲▲ DE LA TOUR ★★
Mme Rassion
☎ 74 55 05 12 📠 74 55 09 19
🛏 13 ◈ 160/300 F. 🍽 95/315 F.
🍲 335/370 F. 🛏 240/275 F.
✉ 15 jours fin nov./début déc.,
3 semaines fin fév./début mars, dim. soir
et mer.
🄴 🛇 🕿 🚗 🕎 ⬤ CB🆅🆂🅰 E

CHATILLON SUR CLUSES
74300 Haute Savoie
750 m. • 858 hab.

▲▲ LE BOIS DU SEIGNEUR ★★
M. Guérinet ☎ 50 34 27 40
🛏 10 ◈ 245/270 F. 🍽 75/210 F.
🍴 52 F.
✉ 25 nov./15 déc., 15 juin/7 juil., rest.
dim. soir et lun.
🄴 🛇 🕿 🚗 🕎 ⬤ CB🆅🆂🅰 E

CHATILLON SUR INDRE
36700 Indre
3200 hab. ℹ

▲ AUBERGE DE LA TOUR ★★
2, route du Blanc. M. Pipelier
☎ 54 38 72 17 📠 54 38 74 85
🛏 10 ◈ 140/300 F. 🍽 70/220 F.
🍴 50 F. 🍲 233/309 F. 🛏 155/239 F.
🛇 🕿 🚗 🚗 🕎 ⬤ CB🆅🆂🅰 E

CHATRE (LA)
36400 Indre
5005 hab. ℹ

▲▲ DU LION D'ARGENT ET DES
TANNERIES ★★
M. Audebert
☎ 54 48 11 69 📠 751650 📠 54 06 02 24
🛏 34 ◈ 235/360 F. 🍽 70/140 F.
🍴 35 F. 🍲 330/350 F. 🛏 240/260 F.
🄴 🄳 🛇 🕿 🚗 🍴 🕿 🎣 ⛳ 🛝 CV 🕎
⬤ CB🆅🆂🅰 🅰🅴 ⓞ E C 🔲

✳ NOTRE DAME ★★
Place Notre Dame. Mme Leuillet
☎ 54 48 01 14 📠 54 48 31 14
🛏 17 ◈ 190/300 F.
🄴 🛇 🕿 🚗 🚗 🕿 CV CB🆅🆂🅰 🅰🅴 ⓞ E

CHAUDES AIGUES
15110 Cantal
750 m. • 1500 hab. ℹ

▲▲ DES THERMES ★★
M. Costerousse ☎ 71 23 51 18
🛏 35 ◈ 160/270 F. 🍽 63/175 F.
🍴 45 F. 🍲 380/490 F. 🛏 300/410 F.
✉ 1er janv./24 avr. et 24 oct./31 déc.
🄴 🛇 🕿 🚗 🛏 CV ⬤ CB🆅🆂🅰 E

CHAUFFAYER
05800 Hautes Alpes
915 m. • 500 hab. ℹ

▲▲ LE BERCAIL ★★
M. Charpentier
☎ 92 55 22 21 📠 92 55 31 55
🛏 13 ◈ 170/250 F. 🍽 70/120 F.
🍴 35 F. 🍲 300 F. 🛏 250 F.
✉ 10 oct./10 nov. et dim. soir.
🄴 🄳 🛇 🕿 🚗 🕿 ⬤ CB🆅🆂🅰 🅰🅴 ⓞ E

CHAULME (LA)
63660 Puy de Dôme
1150 m. • 130 hab.

▲ AUBERGE DU CREUX DE L'OULETTE ★★
M. Beraud ☎ 73 95 41 16 📠 73 95 80 83
🛏 11 ◈ 200/290 F. 🍽 60/210 F.
🍲 218/238 F. 🛏 176/196 F.
✉ 15 nov./15 déc., 5/30 janv. et mer.
sauf vac. scol.
🄳 🛇 🕿 🚗 🕿 🛝 CV ⬤ CB🆅🆂🅰 E

CHAUMEIL
19390 Corrèze
650 m. • 200 hab.

▲▲ AUBERGE DES BRUYERES ★
Mme Feugeas
☎ 55 21 34 68 📠 55 21 44 10
🛏 14 ◈ 100/200 F. 🍽 60/150 F.
🍴 50 F. 🍲 220 F. 🛏 180 F.
✉ 5/25 oct., 3/30 janv. et dim. soir hs.
🄴 🕿 🕿 CV CB🆅🆂🅰 🅰🅴 ⓞ E

CHAUMERGY
39230 Jura
398 hab.

⌂ LES MARRONNIERS ★★
Place du Carouge. M. Daumard
☎ 84 48 62 10
🛏 7 🍴 200/230 F. ⏹ 60/150 F. 🍽 39 F.
⏹ 210/240 F. 🍽 180/195 F.
☒ dim. hs.
🛏 ⌂ ☎ ⛱ 🍴 ♿ 🅿 ● CB🆅🆂🄰 E

CHAUMES EN BRIE
77390 Seine et Marne
2200 hab.

⌂⌂⌂ LA CHAUM'YERRES ★★★
1, av. de la Libération. M. Me Berton
☎ (1) 64 06 03 42 🆇 (1) 64 06 36 15
🛏 9 🍴 280/480 F. ⏹ 170/240 F.
🍽 65 F. 🍽 300/390 F.
☒ dim. soir et lun. 1er oct./31 mars.
🅴 🆂🅿 ⌂ ☎ ⛱ 🍴 ▶ 🅃 ♿ 🅿 🍴
● CB🆅🆂🄰 🄰🄴 ⑩ E ▪

CHAUMONT
52000 Haute Marne
27041 hab. 🄸

⌂⌂ DES REMPARTS ★★
72, rue de Verdun. M. Guy
☎ 25 32 64 40 🆇 25 32 51 70
🛏 15 🍴 180/280 F. ⏹ 75/185 F.
🍽 45 F.
🅴 🆂🅿 ⌂ ☎ 🛏 ▶ 🅃 🍴 ● CB🆅🆂🄰 E

⌂⌂ L'ETOILE D'OR ★★
Route de Langres. M. Schlienger
☎ 25 03 02 23 🆇 25 32 52 33
🛏 16 🍴 155/390 F. ⏹ 68/165 F.
🍽 59 F.
☒ 8/30 nov. et dim. soir.
🅴 🆂🅿 ⌂ ☎ ⛱ ▶ ♿ 🍴 CB🆅🆂🄰 🅃 E

⌂⌂ LE GRAND VAL ★★
Route de Langres. Mme Noël
☎ 25 03 90 35 🆇 25 32 11 80
🛏 52 🍴 150/320 F. ⏹ 60/160 F.
🍽 45 F.
⌂ ☎ ⛱ 🛏 🍴 ♿ 🅃 🍴 ● CB🆅🆂🄰 🄰🄴
⑩ E 🅲 ▪

⌂ LE RELAIS ★
20, faubourg de la Maladière.
Mme Conrad ☎ 25 03 02 84
🛏 7 🍴 200/220 F. ⏹ 60/150 F. 🍽 45 F.
⏹ 240 F. 🍽 180 F.
☒ 15 jours juil., 15 jours janv./fév.,
dim. soir et lun.
🅴 ⌂ ♿ 🍴 ● CB🆅🆂🄰 E ▪

CHAUMONT SUR LOIRE
41150 Loir et Cher
1000 hab. 🄸

⌂⌂ HOSTELLERIE DU CHATEAU ★★★
2, rue du Mal de Lattre de Tassigny.
Mme Gourdin
☎ 54 20 98 04 🆇 54 20 97 98
🛏 15 🍴 370/590 F. ⏹ 90/235 F.
🍽 35 F. ⏹ 390/510 F. 🍽 310/420 F.
🅴 🆂🅿 ⌂ ☎ ⛱ 🛏 🍴 ◨ 🍴 CB🆅🆂🄰 E ▪

CHAUMONT SUR THARONNE
41600 Loir et Cher
901 hab. 🄸

⌂⌂⌂ LA CROIX BLANCHE ★★★
M. Goacolou ☎ 54 88 55 12 🆇 54 88 60 40
🛏 12 🍴 250/500 F. ⏹ 118/350 F.
🍽 70 F. ⏹ 420/500 F.
🅴 ⌂ ☎ ⛱ 🛏 🍴 🍴 ♿ CV 🍴 🍴
CB🆅🆂🄰 ⑩ E

CHAUNAY
86510 Vienne
1157 hab.

⌂⌂ CENTRAL ★★
Mme Bresson
☎ 49 59 25 04 🆇 49 53 41 88
🛏 14 🍴 150/380 F. ⏹ 75/160 F.
🍽 45 F. ⏹ 250/350 F. 🍽 220/260 F.
☒ 25 janv./28 fév. et dim. soir
1er oct./31 mars.
⌂ ☎ ⛱ 🛏 ▶ 🅃 🍴 ♿ 🍴 CB🆅🆂🄰 E

CHAUSSEE SUR MARNE (LA)
51240 Marne
550 hab. 🄸

⌂ DU MIDI ★
M. Caby ☎ 26 72 94 77 🆇 26 72 96 01
🛏 12 🍴 140/210 F. ⏹ 75/160 F.
🍽 45 F. ⏹ 200/350 F. 🍽 170/300 F.
☒ 24 déc./3 janv. et dim. soir.
⌂ ☎ ⛱ 🍴 🅃 CV 🍴 🍴 CB🆅🆂🄰 🄰🄴 E

CHAUSSIN
39120 Jura
1500 hab.

⌂⌂⌂ CHEZ BACH ★★
Place de l'Ancienne Gare.
Mme Bach-Vernay
☎ 84 81 80 38 🆇 84 81 83 80
🛏 22 🍴 210/320 F. ⏹ 80/250 F.
🍽 55 F. ⏹ 280/310 F. 🍽 260/280 F.
☒ ven. soir et dim. soir sauf juil./août.
🅴 🅳 🆂🅿 ⌂ ☎ ⛱ 🛏 ▶ 🍴 🅃 CV 🍴
🍴 CB🆅🆂🄰 🄰🄴 E ▪

CHAUVIGNY
86300 Vienne
7000 hab. 🄸

⌂ BEAUSEJOUR
18, rue Vassalour. Mme Chabannes
☎ 49 46 31 30 🆇 49 56 00 34
🛏 19 🍴 170/280 F. ⏹ 65/130 F.
🍽 35 F.
🅴 ⌂ ☎ ⛱ 🍴 CV 🍴 CB🆅🆂🄰 🄰🄴 ⑩ E

⌂⌂ DU LION D'OR ★★
8, rue du Marché. M. Chartier
☎ 49 46 30 28 🆇 49 47 74 28
🛏 26 🍴 250/270 F. ⏹ 82/200 F.
🍽 47 F. 🍽 240/270 F.
☒ 15 déc./15 janv. et sam. nov./mars.
🅴 ⌂ ☎ ⛱ 🅃 🍴 CB🆅🆂🄰 E

CHAUX DES CROTENAY
39150 Jura
714 m. ● 394 hab.

⌂⌂ DES LACS ★★
(Pont de la Chaux). Sur N. 5.
M. Monnier ☎ 84 51 50 42
🛏 22 🍴 220/305 F. ⏹ 75/184 F.
🍽 35 F. ⏹ 250/275 F. 🍽 200/225 F.
☒ 15 oct./24 déc.
🅴 ⌂ ☎ ⛱ 🛏 🍴 CV 🍴 CB🆅🆂🄰 E

CHAUX NEUVE
25240 Doubs
992 m. • 180 hab.

AA AUBERGE DU GRAND GIT ★★
Rue des Chaumelles. M. Nicod
☎ 81 69 25 75
🛏 8 ☒ 260 F. 🍴 65/ 88 F. 🍽 36 F.
🍴 248/298 F. 🍽 218/268 F.
✉ dim. soir et lun. sauf vac. scol.
☎ 🚗 🏕 🚻 👶 CV 🖥 🅿 CB🆅🆂🅰 AE E

CHAUZON
07120 Ardèche
180 hab.

A AUBERGE SAPEDE
Mme Sapede ☎ 75 39 66 03
🛏 12 ☒ 165/230 F. 🍴 68/100 F.
🍴 40 F. 🍴 225/250 F. 🍽 185/195 F.
✉ 20 sept./Noël.
E 👶 CV 🅿 CB🆅🆂🅰 E

CHAVAGNES LES EAUX
49380 Maine et Loire
713 hab.

AA AU FAISAN ★★
M. Peltier ☎ 41 54 31 23 🅵🅰🆇 41 54 13 33
🛏 10 ☒ 195/265 F. 🍴 67/170 F.
🍴 45 F. 🍽 220/250 F.
✉ 15 nov./15 janv., dim. soir et lun.
E 🖥 ☎ 🚗 🏕 🖥 🅿 CB🆅🆂🅰 E 🛗

CHAVANIAC LAFAYETTE
43230 Haute Loire
740 m. • 425 hab.

A LAFAYETTE ★
M. Brun
☎ 71 77 50 38 🅵🅰🆇 71 77 54 90
🛏 11 ☒ 140/210 F. 🍴 55/130 F.
🍴 42 F. 🍴 230/255 F. 🍽 175/200 F.
✉ janv./fév.
☎ 🚗 🏕 🚻 👶 CB🆅🆂🅰 AE ⓞ E

CHEMILLE
49120 Maine et Loire
5963 hab. ⓘ

AA AUBERGE DE L'ARRIVEE ★
15, place de la Gare. M. Gimenez
☎ 41 30 60 31 🅵🅰🆇 41 30 78 45
🛏 8 ☒ 190/300 F. 🍴 79/195 F. 🍴 42 F.
🍴 290/400 F. 🍽 210/320 F.
✉ 1ère semaine janv., dim. soir sept./mai.
E SP 🖥 ☎ 🚗 🅿 CB🆅🆂🅰 🛗

CHENAY
79120 Deux Sèvres
574 hab.

AA LES TROIS PIGEONS ★★
M. Delineau ☎ 49 07 38 59
🛏 12 ☒ 130/200 F. 🍴 65/180 F.
🍴 40 F. 🍴 220/280 F. 🍽 170/250 F.
✉ 20 déc./1er janv., ven. soir et sam.
E 🖥 ☎ 🚗 🖥 🅿 CB🆅🆂🅰 E

CHENERAILLES
23130 Creuse
800 hab. ⓘ

A LE COQ D'OR ★★
7, Place du Champ de Foire. M. Rullière

☎ 55 62 30 83
🛏 7 ☒ 140/205 F. 🍴 60/170 F. 🍴 47 F.
🍴 250/295 F. 🍽 190/240 F.
✉ 15 jours janv., 15 jours juin, 8 jours sept., dim. soir et lun.
E 🖥 ☎ 🚗 🚗 CV 🅿 CB🆅🆂🅰 E

CHENONCEAUX
37150 Indre et Loire
313 hab. ⓘ

AA HOSTELLERIE DE LA RENAUDIERE ★★
24, rue du Docteur Bretonneau.
M. Camus ☎ 47 23 90 04 🅵🅰🆇 47 23 90 51
🛏 15 ☒ 250/450 F. 🍴 98/210 F.
🍴 49 F. 🍴 340/420 F. 🍽 250/330 F.
✉ 15 nov./15 mars sauf week-ends et vac. scol. Rest. mer. 15 sept./15 nov. et 15 mars/15 mai.
E 🖥 ☎ 🚗 🏕 👶 ⏲ 🍴 🖥 🅿 CB🆅🆂🅰 E ⓒ 🛗

CHENONCEAUX (CHISSEAUX)
37150 Indre et Loire
522 hab. ⓘ

AA CLAIR COTTAGE ★★
27, rue de l'Europe. M. Bourbonnais
☎ 47 23 90 69 🅵🅰🆇 47 23 87 07
🛏 21 ☒ 160/320 F. 🍴 75/180 F.
🍴 50 F. 🍴 280/380 F. 🍽 240/340 F.
✉ 1er déc./1er mars, sam. et dim. soir oct./nov. et mars.
E 🖥 ☎ 🚗 🏕 👶 CV 🅿 CB🆅🆂🅰 ⓞ E 🛗

CHEPY
80210 Somme
1231 hab.

AA AUBERGE PICARDE ★★
Place de la Gare. M. Henocque
☎ 22 26 20 78 🅵🅰🆇 22 26 33 34
🛏 25 ☒ 220/350 F. 🍴 85/180 F.
🍴 65 F. 🍴 510 F. 🍽 370 F.
✉ entre Noël/Nouvel an et dim. soir.
🖥 ☎ 🚗 🚗 🏕 🚻 👶 👶 🖥 🅿
CB🆅🆂🅰 AE E

CHERBOURG
50100 Manche
28443 hab. ⓘ

AA LA REGENCE ★★
42, quai de Caligny. M. Meunier
☎ 33 43 05 16 🅵🅰🆇 33 43 98 37
🛏 15 ☒ 180/450 F. 🍴 89/130 F.
🍴 40 F. 🍽 250/320 F.
✉ 24 déc./4 janv.
E 🖥 ☎ 🚗 👶 CV 🅿 CB🆅🆂🅰 AE ⓞ E
ⓒ 🛗

CHERENCE
95510 Val d'Oise
126 hab.

AAA HOSTELLERIE SAINT-DENIS ★★
1, rue des Cabarets.
Mme Bessenet-Pernelle
☎ (1) 34 78 15 02
🛏 6 ☒ 360/400 F. 🍴 135/165 F.
🍽 350 F.
✉ 15 déc./31 janv., dim. soir, mar. soir et mer. sauf réservations.
☎ 🚗 🏕 🅿 CB🆅🆂🅰 E

172

CHERVEIX CUBAS
24390 Dordogne
800 hab. 🛈

🏨🏨 R. FAVARD ★★
M. Favard
☎ 53 50 41 05
🛏 13 ⊗ 135/250 F. ⊓ 65/160 F.
🍴 35 F. ⊓ 210/260 F. 🍽 180/220 F.
⊠ 15 oct./10 nov. et lun. hs.
📧 ☎ 🚗 🛎 🏊 🔥 ⛵ 📺 ⌨ CB𝗩𝗜𝗦𝗔 AE E

CHEVIGNEY LES VERCEL
25530 Doubs
650 m. ● 80 hab.

🏨🏨 DE LA PROMENADE ★★
M. Andreoli
☎ 81 56 24 76
🛏 11 ⊗ 200 F. ⊓ 51/180 F. 🍴 35 F.
⊓ 195 F. 🍽 145 F.
⊠ 2/16 nov., dim. soir et lun. hs.
📧 🛈 ☎ 🚗 🛎 ⛵ CB𝗩𝗜𝗦𝗔 E

CHEVIGNY FENAY
21600 Côte d'Or
1500 hab.

🏨🏨 RELAIS DE LA SANS FOND ★★
Route de Seurre. M. Samiez
☎ 80 36 61 35 ⎙ 80 36 94 89
🛏 17 ⊗ 220/280 F. ⊓ 75/250 F.
🍴 52 F. ⊓ 300/380 F. 🍽 220/300 F.
⊠ dim. soir.
📧 ⌨ 🛈 ☎ 🚗 🛎 ✈ 🏊 🔥 🛵 🏄 CV 📺
⛵ CB𝗩𝗜𝗦𝗔 AE ⊙ E C

CHEVIGNY SAINT SAUVEUR
21800 Côte d'Or
9000 hab.

🏨 AU BON ACCUEIL ★★
17, av. de la République. MM. Marc
☎ 80 46 13 40 ⎙ 80 46 50 97
🛏 27 ⊗ 140/200 F. ⊓ 56/135 F.
🍴 38 F. ⊓ 200/280 F. 🍽 160/220 F.
⊠ 20 déc./4 janv., sam. soir et dim.
📧 ⌨ 🛈 ☎ 🚗 🛎 🏊 ⛰ 🛵 CV ⛵ CB𝗩𝗜𝗦𝗔

CHEVILLON
52170 Haute Marne
1156 hab.

🏨 LE MOULIN ROUGE ★
2, rue de la Marne. M. Ballavoisne
☎ 25 04 40 63
🛏 9 ⊗ 140/280 F. ⊓ 62/200 F. 🍴 50 F.
⊓ 190 F. 🍽 160 F.
📧 ⌨ 🚗 🛎 🔥 📺 ⛵ CB𝗩𝗜𝗦𝗔 E C

CHEVILLY
45520 Loiret
2626 hab.

🏨🏨 LA GERBE DE BLE ★★
2, av. du Château. M. Perdereau
☎ 38 80 10 31 ⎙ 38 74 12 92
🛏 11 ⊗ 210/250 F. ⊓ 100 F. 🍴 60 F.
⊠ janv., dim. soir et lun.
📧 ⌨ ☎ 🛎 📺 ⛵ CB𝗩𝗜𝗦𝗔 AE E

CHEVRERIE (LA)
16240 Charente
168 hab.

🏨 LA MIJOTIERE ★
(La Genouillère). M. Frot ☎ 45 31 15 76
🛏 8 ⊗ 160/190 F. ⊓ 65/143 F. 🍴 35 F.
⊓ 247 F. 🍽 182 F.
⊠ fév. et lun.
📧 ☎ 🚗 🛎 🏊 🔥 🛵 📺 ⛵ CB𝗩𝗜𝗦𝗔 E

CHEYLARD (LE)
07160 Ardèche
4000 hab. 🛈

🏨 DES VOYAGEURS ★★
2, rue du Temple. M. Faure
☎ 75 29 05 88 ⎙ 75 29 34 87
🛏 15 ⊗ 160 F. ⊓ 55/145 F. 🍴 52 F.
⊓ 200 F. 🍽 160 F.
⊠ 24 avr./9 mai, 4/21 nov., ven. soir et
dim. soir 15 sept./15 juin.
📧 ⌨ ☎ CV ⛵ CB𝗩𝗜𝗦𝗔 AE ⊙ E

🏨🏨 LE PROVENCAL ★★
17, av. de la Gare. M. Ayroulet
☎ 75 29 02 08 ⎙ 75 29 35 63
🛏 8 ⊗ 190/300 F. ⊓ 78/185 F.
🍽 230/270 F.
⊠ 1er/11 janv., 15/26 avr., 19 août/6 sept.,
ven. soir, dim. soir et lun.
📧 ⌨ ☎ 🚗 🛎 🏊 🛵 CV ⛵ CB𝗩𝗜𝗦𝗔 E

CHICHILIANNE
(LA RICHARDIERE)
38930 Isère
1050 m. ● 150 hab.

🏨🏨 AU GAI SOLEIL DU MONT AIGUILLE ★★
(A la Richardière). M. Beaume
☎ 76 34 41 71
🛏 23 ⊗ 160/250 F. ⊓ 75/180 F.
🍴 50 F. ⊓ 210/260 F. 🍽 180/230 F.
⊠ 5 nov./20 déc.
📧 ☎ 🚗 🛎 🏊 🔥 🏄 ▶ CV 📺 ⛵ CB𝗩𝗜𝗦𝗔 E

CHILLE
39570 Jura
184 hab.

🏨🏨🏨 PARENTHESE ★★
Grande Rue. Mme Guyot
☎ 84 47 55 44 ⎙ 84 24 92 13
🛏 21 ⊗ 250/335 F. ⊓ 75/230 F.
🍴 50 F. ⊓ 360/400 F. 🍽 295/335 F.
⊠ Rest. vac. scol. fév., dim. soir et lun. hs.
📧 ⌨ 🛈 ⌨ ☎ 🚗 🛎 🏊 ✈ 🔥 🛵 🏄 CV
📺 ⛵ CB𝗩𝗜𝗦𝗔 E 🏨

CHINON
37500 Indre et Loire
8627 hab. 🛈

🏨🏨 GRAND HOTEL DE LA BOULE D'OR ★★
66, quai Jeanne-d'Arc. Mme Delaveau
☎ 47 93 03 13 ⎙ 47 93 24 25
🛏 17 ⊗ 160/320 F. ⊓ 98/195 F.
🍴 55 F. ⊓ 320/420 F. 🍽 200/310 F.
⊠ 15 déc./3 fév., dim. soir et lun.
15 nov./15 avr.
📧 ⌨ ☎ CV 📺 ⛵ CB𝗩𝗜𝗦𝗔 AE ⊙ E C

173

CHINON (BEAUMONT EN VERON)
37420 Indre et Loire
2569 hab. [i]

▲▲ LA GIRAUDIERE ★★
A 5 Km Chinon, par D. 749, rte de
Savigny M. Daviet
☎ 47 58 40 36 [FAX] 47 58 46 06
[†] 25 ⊗ 200/350 F. [†] 105/250 F.
[†] 80 F. [†] 210/285 F.
⊠ Rest. 1er janv./14 mars, 15 oct./31 déc.
et mar.
[E] [D] [□] [☎] [⌂] [T] [♿] [🅿] [●] CB[VISA] [AE] [◉] E

CHINON (LA ROCHE CLERMAULT)
37500 Indre et Loire
470 hab.

▲▲ LE HAUT CLOS ★★
M. Bordeau
☎ 47 95 94 50 [FAX] 47 95 82 80
[†] 14 ⊗ 170/250 F. [†] 100/200 F.
[†] 50 F. [†] 285/355 F. [†] 220/275 F.
⊠ ven. et dim. soir 1er nov./1er avr.
[E] [D] [□] [☎] [⌂] [▶] [T] [♿] [⌂] [♿] [CV] [◉]
[●] CB[VISA] E

CHIS
65800 Hautes Pyrénées
210 hab.

▲▲ DE LA TOUR ★★
Mme Pujol ☎ 62 36 21 14
[†] 10 ⊗ 190/270 F. [†] 68/165 F.
[†] 30 F. [†] 270/360 F. [†] 200/240 F.
[E] [SP] [□] [☎] [T] [▨] [CV] [●] CB[VISA] E

CHISSAY EN TOURAINE
41400 Loir et Cher
847 hab.

▲ LES TOURISTES ★
1, route de Tours. M. Carré
☎ 54 32 32 09 [FAX] 54 32 12 09
[†] 10 ⊗ 165/190 F. [†] 65/140 F.
[†] 40 F. [†] 245 F. [†] 185 F.
⊠ mer.
[□] [☎] [⌂] [♿] [●] CB[VISA]

CHISSEY EN MORVAN
71540 Saône et Loire
368 hab.

▲▲ L'AUBERGE FLEURIE ★
Mme Bessière
☎ 85 82 62 05 [FAX] 85 82 62 19
[†] 7 ⊗ 160/350 F. [†] 75/180 F. [†] 55 F.
[†] 250/300 F. [†] 225/280 F.
⊠ dim. soir 12 nov./Pâques.
[E] [□] [☎] [⌂] [T] [CV] [●] CB[VISA] E

CHITENAY
41120 Loir et Cher
919 hab.

▲▲▲ AUBERGE DU CENTRE ★★
M. Martinet ☎ 54 70 42 11 [FAX] 54 70 35 03
[†] 23 ⊗ 140/350 F. [†] 100/275 F.
[†] 50 F. [†] 360/380 F. [†] 265/285 F.
⊠ 14 fév./7 mars, dim. soir et lun. hs.
[E] [D] [□] [☎] [⌂] [T] [♿] [⌂] [♿] [CV] [◉] [●]
CB[VISA] E [C] [▨]

CHOMELIX
43500 Haute Loire
900 m. • 438 hab.

▲▲ AUBERGE DE L'ARZON ★★
M. Blanc
☎ 71 03 62 35
[†] 9 ⊗ 235/300 F. [†] 98/230 F. [†] 60 F.
[†] 295/340 F. [†] 230/280 F.
⊠ 11 nov./15 avr., lun. soir et mar. hs.
[E] [SP] [□] [☎] [⌂] [♿] [♿] [●] CB[VISA] E

CHORGES
05230 Hautes Alpes
860 m. • 1500 hab. [i]

▲ DES ALPES ★
M. Mauduech
☎ 92 50 60 08
[†] 15 ⊗ 140/230 F. [†] 75/ 95 F.
[†] 40 F. [†] 235/280 F. [†] 180/240 F.
⊠ 1er oct./20 nov.
[☎] [□] [⌂] [T] [CV] [●] CB[VISA] E

CHOUVIGNY
03450 Allier
255 hab.

▲▲ DES GORGES DE CHOUVIGNY ★★
M. Fleury ☎ 70 90 42 11
[†] 8 ⊗ 190/200 F. [†] 95/180 F. [†] 45 F.
[†] 300 F. [†] 250 F.
⊠ 20 déc./1er mars, mar. et mer. sauf été.
[E] [□] [⌂] [♿] [CV] [◉] [●] CB[VISA] E

CIOTAT (LA)
13600 Bouches du Rhône
30620 hab. [i]

▲ AUBERGE LE REVESTEL ★★
Corniche du Liouquet, route des
Lecques. M. Me Siepen
☎ 42 83 11 06 [FAX] 42 83 29 50
[†] 6 ⊗ 260 F. [†] 135/180 F. [†] 90 F.
[†] 275 F.
⊠ fév., mer. midi 1er juin/30 sept., mer.
et dim. soir 1er oct./31 mai.
[☎] [T] [●] CB[VISA] E

CLAIRVAUX
10310 Aube
350 hab.

▲ DE L'ABBAYE
Pays de Clairvaux, sortie A5 N° 23, N.
396 M. Deloisy
☎ 25 27 80 12 [FAX] 25 27 86 63
[†] 14 ⊗ 150/230 F. [†] 66/124 F.
[†] 42 F. [†] 185/220 F. [†] 130/170 F.
⊠ 20 déc./5 janv., dim. soir et lun. hs.
[E] [□] [☎] [⌂] [T] [●] CB[VISA] E

CLAIRVAUX LES LACS
39130 Jura
1500 hab. [i]

▲ LA CHAUMIERE DU LAC ★★
M. Me Favario ☎ 84 25 81 52
[†] 15 ⊗ 150/250 F. [†] 73/154 F.
[†] 38 F. [†] 175/225 F.
⊠ 10 oct./8 avr. sauf vac. scol. fév. et week-
ends 11 nov./8 avr., lun. soir et mar. hs.
[E] [D] [☎] [⌂] [CV] [●] CB[VISA] E

CLAMECY
58500 Nièvre
5826 hab.

▲▲▲ HOSTELLERIE DE LA POSTE ★★
9, place Emile Zola. M. Guenot
☎ 86 27 01 55 ⊠ 809692 ⊠ 86 27 05 99
🛏 16 ◈ 245/315 F. 🍽 95/180 F.
🍴 50 F. 🛏 360/500 F. 🎫 250/350 F.

CLAUX (LE)
15400 Cantal
1050 m. • 360 hab. ℹ

▲▲ LE PEYRE ARSE ★★
M. Delfau
☎ 71 78 93 32 ⊠ 71 78 90 37
🛏 29 ◈ 190/210 F. 🍽 90/185 F.
🍴 45 F. 🍽 260/290 F. 🎫 230/260 F.

CLAYETTE (LA)
71800 Saône et Loire
2710 hab. ℹ

▲▲ DE LA GARE ★★
38, av. de la Gare. M. Thoral
☎ 85 28 01 65 ⊠ 85 28 03 13
🛏 8 ◈ 240/360 F. 🍽 92/250 F. 🍴 55 F.
🍽 290/340 F. 🎫 230/330 F.
⊠ 25 déc./15 janv., dim. soir et lun. hs.,
lun. juil./août.

CLECY
14570 Calvados
1150 hab. ℹ

▲▲ AU SITE NORMAND ★★
1, rue des Châtelets. M. Feuvrier
☎ 31 69 71 05 ⊠ 31 69 48 51
🛏 16 ◈ 170/360 F. 🍽 80/250 F.
🍴 45 F. 🍽 335/430 F. 🎫 235/330 F.
⊠ 30 nov./1er mars.

CLEDEN CAP SIZUN
29770 Finistère
1420 hab.

▲▲ LE RELAIS DE LA POINTE DU VAN ★★
(Baie des Trépassé). Mme Brehonnet
☎ 98 70 62 79 ⊠ 98 70 35 20
🛏 25 ◈ 250/366 F. 🍽 94 F. 🍴 35 F.
🍽 396/454 F. 🎫 302/360 F.
⊠ 30 sept./1er avr.

CLEEBOURG
67160 Bas Rhin
597 hab.

▲▲ AU TILLEUL ★★
94, rue Principale. M. Frank
☎ 88 94 52 15 ⊠ 88 94 52 63
🛏 13 ◈ 290 F. 🍽 95/180 F. 🍴 45 F.
🍽 245 F. 🎫 195 F.
⊠ 20 fév./13 mars, 22/31 déc. et mar.

CLELLES
38930 Isère
830 m. • 320 hab. ℹ

▲▲ FERRAT ★★
M. Ferrat
☎ 76 34 42 70 ⊠ 76 34 47 47
🛏 16 ◈ 200/300 F. 🍽 88/160 F.
🍴 50 F. 🍽 320/370 F. 🎫 240/300 F.
⊠ 11 nov./15 mars et mar. hs.

CLERGOUX
19320 Corrèze
540 m. • 390 hab.

▲▲ DU LAC
Le Prévost. M. Dumas
☎ 55 27 73 60 ╲55 27 77 60
🛏 17 ◈ 140/220 F. 🍽 98/165 F.
🍽 235/250 F. 🎫 220/235 F.
⊠ Hôtel fin nov./fin mars et mer.
nov./mars.

CLERJUS (LE)
88240 Vosges
670 hab. ℹ

▲▲ AUBERGE LES CENSEAUX ★★
Le Cierous. M. Gin
☎ 29 30 41 13
🛏 8 ◈ 180/280 F. 🍽 55/160 F. 🍴 35 F.
🍽 275 F. 🎫 250 F.

CLERMONT (AGNETZ)
60600 Oise
2000 hab. ℹ

▲▲ LE CLERMOTEL ★★
Sur N. 31. M. Depret
☎ 44 50 09 90 ⊠ 44 50 13 00
🛏 37 ◈ 300/320 F. 🍽 95/155 F.
🍴 45 F. 🍽 250/270 F.

CLERMONT EN ARGONNE
55120 Meuse
1763 hab. ℹ

▲▲ BELLEVUE ★★
M. Chodorge
☎ 29 87 41 02
🛏 7 ◈ 230/280 F. 🍽 70/220 F. 🍴 45 F.
🍽 280/300 F. 🎫 230/280 F.
⊠ 23 déc./5 janv. et mer. hs.

CLERMONT FERRAND
63000 Puy de Dôme
165000 hab. ℹ

▲▲ GRAND HOTEL DU MIDI ★★
39, av. de l'Union Soviétique. M. Gorce
☎ 73 92 44 98 ⊠ 392 479 ⊠ 73 92 29 41
🛏 39 ◈ 160/260 F. 🍽 65/120 F.
🍴 36 F. 🍽 200/240 F. 🎫 145/180 F.

**CLERMONT FERRAND
(CHAMALIERES)
63400 Puy de Dôme**
17905 hab. 🄻

🔺🔺 LE CHALET FLEURI ★★
37, av. Massenet. Mme Etienne
☎ 73 35 09 60 🕿 73 35 27 25
🛏 39 ⬡ 200/320 F. ⫿ 95/200 F.
🍴 70 F. ⫿⫿ 333/420 F. 🔲 283/370 F.
🄴🄸🄳🗄🕾🛏🚗🕇🎿🗣 CB🆅🆂🄰🄴 E 🔳

**CLERMONT L'HERAULT
34800 Hérault**
5926 hab. 🄻

🔺🔺 DE SARAC ★★
Route de Béziers. M. Me Dunand
☎ 67 96 06 81 🕿 67 88 07 30
🛏 22 ⬡ 220/260 F. ⫿ 119/159 F.
🍴 50 F. 🔲 245/265 F.
⊠ Rest. 10 déc./10 janv., 1er mai, sam.
midi et dim. (sauf fêtes et dim. soir en
saison).
🄸🗄🕾🛏🚗🕇🎿🗣 CB🆅🆂 E 🄲 🔳

🔺🔺 GRAND HOTEL ★★
2, rue Coutellerie. Mme Villat
☎ 67 96 00 04
🛏 15 ⬡ 150/320 F. ⫿ 65/200 F.
🍴 35 F. ⫿⫿ 240/320 F. 🔲 180/265 F.
⊠ 1er/15 nov., rest. dim. soir et lun.
🄸🗄🕾🛏🚗🕇🗣 CB🆅🆂 E

**CLIMBACH
67510 Bas Rhin**
500 hab.

🔺🔺 CHEVAL BLANC ★★
M. Frey ☎ 88 94 41 95 🕿 88 94 21 96
🛏 12 ⬡ 240/280 F. ⫿ 95/160 F.
🔲 255/280 F.
⊠ 1ère semaine juil., vac. scol. fév.,
mar. soir et mer.
🄳🗄🕾🛏🚗🖊🎛🗣 CB🆅🆂 E

**CLUNY
71250 Saône et Loire**
4500 hab. 🄻

🔺 DE L'ABBAYE ★★
Avenue Charles de Gaulle. M. Lassagne
☎ 85 59 11 14 🕿 85 59 09 76
🛏 16 ⬡ 140/270 F. ⫿ 95/185 F.
🍴 50 F. ⫿⫿ 340/470 F. 🔲 195/260 F.
⊠ 1er janv./15 fév., lun. et mar. midi
sauf lun. soir mai/sept.
🄴🄳🗄🕾🛏🚗🗣 CB🆅🆂 E

🔺🔺 LE MODERNE ★★
Le Pont de l'Etang. M. Bernigaud
☎ 85 59 05 65 🕿 85 59 19 43
🛏 13 ⬡ 235/285 F. ⫿ 130/160 F.
🍴 65 F. ⫿⫿ 325/350 F.
⊠ 12 nov./10 déc., dim. soir et lun.
🄴 🆂🄿 🗄🕾🛏🚗🎛🗣 CB🆅🆂🄰🄴 E

**CLUSAZ (LA)
74220 Haute Savoie**
1100 m. • 1600 hab. 🄻

🔺🔺 DES ARAVIS ★★
Mme Conan ☎ 50 02 60 31
🛏 40 ⬡ 190/420 F. ⫿ 80/190 F.
🍴 55 F. ⫿⫿ 280/420 F. 🔲 240/365 F.

⊠ Pâques/18 juin et 4 sept./18 déc.
🄴🄳🗄🛏🚗🕇🕆🎿🗣 CB🆅🆂 E

🔺🔺 LE BELLACHAT ★★
(Les Confins). MM. Gallay
☎ 50 32 66 66 🕿 50 32 65 84
🛏 25 ⬡ 250/350 F. ⫿ 75/170 F.
🍴 45 F. ⫿⫿ 250/330 F. 🔲 230/310 F.
⊠ 1er mai/1er juin et 20 oct./15 déc.
🄸🗄🕾🛏🚗🕇🖊🕇🗣 CB🆅🆂🄰🄴⊙ E

🔺🔺🔺 LE CHRISTIANIA ★★
M. Thévenet
☎ 50 02 60 60 🕿 50 02 67 30
🛏 28 ⬡ 280/360 F. ⫿ 90/130 F.
⫿⫿ 290/440 F. 🔲 255/400 F.
⊠ 15 avr./30 juin et 18 sept./17 déc.
🄴🄸🗄🕾🛏🚗🖊🎿🆅🄲🆅 CB🆅🆂 E

🔺🔺 LES SAPINS ★★
Mme Jakkel
☎ 50 02 40 12 🕿 50 02 43 24
🛏 24 ⬡ 260/420 F. ⫿ 70/120 F.
🍴 40 F. ⫿⫿ 300/460 F. 🔲 270/420 F.
⊠ 20 avr./15 juin et 15 sept./20 déc.
🗄🕾🛏🚗🖊🎿🄲🆅 CB🆅🆂 E

**COARAZE
06390 Alpes Maritimes**
620 m. • 540 hab. 🄻

🔺🔺 AUBERGE DU SOLEIL ᵉᶜ
Mme Jacquet
☎ 93 79 08 11 🕿 93 79 37 79
🛏 7 ⬡ 330/480 F. ⫿ 132 F. 🍴 50 F.
🔲 340/410 F.
⊠ 15 nov./15 mars.
🄴🗄🕾🕇🕆🎿🄲🆅🎛🗣 CB🆅🆂🄰🄴 E

**COGNAC (CHATEAUBERNARD)
16100 Charente**
4688 hab. 🄻

🔺🔺 L'ETAPE ★★
2, av. d'Angoulême. M. Giraud
☎ 45 32 16 15 🕿 45 32 18 38
🛏 22 ⬡ 150/255 F. ⫿ 57/140 F.
🍴 50 F. ⫿⫿ 438/534 F. 🔲 324/420 F.
⊠ 24 déc./2 janv. et dim.
🄸🗄🕾🛏🚗🖊🄲🆅🗣 CB🆅🆂⊙ E

**COL DE LA FAUCILLE
01170 Ain**
1323 m. • 4370 hab. 🄻

🔺🔺 LA PETITE CHAUMIERE ★★
M. Giroud ☎ 50 41 30 22 🕿 50 41 33 22
🛏 34 ⬡ 220/330 F. ⫿ 92/152 F.
🍴 58 F. ⫿⫿ 285/370 F. 🔲 245/310 F.
⊠ 2 avr./1er mai, 2 oct./18 déc.
🄸🗄🕾🄳🄲🆅🎛🗣 CB🆅🆂 E

**COL DE SAINTE MARIE AUX
MINES
68160 Vosges**
772 m. • 10 hab.

🔺🔺 BELLE VUE ★
M. Antoine ☎ 89 58 72 39
🛏 13 ⬡ 125/240 F. ⫿ 60/176 F.
🍴 50 F. ⫿⫿ 250/290 F. 🔲 184/230 F.
⊠ 10 janv./10 fév., 15 nov./15 déc.,
mar. soir et mer. sauf juin/sept.
🄳🗄🕾🛏🚗🕇🎿🗣 CB🆅🆂 E

COL DU BONHOMME
(PLAINFAING)
88230 Vosges
950 m. • 2400 hab. ℹ️

▲▲ RELAIS VOSGES ALSACE **
M. Vuillemin
☎ 29 50 32 61 \ 29 50 41 34
🛏 12 ⬚ 155/315 F. ⬚ 75/170 F.
🍴 45 F. ⬚ 288/368 F. ⬚ 198/278 F.
⬚ 12 nov./18 déc.
🅴 🅳 ⬚ ☎ ⬚ CV 🔌 CB🆚 AE ⓞ E

COL DU MONT SION
74350 Haute Savoie
800 m. • 50 hab.

▲▲ LA CLEF DES CHAMPS ET HOTEL REY **
(Au Col). Mme Rey
☎ 50 44 13 29 \ 50 44 13 11
🆖 50 44 05 48
🛏 36 ⬚ 260/475 F. ⬚ 99/315 F.
🍴 65 F. ⬚ 360/432 F. ⬚ 285/358 F.
⬚ 5/26 janv., rest. 26 oct./4 nov., jeu.
et ven. midi.
🅴 🅳 SP ⓘ ⬚ ☎ ⬚ ⬚ ⬚ 🔌 CB🆚 E

COLIGNY (VILLEMOTIER)
01270 Ain
372 hab.

▲▲ LE SOLNAN ***
Moulin des Ponts. M. Marguin
☎ 74 51 50 78 🆖 74 51 56 22
🛏 16 ⬚ 310/400 F. ⬚ 115/380 F.
🍴 75 F. ⬚ 400 F. ⬚ 330 F.
⬚ 14 nov./2 déc., 15 janv./1er fév., dim.
soir et lun. hs.
🅴 🅳 ⬚ ☎ ⬚ ⬚ ⬚ CV 🔌 CB🆚 E

COLLIAS
30210 Gard
800 hab. ℹ️

▲ AUBERGE LE GARDON *
Mme Roy
☎ 66 22 80 54
🛏 13 ⬚ 230/260 F. ⬚ 62/178 F.
🍴 55 F. ⬚ 305/320 F. ⬚ 225/240 F.
⬚ 1er nov./10 mars.
🅴 ⬚ ⬚ ⬚ 🔌 CB🆚 E

COLLIOURE
66190 Pyrénées Orientales
2740 hab. ℹ️

▲ LE BON PORT **
Route de Port-Vendres. M. Borras
☎ 68 82 06 08 🆖 68 82 54 97
🛏 22 ⬚ 250/298 F. ⬚ 80/190 F.
🍴 57 F. ⬚ 250/275 F.
⬚ 15 oct./Pâques.
🅴 SP ☎ ⬚ ⬚ CB🆚 E

COLLOBRIERES
83610 Var
1498 hab. ℹ️

▲ NOTRE DAME *
15, av. de la Libèration. M. Kimmel
☎ 94 48 07 13

🛏 16 ⬚ 130/180 F. ⬚ 90/150 F.
🍴 43 F. ⬚ 190/220 F. ⬚ 150/180 F.
☎ ⬚ 🔌 CB🆚 E

COLMAR
68000 Haut Rhin
63700 hab. ℹ️

▲▲ BEAUSEJOUR **
25, rue du Ladhof. Mme Keller
☎ 89 41 37 16 🆖 530955codeP2000
🆖 89 41 43 07
🛏 44 ⬚ 210/520 F. 🍴 52 F.
⬚ 330/430 F. ⬚ 250/350 F.
🅴 🅳 SP ⬚ ☎ ⬚ ⬚ 🔌 ⬚ ⬚
⬚ CV 🔌 CB🆚 AE E C

▲▲ DE LA FECHT ***
1, rue de la Fecht. M. Maurice
☎ 89 41 34 08 🆖 880 650 🆖 89 23 80 28
🛏 39 ⬚ 290/420 F. ⬚ 92/250 F.
🍴 47 F. ⬚ 390/440 F. ⬚ 290/340 F.
🅴 🅳 ⬚ ☎ ⬚ ⬚ ⬚ ⬚ CV 🔌
🔌 CB🆚 AE ⓞ E C

COLOMARS
06670 Alpes Maritimes
2200 hab.

▲▲▲ DU REDIER ***
M. Scoffier ☎ 93 37 94 37 🆖 470 330 F
🆖 95 37 95 55
🛏 26 ⬚ 280/400 F. ⬚ 120/165 F.
⬚ 400/450 F. ⬚ 320/380 F.
⬚ nov.
🅴 🅳 ⓘ ⬚ ☎ ⬚ ⬚ ⬚ 🔌 CB🆚
AE ⓞ E

COLOMARS (LA MANDA)
06670 Alpes Maritimes
3000 hab.

▲▲ AUBERGE DE LA MANDA **
(Pont de la Manda) Sur N. 202.
Mme Castiglia
☎ 93 08 11 64 🆖 93 29 23 58
🛏 17 ⬚ 160/300 F. ⬚ 70/140 F.
🍴 50 F. ⬚ 290/420 F. ⬚ 260/350 F.
⬚ 30 oct./10 nov., 3 janv./7 fév., mer.
et dim. soir.
ⓘ ⬚ ☎ ⬚ CV 🔌 🔌 CB🆚 AE ⓞ E

COLOMBEY LES DEUX EGLISES
52330 Haute Marne
300 hab.

▲▲ AUBERGE DE LA MONTAGNE **
M. Natali ☎ 25 01 51 69 🆖 25 01 59 20
🛏 7 ⬚ 190 F. ⬚ 100/300 F. 🍴 80 F.
⬚ 10 janv./10 fév., lun. soir et mar.
⬚ ⬚ ⬚ ⬚ 🔌 CB🆚 AE E

COLOMBIER
42220 Loire
820 m. • 230 hab.

▲▲ DE L'OEILLON ** & *
(Col de l'Oeillon). Mme Rivory
☎ 77 51 50 61 \ 77 51 51 41
🛏 12 ⬚ 160 F. ⬚ 85/100 F. 🍴 40 F.
⬚ 200 F. ⬚ 180 F.
⬚ 1ère quinzaine nov. et ven. matin.
⬚ ⬚ ⬚ ⬚ ⬚ ⬚ CV 🔌 🔌 CB🆚
AE ⓞ E

COLOMBIER (suite)

▲ DEGRAIX ⋆
Mme Degraix ☎ 77 51 50 14
🛏 11 ◎ 105/150 F. 🍴 65/120 F.
🍴 38 F. 🛎 160/180 F. 🛎 130/140 F.
⊠ janv. et lun. hs.
🖪 🖪 🚗 CV ⟆ CB💳 AE ⊙ E

COMBEAUFONTAINE
70120 Haute Saône
500 hab. 🅸

▲▲▲ DU BALCON ⋆⋆
M. Gauthier ☎ 84 92 11 13 \ 84 92 14 63
FAX 84 92 15 89
🛏 18 ◎ 140/360 F. 🍴 140/360 F. 🍴 80 F.
🛎 240/300 F. 🛎 220/250 F.
⊠ 26 juin/6 juil., 26 déc./12 janv., dim.
soir et lun.
🖪 🅳 🖵 🖪 🚗 🖩 🕭 🖤 🖟 ⟆ CB💳 AE
⊙ E

COMBLOUX
74920 Haute Savoie
1000 m. • 1425 hab. 🅸

▲▲ CHALET HOTEL LE FEUG ⋆⋆⋆
Anc. Route de Megève. M. Paget
☎ 50 93 00 50 FAX 50 21 21 44
🛏 28 ◎ 290/550 F. 🍴 105/195 F.
🍴 65 F. 🛎 375/515 F. 🛎 295/435 F.
⊠ 5 nov./18 déc.
🖪 🆂🅿 🅸 🖵 🖪 🚗 🖩 🖢 🖂 🖟 🖤
🖚 🖏 🖧 🖎 🖟 🖤 ⟆ CB💳 AE ⊙ E
🅲 ▪

▲▲▲ IDEAL MONT BLANC ⋆⋆⋆
Route du Feu. M. Muffat
☎ 50 58 60 54 FAX 50 58 64 50
🛏 28 ◎ 419/540 F. 🍴 185/250 F.
🍴 67 F. 🛎 440/545 F. 🛎 387/472 F.
⊠ 6 avr./14 juin et 30 sept./19 déc.
🖪 🅳 🖵 🖪 🚗 🖪 🖩 🖂 🖂 🖤 🖎
🖏 🖏 CV 🖩 ⟆ CB💳 AE ⊙ E

COMBOURG
35270 Ille et Vilaine
5000 hab. 🅸

▲▲▲ DU CHATEAU ET DES VOYAGEURS ⋆⋆
1, place Chateaubriand. Mme Pelé
☎ 99 73 00 38 TX 740901 FAX 99 73 25 79
🛏 32 ◎ 250/600 F. 🍴 85/270 F.
🍴 45 F. 🛎 285/530 F.
⊠ 15 déc./15 janv., dim. soir et lun. hs.
🖪 🅳 🖵 🖪 🚗 🚗 🖂 🖩 🖏 CV 🖩 ⟆
CB💳 AE ⊙ E ▪

▲ DU LAC ⋆⋆
2, place Chateaubriant. M. Hamon
☎ 99 73 05 65 FAX 99 73 23 34
🛏 30 ◎ 95/300 F. 🍴 65/150 F. 🍴 35 F.
🛎 240/356 F. 🛎 152/260 F.
⊠ 15 nov./15 déc., dim. soir, ven. hs et
rest. midi saison.
🖪 🅳 🖵 🖪 🚗 🚗 🖩 CV 🖩 CB💳 AE
⊙ E ▪

COMBREE (BEL AIR)
49520 Maine et Loire
3000 hab.

▲▲ RELAIS ANJOU BRETAGNE
2, rue de Bretagne (à Bel Air).

Mme Gilet
☎ 41 61 50 44 FAX 41 61 53 77
🛏 8 ◎ 185/265 F. 🍴 78/190 F. 🍴 50 F.
🛎 265/320 F. 🛎 215/290 F.
⊠ 15 déc./15 janv. et lun.
🖪 🖪 🚗 🖩 🖏 🖩 ⟆ CB💳 E

COMBREUX
45530 Loiret
150 hab.

▲▲▲ L'AUBERGE DE COMBREUX ⋆⋆
Mme Gangloff
☎ 38 59 47 63 FAX 38 59 36 19
🛏 20 ◎ 305/495 F. 🍴 90/200 F.
🍴 35 F. 🛎 335/450 F.
⊠ 20 déc./15 janv.
🖪 🅳 🆂🅿 🖵 🖪 🚗 🚗 🖩 🖦 🖎 🖏 🖑
🖏 🖩 ⟆ CB💳 E ▪

COMPIEGNE
60200 Oise
50000 hab. 🅸

▲▲ DE FRANCE ROTISSERIE DU CHAT QUI TOURNE ⋆⋆
17, rue Eugène-Floquet. Mme Robert
☎ 44 40 02 74 TX 150 211 FAX 44 40 48 37
🛏 20 ◎ 123/325 F. 🍴 98/210 F.
🍴 60 F. 🛎 295/333 F.
🖪 🖵 🖪 🖩 ⟆ CB💳 E

▲▲ DU NORD ⋆⋆⋆
1, place de la Gare. M. Laudigeois
☎ 44 83 24 04
🛏 20 ◎ 260/325 F. 🍴 198/250 F.
⊠ dim. soir.
🖪 🖵 🖪 🚗 🖢

COMPOLIBAT
12350 Aveyron
500 hab. 🅸

▲▲ AUBERGE LOU CANTOU
Mme Monteil
☎ 65 81 94 55
🛏 7 ◎ 190/215 F. 🍴 65/165 F. 🍴 37 F.
🛎 225 F. 🛎 190 F.
⊠ 20 sept./15 oct., mar. après-midi et
mer. hs.
🚗 🖩 🖏 🖏 CV 🖩 CB💳 E

▲ BEDEL
M. Bedel
☎ 65 81 92 56
🛏 6 ◎ 145/165 F. 🍴 60/140 F. 🍴 40 F.
🛎 170/190 F. 🛎 155/175 F.
⊠ 25 fév./6 mars et sam. midi hs.
🖪 🚗 🖩 🖏 🖤 🖏 🖏 🖩 ⟆ CB💳 E

COMPS SUR ARTUBY
83840 Var
900 m. • 250 hab.

▲▲ GRAND HOTEL BAIN ⋆⋆
M. Bain
☎ 94 76 90 06 FAX 94 76 92 24
🛏 16 ◎ 165/320 F. 🍴 75/180 F.
🍴 50 F. 🛎 320/360 F. 🛎 215/255 F.
⊠ 12 nov./24 déc., mer. soir et jeu.
1er oct./1er avr.
🖪 🖵 🖪 🚗 🚗 🖂 🖏 CB💳 E

CONCARNEAU
29110 Finistère
20000 hab.

AAA DES SABLES BLANCS **
Plage des Sables Blancs. M. Chabrier
☎ 98 97 01 39 FAX 98 50 65 88
48 ⌑ 185/340 F. 79/174 F.
40 F. 259/391 F. 219/361 F.
15 oct./1er avr.

A LA BONNE AUBERGE *
(Le Cabellou). M. Le Bihan
☎ 98 97 04 30
14 ⌑ 145/256 F. 69/120 F.
35 F. 210/295 F. 174/252 F.
Hôtel mai/sept. et rest. fin
juin/mi-sept.

A LES OCEANIDES *
3, rue au Lin. Mme Le Gac
☎ 98 97 08 61
26 ⌑ 150/250 F. 65/180 F.
35 F. 245/285 F. 195/245 F.
1er/21 oct. Rest. dim. 1er oct./30 mai.

CONCHES EN OUCHE
27190 Eure
4500 hab.

AA LE CYGNE **
36, rue du Val. M. Me Gilles
☎ 32 30 20 60 FAX 32 37 82 06
15 ⌑ 180/290 F. 90/225 F.
55 F. 285/335 F. 200/250 F.
Rest. lun. et dim. soir oct./Pâques.

CONDAT
15190 Cantal
1570 hab.

A CENTRAL HOTEL
Grande rue. M. Mouette
☎ 71 78 53 02
12 ⌑ 110/150 F. 60/150 F.
39 F. 180/230 F. 150/180 F.

CONDE SUR NOIREAU
14110 Calvados
7257 hab.

AA DU CERF **
18, rue du Chêne. M. Malgrey
☎ 31 69 40 55 FAX 31 69 78 29
9 ⌑ 184 F. 65/210 F. 45 F.
293/313 F. 205/225 F.
dim. soir.

CONFOLENS
16500 Charente
3470 hab.

AA AUBERGE DE LA BELLE ETOILE **
24, route d'Angoulême. M. Bisserier
☎ 45 84 02 35
14 ⌑ 100/250 F. 58/150 F.

50 F. 200/250 F. 190/200 F.
3 premières semaines janv. et lun.
1er oct./1er mai.

AA DE VIENNE **
4, rue de la Ferrandie. Mme Dupré
☎ 45 84 09 24
14 ⌑ 140/270 F. 62/170 F.
35 F. 200/290 F. 170/210 F.
22 oct./15 nov., 22 déc./5 janv., ven.
soir, sam, dim, 1er oct./31 mars, ven.
soir et sam. 1er avr./15 juin.

AA MERE MICHELET **
17, allées de Blossac. M. Michelet
☎ 45 84 04 11 FAX 45 84 00 92
24 ⌑ 125/275 F. 65/165 F.
38 F. 405/515 F. 350/435 F.

CONQUES
12320 Aveyron
450 hab.

A AUBERGE DU PONT ROMAIN *
Mme Estrade-Domergue ☎ 65 69 84 07
7 ⌑ 165/215 F. 65/120 F.
245/255 F. 185/225 F.

AA AUBERGE SAINT-JACQUES **
M. Fallieres
☎ 65 72 86 36 FAX 65 72 82 47
14 ⌑ 115/320 F. 80/150 F.
230/250 F.
janv. et lun. 15 nov./15 mars.

CONQUET (LE)
29217 Finistère
2007 hab.

A DE BRETAGNE *
16, rue Lieutenant Jourden. M. Daviaud
☎ 98 89 00 02
17 ⌑ 175/250 F. 89/290 F.
40 F. 280/310 F. 230/260 F.
3 janv./fin mars, ven. et sam. midi.

CONTAMINES MONTJOIE (LES)
74170 Haute Savoie
1164 m. • 1050 hab.

AA GAI SOLEIL **
Mme Mermoud ☎ 50 47 02 94
19 ⌑ 250/350 F. 99/140 F.
60 F. 300/380 F. 260/320 F.
24 avr./14 juin et 18 sept./20 déc.

AA LE MIAGE Rest. LE VIVIER **
(Le Nivorin). M. Boidard
☎ 50 47 01 63 TEL 385730 FAX 50 47 14 08
7 ⌑ 300/400 F. 98/195 F. 45 F.
300/400 F.
10 sept./20 déc. et 20 avr./20 juin.

CONTAMINES MONTJOIE (LES) (suite)

▲▲ LE RELAIS DU MONT BLANC ★★
(Hameau de Tresse) M. Dommange
☎ 50 47 02 08 FAX 50 47 16 15
🛏 21 ◎ 260/340 F. 🍽 60/160 F.
🍴 45 F. 🍽 295/340 F. �W 250/290 F.
🅴 🖎 🖃 ☎ 🚗 🛎 🎿 CV 🍴 CB𝖵𝖨𝖲𝖠 E

CONTRES
41700 Loir et Cher
2811 hab.

▲▲▲ DE FRANCE ★★★
Rue Pierre H. Mauger. M. Metivier
☎ 54 79 50 14 FAX 54 79 02 95
🛏 37 ◎ 292/403 F. 🍽 110/260 F.
🍽 434 F. �W 360 F.
⊠ Rest. 1er fév./10 mars.
🅴 🅳 🖃 ☎ 🚗 🚗 🛏 🚲 🏊 🛎 ✚
🔍 🖑 🖐 CV 🍴 CB𝖵𝖨𝖲𝖠 ⓪ E C 🖃

CONTREXEVILLE
88140 Vosges
5000 hab. ℹ

▲▲ DE FRANCE ★★
58, av. du Roi Stanislas. M. Dodin
☎ 29 08 04 13
🛏 33 ◎ 150/260 F. 🍽 80/185 F.
🍴 55 F. 🍽 275/330 F. �W 250/300 F.
⊠ 15 déc./15 janv.
🅴 🖃 ☎ 🚗 🚗 🚲 🛎 🍴 CB𝖵𝖨𝖲𝖠 E 🖃

▲▲ DES SOURCES ★★
Esplanade. Mme Pays
☎ 29 08 04 48 FAX 29 08 63 01
🛏 30 ◎ 140/320 F. 🍽 95/160 F.
🍴 50 F. 🍽 260/325 F. �W 210/275 F.
⊠ 15 oct./1er avr.
🅴 🖃 ☎ 🚲 🛎 🍴 CB𝖵𝖨𝖲𝖠 AE E

COQUILLE (LA)
24450 Dordogne
1800 hab.

▲▲ DES VOYAGEURS ★★
Sur N. 21. M. Saussot-Fontaneau
☎ 53 52 80 13 \ 53 52 03 32
FAX 53 62 18 29
🛏 10 ◎ 140/300 F. 🍽 95/300 F.
🍴 60 F. 🍽 270/350 F. �W 210/290 F.
⊠ 15 oct./15 avr.
🅴 SP 🖃 ☎ 🚗 🚗 🛏 🏊 🛎 🍴 CB𝖵𝖨𝖲𝖠 ⓪ E

CORBEIL ESSONNES
91100 Essonne
38080 hab. ℹ

▲▲ AUX ARMES DE FRANCE ★★
1, bld Jean Jaurès. M. Dejean
☎ (1) 64 96 24 04 FAX (1) 60 88 04 00
🛏 11 ◎ 170/210 F. 🍽 115/230 F.
🍴 115 F. 🍽 230/345 F. �W 230 F.
⊠ août et dim. soir.
🅴 SP ℹ ☎ 🚗 CV 🍴 CB𝖵𝖨𝖲𝖠 AE ⓪ E

CORBIGNY
58800 Nièvre
1802 hab. ℹ

▲ LA BUISSONNIERE ★★
Place Saint-Jean. M. De Souza
☎ 86 20 02 13 FAX 86 20 03 23

🛏 23 ◎ 270/290 F. 🍽 76/260 F.
🍴 48 F. 🍽 321 F. �W 245 F.
⊠ Rest. fév., dim. soir et lun.
🅴 🅳 🖃 ☎ 🍴 CB𝖵𝖨𝖲𝖠 ⓪ E 🖃

CORCELLES EN BEAUJOLAIS
69220 Rhône
550 hab.

▲ GAILLETON ★★
Mme Gailleton
☎ 74 66 41 06 FAX 74 69 60 54
🛏 15 ◎ 140/220 F. 🍽 85/235 F.
🍴 40 F. 🍽 190/280 F. �W 150/240 F.
⊠ fév. et lun.
🅴 🖃 ☎ 🚗 🖑 CV 🛎 🍴 CB𝖵𝖨𝖲𝖠 AE ⓪ E

CORCIEUX
88430 Vosges
535 m. • 1900 hab. ℹ

▲ AUBERGE FORFELAISE ★
11, rue de l'Hôtel de Ville.
M. Houssemand ☎ 29 50 65 56
🛏 10 ◎ 170/180 F. 🍽 65/300 F.
🍴 50 F. 🍽 200 F. �W 180 F.
⊠ 26 sept./26 oct.
🅳 🛎 CB𝖵𝖨𝖲𝖠 AE ⓪ E

▲▲ LE CONTI ★★
2, rue d'Alsace. Mme Eve ☎ 29 50 66 33
🛏 12 ◎ 150/250 F. 🍽 70/160 F.
🍴 40 F. 🍽 190/250 F. �W 160/200 F.
⊠ vac. scol. Pâques et Toussaint, sam.
🅴 🅳 🖃 ☎ 🚗 🛏 🖑 🖐 CV 🛎 🍴
CB𝖵𝖨𝖲𝖠 AE E

CORDES
81170 Tarn
1200 hab. ℹ

▲ DE LA BRIDE ★
Place de la Bride. Mme Collado
☎ 63 56 04 02
🛏 8 ◎ 190/240 F. 🍽 65/210 F. 🍴 40 F.
🍽 310 F. �W 240 F.
⊠ 15 déc./31 janv.
SP 🍴

▲▲▲ HOSTELLERIE DU VIEUX CORDES ★★★
Rue de la République. M. Thuries
☎ 63 56 00 12 TX 530955
🛏 20 ◎ 300/420 F. 🍴 50 F. 🍽 370 F.
�W 295 F.
⊠ janv., Rest. dim. soir et lun.
1er nov./30 avr.
🅴 SP 🖃 ☎ 🚗 🖑 CV 🛎 🍴 CB𝖵𝖨𝖲𝖠 AE ⓪ E

▲▲ HOTELLERIE DU PARC ★★
(Les Cabannes). M. Izard
☎ 63 56 02 59 FAX 63 56 18 03
🛏 14 ◎ 230/320 F. 🍽 75/280 F.
🍴 55 F. 🍽 260/320 F. �W 220/280 F.
⊠ dim. soir et lun. 15 sept./15 juin.
🅴 SP 🖃 ☎ 🚗 🚗 🖸 CV 🍴 CB𝖵𝖨𝖲𝖠 E

CORDON
74700 Haute Savoie
871 m. • 766 hab. ℹ

▲▲ LE PERRON ★★
Mme Bottollier-Curtet ☎ 50 58 11 18
🛏 14 ◎ 250/300 F. 🍽 90/200 F.
🍴 45 F. 🍽 270/320 F. �W 245/290 F.
🖃 🖃 ☎ 🚗 🖑 🛎 🍴 CB𝖵𝖨𝖲𝖠

CORDON (suite)

LES BRUYERES ★★
(A Frebouge-Cordon).
M. Bottollier-Curtet ☎ 50 58 09 75
📞 15 ⊠ 190/250 F. 🍽 75/100 F.
🛏 50 F. 🍽 240/290 F. 🛎 210/260 F.
⊠ 25 sept./20 déc.
☎ 🏠 ♨ CV 🅿

LES QUATRE SAISONS ★★
M. Antonini ☎ 50 58 04 40
📞 17 ⊠ 200/280 F. 🍽 90/130 F.
🛏 50 F. 🍽 235/320 F. 🛎 210/290 F.
⊠ 11 avr./11 mai et 26 sept./20 déc.
E SP 🛏 🏠 ☎ 🏠 🏠 ♨ 🏃 CV 🅿
CB VISA AE

CORMORANCHE SUR SAONE
01290 Ain
800 hab.

VAISSE "CHEZ PETIT LOUIS" ★
Sortie Mâcon Sud. M. Vaisse
☎ 85 36 20 45
📞 7 ⊠ 110/160 F. 🍽 65/150 F. 🛏 45 F.
🍽 220 F. 🛎 170 F.
⊠ janv., dim. soir et lun.
🏠 🏠 🅿 CB VISA E

CORNEVILLE SUR RISLE
27500 Eure
1004 hab.

LES CLOCHES DE CORNEVILLE ★★★
Route de Rouen. M. Tixier
☎ 32 57 01 04 FAX 32 57 10 96
📞 12 ⊠ 260/400 F. 🍽 115/250 F.
🛏 70 F. 🍽 360/430 F. 🛎 245/315 F.
⊠ 15 nov./15 mars.
E 🏠 ☎ 🏠 ♨ CV 🅿 CB VISA E

CORNILLON CONFOUX
13250 Bouches du Rhône
810 hab. ⓘ

LE DEVEM DE MIRAPIER ★★★
M. Pecoul
☎ 90 55 99 22 FAX 90 55 86 14
📞 16 ⊠ 420/640 F. 🍽 130/220 F.
🛏 80 F. 🍽 475/600 F.
⊠ 15 déc./15 janv. et week-ends
oct./mars.
E 🛏 🏠 ☎ 🏠 ♨ 🅿 CB VISA AE E

CORNIMONT
88310 Vosges
525 m. • 4574 hab. ⓘ

TERMINUS ★★
2, place de la Gare. M. Schilling
☎ 29 24 10 34 FAX 29 24 21 41
📞 43 ⊠ 200/230 F. 🍽 67/125 F.
🛏 35 F. 🍽 250/265 F. 🛎 200/215 F.
⊠ 1ère quinzaine avr., sam. et dim. soir
sauf vac. scol.
E 🏠 ☎ 🏠 ♨ CB VISA E

CORNIMONT (TRAVEXIN)
88310 Vosges
4582 hab. ⓘ

LE GEHAN ★★
M. Grandgirard

☎ 29 24 10 71 FAX 29 24 10 70
📞 13 ⊠ 199/250 F. 🍽 63/184 F.
🛏 42 F. 🍽 230/265 F. 🛎 205/237 F.
⊠ 1er/20 sept., 4/11 janv., dim. soir et
lun. sauf vac. scol.
E 🏠 ☎ 🏠 ♨ 🏃 CV 🅿 CB VISA
AE E

CORPS
38970 Isère
950 m. • 505 hab. ⓘ

DE LA POSTE ★★
Route Napoléon. M. Delas
☎ 76 30 00 03 FAX 76 30 02 73
📞 19 ⊠ 200/400 F. 🍽 92/250 F.
🛏 68 F. 🍽 310/450 F. 🛎 220/350 F.
⊠ 1er déc./15 janv.
🛏 🏠 ☎ 🏠 ♨ CV 🅿
CB VISA E

DU TILLEUL ★★
Route Napoléon. M. Jourdan
☎ 76 30 00 43
📞 10 ⊠ 220/270 F. 🍽 73/150 F.
🛏 45 F. 🍽 290/310 F. 🛎 220/240 F.
⊠ 1er nov./15 déc.
E 🛏 🏠 ☎ 🏠 ♨ CV 🅿 CB VISA
AE E

NOUVEL HOTEL ★★
Mme Pellissier
☎ 76 30 00 35 FAX 76 30 03 00
📞 20 ⊠ 200/320 F. 🍽 80/160 F.
🛏 50 F. 🍽 260/290 F. 🛎 210/230 F.
⊠ janv.
🏠 ☎ 🅿 CB VISA AE E

CORRENCON EN VERCORS
38250 Isère
1100 m. • 260 hab.

LES CLARINES ★★
Mme Repellin
☎ 76 95 81 81 FAX 76 95 84 98
📞 27 ⊠ 250/370 F. 🍽 88/145 F.
🛏 42 F. 🍽 310/400 F. 🛎 260/350 F.
⊠ 15 avr./1er juin et 30 sept./15 déc.
E 🏠 ☎ 🏠 ♨ CV 🅿 CB VISA AE E

CORREZE
19800 Corrèze
1414 hab. ⓘ

AUBERGE DE LA TRADITION
Av. de la Gare. M. Viallet
☎ 55 21 30 26
📞 5 ⊠ 180 F. 🍽 90/140 F. 🛏 55 F.
🍽 240 F. 🛎 170 F.
⊠ Rest. fév.
E CV 🅿 CB VISA AE E

CORTEVAIX
71460 Saône et Loire
211 hab.

LE PRESSOIR
Mme Vincent
☎ 85 50 12 69 FAX 85 50 19 20
📞 3 ⊠ 250/280 F. 🍽 70/150 F.
⊠ 15 janv./1er mars.
E 🏠 ☎ 🏠 CV 🅿 CB VISA E

COSNE SUR LOIRE
58200 Nièvre
12000 hab. 🛈

▲▲ LE VIEUX RELAIS ✦✦✦
Rue Saint-Agnan. M. Me Carlier
☎ 86 28 20 21 ⊞ 86 26 71 12
🛏 10 ◱ 260/300 F. 🍽 98/310 F.
🍴 50 F. 🍷 350/380 F. 🍴 250/280 F.
⊠ vac. scol. Noël, vac. scol. fév., ven.
soir et sam. midi.
🖨 🕿 🚗 📺 🛎 ⬆ CB𝖵𝖨𝖲𝖠 AE ● E

COTE SAINT ANDRE (LA)
38260 Isère
5000 hab. 🛈

▲▲ DE FRANCE ✦✦
Place Saint-André. Mme France
☎ 74 20 25 99 ⊞ 74 20 35 30
🛏 13 ◱ 300/350 F. 🍽 120/380 F.
🍴 90 F. 🍷 350/400 F.
⊠ Rest. 4/24 janv., 15/22 nov., dim. soir
et lun. sauf jours fériés.
🖨 🕿 🚗 𝗆 🛎 ⬆ CB𝖵𝖨𝖲𝖠 E

COTIGNAC
83850 Var
1628 hab. 🛈

▲▲ LOU CALEN ✦✦✦
1, cours Gambetta. M. Mendès
☎ 94 04 60 40 ⊞ 94 04 76 64
🛏 15 ◱ 260/600 F. 🍽 125/240 F.
🍴 70 F. 🍷 450/600 F. 🍴 310/475 F.
⊠ janv./20 mars et mer. sauf juil./sept.
🎲 🖨 🚗 🕿 🛁 🏊 ⊘ CV 🛎 ⬆
CB𝖵𝖨𝖲𝖠 AE ● E

COTINIERE (LA)
17310 Charente Maritime
1200 hab. 🛈

▲▲ L'ECAILLER ✦✦✦
65, rue du Port. M. Rochard
☎ 46 47 10 31 ⊞ 46 47 10 23
🛏 8 ◱ 320/395 F. 🍽 98/360 F. 🍴 53 F.
🍷 445/510 F. 🍴 360/415 F.
⊠ début janv./10 fév., début
nov./31 déc., dim. soir et lun. sauf vac.
scol. fév./mars/avr./oct.
🖨 🖨 🚗 🕿 🛁 CV ⬆ CB𝖵𝖨𝖲𝖠 AE ● E

COUBLANC
71170 Saône et Loire
627 m. ● *880 hab.* 🛈

▲▲ LA MASOIERIE ✦✦✦
Mme Martelin
☎ 85 26 36 80 ⊞ 85 26 01 70
🛏 10 ◱ 200/450 F. 🍽 70/360 F.
🍴 35 F. 🍷 410/660 F. 🍴 340/590 F.
⊠ Rest. mar.
🖨 🖨 🕿 🚗 🛁 🏊 ♨ 🎣 ⊘ CV 🛎
⬆ CB𝖵𝖨𝖲𝖠 E

COUCHES
71490 Saône et Loire
1600 hab.

▲▲ DES TROIS MAURES ✦✦
M. Tolfo
☎ 85 49 63 93 ⊞ 85 49 50 29
🛏 17 ◱ 140/245 F. 🍽 78/175 F.

🍴 50 F. 🍷 230/285 F. 🍴 200/235 F.
⊠ 15 fév./15 mars et lun. hs.
🖨 🛈 🖨 🕿 🚗 🛁 🛎 ⬆ CB𝖵𝖨𝖲𝖠 AE E

COUCOURON
07470 Ardèche
1130 m. ● *800 hab.* 🛈

▲▲ CARREFOUR DES LACS ✦✦
M. Haon ☎ 66 46 12 70
🛏 17 ◱ 130/300 F. 🍴 80/150 F.
🍽 210/255 F. 🍴 180/215 F.
⊠ 15 nov./15 fév.
🖨 🛈 🖨 🕿 🚗 🚗 ⊘ 🎿 CV ⬆ CB𝖵𝖨𝖲𝖠 E

▲ DU PROGRES
M. Haon
☎ 66 46 10 09
🛏 9 ◱ 110/140 F. 🍽 60/110 F. 🍴 40 F.
🍽 185/205 F. 🍴 130/150 F.

▲▲ ENJOLRAS ᴱᶜ
M. Enjolras
☎ 66 46 10 04
🛏 15 ◱ 150/250 F. 🍽 65/120 F.
🍴 40 F. 🍽 210/260 F. 🍴 160/210 F.
🖨 🖨 🕿 🚗 🛁 🎿 🛎 CB𝖵𝖨𝖲𝖠 AE ● E

COUDES
63114 Puy de Dôme
890 hab.

▲ DE LA POSTE
M. Pauch ☎ 73 96 61 05
🛏 7 ◱ 90/100 F. 🍽 65/ 80 F. 🍴 40 F.
🍽 180 F. 🍴 150 F.
⊠ mer. après-midi.
🚗 CV ⬆ CB𝖵𝖨𝖲𝖠 AE E

COUHE
86700 Vienne
2150 hab. 🛈

▲ AUBERGE DU CHENE VERT
Rue des Bons Enfants. Mme Courtin
☎ 49 59 20 42 ⊞ 49 53 42 20
🛏 7 ◱ 140/190 F. 🍽 75/110 F. 🍴 42 F.
🍽 230 F. 🍴 180/200 F.
🖨 🚗 CB𝖵𝖨𝖲𝖠 AE ● E

COULANGES SUR YONNE
89480 Yonne
609 hab.

▲ LION D'OR
M. Bresson
☎ 86 81 71 72
🛏 15 ◱ 130/260 F. 🍽 75/115 F.
🍴 50 F. 🍽 210/280 F. 🍴 150/220 F.
⊠ 2/19 oct., 19 déc./11 janv., dim. soir
et lun. sauf juil./août.
🚗 🚗 ⬆ CB𝖵𝖨𝖲𝖠 E

COULLONS
45720 Loiret
2500 hab.

▲ AUBERGE DU CHEVAL BLANC
M. Collet
☎ 38 36 11 21
🛏 10 ◱ 100/260 F. 🍽 67/170 F.
🍴 60 F. 🍽 160/200 F. 🍴 125/165 F.
⊠ 19 août/15 sept. et mar.
🖨 🚗 🛁 ⊘ ⬆ CB𝖵𝖨𝖲𝖠 E C ▦

COULOMBIERS
86600 Vienne
1000 hab.

AA LE CENTRE - POITOU ★
Mme Authe-Martin
☎ 49 60 90 15
🛏 10 ⌂ 130/250 F. 🍽 48/380 F.
🍴 50 F. 🛏 260/450 F. 🏩 180/290 F.
⊠ 1er quinzaine nov., dim. soir et lun.
nov./avr.
E D SP ⌂ ☎ ⊟ ⟟ ⚓ ⟲ ⟳ ⟨ ⟩ ⟦
CB VISA E

COULOMMIERS
77120 Seine et Marne
13087 hab. ⓘ

A DE L'OURS ★★
35, rue B. Flornoy. Mme Magnier
☎ (1) 64 03 32 11 FAX (1) 64 03 10 58
🛏 15 ⌂ 145/260 F. 🍽 69/198 F.
🍴 50 F. 🛏 240/330 F. 🏩 200/280 F.
⊠ Rest. dim. soir et ven. soir.
⌂ ☎ ⊟ CV ⟨ ⟩ CB VISA AE

COULON
79510 Deux Sèvres
2000 hab. ⓘ

AA LE CENTRAL
4, rue d'Autremont. Mme Monnet
☎ 49 35 90 20 FAX 49 35 81 07
🛏 5 ⌂ 210/235 F. 🍽 88/188 F. 🍴 52 F.
🛏 280/290 F. 🏩 195/205 F.
⊠ 9 janv./3 fév., 25 sept./20 oct., dim.
soir et lun.
E ⊟ ⟟ ⟨ ⟩ CB VISA E

COUR CHEVERNY
41700 Loir et Cher
2000 hab.

AA SAINT-HUBERT ★★
M. Me Pillault
☎ 54 79 96 60 FAX 54 79 21 17
🛏 18 ⌂ 190/320 F. 🍽 90/280 F.
🍴 55 F. 🏩 300/360 F.
⊠ Rest. mer.
E ⌂ ☎ ⊟ ⟨ ⟩ CB VISA E

COURCHEVEL
73120 Savoie
1550 m. • 1732 hab. ⓘ

AAA LES ANCOLIES ★★★
Rue des Gravelles. M. Person
☎ 79 08 27 66 FAX 79 08 05 64
🛏 34 ⌂ 315/900 F. 🍽 115/165 F.
🍴 60 F. 🛏 453/660 F. 🏩 340/590 F.
⊠ 1er mai/1er juil. et 31 août/1er déc.
E SP ⌂ ☎ ⊟ ⬥ ⟟ ⚓ ⟲ CV
⟨ ⟩ CB VISA AE ⊕ E

AAA LES PEUPLIERS ★★★
(Le Praz). M. Gacon
☎ 79 08 41 47 FAX 79 08 45 05
🛏 28 ⌂ 250/750 F. 🍽 90/250 F.
🍴 60 F. 🛏 350/650 F. 🏩 300/600 F.
⊠ environ 3 semaines mai et oct./nov.
sauf réservations.
E SP ⌂ ☎ ⊟ ⬥ ⟟ ⚓ CV ⟨ ⟩
CB VISA AE E

COURNON D'AUVERGNE
63800 Puy de Dôme
20000 hab.

AA LE CEP D'OR ★★
(Le Pont). M. Rocca ☎ 73 84 80 02
🛏 24 ⌂ 160/250 F. 🍽 70/158 F.
🍴 40 F. 🛏 260/320 F. 🏩 220/280 F.
⊠ dim. soir et lun. 20 sept./fin avr.
E SP ⌂ ☎ ⊟ ⟲ CV CB VISA AE E

COURS LA VILLE
69470 Rhône
755 m. • 5000 hab. ⓘ

AA LE PAVILLON ★★
Col du Pavillon. (755m). Mme Duperray
☎ 74 89 83 55 FAX 74 64 70 26
🛏 23 ⌂ 108/349 F. 🍽 75/260 F.
🍴 55 F. 🛏 264/360 F. 🏩 178/277 F.
⊠ vac. scol. fév. et mars, ven. soir, sam.
mi-oct./Pâques.
E D ⌂ ☎ ⊟ ⟟ ⟲ ⟨ ⟩ CB VISA E

AA NOUVEL HOTEL ★★
5, rue Georges Clemenceau.
Mme Clairet
☎ 74 89 70 21 FAX 74 89 80 55
🛏 16 ⌂ 190/255 F. 🍽 72/168 F.
🍴 50 F. 🛏 262/271 F. 🏩 225/231 F.
⊠ 26 déc./10 janv. et dim. soir.
E D ⌂ ☎ ⊟ ⬥ CV ⟨ ⟩ CB VISA AE E

COURSEGOULES
06140 Alpes Maritimes
1020 m. • 201 hab.

AA L'ESCAOU ec
M. Braganti ☎ 93 59 11 28
🛏 10 ⌂ 250 F. 🍽 95/150 F. 🍴 45 F.
🛏 320 F. 🏩 240 F.
⊠ janv., dim. soir et lun. journée hors
vac. scol.
E ⓘ ⌂ ☎ ⟲ ⟳ ⟨ ⟩ CB VISA E

COURSEULLES SUR MER
14470 Calvados
3000 hab. ⓘ

AAA BELLE AURORE ★★
32, rue Maréchal Foch. M. Pruvot
☎ 31 37 46 23 FAX 31 37 10 70
🛏 7 ⌂ 200/300 F. 🍽 69/155 F. 🍴 40 F.
🛏 330/350 F. 🏩 250/270 F.
⊠ 10 janv./6 fév. dim. soir et lun.
15 sept./Pâques.
E D ⓘ ⌂ ☎ ⟨ ⟩ CB VISA AE E ⬛

AAA DE PARIS ★★
Place du 6 Juin 1944. M. Leparfait
☎ 31 37 45 07 TEL 170656 FAX 31 37 51 63
🛏 27 ⌂ 260/360 F. 🍽 70/250 F.
🍴 45 F. 🛏 270/340 F. 🏩 195/275 F.
⊠ 1er oct./1er avr.
E SP ⌂ ☎ ⊟ ⟟ ⟲ CV ⟨ ⟩ CB VISA
AE ⊕ E

AAA LA CREMAILLERE - LE GYTAN ★★
Av. des Combattants/Bld de la Plage.
M. Berthaud
☎ 31 37 46 73 TEL 171 952 FAX 31 37 19 31
🛏 40 ⌂ 145/380 F. 🍽 90/267 F.
🍴 48 F. 🛏 295/480 F. 🏩 210/380 F.
E D SP ⌂ ☎ ⊟ ⟟ ⬥ ⟲ CV ⟨ ⟩
⟦ CB VISA AE ⊕ E C

COURTENAY
45320 Loiret
3150 hab. 🛈

▲▲ LE RELAIS ★★
26, rue Nationale. M. Martin
☎ 38 97 41 60 ⅢⅢ 38 97 30 43
🛏 8 ⌂ 245/370 F. Ⅲ 97/215 F. 🍴 55 F.
Ⅲ 310/360 F. 🍽 270/310 F.
⊠ nov., dim. soir et lun.
🅸🗖🛋🛏🍴🎿👶📶👜 CB🌇 ᴁ ⑩
E 🏠

COURTILS
50220 Manche
225 hab.

▲▲ MANOIR DE LA ROCHE THORIN ★★★
(La Roche Thorin). Mme Barraux
☎ 33 70 96 55 ⅢⅢ 33 48 35 20
🛏 12 ⌂ 380/600 F. Ⅲ 145/195 F.
🍴 60 F. Ⅲ 380/480 F.
⊠ 3 janv./28 mars, rest. lun. hs.
🅸🅳🗖🛋🛏🚶🔭👶👜
CB🌇 ᴁ ⑩ E 🏠

COURTINE (LA)
23100 Creuse
780 m. • 1245 hab. 🛈

▲ AU PETIT BREUIL ★
MeM. Plazanet-Gourgues
☎ 55 66 76 67 ⅢⅢ 55 66 71 84
🛏 9 ⌂ 150/220 F. Ⅲ 60/150 F. 🍴 45 F.
Ⅲ 190 F. 🍽 155 F.
⊠ dim. soir.
🅸🗖🛋🛏🎿👶👜CV📶👜CB🌇

▲ MODERNE ★★
Mme Mourlon
☎ 55 66 76 31
🛏 9 ⌂ 130/285 F. Ⅲ 50/150 F. 🍴 28 F.
Ⅲ 185/260 F. 🍽 165/240 F.
⊠ 20 déc./28 fév.
🅸🆂🅿🗖🛋🛏🍴👶👜 CB🌇 ᴁ E

COUSOLRE
59149 Nord
2633 hab. 🛈

▲▲ LE VIENNOIS ★★
M. Welonek
☎ 27 63 21 73 ⅢⅢ 27 68 52 13
🛏 8 ⌂ 200/240 F. Ⅲ 88/250 F. 🍴 50 F.
Ⅲ 290/350 F. 🍽 220/270 F.
⊠ 16 août/10 sept. et mar.
🅸🗖🛋🛏🍴CV📶CB🌇 E

COUSSAC BONNEVAL
87500 Haute Vienne
1800 hab. 🛈

▲▲▲ LES VOYAGEURS ★★
M. Robert
☎ 55 75 20 24 ⅢⅢ 55 75 28 90
🛏 9 ⌂ 200/230 F. Ⅲ 80/230 F. 🍴 50 F.
Ⅲ 310/330 F. 🍽 240/260 F.
⊠ janv., dim. soir et lun. oct./mai.
🅸🆂🅿🗖🛋🛏🍴👶📶👜 CB🌇 E 🏠

COUSTAUSSA
11190 Aude
318 hab.

▲▲ PEYRE PICADE ★★
Mme Granovsky

☎ 68 31 68 75
🛏 10 ⌂ 350 F. Ⅲ 150 F. 🍴 75 F.
Ⅲ 500 F. 🍽 350 F.
🗖🛋🛏🍴🎿CV📶👜CB🌇 ᴁ ⑩ E

COUTAINVILLE
50230 Manche
2349 hab. 🛈

▲▲ HARDY ★★
(A Agon). M. Hardy
☎ 33 47 04 11 ⅢⅢ 33 47 39 00
🛏 16 ⌂ 260/400 F. Ⅲ 100/350 F.
🍴 60 F. Ⅲ 395/455 F. 🍽 315/375 F.
⊠ 15 janv./10 fév., dim. soir et lun. sauf
vac. scol., fériés.
🅸🗖🛋🛏👶📶👜CB🌇 ᴁ ⑩ E

COUTANCES
50200 Manche
13450 hab. 🛈

▲▲▲ COSITEL ★★
Route de Coutainville. M. Holley
☎ 33 07 51 64 ⅢⅢ 772003 ⅢⅢ 33 07 06 23
🛏 55 ⌂ 320/360 F. Ⅲ 95/164 F.
🍴 54 F. Ⅲ 380 F. 🍽 285 F.
⊠ Rest. 24 déc. soir.
🅸🅳🅸🗖🛋🛏🛏🚶▶👶📶
👜 CB🌇 ᴁ ⑩ E C 🏠

COUTURE SUR LOIR
41800 Loir et Cher
450 hab.

▲▲ LE GRAND SAINT VINCENT ★★
14, rue Pasteur. M. Bardet
☎ 54 72 42 02 ⅢⅢ 54 72 41 55
🛏 7 ⌂ 220/260 F. Ⅲ 80/110 F. 🍴 40 F.
Ⅲ 300/350 F. 🍽 260/300 F. ⊠ 8 jours
fév., dim. soir et lun. hs.
🗖🛋🛏🍴👶📶👜 CB🌇 E

CRANCOT
39570 Jura
460 hab. 🛈

▲▲ LE BELVEDERE ★★
Mme Noir
☎ 84 48 22 18 ⅢⅢ 84 48 26 77
🛏 8 ⌂ 105/250 F. Ⅲ 60/160 F. 🍴 45 F.
Ⅲ 235/265 F. 🍽 195/220 F.
⊠ fin nov./début fév., lun. soir et mar.
🅸🆂🗖🛋🛏🍴👶📶👜 CB🌇 E

CRANSAC LES THERMES
12110 Aveyron
2930 hab. 🛈

▲▲ COQ VERT ★★
Parc Thermal. M. Laperteaux
☎ 65 63 28 80 ⅢⅢ 65 63 28 87
🛏 40 ⌂ 240 F. Ⅲ 65/135 F. 🍴 40 F.
Ⅲ 265 F. 🍽 205 F.
🅸🗖🛋🛏🏊💈🐎🔭▶👶CV📶
👜CB🌇 C 🏠

▲▲ DU PARC ★★
Rue Général Louis Artous. M. Astor
☎ 65 63 01 78 ⅢⅢ 65 63 20 36
🛏 25 ⌂ 125/240 F. Ⅲ 75/160 F.
🍴 45 F. Ⅲ 175/250 F. 🍽 135/210 F.
⊠ Début nov./début avr.
🅸🗖🛋🛏🍴🎿👶CV📶👜CB🌇 E

CRANSAC LES THERMES (suite)

▲▲ HOSTELLERIE DU ROUERGUE ★★
22, av. Jean Jaurès. M. Davril
☎ 65 63 02 11
🛏 16 ⊜ 180/250 F. ⅋ 59/190 F.
⅋ 45 F. ⅋ 235/280 F. ⅋ 205/250 F.
⊠ Toussaint/Pâques.
[E] [D] [SP] [i] [☎] [🖥] [🖥] [🖥] [🚗] [✉] [🖥] [🖥]
[✦] [♦] [CV] [🖥] [♦] CB💳 E

CRAVANT
89460 Yonne
756 hab. [i]

▲▲ LES HORTENSIAS ★★
5, rue de l'Eglise. Mme Van Eetvelde
☎ 86 42 24 63
🛏 15 ⊜ 150/230 F. ⅋ 72/150 F.
⅋ 45 F. ⅋ 290/310 F. ⅋ 227/227 F.
⊠ 3 semaines fév., 2 semaines nov.
après 11 nov., dim. soir et lun. hs.
[☎] [i] [🖥] CB💳 AE ① E 🖥

CRAVANT LES COTEAUX
37500 Indre et Loire
747 hab.

▲ AUBERGE CRAVANTAISE
Place du Lavoir. 13, rue Principale
M. Robin
☎ 47 98 40 82
🛏 7 ⊜ 130/230 F. ⅋ 48/140 F. ⅋ 35 F.
⅋ 230 F. ⅋ 190 F.
⊠ dim. soir hs.
[E] [🖥] [CV] [🖥] [♦] CB💳 E

CRECY EN PONTHIEU
80150 Somme
1400 hab. [i]

▲▲ DE LA MAYE ★★
13, rue Saint-Riquier. M. Grevet
☎ 22 23 54 35 📠 22 23 53 32
🛏 11 ⊜ 185/330 F. ⅋ 65/160 F.
⅋ 65 F. ⅋ 280/320 F. ⅋ 210/255 F.
⊠ vac. scol. fév., dim. soir et lun.
sept./juin.
[E] [🖥] [🖥] [🖥] [🚗] [🖥] [🖥] [CV] [🖥] [♦] CB💳 E

CRECY LA CHAPELLE
77580 Seine et Marne
3000 hab. [i]

▲ AUBERGE LE SOUTERRAIN ★★
Sur N. 34. Mme Bonnard
☎ (1) 64 63 92 15 📠 (1) 64 63 00 03
🛏 15 ⊜ 195/250 F. ⅋ 98/159 F.
⅋ 65 F.
⊠ dim. soir.
[E] [🖥] [🖥] [🖥] [🖥] [🚗] [🖥] [🖥] [♦] CB💳 E

CRECY SUR SERRE
02270 Aisne
1705 hab.

▲ LA TOUR DE CRECY
1, place des Alliés. Mme Guiochereau
☎ 23 80 80 11
🛏 7 ⊜ 130/220 F. ⅋ 54/145 F. ⅋ 45 F.
⅋ 170/220 F. ⅋ 130/180 F.
⊠ dim. après-midi.
[E] [🖥] [🖥] [♦] CB💳 E

CREMIEU
38460 Isère
2750 hab. [i]

▲ AUBERGE DE LA CHAITE ★★
Cours Baron Raverat. M. Seroux
☎ 74 90 76 63
🛏 11 ⊜ 135/235 F. ⅋ 62/155 F.
⅋ 36 F. ⅋ 210 F.
⊠ 14/21 mars, 2/31 janv., dim. soir et lun.
[E] [🖥] [🖥] [🚗] [♦] CB💳 AE ① E

▲ LA PETITE AUBERGE ★
7, rue Juiverie. M. Ducrot
☎ 74 90 73 76 📠 78 03 02 48
🛏 10 ⊜ 145/235 F. ⅋ 55/200 F.
⅋ 45 F. ⅋ 190/230 F. ⅋ 145/190 F.
⊠ mer. hiver et ven. midi été.
[E] [🖥] [🖥] [🚗] [CV] [♦] CB💳 E

CREPON
14480 Calvados
203 hab.

▲▲ FERME DE LA RANCONNIERE ★★
Route d'Arromanches. Mme Vereecke
☎ 31 22 21 73 📠 31 22 98 39
🛏 35 ⊜ 180/380 F. ⅋ 50/235 F.
⅋ 55 F. ⅋ 290/400 F. ⅋ 205/315 F.
[E] [D] [🖥] [🖥] [🚗] [🚗] [✦] [🚹] [CV] [🖥] [♦]
CB💳 AE ① E 🖥

CRESSENSAC
46600 Lot
600 hab.

▲▲ CHEZ GILLES ★★
M. Treille
☎ 65 37 70 06 📠 65 37 77 15
🛏 13 ⊜ 160/295 F. ⅋ 98/245 F.
⅋ 50 F.
[E] [SP] [i] [🖥] [🖥] [CV] [♦] CB💳 AE ① E

▲▲ POQUET ★★
M. Poquet ☎ 65 37 70 08
🛏 22 ⊜ 135/200 F. ⅋ 80/230 F.
⅋ 45 F. ⅋ 190/220 F.
⊠ dim. soir 10 sept./15 juil.
[E] [SP] [🖥] [🖥] [🖥] [🚗] [🖥] [🚹] [🖥] [🖥] CB💳
E 🖥

CREST
26400 Drôme
8000 hab. [i]

▲▲ GRAND HOTEL ★★
60, rue de l'Hôtel de Ville. M. Lattier
☎ 75 25 08 17 📠 75 25 46 42
🛏 22 ⊜ 130/330 F. ⅋ 77/180 F.
⅋ 47 F. ⅋ 260/305 F. ⅋ 180/265 F.
⊠ 20 déc./20 janv., 1 semaine vac. scol.
hiver, lun. midi, dim. soir sauf
15 juin./10 sept. et lun. soir
1er nov./30 mars.
[E] [🖥] [🖥] [🖥] [♦] CB💳 E

▲▲ LA PORTE MONTSEGUR ★★
Sur D. 93. M. Allier
☎ 75 25 41 48 📠 75 25 22 63
🛏 9 ⊜ 260/285 F. ⅋ 92/285 F. ⅋ 60 F.
⅋ 330 F. ⅋ 250 F.
⊠ 20 fév./10 mars, 28 oct./12 nov., lun.
soir et mer.
[E] [D] [i] [🖥] [🖥] [🖥] [🖥] [🚹] [🖥] [♦] CB💳
AE ① E

185

CREST (suite)

⌂ LE SQUARE
Rue du 8 Mai 1945. M. Juliand
☎ 75 40 65 75
🛏 13 🍴 110/170 F. 🍴 60/120 F.
🏠 30 F. 🍴 200 F.
🖃 🚗 🚗 🕭 CB▨ E 🖼

CREST VOLAND
73590 Savoie
1230 m. • 395 hab. 🛈

⌂⌂ DU MONT BISANE ★★
M. Me Borgis
☎ 79 31 60 26 📠 79 31 69 43
🛏 19 🍴 180/220 F. 🍴 68/ 75 F.
🏠 45 F. 🍴 240/305 F. 🍴 190/275 F.
🖃 mai/juil. et sept./déc.
E 🖃 🕭 CV 🕭 CB▨

⌂⌂ DU MONT CHARVIN ★★
Mme Bourgeois
☎ 79 31 61 21 📠 79 31 82 10
🛏 21 🍴 230/240 F. 🍴 82/105 F.
🏠 50 F. 🍴 265/280 F. 🍴 225/235 F.
🖃 15 avr./20 juin et 5 sept./15 déc.
E 🖃 🚗 🕭 🕭 🕭 CB▨ AE E

⌂⌂ LE CAPRICE DES NEIGES ★★
(Les Reys). M. Marin-Lamellet
☎ 79 31 62 95 📠 79 31 79 30
🛏 16 🍴 310 F. 🍴 85/115 F. 🏠 45 F.
🍴 285/315 F. 🍴 250/280 F.
🖃 18 juin/15 sept. et 15 déc./15 avr.
E 🖃 🚗 🕭 🕭 🕭 🕭 🕭 CB▨ E

CRESTET (LE)
07270 Ardèche
520 hab.

⌂⌂ AUBERGE DES ROCHES
(Les Roches). Mme Convers
☎ 75 06 20 20
🛏 3 🍴 155/260 F. 🍴 65/125 F.
🍴 210/235 F. 🍴 175/195 F.
🖃 1er nov./15 avr. sauf week-ends.
🚗 🕭 🕭 🕭 🕭 CV 🕭 CB▨ AE ⓪ E

⌂⌂ DE LA TERRASSE ★
Mme Abattu
☎ 75 06 24 44
🛏 15 🍴 150/250 F. 🍴 65/160 F.
🏠 40 F. 🍴 200/230 F. 🍴 160/200 F.
🖃 mer. hs.
E 🖃 🚗 🚗 🚗 🕭 🕭 🕭 CV 🕭 🕭
CB▨ E

CREULLY
14480 Calvados
1200 hab. 🛈

⌂⌂ SAINT MARTIN ★★
6, place Edmond Paillaud. M. Legrand
☎ 31 80 10 11 📠 31 08 17 64
🛏 12 🍴 180/230 F. 🍴 62/200 F.
🏠 40 F. 🍴 280/300 F. 🍴 260/280 F.
🖃 15 jours vac. scol. Noël, 15 jours vac.
scol. fév., dim. soir et lun. midi
30 sept./Pâques.
E 🖃 🚗 🚗 🕭 CV 🕭 🕭 CB▨ AE
⓪ E

CREVECOEUR EN AUGE
14340 Calvados
614 hab.

⌂ AUBERGE DU CHEVAL BLANC
Mme Fontaine
☎ 31 63 03 28 📠 31 63 05 03
🛏 7 🍴 180/280 F. 🍴 68/195 F. 🏠 38 F.
🍴 250/300 F. 🍴 200/250 F.
🖃 10 janv./8 fév. et lun.
🖃 🚗 🚗 🕭 CV 🕭 🕭 CB▨ E

CREVOUX
05200 Hautes Alpes
1600 m. • 120 hab. 🛈

⌂⌂ LE PARPAILLON ★★
M. Chastan ☎ 92 43 18 08
🛏 28 🍴 190/270 F. 🍴 85/125 F.
🏠 55 F. 🍴 230/280 F. 🍴 190/240 F.
🖃 10/30 nov.
E 🛈 🖃 🚗 🚗 🕭 CV 🕭 🕭 CB▨ AE ⓪ E

CREYSSE
46600 Lot
234 hab. 🛈

⌂⌂ AUBERGE DE L'ILE ★★
Mme Champion
☎ 65 32 22 01 📠 65 32 21 43
🛏 27 🍴 180/320 F. 🍴 85/180 F.
🏠 40 F. 🍴 260/320 F. 🍴 200/260 F.
🖃 1er nov./26 déc. et 5 janv./28 fév.
E SP 🖃 🚗 🕭 🕭 🕭 🕭 CV 🕭 🕭
CB▨ AE E C

CROISIC (LE)
44490 Loire Atlantique
5000 hab. 🛈

⌂⌂ LE CASTEL MOOR ★★
444, Baie du Castouillet. M. Baron
☎ 40 23 24 18 📠 40 62 98 90
🛏 11 🍴 300/370 F. 🍴 90/250 F.
🏠 70 F. 🍴 390/430 F. 🍴 300/340 F.
🖃 6 janv./6 fév., mar. soir et mer.
E 🖃 🚗 🚗 🚗 🕭 🕭 🕭 🕭 CV 🕭
🕭 CB▨ AE E

CROIX BLANCHE (LA) (BERZE LA VILLE)
71960 Saône et Loire
300 hab.

⌂⌂⌂ RELAIS DU MACONNAIS ★★
M. Lannuel
☎ 85 36 60 72 📠 85 36 65 47
🛏 10 🍴 300/460 F. 🍴 135/280 F.
🏠 70 F. 🍴 420/440 F. 🍴 290/310 F.
🖃 janv., dim. soir et lun. hs.
E 🖃 🚗 🚗 🕭 🕭 🕭 🕭 🕭 CB▨
AE ⓪ E

CROZON (LE FRET)
29160 Finistère
300 hab. 🛈

⌂⌂ HOSTELLERIE DE LA MER ★★
(Sur Le Port). M. Glemot
☎ 98 27 61 90 📠 98 27 65 89
🛏 25 🍴 211/315 F. 🍴 99/250 F.
🏠 65 F. 🍴 357/402 F. 🍴 282/327 F.
🖃 3/28 janv.
E 🖃 🚗 🕭 CV 🕭 🕭 CB▨ AE E

186

CROZON MORGAT
29160 Finistère
8000 hab. 🛈

▲▲ JULIA ★
43, rue de Treflez. M. Boutron
☎ 98 27 05 89
🛏 22 ▭ 150/270 F. 🍽 78/280 F.
🍴 45 F. 🍴 270/340 F. 🛏 220/280 F.
⊠ 1er nov./20 déc. et lun.
CBVISA AE E

▲▲ MODERNE ★★
61, av. Alsace-Lorraine. Mme Varlet
☎ 98 27 00 10 FAX 98 26 19 21
🛏 34 ▭ 148/318 F. 🍽 78/195 F.
🍴 46 F. 🍴 278/364 F. 🛏 204/290 F.
CBVISA E

CRUAS
07350 Ardèche
2000 hab. 🛈

▲ BEAUSEJOUR ★★
Av. Marcel Paul. Mme Coolen
☎ 75 51 43 60 FAX 75 51 50 76
🛏 14 ▭ 150/210 F. 🍽 60/145 F.
🍴 35 F. 🍴 155/175 F. 🛏 140/160 F.
⊠ Rest. sam. midi et dim. sauf
réservations.
CBVISA E

CUCUGNAN
11350 Aude
113 hab.

▲▲ AUBERGE DU VIGNERON ★★
2, rue A. Mir. Mme Fannoy
☎ 68 45 47 78
🛏 7 ▭ 200/230 F. 🍽 80/160 F. 🍴 45 F.
🛏 210/240 F.
⊠ janv., fév., dim. soir et lun. hs.
CBVISA E

CUCURON
84160 Vaucluse
1400 hab. 🛈

▲ DE L'ETANG ★★
Place de l'Etang. M. Gardon
☎ 90 77 21 25
🛏 8 ▭ 210 F. 🍽 150/210 F. 🍴 110 F.
🛏 275 F.
⊠ 20 déc./10 janv. et mer.

▲ L'ARBRE DE MAI
Rue de l'Eglise. Mme Boitiaux
☎ 90 77 25 10
🛏 6 ▭ 160/250 F. 🍽 70/150 F. 🍴 38 F.
🍴 290/332 F. 🛏 199/242 F.
⊠ 15 nov./15 déc., lun. soir et mar. hs.
CBVISA E

CUISEAUX
71480 Saône et Loire
1900 hab. 🛈

▲▲ DU NORD ★★
M. Talarmin
☎ 85 72 71 02 FAX 85 72 54 68
🛏 17 ▭ 130/350 F. 🍴 50 F.
⊠ jeu. et ven. midi hs.
CBVISA E

VUILLOT ★★
M. Vuillot ☎ 85 72 71 79 FAX 85 72 54 22
🛏 16 ▭ 200/250 F. 🍽 78/250 F.
🍴 45 F. 🛏 190/220 F.
⊠ 27 juin./3 juil., 2/9 oct., hôtel dim.
soir hs et rest. lun.
CBVISA E

CUISERY
71290 Saône et Loire
1680 hab.

▲▲▲ HOSTELLERIE BRESSANE ★★★
M. Bèche ☎ 85 40 11 63 FAX 85 40 14 96
🛏 15 ▭ 190/400 F. 🍽 110/350 F.
🍴 70 F.
⊠ 31 mai/9 juin, 15 nov./15 déc., mar. et
mer. midi sauf juil./août mer. seulement.
CBVISA AE E

CUQ TOULZA
81470 Tarn
515 hab.

▲▲ CHEZ ALAIN ★
M. Pratviel ☎ 63 75 70 36
🛏 9 ▭ 200/240 F. 🍽 60/300 F. 🍴 50 F.
🍴 255 F. 🛏 195 F.
CBVISA AE ● E

CUSSAC SUR LOIRE
43370 Haute Loire
875 m. • 1248 hab.

▲ LA BONNE AUBERGE cc
Sur N. 88 (Les Barraques). M. Durkalec
☎ 71 03 10 02 FAX 71 03 12 93
🛏 7 ▭ 180/220 F. 🍽 65/150 F. 🍴 45 F.
🍴 245/275 F. 🛏 185/215 F.
⊠ Hôtel 15 nov./1er mars, dim. soir et
lun. midi.
CBVISA E

CUSSAY
37240 Indre et Loire
551 hab.

▲▲ AUBERGE DU PONT NEUF ★★
Rue Principale. M. Gellot ☎ 47 59 66 37
🛏 7 ▭ 130 F. 🍽 62/250 F. 🍴 45 F.
🍴 250/270 F. 🛏 175/195 F.
⊠ fév. et lun.
CBVISA E

CUSSEY SUR L'OGNON
25870 Doubs
400 hab.

▲▲ LA VIEILLE AUBERGE ★★
M. Clerc
☎ 81 57 78 35 FAX 81 57 62 30
🛏 8 ▭ 270/320 F. 🍽 90/160 F. 🍴 50 F.
🍴 370/420 F. 🛏 270/320 F.
⊠ dim. soir et lun.
CBVISA E

CUSTINES
54670 Meurthe et Moselle
2850 hab.

▲▲ HOSTELLERIE DE L'ILE ★★
48, rue de Metz. M. Sabatini
☎ 83 49 36 75 FAX 83 49 26 99
🛏 10 ▭ 185/210 F. 🍽 105/250 F.
CBVISA AE E

CUTTOLI CORTICCHIATO
20000 Corse
750 m. • 800 hab.
▲▲▲ U LICETTU
Plaine du Cuttoli-Corticchiato.
M. Catellaggi ☎ 95 25 61 57
🛏 8 ⌧ 300/350 F. 🍽 190/200 F.
🍴 90 F. 🍽 450/460 F.
⊠ 20 oct./début déc. et lun. sauf août.
ⓘ ▥ 🕾 ▦ CV 📺 CB🆅🆂🅰

CUXAC CABARDES
11390 Aude
550 m. • 1000 hab.
▲ LE CASTEL
(Hameau de Cazelles). M. Reminder
☎ 68 26 58 39
🛏 5 ⌧ 150/220 F. 🍽 70/180 F. 🍴 50 F.
🍽 200/250 F. 🍽 150/200 F.
⊠ 11/25 oct., 15/28 fév. et dim. soir.
SP ⓘ ▥ 🕾 ▦ CV 🔆 CB🆅🆂🅰 E

CUZANCE
46600 Lot
400 hab. ⓘ
▲ ARNAL ★
M. Arnal ☎ 65 37 84 18
🛏 12 ⌧ 150/220 F. 🍽 60/120 F.
🍴 40 F. 🍽 210/250 F. 🍽 170/210 F.
⊠ vac. scol. Toussaint et sam.
1er oct./Pâques.
ⓘ ▥ 🕾 🕾 ▦ 🕾 🔆 🔆 📺 CB🆅🆂🅰 E

D

DABO (LA HOUBE)
57850 Moselle
650 m. • 3000 hab. ⓘ
▲▲ DES VOSGES ★★
41, rue Forêt brulée (à la Hoube).
M. Schwaller ☎
87 08 80 44 ☎ 87 08 85 96
🛏 11 ⌧ 240/290 F. 🍽 75/170 F.
🍴 45 F. 🍽 220/250 F. 🍽 190/230 F.
⊠ 15 fév./15 mars, lun. soir et mar. hs.
🔆 🕾 🕾 ▦ 🕾 CV 📺 🔆 CB🆅🆂🅰 E

DAMGAN
56750 Morbihan
875 hab. ⓘ
▲▲ L'ALBATROS ★★
1, bld de l'Océan. M. Laudrain
☎ 97 41 16 85 ☎ 97 41 21 34
🛏 28 ⌧ 195/350 F. 🍽 80/210 F.
🍴 50 F. 🍽 260/340 F. 🍽 195/275 F.
⊠ 4 oct./31 mars.
ⓘ 🕾 🕾 ▦ 🔆 CB🆅🆂🅰

DAMPIERRE EN YVELINES
78720 Yvelines
990 hab.
▲▲ AUBERGE DU CHATEAU ★★
1, Grande Rue. M. Hertig
☎ (1) 30 52 52 89 ☎ (1) 30 52 56 95
🛏 20 ⌧ 350/700 F. 🍽 165 F. 🍴 80 F.
🍽 540 F. 🍽 380 F.
⊠ dim. soir et lun.
🔆 🔆 🕾 🕾 ▦ 🕾 🔆 📺 🔆 CB🆅🆂🅰 🅰🅴 E

DAMPRICHARD
25450 Doubs
800 m. • 2200 hab.
▲▲▲ DU LION D'OR ★★
Place Centrale. M. Me Corneille
☎ 81 44 22 84 ☎ 81 44 23 10
🛏 16 ⌧ 250/320 F. 🍽 80/200 F.
🍴 45 F. 🍽 260/290 F. 🍽 220/250 F.
⊠ 7 nov./8 déc., dim. soir et lun. hs.
sauf réserv.
🔆 🕾 🕾 ▦ 🕾 🔆 🔆 CV 📺 🔆 CB🆅🆂🅰
🅰🅴 ⓞ E 🔆

DAMVILLERS
55150 Meuse
700 hab. ⓘ
▲▲ DE LA CROIX BLANCHE ★
1, rue Carnot. M. Vinot ☎ 29 85 60 12
🛏 9 ⌧ 120/250 F. 🍽 68/160 F. 🍴 45 F.
🍽 200/250 F. 🍽 145/200 F.
⊠ vac. scol. fév., 1ère semaine
oct., dim. soir et lun.
🔆 🔆 🕾 🕾 🕾 🔆 CV 🔆 CB🆅🆂🅰 E

DANGE SAINT ROMAIN
86220 Vienne
3065 hab. ⓘ
▲▲ LE DAMIUS ★★
16, rue de la Gare. M. Malbrant
☎ 49 86 40 28 ☎ 49 93 13 69
🛏 10 ⌧ 250/280 F. 🍽 75/170 F.
🍴 45 F. 🍽 215/230 F. 🍽 160/175 F.
⊠ 4 semaines à partir du 23 déc., dim.
soir et lun.
🔆 🔆 🕾 🕾 🕾 ▦ 🕾 🔆 🔆 CB🆅🆂🅰 E 🔆

DANNE ET QUATRE VENTS
(BONNE FONTAINE)
57370 Moselle
550 hab.
▲▲▲ NOTRE-DAME-DE-BONNE-FONTAINE ★★
M. Knopf ☎ 87 24 34 33 ☎ 87 24 24 64
🛏 34 ⌧ 280/410 F. 🍽 79/235 F.
🍴 55 F. 🍽 325/380 F. 🍽 260/310 F.
⊠ 9/29 janv. et 27 fév./6 mars.
🔆 🔆 🕾 🕾 🕾 🕾 🕾 🔆 🔆 🔆 🔆 CV
📺 🔆 CB🆅🆂🅰 🅰🅴 ⓞ E 🅲

DAVEZIEUX
07100 Ardèche
2070 hab.
▲▲▲ LA SIESTA ★★
M. Chomat
☎ 75 33 11 99 ☎ 346380 ☎ 75 67 57 19
🛏 56 ⌧ 197/335 F. 🍽 77/187 F.
🍴 50 F. 🍽 355 F. 🍽 258 F.
🔆 🔆 🕾 🕾 🕾 🕾 🔆 🔆 🔆 📺 🔆
CB🆅🆂🅰 🅰🅴 ⓞ E 🔆

DAX
40100 Landes
20000 hab. ⓘ
▲ AU FIN GOURMET ★
3, rue des Pénitents. MM. Cagnati
☎ 58 74 04 26
🛏 16 ⌧ 150/260 F. 🍽 61/205 F.
🍴 61 F. 🍽 170/240 F. 🍽 150/200 F.
⊠ 15 déc./15 janv.
SP ⓘ 🕾 🕾 🔆 🔆 🔆 CB🆅🆂🅰 E

DAX (suite)

✳ DU NORD ✳
68, av. Saint-Vincent de Paul.
M. Tachoires ☎ 58 74 19 87
🛏 19 ⊗ 160/200 F.
⊠ 22 déc./17 janv.
▯ ☎ 🖙 📺 📶 CV 🖐 CB🃏 AE ⊕ E

▲▲ DU PARC ✳✳✳
Promenade des Remparts. M. Pauthe
☎ 58 56 79 79 📠 540481 📠 58 74 86 87
🛏 35 ⊗ 260/430 F. 🍽 230/330 F.
🍴 200/300 F.
⊠ 20 déc./1er fév.
E D SP 🖙 ☎ 🖙 📶 CB🃏 AE ⊕ E

▲▲ JEAN LE BON ✳✳
12-14, rue Jean le Bon. M. Dutauzia
☎ 58 74 90 68 \ 58 74 29 14
📠 58 74 29 14
🛏 23 ⊗ 180/270 F. 🍽 70/210 F.
🍴 45 F. 🍽 240/275 F. 🍴 100/235 F.
⊠ 15 déc./5 janv., sam. soir et dim.
1 nov./30 mars.
E SP 🖙 📺 ☎ 🖙 🖙 📶 🔧 🖐 CV 🖐
CB🃏 AE ⊕ E C 🖐

▲▲ LA BONNE AUBERGE ✳✳
27, bld Saint-Pierre. Mme Lapeyre
☎ 58 74 05 55
🛏 25 ⊗ 140/220 F. 🍽 83/200 F.
🍴 25 F. 🍽 189/244 F. 🍴 140/186 F.
⊠ Rest. déc.
E SP 🖙 ☎ 🖙 🔧 CV 🖐 CB🃏 E

DECAZEVILLE (PORT D'AGRES)
12300 Aveyron
300 hab.

▲ DU PONT ✳✳
(à Port d'Agrès, 8 km). M. Simon
☎ 65 64 02 65 📠 65 34 97 45
🛏 20 ⊗ 190 F. 🍽 75/160 F. 🍴 45 F.
🍽 270 F. 🍴 200 F.
⊠ nov./Pâques.
E D ☎ 🖙 📺 📶 🔧 🚴 CV 🖐
CB🃏 E

DECIZE
58300 Nièvre
10000 hab. 🛈

▲ AGRICULTURE ✳✳
20, route des Moulins.
M. Theveniot-Stoltz ☎ 86 25 05 38
🛏 17 ⊗ 160/250 F. 🍽 60/150 F.
🍴 45 F. 🍽 200/250 F. 🍴 180 F.
⊠ 1er/20 oct. et dim. soir.
D 🖙 ☎ 🖙 🔧 🖐 CB🃏 AE E

DELME
57590 Moselle
700 hab. 🛈

▲▲ A LA XIIème BORNE ✳✳
6, place de la République. M. François
☎ 87 01 30 18 📠 87 01 38 39
🛏 18 ⊗ 150/190 F. 🍽 88/200 F.
🍴 35 F. 🍽 210 F. 🍴 180 F.
D 🖙 ☎ 🖙 🖙 📺 CV 📶 🖐 CB🃏
AE ⊕ E

DESAIGNES
07570 Ardèche
600 hab. 🛈

▲▲ DES VOYAGEURS ✳✳
M. Ranc ☎ 75 06 61 48 📠 75 06 64 43
🛏 18 ⊗ 150/310 F. 🍽 60/190 F.
🍴 45 F. 🍽 260/300 F. 🍴 220/270 F.
⊠ fin sept./30 avr.
E 🖙 ☎ 🖙 📺 📶 🚴 CV 🖐 CB🃏
AE E

DESCARTES
37160 Indre et Loire
4120 hab. 🛈

▲▲ MODERNE ✳✳
15, rue Descartes. M. Leroy
☎ 47 59 72 11 📠 47 92 44 90
🛏 11 ⊗ 220/320 F. 🍽 75/180 F.
🍴 40 F. 🍽 295/350 F. 🍴 215/270 F.
⊠ 24 déc./2 janv., vac. scol. fév., ven.
soir et dim. soir hs.
E D 🖙 ☎ 🖙 📺 🖐 CB🃏 E

DEUX ALPES (LES)
38860 Isère
1650 m. • 1000 hab. 🛈

▲▲▲ EDELWEISS ✳✳✳
M. Ponsard
☎ 76 79 21 22 📠 76 79 24 63
🛏 36 ⊗ 330/550 F. 🍽 125/205 F.
🍴 85 F. 🍽 375/555 F. 🍴 305/485 F.
⊠ 30 avr./19 juin et 5 sept./18 déc.
E D 🖙 📺 ☎ 🖙 🖙 📺 🖙 🖙
🏊 🔧 CV 🔯 CB🃏 E

▲▲▲ LA BRUNERIE ✳✳
M. Dode ☎ 76 79 22 23 📠 76 79 57 33
🛏 58 ⊗ 374/398 F. 🍽 95 F. 🍴 60 F.
🍴 340/470 F.
⊠ 23 avr./18 juin et 3 sept./17 déc.
E D 🖙 ☎ 🖙 🖙 📺 🖙 🏊 🔧 CV 🔯
🖐 CB🃏 AE ⊕ E

▲▲▲ LA MARIANDE ✳✳✳
M. Collignon
☎ 76 80 50 60 📠 76 79 04 99
🛏 25 ⊗ 350/580 F. 🍽 170/190 F.
🍴 85 F. 🍽 360/600 F. 🍴 320/490 F.
⊠ 1er sept./24 déc. et 20 avr./1er juil.
E 🖙 📺 ☎ 🖙 🖙 📺 🖙 🖙 🔧
🔧 🖐 CB🃏 E

▲▲ LES AMETHYSTES ✳✳
M. Rousset
☎ 76 79 22 43 📠 76 79 23 69
🛏 26 ⊗ 290/390 F. 🍽 105 F. 🍴 50 F.
🍽 395/445 F. 🍴 365/415 F.
⊠ 8 mai/18 juin et 11 sept./15 déc.
E 🖙 📺 ☎ 🖙 🖙 🏊 🔯 🖐 CB🃏

DHUIZON
41220 Loir et Cher
1100 hab.

▲▲ AUBERGE DU GRAND DAUPHIN ✳✳
17, place Saint-Pierre. M. Sauger
☎ 54 98 31 12
🛏 9 ⊗ 190/240 F. 🍽 85/235 F. 🍴 50 F.
🍽 255/280 F. 🍴 180/205 F.
⊠ 15 janv./15 fév., dim. soir et lun.
E 🖙 ☎ 🖙 📺 🖐 CB🃏 E

DIE
26150 Drôme
4200 hab. 🛈

▲ DES ALPES ★★
Rue C. Buffardel. Mme Donche
☎ 75 22 15 83 ⊞ 75 22 09 39
🛏 23 ⊗ 190/230 F. 🍴 40 F.
🍽 245/265 F. 🛍 185/205 F.
🄴 🅳 📺 ☎ 🛆 CV 🏊 CB🆅🆂🅰 🅴 ▦

▲▲ LA PETITE AUBERGE ★★
Av. Sadi-Carnot. M. Montero
☎ 75 22 05 91
🛏 11 ⊗ 145/260 F. 🍴 90/230 F.
🍽 65 F. 🛍 200/260 F.
⊠ 18/25 sept., 15 déc./15 janv., dim.
soir et mer.
🄴 📺 ☎ 🛆 ☂ CV 🏊 CB🆅🆂🅰

▲ LE RELAIS DE CHAMARGES ★★
Av. de la Clairette. M. Boustie
☎ 75 22 00 95 ⊞ 75 22 19 34
🛏 9 ⊗ 230 F. 🍴 85/240 F. 🍽 55 F.
🛍 315 F. 🛍 270 F.
⊠ 25 janv./1er mars, dim. soir, lun. sauf
fériés et juil./sept.
📺 ☎ 🛆 ☂ 🅓 CV 🏊 CB🆅🆂 🅴

▲▲ SAINT DOMINGUE ★★
44, rue C. Buffardel. Mme Perez
☎ 75 22 03 08 ⊞ 75 22 24 48
🛏 26 ⊗ 185/240 F. 🍴 65/130 F.
🍽 40 F. 🍽 250/278 F. 🛍 185/213 F.
⊠ sam. oct./avr.
🄴 🅳 SP ☎ 🛆 ╳ ☂ 🎿 CV 🏊 🏊
CB🆅🆂🅰 🅴 🄲

DIENNE
15300 Cantal
1050 m. • 493 hab.

▲ DE LA POSTE ★
M. Brunet ☎ 71 20 80 40
🛏 10 ⊗ 180/210 F. 🍴 95/120 F.
🍽 60 F. 🍽 220/240 F. 🛍 195/210 F.
⊠ 10 nov./20 déc.
🄴 🛆 ☂ CB🆅🆂 🅰 🅴

DIEPPE
76200 Seine Maritime
32000 hab. 🛈

▲ AU GRAND DUQUESNE ᵉᶜ
15, place Saint-Jacques. M. Hobbe
☎ 35 84 21 51 ⊞ 35 84 29 83
🛏 12 ⊗ 160/250 F. 🍴 69/189 F.
🍽 50 F. 🍽 230/260 F. 🛍 200/220 F.
🄴 📺 ☎ 🅓 CV 🏊 CB🆅🆂🅰 ⓞ 🅴 ▦

▲ WINDSOR ★★
18, boulevard de Verdun. Mme Tanvet
☎ 35 84 15 23 ⊞ 35 84 74 52
🛏 47 ⊗ 260/330 F. 🍴 98/170 F.
🍽 50 F. 🍽 350/385 F. 🛍 260/295 F.
🄴 🅳 SP 🛈 📺 ☎ 🛆 ☂ CV 🏊 🏊
CB🆅🆂🅰 ⓞ 🅴

DIEULEFIT
26220 Drôme
3000 hab. 🛈

▲▲ L'ESCARGOT D'OR ★★
Route de Nyons. M. Randon
☎ 75 46 40 52 ⊞ 75 46 89 49
🛏 15 ⊗ 160/260 F. 🍴 75/160 F.
🍽 45 F. 🍽 260/310 F. 🛍 190/240 F.
⊠ 1er oct./31 mars, dim. soir et lun.
🄴 ☎ 🛆 ☂ 🎿 🎿 🏊 🏊 CB🆅🆂 🅰 🅴

DIEULEFIT (MONTJOUX)
26220 Drôme
200 hab.

▲▲ RELAIS DU SERRE ★★
M. Borel
☎ 75 46 43 45 ⊞ 75 46 40 98
🛏 7 ⊗ 220/310 F. 🍴 75/250 F. 🍽 40 F.
🍽 250/310 F. 🛍 200/280 F.
⊠ fév. et lun. sauf juin/août.
🄴 📺 ☎ 🛆 🅓 🏊 🏊 CB🆅🆂 🅰 🅴

DIEULOUARD
54380 Meurthe et Moselle
5000 hab.

▲ LE COMMERCE
20, av. Général de Gaulle. M. Rogowski
☎ 83 23 50 71
🛏 12 ⊗ 130/150 F. 🍴 60/100 F.
🍽 35 F. 🍽 190 F. 🛍 160 F.
⊠ 20 déc./3 janv., dim. et sam. soir
1er sept./30 avr.
🄴 🛆 🅓 CB🆅🆂 🅴

DIEUZE
57260 Moselle
4750 hab. 🛈

▲▲ LA SALICORNE ★★
3, rue Nimsgerns. M. Gas
☎ 87 86 81 91 ⊞ 87 86 87 17
🛏 25 ⊗ 130/250 F. 🍴 48/210 F.
🍽 35 F. 🍽 175/235 F. 🛍 130/190 F.
⊠ lun.
🄴 📺 ☎ 🛗 🅓 CV 🏊 🏊 CB🆅🆂 🅴

DIGNE
04000 Alpes de Haute Provence
600 m. • 16000 hab. 🛈

▲▲ DE BOURGOGNE ★★
Av. de Verdun. M. Petit
☎ 92 31 00 19 ⊞ 92 32 30 59
🛏 11 ⊗ 150/300 F. 🍴 90/250 F.
🍽 50 F. 🍽 300/330 F. 🛍 250/270 F.
⊠ 15 déc./15 fév. et lun.
🄴 📺 ☎ 🛆 🅓 CV 🏊 🏊 CB🆅🆂 🅴

▲ LE COIN FLEURI ★★
9, bld Victor Hugo. M. Villeneuve
☎ 92 31 04 51
🛏 16 ⊗ 140/250 F. 🍴 80/130 F.
🍽 50 F. 🍽 250/300 F. 🛍 200/250 F.
⊠ dim. hs.
🄴 🛈 📺 ☎ 🏊 CB🆅🆂 🅰 ⓞ 🅴

▲ LE SAINT MICHEL ★★
Rue des Alpilles. M. Presti
☎ 92 31 45 66 ⊞ 92 32 16 49
🛏 21 ⊗ 220/280 F. 🍴 80/120 F.
🍽 40 F. 🍽 320/600 F. 🛍 490/460 F.
SP 🛈 📺 ☎ 🛆 🛆 ╳ 🅓 CV 🏊 CB🆅🆂 ▦

DIGOIN
71160 Saône et Loire
11402 hab. 𝒾

⌂ AUBERGE DES SABLES
(A Neuzy - 3 km). M. Rebis
☎ 85 53 07 64
🛏 2 ▨ 170/280 F. ⏀ 80/320 F. 🍴 45 F.
⏢ 270 F. 🍽 190 F.
⊠ vac. scol. fév. et lun.
▣ CV 🔌 CB𝘝𝘐𝘚𝘈

⌂⌂ DES DILIGENCES ET DU COMMERCE ★★
14, rue Nationale. M. Soujaeff
☎ 85 53 06 31 🆃🅰🆇 85 88 92 43
🛏 6 ▨ 250/350 F. ⏀ 95/320 F. 🍴 45 F.
⊠ 14 nov./13 déc., lun. soir et mar. sauf
juil./août.
📺 SP ⊡ 🕿 🚗 🛎 CB𝘝𝘐𝘚𝘈 AE ⓘ E

DIJON
21000 Côte d'Or
145700 hab. 𝒾

⌂⌂⌂ DU PARC DE LA COLOMBIERE ★★
49, cours du Parc. M. Petit
☎ 80 65 18 41 🆃🅰🆇 351 482 🆇 80 36 42 56
🛏 39 ▨ 280/310 F. ⏀ 99/198 F.
🍴 95 F. 🍽 350 F.
📺 🅳 SP ⊡ 🕿 🚗 🛎 🛏 🛎 🔌 🔌
CB𝘝𝘐𝘚𝘈 AE E

DIJON (DAIX)
21121 Côte d'Or
784 hab. 𝒾

⌂⌂⌂ CASTEL BURGOND ★★
3, route de Troyes à Daix - sur N. 71.
Mme Barthelet
☎ 80 56 59 72 🆇 80 57 69 48
🛏 38 ▨ 260/270 F. ⏀ 90/200 F.
🍴 65 F.
⊠ Rest. dim.
📺 🅳 ⊡ 🕿 🚗 🛏 🕿 🛏 🔌 CV 🛎
🔌 CB𝘝𝘐𝘚𝘈 AE ⓘ C ▣

DINAN
22100 Côtes d'Armor
18000 hab. 𝒾

⌂⌂ DE FRANCE ★★
7, place du 11 Novembre. M. Gaultier
☎ 96 39 22 56 🆇 96 39 08 96
🛏 14 ▨ 185/295 F. ⏀ 87/210 F.
🍴 65 F. ⏢ 320/400 F. 🍽 260/340 F.
⊠ sam. et dim. soir hs.
📺 SP ⊡ 🕿 🚗 🛎 🔌 CB𝘝𝘐𝘚𝘈 AE ⓘ
E ▣

⌂⌂ DES ALLEUX ★★
Rte de Ploubalay-Taden. M. Sillou
☎ 96 85 16 10 🆃🅰🆇 741280 🆇 96 85 11 40
🛏 29 ▨ 250/290 F. ⏀ 70/160 F.
🍴 45 F. ⏢ 320/420 F. 🍽 245/345 F.
📺 ⊡ 🕿 🚗 🛎 🛏 🕿 🛏 🔌 CV 🔌
CB𝘝𝘐𝘚𝘈 AE E ▣

⌂⌂⌂ LE D'AVAUGOUR ★★★
1, place du Champ Clos. M. Me Quinton
☎ 96 39 07 49 🆇 96 85 43 04
🛏 27 ▨ 340/380 F. ⏀ 120/250 F.

🍴 55 F. 🍽 350/450 F.
📺 SP ⊡ 🕿 🛏 🛏 🕿 🛎 🔌 CB𝘝𝘐𝘚𝘈 AE
ⓘ E ▣

DINAN (SAINT SAMSON SUR RANCE)
22100 Côtes d'Armor
1105 hab. 𝒾

⌂ AUBERGE DU VAL DE RANCE ★★
(à La Hisse). M. Lemoine
☎ 96 39 16 07 🆇 96 39 99 29
🛏 15 ▨ 165/300 F. ⏀ 85/190 F.
🍴 50 F. ⏢ 190/250 F. 🍽 160/200 F.
⊠ mi-sept./mi-oct., vac. scol. fév., ven.
soir et dim. soir.
📺 ⊡ 🕿 🚗 🕿 🛏 🛏 🔌 CV 🔌 CB𝘝𝘐𝘚𝘈
AE ⓘ E ▣

DINARD
35800 Ille et Vilaine
10000 hab. 𝒾

⌂ ALTAIR ★★
18, bld Féart. Mme Lemenager
☎ 99 46 13 58 🆇 99 88 20 49
🛏 21 ▨ 200/400 F. ⏀ 88/300 F.
🍴 60 F. ⏢ 300/420 F. 🍽 220/320 F.
⊠ dim. soir et lun. hs vac. scol.
📺 ⊡ 🕿 🕿 CV 🔌 🔌 CB𝘝𝘐𝘚𝘈 AE ⓘ E

⌂⌂ LA PLAGE Rest. LE TREZEN ★★
3, bld Féart. Mme Raillat
☎ 99 46 14 87 🆇 99 46 55 52
🛏 18 ▨ 260/390 F. ⏀ 85/200 F.
🍴 55 F. ⏢ 375/425 F. 🍽 275/325 F.
⊠ janv./mars sauf vac. fév. et rest. mer.
📺 SP ⊡ 🕿 CV 🔌 CB𝘝𝘐𝘚𝘈 AE ⓘ E

⌂ LA VALLEE ★★
6, av. George V. M. Trihan
☎ 99 46 94 00 🆇 99 88 22 47
🛏 25 ▨ 140/500 F. ⏀ 100/320 F.
🍴 60 F. ⏢ 290/400 F. 🍽 240/340 F.
⊠ 15 nov./20 déc., 5 janv./10 fév. et
mar. hs.
📺 🅳 ⊡ 🕿 🛏 🛏 🔌 🛎 🔌 CB𝘝𝘐𝘚𝘈 E C

⌂⌂ LES TILLEULS ★★
36, rue de la Gare. M. Gauvin
☎ 99 82 77 00 🆃🅰🆇 740802 🆇 99 82 77 55
🛏 53 ▨ 200/430 F. ⏀ 75/160 F.
🍴 48 F. ⏢ 290/470 F. 🍽 220/350 F.
⊠ 15 déc./15 janv., dim. soir et lun. hs.
📺 ⊡ 🕿 🚗 🕿 🛏 CV 🔌 CB𝘝𝘐𝘚𝘈 AE ⓘ
E ▣

DINARD (LA RICHARDAIS)
35780 Ille et Vilaine
1450 hab.

⌂ LE PETIT ROBINSON ★★
38, rue de la Gougeonnais. M. Nicolle
☎ 99 46 14 82 🆇 99 16 05 74
🛏 7 ▨ 240/320 F. ⏀ 95/180 F. 🍴 50 F.
🍽 260/280 F. 🍽 220/240 F.
⊠ 3 janv./12 fév., dim. soir et lun. sauf
juil./août, vac. scol.
📺 SP ⊡ 🕿 🚗 🚗 🛏 🕿 🛏 CV 🔌 🔌
CB𝘝𝘐𝘚𝘈 E ▣

DISSAY SOUS COURCILLON
72500 Sarthe
952 hab.

AUBERGE DU VAL DE LOIR ec
Place Morand. M. Tournier
☎ 43 44 09 06 ▦ 43 44 56 40
7 ◲ 150/250 F. ▯ 85/230 F. 45 F.
240/280 F. 180/220 F.
⌧ dim. soir et lun.
CB VISA AE ⊕ E

DIVONNE LES BAINS
01220 Ain
6500 hab.

BEAU-REGARD ★
347 avenue des Thermes. M. Buffard
☎ 50 20 04 35
18 ◲ 120/250 F. ▯ 65/115 F.
40 F. 170/225 F.
⌧ 20 nov./15 mars.
CB VISA E

BEAUSEJOUR ★★
9, Place Perdtemps. M. Dalla Longa
☎ 50 20 06 22 ▦ 50 20 71 87
25 ◲ 150/300 F. ▯ 90/200 F.
65 F. 226/329 F. 179/257 F.
⌧ déc., mar. soir été, mar. soir et mer.
hiver.
CB VISA AE ⊕ E

BELLEVUE MARQUIS ★★
Av. du Mont-Mussy.
Mme Verdier-Marquis
☎ 50 20 02 16 ▦ 50 20 26 55
15 ◲ 266/356 F. ▯ 100/280 F.
60 F. 313/383 F. 283/323 F.
⌧ 30 nov./1er mars.
CB VISA AE ⊕ E

LA TERRASSE FLEURIE ★★
315, rue Fontaine. MM. Ferragut
☎ 50 20 06 32
18 ◲ 240/280 F. ▯ 82/ 93 F.
45 F. 240/290 F.
⌧ fin oct./début avr.
CB VISA E

DOL DE BRETAGNE
35120 Ille et Vilaine
5000 hab.

DE BRETAGNE ★★
17, place Chateaubriand.
M. Haelling-Morel ☎ 99 48 02 03
27 ◲ 120/280 F. ▯ 60/145 F.
30 F. 201/276 F. 141/216 F.
⌧ oct., vac. scol. fév. et sam. oct. /Pâques.
CB VISA ⊕ E

DOLANCOURT
10200 Aube
169 hab.

LE MOULIN DU LANDION ★★★
M. Bajolle
☎ 25 27 92 17 ▦ 25 27 94 44
16 ◲ 340/360 F. ▯ 100/300 F.
75 F. 455 F. 335 F.

⌧ janv. et mi-fév.
CB VISA AE ⊕ E

DOLE
39100 Jura
26577 hab.

CHALET DU MONT-ROLAND ★★
(Le Mont Roland) Mme Bouvet
☎ 84 72 04 55 ▦ 84 82 14 97
16 ◲ 160/320 F. ▯ 70/170 F.
35 F. 300/350 F. 200/250 F.
⌧ dim. soir 1er nov./Pâques.
CB VISA E

DE LA CLOCHE ★★★
2, place Grevy. M. Beauvais
☎ 84 82 00 18 ▦ 84 72 73 82
29 ◲ 250/450 F. ▯ 85/190 F.
30 F.
CB VISA AE E

DE LA CROIX DE LUGE ★★
302, av. Jacques Duhamel. Mme Delcey
☎ 84 72 18 58 ▦ 84 72 87 44
10 ◲ 170/210 F. ▯ 68/135 F.
35 F. 220/280 F. 200/250 F.
CB VISA E

LA CHAUMIERE ★★★
346, av. Maréchal Juin. M. Pourcheresse
☎ 84 79 03 45 ▦ 84 79 25 60
18 ◲ 345/410 F. ▯ 100/300 F.
65 F. 315/420 F.
⌧ 17 déc./16 janv., dernière semaine
juin et dim.
CB VISA E

POURCHERESSE ★★
8, av. Duhamel (Ex av. de Chalon).
M. Pourcheresse
☎ 84 82 01 05 ▦ 84 72 81 50
20 ◲ 140/240 F. ▯ 69/105 F.
260 F. 190 F.
⌧ dernière quinzaine déc./1ère semaine
janv., 1 semaine mai et dim. soir.
CB VISA E

DOLE (BREVANS)
39100 Jura
406 hab.

AU VILLAGE ★★
M. Mourdon
☎ 84 72 56 40 ▦ 84 82 61 94
12 ◲ 165/300 F. ▯ 85/200 F.
60 F. 320/400 F. 240/300 F.
⌧ 15/30 mars, 1/15 oct., 24 déc./2
janv., rest. sam. midi et dim. soir.
CB VISA E

DOMBLANS
39210 Jura
733 hab.

LES PLATANES ★★
Mme BOULET
☎ 84 85 22 13 ▦ 84 85 24 25
7 ◲ 165/235 F. ▯ 65/160 F.
250/320 F. 210/250 F.
CB VISA E

DOMFRONT
61700 Orne
4518 hab.

DE FRANCE ★★
7, rue du Mont-St-Michel. M. Rottier
☎ 33 38 51 44 Ⅱ 306022 Ⅱ 33 30 49 54
🛏 22 ⊗ 150/250 F. Ⅲ 90/190 F.
45 F. 🍴 300/400 F. 🚗 250/350 F.

DE LA POSTE ★★
15, rue Maréchal Foch. Mlle Le Prise
☎ 33 38 51 00
🛏 18 ⊗ 135/290 F. Ⅲ 80/170 F.
58 F. 🚗 220/295 F.
⊠ fin janv./début mars, dim. soir et lun.
15 sept./fin juin.

LE RELAIS SAINT MICHEL ★★
Place de la Gare, rue du Mont St-Michel.
M. Prod'homme
☎ 33 38 64 99 Ⅱ 33 37 37 96
🛏 13 ⊗ 140/270 F. Ⅲ 62/140 F.
40 F. 🚗 210/250 F.

DOMME
24250 Dordogne
1000 hab.

L'ESPLANADE ★★★
M. Gillard
☎ 53 28 31 41 Ⅱ 53 28 49 92
🛏 25 ⊗ 300/550 F. Ⅲ 125/350 F.
🍴 560/660 F. 🚗 390/490 F.
⊠ nov./fév. et lun. hs.

DOMPAIRE
88270 Vosges
980 hab.

DU COMMERCE ★★
Place Général Leclerc. M. Maton
☎ 29 36 50 28 Ⅱ 29 36 66 12
🛏 10 ⊗ 150/260 F. Ⅲ 65/158 F.
48 F. 🍴 180/230 F. 🚗 150/190 F.
⊠ 20 déc./15 janv. et lun.

DOMPIERRE SUR BESBRE
03290 Allier
5000 hab.

DE L'OLIVE ★★
Rue de la Gare. M. Corbet
☎ 70 34 51 87 Ⅱ 70 34 61 68
🛏 12 ⊗ 120/290 F. Ⅲ 60/240 F.
40 F. 🚗 200/320 F.
⊠ 15 nov./7 déc., 8 jrs vac. scol. fév., et
ven. sauf juil/aout.

LA PAIX ★
74, place du Commerce. M. Grand
☎ 70 34 50 09
🛏 9 ⊗ 120/330 F. Ⅲ 85/140 F. 50 F.
🍴 280/410 F. 🚗 250/310 F.
⊠ 25 oct./15 nov., dim. soir et lun.

DONZENAC
19270 Corrèze
2000 hab.

LA GAMADE Rest. LE PERIGORD ★★
Place Léon Madrias. Mme Salesse
☎ 55 85 71 07 \ 55 85 72 34
🛏 10 ⊗ 150/260 F. Ⅲ 70/280 F.
50 F. 🍴 290/340 F. 🚗 260/280 F.

RELAIS DU BAS LIMOUSIN ★★
(A Sadroc) Sur N 20, direction Uzerche.
M. Besanger
☎ 55 84 52 06 Ⅱ 55 84 51 41
🛏 22 ⊗ 200/300 F. Ⅲ 75/250 F.
46 F. 🍴 280/315 F. 🚗 205/240 F.
⊠ dim. soir oct./juin.

DONZENAC (SADROC)
19270 Corrèze
594 hab.

DE LA MALEYRIE ★★
Sur N. 20, la Croix de la Maleyrie.
M. Bergeal ☎ 55 84 50 67
🛏 15 ⊗ 100/250 F. Ⅲ 65/160 F.
48 F. 🍴 240/310 F. 🚗 160/215 F.
⊠ 1er nov./25 mars.

DONZY
58220 Nièvre
1500 hab.

GRAND MONARQUE ★★
10, rue de l'Etape. M. Lesort
☎ 86 39 35 44
🛏 14 ⊗ 160/310 F. Ⅲ 98/200 F.
55 F.
⊠ dim. soir et lun.

DORAT (LE)
87210 Haute Vienne
2800 hab.

DE BORDEAUX ★
Place Charles de Gaulle. M. Brule
☎ 55 60 76 88
🛏 10 ⊗ 145/215 F. Ⅲ 70/180 F.
45 F. 🍴 230/265 F. 🚗 170/197 F.
⊠ 2/30 janv. et dim. soir.

LA PROMENADE ★
3, av. de Verdun. M. Penot
☎ 55 60 72 09
🛏 8 ⊗ 140/200 F. Ⅲ 63/180 F. 55 F.
🍴 190/230 F. 🚗 140/180 F.
⊠ 2 semaines sept., 3 semaines
fév., dim. soir et lun.

DORDIVES
45680 Loiret
1800 hab.

CESAR ★★
(Sortie autoroute A6). Mme Valade
☎ 38 92 73 20 Ⅱ 38 92 76 67
🛏 20 ⊗ 130/260 F.

DORMANS
51700 Marne
3125 hab. ⓘ

⚤ LE CHAMPENOIS
14, rue de Châlons. M. Mahé
☎ 26 58 20 44
🛏 12 ⬳ 200 F. 🍽 54/160 F. ⍩ 35 F.
🍴 210 F. 🍽 150 F.
⊠ ven. soir, dim. janv./fév.
⬛ ⬛ ☎ ⬛ ⬛ ⬛ CB VISA ⓪ E

DOUAI
59500 Nord
42000 hab. ⓘ

⚤⚤⚤ LA TERRASSE ★★★★
36, terrasse Saint-Pierre. M. Hanique
☎ 27 88 70 04 ⬛ 27 88 36 05
🛏 24 ⬳ 295/600 F. 🍽 135/395 F.
🍴 90 F.
⬛ ⬛ ☎ ⬛ ⬛ ⬛ ⬛ ⬛ ⬛ CB VISA

DOUAI (FRAIS MARAIS)
59500 Nord
42000 hab.

⚤⚤ LE CHAMBORD ★★
3509, route de Tournai. M. Creteur
☎ 27 97 72 77
🛏 12 ⬳ 230 F. 🍽 80/170 F. ⍩ 50 F.
🍴 260 F. 🍽 190 F.
⊠ 1 semaine fév., 2 semaines août, dim.
soir et lun.
⬛ ⬛ ☎ ⬛ ⬛ ⬛ CB VISA AE E

DOUARNENEZ (TREBOUL)
29100 Finistère
20000 hab. ⓘ

⚤ LE COULINEC ★
(A Tréboul - Les Sables Blancs).
M. Arhan ☎ 98 74 11 78
🛏 10 ⬳ 195/240 F. 🍽 72/250 F.
⍩ 50 F. 🍽 190/230 F.
⊠ 1er oct./31 mars et lun.
⬛ ⬛ ☎ CB VISA AE ⓪ E

DOUDEVILLE
76560 Seine Maritime
2330 hab.

⚤ LE RELAIS DU PUITS SAINT JEAN
Rue Delanos. M. Lemonnier
☎ 35 96 50 99
🛏 4 ⬳ 230 F. 🍽 80/280 F. ⍩ 60 F.
🍴 290 F. 🍽 250 F.
⬛ ⬛ ☎ ⬛ ⬛ ⬛ CB VISA

DOUE LA FONTAINE
49700 Maine et Loire
7000 hab. ⓘ

⚤⚤ DE FRANCE ★★
Place du Champ de Foire. M. Jarnot
☎ 41 59 12 27 ⬛ 41 59 16 00
🛏 18 ⬳ 150/270 F. 🍽 70/220 F.
⍩ 45 F. 🍴 250/300 F. 🍽 190/230 F.
⊠ 20 déc./20 janv., 25 juin/7 juil., dim.
soir et lun. sauf juil./août.
⬛ ⬛ ☎ ⬛ ⬛ CB VISA E ⬛

⚤⚤ LE DAGOBERT ★
14, place du Champ de Foire. M. Sorin
☎ 41 83 25 25 ⬛ 41 59 76 51

🛏 11 ⬳ 100/280 F. 🍽 80/250 F.
⍩ 48 F. 🍴 300/390 F. 🍽 230/280 F.
⊠ dim. soir 1er nov./30 avr.
⬛ ⬛ ⬛ CV ⬛ ⬛ CB VISA AE ⓪ E

DOUELLE
46140 Lot
700 hab.

⚤ AUBERGE DU VIEUX DOUELLE ★
Mme Malique ☎ 65 20 02 03
🛏 16 ⬳ 100/220 F. 🍽 60/200 F.
🍽 180/240 F.
⊠ 20/28 déc.
⬛ ⬛ ☎ ⬛ ⬛ ⬛ ⬛ CV ⬛ ⬛ CB VISA
AE E

DOULLENS
80600 Somme
8520 hab. ⓘ

⚤ AUX BONS ENFANTS ★
23, rue d'Arras. M. Louette
☎ 22 77 06 58
🛏 8 ⬳ 120/160 F. 🍽 70/150 F. ⍩ 40 F.
🍴 250 F. 🍽 200 F.
⊠ sam.
⬛ ⬛ CB VISA AE E

⚤⚤ LE SULLY ★★
45, rue d'Arras. M. de Borggraeve
☎ 22 77 10 87
🛏 7 ⬳ 195 F. 🍽 59/130 F. ⍩ 50 F.
🍴 240/270 F. 🍽 175/250 F.
⊠ 20 juin/1er juil. et lun.
⬛ ⬛ ⬛ ☎ CV ⬛ ⬛ CB VISA E

DOUSSARD
74210 Haute Savoie
2000 hab. ⓘ

⚤⚤⚤ ARCALOD - GRAND PARC ★★
(Lac d'Annecy). M. Littoz-Monnet
☎ 50 44 30 22 ⬛ 50 44 85 03
🛏 31 ⬳ 220/380 F. 🍽 85/150 F.
⍩ 50 F. 🍴 275/380 F. 🍽 240/340 F.
⊠ 15 oct./11 fév.
⬛ ⓘ ⬛ ☎ ⬛ ⬛ ⬛ ⬛ ⬛ ⬛ ⬛ ⬛
⬛ ⬛ CV ⬛ ⬛ CB VISA AE ⓪ E

DOUVILLE
24140 Dordogne
380 hab. ⓘ

⚤⚤ LE TROPICANA ★★
Sur N. 21 Maison Jeannette. Mme Tytgat
☎ 53 82 98 31 ⬛ 53 80 45 50
🛏 23 ⬳ 150/295 F. 🍽 60/200 F.
⍩ 40 F. 🍴 230/250 F. 🍽 175/210 F.
⊠ 20 déc./1er fév., vac. de Pâques, ven.
15 H./sam. 18 H. hs.
⬛ SP ⬛ ⬛ ⬛ ☎ ⬛ ⬛ ⬛ ⬛ ⬛
CB VISA AE E ⬛

DOZULE
14430 Calvados
1400 hab.

⚤ HOTELLERIE NORMANDE ★
98, Grande Rue. M. Me Chenevarin
☎ 31 79 20 18
🛏 12 ⬳ 90/250 F. 🍽 68/150 F. ⍩ 40 F.
🍴 210/270 F. 🍽 160/230 F.
⊠ déc./fév. et lun. hs.
⬛ ⬛ ☎ ⬛ CV ⬛ ⬛ CB VISA E ⬛

DRAGUIGNAN
83300 Var
31350 hab. [i]

▲▲ HOSTELLERIE DU MOULIN DE LA
FOUX ★★
Chemin de la Foux. Mme Fiaschi
☎ 94 68 55 33 [TX] 400 479 [FAX] 94 68 70 10
[🛏] 28 [⌂] 290 F. [🍴] 90/240 F.
[🍽] 325/350 F. [🛎] 245/260 F.
[E] [D] [SP] [i] [🔲] [☎] [⟷] [✈] [⛱] [CV] [▦] [⟵]
[CB][VISA] [AE] [E] [■]

DREUX
28100 Eure et Loir
40000 hab. [i]

▲▲ AU BEC FIN ★★
8, bld Pasteur. M. Ferron
☎ 37 42 04 13
[🛏] 21 [⌂] 160/350 F. [🍴] 70/135 F.
[🍽] 40 F. [🍽] 258/293 F. [🛎] 190/230 F.
[E] [🔲] [☎] [m] [⛱] [👤] [👤] [▦] [⟵] [CB][VISA] [◑] [E]

DRUYES LES BELLES
FONTAINES
89560 Yonne
350 hab. [i]

▲▲ AUBERGE DES SOURCES ★★
M. Portal
☎ 86 41 55 14 [FAX] 86 41 90 31
[🛏] 17 [⌂] 210/320 F. [🍴] 80/190 F.
[🍽] 48 F. [🍽] 316/366 F. [🛎] 220/270 F.
[⌧] 5 janv./11 mars, lun. et mar. midi
sauf 1er juin/31 août.
[🔲] [☎] [⟷] [⟵] [⛱] [👤] [⟵] [CB][VISA] [AE] [◑] [E]

DUCEY
50220 Manche
1939 hab.

▲▲ DE LA SELUNE ★★
M. Girres
☎ 33 48 53 62 [FAX] 33 48 90 30
[🛏] 19 [⌂] 250/270 F. [🍴] 75/184 F.
[🍽] 75 F. [🍽] 385/395 F. [🛎] 275/285 F.
[⌧] mi-janv./mi-fév. et lun.
1er oct./1er mars.
[E] [SP] [☎] [⟷] [⛱] [👤] [CB][VISA] [AE] [◑] [E] [C] [■]

DUCLAIR
76480 Seine Maritime
3000 hab. [i]

▲▲ DE LA POSTE ★★
286, quai de la Libération. M. Montier
☎ 35 37 50 04 [FAX] 35 37 39 19
[🛏] 19 [⌂] 200/300 F. [🍴] 80/200 F.
[🍽] 45 F. [🍽] 360/390 F. [🛎] 240/270 F.
[⌧] vac. scol. fév., vac. scol. Toussaint,
15/30 juil. et dim. soir.
[E] [🔲] [☎] [⟡] [⛱] [CB][VISA] [AE] [◑] [E] [C]

DUINGT
74410 Haute Savoie
500 hab. [i]

▲▲▲ AUBERGE DU ROSELET ★★
M. Falquet ☎ 50 68 67 19
[🛏] 14 [⌂] 295/360 F. [🍴] 55/320 F.
[🍽] 55 F. [🛎] 300/350 F.
[⌧] 15 nov./20 déc., mar. après-midi et
mer. hs.
[E] [D] [🔲] [☎] [⟷] [⟵] [✈] [⛱] [◆] [⟵]
[CB][VISA] [◑] [E]

LE CLOS MARCEL ★★
M. Molveau
☎ 50 68 67 47 [FAX] 50 68 61 11
[🛏] 15 [⌂] 230/360 F. [🍴] 125/178 F.
[🍽] 340/450 F. [🛎] 295/385 F.
[⌧] 15 oct./31 janv.
[E] [i] [🔲] [☎] [⟷] [⛱] [👤] [∅] [CV] [⟵] [CB][VISA] [E]

DUN LE PALESTEL
23800 Creuse
1330 hab. [i]

▲▲ JOLY ★★
M. Monceaux
☎ 55 89 00 23 [FAX] 55 89 15 89
[🛏] 28 [⌂] 130/320 F. [🍴] 62/230 F.
[🍽] 40 F. [🍽] 250/300 F. [🛎] 190/240 F.
[⌧] 3 semaines mars, 3 semaines
oct., dim. soir et lun. midi.
[E] [🔲] [☎] [⟷] [⛱] [👤] [CV] [⟵] [⟵] [CB][VISA] [E]
[C] [■]

DUN SUR AURON
18130 Cher
4211 hab. [i]

▲▲ LE BEFFROY ★★
13, place Jacques Chartier.
Mme Schmite
☎ 48 59 50 72 [FAX] 48 59 85 39
[🛏] 10 [⌂] 150/260 F. [🍴] 65/140 F.
[🍽] 45 F. [🍽] 420/520 F. [🛎] 300/400 F.
[⌧] 1er nov./28 fév., dim. soir et lun.
[🔲] [☎] [⟷] [⟵] [CB][VISA] [E]

DUN SUR MEUSE
55110 Meuse
750 hab. [i]

▲▲ DU COMMERCE ★★
Place Monument. M. Nivoix
☎ 29 80 90 25
[🛏] 11 [⌂] 180/255 F. [🍴] 78/230 F.
[🍽] 45 F. [🍽] 200/250 F. [🛎] 188/200 F.
[⌧] 24 déc./31 janv., dim. soir et lun. hs.
[E] [D] [🔲] [☎] [⟷] [⛱] [👤] [▶] [⟵] [⟵] [CB][VISA]
[AE] [◑] [E] [C] [■]

DUNKERQUE
59240 Nord
70331 hab. [i]

▲▲ L'HIRONDELLE ★★
48, av. Faidherbe. M. Staelen
☎ 28 63 17 65 [FAX] 28 66 15 43
[🛏] 42 [⌂] 255/305 F. [🍴] 62/160 F.
[🍽] 40 F. [🍽] 270/310 F. [🛎] 216/236 F.
[⌧] Rest. 14/28 fév., 16 août/5 sept., dim.
soir et lun.
[🔲] [☎] [⟷] [⟡] [⛱] [CV] [⟵] [⟵] [CB][VISA] [E] [■]

DURAS
47120 Lot et Garonne
1245 hab. [i]

▲▲▲ HOSTELLERIE DES DUCS ★★
Bld Jean Buisseau. MM. Blanchet
☎ 53 83 74 58 [FAX] 53 83 75 03
[🛏] 15 [⌂] 220/300 F. [🍴] 70/300 F.
[🍽] 40 F. [🛎] 260/300 F.
[⌧] dim. soir et lun. hs.
[🔲] [☎] [⟷] [⟵] [⛱] [⟵] [⟵] [CB][VISA] [AE] [◑] [E] [■]

195

EAUX BONNES
64440 Pyrénées Atlantiques
750 m. • 526 hab.

▲▲ DE LA POSTE **
M. Ricard
☎ 59 05 33 06 ⓕ 59 05 43 03
🛏 18 ▭ 160/275 F. ⓘ 78/180 F.
🍴 47 F. ▯ 265/325 F. ▯ 185/247 F.
✉ 15 avr./10 mai et 3 oct./25 déc.
▦▦▦▦▦▦ CB▦ ◉ E C

EBREUIL
03450 Allier
1300 hab.

▲▲▲ DU COMMERCE **
Rue des Fossés. M. Roumy
☎ 70 90 72 66
🛏 18 ▭ 160/260 F. ⓘ 95/220 F.
🍴 55 F. ▯ 280 F. ▯ 260 F.
✉ oct. et lun.
▦▦▦▦▦ CB▦ E

ECHALLON (LE CRET)
01130 Ain
850 m. • 560 hab.

▲▲ PONCET **
M. Poncet ☎ 74 76 48 53 ⓕ 74 76 45 36
🛏 17 ▭ 140/320 F. ⓘ 80/250 F.
🍴 55 F. ▯ 240/350 F. ▯ 200/265 F.
✉ 4/28 janv., 14/31 mars,
2 nov./24 déc. et mar. hors vac. scol.
▦▦▦▦▦▦▦▦ CB▦
E ▦

ECHELLES (LES)
73360 Savoie
1145 hab.

▲▲ AUBERGE DU MORGE
(Gorges de Chailles). M. Bouvier
☎ 79 36 62 76 ⓕ 79 36 51 65
🛏 7 ▭ 160/220 F. ⓘ 90/230 F. 🍴 70 F.
▯ 280/310 F. ▯ 250/280 F.
✉ 30 nov./15 janv., 1er/10 sept. et mer.
sauf vac. scol.
▦▦▦▦▦▦▦ CB▦ E

▲ DU CENTRE **
Mme Samson ☎ 79 36 60 14
🛏 10 ▭ 150/250 F. ⓘ 70/200 F.
🍴 45 F. ▯ 250/280 F. ▯ 190/220 F.
✉ 7/22 janv. et ven. sauf juil./août.
▦▦▦▦▦▦ CB▦ E

ECHENEVEX
01170 Ain
590 m. • 932 hab.

▲▲ AUBERGE DES CHASSEURS ***
M. Lamy ☎ 50 41 54 07 ⓕ 50 41 90 61
🛏 14 ▭ 350/600 F. ⓘ 120/280 F.
🍴 80 F. ▯ 480/600 F.
✉ 15 nov., dim. soir et lun. sauf
juil./août. lun.
▦▦▦▦▦▦▦▦ CB▦
▦ E

ECHETS (LES)
01700 Ain
350 hab.

▲▲ MARGUIN **
916, route de Strasbourg. M. Marguin
☎ 78 91 80 04 ⓕ 78 91 06 83
🛏 9 ▭ 155/310 F. ⓘ 98/298 F. 🍴 65 F.
✉ 3/25 janv., mar. soir et mer.
▦▦▦▦▦▦▦▦ CB▦ ▦
◉ E ▦

ECHEVIS
26190 Drôme
36 hab.

▲▲ LE REFUGE **
Sur D. 518. Mme Bocquet
☎ 75 48 68 32 ＼75 48 68 06
ⓕ 75 48 69 84
🛏 20 ▭ 85/225 F. 🍴 48 F.
▯ 225/265 F.
▦▦▦▦▦▦ CB▦ E

ECHIGEY
21110 Côte d'Or
250 hab.

▲ DE LA PLACE **
Rue de l'Eglise. M. Rey
☎ 80 29 74 00
🛏 13 ▭ 110/190 F. ⓘ 68/205 F.
🍴 68 F. ▯ 210/230 F. ▯ 190/210 F.
✉ 3/31 janv., 1er/8 août., dim. soir et
lun.
▦▦▦▦ CB▦ ▦ E

ECLARON
52290 Haute Marne
1940 hab.

▲ HOTELLERIE DU MOULIN
Rue du Moulin. M. Mathieu
☎ 25 04 17 76
🛏 5 ▭ 180/250 F. ⓘ 78/140 F. 🍴 40 F.
▯ 190/230 F.
✉ 1 semaine oct., 2 semaines janv./fév.,
dim. soir et lun. midi.
▦▦ SP ▦▦▦▦ CB▦ E

EGUELSHARDT (BANNSTEIN)
57230 Moselle
403 hab.

▲ DE LA FORET
M. Kleinklaus ☎ 87 96 03 09
🛏 6 ▭ 180/140 F. ⓘ 90/180 F. 🍴 50 F.
▯ 220/260 F. ▯ 170/190 F.
✉ 15/30 juin et 27 oct./6 nov., lun.
après-midi et mar.
▦▦▦▦ CB▦ ▦ ◉ E

EGUISHEIM
68420 Haut Rhin
1500 hab.

▲▲ AUBERGE DES COMTES (anc. A LA
VILLE DE COLMAR) **
1, place Charles de Gaulle. M. Stoffel
☎ 89 41 16 99 ⓕ 89 24 97 10
🛏 20 ▭ 165/300 F. ⓘ 65/160 F.
🍴 40 F. ▯ 200/260 F.
✉ 15 jours mars et mer.
▦▦▦▦▦▦▦▦ CB▦ E

EGUISHEIM (suite)

AAA HOSTELLERIE DU PAPE ★★★
10 Grand'Rue. M. Huber
☎ 89 41 41 21 ⮞ 89 41 41 31
🛏 33 ⬡ 290/450 F. 🍴 95/220 F.
🍴 50 F. 🍴 385/465 F. 🅿 285/365 F.
⊠ Rest. 15/30 janv., dim. soir et lun.
⬛⬛⬛⬛⬛⬛⬛⬛⬛⬛⬛
CB🆅🆂🅰 AE ⓞ E C ⬛

EGUZON
36270 Indre
1466 hab. 🅸

AA DE FRANCE ★★
Place de la République. M. Renaud
☎ 54 47 46 88
🛏 33 ⬡ 120/240 F. 🍴 55/120 F.
🍴 35 F. 🍴 160/220 F. 🅿 130/190 F.
⊠ 15 déc./15 mars.
⬛⬛⬛⬛⬛⬛⬛⬛⬛ CB🆅🆂🅰 E

ELNE
66200 Pyrénées Orientales
6202 hab. 🅸

A WEEK-END ★
29, av. Paul Reig. M. Broche
☎ 68 22 06 68
🛏 8 ⬡ 175/240 F. 🍴 85/130 F. 🍴 48 F.
🅿 205/230 F.
⊠ 1er nov./28 fév. et dim.
⬛⬛⬛⬛⬛⬛⬛⬛⬛⬛
CB🆅🆂🅰 AE ⓞ E

ELOISE
01200 Haute Savoie
600 hab.

AAA LE FARTORET ★★★
M. Gassilloud
☎ 50 48 07 18 ⮞ 50 48 23 85
🛏 41 ⬡ 215/460 F. 🍴 123/290 F.
🍴 65 F. 🍴 430/566 F. 🅿 330/466 F.
⬛⬛⬛⬛⬛⬛⬛⬛⬛⬛
⬛⬛⬛ CB🆅🆂🅰 AE ⓞ E

ELVEN
56250 Morbihan
3025 hab. 🅸

A LE LION D'OR ★★
5, place le Franc. M. Vroylandt
☎ 97 53 33 52 ⮞ 97 53 55 08
🛏 10 ⬡ 240/280 F. 🍴 58/180 F.
🍴 55 F. 🍴 240 F. 🅿 190 F.
⊠ 23 oct./15 nov., 23/28 déc., dim. soir
et lun. hs
⬛⬛⬛⬛⬛⬛ CB🆅🆂🅰 E

EMBRUN
05200 Hautes Alpes
876 m. • 6000 hab. 🅸

AA DE LA MAIRIE ★★
Place Barthelon. M. François
☎ 92 43 20 65 ⮞ 92 43 43 02
🛏 22 ⬡ 230/250 F. 🍴 85/ 90 F.
🍴 50 F. 🅿 253/275 F.
⊠ 11/31 mai, 1er oct./30 nov. et lun. hs
vac. scol.
⬛⬛⬛⬛⬛⬛⬛⬛ CB🆅🆂🅰 AE ⓞ

EMBRUN (CROTS)
05200 Hautes Alpes
790 m. • 670 hab.

AAA LES BARTAVELLES ★★★
M. Jaume
☎ 92 43 20 69 ⮞ 92 43 11 92
🛏 43 ⬡ 255/450 F. 🍴 110/285 F.
🍴 70 F. 🍴 325/450 F. 🅿 280/395 F.
⬛⬛⬛⬛⬛⬛⬛⬛⬛⬛⬛
⬛⬛⬛⬛ CB🆅🆂🅰 AE ⓞ E C

ENGHIEN LES BAINS
95880 Val d'Oise
9740 hab.

AA AUX SOURCES ★★
26, rue du Départ. M. André
☎ (1) 39 64 64 87
🛏 9 ⬡ 250/300 F. 🍴 100/150 F.
🍴 360 F. 🅿 260 F.
⬛⬛⬛⬛⬛ CB🆅🆂🅰 AE ⓞ E

ENTRAIGUES SUR SORGUE
84320 Vaucluse
5335 hab.

AA LE BEAL ★★
175, route de Carpentras. M. Pajerols
☎ 90 83 17 22 ⟍ 90 83 22 34
⮞ 90 83 64 96
🛏 21 ⬡ 148/260 F. 🍴 65/240 F.
🍴 40 F. 🍴 230/310 F. 🅿 170/250 F.
⊠ Rest. 26 déc./4 janv. et sam. midi.
⬛⬛⬛⬛⬛⬛⬛⬛⬛ CB🆅🆂🅰 ⓞ E

ENTRAYGUES
12140 Aveyron
1500 hab. 🅸

AAA DE LA TRUYERE ★★
M. Gaudel
☎ 65 44 51 10 ⮞ CCIRODE 530366
⮞ 65 44 57 78
🛏 25 ⬡ 200/285 F. 🍴 70/200 F.
🍴 48 F. 🍴 270/342 F. 🅿 220/286 F.
⊠ fin nov./début avr. et lun.
⬛⬛⬛⬛⬛⬛⬛⬛⬛ CB🆅🆂🅰 E

A DU CENTRE ★★
1, place de la République. M. Crouzet
☎ 65 44 51 19
🛏 18 ⬡ 150/200 F. 🍴 65/150 F.
🍴 45 F. 🍴 220/260 F. 🅿 200/230 F.
⊠ 25 déc./5 janv. et sam.
⬛⬛⬛⬛⬛⬛⬛⬛ CB🆅🆂🅰 ⓞ E

A LES DEUX VALLEES ★★
Av. du Pont de Truyères. Mme Ferrary
☎ 65 44 52 15
🛏 16 ⬡ 180/240 F. 🍴 60/150 F.
🍴 40 F. 🍴 250/260 F. 🅿 200/210 F.
⊠ janv., fév. et sam. hs.
⬛⬛⬛⬛⬛⬛⬛ CB🆅🆂🅰 AE ⓞ E

ENTRE LES FOURGS (JOUGNE)
25370 Doubs
1100 m. • 60 hab.

AA LES PETITS GRIS ★★
Place des Cloutiers. M. Gresset
☎ 81 49 12 93
🛏 13 ⬡ 235/295 F. 🍴 70/170 F.
🍴 48 F. 🍴 280/320 F. 🅿 240/275 F.
⊠ 18 sept./9 oct. et mer.
⬛⬛⬛⬛⬛⬛⬛⬛⬛ CB🆅🆂🅰 E

ENTZHEIM
67960 Bas Rhin
2593 hab.

▲▲▲ PERE BENOIT Rest. STEINKELLER ★★
34, route de Strasbourg. M. Masse
☎ 88 68 98 00 ℡ 880 378 🖷 88 68 64 56
🛏 60 ⊗ 250/260 F. 🍽 60/150 F.
🍴 40 F.
⊠ entre Noël/Nouvel An, 1ère quinzaine
juil. et dim.
🏧 🄳 ⬚ ☎ 🛋 🏊 ⛄ 🚲 🏃 🎿 ⛷
CB𝗩𝗜𝗦𝗔 AE E C

ENVEITG (VILLAGE FRONTIERE)
66760 Pyrénées Orientales
1200 m. • 800 hab. 🄻

▲▲▲ TRANSPYRENEEN ★★
14 av. Belvédère. M. Casamitjana
☎ 68 04 81 05 🖷 68 04 83 75
🛏 30 ⊗ 160/290 F. 🍽 75/150 F.
🍴 50 F. 🍽 250/330 F. 🛏 220/260 F.
⊠ 10 janv./5 fév., 15 mai/10 juin et
1er oct./25 déc.
🏧 SP 🄻 ⬚ ☎ 🛋 🛋 🍽 🍴 🛋 🏃 🎿
CV ⛷ 🏃 CB𝗩𝗜𝗦𝗔 AE ⓞ E C

EPERNAY
51200 Marne
26682 hab. 🄻

▲ LE PROGRES Rest. LA FLAMBEE ★
6, rue des Berceaux. M. Debarle
☎ 26 55 24 75
🛏 22 ⊗ 140/250 F. 🍽 70/125 F.
🍴 40 F. 🍽 340 F. 🛏 250 F.
⊠ 23 déc./10 janv. et dim. soir.
⬚ ☎ 🛋 🏃 CB𝗩𝗜𝗦𝗔 E

EPERNON
28230 Eure et Loir
5000 hab.

▲ DE LA MADELEINE ★
M. Bardot
☎ 37 83 42 06
🛏 7 ⊗ 160/180 F. 🍽 83/200 F. 🍴 45 F.
🍽 200/220 F. 🛏 185/200 F.
⊠ 8 jours vac. scol. fév., août, dim. soir
et lun.
🛋 🏃 CB𝗩𝗜𝗦𝗔 ⓞ E

EPINAL
88000 Vosges
40954 hab. 🄻

▲▲▲ LA FAYETTE ★★★
La Voivre, zone Act. le Saut le Cerf.
M. Thiriet
☎ 29 31 15 15 ℡ 850 590 🖷 29 31 07 08
🛏 48 ⊗ 395/525 F. 🍽 105/250 F.
🍴 70 F. 🍽 475/550 F. 🛏 355/420 F.
🏧 🄳 ⬚ ☎ 🛋 🛋 🍽 🎿 🛋 ✚ ⚓ ▶
🏃 ⛷ 🏃 CB𝗩𝗜𝗦𝗔 AE ⓞ E

EPINAL (GOLBEY)
88190 Vosges
9500 hab. 🄻

▲▲ MOTEL COTE OLIE et LA MANSARDE ★★
Sur N. 57. Mme Bocquet
☎ 29 34 28 28 ＼ 29 34 18 75 ℡ 961 011
🖷 29 31 30 19

🛏 24 ⊗ 250/260 F. 🍽 83/148 F.
🍴 48 F. 🛏 300 F.
⊠ dim. soir.
🏧 🄳 ⬚ ☎ 🛋 🍴 🛋 CB𝗩𝗜𝗦𝗔 AE ⓞ E

EPINAL (JEUXEY)
88000 Vosges
705 hab.

▲▲ AUBERGE DU CHEVAL BLANC ★★
46, route d'Epinal. M. Gremillet
☎ 29 34 51 24
🛏 7 ⊗ 190 F. 🍽 58/150 F. 🍴 40 F.
🍽 200/245 F. 🛏 180/200 F.
⊠ dim. soir et lun.
🄳 ⬚ ☎ 🛋 🍽 🍴 🛋 CB𝗩𝗜𝗦𝗔 E

EPINAY SUR SEINE
93800 Seine Saint Denis
48762 hab. 🄻

▲ AUX MYRIADES ★★
127, route de Saint-Leu. Mme Mainguy
☎ 42 35 81 63 🖷 42 35 81 62
🛏 46 ⊗ 280 F. 🍽 59/102 F. 🍴 41 F.
🍽 313 F. 🛏 234 F.
⊠ Rest. dim. soir.
🏧 ⬚ ☎ 🛋 🍴 🛋 🍽 🏃 CV ⛷ 🏃 CB𝗩𝗜𝗦𝗔
E 🕻

ERDEVEN
56410 Morbihan
2350 hab. 🄻

▲▲ AUBERGE DU SOUS BOIS ★★
Route de Pont Lorois. MM. Piot
☎ 97 55 66 10 🖷 97 55 68 82
🛏 21 ⊗ 340/375 F. 🍽 83/175 F.
🍴 50 F. 🛏 335/355 F.
⊠ 1er oct./31 mars.
🏧 SP ⬚ ☎ 🛋 🍴 CV 🏃 CB𝗩𝗜𝗦𝗔 AE ⓞ E

▲ CHEZ HUBERT ★★
1, rue des Menhirs. M. Hubert
☎ 97 55 64 50 🖷 97 55 91 43
🛏 13 ⊗ 180/240 F. 🍽 64/160 F.
🍴 52 F. 🍽 320/350 F. 🛏 220/250 F.
⊠ 26 oct./26 nov. et rest. lun. sauf
juil./août.
🏧 ⬚ ☎ 🛋 🍴 🛋 🏃 CB𝗩𝗜𝗦𝗔 AE ⓞ E C

▲▲ DES VOYAGEURS ★★
14, rue de l'Océan. M. Gouzerh
☎ 97 55 64 47 🖷 97 55 64 24
🛏 19 ⊗ 170/280 F. 🍽 57/140 F.
🍴 40 F. 🍽 325/390 F. 🛏 225/280 F.
⊠ 30 sept./1er avr. et mar.
🏧 ☎ 🛋 CV 🏃 CB𝗩𝗜𝗦𝗔 E C

ERMENONVILLE
60950 Oise
850 hab. 🄻

▲ DE LA CROIX D'OR ★★
2, rue Prince Radziwill. M. Vezier
☎ 44 54 00 04 🖷 44 54 05 44
🛏 8 ⊗ 250/450 F. 🍽 89/165 F. 🍴 50 F.
🍽 295/395 F. 🛏 225/325 F.
⊠ 20 déc./20 janv. et lun.
🏧 ⬚ 🛋 🍴 🛋 CB𝗩𝗜𝗦𝗔 E

ERNEE
53500 Mayenne
6000 hab. 🛈

🏨 DU GRAND CERF ★★
17-19, rue Aristide Briand. Mme Semerie
☎ 43 05 13 09 📠 723412F GRD CER
📠 43 05 02 90
🛏 8 🛌 195/230 F. 🍽 98/145 F. 🍴 70 F.
🏠 350/460 F. 🍲 320/380 F.
⊠ 15/31 janv., dim. soir et lun. hs.
🎛 📺 🗄 ☎ 🚗 ⊷ 🎢 🕭 🎯 ●
CB💳
📠 E

🏨 LE RELAIS DE LA POSTE ★★
1, place de l'Eglise. M. Lesaulnier
☎ 43 05 20 33 📠 730956 📠 43 05 18 23
🛏 34 🛌 175/272 F. 🍽 87/210 F.
🍴 51 F. 🏠 310/362 F. 🍲 250/300 F.
⊠ Rest. dim. soir.
🎛 📺 🗄 ☎ 🚗 🛌 ⊷ 🎢 🕭 CV 🎯 ●
CB💳 E

ERQUY
22430 Côtes d'Armor
3500 hab. 🛈

🏨 BEAUSEJOUR ★★
Rue de la Corniche. M. Thebault
☎ 96 72 30 39 📠 96 72 16 30
🛏 15 🛌 250/280 F. 🍽 68/148 F.
🍴 45 F. 🏠 320/345 F. 🍲 260/285 F.
⊠ fév., dim. soir et lun.
1er sept./1er juin.
🎛 📺 🗄 ☎ 🚗 ⊷ 🎢 🐾 CV 🎯 ● CB💳 E

ESCALLES
62179 Pas de Calais
300 hab.

🏨 L'ESCALE ★★
Rue de la Mer. M. Bourdon
☎ 21 85 25 00 ╲ 21 85 25 09
📠 21 35 44 22
🛏 24 🛌 170/300 F. 🍽 72/200 F.
🍴 40 F. 🏠 280/350 F. 🍲 230/310 F.
⊠ 3/22 janv.
🎛 📺 🗄 ☎ 🚗 🎢 🐾 🕭 🎯 CV CB💳
E ▪

ESCHAU
67114 Bas Rhin
4500 hab.

🏨 AU CYGNE ★
38, rue de la 1ère DB. M. Bouyoud
☎ 88 64 04 79 📠 88 64 33 83
🛏 21 🛌 130/200 F. 🍽 95/160 F.
🍴 38 F. 🏠 200 F. 🍲 175 F.
⊠ Rest. 24 déc./1er lun. janv., 14 juil.,
15 août, dim. sauf Pâques et Pentecôte.
🎛 📺 🗄 ☎ 🚗 CV 🎯 ● CB💳 E

ESCHBACH AU VAL
(OBERSOLBERG)
68140 Haut Rhin
800 m. • 400 hab.

🏨 OBERSOLBERG ★★
M. Michel
☎ 89 77 36 49
🛏 17 🛌 144/271 F. 🍽 78/127 F.

🍴 40 F. 🏠 216/243 F. 🍲 188/216 F.
⊠ 15 oct./15 nov., 18 déc./6 janv. Rest.
mar. après-midi et mer.
📺 🗄 🚗 🎢

ESCOULOUBRE LES BAINS
11140 Aude
903 m. • 90 hab.

🏨 AUBERGE DE LA CHAPELLE
M. Moyses ☎ 68 20 41 14
🛏 10 🛌 80/120 F. 🍽 58/130 F. 🍴 25 F.
🏠 160/180 F. 🍲 110/130 F.
⊠ nov.
🎛 SP 🗄 🎢 CV 🎯 CB💳 📠 E

ESPALION
12500 Aveyron
4800 hab. 🛈

🏨 MODERNE ★★
27, bld de Guizard. M. Raulhac
☎ 65 44 05 11 📠 65 48 06 94
🛏 28 🛌 220/350 F. 🍽 95/280 F.
🍴 50 F. 🏠 280/320 F. 🍲 250/280 F.
⊠ 5 nov./10 déc., 5/20 janv., dim. soir
et lun. sauf juil./août.
🎛 📺 🗄 ☎ 🚗 🐾 🕭 🎯 ● CB💳 E

ESPELETTE
64250 Pyrénées Atlantiques
1700 hab. 🛈

🏨 EUZKADI ★★
M. Darraidou
☎ 59 93 91 88 📠 59 93 90 19
🛏 32 🛌 250 F. 🍽 90/170 F. 🍴 55 F.
🏠 330/340 F. 🍲 260/270 F.
⊠ 1 semaine fév., 10 nov./15 déc. et
lun., mar. hs.
🎛 SP 🗄 ☎ 🚗 ⊷ 🌊 CV 🎯 ● CB💳 E

ESPEROU (L')
30570 Gard
1265 m. • 100 hab.

🏨 DU PARC ET DE L'ESPEROU ec
(Carrefour des Hommes de la Route).
Mme Boissiére ☎ 67 82 60 05
🛏 10 🛌 210/400 F. 🍽 85/150 F.
🍴 45 F. 🏠 260/280 F. 🍲 210/230 F.
🎛 🗄 ☎ 🎢 CV 🎯 CB💳 📠 ● E

🏨 DU TOURING
M. Jonget
☎ 67 82 60 04
🛏 11 🛌 160/180 F. 🍽 68/110 F.
🍴 50 F. 🏠 223/233 F. 🍲 173/183 F.
⊠ 31 oct./26 déc., dim. soir, lun. hs et
vac. scol.
🎛 📺 🗄 🎢 ● CB💳 E

ESPEZEL
11340 Aude
900 m. • 228 hab. 🛈

🏨 GRAU ★
M. Grau
☎ 68 20 30 14 📠 68 20 33 62
🛏 7 🛌 170/300 F. 🍽 75/220 F. 🍴 50 F.
🏠 245/380 F. 🍲 170/300 F.
⊠ Hôtel janv.
🎛 SP 🛈 🗄 ☎ 🚗 🕭 CV 🎯 CB💳 E

ESPOEY
64420 Pyrénées Atlantiques
600 hab.

▲▲ YAN PETIT ★★
Place de la Mairie. M. Lae
☎ 59 04 62 48 ⬛ 59 04 18 33
🛏 14 ◎ 170/220 F. ⦀ 68/ 95 F.
🍴 44 F. ⦀ 250 F. 🏠 200 F.
⊠ 15 oct./15 mai.
Ⓔ SP ⓘ ⬚ ☎ 🚗 🚗 🌴 CV 🔆 🍷
CB🏧 ⓿ E Ⓒ 🐾

ESPRELS
70110 Haute Saône
700 hab.

▲ DES TILLEULS ★
Place de la Mairie. M. Richard
☎ 84 20 53 56
🛏 10 ◎ 100/180 F. ⦀ 60/160 F.
🍴 40 F. ⦀ 210/240 F. 🏠 145/175 F.
⊠ 1 semaine en 2ème quinzaine
août, sam. midi.
Ⓔ 🚗 🚗 🌴 🔆 CB🏧 🆎 ⓿ E

ESTAING
12190 Aveyron
770 hab. ⓘ

▲▲ AUX ARMES D'ESTAING ★★
Mme Catusse
☎ 65 44 70 02
🛏 40 ◎ 150/230 F. ⦀ 65/150 F.
⦀ 210/250 F. 🏠 180/220 F.
Ⓔ ⬚ 🚗 🚗 🍷 CB🏧 E

ESTERENCUBY
64220 Pyrénées Atlantiques
428 hab.

▲▲ ANDREINIA ★★
M. Larramendy
☎ 59 37 09 70 ⬛ 59 37 36 05
🛏 25 ◎ 170/250 F. ⦀ 75/200 F.
🍴 30 F. ⦀ 190/220 F. 🏠 160/190 F.
⊠ 15 nov./15 déc.
SP ⬚ ☎ 🚗 🚗 CV 🔆 🍷 CB🏧

▲▲▲ ARTZAIN-ETCHEA ★★
(Route d'Iraty). M. Arriaga
☎ 59 37 11 55 ＼ 59 37 04 08
⬛ 59 37 20 16
🛏 22 ◎ 180/285 F. ⦀ 95/188 F.
🍴 60 F. ⦀ 222/266 F. 🏠 197/235 F.
⊠ 15 nov./20 déc. et mer. hs.
Ⓔ SP ⬚ ☎ 🚗 🚗 ✉ 🌴 🍴 CV 🔆
CB🏧 🆎 ⓿ E

▲▲ AUBERGE DES SOURCES DE LA NIVE ★★
M. Tihista
☎ 59 37 10 57
🛏 26 ◎ 190/210 F. ⦀ 50/150 F.
🍴 40 F. ⦀ 210 F. 🏠 195 F.
⊠ janv. et mar. hs.
SP ☎ 🚗 🍴 🔆 🍷 CB🏧 🆎 ⓿ E

ESTISSAC
10190 Aube
1770 hab. ⓘ

▲ LA MARMITE ★
Place de la Halle. Mme Chevassu

☎ 25 40 40 19
🛏 12 ◎ 105/195 F. ⦀ 57/135 F.
🍴 38 F. ⦀ 185/250 F. 🏠 145/200 F.
⊠ Noël/1er janv. et dim. soir
1er sept./1er avr.
☎ 🚗 CV 🍷 CB🏧 E

ESTIVAREILLES
03190 Allier
939 hab.

▲▲▲ HOSTELLERIE DU LION D'OR ★★
Sur N. 144. M. Tauvron
☎ 70 06 00 35 ⬛ 70 06 09 78
🛏 10 ◎ 160/190 F. ⦀ 75/250 F.
🍴 50 F. ⦀ 230/250 F. 🏠 190/210 F.
⊠ août, 1 semaine fév., dim. soir et lun.
Ⓔ ⬚ 🚗 🚗 🌴 🍴 CV 🍷 CB🏧 🆎 E

ETAIN
55400 Meuse
3800 hab. ⓘ

▲ DE LA SIRENE ★★
22, rue P. Havette. M. Checinski
☎ 29 87 10 32 ⬛ 29 87 17 65
🛏 26 ◎ 120/180 F. ⦀ 65/250 F.
🍴 35 F. ⦀ 220/250 F. 🏠 180/200 F.
⊠ 23 déc./1er fév. et lun.
Ⓔ ⬚ ☎ 🚗 🍴 🔆 🍷 CB🏧 E

ETAULIERS
33820 Gironde
1550 hab.

▲▲ DES PLATANES
4, route de Saint-Savin. M. Cuilie
☎ 57 64 70 42 ⬛ 57 64 60 94
🛏 10 ⦀ 80/200 F. 🍴 40 F.
⦀ 250/270 F. 🏠 210/230 F.
⊠ Rest. dim. soir.
Ⓔ SP ⬚ ☎ 🚗 🚗 🌴 Ⓞ CV 🔆 🍷
CB🏧 E

▲ RELAIS DE L'ESTUAIRE ★★
Place de la Halle. M. Petoin
☎ 57 64 70 36 ⬛ 57 64 56 51
🛏 25 ◎ 120/260 F. ⦀ 55/180 F.
🍴 38 F. 🏠 175/220 F.
Ⓔ SP ⬚ ☎ 🚗 🚗 ✉ 🌴 🍴 CV 🔆 🍷
CB🏧 E

ETEL
56410 Morbihan
2700 hab. ⓘ

▲▲▲ LE TRIANON ★★
14, rue Général Leclerc. Mme Guezel
☎ 97 55 32 41 ⬛ 97 55 44 71
🛏 16 ◎ 220/350 F. ⦀ 80/180 F.
🍴 55 F. ⦀ 350/430 F. 🏠 260/330 F.
⊠ Rest. janv., dim. soir et lun.
Ⓔ ⬚ ☎ 🚗 ✉ 🌴 CV 🍷 CB🏧 E

ETOUY
60600 Oise
670 hab.

▲ L'OREE DE LA FORET
255, rue de la Forêt. M. Leclercq
☎ 44 51 65 18
🛏 5 ◎ 105/190 F. ⦀ 165/285 F.
⊠ 16 août/15 sept., ven. et dim. soir.
🚗 🌴 🍴 CB🏧

ETREAUPONT
02580 Aisne
955 hab.

▲▲▲ LE CLOS DU MONTVINAGE Rest.
AUBERGE VAL DE L'OISE ★★
8, rue A. Ledent-40, rue Gal de Gaulle.
M. Trokay ☎ 23 97 91 10 ⟍ 23 97 40 18
〖FAX〗 23 97 48 92
🛏 20 ⊗ 310/420 F. 〗〗 80/220 F.
🍴 60 F. 〗〗 360/560 F. 🍽 286/486 F.
⊠ 9/25 août, 20/27 déc., dim. soir. Rest.
lun. midi.
〖🏠🏠🏠🏠🏠🏠🏠🏠🏠🏠〗
〖🏠🏠 CB🖭 ᴬᴱ ⊕ E C〗

ETSAUT
64490 Pyrénées Atlantiques
650 m. • 81 hab.

▲ DES PYRENEES ★★
M. Droit ☎ 59 34 88 62 〖FAX〗 59 34 86 95
🛏 15 ⊗ 150/220 F. 〗〗 68/150 F.
🍴 40 F. 〗〗 180/220 F. 🍽 160/180 F.
〖E SP 🏠🏠🏠 CV 🏠 CB🖭 E〗

EU
76260 Seine Maritime
9500 hab. 〖i〗

▲▲ DE LA GARE ★★
20, place de la Gare. M. Maine
☎ 35 86 16 64 〖FAX〗 35 50 86 25
🛏 22 ⊗ 230/280 F. 〗〗 78/190 F.
🍴 50 F. 〗〗 450 F. 🍽 330 F.
⊠ dim. soir.
〖🏠🏠🏠🏠 CV 🏠🏠 CB🖭 E 🏠〗

▲ LE RELAIS ★★
M. Ronsain
☎ 35 86 14 88 〖FAX〗 35 50 50 11 18
🛏 14 ⊗ 135/270 F. 〗〗 62/105 F.
🍴 35 F. 〗〗 215/280 F. 🍽 145/220 F.
⊠ Rest. dim. soir et lun. midi.
〖🏠🏠🏠🏠🏠 CV 🏠🏠 CB🖭 ᴬᴱ E 🏠〗

EVAUX LES BAINS
23110 Creuse
2000 hab. 〖i〗

▲ CHARDONNET ★★
18, rue de l'Hôtel de Ville.
M. Chardonnet ☎ 55 65 51 78
🛏 27 ⊗ 140/290 F. 〗〗 70/180 F.
🍴 40 F. 〗〗 220/300 F. 🍽 180/260 F.
⊠ fév. et dim. soir.
〖🏠🏠🏠🏠🏠🏠🏠 CV 🏠🏠 CB🖭 E〗

EVIAN LES BAINS
74500 Haute Savoie
6200 hab. 〖i〗

▲▲▲ DES PRINCES ★★
(A Amphion les Bains). Mme Magnin
☎ 50 75 02 94 〖FAX〗 50 75 59 93
🛏 35 ⊗ 180/450 F. 〗〗 80/250 F.
🍴 60 F. 〗〗 250/450 F. 🍽 200/350 F.
⊠ 1er oct./30 avr.
〖🏠🏠🏠🏠🏠 CV 🏠 CB🖭 ⊕ E〗

▲▲ LES MATEIRONS ★★
30, bld du Royal. M. Vuitton
☎ 50 75 04 16
🛏 19 ⊗ 150/350 F. 〗〗 80 F. 🍴 50 F.

〗〗 230/350 F. 🍽 200/320 F.
⊠ 1er oct./30 avr.
〖🏠🏠🏠🏠🏠🏠 CV 🏠 CB🖭 E〗

▲▲ PANORAMA ★★
Grande rive. M. Biancard
☎ 50 75 14 50 〖FAX〗 50 75 59 12
🛏 29 ⊗ 250/330 F. 〗〗 70/170 F.
🍴 50 F. 〗〗 285/340 F. 🍽 230/280 F.
⊠ 1er oct./30 avr.
〖🏠🏠🏠🏠🏠🏠 CV 🏠 CB🖭 E〗

EVIAN LES BAINS
(NEUVECELLE)
74500 Haute Savoie
600 m. • 2500 hab. 〖i〗

▲▲ LE MOULIN A POIVRE ★★
Route d'Abondance, Neuvecelle D. 21.
M. Tarrano
☎ 50 75 21 84 〖FAX〗 50 75 61 69
🛏 14 ⊗ 120/420 F. 〗〗 68/190 F.
🍴 38 F. 〗〗 190/380 F. 🍽 150/340 F.
〖E D 🏠🏠🏠🏠🏠🏠🏠🏠 CV 🏠〗
〖CB🖭 E 🏠〗

EVISA
20126 Corse
830 m. • 850 hab.

▲▲▲ AITONE-HOTEL ★★
M. Ceccaldi
☎ 95 26 20 04 〖FAX〗 95 26 24 18
🛏 20 ⊗ 150/500 F. 〗〗 85/160 F.
🍴 45 F. 🍽 230/450 F.
⊠ mi-nov./début janv.
〖E 🏠🏠🏠🏠🏠🏠🏠🏠 CB🖭 ᴬᴱ〗
〖⊕ E〗

EVOSGES
01230 Ain
740 m. • 104 hab.

▲ L'AUBERGE CAMPAGNARDE ★★
MM. Mano et Merloz
☎ 74 36 33 25 〖FAX〗 74 36 33 48
🛏 15 ⊗ 170/380 F. 〗〗 105/240 F.
🍴 50 F. 〗〗 270/350 F. 🍽 210/310 F.
⊠ 4/26 janv., 1er/10 sept. Rest. mar.
soir et mer. sauf juil/août, Hôtel mar.
soir et lun. oct./avr. sauf réservations.
〖🏠🏠🏠🏠🏠🏠🏠🏠🏠🏠🏠〗
〖CB🖭 E〗

EVREUX
27000 Eure
50358 hab. 〖i〗

▲▲ DE FRANCE ★★
29, rue Saint-Thomas. M. Meyruey
☎ 32 39 09 25
🛏 16 ⊗ 260/340 F. 〗〗 140/180 F.
🍴 100 F. 🍽 275 F.
⊠ Rest. dim. soir et lun.
〖E D SP 🏠🏠🏠🏠🏠🏠🏠〗
〖CB🖭 ⊕ E C 🏠〗

▲ DE L'OUEST ᵉᶜ
47-49, bld Gambetta. Mme Dubos
☎ 32 39 20 39
🛏 11 ⊗ 120/220 F. 〗〗 57/150 F.
🍴 42 F.
〖🏠🏠 CV 🏠🏠 CB🖭〗

EVRON
53600 Mayenne
7000 hab. ℹ️

DE LA GARE ★★
13, rue de la Paix. M. Gorette
☎ 43 01 60 29 🖷 43 37 26 53
🛏 8 ⌧ 209/231 F. 🍽 78/148 F. 🍴 50 F.
🛎 330 F. 🍴 240 F.
⌧ 24 déc./2 janv.
E SP 🖨 ☎ 🖃 ♨ CV ⚙ 🐾 CB VISA E

DES COEVRONS
Rue des Prés. M. Bordeau
☎ 43 01 62 16
🛏 6 ⌧ 120/185 F. 🍽 65/180 F. 🍴 35 F.
🛎 230/250 F.
⌧ Rest. ven. soir.
🖨 🖃 🗝 CV ⚙ 🐾 CB VISA E

EVRON (MEZANGERS)
53600 Mayenne
522 hab.

RELAIS DU GUE DE SELLE ★★★
Route de Mayenne. MM. Paris/Peschard
☎ 43 90 64 05 🖷 43 90 60 82
🛏 34 ⌧ 310/451 F. 🍽 93/205 F.
🍴 41 F. 🍽 310/415 F. 🍴 243/368 F.
⌧ 23 déc./2 janv., 15 fév./2 mars, dim.
soir et lun. 1er oct./1er juin.
E 🖨 ☎ 🖃 🖃 🖃 ♨ ♨ 🎿 ⚓
🚴 🗝 ⚙ 🐾 CB VISA AE ① E

EYGALIERES
13810 Bouches du Rhône
1599 hab.

AUBERGE CRIN BLANC ★★
Route d'Orgon. M. Bourgue
☎ 90 95 93 17 🖷 90 90 60 62
🛏 10 ⌧ 360/385 F. 🍽 140/255 F.
🍴 75 F. 🍽 410/450 F. 🍴 340/375 F.
⌧ 5 janv./15 mars et 15 nov./20 déc.
E 🖨 ☎ 🖃 ♨ 🎿 ♨ 🗝 🗝 CB VISA E

EYRAGUES
13630 Bouches du Rhône
3000 hab.

AUBERGE LA FARIGOULE ★
Route de Saint-Rémy. M. Mistral
☎ 90 94 15 08
🛏 7 ⌧ 120/160 F. 🍽 70/150 F. 🍴 50 F.
🍽 240/290 F. 🍴 170/220 F.
⌧ Hôtel oct./Pâques, rest.
24 déc./4 janv., 9 fév./9 mars et lun.
E 🖨 ☎ 🖃 🖃 ⚙ CB VISA E

EYZIES DE TAYAC (LES)
24620 Dordogne
800 hab. ℹ️

DE FRANCE AUBERGE DU MUSEE ★★
Rue du Musée. Mme Preux
☎ 53 06 97 23 ✑ 53 06 92 80
🖷 53 06 90 97
🛏 21 ⌧ 190/336 F. 🍽 65/250 F.
🍴 50 F. 🍽 340/460 F. 🍴 290/340 F.
E ☎ 🖃 🖃 🖃 ♨ ♨ CB VISA

☀ DES ROCHES ★★
M. Bousquet
☎ 53 06 96 59 🖷 53 06 95 54
🛏 41 ⌧ 260/420 F.
⌧ 1er nov./15 avr.
E SP ☎ 🖃 🖃 ♨ 🖃 🗝 CB VISA E

DU CENTRE ★★
M. Brun ☎ 53 06 97 13 🖷 53 06 91 63
🛏 19 ⌧ 280/300 F. 🍽 85/340 F.
🍴 57 F. 🍽 350/375 F. 🍴 295/325 F.
⌧ début nov./début avr.
E ☎ 🗝 🐾 CB VISA E

EZE VILLAGE
06360 Alpes Maritimes
1860 hab. ℹ️

AUBERGE DES 2 CORNICHES ★★
M. Maume
☎ 93 41 19 54 🖷 93 41 19 54
🛏 7 ⌧ 320 F. 🍽 300 F.
⌧ 4 nov./15 déc.
E 🖨 🖨 ☎ 🖃 ♨ CB VISA E

L'HERMITAGE DU COL D'EZE ★★
(Sur la Grande Corniche). M. Bérardi
☎ 93 41 00 68
🛏 14 ⌧ 180/270 F. 🍽 90/180 F.
🍴 90 F. 🍴 200/245 F.
⌧ 15 nov./15 janv., rest. lun. et mer.
midi.
🖨 🖃 🖨 ☎ 🖃 ♨ 🗝 🐾 CB VISA AE E

FABREGUES
34690 Hérault
4000 hab.

RELAIS DE FABREGUES ★★
M. Leu ☎ 67 85 11 79 🖷 67 85 29 54
🛏 27 ⌧ 199/349 F. 🍽 90/175 F.
🍴 68 F. 🍽 319/393 F. 🍴 229/304 F.
⌧ Rest. 25 et 31 déc., 5 janv./5 fév.
dim. soir et lun. sauf juil./août.
E 🖨 SP 🖨 ☎ 🖃 🖃 🖃 🖃 ♨ 🎿 CV
⚙ 🐾 CB VISA AE ① E C 🖩

FABREZAN
11200 Aude
990 hab.

LE CLOS DES SOUQUETS ★★
Av. de Lagrasse. M. Julien
☎ 68 43 52 61
🛏 5 ⌧ 280/380 F. 🍽 85/170 F. 🍴 45 F.
🍴 330/380 F.
⌧ fin nov./fin mars et dim. soir.
E SP 🖨 🖨 ☎ 🖃 🗝 ⚙ CB VISA AE ① E

FALAISE
14700 Calvados
9000 hab. ℹ️

DE LA POSTE ★★
38, rue Georges Clémenceau. Mme Collias
☎ 31 90 13 14 🖷 31 90 01 81
🛏 21 ⌧ 195/380 F. 🍽 78/225 F.
🍴 55 F. 🍴 205/295 F.
⌧ 17/27 oct. et 22 déc./19 janv.
E 🖨 ☎ 🖃 🖃 🖃 🐾 CB VISA AE E 🖩

FALAISE (suite)

△ DE NORMANDIE ★★
4, rue Amiral Courbet. M. Wilhelm
☎ 31 90 18 26 🖷 31 90 02 17
🛏 25 ⊗ 165/250 F. ⏸ 79/139 F.
🍴 59 F. ⏹ 230/310 F. 🛎 170/240 F.
⊠ ven. soir et dim. soir hs.
🄴 🖀 🛏 ⊞ 🕪 ⟁ CB🆅🆂🅰 E 🖿

FALGOUX (LE)
15380 Cantal
930 m. • 292 hab.

△△ L'ETERLOU ★★
Mme Queuille
☎ 71 69 51 14
🛏 10 ⊗ 185/215 F. ⏸ 66/172 F.
🍴 35 F. ⏹ 255/320 F. 🛎 200/255 F.
⊠ 1er/15 oct.
🖀 🛏 🕭 🕵 🚣 CV ⊞ ⟁ CB🆅🆂🅰 🅰🄴 E

FARGES
01550 Ain
513 m. • 559 hab. ℹ

△ CHATEAU DE FARGES ★★
M. Wenger
☎ 50 56 71 71 🖷 50 56 71 27
🛏 34 ⊗ 130/260 F. ⏸ 85/340 F.
🍴 50 F. ⏹ 263/328 F. 🛎 180/243 F.
⊠ Rest. 24/31 déc., dim. soir et lun.
midi.
🄴 🄳 🖀 🛏 🕭 ⊡ 🕵 🚣 CV ⊞ ⟁ CB🆅🆂🅰
🅰🄴 ⊙ E 🖿

FAUILLET
47400 Lot et Garonne
950 hab.

△ VOTRE AUBERGE
M. Fournol
☎ 53 79 09 03
🛏 8 ⊗ 150/190 F. ⏸ 70/220 F. 🍴 50 F.
⏹ 230/270 F. 🛎 190/210 F.
⊠ 1er oct./1er nov.
🛏 🕵 🚣 ⊞ ⟁ CB🆅🆂🅰

FAUVILLE EN CAUX
76640 Seine Maritime
1750 hab.

△ DU COMMERCE ★★
919, Grande Rue. M. Benard
☎ 35 96 71 22
🛏 16 ⊗ 120/200 F. ⏸ 50/100 F.
⏹ 200/215 F. 🛎 160/180 F.
⊠ lun.
🖀 🕵 CV ⊞ ⟁ CB🆅🆂🅰

FAVERGES
74210 Haute Savoie
507 m. • 6330 hab. ℹ

△△△ DU PARC - MANOIR DU BARON BLANC ★★
Mme Falcy
☎ 50 44 50 25 🖷 50 44 59 74
🛏 12 ⊗ 280/600 F. ⏸ 110/250 F.
🍴 50 F. 🛎 280/450 F.
🕭 🖀 🛏 🖽 🚣 CV ⊞ CB🆅🆂🅰 🅰🄴 ⊙
E 🖿

FAVERGES (SEYTHENEX)
74210 Haute Savoie
720 m. • 510 hab. ℹ

△△△ AU GAY SEJOUR ★★★
M. Gay
☎ 50 44 52 52 🖷 50 44 49 52
🛏 12 ⊗ 420/460 F. ⏸ 120/280 F.
⏹ 460/520 F. 🛎 420/460 F.
⊠ 3 janv./8 fév., dim. soir et lun. (sauf
pensionnaires) hors vac. scol.
🄴 🄳 🕭 🖀 🛏 ⊞ 🕵 🚣 🛎 CB🆅🆂🅰 🅰🄴
⊙ E

FAYET LES THERMES (LE)
74190 Haute Savoie
600 m. • 2000 hab. ℹ

△ LES ALLOBROGES ★★
Rue de Genève. M. Raffin
☎ 50 78 12 21 🖷 50 78 25 24
🛏 20 ⊗ 170/270 F. ⏸ 50/160 F.
🍴 44 F. ⏹ 230/280 F. 🛎 190/240 F.
⊠ 15 oct./15 déc.
🄴 ℹ 🕭 🖀 🛏 ⊡ 🕵 🚣 CV CB🆅🆂🅰 🅰🄴 ⊙ E

△△ LES DEUX GARES ★★
60, impasse des deux Gares. M. Berthier
☎ 50 78 24 75 🖷 50 78 15 47
🛏 24 ⊗ 200/270 F. ⏸ 80 F. 🍴 40 F.
⏹ 195/225 F.
⊠ 15 oct./15 déc.
🄴 ℹ 🕭 🖀 🛏 ⊡ 🕵 🚣 🚣 CV CB🆅🆂🅰 E

FAYL BILLOT
52500 Haute Marne
1600 hab.

△ DU CHEVAL BLANC ★★
Place de la Barre. Mme Gerometta
☎ 25 88 61 44
🛏 10 ⊗ 150/220 F. ⏸ 72/155 F.
🍴 45 F. ⏹ 210/240 F. 🛎 190/230 F.
⊠ 2ème quinzaine oct., 2ème quinzaine
janv., et lun., dim. soir 15 nov./28 fév.
🄴 ℹ 🖀 🛏 ⊞ ⟁ CB🆅🆂🅰 E

FECLAZ (LA)
73230 Savoie
1350 m. • 500 hab. ℹ

△ CENTRAL ET TERRASSES FLEURIES ★
Mme Dambrin ☎ 79 25 81 68
🛏 15 ⊗ 195/245 F. ⏸ 63/120 F.
🍴 35 F. ⏹ 210/225 F. 🛎 165/180 F.
🕵 🚣 CV ⊞ ⟁ CB🆅🆂🅰

△△△ LE BON GITE ★★
M. Lacaille
☎ 79 25 82 11 🖷 79 25 81 90
🛏 18 ⊗ 150/355 F. ⏸ 78/190 F.
🍴 56 F. ⏹ 226/346 F. 🛎 190/290 F.
⊠ avr./17 juin et 11 sept./17 déc.
🄴 ℹ 🕭 🖀 🛏 ⊡ 🕭 🚣 🛷 🎿 ▶
CV ⊞ ⟁ CB🆅🆂🅰 E

△△△ PLAINPALAIS ★★
Col de Plainpalais. M. Charpentier
☎ 79 25 81 79
🛏 20 ⊗ 230/400 F. ⏸ 88/198 F.
🍴 52 F. ⏹ 245/325 F. 🛎 210/295 F.
⊠ 4 avr./28 mai et 27 sept./18 déc.
🄴 ℹ 🖀 🛏 ⊞ 🕭 🕵 CV ⟁ CB🆅🆂🅰 E

FEGERSHEIM OHNHEIM
67640 Bas Rhin
3005 hab.

🏠🏠 AUBERGE AU CHASSEUR ★★
19, rue de la Liberté. Mme Grimm
☎ 88 64 03 78 ⟨FAX⟩ 88 64 05 49
🛏 24 ⊠ 260 F. 🍴 55/350 F. 🍽 60 F.
🍴 215 F.
⊠ ven. soir et sam.
[icons] CB VISA AE
E C 🖵

FEL (LE)
12140 Aveyron
15 hab.

🏠 AUBERGE DU FEL ★★
Mme Albespy
☎ 65 44 52 30
🛏 10 ⊠ 180/320 F. 🍴 65/125 F.
🍽 40 F. 🍴 220/260 F. 🍴 175/215 F.
⊠ 30 nov./31 mars.
[icons] CB VISA E

FERNEY VOLTAIRE
01210 Ain
6400 hab.

🏠 DE FRANCE ★★
1, rue de Genève. M. Boillat
☎ 50 40 63 87 ⟨FAX⟩ 50 40 47 27
🛏 13 ⊠ 270/330 F. 🍴 115/250 F.
🍽 60 F. 🚗 300 F.
⊠ dim. et lun. midi.
[icons] CB VISA AE E

FERRETTE
68480 Haut Rhin
750 hab. ℹ

🏠 COLLIN ★★
M. Collin
☎ 89 40 40 72
🛏 9 ⊠ 230/275 F. 🍴 50/210 F. 🍽 45 F.
🍴 240/260 F. 🍴 220/240 F.
⊠ 15/31 janv., 6/30 sept., rest. mar. et mer.
[icons] CB VISA E

FERRIERE (LA)
38580 Isère
1000 m. • 300 hab. ℹ

🏠🏠🏠 DU CURTILLARD ★★★
(Au Sept Laux). M. Moulin
☎ 76 97 50 82 ⟨FAX⟩ 76 97 56 57
🛏 20 ⊠ 320/370 F. 🍴 95/210 F.
🍽 60 F. 🍴 370/410 F. 🍴 290/330 F.
⊠ 15 sept./15 déc. et 15 avr./1er juin.
[icons]
CV [icons] CB VISA E

FERRIERES
45210 Loiret
2417 hab.

🏠🏠 DE L'ABBAYE ★★
M. Paris
☎ 38 96 53 12 ⟨FAX⟩ 38 96 57 63
🛏 20 ⊠ 270 F. 🍴 130/210 F. 🍽 60 F.
🍴 295 F. 🍴 215 F.
[icons] CV [icons] CB VISA E

FERRIERES SUR SICHON
03250 Allier
600 m. • 640 hab.

🏠 CENTRAL HOTEL ★
Place de la Poste. M. Vincent
☎ 70 41 10 06
🛏 7 ⊠ 105/150 F. 🍴 80/110 F. 🍽 40 F.
🍴 231/254 F. 🍴 155/177 F.
⊠ janv. et lun.
[icons]

FERTE BERNARD (LA)
72400 Sarthe
10000 hab. ℹ

🏠🏠 LA PERDRIX ★★
2, rue de Paris. M. Thibaut
☎ 43 93 00 44 ⟨FAX⟩ 43 93 74 95
🛏 7 ⊠ 210/380 F. 🍴 105/220 F.
🍽 67 F.
⊠ mar. et lun. soir hs.
[icons] CB VISA E

FERTE FRESNEL (LA)
61550 Orne
640 hab.

🏠 LE PARADIS ★★
Grande Rue. M. Choplin
☎ 33 34 81 33
🛏 13 ⊠ 105/220 F. 🍴 65/200 F.
🍽 47 F. 🍴 170/240 F. 🍴 130/180 F.
⊠ 2 semaines oct., 3 semaines fév. et
lun.
[icons] CB VISA E C 🖵

FERTE GAUCHER (LA)
77320 Seine et Marne
4000 hab. ℹ

🏠🏠 DU BOIS FRAIS ★★
32, av. des Alliés. M. Renault
☎ (1) 64 20 27 24 ⟨FAX⟩ (1) 64 20 38 39
🛏 7 ⊠ 200/330 F. 🍴 87/150 F. 🍽 50 F.
🍴 215/280 F. 🍴 185/252 F.
⊠ 24 déc./15 janv., dim. soir et lun.
[icons] CV [icons] CB VISA E 🖵

🏠🏠 DU SAUVAGE ★★
27, rue de Paris. M. Teinturier
☎ (1) 64 04 00 19 ⟨FAX⟩ 64 20 32 95
🛏 14 ⊠ 240/260 F. 🍴 60/240 F.
🍽 50 F. 🍴 300 F. 🍴 250 F.
⊠ mer.
[icons] CB VISA E

FERTE IMBAULT (LA)
41300 Loir et Cher
1100 hab. ℹ

🏠🏠 AUBERGE A LA TETE DE LARD ★★
13, place des Tilleuls. M. Benni
☎ 54 96 22 32 ⟨FAX⟩ 54 96 06 22
🛏 11 ⊠ 260/450 F. 🍴 90/290 F.
🍽 60 F. 🍴 270 F.
⊠ 3 semaines fév., 2 semaines
sept., dim. soir et lun.
[icons]
CB VISA E

FERTE MACE (LA)
61600 Orne
7390 hab. ⓘ

▲▲ AUBERGE D'ANDAINE ★★
La Barbère à 3 Km de Bagnoles de
l'Orne. Mme Olszowy
☎ 33 37 20 28
🛏 15 ◎ 175/300 F. 🍽 80/180 F.
🍴 60 F. 🍽 250/300 F. 🛏 230/280 F.
ⓔ 🗀 🕿 🚗 🛟 🧖 🎿 🕪 CB𝕍𝕊𝔸 E

▲▲ LE CELESTE - NOUVEL HOTEL ★★
6-8, rue de la Victoire. M. Cingal
☎ 33 37 22 33 ℻ 33 38 12 25
🛏 15 ◎ 100/300 F. 🍽 90/230 F.
🍴 45 F. 🍽 260/390 F. 🛏 180/310 F.
⊠ dim. soir et lun.
ⓔ 🗀 🕿 🧖 🧖 🕪 CB𝕍𝕊𝔸 E

FERTE SAINT AUBIN (LA)
45240 Loiret
5498 hab.

▲▲ DU PERRON ★★
9-11, rue Général Leclerc. M. Darchis
☎ 38 76 53 36 ℻ 38 64 80 11
🛏 24 ◎ 180/310 F. 🍽 85/210 F.
🍴 58 F. 🛏 260/290 F.
⊠ dim. soir, lun. 15 nov./1er avr. Rest.
dim. soir, lun midi 1er avr./30 juin et
lun. midi 1er juil./15 nov.
ⓔ 🗀 🕿 🚗 🧖 🕪 CB𝕍𝕊𝔸 AE ① E

FERTE SAINT CYR (LA)
41220 Loir et Cher
750 hab. ⓘ

▲▲ SAINT CYR ★★
15, Fg Bretagne. M. Chamaillard
☎ 54 87 90 51 ℻ 54 87 95 17
🛏 20 ◎ 260 F. 🍽 72/205 F.
🍴 45 F. 🛏 205/245 F.
⊠ 11 janv./18 mars, dim. soir et lun.
15 sept./15 juin, lun. midi
15 juin/15 sept.
ⓔ 🗀 🕿 🚗 🏕 🎿 CV 🧖 🕪 CB𝕍𝕊𝔸 ① E

FERTE SOUS JOUARRE (LA)
77260 Seine et Marne
7000 hab. ⓘ

▲ AU BEC FIN ★★
1, Quai des Anglais. M. Lemaitre
☎ (1) 60 22 01 27
🛏 6 ◎ 195/210 F. 🍽 75/165 F. 🍴 40 F.
⊠ 15 fév./6 mars, 15 juil./13 août, dim.
soir, mar. soir et mer.
🚗 CV 🧖 🕪 CB𝕍𝕊𝔸 AE ① E

FEY
57420 Moselle
500 hab.

▲▲ LES TUILERIES ★★
Route de Cuvry. M. Vadala
☎ 87 52 03 03 ℻ 87 52 84 24
🛏 41 ◎ 290/310 F. 🍽 98/275 F.
🍴 40 F. 🍽 330/360 F. 🛏 220/250 F.
ⓔ 🗀 Ⓓ 🕿 🚗 🏕 🛟 🎿 🎿 🧖 CV
🧖 🕪 CB𝕍𝕊𝔸 AE ① E

FIGEAC
46100 Lot
12000 hab. ⓘ

※ AU PONT DU PIN ★★
3, allée Victor Hugo. Mme Jean
☎ 65 34 12 60
🛏 23 ◎ 170/350 F.
🧖 🕪 CB𝕍𝕊𝔸 E

※ DES BAINS ★★
1, rue du Griffoul. Mme Palazy
☎ 65 34 10 89
🛏 20
⊠ 30 nov./mi-mars.
ⓔ SP 🗀 🕿 🚗 🎿 CV 🕪 CB𝕍𝕊𝔸 E

▲▲▲ L'HOSTELLERIE DE L'EUROPE Rest.
"CHEZ MARINETTE" ★★
51, allée Victor Hugo. Mme Baldy
☎ 65 34 10 16 \ 65 50 06 07
℻ 65 50 04 57
🛏 30 ◎ 185/300 F. 🍽 75/170 F.
🍴 45 F. 🍽 320 F. 🛏 260 F.
⊠ 20 janv./15 fév., dim. soir et lun.
ⓔ Ⓓ SP 🗀 🕿 🚗 🏕 🛟 🎿 Ⓞ CV
🧖 🕪 CB𝕍𝕊𝔸 AE ① E 🖥

FILITOSA SOLLACARO
20140 Corse
350 hab.

▲▲ LE TORREEN ★★
M. Cesari
☎ 95 74 00 91
🛏 20 ◎ 220/280 F.
ⓘ 🕿 🚗 🖂 CB𝕍𝕊𝔸 AE ① E

FISMES
51170 Marne
5286 hab. ⓘ

▲ A LA BOULE D'OR ★
Route de Laon. M. Blanquet
☎ 26 48 11 24
🛏 7 ◎ 140/220 F. 🍽 79/139 F. 🍴 45 F.
🛏 190/240 F.
⊠ dim. soir et lun.
ⓔ 🗀 🕿 CV 🕪 CB𝕍𝕊𝔸 AE ① E

▲ L'ESPLANADE ★
8, rue des Chailleaux. M. Rossi
☎ 26 48 03 31 ℻ 26 48 17 33
🛏 7 ◎ 190/280 F. 🍽 68/150 F. 🍴 38 F.
🍽 250 F. 🛏 200 F.
⊠ fév., lun. soir et mar.
ⓔ 🗀 🕿 🚗 🎿 CV 🧖 🕪 CB𝕍𝕊𝔸
① E

FIXIN
21220 Côte d'Or
1026 hab.

▲▲ CHEZ JEANNETTE
7, rue Noisot. M. Gerber
☎ 80 52 45 49 ℻ 80 51 30 70
🛏 11 ◎ 116/217 F. 🍽 92/138 F.
🍴 42 F. 🛏 250/280 F.
⊠ 28 nov./20 déc., 29 janv./12 fév.
et jeu. sauf juil./sept.
ⓔ SP 🏕 🎿 🧖 🕪 CB𝕍𝕊𝔸 AE ① E

FLECHE (LA)
72200 Sarthe
16500 hab. 🅘

▲▲ DE L'IMAGE ★★
50, rue Grollier. M. Cherrier
☎ 43 94 00 50 FAX 43 94 47 19
🛏 20 ▦ 140/360 F. ⅲ 78/220 F.
🍴 48 F. ⅲ 330/350 F. 🍽 270/300 F.
⊠ 2ème quinzaine déc.
▯▯▯▯▯▯▯▯ CB🅅🅸🆂🅰 ⓓ E ▯

▲▲ LE VERT GALANT ★★
70, Grande Rue. M. Berger
☎ 43 94 00 51 FAX 43 45 11 24
🛏 10 ▦ 260 F. ⅲ 72/160 F. 🍴 60 F.
ⅲ 330 F. 🍽 230 F.
⊠ 20 déc./19 janv. et jeu. sauf
7 avr./8 sept.
▯▯▯▯▯ CB🅅🅸🆂🅰 E

FLERS DE L'ORNE
61100 Orne
25000 hab. 🅘

▲▲ DE L'OUEST ★★
14, rue de la Boule. M. Costard
☎ 33 64 32 43
🛏 13 ▦ 174/240 F. ⅲ 68/142 F.
🍴 45 F. ⅲ 245 F. 🍽 180 F.
⊠ 1ère quinzaine août et dim.
▯▯▯▯▯▯▯ CB🅅🅸🆂🅰 E

FLEURVILLE
71260 Saône et Loire
310 hab.

▲▲ LE FLEURVIL ★★
M. Badoux
☎ 85 33 10 65 FAX 85 33 10 37
🛏 10 ▦ 120/280 F. ⅲ 90/210 F.
🍴 58 F. 🍽 245/285 F.
⊠ 1ère semaine juin, 15 nov./15 déc.,
lun. soir et mar.
▯▯▯▯▯▯ CB🅅🅸🆂🅰 E

FLORAC
48400 Lozère
2100 hab. 🅘

▲▲ LE ROCHEFORT ★★
(A 2 km, sur N. 106, route de Mende).
Mme Rossel
☎ 66 45 02 57
🛏 24 ▦ 230/300 F. ⅲ 69/156 F.
🍴 41 F. ⅲ 270/300 F. 🍽 210/240 F.
⊠ Toussaint/Pâques et week-ends oct.
▯▯▯▯▯▯ CV 🖿 CB🅅🅸🆂🅰 E

FLUMET
73590 Savoie
1010 m. • 760 hab. 🅘

▲ PANORAMIC
Route de Mégève, à 2km500.
M. Mongellaz
☎ 79 31 60 01
🛏 10 ▦ 150/200 F. ⅲ 55/ 75 F.
🍴 35 F. ⅲ 220/230 F. 🍽 170/185 F.
⊠ 15 sept./vac Noël et début
avr./20 juin.
▯▯▯▯ CB🅅🅸🆂🅰 E

FOISSAC
12260 Aveyron
350 hab.

▲▲ RELAIS DE FREJEROQUES ★★
Sur D. 922. Mlle Espeillac
☎ 65 64 62 80 FAX 65 64 60 03
🛏 18 ▦ 140/175 F. ⅲ 41/ 56 F.
🍴 41 F. ⅲ 189/200 F. 🍽 139/150 F.
⊠ Rest. sam. midi et dim. midi hs. (rest.
pour résidents seulement toute l'année).
▯▯▯▯▯▯▯▯▯▯ CV CB🅅🅸🆂🅰 E ▯

FOIX
09000 Ariège
10235 hab. 🅘

▲▲ AUDOYE LONS ★★★
6, place G. Dutilh. M. Lons
☎ 61 65 52 44 FAX 61 02 68 18
🛏 40 ▦ 158/360 F. ⅲ 70/175 F.
🍴 46 F. ⅲ 280/395 F. 🍽 215/330 F.
⊠ 15 déc./15 janv. et sam. hiver.
▯ SP ▯▯▯▯▯ CV 🖿 ▯ CB🅅🅸🆂🅰 AE
ⓓ E

FOIX (SAINT-PAUL DE JARRAT)
09000 Ariège
1200 hab.

▲▲ LA CHARMILLE ★★
M. Dubie
☎ 61 64 17 03
🛏 10 ▦ 170/260 F. ⅲ 63/220 F.
🍴 45 F. 🍽 155/205 F.
⊠ 1er/15 oct., 23 déc./3 fév. et lun.
▯ SP ▯▯▯▯▯ 🖿 ▯ CB🅅🅸🆂🅰 E

FOIX (SAINT-PIERRE DE RIVIERE)
09000 Ariège
418 hab. 🅘

▲ DE LA BARGUILLERE ★★
M. Goguet ☎ 61 65 14 02
🛏 10
▯▯▯ CV 🖿 CB🅅🅸🆂🅰 E

FOLELLI PLAGE
20213 Corse
1400 hab.

▲▲▲ SAN PELLEGRINO ★★
Plage San Pellegrino. Mme Goffi
☎ 95 36 90 61 \ 95 36 90 77 🆃🅴🅻 460398
FAX 95 36 85 42
🛏 56 ▦ 350/540 F. ⅲ 110/190 F.
🍴 50 F. 🍽 275/377 F.
⊠ 1er oct./2 mai.
▯▯ⓘ▯▯▯▯▯▯▯
CB🅅🅸🆂🅰 AE ⓓ E

FONCINE LE HAUT
39460 Jura
863 m. • 900 hab. 🅘

▲▲ PENSION FAIVRE LECOULTRE ★★
M. Lecoultre ☎ 84 51 90 59
🛏 10 ▦ 170/240 F. ⅲ 65/160 F.
🍴 30 F. ⅲ 220/260 F. 🍽 180/200 F.
⊠ 29 avr./10 mai.
▯▯▯▯▯▯▯▯ CV 🖿 CB🅅🅸🆂🅰
E ▯

FONDETTES
37230 Indre et Loire
7325 hab.

▲▲ PONT DE LA MOTTE ★★
4, quai de la Guignière. Mme Cattoën
☎ 47 42 15 44 ∎ 47 49 95 90
🛏 15 ⊗ 155/263 F. ⊞ 79/198 F.
🍴 50 F. ⊞ 236/276 F. ⊠ 157/207 F.
⊠ dim. soir hiver.
🄴 🄳 ⌂ ☎ 🚗 🚗 ♿ CV ⊕ ● CB⟦VISA⟧
⟦AE⟧ E

FONT ROMEU
66120 Pyrénées Orientales
1800 m. • 3000 hab. ⓘ

▲▲▲ LE COQ HARDI ★★
M. Sageloly ☎ 68 30 11 02 ∎ 68 30 25 23
🛏 15 ⊗ 250/320 F. ⊞ 80/120 F. 🍴 50 F.
⊞ 300/320 F. ⊠ 260/280 F.
⊠ 15 mai/15 juin et 15 oct./8 déc. sauf
vac. Toussaint.
🄴 SP ⌂ ☎ 🚗 🕆 ♿ CV ⊕ ● CB⟦VISA⟧
E ■

FONTAINE CHAALIS
60300 Oise
400 hab.

▲▲ AUBERGE DE FONTAINE ★★
M. Campion ☎ 44 54 20 22 ∎ 44 60 25 38
🛏 8 ⊗ 245/350 F. ⊞ 118/185 F. 🍴 60 F.
⊠ 5/26 fév., mar. soir et mer.
🄴 SP ⌂ ☎ 🕆 ♿ ⊘ ♿ ● CB⟦VISA⟧ E

FONTAINE DE VAUCLUSE
84800 Vaucluse
700 hab. ⓘ

▲▲ DU PARC ★★
Les Bourgades. Mme Baffoni
☎ 90 20 31 57 ∎ 90 20 27 03
🛏 12 ⊗ 250/260 F. ⊞ 95/240 F.
🍴 40 F. ⊠ 298 F.
⊠ Hôtel 1er nov./1er mars, rest.
2 janv./15 fév. et mer.
SP ⓘ ⌂ ☎ 🕆 ⊕ ● CB⟦VISA⟧ ⟦AE⟧ ⊕ E

FONTAINEBLEAU
77300 Seine et Marne
20000 hab. ⓘ

▲▲ LE RICHELIEU ★★
4, rue Richelieu. Mlle Gevaudan
☎ (1) 64 22 26 46 ∎ 694767
∎ (1) 64 22 14 61
🛏 20 ⊗ 200/280 F. ⊞ 70/ 90 F.
🍴 40 F. ⊞ 360/420 F. ⊠ 270/330 F.
🄴 ⌂ ☎ 🚗 ♿ ♿ CV ● CB⟦VISA⟧ ⟦AE⟧ ⊕
E 🄲

FONTENAI SUR ORNE
61200 Orne
264 hab.

▲▲ LE FAISAN DORE ★★
M. Me Coiffard
☎ 33 67 18 11 ∎ 33 35 82 15
🛏 15 ⊗ 290 F. ⊞ 90/280 F. 🍴 60 F.
⊞ 330/400 F. ⊠ 240/300 F.
⊠ 2 semaines fin janv. et dim. soir.
🄴 🄳 ⌂ ☎ 🕆 🎣 🚣 ♿ CV ⊕ ●
CB⟦VISA⟧ E 🄲

FONTENAY LE COMTE
85200 Vendée
14456 hab. ⓘ

▲▲ LE FONTARABIE ★★
57, rue de la République.
Mme Alexandre
☎ 51 69 17 24 ∎ 51 51 02 73
🛏 29 ⊗ 180/220 F. ⊞ 58/ 80 F.
🍴 30 F. ⊞ 250 F. ⊠ 200 F.
🄴 ⓘ ⌂ ☎ 🚗 ⊱ 🕆 ♿ CV ⊕ ●
CB⟦VISA⟧ E

▲▲▲ LE RABELAIS ★★
Route de Parthenay. M. Rolland
☎ 51 69 86 20 ∎ 701737 ∎ 51 69 80 45
🛏 54 ⊗ 290/330 F. ⊞ 66/138 F.
🍴 42 F. ⊞ 305/325 F. ⊠ 240/260 F.
🄴 SP ⌂ ☎ 🚗 🚗 ⊛ 🕆 ⊕ ⊞
🎣 ⊘ ♿ CV ⊕ ● CB⟦VISA⟧ ⟦AE⟧ ⊕ E
🄲 ♿

FONTEVRAUD L'ABBAYE
49590 Maine et Loire
1868 hab. ⓘ

▲▲▲ LA CROIX BLANCHE ★★
M. Thiery
☎ 41 51 71 11 ∎ 41 38 15 38
🛏 23 ⊗ 195/420 F. ⊞ 95/200 F.
🍴 55 F. ⊞ 350/465 F. ⊠ 240/355 F.
⊠ 14/25 nov. et 9 janv./5 fév.
🄴 ⌂ ☎ 🚗 🚗 ⊕ ● CB⟦VISA⟧ ⟦AE⟧ E ■

FONTVIEILLE
13990 Bouches du Rhône
3450 hab. ⓘ

▲ HOSTELLERIE DE LA TOUR ★★
3, rue des Plumelets. M. Cointet
☎ 90 54 72 21
🛏 10 ⊗ 245/315 F. ⊞ 90 F. 🍴 48 F.
⊠ 218/253 F.
🄴 🄳 SP ⌂ ☎ 🚗 🕆 ⊱ ● CB⟦VISA⟧ E

▲▲ LA RIPAILLE ★★
Route des Baux. M. Me Maroto
☎ 90 54 73 15 ∎ 90 54 60 69
🛏 19 ⊗ 265/335 F. ⊞ 135/175 F.
🍴 50 F. ⊞ 390/445 F. ⊠ 280/335 F.
⊠ 1er oct./25 mars et mer. midi.
🄴 SP ⌂ ☎ 🚗 🕆 ⊱ ⊘ 🎣 CV ●
CB⟦VISA⟧ E

▲ LE LAETITIA ★
Rue du Lion. M. Clayon
☎ 90 54 72 14
🛏 9 ⊗ 115/195 F. ⊞ 85/120 F.
⊠ 175/220 F.
⊠ Hôtel fin nov./1er fév., rest. fin
oct./15 fév. et midis sauf dim. juin/oct.
🄴 ⌂ ● CB⟦VISA⟧ E

FORCALQUIER
04300 Alpes de Haute Provence
4500 hab. ⓘ

▲▲▲ HOSTELLERIE DES DEUX LIONS ★★★
11, place du Bourguet. M. Audier
☎ 92 75 25 30 ∎ 92 75 06 41
🛏 15 ⊗ 280/350 F. ⊞ 130/200 F.
🍴 70 F. ⊠ 330/380 F.
⊠ janv., fév. et dim. soir/lun. hs.
⌂ ☎ 🚗 CV ● CB⟦VISA⟧ E

FORCE (LA)
24130 Dordogne
1950 hab.

▲▲ HOSTELLERIE DES DUCS ★★
Place du Château. M. Lengereau
☎ 53 58 95 63
🛏 12 ⊗ 145/270 F. 🍴 75/150 F.
🍽 35 F. 🍴 240/300 F. 🛌 170/220 F.
✉ Rest. dim. soir et lun. matin.
🈂 🅳 🖥 📺 ☎ 🎣 🦺 CV ☎ CB📇 E
▯

FORET FOUESNANT (LA)
29940 Finistère
2000 hab. ⓘ

▲ AUX CERISIERS ★★
3, rue des Cerisiers. Mme Grataloup
☎ 98 56 97 24
🛏 16 ⊗ 300 F. 🍴 70/220 F. 🍽 55 F.
🍴 285 F. 🛌 295 F.
✉ 15 déc./15 janv., sam. et dim. soir hs.
🖥 ☎ 🚗 🎣 🦺 ☎ CB📇 E

▲ BEAUSEJOUR ★★
47, place de la Baie. M. Le Lay
☎ 98 56 97 18 🖷 98 51 40 77
🛏 25 ⊗ 140/300 F. 🍴 72/280 F.
🍽 52 F. 🍴 240/320 F. 🛌 210/285 F.
✉ 16 oct./24 mars.
🈂 🅳 🖥 ☎ 🚗 🦯 🦽 ☎ CB📇 E

▲▲ DE L'ESPERANCE ★★
Mme Tudal
☎ 98 56 96 58
🛏 27 ⊗ 160/315 F. 🍴 80/195 F.
🍽 55 F. 🍴 250/335 F. 🛌 190/275 F.
✉ 30 sept./1er avr. et rest. mer. midi.
🖥 ☎ 🚗 ☎ CV ☎ CB📇 E

FORGES LES EAUX
76440 Seine Maritime
3700 hab. ⓘ

▲ LA PAIX
17, rue de Neufchatel. M. Michel
☎ 35 90 51 22 🖷 35 09 83 62
🛏 5 ⊗ 112/173 F. 🍴 72/159 F. 🍽 52 F.
🍴 201/249 F. 🛌 136/163 F.
✉ 20 déc./10 janv., dim. soir et lun. hs, lun. midi saison.
🚗 ☎ ☎ ☎ CB📇 AE ⓪ E ▯

FORT MAHON PLAGE
80790 Somme
1000 hab. ⓘ

▲▲ DE LA TERRASSE ★★★
1461, av. de la Plage. M. Cantrel
☎ 22 23 37 77 🖷 22 23 36 74
🛏 32 ⊗ 200/350 F. 🍴 80/160 F.
🍽 60 F. 🍴 260/320 F. 🛌 220/280 F.
✉ dim. soir 15 nov./30 mars sauf fin année.
🈂 🅳 🖥 ☎ 🚗 ☎ 🎣 CV ☎ ☎
CB📇 AE ⓪ E Ⓒ

▲▲ LA CHIPAUDIERE ★★
1440, av. de la Plage. M. Delefortrie
☎ 22 27 70 36 🖷 22 23 38 16
🛏 18 ⊗ 250/420 F. 🍴 80/120 F.

🍽 45 F. 🍴 250/300 F. 🛌 210/280 F.
✉ 15 nov./15 fév.
🈂 🅳 SP 🖥 ☎ ☎ 🚗 CV ☎ ☎ CB📇
AE ⓪ E

FOSSEMAGNE
24210 Dordogne
544 hab.

▲ VILLA ★
M. Villa
☎ 53 04 42 08
🛏 7 ⊗ 160/250 F. 🍴 60/200 F. 🍽 60 F.
🍴 250/280 F. 🛌 200/220 F.
✉ mer.
☎ ☎ CB📇 E

FOUDAY
67130 Bas Rhin
250 hab. ⓘ

▲▲ CHEZ JULIEN ★★
M. Goetz
☎ 88 97 30 09
🛏 10 ⊗ 190/310 F. 🍴 60/200 F.
🍽 45 F. 🍴 280/345 F. 🛌 250/310 F.
✉ fév., 1 semaine mars et mar. sauf juil./août.
🅳 ☎ 🚗 🚗 ☎ 🎣 CV ☎ CB📇 AE ⓪ E

FOUESNANT
29170 Finistère
6500 hab. ⓘ

▲▲ D'ARMORIQUE ★★
M. Morvan
☎ 98 56 00 19 🖷 98 56 65 36
🛏 18 ⊗ 140/320 F. 🍴 68/195 F.
🍽 55 F. 🍴 280/385 F. 🛌 240/345 F.
✉ 30 sept./mi-avr. et lun. midi.
🈂 🖥 ☎ 🚗 ☎ CV ☎ CB📇 E

▲ DES POMMIERS ★★
40, rue de Cornouaille. M. Boussard
☎ 98 56 00 26 🖷 98 51 60 33
🛏 11 ⊗ 100/240 F. 🍴 72/240 F.
🍽 45 F. 🍴 235/315 F. 🛌 200/275 F.
✉ 20 déc./6 fév., dim. soir et lun. sauf saison.
🈂 🅳 🖥 ☎ 🚗 ☎ 🎣 🦺 CV ☎ ☎
CB📇 E

▲▲ LE ROUDOU ★★
Mme Le Carre-Le Rhun
☎ 98 56 01 26 🖷 98 56 62 69
🛏 28 ⊗ 220/320 F. 🍽 40 F.
🍴 300/355 F. 🛌 230/285 F.
✉ 2 oct./fin avr.
🈂 🅳 ⓘ 🖥 ☎ 🚗 ☎ 🎣 🦺 ☎ CB📇 E

FOUGERES
35300 Ille et Vilaine
30000 hab. ⓘ

▲ TAVERNE HOTEL DU COMMERCE ★
Place de l'Europe. Mme Baudouin
☎ 99 94 40 40 🆃 CHANCO 730 666
🖷 99 99 17 15
🛏 24 ⊗ 170/250 F. 🍴 65/130 F.
🍽 42 F. 🍴 250/300 F. 🛌 180/275 F.
✉ dim. soir hs.
🈂 🖥 ☎ 🚗 ☎ 🦺 CV ☎ CB📇 E Ⓒ

208

FOUGERES (BEAUCE)
35133 Ille et Vilaine
1000 hab.

▲▲ MAINOTEL ★★
Route de Paris. M. Lesaulnier
☎ 99 99 81 55 📠 730956 📠 99 99 98 45
🛏 49 ⊠ 235/490 F. 🍽 78/230 F.
🍴 45 F. 🍽 250/320 F.
⊠ Rest. dim. soir hs.
🅵 🗇 ☎ 🚗 🏕 👕 🛎 💺 🦽 ⚓ 🏃 ♿
🆅 🛗 🅿 CB🆅 E

FOUGERES SUR BIEVRE
41120 Loir et Cher
710 hab. 🅻

▲ AUBERGE DU CHATEAU ★
31, rue de l'Eglise. Mme Breton
☎ 54 20 27 80
🛏 10 ⊠ 130/210 F. 🍽 70/180 F.
🍴 45 F. 🍽 210/250 F. 🍽 190/210 F.
⊠ janv., dim. soir et lun. hs.
🅵 🗇 ☎ 🚗 🛎 🅿 CB🆅 E

FOURAS
17450 Charente Maritime
3600 hab. 🅻

▲▲ GRAND HOTEL DES BAINS ★★
15, rue Général Bruncher. M. Chaignaud
☎ 46 84 03 44
🛏 35 ⊠ 230/330 F. 🍽 100/110 F.
🍴 55 F. 🍽 285/335 F. 🍽 225/275 F.
⊠ 2 nov./25 mars.
🅵 ☎ 🚗 👕 🦽 🅿 CB🆅 E 🅲

FOURNETS LUISANS
25390 Doubs
860 m. • 450 hab.

▲ AUBERGE DU TUYE ★★
Au Luisans. M. Legain ☎ 81 43 54 68
🛏 20 ⊠ 100/170 F. 🍽 55/150 F.
🍴 40 F. 🍽 185/190 F. 🍽 170 F.
⊠ 3 semaines janv. et lun. hs.
☎ 🚗 🚗 🆅 🛗 CB🆅 E

FOURS
58250 Nièvre
780 hab. 🅻

▲▲ DE LA POSTE ★★
Sur N. 81. M. Buffenoir ☎ 86 50 21 12
🛏 8 ⊠ 180/260 F. 🍽 50/150 F. 🍴 40 F.
🍽 220/270 F. 🍽 190/230 F.
⊠ ven.
🅵 🗇 ☎ 🚗 🦽 🆅 🛗 🅿 CB🆅 ⓪ E ▪

FOUX D'ALLOS (LA)
04260 Alpes de Haute Provence
1800 m. • 680 hab. 🅻

▲▲ DU HAMEAU ★★
M. Lantelme
☎ 92 83 82 26 📠 92 83 87 50
🛏 36 ⊠ 390/532 F. 🍽 89/170 F.
🍴 50 F. 🍽 340/400 F. 🍽 310/370 F.
⊠ 24 avr./4 juin et 25 sept./26 nov.
🅵 🗇 🗇 ☎ 🚗 🏕 🛎 💺 🦽
🏃 🆅 🛗 🅿 CB🆅 🆎 ⓪ E

FOX AMPHOUX
83670 Var
600 m. • 287 hab.

▲▲ AUBERGE DU VIEUX FOX ★★
Place de l'Eglise. M. Martha
☎ 94 80 71 69 📠 94 80 78 38
🛏 8 ⊠ 250/380 F. 🍽 135/245 F.
🍴 45 F. 🍽 430/505 F. 🍽 300/375 F.
⊠ dim. soir/jeu. midi 16 janv./31 mars,
mar. et mer. midi 1er/30 avr. et 2 oct./déc.
🅵 🅳 🗇 🗇 🚗 ☎ 🆅 🛗 🅿 CB🆅
🆎 E

FRANCIN
73800 Savoie
550 hab.

▲ LA SAVOYARDE ★
M. Girard ☎ 79 84 21 74
🛏 14 ⊠ 100/170 F. 🍽 65/135 F.
🍴 40 F. 🍽 165/195 F. 🍽 135/165 F.
⊠ sept. et sam.
🗇 ☎ 👕

FRAYSSINET LE GOURDONNAIS
46310 Lot
240 hab.

▲▲ LE RELAIS ★★
Sur N. 20 (Au Pont de Rhodes).
Mme Fresquet
☎ 65 31 00 16 📠 65 31 09 60
🛏 22 ⊠ 189/209 F. 🍽 69/159 F.
🍴 38 F. 🍽 285 F. 🍽 210 F.
⊠ 10 nov./1er avr.
🅵 🗇 ☎ 🚗 🚗 👕 💺 🦽 🏃 🗇 🅿
CB🆅 E

FREHEL
22240 Côtes d'Armor
1500 hab. 🅻

▲ DE LA PLAGE et FREHEL ★★
Plage du Vieux-Bourg. Mme Girard
☎ 96 41 40 04 📠 96 41 57 96
🛏 27 🍽 77/215 F. 🍴 47 F.
🍽 232/308 F. 🍽 197/262 F.
⊠ 14 nov./31 mars, 2/21 oct.
🅵 ☎ 🚗 👕 🦽 🆅 🅿 CB🆅 🆎

FREISSINIERES
05310 Hautes Alpes
1200 m. • 200 hab.

▲ LE RELAIS DES VAUDOIS
(Les Ribes). Mlle Moutier
☎ 92 20 93 01
🛏 12 ⊠ 220/300 F. 🍽 72/120 F.
🍴 35 F. 🍽 240 F. 🍽 190 F.
👕 CB🆅

FREISSINOUSE (LA)
05000 Hautes Alpes
1000 m. • 300 hab.

▲▲ AZUR ★★
M. Bourges
☎ 92 57 81 30 📠 92 57 92 37
🛏 40 ⊠ 230/280 F. 🍽 80/160 F.
🍴 50 F. 🍽 270/310 F. 🍽 250/290 F.
🅵 🅸 🗇 ☎ 🚗 🚗 👕 💺 🛎 🏃
CB🆅 E ▪

209

FREJUS
83600 Var
41486 hab. 🛈

▲▲ L'ARENA ***
139, bld Général de Gaulle.
M. Me Bluntzer/Bouchot
☎ 94 17 09 40 🅵🅰🆇 94 52 01 52
🛏 18 🍽 280/450 F. 🍴 110/230 F.
🍴 60 F. 🍽 400/500 F. 🛏 290/380 F.
⊠ 15 nov./1er déc., rest. lun. midi hs et
sam. midi.
🅴 🅳 📶 ☎ 📶 🎳 🖼 ⛱ 🎿 🛗 🍂
CB🆅🆂🅰 🅰🅴 🅴 🅲 🛗

FRENEY D'OISANS (LE)
38142 Isère
1000 m. • 200 hab. 🛈

▲▲▲ LE CASSINI **
M. Ougier ☎ 76 80 04 10 🅵🅰🆇 76 80 23 06
🛏 13 🍽 220/300 F. 🍴 86/200 F.
🍴 55 F. 🍽 270/350 F. 🛏 240/300 F.
⊠ 15 oct./15 déc.
🅴 🅳 📶 ☎ 📶 🍂 ⛷ 🛗 🍂
CB🆅🆂🅰 🅴 🛗

FRESNAY SUR SARTHE
72130 Sarthe
2452 hab. 🛈

▲ RONSIN **
5, av. Charles de Gaulle. M. Hilaire
☎ 43 97 20 10 🅵🅰🆇 43 33 50 47
🛏 12 🍽 150/300 F. 🍴 52/220 F.
🍴 45 F. 🍽 270/320 F. 🛏 215/270 F.
⊠ 20 déc./4 janv., dim. soir et lun. midi
15 sept./15 juin.
🅴 📶 ☎ 📶 📶 🆅 🛗 🍂 CB🆅🆂🅰 🅰🅴 Ⓓ 🅴
🅲 🛗

FREVENT
62270 Pas de Calais
4428 hab. 🛈

▲▲ D'AMIENS **
7, rue de Doullens. M. Varga
☎ 21 03 65 43
🛏 10 🍽 120/180 F. 🍴 60/180 F.
🍴 45 F. 🍽 200/230 F. 🛏 140/170 F.
⊠ sam. déc./Pâques.
🅴 📶 ☎ 📶 🆅 🛗 🍂 CB🆅🆂🅰 🅴

FREYMING MERLEBACH
57800 Moselle
16218 hab.

▲ GEIS-CAVEAU DE LA BIERE
2, rue du 5 Décembre. Mme Geis
☎ 87 81 33 45 🅵🅰🆇 87 04 95 95
🛏 22 🍽 150/240 F. 🍴 52/190 F.
🍴 50 F. 🍽 175/220 F. 🛏 155/175 F.
⊠ sam. et dim. soir sauf réservations.
🅴 🅳 📶 ☎ 🆅 🛗 🍂 CB🆅🆂🅰 🅴

FROENINGEN
68720 Haut Rhin
496 hab.

▲▲▲ AUBERGE DE FROENINGEN ***
Route d'Illfurth N° 2. M. Renner
☎ 89 25 48 48
🛏 7 🍽 300/350 F. 🍴 75/350 F. 🍴 75 F.
⊠ 10/31 janv., 8/22 août, dim. soir et lun.
🅴 🅳 📶 ☎ 📶 📶 🛗 🍂 CB🆅🆂🅰 🅴

FROGES (CHAMP)
38190 Isère
600 m. • 1000 hab.

▲ LA VIEILLE AUBERGE ᶜᶜ
Champ prés Froges. M. Josserand
☎ 76 71 40 80
🛏 10 🍽 160/180 F. 🍴 75/140 F.
🍴 35 F. 🍽 220 F. 🛏 180 F.
⊠ 1er/15 mai, 15 août/7 sept., dim. soir
et lun.
🅴 🆂🅿 🛈 📶 ☎ 📶 🍂 🍂

FRONTIGNAN
34110 Hérault
14960 hab. 🛈

▲▲ LE MISTRAL **
6, av. Frédéric Mistral. Mme Arnaud
☎ 67 48 14 12 ╲67 48 24 21
🛏 22 🍽 190/250 F. 🍴 79/129 F.
🍴 45 F. 🍽 280/310 F. 🛏 210/240 F.
⊠ 20 déc./8 janv.
🅴 🆂🅿 📶 ☎ 📶 ⛱ ⊘ 🆅🆅 🍂 CB🆅🆂🅰 🅰🅴 🅴

FRONTON
31620 Haute Garonne
3246 hab. 🛈

▲▲ LOU GREL
42, rue Jules Bressac. M. Cantegrel
☎ 61 82 03 00
🛏 5 🍽 220 F. 🍴 65/150 F. 🍴 45 F.
🍽 500 F. 🛏 370 F.
⊠ 1ère semaine janv., dim. soir et lun.
🅳 📶 ☎ 📶 ⛱ 🎿 🛗 🍂 CB🆅🆂🅰 🅰🅴
Ⓓ 🅴 🛗

FRONTONAS
38290 Isère
1300 hab.

▲ AUBERGE DU RU
M. Morel
☎ 74 94 25 71
🛏 4 🍽 150/170 F. 🍴 82/155 F. 🍴 42 F.
📶 🎿 🆅 🍂 CB🆅🆂🅰 🅴

FRUGES
62310 Pas de Calais
3500 hab. 🛈

▲ MODERNE
32, rue du Four. M. Dufresne
☎ 21 04 41 98
🛏 10 🍽 110/200 F. 🍴 45/120 F.
🍴 35 F. 🍽 200/280 F. 🛏 170/230 F.
⊠ 22 juil./9 août, 22 déc./6 janv. et lun.
🅴 📶 ☎ 📶 🍂 CB🆅🆂🅰 🅴

FURDENHEIM
67117 Bas Rhin
700 hab.

▲ AU LION D'OR *
M. Bruckmann
☎ 88 69 08 66
🛏 13 🍽 90/230 F. 🍴 60/130 F.
⊠ 15 juil./4 août, 22 déc./6 janv. et mar.
🅴 🅳 📶 🍂 CB🆅🆂🅰 🅴

FUSSY
18110 Cher
2000 hab.

▲▲ L'ECHALIER ★★
30, route de Paris. M. Gibarroux
☎ 48 69 31 72
🛏 10 ◈ 150/250 F. 🍽 75/200 F.
🍴 40 F. 🍽 230/280 F. 🛏 180/240 F.
✉ 10/25 juil., 1 semaine vac. Toussaint.
15 jours vac. fév., dim. soir et lun.
❘ 🖻 🚗 ⬤ CB VISA E

FUTEAU
55120 Meuse
130 hab.

▲▲▲ A L'OREE DU BOIS ★★
M. Aguesse
☎ 29 88 28 41 🆇 29 88 24 52
🛏 7 ◈ 330/360 F. 🍽 100/350 F.
🍴 85 F.
✉ janv., vac. scol. Toussaint, dim. soir et mar., mar. midi saison.
❘ 🖻 🚗 🛏 🍴 🛆 🅿 ⬤ CB VISA E

FYE
72490 Sarthe
880 hab.

▲ RELAIS NAPOLEON ★
Sur N. 138. M. Poiret ☎ 33 26 81 05
🛏 13 ◈ 140/280 F. 🍽 58/220 F.
🍴 40 F. 🍽 190 F. 🛏 170 F.
✉ mar. soir et mer. 1er oct./1er avr.
❘ 🚗 🛏 🍴 🛆 CV 🅿 ⬤ CB VISA E

G

GABRIAC
12340 Aveyron
470 hab.

▲▲ BOULOC ★★
M. Bouloc ☎ 65 44 92 89 🆇 65 48 86 74
🛏 11 ◈ 210/270 F. 🍽 78/180 F.
🍴 48 F. 🍽 270/310 F. 🛏 250/270 F.
✉ 3 premières sem. oct., dernière sem. juin, 1 sem. fév. et mer.
❘ SP 🖻 🚗 🛏 🍴 🛆 🅿 ⬤ CB VISA E

GACILLY (LA)
56200 Morbihan
2000 hab. 𝒊

▲▲ DE FRANCE ★★
Rue de Montauban. M. Priou
☎ 99 08 11 15 🆇 99 08 25 88
🛏 38 ◈ 110/250 F. 🍽 65/180 F.
🍴 45 F. 🍽 190/250 F. 🛏 130/190 F.
✉ 24 déc./5 janv.
❘ 🖻 🚗 🛏 🛆 🅿 ⬤ CB VISA E

GAMARDE LES BAINS
40380 Landes
900 hab. 𝒊

▲ L'AUBERGE ★★

Mme Camjouan ☎ 58 98 62 27
🛏 11 ◈ 170/180 F. 🍽 65/140 F.
🍴 40 F. 🍽 240/250 F. 🛏 200/210 F.
❘ 🖻 CV 🅿 ⬤ CB VISA

GAN
64290 Pyrénées Atlantiques
4206 hab.

▲▲ LE CLOS GOURMAND ★★
40, av. Henri IV. Mme Bussière
☎ 59 21 50 43 🆇 59 21 56 63
🛏 7 ◈ 200/250 F. 🍽 78/178 F. 🍴 49 F.
🍽 370 F. 🛏 325 F.
✉ 4/18 juil.
❘ D SP 🖻 🚗 🛏 🍴 🛆 CV 🅿 ⬤
CB VISA ⓪ E C 🖦

GANNAT
03800 Allier
7000 hab. 𝒊

▲ DU CHATEAU ★
9, place Rantian. M. Busson
☎ 70 90 00 88 🆇 70 90 30 79
🛏 15 ◈ 200/300 F. 🍽 66/130 F.
🍴 38 F. 🍽 270 F. 🛏 230 F.
❘ 🖻 🚗 🛏 🍴 🛆 CV 🅿 ⬤ CB VISA E

GAP
05000 Hautes Alpes
800 m. • 32000 hab. 𝒊

▲▲ CARINA-PAVILLON 2 ★★
Route de Veynes-Valence. M. Bannwarth
☎ 92 52 02 73 🆇 405891 🆇 92 53 34 72
🛏 50 ◈ 190/360 F. 🍽 70/194 F.
🍴 44 F. 🍽 210/288 F. 🛏 170/248 F.
✉ 24 déc./10 janv.
❘ D 🖻 🚗 🛏 🍴 🛆 🅿
🛆 CV 🅿 ⬤ CB VISA AE ⓪ E 🖦

▲▲ FONS-REGINA ★★
13, av. de Fontreyne. M. Rochas
☎ 92 53 98 99 🆇 92 51 54 51
🛏 25 ◈ 200/280 F. 🍽 82/168 F.
🍴 48 F. 🍽 220/280 F. 🛏 180/240 F.
❘ D 𝒊 🖻 🚗 🛏 🍴 🛆 🅿 CV
🅿 ⬤ CB VISA AE ⓪ E

GARABIT
15320 Cantal
800 m. • 30 hab. 𝒊

▲▲▲ BEAU-SITE ★★
Mme Bigot ☎ 71 23 41 46 🆇 71 23 46 34
🛏 16 ◈ 150/270 F. 🍽 70/180 F.
🍴 40 F. 🍽 240/300 F. 🛏 190/250 F.
✉ 2 nov./31 mars.
❘ 🖻 🚗 🛏 🍴 🛆 🅿 CV
🅿 ⬤ CB VISA E C 🖦

▲▲▲ DU VIADUC ★★
M. Albuisson
☎ 71 23 43 20 🆇 71 23 45 19
🛏 25 ◈ 180/250 F. 🍽 70/170 F.
🍴 40 F. 🍽 240/310 F. 🛏 200/280 F.
✉ 1er janv./31 mars et 15 nov./31 déc.
❘ 🖻 🚗 🛏 🍴 🛆 🅿 CV 🅿
⬤ CB VISA E

▲▲▲ GARABIT-HOTEL ★★
M. Cellier ☎ 71 23 42 75 🆇 71 23 49 60
🛏 45 ◈ 185/340 F. 🍽 70/180 F.
🍴 48 F. 🍽 280/315 F. 🛏 245/285 F.
✉ 15 oct./10 avr.
❘ 🖻 🚗 🛏 🍴 🛆 🅿 ⬤ CB VISA E

211

GARABIT (suite)

▲▲▲ LE PANORAMIC ★★
M. Juillard ☎ 71 23 40 24 📠 71 23 48 93
🔑 30 🛏 240/450 F. 🍴 85/240 F.
🧒 45 F. ▥ 260/300 F. ◩ 210/250 F.
⊠ 15 nov./15 mars.
🄴 📺 ☎ 🅿 🚗 ↕ ⋈ ⛱ 🏊 👪 🌳 🎾
🚶 🚲 ♿ CV ▦ 🐕 CB VISA

GARGILESSE DAMPIERRE
36190 Indre
347 hab. ℹ

▲ DES ARTISTES ★
Mme Desormière ☎ 54 47 84 05
🔑 10 🛏 140/210 F. 🍴 75/150 F.
🧒 45 F. ▥ 200/250 F. ◩ 180/210 F.
⊠ ven. soir hs.
🐕 CB VISA E

GASCHNEY (LE)
68380 Haut Rhin
1100 m. • 50 hab.

▲ SCHALLERN ★
M. Braesch ☎
89 77 61 85 📠 89 77 63 61
🔑 9 🛏 180/250 F. 🍴 65/120 F. 🧒 42 F.
▥ 200/230 F. ◩ 150/180 F.
⊠ 5/22 avr., 27 juin/2 juil.,
14 nov./10 déc. et mar.
🄴 🄳 ☎ CV 🍽 CB VISA E

GATTIERES
06510 Alpes Maritimes
3000 hab. ℹ

▲▲ LE BEAU SITE ★★
Route de Vence. Mme Lespy-Labaylette
☎ 93 08 60 06
🔑 10 🛏 200/340 F. 🍴 98/150 F.
🧒 60 F. ▥ 290/360 F. ◩ 210/280 F.
⊠ 15/31 oct., 15 fév./8 mars et lun.
🄴 ⛱ 🐕 CB VISA AE ⓓ E

GAUDE (LA)
06610 Alpes Maritimes
3000 hab. ℹ

▲ LES TROIS MOUSQUETAIRES ★
M. Gagliardini ☎ 93 24 40 60
🔑 10 🛏 190/260 F. 🍴 130/160 F.
🧒 60 F. ▥ 230/270 F. ◩ 185/240 F.
⊠ 25 oct./6 nov., vac. scol. fév. et mer.
🄴 ℹ 🚗 ⛱ CV 🐕 CB VISA AE E

GAVARNIE
65120 Hautes Pyrénées
1370 m. • 169 hab.

▲▲ LE MARBORE ★★
M. Fillastre ☎
62 92 40 40 📠 62 92 40 30
🔑 24 🛏 270/290 F. 🍴 85/185 F.
🧒 42 F. ▥ 350 F. ◩ 275 F.
⊠ 15 nov./15 déc.
🄴 SP 📺 ☎ 🚗 ⋈ 👪 🌳 ♿ ▦ 🐕
CB VISA AE ⓓ E

GAVRE (LE)
44130 Loire Atlantique
825 hab. ℹ

▲ AUBERGE DE LA FORET
(La Maillardais). Mlle Bonhomme
☎ 40 51 20 26
🔑 10 🛏 130/150 F. 🍴 59/148 F.
🧒 35 F. ▥ 255/295 F. ◩ 205/225 F.
⊠ 2/17 janv., dim. soir et lun. hs.
📺 ☎ ⛱ 🚶 🚲 ♿ CV 🐕 CB VISA AE ⓓ E 💼

GAVRELLE
62580 Pas de Calais
400 hab.

▲▲ LE MANOIR ★★
35, route Nationale 50. M. Lequette
☎ 21 58 68 58 📠 21 55 37 87
🔑 20 🛏 240/260 F. 🍴 68/168 F.
🧒 42 F.
⊠ 1er/22 août, 25/31 déc. Rest. sam. midi et dim. soir.
🄴 🄳 📺 ☎ 🅿 🚗 ⛱ 🚶 ♿ ▦ 🐕
CB VISA AE E Ⓒ 💼

GAZERAN
78125 Yvelines
800 hab.

▲▲ AUBERGE VILLA MARINETTE
20, av. Général de Gaulle. M. Kieger
☎ (1) 34 83 19 01
🔑 6 🛏 140/200 F. 🍴 110/150 F.
🧒 60 F. ▥ 270/300 F. ◩ 170/200 F.
⊠ 18 août/8 sept., 15 fév./3 mars, mar. soir, mer. et dim. soir 11 nov./mars.
🄴 ⛱ ♿ ▦ 🍽 CB VISA E 💼

GEDRE
65120 Hautes Pyrénées
1000 m. • 320 hab. ℹ

▲▲ A LA BRECHE DE ROLAND ★★
M. Pujo ☎ 62 92 48 54 📠 62 92 46 05
🔑 28 🛏 250/460 F. 🍴 90/200 F.
🧒 50 F. ▥ 275 F. ◩ 220 F.
⊠ 1er oct./26 déc. et 20/30 avr.
🄴 🄳 SP ☎ 🚗 ⛱ ♿ CV ▦ 🐕 CB VISA E

▲▲ DES PYRENEES ★★
Mme Guillembet
☎ 62 92 48 51 📠 62 92 49 64
🔑 20 🛏 230/360 F. 🍴 90/150 F.
🧒 55 F. ▥ 300/330 F. ◩ 235/255 F.
⊠ 7 nov./20 déc.
SP 📺 ☎ 🚗 ↕ ⋈ ♿ 🐕 CB VISA E

GELLES
63740 Puy de Dôme
870 m. • 1100 hab. ℹ

▲ DU COMMERCE
M. Monnet ☎ 73 87 80 01
🔑 5 🛏 100/160 F. 🍴 55/160 F. 🧒 45 F.
▥ 155/170 F. ◩ 125/135 F.
⊠ vac. scol. Toussaint, après vac. scol. Noël et ven. soir sauf vac. scol.
🄴 🚗 ⛱ 🚶 ▦ 🐕 CB VISA AE ⓓ E

GEMENOS
13420 Bouches du Rhône
4000 hab. ℹ

▲▲▲ LE SAINT PONS ᵉᶜ
1, vallée de Saint-Pons.
MM. Granier-Lecul
☎ 42 32 21 37 📠 42 32 21 93
🔑 7 🛏 275/305 F. 🍴 95/180 F. 🧒 70 F.
▥ 320 F. ◩ 265 F.
⊠ dim. soir et lun.
🄴 ☎ 🚗 ⛱ ▦ 🐕 CB VISA AE E

GENAS
69740 Rhône
10000 hab.

⚐⚐ LES ACACIAS ★★
7, rue Ambroise Paré. Mme Celette
☎ 78 90 60 04 ⊠ 78 40 12 06
🛏 23 ⊗ 150/270 F. ⦙⦙ 60/190 F.
🍽 55 F. ⬚ 225/275 F. ⬚ 170/210 F.
⊠ 15 août/1er sept. et dim. sauf réserv.
🄳 🄳 ☎ 🚗 🅿 CB𝗩𝗜𝗦𝗔 E ▤

GENILLE
37460 Indre et Loire
1428 hab. 🄸

⚐ AGNES SOREL
M. Le Hay
☎ 47 59 50 17
🛏 3 ⊗ 165/215 F. ⦙⦙ 100/238 F.
🍽 50 F. ⬚ 250/280 F.
⊠ fév., dim. soir, lun. sauf juil./août et fériés.
🄸 ☎ 🚗 🚗 🅿 CB𝗩𝗜𝗦𝗔 E

GENIS
24160 Dordogne
600 hab.

⚐ RELAIS SAINT-PIERRE ★
M. Jarjanette
☎ 53 52 47 11 ⊠ 53 62 49 91
🛏 7 ⊗ 140/250 F. ⦙⦙ 65/180 F. 🍽 48 F.
⬚ 240/260 F. ⬚ 170/190 F.
⊠ 2ème quinzaine nov.
🄸 🄳 ☎ CV ⧈ 🅿 CB𝗩𝗜𝗦𝗔 AE E

GENNES
49350 Maine et Loire
1668 hab. 🄸

⚐⚐ HOSTELLERIE DE LA LOIRE ★★
9, av. des Cadets de Saumur. M. Lebeau
☎ 41 51 81 03 ⊠ 41 38 05 22
🛏 11 ⊗ 140/350 F. ⦙⦙ 105/180 F.
🍽 50 F. ⬚ 205/310 F.
⊠ 28 déc./8 fév., lun. soir et mar.
🄸 🄸 🚗 🚗 🕯 🄳 CV ⧈ 🅿 CB𝗩𝗜𝗦𝗔 E

GENOLHAC
30450 Gard
850 hab. 🄸

⚐⚐ DU MONT LOZERE ★★
13, av. de la Libération. Mme Coupey
☎ 66 61 10 72
🛏 15 ⊗ 170/240 F. ⦙⦙ 70/160 F.
🍽 45 F. ⬚ 235/270 F. ⬚ 200/235 F.
⊠ 2 nov./8 fév. et mer. sauf
15 juin/15 sept.
🄸 ☎ 🚗 🚗 🕯 🄳 CB𝗩𝗜𝗦𝗔 ⊕ E

GENOUILLAC
23350 Creuse
1000 hab.

⚐⚐ LE RELAIS D'OC ★★
Sur N. 940. M. Hardy
☎ 55 80 72 45
🛏 7 ⊗ 240/300 F. ⦙⦙ 110/250 F.
🍽 50 F. ⬚ 240/370 F.
⊠ 20 nov./Rameaux, dim. soir et lun.
🄳 ☎ 🚗 ⧈ 🕯 CV CB𝗩𝗜𝗦𝗔 E

GERARDMER
88400 Vosges
700 m. • 10000 hab. 🄸

⚐⚐ AUBERGE AU BORD DU LAC ᵉᶜ
166, chemin du tour du lac. MM. Bonne
☎ 29 63 44 98 ⊠ 29 63 21 21
🛏 12 ⊗ 200/400 F. ⦙⦙ 88/188 F.
🍽 48 F. ⬚ 270/400 F. ⬚ 220/350 F.
⊠ 15 nov./15 déc.
🄸 🄳 🚗 🚗 🕯 🄺 CV CB𝗩𝗜𝗦𝗔 E ▤

⚐⚐ AUBERGE DES DEUX ETANGS ★★
(Col de Martimpré - Alt. 800 m).
M. Mennezin
☎ 29 63 14 31
🛏 11 ⊗ 160/200 F. ⦙⦙ 65/150 F.
🍽 45 F. ⬚ 220/270 F. ⬚ 170/190 F.
⊠ dim. soir et lun. hs.
🚗 🚗 🕯 🄺 CV 🅿 CB𝗩𝗜𝗦𝗔 AE ⊕ E

⚐⚐⚐ BEAU RIVAGE ★★★
Esplanade du Lac. M. Me Feltz/Scheidig
☎ 29 63 22 28 ⊠ 29 63 29 83
🛏 15 ⊗ 510/730 F. ⦙⦙ 98/250 F.
🍽 50 F. ⬚ 335/450 F.
⊠ 8 oct./18 déc., rest. mer. midi et sam. midi hs.
🄸 🄳 🄳 ☎ 🚗 🚗 🕯 🕊 🏊 ⧈ 🌡 ▦
🅿 CB𝗩𝗜𝗦𝗔 E

⚐⚐⚐ DE LA JAMAGNE ★★★
2, bld de la Jamagne. M. Jeanselme
☎ 29 63 36 86 ⊠ 29 60 05 87
🛏 50 ⊗ 380/430 F. ⦙⦙ 99/160 F.
🍽 49 F. ⬚ 380/430 F. ⬚ 300/340 F.
⊠ 14 mars/1 avr. et 30 oct./20 déc.
🄸 🄳 🄳 SP 🄳 ☎ 🚗 🕯 🏊 🚗 🌡 ▦
🅿 CB𝗩𝗜𝗦𝗔 E C

⚐⚐ DE LA PAIX Rest. LAGRANGE ★★★
(Face au Lac). M. Lagrange
☎ 29 63 38 78 ⊠ 29 63 18 53
🛏 23 ⊗ 250/420 F. ⦙⦙ 90/200 F.
🍽 60 F. ⬚ 357/430 F. ⬚ 265/330 F.
🄸 🄳 🄳 ☎ 🚗 🚗 🕯 🕊 🄺 CV ▦ CB𝗩𝗜𝗦𝗔
AE ⊕ E

⚐⚐ DU PARC ★★
12-14, av. de la Ville de Vichy. M. Huart
☎ 29 63 32 43 ⊠ 29 63 17 03
🛏 32 ⊗ 155/350 F. ⦙⦙ 105/260 F.
🍽 62 F. ⬚ 300/400 F. ⬚ 220/310 F.
⊠ oct./Pâques sauf vac. scol. Noël et fév.
🄸 🄳 🄳 🚗 🚗 🚗 CV CB𝗩𝗜𝗦𝗔 E

⚐⚐⚐ HOSTELLERIE DES BAS-RUPTS ET SON CHALET FLEURI ★★★
Route de la Bresse (Alt. 800m).
M. Philippe
☎ 29 63 09 25 ⊠ 29 63 00 40
🛏 30 ⊗ 350/700 F. ⦙⦙ 150/450 F.
🍽 100 F. ⬚ 500/680 F.
🄸 🄳 🄳 ☎ 🚗 🚗 🚗 🕯 🏊 🍷 🌡 ▦ 🅿
CB𝗩𝗜𝗦𝗔 AE E

⚑ L'ABRI ★★
(Les Xettes). Mme Vincent
☎ 29 63 02 94
🛏 14 ⊗ 170/250 F.
⊠ 20 oct./2 nov. et mer.
☎ 🚗 🕯 CV CB𝗩𝗜𝗦𝗔

GERARDMER (suite)

LA BONNE AUBERGE DE MARTIMPREY ★★
(Col de Martimpré - Alt. 800 m).
Mme Tabanou
☎ 29 63 19 08 FAX 29 60 94 87
10 🛏 215/235 F. 🍽 79/160 F.
45 F. 🍴 395 F. 🚗 220 F.
⊠ 12 nov./20 déc., mer. soir et jeu.

LA MARMOTTE ★★
50, rue Charles de Gaulle. M. Fuchs
☎ 29 63 38 99
13 🛏 240/440 F. 🍽 85/250 F.
45 F. 🍴 300 F. 🚗 240 F.
⊠ oct./nov., 1ère quinzaine déc., dim.
soir et lun.

LE CHALET DU LAC ★★
Rive droite du Lac, route d'Epinal.
M. Bernier-Vallcaneras
☎ 29 63 38 76 FAX 29 60 91 63
11 🛏 180/320 F. 🍽 95/270 F.
40 F. 🍴 280/315 F. 🚗 210/250 F.
⊠ 1er oct./1er nov. et ven. sauf vac. scol.

LE RELAIS DE LA MAUSELAINE ★★
219, Chemin de la Rayée. M. Philippe
☎ 29 60 06 60 FAX 29 60 81 08
16 🛏 300/320 F. 🍽 80/240 F.
45 F. 🍴 340/360 F. 🚗 275/285 F.
⊠ 25 sept./15 déc.

LES LISERONS ★★
M. Vignon ☎ 29 63 02 61
10 🛏 270/280 F. 🍽 100/150 F.
60 F. 🍴 300/320 F. 🚗 260/280 F.
⊠ 15 oct./15 déc. et mer. hs.

LES TILLEULS ★★
(Les Gouttridos). M. Michel
☎ 29 63 09 06 TEL 961 408 FAX 29 63 35 86
36 🛏 200/320 F. 🍽 85/130 F.
50 F. 🍴 250/320 F. 🚗 180/210 F.
⊠ 15 nov./15 déc.

ROMEO ET DE LA ROUTE VERTE ★★
61, bld de la Jamagne. Mme Lafouge/Roméo
☎ 29 63 12 97 FAX 29 63 38 82
50 🛏 195/310 F. 🍽 85/250 F.
40 F. 🍴 280/315 F. 🚗 215/255 F.

GERARDMER VALLEE DES LACS - XONRUPT LONGEMER
88400 Vosges
800 m. • 1525 hab. 🛈

AUBERGE DE LA CHAUME DE BALVEURCHE ★★
(Chaume de Balveurche). Mme Vaxelaire
☎ 29 63 26 02 FAX 29 60 00 87
12 🛏 250 F. 🍽 75/130 F. 🍴 38 F.
🍴 270 F. 🚗 220 F.
⊠ 26 nov./26 déc., lun. soir et mar.

DU LAC DE LONGEMER ★★
Route de Colmar. M. Baly
☎ 29 63 37 21 FAX 29 60 05 41
19 🛏 240/260 F. 🍽 90/150 F.
60 F. 🍴 320/330 F. 🚗 240/250 F.
⊠ dim. soir et mer. sauf vac. scol.

LE COLLET ★★★
(Altitude 1100 m). Mme Lapotre
☎ 29 60 09 57 FAX 29 60 08 77
21 🛏 350/450 F. 🍽 90/150 F.
50 F. 🍴 380/460 F. 🚗 320/400 F.
⊠ 11 nov./20 déc. Rest. mer. hs.

GERTWILLER
67140 Bas Rhin
1000 hab.

AUX DELICES ★★
176, route de Sélestat. Mme Habsiger
☎ 88 08 95 17
14 🛏 160/224 F. 🍽 65/180 F.
🍴 253/314 F. 🚗 195/235 F.
⊠ jeu.

GETS (LES)
74260 Haute Savoie
1200 m. • 1150 hab. 🛈

A LA BONNE FRANQUETTE ★★
(Les Perrières). M. Me Anthonioz
☎ 50 79 72 68 FAX 50 75 84 37
20 🛏 220 F. 🍽 75/140 F. 45 F.
🍴 270 F. 🚗 230 F.

HASTINGS ★★
M. Merkin
☎ 50 79 82 78 TEL 385 026 FAX 50 75 82 69
15 🛏 160/500 F. 🍽 65/115 F.
35 F. 🍴 235/435 F. 🚗 160/395 F.
⊠ 30 sept./15 déc. et 16 avr./28 mai.

LA BOULE DE NEIGE ★★
M. Coppel
☎ 50 79 75 08
23 🛏 250/380 F. 🍽 50/135 F.
🍴 280/420 F. 🚗 250/370 F.
⊠ 10 sept./20 déc. et début
avr./26 juin.

GEUDERTHEIM
67170 Bas Rhin
2000 hab.

DE LA COURONNE ★★
47, rue Général de Gaulle.
Mme Faullimmel ☎ 88 51 82 93
24 🛏 110/250 F. 🍽 55/200 F.
60 F. 🍴 215/540 F. 🚗 160/210 F.
⊠ ven. et dim. soir.

GEX
01170 Ain
600 m. • 6000 hab. [i]

▲▲ DU PARC ★★
M. Jean-Prost
☎ 50 41 50 18 ⊞ 50 42 37 29
[♦] 17 ⬡ 220/330 F. ⫟ 170/330 F.
⫟ 320/400 F. ⫟ 260/330 F.
⊠ 15 jours fin sept., 26 déc./1er fév.,
dim. soir et lun.
[⏚][ⅅ]⬚⬚⬚[♦][⬚][♦] CBⱽ E ⬛

GIAT
63620 Puy de Dôme
780 m. • 1300 hab.

▲ DU COMMERCE ★
Mme Meunier ☎ 73 21 72 38
[♦] 12 ⬡ 120/180 F. ⫟ 65/180 F.
⫟ 60 F. ⫟ 180/220 F. ⫟ 160/200 F.
⊠ 5/25 oct.
[⏚]⬚⬚[♦][⬢][♦][CV][⬚][♦] CBⱽ AE
⬤ E

GIEN
45500 Loiret
18000 hab. [i]

▲▲▲ DU RIVAGE ★★★
1, quai de Nice. M. Gaillard
☎ 38 37 79 00 ⊞ 38 38 10 21
[♦] 19 ⬡ 360/680 F. ⫟ 160/380 F.
⊠ 10 fév./8 mars et 30 mai/8 juin.
[⏚][ⅅ]⬚⬚⬚[⬢][♦] CBⱽ AE ⬤ E

▲▲ LA POULARDE ★★
13, quai de Nice. M. Danthu ☎ 38 67 36 05
[♦] 9 ⬡ 230/320 F. ⫟ 90/285 F. ⫟ 58 F.
⊠ dim. soir.
[⏚]⬚⬚[⬢][♦] CBⱽ AE ⬤ E

GIETTAZ (LA)
73590 Savoie
1100 m. • 510 hab. [i]

▲ ARONDINE ★★
M. Bouchex-Bellomié
☎ 79 32 90 60 ⊞ 79 32 91 78
[♦] 11 ⬡ 160/370 F. ⫟ 60/180 F.
⫟ 50 F. ⫟ 240/340 F. ⫟ 180/260 F.
⊠ 10 sept./20 déc. et 20 avr./20 juin.
[⏚][ⅅ]⬚⬚⬚[♦][⬢][♦][⬚][⬚][CV][⬚]
[♦] CBⱽ E

▲ FLOR'ALPES ★
M. Bibollet ☎ 79 32 90 88
[♦] 11 ⬡ 170/240 F. ⫟ 85/130 F.
⫟ 55 F. ⫟ 195/245 F. ⫟ 175/210 F.
⊠ 20 avr./10 juin et 20 sept./20 déc.
⬚[⬢][CV][♦] CBⱽ

▲ LE SOLEIL D'OR ★
M. Bouchex ☎ 79 32 90 52
[♦] 14 ⬡ 115/280 F. ⫟ 50/140 F.
⫟ 35 F. ⫟ 180/280 F. ⫟ 150/245 F.
⊠ printemps et automne.
[⏚]⬚⬚⬚⬚[⬚][♦] CBⱽ E

▲ LES ALPAGES ★
Mme Joguet ☎ 79 32 90 30
[♦] 20 ⬡ 160/200 F. ⫟ 70/140 F.
⫟ 38 F. ⫟ 250 F. ⫟ 220 F.
⊠ fin oct./20 déc.
⬚⬚⬚[CV][♦] CBⱽ E

GIEVILLE
50160 Manche
556 hab.

▲▲ MOTEL DU BOCAGE ★★
Sur N. 174. M. Lacour
☎ 33 56 06 01 ⊞ 33 56 05 01
[♦] 20 ⬡ 230/240 F. ⫟ 60/185 F.
⫟ 35 F. ⫟ 260/320 F. ⫟ 220/280 F.
[⏚]⬚⬚[♦][⬢][⬚][⬚][⬚][♦] CBⱽ
AE ⬤ E

GIFFAUMONT CHAMPAUBERT
51290 Marne
227 hab. [i]

▲▲ LE CHEVAL BLANC ★★
Rue du Lac. M. Gérardin
☎ 26 72 62 65 ⊞ 26 73 96 97
[♦] 16 ⬡ 250/340 F. ⫟ 65/210 F.
⫟ 52 F. ⫟ 270 F. ⫟ 230 F.
⊠ mi-sept./mi-oct., dim. soir et lun.
[⏚][ⅅ][SP][⬚][⬚]⬚⬚[⬚][⬚][♦] CBⱽ E

GIGONDAS
84190 Vaucluse
800 hab. [i]

▲▲ LES FLORETS ★★
Route des Dentelles. Mme Bernard
☎ 90 65 85 01 ⊞ 90 65 83 80
[♦] 13 ⬡ 345/410 F. ⫟ 95/210 F.
⫟ 57 F. ⫟ 500/530 F. ⫟ 345/410 F.
⊠ janv./fév., mer. et mar. soir hs.
[⏚]⬚⬚⬚[⬢][♦] CBⱽ AE ⬤ E

GIMEL LES CASCADES
19800 Corrèze
550 hab. [i]

▲▲ L'HOSTELLERIE DE LA VALLEE ★★
Mme Calis
☎ 55 21 40 60
[♦] 9 ⬡ 220/340 F. ⫟ 95/195 F. ⫟ 50 F.
⫟ 300/360 F. ⫟ 205/265 F.
⊠ 1er janv./5 fév., dim. soir et lun.
1er oct./1er avr.
[⏚]⬚⬚[⬢] CBⱽ AE ⬤ E

GIMONT
32200 Gers
2950 hab.

▲▲▲ LE COIN DU FEU ★★
Boulevard du Nord. M. Fagedet
☎ 62 67 71 56 ⊞ 62 67 88 28
[♦] 27 ⬡ 220/300 F. ⫟ 80/250 F.
⫟ 60 F. ⫟ 280 F. ⫟ 230 F.
[⏚][SP]⬚⬚⬚⬚[⬢][⬚][⬚][⬚][⬚]
[⬚][⬚][⬚][♦] CBⱽ E ⬛

GINCLA
11140 Aude
600 m. • 35 hab.

▲▲▲ HOSTELLERIE DU GRAND DUC ★★
M. Bruchet
☎ 68 20 55 02 ⊞ 68 20 61 22
[♦] 10 ⬡ 240/300 F. ⫟ 47 F.
⫟ 335/370 F. ⫟ 245/280 F.
⊠ 15 nov./1er avr. et rest. mer. midi hs.
[⏚][ⅅ]⬚⬚⬚[⬢][⬚][CV][⬚][♦] CBⱽ E

215

GIRMONT VAL D'AJOL
88340 Vosges
700 m. • 300 hab.

▲▲▲ AUBERGE DE LA VIGOTTE ✶✶
M. Cherrière
☎ 29 61 06 32 ⫽ 29 61 07 07
🛏 20 ▨ 215/240 F. ⫽ 88 F. ⫽ 40 F.
⫽ 275/290 F. ⫽ 205/240 F.
✉ 15 nov./15 déc., lun. et mar. hs.
[icons] CB▨ E

GISORS
27140 Eure
9000 hab.

▲▲ MODERNE ✶✶
Place de la Gare. M. Wach
☎ 32 55 23 51 ⫽ 32 55 08 75
🛏 30 ▨ 250/240 F. ⫽ 65/120 F.
✉ Rest. 20 déc./20 janv., 1er/26 août,
dim. soir et lun.
[icons] CB▨ ⊙ E

GIVRY
71640 Saône et Loire
3280 hab.

▲▲ DE LA HALLE ✶
Place de la Halle. M. Renard
☎ 85 44 32 45 ⫽ 85 44 49 45
🛏 9 ▨ 220/250 F. ⫽ 90/200 F. ⫽ 55 F.
⫽ 400 F. ⫽ 330 F.
✉ 2ème quinzaine nov./1ère semaine
déc., dim. soir et lun.
[icons] CB▨ AE ⊙ E

GIVRY EN ARGONNE
51330 Marne
600 hab.

▲ L'ESPERANCE ✶
M. Berberat ☎ 26 60 00 08
🛏 6 ▨ 190/270 F. ⫽ 58/200 F. ⫽ 40 F.
⫽ 250/300 F. ⫽ 180/230 F.
✉ dim. soir.
[icons] CB▨ AE ⊙ E ▣

GLUGES
46600 Lot
1500 hab.

▲▲▲ LES FALAISES ✶✶
M. Dassiou ☎ 65 37 33 59
🛏 14 ▨ 220/310 F. ⫽ 98/300 F.
⫽ 300/350 F. ⫽ 220/270 F.
✉ 30 nov./1er mars.
[icons] CB▨ E

GOLFE JUAN
06220 Alpes Maritimes
20000 hab.

▲▲▲ BEAU SOLEIL ✶✶✶
Impasse Beau Soleil M. Virenque
☎ 93 63 63 63 ⫽ 93 63 02 89
🛏 30 ▨ 300/500 F. ⫽ 98/135 F.
⫽ 45 F. ⫽ 315/425 F. ⫽ 270/375 F.
✉ 15 oct./26 mars.
[icons]
CB▨ E

▲▲ CHEZ CLAUDE ✶✶
162, av. de la Liberté. Sur N. 7.
M. Fugairon
☎ 93 63 71 30 ⫽ 93 63 79 50

🛏 11 ▨ 250 F. ⫽ 98/180 F. ⫽ 45 F.
⫽ 250 F.
✉ 20 déc./10 janv. et dim. soir
nov./mars.
[icons] CB▨ AE
⊙ E

▲▲ DE CRIJANSY ✶✶
Av. Juliette Adam. Mme Bayol
☎ 93 63 84 44
🛏 20 ▨ 250/350 F. ⫽ 100/190 F.
⫽ 50 F. ⫽ 300/340 F. ⫽ 280/310 F.
✉ 2 oct./22 déc. et rest. jeu. midi
[icons] CB▨ E

GORDES
84220 Vaucluse
1800 hab.

▲▲▲ AUBERGE DE CARCARILLE ✶✶
(Les Gervais, Sur D. 2). M. Rambaud
☎ 90 72 02 63 ⫽ 90 72 05 74
🛏 11 ▨ 310/360 F. ⫽ 95/180 F.
⫽ 48 F. ⫽ 430/450 F. ⫽ 320/340 F.
✉ 20 nov./28 déc.
[icons] CB▨ E

GORRON
53120 Mayenne
2700 hab.

▲ LE BOCAGE
9, rue Corbeau Paris. Mme Bibron
☎ 43 08 61 74
🛏 7 ▨ 120/220 F. ⫽ 50/150 F. ⫽ 39 F.
⫽ 200/230 F. ⫽ 160/190 F.
[icons] CB▨ E

GORZE
57680 Moselle
1254 hab.

▲▲ HOSTELLERIE DU LION D'OR ✶✶
105, rue du Commerce. M. Erman
☎ 87 52 00 90 ⫽ 87 52 09 62
🛏 18 ▨ 160/320 F. ⫽ 90/340 F.
⫽ 60 F. ⫽ 320/380 F. ⫽ 280/320 F.
✉ dim. soir et lun.
[icons] CB▨ E

GOUAREC
22570 Côtes d'Armor
1101 hab.

▲▲ DU BLAVET ✶✶
Sur N. 164 bis. M. Le Loir
☎ 96 24 90 03 ⫽ 96 24 84 85
🛏 15 ▨ 150/350 F. ⫽ 80/320 F.
⫽ 50 F. ⫽ 269/324 F. ⫽ 189/244 F.
✉ fév., 19/26 déc., dim. soir et lun. sauf
juil./août.
[icons] CB▨ E

GOUESNAC'H
29950 Finistère
1800 hab.

▲ AUX RIVES DE L'ODET ✶
Place de l'Odet. M. Le Nader
☎ 98 54 61 09
🛏 35 ▨ 145/280 F. ⫽ 80/125 F.
⫽ 52 F. ⫽ 195/270 F. ⫽ 170/245 F.
✉ 26 fév./15 mars, 30 sept./8 nov.
et lun. hs.
[icons] CB▨ E

GOULET (LE)
27920 Eure
300 hab.

AA LES 3 SAINT-PIERRE - AUBERGE LES CANNISSES ★★
5 km de Vernon. N15, entre Vernon & Gaillon. M. Duboc
☎ 32 52 50 61 ᴍ 32 52 50 74
🛏 20 ⬙ 230/290 F. 🍽 130/250 F.
🍴 45 F. 🛏 370 F.
🄴 🗍 🕿 🚗 🎱 🛅 🏃 CV 🕪 CB🌐 AE
⊙ E 🖿

GOUMOIS
25470 Doubs
140 hab. 🄸

AA AUBERGE MOULIN DU PLAIN ★★
M. Choulet ☎ 81 44 41 99 ᴍ 81 44 45 70
🛏 22 ⬙ 190/185 F. 🍽 95/185 F.
🍴 55 F. 🛏 265/285 F. 🛌 195/220 F.
✉ nov./fin fév.
🕿 🚗 🎱 🏃 🛅 CV 🕪 CB🌐 E

AAA TAILLARD ★★★
MM. Taillard ☎ 81 44 20 75 ᴍ 81 44 26 15
🛏 17 ⬙ 270/420 F. 🍽 130/340 F.
🍴 65 F. 🛏 460/510 F. 🛌 340/390 F.
✉ début nov./1er mars et mer. mars, oct., nov.
🄴 🗍 🕿 🚗 🚍 🏃 🛅 🛎 ⊙ 🛅 🕪
🕪 CB🌐 AE ⊙ E

GOURDON
46300 Lot
5070 hab. 🄸

AAA BISSONNIER. LA BONNE AUBERGE ★★★
51, bld des Martyrs. M. Bissonnier
☎ 65 41 02 48 ᴍ 65 41 44 67
🛏 18 ⬙ 200/380 F. 🍽 75/250 F.
🛏 300/400 F. 🛌 250/350 F.
✉ déc.
🄴 🗍 🆂🄿 🕿 🚗 🚍 🎱 CV 🕪 CB🌐 AE
⊙ E

AAA HOSTELLERIE DE LA BOURIANE ★★★
Place du Foirail. M. Lacam
☎ 65 41 16 37 ᴍ 65 41 04 92
🛏 20 ⬙ 280/350 F. 🍽 80/270 F.
🍴 58 F. 🛏 380/400 F. 🛌 320/340 F.
✉ 15 janv./8 mars et rest. lun. midi oct./mai.
🄴 🗍 🕿 🚗 🎱 🛅 🛎 CB🌐 AE E 🖿

A NOUVEL HOTEL ★
1, bld de la Madeleine. Mme Cabianca
☎ 65 41 00 23
🛏 11 ⬙ 185/225 F. 🍽 60/180 F.
🍴 40 F. 🛏 260/280 F. 🛌 220/240 F.
🕿 🚗 🚍 CB🌐 AE ⊙ E

AA TERMINUS ★★
7, av. de la Gare. M. Rigouste
☎ 65 41 03 29 ＼ 65 41 22 32
ᴍ 65 41 29 49
🛏 13 ⬙ 220/350 F. 🍴 50 F.
🛏 320/360 F. 🛌 260/300 F.
✉ 4 jours Noël.
🄴 🗍 🕿 🚗 🛃 🏃 🛅 CV 🕪 🕪
CB🌐 AE ⊙ E

GOURDON
71300 Saône et Loire
800 hab.

A LARTAUD
Sur D. 980, sortie Montceau-les-Mines.
M. Lartaud
☎ 85 57 37 19
🛏 3 ⬙ 85/130 F. 🍽 60/140 F. 🍴 42 F.
🄴 🗍 🕿 🚗 🎱 🛅 🕪 CB🌐 AE
⊙ E

GOUZON
23230 Creuse
1500 hab. 🄸

A BEAUNE ★
Route de Montluçon. Mme Lamesa
☎ 55 62 20 01 ᴍ 55 62 29 73
🛏 10 ⬙ 180/300 F. 🍽 73/183 F.
🍴 40 F. 🛏 260/320 F. 🛌 195/240 F.
🗍 🕿 🚗 🎱 CB🌐 AE E

AA L'HOSTELLERIE DU LION D'OR ★★★
Route de Montluçon. M. Rabiet
☎ 55 62 28 54 ᴍ 55 62 21 63
🛏 11 ⬙ 230 F. 🍽 79/220 F. 🍴 40 F.
🛏 380 F. 🛌 280 F.
✉ 13/22 juin et dim. soir.
🄴 🗍 🗍 🕿 🚗 🚍 🛃 🕪 🕪 CB🌐 AE E

GRAMAT
46500 Lot
3830 hab. 🄸

A DE LA PROMENADE ★★
Mme Circal
☎ 65 38 71 46 ᴍ 65 38 78 21
🛏 12 ⬙ 195/215 F. 🍽 70/180 F.
🍴 45 F. 🛏 225/250 F. 🛌 175/200 F.
✉ 1er/15 nov., 1er/15 janv., ven. soir et dim. soir hs.
🄴 🗍 🕿 🚗 🎱 CV 🕪 CB🌐 AE E

AA DU CENTRE ★★
Place de la République. M. Grimal
☎ 65 38 73 37 ᴍ 65 38 73 66
🛏 14 ⬙ 230/400 F. 🍽 78/200 F.
🍴 40 F. 🛌 250/300 F.
✉ 5/15 mars, 14/21 nov. et sam. hs.
🄴 🗍 🕿 🚗 🛃 CV 🕪 🕪 CB🌐 AE E 🖿

AAA HOSTELLERIE DU CAUSSE ★★★
Route de Cahors. M. Bruno
☎ 65 38 78 08 ᴍ 65 38 81 99
🛏 28 ⬙ 300/360 F. 🍽 69/210 F.
🍴 45 F. 🛏 340/360 F. 🛌 280/300 F.
✉ 15 janv./fin fév. et dim. soir 1er nov./fin fév.
🄴 🗍 🗍 🕿 🚗 🚍 🏃 🛎 🛅 🛅 🕪
🕪 CB🌐 E 🖿

AAA RELAIS DES GOURMANDS ★★
2, av. de la Gare. M. Curtet
☎ 65 38 83 92 ᴍ 65 38 70 99
🛏 16 ⬙ 270/440 F. 🍽 85/220 F.
🍴 50 F. 🛏 390/490 F. 🛌 310/390 F.
✉ Hiver dim. soir, lun. midi et demi-saison lun. midi.
🄴 🗍 🄳 🆂🄿 🗍 🕿 🚍 🏃 🛅 🛎 🕪
CB🌐 E

217

GRAND BALLON (LE)
68760 Haut Rhin
1424 m. • 10 hab.

⌂ DU GRAND BALLON ★★
M. Brille ☎ 89 76 83 35 ⊞ 89 83 10 63
🛏 18 ◎ 170/270 F. �🍽 85/198 F.
🍴 48 F. 🏠 200/280 F.
⊠ 15 nov./15 déc.
🄴 🄳 ☎ 🖨 🎿 ⛷ CV 🕹 ♠ CB𝚟𝚒𝚜𝚊 E

GRAND BORNAND CHINAILLON (LE)
74450 Haute Savoie
1300 m. • 1695 hab. 🅸

⌂⌂ LA CREMAILLERE ★★
(Le Chinaillon). M. Gachet
☎ 50 27 02 33 ⊞ 50 27 07 91
🛏 15 ◎ 240/270 F. �🍽 98/210 F.
🍴 35 F. 🏠 270/365 F. 🏠 230/325 F.
⊠ 17 avr./mi-déc.
🄴 🄳 ☎ 🖨 ♠ CB𝚟𝚒𝚜𝚊 E

⌂⌂⌂ LE CORTINA ★★
M. Dusonchet
☎ 50 27 00 22 ⊞ 50 27 06 31
🛏 30 ◎ 290/340 F. 🍴 52 F.
🏠 307/400 F. 🏠 262/355 F.
⊠ 10 avr./15 juin et 15 sept./20 déc.
🄴 🄸 🄳 ☎ 🖨 🍽 🕹 ♠ CB𝚟𝚒𝚜𝚊 E C

GRAND BORNAND VILLAGE (LE)
74450 Haute Savoie
970 m. • 1800 hab. 🅸

⌂⌂ CROIX SAINT-MAURICE ★★
M. Baugey ☎ 50 02 20 05 ⊞ 50 02 35 37
🛏 21 ◎ 195/280 F. �🍽 85/185 F.
🍴 46 F. 🏠 270/345 F. 🏠 235/310 F.
⊠ 10 sept./18 déc., 3 avr./25 juin et
rest. 4 avr./17 déc.
☎ 🍽 ♠ CB𝚟𝚒𝚜𝚊 E

⌂⌂⌂ LES GLAIEULS ★★
M. Betemps ☎
50 02 20 23 ⊞ 50 02 25 00
🛏 22 ◎ 216/340 F. �🍽 80/220 F.
🍴 53 F. 🏠 253/350 F. 🏠 220/312 F.
⊠ 20 sept./19 déc. et 20 avr./12 juin.
🖨 ☎ 🖨 ♠ CB𝚟𝚒𝚜𝚊 E

GRAND LEMPS (LE)
38690 Isère
2500 hab.

⌂ DU PETIT PARIS
Rue de la République.
Mme Ugnon-Coussioz ☎ 76 55 80 25
🛏 10 ◎ 120/160 F. �🍽 58/135 F.
🍴 35 F. 🏠 170/200 F. 🏠 150/180 F.
⊠ juil., 24 déc./2 janv. et sam.
🖨 🖨 ⛷ ♠ CB𝚟𝚒𝚜𝚊 E

GRANDCAMP MAISY
14450 Calvados
1845 hab. 🅸

⌂⌂ LE DUGUESCLIN ★★
4, Quai Crampon. M. Me Brard
☎ 31 22 64 22 ⊞ 31 22 34 79
🛏 30 ◎ 150/300 F. �🍽 50/200 F.
🍴 50 F. 🏠 250/300 F. 🏠 200/250 F.
🄴 🖨 ☎ 🖨 🎿 ⛷ CV 🕹 ♠ CB𝚟𝚒𝚜𝚊 🖨

GRANDE RIVIERE
39150 Jura
900 m. • 450 hab.

⌂⌂ DE L'ABBAYE ★★
M. Piot ☎ 84 60 11 15 ⊞ 84 60 86 43
🛏 23 ◎ 232/280 F. �🍽 60/160 F.
🍴 55 F. 🏠 260/290 F. 🏠 210/250 F.
⊠ 15 nov./15 déc. et mer. hs.
🄴 🄳 SP 🖨 ☎ 🖨 ✝ 🍽 ⛵ CV 🕹 ♠
CB𝚟𝚒𝚜𝚊 E C 🖨

GRANDFONTAINE
67130 Bas Rhin
750 m. • 300 hab. 🅸

⌂⌂ DU DONON ★★
(Au Col). M. Ley
☎ 88 97 20 69 ⊞ 88 97 20 17
🛏 20 ◎ 185/275 F. �🍽 63/250 F.
🍴 41 F. 🏠 255/315 F. 🏠 225/255 F.
⊠ 21 nov./11 déc., 14/17 mars et jeu. hs.
🄴 🄳 🖨 ☎ 🖨 🖨 🍽 🕷 🎿 🍳 ▶
CV 🕹 ♠ CB𝚟𝚒𝚜𝚊 E

GRANDRUPT
88210 Vosges
600 m. • 67 hab.

⌂⌂ LA ROSERAIE ★
Rue de la Mairie. M. Maire
☎ 29 57 62 92 ⊞ 29 57 83 94
🛏 6 ◎ 180/200 F. ⌷ 55/140 F. 🍴 35 F.
🏠 240 F. 🏠 190 F.
⊠ lun. soir et mar.
🄴 🄳 🖨 ☎ 🖨 🖨 ✝ 🎿 CV ♠ CB𝚟𝚒𝚜𝚊 E

GRANDVILLERS
88600 Vosges
700 hab.

⌂⌂⌂ DU COMMERCE ET DE L'EUROPE ★& ★★
M. Bastien ☎ 29 65 71 17 ⊞ 29 65 85 23
🛏 20 ◎ 110/280 F. ⌷ 65/180 F.
🍴 55 F. 🏠 150/250 F. 🏠 120/200 F.
⊠ Rest. ven. soir et dim. soir.
🄴 🄳 SP 🖨 ☎ 🖨 🍽 ✝ 🕷 🕷 🎿
🍳 ⛷ CV 🕹 ♠ CB𝚟𝚒𝚜𝚊 ⓜ E

GRANE
26400 Drôme
1200 hab. 🅸

⌂⌂ GIFFON ★★
M. Giffon
☎ 75 62 60 64 ⊞ 75 62 70 11
🛏 9 ◎ 210/350 F. ⌷ 120/360 F.
🍴 80 F. 🏠 300/380 F.
⊠ dim. soir et lun. 1er oct./1er mai.
🄴 🖨 ☎ 🖨 🎋 🕹 🍳 ♠ CB𝚟𝚒𝚜𝚊 🄰🄴
ⓜ E

GRANGES LES BEAUMONT
26600 Drôme
750 hab.

⌂⌂ ROGER LANAZ ★★
Sur N. 532. Mme Lanaz
☎ 75 71 50 56
🛏 7 ◎ 164/244 F. ⌷ 55/190 F. 🍴 36 F.
🏠 206/268 F. 🏠 165/206 F.
⊠ 30 avr./9 mai, 6/29 août et sam.
🄴 🄸 ☎ 🖨 ✝ ⛷ ♠ CB𝚟𝚒𝚜𝚊 E

GRANGETTES (LES)
25160 Doubs
900 m. • 140 hab.

🏨🏨 BON REPOS ★★
M. Duffait
☎ 81 69 62 95
🛏 16 ⌧ 160/224 F. 🍴 65/159 F.
🍽 40 F. 🛎 240/278 F. 🛏 200/239 F.
✉ 16/31 mars, 20 oct./21 déc., mar. soir
et mer. hs.
Ⓔ 🏠 🚗 🚗 ⛱ 🚶 CV CB VISA AE E

GRANVILLE
50400 Manche
13326 hab. ⓘ

🏨🏨 NORMANDY - CHAUMIERE ★★
20, rue P. Poirier. M. Dugue
☎ 33 50 01 72 🖷 33 50 15 34
🛏 7 ⌧ 240/275 F. 🍴 85/205 F. 🍽 60 F.
🛎 390/410 F. 🛏 290/305 F.
✉ 1 semaine Noël, janv., mar. soir et
mer. sauf juil./août.
Ⓔ 🗗 🏠 CV ☏ CB VISA E 🏠

GRASSE
06130 Alpes Maritimes
45000 hab. ⓘ

🏨🏨 DE LA BELLAUDIERE ★★
78, route de Nice. M. Maure
☎ 93 36 02 57 🖷 93 36 40 03
🛏 17 ⌧ 190/350 F. 🍴 70 F. 🍽 45 F.
🛎 240/320 F. 🛏 200/280 F.
✉ 15 nov./28 déc., dim. soir et lun.
Ⓔ ⓘ 🏠 🚗 🚗 ⛱ 🦽 CV ☏ CB VISA AE E

🏨🏨 LES AROMES ★★
115, route nationale 85. M. Buetto
☎ 93 70 42 01
🛏 7 ⌧ 220/340 F. 🍴 90/130 F. 🍽 50 F.
🛎 315/375 F. 🛏 240/300 F.
✉ Rest. sam. 1er oct./31 mai et sam.
midi 1er juin/31 sept.
Ⓔ ⓘ 🗗 🏠 🦽 CV ☏ CB VISA AE E

GRAU D'AGDE (LE)
34300 Hérault
12768 hab. ⓘ

🏨🏨🏨 CHATEAU-VERT ★★
Quai Commandant Meric. M. Caumil
☎ 67 94 14 51 🖷 67 21 01 28
🛏 49 ⌧ 243/478 F. 🍴 95/188 F.
🍽 39 F. 🛎 330/396 F. 🛏 242/306 F.
✉ 25 sept./1er mai.
Ⓔ D 🏠 🚗 ⛱ 🦽 ☏ ☏ CB VISA E

🏨🏨 EL RANCHO ★★
Bld du Front de Mer. Mme Regol
☎ 67 94 24 35
🛏 9 ⌧ 256 F. 🍴 90/100 F. 🛎 328 F.
🛏 248 F.
✉ nov./15 déc.
D SP 🏠 CV ☏ CB VISA ⓞ E

GRAULHET
81300 Tarn
15000 hab. ⓘ

🏨🏨 LE GRANDGOUSIER ★★
6-8, place du Jourdain. M. Fernandez
☎ 63 34 50 32 🖷 63 34 25 57

🛏 19 ⌧ 130/190 F. 🍴 53/140 F.
🍽 35 F. 🛎 200/250 F. 🛏 150/180 F.
Ⓔ SP 🗗 🏠 ⛱ ⛱ 🚶 🦽 ☏ CB VISA AE ⓞ E

GRAVE (LA)
05320 Hautes Alpes
1500 m. • 600 hab. ⓘ

🏨 L'EDELWEISS ★★
M. Tonnelier
☎ 76 79 90 93 🖷 76 79 92 64
🛏 16 ⌧ 180/250 F. 🍴 80/105 F.
🍽 50 F. 🛎 275/320 F. 🛏 200/240 F.
✉ 25 sept./23 déc. et 25 mai/10 juin.
Ⓔ 🏠 ⛱ 🦽 CV ☏ ☏ CB VISA E

🏨🏨 LA MEIJETTE ★★
M. Me Juge
☎ 76 79 90 34 🖷 76 79 94 76
🛏 18 ⌧ 270/450 F. 🍴 95/155 F.
🍽 65 F. 🛎 290/390 F.
✉ oct./fin fév. et mar.
Ⓔ 🗗 🏠 ⛱ ⛱ 🦽 ☏ ☏ CB VISA E

GRAVESON
13690 Bouches du Rhône
2400 hab. ⓘ

🏨🏨🏨 MAS DES AMANDIERS ★★
Route d'Avignon. M. Bayol
☎ 90 95 81 76 🖷 90 95 85 18
🛏 25 ⌧ 270/290 F. 🍴 95/135 F.
🍽 50 F. 🛏 260/270 F.
✉ 1er nov./1er mars.
Ⓔ D SP 🏠 🚗 🚗 ⛱ ⛱ 🏊 🎾 ⚓ 🚶
🦽 🦽 CV ☏ ☏ CB VISA AE ⓞ E 🏠

GRAY
70100 Haute Saône
12000 hab. ⓘ

⚜ LE FER A CHEVAL ★★
9, av. Carnot. M. Morlot
☎ 84 65 32 55 🖷 84 65 42 63
🛏 46 ⌧ 215 F.
✉ 24 déc./4 janv.
Ⓔ D 🗗 🏠 🚗 ⛱ 🚶 🦽 ☏ CB VISA AE
ⓞ E

GREALOU
46160 Lot
214 hab.

🏨 LES QUATRE VENTS ★
M. Balat
☎ 65 40 68 71
🛏 11 ⌧ 200/260 F. 🍴 65/150 F.
🍽 40 F. 🛎 240/260 F. 🛏 200/240 F.
✉ 20 déc./3 janv. et 1er/12 sept.
🏠 🚗 ⛱ 🦽 CV CB VISA AE ⓞ E

GRENADE (MERVILLE)
31330 Haute Garonne
2252 hab.

🏨🏨 AUBERGE DU VIVIER ★★
Sur D. 2, route de Grenade. M. Maréchal
☎ 61 85 01 59 🖷 61 85 88 75
🛏 9 ⌧ 210/260 F. 🍴 78 F. 🍽 50 F.
🛎 250/270 F. 🛏 190/210 F.
✉ 3/10 janv, 1/30 août, sam. midi, dim.
soir et lun.
Ⓔ SP 🏠 🚗 ⛱ ⛱ 🚶 CV ☏ ☏ CB VISA E C 🏠

GREOLIERES LES NEIGES
06620 Alpes Maritimes
1400 m. • 295 hab.

AAA AUBERGE ALPINA **
Mme Chahinian ☎ 93 59 70 19
🛏 8 ⬧ 270/340 F. 🍽 260/295 F.
⌧ 1er nov./20 déc., 15 avr./1er juin et jeu.
CB📷 E

GREOUX LES BAINS
04800 Alpes de Haute Provence
1637 hab. ℹ

AA GRAND HOTEL DES COLONNES **
8, av. des Marronniers. M. Angelini
☎ 92 78 00 04
🛏 35 ⬧ 225/280 F. 🍽 75/150 F.
🍴 50 F. ⬧ 240/285 F. 🍽 190/245 F.
⌧ 16 nov./14 mars.
CB📷 E

AAA LA CHENERAIE **
Les Hautes Plaines. M. Humel
☎ 92 78 03 23 ⊠ 92 78 11 72
🛏 20 ⬧ 280/340 F. 🍽 80/160 F.
🍴 50 F. ⬧ 310/350 F. 🍽 260/300 F.
⌧ 15 déc./15 fév. et lun. hs.
CB📷 E 🛏

GRESSE EN VERCORS
38650 Isère
1205 m. • 250 hab. ℹ

AAA LE CHALET ***
M. Prayer ☎ 76 34 32 08 ⊠ 76 34 31 06
🛏 25 ⬧ 270/370 F. 🍽 86/280 F.
🍴 50 F. ⬧ 340/380 F. 🍽 300/340 F.
⌧ 30 mars/14 mai et 20 oct./20 déc.
CB📷 E

A ROCHAS *
M. Eyraud Dagany ☎ 76 34 31 20
🛏 7 ⬧ 220/240 F. 🍽 80/136 F. 🍴 45 F.
⬧ 250/270 F. 🍽 220/240 F.
⌧ 15 avr./5 mai et 1er nov./20 déc.
CB📷 E 🛏

GROLEJAC
24250 Dordogne
600 hab.

AA LE GRILLARDIN **
M. Giraud ☎ 53 28 11 02
🛏 14 ⬧ 140/240 F. 🍽 68/160 F.
🍴 45 F. ⬧ 190/270 F. 🍽 160/210 F.
⌧ oct./mars et mer. hs.
CB📷 E

GROSBLIEDERSTROFF
57520 Moselle
3500 hab.

A AUBERGE DE FRANCE
35, rue de la République. M. Bolay
☎ 87 09 01 13 ⊠ 87 09 28 46
🛏 6 ⬧ 160/170 F. 🍴 40 F. 🍽 250 F.
🍽 180 F.
⌧ 1er/15 août, 1er/10 janv., dim. soir et lun.
CB📷 ⊙ E

GRUFFY
74540 Haute Savoie
565 m. • 835 hab.

AA AUX GORGES DU CHERAN **
(Pont de l'Abîme). M. Savary
☎ 50 52 51 13
🛏 11 ⬧ 180/300 F. 🍽 78/115 F.
🍴 45 F.
⌧ 15 nov./15 fév.
CB📷 E

A DE LA POSTE *
M. Guevin
☎ 50 77 50 89
🛏 14 ⬧ 145/170 F. 🍽 60/120 F.
🍴 40 F. ⬧ 200/230 F. 🍽 170/190 F.
⌧ oct. et mer. hs.
CB📷 E

GRUISSAN PLAGE
11430 Aude
1270 hab. ℹ

AA LES 3 CARAVELLES **
1, allée des Courlis, Front de Mer.
Mme Lenzi
☎ 68 49 13 87 ⊠ 68 49 67 17
🛏 20 ⬧ 225/300 F. 🍽 69/135 F.
🍴 45 F. ⬧ 280/310 F. 🍽 220/250 F.
⌧ 15 sept./Pâques.
CB📷 AE ⊙ E

GRUISSAN PORT
11430 Aude
1170 hab. ℹ

AAA CORAIL ***
Quai du Ponant. M. Bousquet
☎ 68 49 04 43 ⊠ 68 49 62 89
🛏 32 ⬧ 300/420 F. 🍽 90/160 F.
🍴 40 F. ⬧ 330/380 F. 🍽 260/320 F.
⌧ début nov./fin janv.
CB📷 E 🛏

GUA (LE)
17680 Charente Maritime
1545 hab. ℹ

AA LA GALIOTE **
(A Chalons). M. de Manny
☎ 46 22 81 94
🛏 9 ⬧ 200/300 F. 🍽 55/220 F. 🍴 39 F.
🍽 240/260 F.
⌧ 1er oct./15 oct., mer. soir et jeu.
CB📷 E

GUEBERSCHWIHR
68420 Haut Rhin
727 hab.

AA AU RELAIS DU VIGNOBLE **
13, rue des Forgerons. M. Roth
☎ 89 49 22 22 ⊠ 89 49 27 82
🛏 30 ⬧ 200/480 F. 🍽 80/280 F.
🍴 45 F. ⬧ 330/350 F. 🍽 280/300 F.
⌧ 1er fév./8 mars, jeu. et mer. soir
15 nov./15 avr.
CB📷 E

GUEBWILLER
68500 Haut Rhin
13000 hab. 🛈

▲▲ D'ALSACE ★★
140, rue de la République. M. Riefle
☎ 89 76 83 02 🖳 89 74 17 15
🛏 28 ◎ 240/390 F. ⑪ 50/290 F.
🍴 50 F. ⑪ 310/390 F. 🍽 240/310 F.
🔲 🛗 ⓘ 🕿 🛋 🚗 ♨ ♿ CV ♥ CB𝚅𝙸𝚂𝙰
🅰🅴 ■

▲▲ DU LAC ★★
Rue de la République. M. Mas
☎ 89 76 63 10 🖳 89 74 24 84
🛏 43 ◎ 200/270 F. ⑪ 48/170 F.
🍴 40 F. ⑪ 280 F. 🍽 240 F.
⊠ Rest. lun.
🔲 🛗 SP 🕿 🛋 🚗 🚗 ⛵ 🎣 ♿ ♨ 🍴
♥ CB𝚅𝙸𝚂𝙰 E

GUEMENE SUR SCORFF
56160 Morbihan
2100 hab. 🛈

▲▲ LE BRETAGNE ★★
18, rue Péres. M. Hamonic
☎ 97 51 20 08 🖳 97 39 30 49
🛏 19 ◎ 163/261 F. ⑪ 58/190 F.
🍴 35 F. ⑪ 223/275 F. 🍽 166/217 F.
⊠ 1er/12 sept., 20 déc./10 fév. et sam. hs.
🔲 🛗 SP 🕿 🛋 🚗 🚗 ♠ ⛵ ♿ 🎣
📺 ♥ CB𝚅𝙸𝚂𝙰 E

GUERANDE
44350 Loire Atlantique
13000 hab. 🛈

▲ LES FLORALIES. LE DE D'ARGENT ★
Chemin du Pradillon. Rue Pavé de
Beaulieu M. Cogrel ☎ 40 24 90 17
🛏 7 ◎ 200/280 F. ⑪ 85/220 F. 🍴 40 F.
⑪ 250/280 F. 🍽 220/250 F.
⊠ dim. soir hs.
🔲 🛗 SP 🕿 🛋 🚗 🎣 ⏰ ▶ ♿ CV 📺
♥ CB𝚅𝙸𝚂𝙰 🅰🅴

▲▲ LES VOYAGEURS ★★
Place du 8 Mai. M. Salaun
☎ 40 24 90 13 🖳 40 62 06 64
🛏 12 ◎ 280/310 F. ⑪ 54/205 F.
🍴 35 F. 🍽 270/380 F.
⊠ 15 déc./15 janv. Rest. soir
1er oct./31 mars. dim. soir et lun. sauf
juil./août.
🛗 🕿 🛋 🚗 ⛵ ♿ CV 📺 ♥ CB𝚅𝙸𝚂𝙰 E

GUERCHE SUR L'AUBOIS (LA)
18150 Cher
3300 hab. 🛈

▲▲ LE BERRY ★★
12, rue Jean Jaurès. Mme Lefrançois
☎ 48 74 00 41
🛏 7 ◎ 200/320 F. ⑪ 75/180 F. 🍴 45 F.
⑪ 280/320 F. 🍽 260/280 F.
⊠ déc./janv., dim. soir et lun.
🔲 🛗 🕿 🚗 ♥ CB𝚅𝙸𝚂𝙰 E

GUERET
23000 Creuse
17000 hab. 🛈

▲▲ DU NORD
1, bld de la Gare. M. Fouche
☎ 55 52 71 85 🖳 55 52 84 33
🛏 20 ◎ 105/220 F. ⑪ 65/ 95 F.
🍴 46 F. ⑪ 220 F. 🍽 178 F.
⊠ 1er/21 août, 18 déc./1er janv., sam.
soir et dim.
🔲 🕿 🚗 🚗 CB𝚅𝙸𝚂𝙰 E ■

GUEUGNON
71130 Saône et Loire
10456 hab. 🛈

▲ DU CENTRE ★★
34, rue de la Liberté. M. Vezant
☎ 85 85 21 01 🖳 85 85 02 67
🛏 19 ◎ 138/268 F. ⑪ 76/228 F.
🍴 50 F. ⑪ 260/300 F. 🍽 200/230 F.
⊠ 3 dernières semaines août et dim. soir.
🔲 ⓘ 🕿 🛋 🚗 🚗 ♿ 📺 ♥ CB𝚅𝙸𝚂𝙰 E

▲▲ RELAIS BOURGUIGNON ★★
47, rue de la Convention. M. Van Den
Abeele ☎ 85 85 25 23
🛏 8 ◎ 160/190 F. ⑪ 90/180 F. 🍴 70 F.
⊠ 1er/23 août, dim. soir et lun.
🔲 🕿 🛋 🚗 🚗 ♠ ♥ CB𝚅𝙸𝚂𝙰 🅰🅴 ⓪ E

GUICHEN
35580 Ille et Vilaine
5000 hab.

▲ DU COMMERCE ★★
34, rue du Général Leclerc. M. Bertin
☎ 99 57 01 14 🖳 99 57 34 67
🛏 19 ◎ 220/280 F. ⑪ 52/150 F.
🍴 48 F. ⑪ 250 F. 🍽 200 F.
⊠ 20 déc./9 janv. et sam.
🔲 🕿 🛋 🚗 ♠ ⛵ ♿ CV 📺 CB𝚅𝙸𝚂𝙰 🅰🅴
⓪ E ■

GUIDEL PLAGE
56520 Morbihan
6000 hab.

▲ L'AUBERGE ★
M. Cadieu ☎ 97 05 98 39 🖳 97 32 87 31
🛏 16 ◎ 140/260 F. ⑪ 80/165 F.
🍴 40 F. ⑪ 215/305 F. 🍽 185/275 F.
⊠ 2 nov./25 mars et mar.
🔲 🕿 🛋 CV 📺 CB𝚅𝙸𝚂𝙰 ⓪ E

GUILLAUMES
06470 Alpes Maritimes
800 m. ● 500 hab. 🛈

▲ LES CHAUDRONS
Place de Provence. Mme Marin
☎ 93 05 50 01
🛏 10 ◎ 160/210 F. ⑪ 77/140 F.
🍴 45 F. ⑪ 240/270 F. 🍽 190/230 F.
⊠ 1er/25 oct., dim. soir et lun. hs.
🔲 🛗 ⓘ 🚗 🚗 CB𝚅𝙸𝚂𝙰 E

GUILLESTRE
05600 Hautes Alpes
1000 m. ● 2100 hab. 🛈

▲▲ LE CATINAT FLEURI ★★
Mme Domeny
☎ 92 45 07 62 🖳 92 45 28 88
🛏 30 ◎ 300/350 F. ⑪ 79/150 F.
⑪ 310/330 F. 🍽 270/290 F.
🔲 🛗 ⓘ 🕿 🛋 🚗 🚗 ♠ ⛵ ♨ 🎣 📺
♥ CB𝚅𝙸𝚂𝙰 ⓪ E

221

GUILLESTRE (suite)

MAISON DU ROY ★★
Sur D. 902, (à 5 km). M. Bérard
☎ 92 45 08 34 ⅢX 92 45 27 19
🛏 30 ▧ 294/382 F. Ⅲ 76/210 F.
🍴 57 F. ⅢⅠ 332/350 F. 🍽 307/325 F.
⊠ 22 oct./20 déc., 1er/8 mai, sam.
sept./oct. et mai/juin.
🕿 🚗 🏩 🕯 📶 ⚲ 🎣 🏇 ⚿ CV 🍴 🍷
CB🚾 ⓘ E

GUILLIERS
56490 Morbihan
1300 hab.

AU RELAIS DU PORHOET ★★
11, place de l'Eglise. MM. Courtel
☎ 97 74 40 17 ⅢX 97 74 45 65
🛏 15 ▧ 170/250 F. ⅢⅠ 62/190 F.
ⅢⅠ 240/280 F. 🍽 200/250 F.
⊠ dim. soir nov./mars.
🕿 🖨 🚗 🏩 🕯 CV 🍴 CB🚾 AE
ⓘ E 🍷

GUILVINEC (LE)
29730 Finistère
4000 hab. ⓘ

DU CENTRE ★★
16, rue Général de Gaulle. M. Le Lann
☎ 98 58 10 44 ⅢX 98 58 31 05
🛏 17 ▧ 200/300 F. ⅢⅠ 65/300 F.
🍴 45 F. ⅢⅠ 290/350 F. 🍽 250/300 F.
⊠ dim. soir nov./mars.
🕿 🖨 🚗 🏩 🕯 CV 🍴 CB🚾 E

GUINES
62340 Pas de Calais
5175 hab.

AUBERGE DU COLOMBIER ★★
A La Bien Assise, Av. de Verdun.
M. Boutoille
☎ 21 36 93 00 ＼ 21 35 20 77
ⅢX 21 36 79 20
🛏 7 ▧ 200/310 F. ⅢⅠ 75/220 F. 🍴 45 F.
ⅢⅠ 600 F. 🍽 490 F.
🕿 🖨 🚗 🚗 🏩 🕯 ⚲ 🎣 🏇 ▶ ⚿
CV 🍴 CB🚾 AE E 🍷

GUISE
02120 Aisne
6296 hab. ⓘ

CHAMPAGNE PICARDIE ★★
41, rue André Godin. M. Lefèbvre
☎ 23 60 43 44
🛏 12 ▧ 240 F. ⅢⅠ 59/130 F. 🍴 40 F.
ⅢⅠ 240 F. 🍽 180 F.
⊠ 7/22 août, 24 déc./2 janv., rest. dim.
et lun. soir, hôtel dim. sauf réservations.
🕿 🖨 🚗 🚗 🏩 🏇 🍴 🍷 CB🚾 E

GYE SUR SEINE
10250 Aube
495 hab.

DES VOYAGEURS ★
Grande Rue. Mme Schruoffeneger
☎ 25 38 20 09 ⅢX 25 38 25 37
🛏 8 ▧ 100/160 F. ⅢⅠ 68/175 F.
ⅢⅠ 200 F. 🍽 155 F.
⊠ 1er/15 fév. et mer. 1er oct./1er avr.
🚗 🏩 🍷 CB🚾

Ⓗ

HABERE LULLIN
74420 Haute Savoie
850 m. ● 400 hab.

AUX TOURISTES ★
Mme Cheneval-Pallud ☎ 50 39 50 42
🛏 19 ▧ 190/250 F. ⅢⅠ 65/190 F.
🍴 40 F. ⅢⅠ 190/240 F. 🍽 180/220 F.
⊠ Hôtel 1er oct./15 déc. et mar.
soir/jeu. matin.
🍴 🕿 🚗 🏩 🏇 🍴 CV 🍷 CB🚾 E

HABITARELLE (L')
48170 Lozère
1180 m. ● 40 hab. ⓘ

DE LA POSTE ★
M. Laurens ☎ 66 47 90 05
🛏 23 ▧ 110/180 F. ⅢⅠ 45/160 F.
🍴 30 F.
⊠ 20 déc./1er fév., vend. soir et sam. midi.
🍴 SP 🚗 🏩 🕯 🏇 CV 🍴 🍷 CB🚾 E

HACHIMETTE
68650 Haut Rhin
410 hab. ⓘ

A LA BONNE TRUITE ★★
5, rue de l'Europe. M. Zavialoff
☎ 89 47 50 07 ⅢX 89 47 25 35
🛏 10 ▧ 210/260 F. ⅢⅠ 95/280 F.
🍴 45 F. 🍽 245/270 F.
⊠ janv., 21/30 juin, 7/23 nov., mar. et
mer. 1er oct./30 juin.
🍴 🖨 🖨 🚗 🏩 🍷 CB🚾 AE E

HAGENTHAL LE BAS
68220 Haut Rhin
800 hab.

JENNY ★★★
84, rue de Hegenheim. M. Koehl
☎ 89 68 50 09 ⅢX 89 68 58 64
🛏 26 ▧ 380/510 F. ⅢⅠ 160/490 F.
🍴 48 F. 🍽 370/420 F.
🍴 🖨 🖨 🚗 🚗 🕯 📶 ✈ 🏩 🕯 ⚲
🏇 ▶ ⚿ 🍴 CB🚾 AE ⓘ E

HAGETMAU
40700 Landes
5000 hab. ⓘ

LA CREMAILLERE ★★
Route d'Orthez. Mme Bourdieu
☎ 58 79 31 93 ⅢX 58 79 54 09
🛏 8 ▧ 200 F. ⅢⅠ 65/115 F. 🍴 45 F.
ⅢⅠ 240 F. 🍽 200 F.
⊠ sam. hs.
🍴 SP 🖨 🚗 🏩 ✈ 🕯 🎣 ⚿ 🏇 ⚿ CV
🍷 CB🚾 E

HAGONDANGE
57300 Moselle
9091 hab. ⓘ

AGENA Rest. DU LAC ★★★
50, rue du 11 Novembre. M. Hitzges
☎ 87 70 21 32 ⅢX 87 70 11 48
🛏 41 ▧ 295/320 F. ⅢⅠ 75/155 F.
🍴 47 F.
⊠ sam. et dim. soir.
🍴 🖨 🖨 🚗 🚗 🚗 🏩 🕯 🏇 CV 🍴 🍷
CB🚾 AE E

222

HALLUIN
59250 Nord
16448 hab. 🛈

△ SAINT-SEBASTIEN ★★
15-17, place de l'Abbé Bonpain.
Mme Lievens-Lootens
☎ 20 94 21 68 ⊞ 20 03 25 05
🛏 10 ▨ 245/255 F. ⑪ 65/245 F.
⌖ 65 F. ⑪ 240 F. ⊠ 200 F.
🖃 🆔 🛢 ☎ ⋈ ⛱ ⚡ CV ⬛ ◥
CB VISA AE ⓪ E ▤

HAMBYE
50450 Manche
1218 hab.

△△ AUBERGE DE L'ABBAYE ★★
M. Allain
☎ 33 61 42 19 ⊞ 33 61 00 85
🛏 7 ▨ 270/300 F. ⑪ 92/250 F. ⌖ 50 F.
⊠ 270 F.
⊠ 8/23 fév., 25 sept./10 oct. et lun.
🖃 🛢 ☎ ◥ CB VISA E

HARTMANNSWILLER
68500 Haut Rhin
520 hab.

△△ MEYER ★★
49, route de Cernay. M. Meyer
☎ 89 76 73 14 ⊞ 89 76 79 57
🛏 14 ▨ 210/270 F. ⑪ 98/300 F.
⌖ 45 F. ⊠ 220/265 F.
⊠ 2ème quinzaine janv.,
2ème quinzaine juin, sam. midi et ven.
🖃 🆔 🛢 ☎ ⋈ ⛱ ⚡ ⚡ CB VISA AE ⓪ E

HASPARREN
64240 Pyrénées Atlantiques
5400 hab. 🛈

△△ ARGIA ★★
Rue du Docteur Jean Lissac. M. Barbace
☎ 59 29 60 24 \ 59 29 51 20
🛏 20 ▨ 170/220 F. ⑪ 68/140 F.
⌖ 45 F. ⑪ 276/316 F. ⊠ 206/306 F.
⊠ Hôtel 1er nov./15 fév. et lun. sauf
juil./août.
🖃 SP ☎ ⛱ ⚡ CV ⬛ ◥ CB VISA E

△△ BERRIA ★★
Rue Francis Jammes. M. Marcarie
☎ 59 29 61 85 \ 59 29 11 10
🛏 18 ▨ 200/240 F. ⑪ 70/120 F.
⌖ 40 F. ⑪ 250/270 F. ⊠ 190/210 F.
⊠ 10/31 oct., lun. soir et mar.
🖃 SP ☎ 🛢 ⛱ ⚡ CV ⬛ ◥ CB VISA
⓪ E

HAUTERIVES
26390 Drôme
1125 hab. 🛈

△△ LE RELAIS ★★
M. Graillat
☎ 75 68 81 12
🛏 17 ▨ 130/240 F. ⑪ 70/180 F.
⌖ 50 F. ⑪ 240/280 F. ⊠ 190/230 F.
⊠ mi-janv./fin-fév., rest. lun. sauf
juil./août.
🖃 🆔 🛢 ☎ ⬛ ◥ CB VISA AE ⓪ E

HAUTES RIVIERES (LES)
08800 Ardennes
2500 hab.

△ AUBERGE EN ARDENNE ★★
15, rue de l'Hôtel de Ville.
Mme Lallouette
☎ 24 53 41 93 ⊞ 24 53 60 10
🛏 14 ▨ 160/270 F. ⑪ 90/160 F.
⌖ 45 F. ⑪ 245/285 F. ⊠ 175/225 F.
⊠ Rest. ven. soir et dim. soir sauf
juil/août
🖃 🛢 ☎ ◥ CB VISA E

HAUTEVILLE LES DIJON
21121 Côte d'Or
1050 hab.

△△ LA MUSARDE ★★
7, rue des Riottes. M. Oge
☎ 80 56 22 82 ⊞ 80 56 64 40
🛏 11 ▨ 220/280 F. ⑪ 95/310 F.
⌖ 60 F. ⑪ 330/500 F. ⊠ 242/330 F.
⊠ Rest. dim. soir et lun.
15 sept./15 mai.
🖃 🆔 🛢 ☎ ☎ 🚗 ⛱ ⚡ CV ⬛ ◥
CB VISA AE ⓪ E

HAUTEVILLE LOMPNES
01110 Ain
850 m. • 5000 hab. 🛈

△ AUBERGE DU COL DE LA LEBE ★
M. Clerc
☎ 79 87 64 54
🛏 7 ▨ 185/255 F. ⑪ 83/250 F.
⑪ 245/275 F. ⊠ 215/235 F.
⊠ 20 juin/7 juil., 14 nov./20 déc., lun.
et mar.
🛢 🚗 ⛱ ⚡ ◥ CB VISA

△ LE PROVENCAL ★★
Rue de la République. M. Riviere
☎ 74 35 30 43
🛏 9 ▨ 230 F. ⑪ 85/155 F. ⌖ 55 F.
⑪ 265 F. ⊠ 225 F.
⊠ Rest. mar. après midi et mer.
🖃 🆔 🛢 ☎ ⋈ ⚡ CV ◥ CB VISA
⓪ E

HAYBES SUR MEUSE
08170 Ardennes
2500 hab. 🛈

△ SAINT-HUBERT ★
47, Grande Rue. M. Jacques
☎ 24 41 11 38 ⊞ 24 40 14 45
🛏 11 ▨ 170/250 F. ⑪ 70/180 F.
⑪ 210/270 F. ⊠ 145/220 F.
🖃 SP ☎ ⬛ CB VISA AE ⓪ E

HAZEBROUCK
59190 Nord
20494 hab.

△△△ AUBERGE DE LA FORET ★★
La Motte au Bois. M. Becu
☎ 28 48 08 78 ⊞ 28 40 77 76
🛏 13 ▨ 190/320 F. ⑪ 128/260 F.
⌖ 65 F. ⊠ 260/450 F.
⊠ 26 déc./31 janv., dim. soir et lun.
sauf fériés midi.
🖃 🆔 🛢 ☎ ⛱ ◥ CB VISA E C ▤

HEDE
35630 Ille et Vilaine
749 hab. 🛈

▲▲ LE VIEUX MOULIN ★★
Mme Piro ☎ 99 45 45 70 ᴹᴬˣ 99 45 44 86
🛏 14 ◎ 230/260 F. ⑪ 85/220 F.
🍽 55 F. ☕ 240/300 F.
⊠ 20 déc./1er fév., dim. soir et lun. hs.
sauf jours fériés.
🅴 🅳 SP 📷 ☎ 🛏 🚗 🛳 👶 ⑩ 🐾
CB🆅🆂🅰 🅰🅴 ⓔ 🅔

HEILIGENSTEIN
67140 Bas Rhin
720 hab.

▲▲ RELAIS DU KLEVENER ★★
51, rue Principale. Mme Meckert
☎ 88 08 05 98 ᴹᴬˣ 88 08 40 83
🛏 32 ◎ 210/250 F. ⑪ 90/170 F.
🍽 35 F. ⑪ 310/330 F. ☕ 230/250 F.
⊠ janv., mer. et jeu. matin.
🅴 🅳 📷 ☎ 🛏 🛳 🎿 🚶 CV ⑩
🅰🅴 ⓔ 🅔

HELETTE
64640 Pyrénées Atlantiques
573 hab. 🛈

▲▲▲ AGUERRIA ★★
M. Etcheverry
☎ 59 37 62 90 ᴹᴬˣ 59 37 66 60
🛏 26 ◎ 180/250 F. ⑪ 80/140 F.
🍽 40 F. ⑪ 235/240 F. ☕ 190/200 F.
⊠ 15 oct./15 nov.
🅴 SP 📷 ☎ 🛏 🛳 ⑩ 🎿 CV ⑩
🐾 CB🆅🆂🅰 🅰🅴 ⓔ 🅔 🅔

HEMING
57830 Moselle
506 hab.

▲ AUBERGE ALSACIENNE ★★
17, rue de Strasbourg. M. Habermeyer
☎ 87 25 00 10
🛏 7 ◎ 240 F. ⑪ 99/180 F. 🍽 35 F.
☕ 250 F.
🅴 🅳 📷 ☎ 🚗 🛳 CB🆅🆂🅰 🅰🅴 ⓔ 🅔

HENDAYE
64700 Pyrénées Atlantiques
13000 hab. 🛈

▲▲ CHEZ ANTOINETTE ★★
Place Pellot. M. Haramboure
☎ 59 20 08 47 ᴹᴬˣ 59 48 11 64
🛏 20 ◎ 230/400 F. ⑪ 130/170 F.
🍽 50 F. ⑪ 340/355 F. ☕ 250/265 F.
⊠ oct./Pâques, rest. dim. soir et lun. hs.
🅴 🅳 SP ☎ 🛳 CV 🐾 CB🆅🆂🅰 ⓔ 🅔

HENDAYE PLAGE
64700 Pyrénées Atlantiques
11578 hab. 🛈

▲▲▲ POHOTENIA ★★★
Route de la Corniche. M. Fagondo
☎ 59 20 04 76 ᴹᴬˣ 59 20 81 25
🛏 47 ◎ 280/350 F. ⑪ 100/185 F.
🍽 45 F. ⑪ 330/350 F. ☕ 280/300 F.
⊠ janv., sam. soir, dim. sauf saison et
vac. scol.
🅴 🅳 SP 📷 ☎ 🚗 🛳 👶 🎿 CV ⑩
🐾 CB🆅🆂🅰 🅰🅴 ⓔ 🅔

HENNEBONT
56700 Morbihan
14000 hab. 🛈

▲ AUBERGE DE TOUL DOUAR ★★
Ancienne route de Lorient. M. Kervarrec
☎ 97 36 24 04
🛏 27 ◎ 130/250 F. ⑪ 70/250 F.
🍽 50 F. ⑪ 250/380 F. ☕ 190/320 F.
⊠ 1 semaine nov., 3 semaines fév., dim.
soir et lun. hs.
🅴 📷 ☎ 🚗 CV ⑩ 🐾 CB🆅🆂🅰 🅰🅴 ⓜ 🅔

HENRICHEMONT
18250 Cher
1820 hab.

▲ LE SOLEIL LEVANT ᵉᶜ
15, rue de Bourgogne. M. Pinson
☎ 48 26 71 38
🛏 10 ◎ 180/220 F. ⑪ 63/160 F.
🍽 40 F. ⑪ 250 F. ☕ 200 F.
⊠ vac. scol. fév., 3 semaines fin
août/début sept., dim. soir et lun. midi.
📷 ☎ 🎿 🐾 CB🆅🆂🅰 🅔

HERBAULT
41190 Loir et Cher
1100 hab.

▲ AUBERGE DES TROIS MARCHANDS
34, place de l'Hôtel de Ville. M. Cuvier
☎ 54 46 12 18
🛏 6 ◎ 140/200 F. ⑪ 80/180 F. 🍽 52 F.
⊠ déc., lun. soir et mar.
🔌 🎿 CV 🐾 CB🆅🆂🅰 ⓜ 🅔

HERBIERS (LES)
85500 Vendée
14000 hab. 🛈

▲▲ CHEZ CAMILLE ★★
2, rue Monseigneur Massé. Mme Masse
☎ 51 91 07 57 ᴹᴬˣ 51 67 19 28
🛏 13 ◎ 240/290 F. ⑪ 70/180 F.
🍽 50 F. ⑪ 250/280 F. ☕ 225/265 F.
⊠ 1er/10 août et 24 déc./3 janv.
🅴 📷 ☎ 🚗 🎿 CV ⑩ 🐾 CB🆅🆂🅰 🅰🅴
ⓜ 🅔

▲▲ DU CENTRE ★★
6, rue de l'Eglise. Mme Morillon
☎ 51 67 01 75 ᴹᴬˣ 51 66 82 24
🛏 9 ◎ 210/295 F. ⑪ 70/170 F. 🍽 45 F.
⑪ 265/280 F. ☕ 210/220 F.
⊠ 1ère quinzaine août, 15 jours
Noël/Nouvel an, ven. soir, sam. et dim.
soir sauf 1er juin/5 sept.
🅴 📷 ☎ 🚗 🎿 CV 🐾 CB🆅🆂🅰 🅰🅴 🅔

HERM
40990 Landes
700 hab. 🛈

▲▲ DE LA PAIX ★★
M. Junca ☎ 58 91 52 17
🛏 11 ◎ 180/240 F. ⑪ 60/220 F.
🍽 50 F. ⑪ 240/280 F. ☕ 180/240 F.
📷 ☎ 🚗 🛳 🎿 👶 🎿 CV ⑩ 🐾 CB🆅🆂🅰

▲ LA BERGERIE
Mme Puyobrau ☎ 58 91 52 28
🛏 8 ◎ 200/250 F. ⑪ 70/150 F.
⑪ 240/280 F. ☕ 195/240 F.
⊠ 24 déc./10 janv.
🚗 🛳 🎿 🅰🅴

HERMENT
63470 Puy de Dôme
370 hab. 🅘

AA SOUCHAL ★★
Route de la Bourboule. M. Souchal
☎ 73 22 10 55 🖷 73 22 13 63
🛏 15 ⊗ 205/250 F. 🍴 60/200 F.
🍽 40 F. 🛎 180/280 F. 🛌 160/240 F.
🄴🄳🖀🖀🖀🖀⏾ CV 🕮 🖐 CBⅧ AE E

HEROUVILLE CANAL
14200 Calvados
3000 hab.

A ESPERANCE ★
512, rue Abbé Alix. M. Me Paire
☎ 31 44 97 10 🖷 31 94 89 23
🛏 10 ⊗ 160/195 F. 🍴 55/190 F.
🍽 55 F. 🛌 190 F.
⊠ dim. soir et lun. hs.
🖀🖀🖾 CV 🕮 🖐 CBⅧ E

HERY
89550 Yonne
1520 hab.

A LES BAUDIERES [ec]
1, rue d'Auxerre. M. Dauthereau
☎ 86 40 11 51
🛏 7 ⊗ 150 F. 🍴 93/185 F. 🍽 45 F.
🛎 320 F. 🛌 230 F.
⊠ 6/21 sept., 1er/16 fév., dim. soir et
lun.
🖀🖀🕮🖾🖐 CBⅧ E

HESDIN
62140 Pas de Calais
2700 hab. 🅘

AA DES FLANDRES ★★
22, rue d'Arras. M. Persyn
☎ 21 86 80 21 🖷 21 86 28 01
🛏 14 ⊗ 250/300 F. 🍴 80/180 F.
🍽 45 F. 🛌 300/330 F.
⊠ 20 déc./10 janv.
🄴🖀🖀🖀🖀🕮🖐 CBⅧ E

A LA CHOPE ★
48, rue d'Arras. M. Samper-Deman
☎ 21 86 82 73
🛏 7 ⊗ 210/295 F. 🍴 65/200 F. 🍽 50 F.
🛎 260/320 F. 🛌 210/290 F.
⊠ 2ème quinzaine nov., ven. sauf
juil./août et réserv.
🄴🖀🖀🖾 CV 🕮 🖐 CBⅧ AE ⊚ E

HEUDICOURT
55210 Meuse
150 hab.

AA DU LAC DE MADINE ★★
M. Drapier ☎ 29 89 34 80 🖷 29 89 39 20
🛏 48 ⊗ 240/310 F. 🍴 80/230 F.
🍽 50 F. 🛎 325/375 F. 🛌 255/325 F.
⊠ 2/31 janv. et lun. hs.
🄴🄳🄳🖀🖀🖀🖀🖀⏾🖾 CV 🕮 🖐
CBⅧ E C 🖾

HOHROD
68140 Haut Rhin
350 hab.

A BEAU SITE ★★
3, rue Principale. M. Burger
☎ 89 77 31 55
🛏 13 ⊗ 180/245 F. 🍴 69/110 F.
🍽 32 F. 🛌 170/210 F.
⊠ 15 nov./1er fév. et mar. hs.
🄴🄳🖀🖀🖀🖀🖾 CV 🕮 🖐 CBⅧ E

HOHRODBERG
68140 Haut Rhin
750 m. • 120 hab.

AA PANORAMA ★★
3, route du Linge. M. Mahler
☎ 89 77 36 53 🖷 89 77 03 93
🛏 32 ⊗ 179/340 F. 🍴 90/210 F.
🍽 42 F. 🛎 225/330 F. 🛌 183/280 F.
⊠ 11 janv./11 fév.
🄴🄳🖀🖀🖀🖀🖀⏸🕮🖾🖾🖾🖾
⏾ 🕮 🖐 CBⅧ AE E

AA ROESS ★★
16, route du Linge. M. Roess
☎ 89 77 36 00 🖷 89 77 01 95
🛏 31 ⊗ 215/280 F. 🍴 97/193 F.
🍽 80 F. 🛎 250/310 F. 🛌 220/280 F.
⊠ 7 nov./16 déc.
🄴🄳🖀🖀🖀🖀🖀⏸🖾🖾🖾🖾🖐
CBⅧ E

HOHWALD (LE)
67140 Bas Rhin
750 m. • 400 hab. 🅘

A AU PAVILLON DE CHASSE [ec]
16, rue du Herrenhaus. Mme Knobloch
☎ 88 08 30 08 🖷 88 08 32 13
🛏 28 ⊗ 194/246 F. 🍴 82/180 F.
🍽 42 F. 🛎 230/273 F. 🛌 197/240 F.
⊠ 5 janv./30 mars, 20 oct./20 déc. sauf
groupes. Rest. mar. soir et mer. sauf
pensionnaires.
🄴🄳 SP 🖀🖀🖀⏸🖾🖾🖾🖾🖾 CV 🕮
🖐 CBⅧ E

AA MARCHAL ★★
12, rue Wittertalhof. M. Marchal
☎ 88 08 31 04 🖷 88 08 34 05
🛏 16 ⊗ 180/260 F. 🍴 100/140 F.
🍽 270/310 F. 🛌 220/260 F.
⊠ 5 nov./12 déc. et mar. hs.
🄴🄳🖀🖀🖀⏸🖾🕮🖐 CBⅧ E

A ZUNDELKOPF ★
2, rue du Zundelkopf. M. Bacher
☎ 88 08 30 41
🛏 12 ⊗ 180/210 F. 🍴 200/230 F.
🛎 180/210 F.
⊠ 15/31 mars et 4 nov./19 déc.
🄳🖀🖾

HOMPS
11200 Aude
569 hab.

AA AUBERGE DE L'ARBOUSIER
Av. de Carcassonne. Mme Rosado
☎ 68 91 11 24
🛏 7 ⊗ 200/230 F. 🍴 78/180 F. 🍽 35 F.
🛌 210/240 F.
⊠ 10 jours vac. Toussaint,
15 fév./15 mars, lun. juil/août, mer. et
dim. soir sept./30 juin.
🛏 SP 🖀🖀🖀⏸🖾🖐 CBⅧ E

HONFLEUR
14600 Calvados
10000 hab. 🛈

🏠 DE LA CLAIRE
77, cours Albert Manuel. Mme Lebas
☎ 31 89 05 95
🛏 20 ⌧ 170/400 F. ⏸ 75/170 F.
🍴 45 F. ⏸ 310/385 F. 🏷 235/325 F.
⌧ Rest. 15 nov./1er fév. et mer. midi.
🅘 🗔 🚗 🏡 🕿 🐾 CB🆅🆂🅰 E

🏠 FERME DE LA GRANDE COUR ★
(A Equemauville Côte de Grace).
M. Salomon ☎ 31 89 04 69
🛏 15 ⌧ 180/330 F. ⏸ 100/180 F.
🍴 50 F. ⏸ 340/400 F. 🏷 260/330 F.
🅘 🗔 🕿 🚗 🏡 🕿 ⛷ 🐾 CB🆅🆂🅰

🏠🏠 LE BELVEDERE ★★
36, route Emile-Renouf. M. Haubourdin
☎ 31 89 08 13 🆇 31 89 51 40
🛏 9 ⌧ 220/350 F. ⏸ 90/240 F. 🍴 50 F.
🏷 250/325 F.
⌧ 15 nov./20 déc., 5/30 janv. et lun.
🅘 🗔 🕿 🚗 🏡 🕿 CV 🐾 CB🆅🆂🅰 E

HONFLEUR (BARNEVILLE LA BERTRAN)
14600 Calvados
150 hab.

🏠🏠 DE LA SOURCE ★★
M. Legeay ☎ 31 89 25 02 🆇 31 89 44 40
🛏 11 ⌧ 350/520 F. ⏸ 140/180 F.
🍴 80 F. 🏷 290/420 F.
⌧ 15 nov./15 fév. Rest. mer.
🅘 🗔 🕿 🚗 🏡 🕿 ⛷ CB🆅🆂🅰 🆎 ① E

HONFLEUR (SAINT GATIEN DES BOIS)
14130 Calvados
1054 hab.

🏠🏠🏠 LE CLOS SAINT-GATIEN ★★★
M. Rufin ☎ 31 65 16 08 🆇 31 65 10 27
🛏 56 ⌧ 280/850 F. ⏸ 98/240 F.
🍴 65 F. 🏷 300/585 F.
🅘 🗔 🗔 🕿 🚗 🏡 🍴 🕿 🏊 🌳 ⚕ ✎
⛷ 🌡 🈴 🐾 CB🆅🆂🅰 🆎 ① E

HOPITAL SAINT JEAN (L')
46600 Lot
530 hab.

🏠 PARLANGE
Mme Goursat ☎ 65 37 70 22
🛏 5 ⌧ 150/170 F. ⏸ 60/170 F. 🍴 50 F.
⏸ 190/240 F. 🏷 165/185 F.
⌧ Hôtel 30 oct./1er avr. et rest. lun.
🐾 CB🆅🆂🅰 🆎 ① E

HOPITAL SUR RHINS (L')
42132 Loire
600 hab. 🛈

🏠🏠 LE FAVIERES ★★
M. Veluire ☎ 77 64 80 30
🛏 14 ⌧ 130/190 F. ⏸ 68/260 F.
🍴 40 F. ⏸ 220/250 F. 🏷 155/185 F.
⌧ 10/29 janv., dim. soir et lun. hs.
🅘 🗔 🕿 🚗 🏡 🕿 🐾 CB🆅🆂🅰 E 🈴

HOPITAUX NEUFS (LES)
25370 Doubs
1000 m. • 270 hab. 🛈

🏠 ROBBE ★★
5, rue de la Poste. M. Robbe
☎ 81 49 11 05
🛏 19 ⌧ 135/190 F. ⏸ 70/110 F.
🍴 45 F. ⏸ 210/265 F. 🏷 180/230 F.
⌧ 5 avr./30 juin et 10 sept./20 déc.
🅘 🕿 🚗 🏡 🕿 🐾 CB🆅🆂🅰 E

HORBOURG WIHR
68180 Haut Rhin
5000 hab.

🏠🏠 DU CERF ★★
9, Grand'Rue. M. Hagenmuller
☎ 89 41 20 35 🆇 89 24 24 98
🛏 27 ⌧ 260/320 F. ⏸ 95/235 F.
🍴 55 F. 🏷 250/280 F.
⌧ 5 janv./10 mars et mer. midi, mar.
soir et mer. 15 oct./15 avr.
🅘 🗔 🗔 🕿 🚗 🏓 🏃 🌳 🈴 CB🆅🆂🅰 🆎
E 🅲 🈴

HOSSEGOR
40150 Landes
2548 hab. 🛈

🏠 LA BONBONNIERE ★
1111, av. du Touring Club de France.
M. Rossignol
☎ 58 43 50 21 ＼ 59 27 12 85
🛏 13 ⌧ 135/267 F. ⏸ 69/150 F.
🍴 40 F. ⏸ 231/338 F. 🏷 190/297 F.
⌧ 1er oct./30 avr.
🅘 🛈 🚗 🏡 🏃 🌳 🐾

🏠🏠🏠 LACOTEL ★★
3058, av. du Touring Club de France.
M. Bretelle
☎ 58 43 93 50 🆇 58 43 59 69
🛏 42 ⌧ 290/410 F. ⏸ 100/165 F.
🍴 60 F. ⏸ 405/490 F. 🏷 295/380 F.
⌧ 15 déc./10 fév., rest. 10 fév./30 mars.
🅘 🗔 🆂🅿 🗔 🚗 🏡 🏃 ⏸ 🌳 CV
🈴 🐾 CB🆅🆂🅰 ① E 🈴

🏠🏠 LE NEPTUNE ★
1053, av. du Touring Club de France.
M. Bretelle
☎ 58 43 51 09
🛏 20 ⌧ 150/200 F. ⏸ 100/160 F.
🍴 50 F. ⏸ 230/305 F. 🏷 190/250 F.
⌧ 1er oct./1er avr. et mar. hs.
🗔 🆂🅿 🚗 🌳 CV 🐾 CB🆅🆂🅰 E

🏠 LE ROND-POINT ★★
Av. du Touring Club de France.
Mme Vergez
☎ 58 43 53 11
🛏 12 ⌧ 220/240 F. ⏸ 68/120 F.
🍴 35 F. ⏸ 280 F. 🏷 220 F.
🆂🅿 🗔 🚗 🏡 🕿 🏃 🌳 CV 🐾 CB🆅🆂🅰 E

❋ LES HELIANTHES ★★
Av. de la Côte d'Argent. M. Benoît
☎ 58 43 52 19 🆇 58 43 95 19
🛏 18 ⌧ 170/330 F.
🅘 🗔 🆂🅿 🕿 🚗 🏡 ⬜ CV 🐾 CB🆅🆂🅰 E

226

HOSSEGOR (SOORTS)
40150 Landes
2500 hab. 🛈

🔺🔺 DE LA FORET ★★
Route des Lacs. M. Rouvrais
☎ 58 43 88 23 FAX 58 43 80 01
🛎 17 ◎ 250/320 F. 🍽 100/200 F.
🍴 50 F. 🛏 295/365 F. 🛏 240/330 F.
⊠ Toussaint/Pâques et lun.
🅴 SP 🗄 🕿 🖨 🖨 🚗 �│ 🔻 ▶ 🔻 🔧 🎛
🔺 CB🆅🆂🅰 AE ⊙ E

HOUCHES (LES)
74310 Haute Savoie
1000 m. • 2000 hab. 🛈

🔺🔺 HOSTELLERIE LES S'NAILLES ★★
M. Ruillat
☎ 50 54 47 11 FAX 50 55 51 75
🛎 18 ◎ 280 F. 🍽 85/130 F. 🍴 45 F.
🛏 295 F. 🛏 255 F.
⊠ 1er oct./22 déc. et 1er/31 mai.
🅴 SP 🛈 🗄 🕿 🖨 🚗 🔧 🔺 CB🆅🆂🅰 E

HOULGATE
14510 Calvados
1750 hab. 🛈

🔺 AUBERGE DE LA FERME DES AULNETTES ᶜᶜ
Route de la Corniche. Mme Robert
☎ 31 28 00 28 FAX 31 28 07 21
🛎 13 ◎ 190/270 F. 🍽 105/165 F.
🍴 55 F. 🛏 318/370 F. 🛏 248/300 F.
⊠ 15 nov./26 déc., mar. soir et mer. hs
sauf vac. scol.
🅴 🗄 🖨 🚗 🔧 🔧 🎛 CV 🔺 CB🆅🆂🅰 E

HUSSEREN LES CHATEAUX
68420 Haut Rhin
362 hab.

🔺🔺🔺 HUSSEREN LES CHATEAUX ★★★
Rue du Schlossberg. MM. Beusch/De
Jong
☎ 89 49 22 93 FAX 89 49 24 84
🛎 38 ◎ 420/590 F. 🍽 115/320 F.
🍴 60 F. 🛏 452/512 F.
🅴 🅳 🗄 🕿 🖨 🖨 🖨 ╪ 🔧 🔧 🔧
🔧 🔧 🎛 🔺 CB🆅🆂🅰 AE ⊙ E

HYERES
83400 Var
43500 hab. 🛈

🔺🔺 DU PARC ★★
7, bld Pasteur. Mme Moreau
☎ 94 65 06 65 ╲94 65 12 00
FAX 94 65 93 28
🛎 42 ◎ 160/365 F. 🍽 89/120 F.
🍴 48 F. 🛏 233/355 F. 🛏 165/270 F.
🅴 🅳 SP 🛈 🗄 🕿 🖨 🔧 🔧 CV 🎛 🔺
CB🆅🆂🅰 E C 🏠

🔺 LE MEDITERRANEE ★★
Avenue de la Méditerranée.
M. Didierjean
☎ 94 58 03 89
🛎 13 ◎ 205/290 F. 🍽 76/120 F.
🍴 38 F. 🛏 315/350 F. 🛏 275/295 F.
⊠ Rest. lun.
🅴 🗄 🕿 🖨 🎛 🔺 CB🆅🆂🅰 E

🌿 THALASSA ★★
6, av. Jean d'Agrève. M. Durant
☎ 94 57 24 85 FAX 94 57 31 18
🛎 22 ◎ 300/400 F.
🅴 🅳 🛈 🗄 🕿 🖨 ╪ 🔧 ⊁ CV 🎛 🔺
CB🆅🆂🅰 AE ⊙ E

HYERES (L'AYGADE)
83400 Var
3000 hab. 🛈

🔺🔺 LE CEINTURON ★★
(A l'Aygade, 12, bld du Front de Mer).
M. Hocquellet
☎ 94 66 33 63 FAX 94 66 32 29
🛎 15 ◎ 200/350 F. 🍽 100/250 F.
🍴 45 F. 🛏 360/400 F. 🛏 250/300 F.
⊠ 1er/30 nov.
🅴 🗄 🕿 🖨 🔧 🎛 🔺 CB🆅🆂🅰 E 🏠

HYERES (LE PORT)
83400 Var
43500 hab. 🛈

🔺🔺 LA POTINIERE ★★
Plage de l'Hippodrome. M. Missland
☎ 94 58 02 10 FAX 94 58 09 74
🛎 13 ◎ 250/450 F. 🍽 100/250 F.
🍴 45 F. 🛏 375/485 F. 🛏 300/485 F.
🅴 🅳 SP 🗄 🕿 🖨 🔧 CV 🎛 🔺 CB🆅🆂🅰 E

HYERES (PRESQU'ILE DE GIENS)
83400 Var
1600 hab. 🛈

🔺 RELAIS BON ACCUEIL ★★
(A Giens). M. Me Stocker/Coolen
☎ 94 58 20 48 TX 400 479 FAX 94 58 90 46
🛎 10 ◎ 220/450 F. 🍽 115/200 F.
🍴 60 F. 🛏 430/550 F. 🛏 330/450 F.
🗄 🕿 🖨 🖨 🔧 CV 🔺 CB🆅🆂🅰 AE E

ILAY
39150 Jura
800 m. • 40 hab.

🔺 AUBERGE DU HERISSON ★
M. Morizot
☎ 84 25 58 18 FAX 84 25 51 11
🛎 16 ◎ 140/290 F. 🍽 80/200 F.
🍴 50 F. 🛏 260/340 F. 🛏 180/250 F.
⊠ 1er oct./31 mars, mar. soir et mer.
hs.
🅴 🅳 🗄 🕿 🖨 🔧 CV 🔺 CB🆅🆂🅰 E

ILE DE BREHAT
22870 Côtes d'Armor
500 hab. 🛈

🔺🔺 LA VIEILLE AUBERGE ★★
Mme Lamidon
☎ 96 20 00 24 FAX 96 20 05 12
🛎 14 🍽 90/250 F. 🍴 55 F.
🛏 340/400 F.
⊠ nov./fin mars.
🅴 🗄 🕿 🖨 🔧 CV 🎛 🔺 CB🆅🆂🅰 E

ILE DE BREHAT (suite)

▲▲ LES TERRASSES ET BELLEVUE ★★
Le Port Clos. M. Enriore
☎ 96 20 00 05 ∭ 96 20 06 06
🛏 17 ▨ 360/500 F. ⫥ 115/180 F.
🍴 65 F. ⫥ 465/520 F. ⫥ 365/420 F.
⊠ 2 janv./6 fév. et 12 nov./26 déc.
🅴 🅳 📶 🏠 🛏 🛎 🖖 🐾 ⏱ CV 🖩
📶 CB🈂 E

ILE TUDY
29980 Finistère
500 hab. 🛈

▲▲ DES DUNES ★★
9, av. de Bretagne. M. Conan
☎ 98 56 43 55
🛏 12 ▨ 225/355 F. ⫥ 85/140 F.
🍴 58 F. ⫥ 335/390 F. ⫥ 270/325 F.
⊠ 16 sept./31 mai.
🅴 🛈 🏠 🛎 CV 📶 CB🈂 E

▲ MODERNE HOTEL ★
9, place de la Cale. M. Huitric
☎ 98 56 43 34 ∭ 98 51 90 70
🛏 19 ▨ 200/280 F. ⫥ 75/150 F.
🍴 45 F. ⫥ 240/285 F. ⫥ 205/250 F.
⊠ 15 nov./15 déc. et sam. hs.
🅴 🏠 CV 📶 CB🈂 E

ILLHAEUSERN
68150 Haut Rhin
557 hab.

▲▲ LES HIRONDELLES ★★
33, rue du 25 Janvier. Mme Muller
☎ 89 71 83 76 ∭ 89 71 86 40
🛏 14 ▨ 220/250 F. 🍴 55 F.
⫥ 220/250 F.
⊠ 31 janv./10 mars, 27 juin/4 juil. Rest.
1er nov./21 mars et dim. soir.
🅴 🅳 📶 🏠 🛎 🖖 🐾 ⚕ 🛥 📶 CB🈂
E C

INGERSHEIM
68040 Haut Rhin
4500 hab.

▲▲▲ KUEHN ★★★
Quai de la Fecht. M. Kuehn
☎ 89 27 38 38 ∭ 89 27 00 77
🛏 28 ▨ 210/300 F. ⫥ 130/360 F.
🍴 50 F. ⫥ 295/335 F.
⊠ fév., dim. soir et lun.
1er nov./1er juil. Rest. lun. midi et mar.
midi juil./nov.
🅴 🅳 📶 🏠 🛏 🛎 🐾 🖩 CB🈂 E

INGRANDES SUR LOIRE
49123 Maine et Loire
1500 hab. 🛈

▲▲ LE LION D'OR ★★
Place du Lion d'Or. M. Paquereau
☎ 41 39 20 08
🛏 16 ▨ 170/270 F. ⫥ 65/180 F.
🍴 48 F. ⫥ 276/322 F. ⫥ 191/237 F.
⊠ 15 fév./15 mars et lun. mi-oct./Pâques.
🅴 🅳 🏠 📶 🛏 CV 📶 CB🈂 🇦🇪 E C 🖩

INGWILLER
67340 Bas Rhin
4000 hab. 🛈

▲▲▲ AUX COMTES DE HANAU ★★
139, rue Général de Gaulle. M. Futterer
☎ 88 89 42 27 ∭ 88 89 51 18
🛏 11 ▨ 300/380 F. ⫥ 55/250 F.
🍴 46 F. ⫥ 240/300 F. ⫥ 220/280 F.
⊠ Rest. lun. et mer. après-midi.
🅴 🅳 📶 🏠 🛏 🛎 🖖 ⏱ ⚕ CV 🖩
📶 CB🈂 🇦🇪 🅾 E

INNENHEIM
67880 Bas Rhin
870 hab.

▲▲ AU CEP DE VIGNE ★★
Route de Barr. Mme Schaal
☎ 88 95 75 45 ∭ 88 95 79 73
🛏 40 ▨ 180/400 F. ⫥ 90/230 F.
🍴 55 F. ⫥ 250/350 F. ⫥ 200/290 F.
⊠ 2ème quinzaine fév. et rest. lun.
🅴 🅳 📶 🏠 🛏 🛎 🖖 ⏱ 🐾 ⚕
CV 🖩 📶 CB🈂 E

INOR
55700 Meuse
250 hab. 🛈

▲▲ AUBERGE DU FAISAN DORE ★★
M. Bataille ☎ 29 80 35 45 ∖ 29 80 39 74
🛏 13 ▨ 200/250 F. ⫥ 68/200 F.
🍴 50 F. ⫥ 280 F. ⫥ 260 F.
🅴 🅳 🏠 🛏 🛎 🖖 ⚕ 🛥 CV 🖩
CB🈂 🇦🇪 🅾 E

INXENT
62170 Pas de Calais
170 hab.

▲ AUBERGE D'INXENT ᵉᶜ
318, rue de la Vallée. M. Manessiez
☎ 21 90 71 19 ∭ 21 86 31 67
🛏 5 ▨ 300/400 F. ⫥ 95/250 F. 🍴 60 F.
⫥ 360 F. ⫥ 280 F.
⊠ 20 déc./20 janv., mar. soir et mer. hs.
🅴 🅳 SP 📶 🏠 🛏 🛎 🖖 ⏱ 🐾 📶
CB🈂 🅾 E 🖩

ISIGNY SUR MER
14230 Calvados
3500 hab. 🛈

▲▲▲ DE FRANCE ★★
Rue E. Demagny. M. Me Petit
☎ 31 22 00 33 ∏ 170234 ∭ 31 22 79 19
🛏 19 ▨ 180/290 F. ⫥ 65/210 F.
🍴 40 F. ⫥ 280/360 F. ⫥ 200/280 F.
⊠ 20 déc./20 janv., ven. soir et sam. hs.
🅴 🅳 🏠 🛏 🛎 🖖 🐾 CV 🖩 📶 CB🈂 E

ISLE
87170 Haute Vienne
7134 hab.

▲▲ JEANDILLOU ★★
Sur N. 21. Lieu-dit chez Minet.
Mme Jeandillou ☎ 55 39 00 44
🛏 15 ▨ 150/340 F. ⫥ 75/180 F.
🍴 35 F. ⫥ 280/350 F.
⊠ dim. soir et lun.
🅴 🅳 📶 🏠 🛏 🛎 🖖 CV 🖩 📶 CB🈂
E 🖩

ISLE (suite)

♨ RELAIS DE PLAISANCE ★
(L'Aiguille). Sur N. 21. M. Carlot
☎ 55 39 00 17
🛏 10 ⌧ 100/220 F. 🍴 59/190 F.
🍴 38 F. 🍴 190/250 F. 🍴 135/195 F.
⌧ lun. soir.
🅴 🅳 ☎ 🅿 🍴 CB🆅🆂🅰 AE ⓪ E

ISLE ADAM (L')
95290 Val d'Oise
9479 hab. 🛈

♨♨ LE CABOUILLET ★★
5, quai de l'Oise. M. Guillerm
☎ (1) 34 69 00 90 📠 (1) 34.69.33.88
🛏 4 ⌧ 280/380 F. 🍴 145/220 F.
🍴 80 F. 🍴 500/550 F. 🍴 360/420 F.
⌧ vac. scol. fév., dim. soir et lun.
🅴 🅳 ☎ 🏠 🍴 🔺 CB🆅🆂🅰 E 📱

ISLE JOURDAIN (L')
32600 Gers
4365 hab.

♨♨ HOSTELLERIE DU LAC ★★
Route d'Auch. M. Rabassa
☎ 62 07 03 91 📠 62 07 04 37
🛏 27 ⌧ 185/225 F. 🍴 57/220 F.
🍴 50 F. 🍴 240/260 F. 🍴 190/210 F.
⌧ vac. fév.
🅴 🆂🅿 ☎ ☎ 🏠 🍴 🔺 🍴 CB🆅🆂🅰 E

ISLE SUR SEREIN (L')
89440 Yonne
524 hab.

♨ AUBERGE DU POT D'ETAIN
24, rue Bouchardat. Mme Péchery
☎ 86 33 88 10 📠 86 33 90 93
🛏 4 ⌧ 150/300 F. 🍴 72/246 F. 🍴 55 F.
🍴 260/390 F.
⌧ 17/25 oct., dim. soir et lun. sauf
juil./août.
🅴 ☎ 🏠 🍴 🔺 CB🆅🆂🅰 E

ISLE SUR SORGUE (L')
84800 Vaucluse
17000 hab. 🛈

♨♨ LA GUEULARDIERE ★★
1, av. J. Charmasson. M. Toppin
☎ 90 38 10 52 📠 90 20 83 70
🛏 5 ⌧ 280/300 F. 🍴 100/180 F.
🍴 60 F. 🍴 300/340 F. 🍴 240/260 F.
⌧ 7 fév./2 mars, 14/30 nov. et mer.
🅴 🅳 ☎ 🏠 🍴 CV 🔺 CB🆅🆂🅰

♨♨ LE PESCADOR ★
(Le Partage des Eaux). Mme Rochet
☎ 90 38 09 69 📠 90 38 27 80
🛏 8 ⌧ 250 F. 🍴 75/170 F. 🍴 45 F.
🍴 350 F. 🍴 255 F.
⌧ 15 oct./15 mars et lun.
🅴 🛈 ☎ 🏠 🍴 🔺 CB🆅🆂🅰 E

⚘ LES NEVONS ★★
Quartier des Nevons. Mme Ovise
☎ 90 20 72 00 📠 90 38 31 20
🛏 26 ⌧ 270/350 F.
⌧ mi-déc./mi-janv.
🅴 🆂🅿 ☎ 🏠 🍴 🛈 🍴 🔺 🍴 CV 🍴
CB🆅🆂🅰 E

ISOLA VILLAGE
06420 Alpes Maritimes
873 m. ● 540 hab. 🛈

♨ DE FRANCE ★
Place Borelli. Mme Bacquez ☎ 93 02 17 04
🛏 16 ⌧ 65/100 F. 🍴 265/305 F.
🍴 205/245 F.
⌧ mai et oct., ven.
🅴 ☎ CB🆅🆂🅰 E

ISSAMBRES (LES)
83380 Var
2000 hab. 🛈

♨♨ LA QUIETUDE ★★
Sur N. 98. M. Farrero
☎ 94 96 94 34 📠 94 49 67 82
🛏 19 ⌧ 275/323 F. 🍴 88/170 F.
🍴 50 F. 🍴 342/396 F. 🍴 282/322 F.
⌧ 15 oct./22 fév.
🅴 🆂🅿 ☎ 🏠 🍴 🔺 🍴 CB🆅🆂🅰 E

ISSENHEIM
68500 Haut Rhin
3000 hab.

♨ DEMI LUNE
9, route de Rouffach. M. Barth
☎ 89 76 83 63
🛏 13 ⌧ 130/180 F. 🍴 68/155 F.
🍴 30 F. 🍴 185/235 F. 🍴 160/195 F.
⌧ mi-fév./1er mars, sam. midi et dim. soir.
🅴 🅳 🏠 🍴 🔺 CV 🔺 CB🆅🆂🅰

ISSIGEAC
24560 Dordogne
686 hab.

♨♨ LA BRUCELIERE ★★
Place Capelle. Mme Bernu ☎ 53 58 72 28
🛏 6 ⌧ 200/500 F. 🍴 60/210 F.
🍴 270/330 F. 🍴 200/260 F.
⌧ nov., fév., dim. soir et lun. sauf
juil./août.
☎ 🏠 🍴 CV 🍴 🔺 CB🆅🆂🅰 E 📱

ISSOIRE (PARENTIGNAT)
63500 Puy de Dôme
400 hab.

♨♨ TOURETTE ★★
(A Parentignat). M. Tourette
☎ 73 55 01 78 📠 73 89 65 62
🛏 36 ⌧ 256/286 F. 🍴 76/198 F.
🍴 50 F.
⌧ vac. scol. Toussaint, Noël, fév., ven.
soir et sam. sauf juil./15 sept.
🅴 🅳 🆂🅿 ☎ 🏠 🍴 🛈 🍴 CV 🍴 🔺
CB🆅🆂🅰 E Ⓒ

ISSONCOURT-TROIS DOMAINES
55220 Meuse
70 hab.

♨♨ RELAIS DE LA VOIE SACREE ★★
1, voie Sacrée. M. Caillet
☎ 29 70 70 46 📠 29 70 75 75
🛏 7 ⌧ 200/230 F. 🍴 80/270 F. 🍴 60 F.
🍴 360/400 F. 🍴 280/330 F.
⌧ 23 janv./5 mars, et lun., dim. soir
1er nov./Pâques.
🅴 🛈 ☎ 🏠 🍴 🕐 CV 🍴 🔺 CB🆅🆂🅰
E 📱

ISSOUDUN
36100 Indre
16548 hab. 🛈

🏨🏨 DE LA GARE ★★
7, bld Pierre Favreaux. M. Venin-Bernard
☎ 54 21 11 59
🛏 16 ◎ 130/220 F. 🍽 75/160 F.
🍴 60 F. ⬛ 220/260 F. ⬛ 190/230 F.
✉ 22 août/30 sept., 24 déc./9 janv.
et dim.
[icons] CB VISA E

🏨🏨🏨 LA COGNETTE ★★★
Bld Stalingrad. M. Nonnet
☎ 54 21 21 83 FAX 54 03 13 03
🛏 14 ◎ 300/600 F. 🍽 195/360 F.
🍴 80 F. ⬛ 450/600 F.
✉ 15 jours janv., rest. dim. soir et lun.
sauf 15 juin/15 sept.
[icons] CB VISA AE ⊙ E

ITTENHEIM
67117 Bas Rhin
1700 hab.

🏨🏨 AU BOEUF ★★
17, route de Paris. M. Colin
☎ 88 69 01 42 FAX 88 69 08 28
🛏 12 ◎ 250 F. 🍽 80/180 F. 🍴 55 F.
⬛ 300 F. ⬛ 260 F.
✉ 23 déc./5 janv., 5/15 juil. et lun.
[icons] CB VISA E

ITTERSWILLER
67140 Bas Rhin
280 hab. 🛈

🏨🏨🏨 ARNOLD ★★★
Route du Vin. Mme Arnold
☎ 88 85 50 58 FAX 88 85 55 54
🛏 28 ◎ 325/695 F. 🍽 95/385 F.
🍴 85 F. ⬛ 640/790 F. ⬛ 450/550 F.
✉ 19/25 déc., rest dim. soir et lun.
[icons] CB VISA E

🏨 KOBLOTH ★★
73, route du Vin. M. Kobloth
☎ 88 85 50 68 FAX 88 85 54 07
🛏 9 ◎ 180/260 F. 🍽 90/120 F. 🍴 50 F.
⬛ 300 F.
✉ 1er/15 déc., 1er/15 fév. et mar. hs.
[icons] CB VISA E

ITXASSOU
64250 Pyrénées Atlantiques
1580 hab.

🏨🏨🏨 DU CHENE ★★
Mlle Salaberry
☎ 59 29 75 01
🛏 16 ◎ 220 F. 🍽 70/200 F. 🍴 45 F.
⬛ 280 F. ⬛ 235 F.
✉ 1er janv./1er mars, lun. et mar. hs.
[icons] CB VISA E

🏨🏨🏨 DU FRONTON ★★
M. Bonnet
☎ 59 29 75 10 FAX 59 29 23 50
🛏 14 ◎ 232/309 F. 🍽 68/185 F.

🍴 40 F. ⬛ 298/332 F. ⬛ 240/260 F.
✉ 1er janv./15 fév. et mer.
[icons] CB VISA AE ⊙ E

IZERON
38160 Isère
500 hab.

🏨 DES VOYAGEURS
M. Bossan ☎ 76 38 23 79
🛏 11 ◎ 95/200 F. 🍽 60/130 F. 🍴 40 F.
⬛ 170 F. ⬛ 130 F.
✉ mer. après-midi.
[icons] CB VISA AE ⊙ E

JAEGERTHAL
67110 Bas Rhin
200 hab.

🏨 DE JAEGERTHAL
M. Fischer ☎ 88 09 02 40 FAX 88 80 39 87
🛏 7 ◎ 130/160 F. 🍽 60/180 F. 🍴 40 F.
⬛ 180/200 F. ⬛ 160/180 F.
✉ 25 déc./25 janv., mar. soir et mer.
[icons] CB VISA E

JALIGNY SUR BESBRE
03220 Allier
762 hab.

🏨 DE PARIS ★★
Rue des Ecoles. M. Vif ☎ 70 34 82 63
🛏 7 ◎ 160/200 F. 🍽 60/150 F. 🍴 40 F.
⬛ 200/260 F. ⬛ 160/220 F.
✉ lun. hs.
[icons] CB VISA AE E

JALLAIS
49510 Maine et Loire
3100 hab.

🏨🏨 LA CROIX VERTE ET LE VERT GALANT ★★
M. Gaillard ☎ 41 64 20 22 FAX 41 64 15 17
🛏 20 ◎ 200/300 F. 🍽 75/200 F.
🍴 50 F. ⬛ 280/330 F. ⬛ 240/280 F.
✉ Rest. ven. soir oct./Pâques.
[icons] CB VISA ⊙ E C

JANZE
35150 Ille et Vilaine
4800 hab.

🏨🏨 LE LION D'OR ★
30, rue Aristide Briand. M. Rohr
☎ 99 47 03 21
🛏 8 ◎ 190/250 F. 🍽 62/150 F. 🍴 45 F.
✉ vac. scol. fév. et 27 août/13 sept.
[icons] CB VISA ⊙ E

JARGEAU
45150 Loiret
3500 hab. 🛈

🏨 AUBERGE DU CLAIR DE LUNE
5, bld Carnot. M. Lejeune
☎ 38 59 70 25
🛏 14 ◎ 135/205 F. 🍽 68/185 F.
🍴 40 F. ⬛ 209/259 F. ⬛ 165/215 F.
✉ 15 déc./15 janv., dim. soir et lun.
[icons] CB VISA AE ⊙ E

JARNAC
16200 Charente
5000 hab. 🏠

🏠 TERMINUS ★
Av. Carnot. Mme Labarre ☎ 45 81 07 04
🛏 12 ⊠ 130/180 F. 🍽 65/145 F.
🍴 45 F. 🍽 194/219 F. 🍴 132/157 F.
⊠ 20 déc./10 janv., ven. soir et sam.
☎ 🚗 🏠 ♠ CB🌐 AE E

JARNAGES
23140 Creuse
470 hab.

🏠🏠 AUBERGE DES TEMPLIERS ★★
30, Grande Rue. Mme Ranfaing
☎ 55 80 99 15
🛏 8 ⊠ 180/240 F. 🍽 68/160 F. 🍴 40 F.
🍽 275/330 F. 🍴 225/275 F.
🏠 🚗 🏠 🏠 🚗 🏃 CV ♠ CB🌐 AE
E C

JARNY
54800 Meurthe et Moselle
9500 hab.

🏠 DE FRANCE ★
45, av. Jean Jaurès. Mme Wagner
☎ 82 33 19 79 🖷 82 33 67 87
🛏 16 ⊠ 140/225 F. 🍽 58/140 F.
🍴 35 F. 🍽 211/236 F. 🍴 155/203 F.
⊠ Rest. sam. midi et dim.
🏠 D 🏠 ☎ 🏠 ♠ CB🌐 E 📺

JARRIER
73300 Savoie
1100 m. • 450 hab. 🏠

🏠 BELLEVUE ★
Mme Leard ☎ 79 64 31 03
🛏 16 ⊠ 120/190 F. 🍽 75/130 F.
🍴 45 F. ⊠ 200/230 F. 🍴 165/195 F.
🏠 i 🏠 🏠 🏠 ♠ CB🌐 AE E

JARSY
73630 Savoie
850 m. • 200 hab.

🏠 ARCALOD
Mlle Emonet ☎ 79 54 81 53
🛏 8 ⊠ 160/180 F. 🍽 80/120 F. 🍴 40 F.
🍽 190/220 F. 🍴 180/200 F.
🏠 🚗 ♠

JASSANS RIOTTIER
01480 Ain
3916 hab.

🏠 BONNE AUBERGE ★★
M. Me Raffin ☎ 74 60 95 40
🛏 16 ⊠ 80/170 F. 🍽 50 F. 🍴 25 F.
🍽 180 F. 🍴 150 F.
⊠ dim. après midi.
🏠 ♠ CB🌐 AE ① E

JAUJAC
07380 Ardèche
1000 hab. 🏠

🏠 LE CAVEAU ★
M. Culot ☎ 75 93 22 29
🛏 20 ⊠ 140/255 F. 🍽 65/150 F.
🍴 45 F. 🍽 205/265 F. 🍴 165/225 F.
⊠ 15 nov./15 mars.
☎ 🚗 🏠 🏃 CV ♠ CB🌐 E

JOINVILLE
52300 Haute Marne
5000 hab. 🏠

🏠🏠 DE LA POSTE ★★
Place de la Grève. M. Fournier
☎ 25 94 12 63 🖷 25 94 36 23
🛏 10 ⊠ 200/280 F. 🍽 80/250 F.
🍴 45 F.
⊠ 10 janv./1er fév.
🏠 D 🏠 ☎ 🚗 🏠 ♠ CB🌐 AE ① E

🏠 DU NORD ★★
1, rue Camille Gillet. M. Clément
☎ 25 94 10 97
🛏 12 ⊠ 200/250 F. 🍽 60/180 F.
🍴 48 F. 🍽 225/250 F. 🍴 165/225 F.
⊠ 1 semaine fév. et rest. dim. soir.
🚗 🏠 ☎ 🏠 🏠 ♠ CB🌐 E

🏠🏠 DU SOLEIL D'OR ★★ & ★★★
9, rue des Capucins. M. Boudvin
☎ 25 94 15 66 🖷 25 94 39 02
🛏 17 ⊠ 210/440 F. 🍽 90/295 F.
🍴 80 F.
⊠ mi-fév./début mars et dim. soir, lun.
midi hs.
🏠 🏠 ☎ 🏠 m 🚗 🍴 ♠ CB🌐 AE ① E

JONCY
71460 Saône et Loire
500 hab.

🏠🏠 DU COMMERCE ★★
M. Rougeot
☎ 85 96 27 20 🖷 85 96 21 76
🛏 9 ⊠ 200/300 F. 🍽 70/240 F. 🍴 52 F.
🍽 320/380 F. 🍴 230/290 F.
⊠ 30 sept./5 nov. et ven.
🏠 🏠 ☎ 🚗 🍴 🏃 🏃 CV 🍴 ♠
CB🌐 E 📺

JOSSELIN
56120 Morbihan
3000 hab. 🏠

🏠🏠 DE FRANCE ★★
6, place Notre-Dame. M. Leray
☎ 97 22 23 06
🛏 20 ⊠ 230/320 F. 🍽 78/265 F.
🍴 51 F. 🍽 300/320 F. 🍴 235/245 F.
⊠ 15/30 janv., dim. soir et lun. hs.
🏠 D 🏠 ☎ 🏠 🍴 ♠ CB🌐 E

🏠🏠 DU CHATEAU ★★
1, rue du Gal de Gaulle. Mme Thual
☎ 97 22 20 11 🖷 97 22 34 09
🛏 36 ⊠ 140/310 F. 🍽 78/220 F.
🍴 50 F. 🍽 295/355 F. 🍴 240/295 F.
⊠ fév. et 1 semaine Noël.
🏠 🏠 ☎ 🏠 🍴 ♠ CB🌐 AE ① E

JOUARRE
77640 Seine et Marne
3000 hab. 🏠

🏠🏠 LE PLAT D'ETAIN ★★
6, place Auguste Tinchant. M. Legrand
☎ (1) 60 22 06 07 🖷 (1) 60 22 35 63
🛏 24 ⊠ 270/300 F. 🍽 94/187 F.
🍴 50 F. 🍽 250 F.
⊠ 15/31 déc., ven. soir et dim. soir.
🏠 🏠 ☎ 🏠 🍴 ♠ CB🌐 AE E 📺

JOUCAS
84220 Vaucluse
220 hab.

⚑⚑ HOSTELLERIE DES COMMANDEURS ⋆⋆
Mme Michot
☎ 90 05 78 01 ᴹᴬˣ 90 05 74 47
🛏 13 ⌧ 280 F. �=95/150 F. 🍴 50 F.
🍽 350 F. 🍴 250 F.
⊠ janv. et mer.
🅴 🅳 ⓘ 🕿 🚗 🏊 ⚓ 🍴 🕭 CV 📶 🅿 CB🆅🆂🅰 E

⚑⚑ LA PINEDE ᵉᶜ
Route de Murs. M. Jacquet
☎ 90 05 78 54
🛏 7 ⌧ 330 F. ⏎ 98/160 F. 🍴 60 F.
🍽 380 F. 🍴 295 F.
⊠ 15/30 nov., 10 janv./2 fév. et rest. lun.
SP 🖨 🕿 🚗 🚶 🏊 ⚓ 🕭 📶 🅿 CB🆅🆂🅰 E

JOUE LES TOURS
37300 Indre et Loire
36800 hab. ⓘ

⚜ ARIANE ⋆⋆
8, av. du Lac. M. Mikaleff
☎ 47 67 67 60 ᴵˣ 750806
🛏 31 ⌧ 259/289 F.
⊠ 20 déc./2 janv.
🅴 SP 🖨 🕿 🚗 🚶 🏊 ⚓ 🍴 CV 📶 🅿
CB🆅🆂🅰 🆎 E 🅲 🖥

⚑⚑ GRILL DU LAC ⋆⋆
Les Bretonnières, 6 av. du Lac.
Mme Lhote
☎ 47 67 37 87 ᴹᴬˣ 47 67 85 43
🛏 21 ⌧ 260/280 F. ⏎ 75/165 F.
🍴 45 F. 🍽 320 F. 🍴 230 F.
⊠ 25 déc. et 1er janv.
🅴 ⓘ 🖨 🕿 🚗 🚶 CV 📶 🅿 CB🆅🆂🅰 🆎
E 🖥

JOUE SUR ERDRE
44440 Loire Atlantique
1800 hab.

⚑ AUBERGE DU LION D'OR
21, rue du Bocage. M. Bonnin
☎ 40 72 35 34
🛏 5 ⌧ 100/160 F. ⏎ 53/135 F. 🍴 38 F.
🍽 170/225 F. 🍴 145/170 F.
⊠ lun. soir hs. et hors période scol.
🅴 🚗 🍴 CV 🅿 CB🆅🆂🅰 E

JOUGNE
25370 Doubs
1020 m. • 1164 hab. ⓘ

⚑ AU COL DES ENCHAUX ⋆
Sur N. 57. rue des Alpes. Mme Belon
☎ 81 49 10 75 ᴹᴬˣ 81 49 26 03
🛏 16 ⌧ 125/210 F. ⏎ 70/270 F.
🍴 40 F. 🍽 215/275 F. 🍴 175/235 F.
⊠ fin oct./15 déc., 15 jours avr., dim.
soir et lun. Automne.
🅴 🕿 🚗 🚗 🚶 CV 📶 🅿 CB🆅🆂🅰 🅾 E

JOUQUES
13490 Bouches du Rhône
3200 hab. ⓘ

⚑ AUBERGE LE REAL ⋆
1, bld du Réal. M. Scandoléra
☎ 42 67 60 85
🛏 10 ⌧ 140/200 F. ⏎ 85/170 F.
🍴 50 F. 🍽 280/310 F. 🍴 180/210 F.
🕿 🚶 🍴 🅿 CB🆅🆂🅰 🆎 🅾 E

JOYEUSE
07260 Ardèche
1293 hab. ⓘ

⚑⚑ LA GUARIBOTE ⋆⋆
Lieu-dit Le Gua, à 12 km rte de Valgorge.
M. Garnier
☎ 75 39 44 09 ⟍ 75 39 55 12
ᴹᴬˣ 75 39 55 89
🛏 16 ⌧ 230/280 F. ⏎ 110/290 F.
🍴 65 F. 🍽 260/285 F.
⊠ 1er janv./1er avr., 9 oct./31 déc. Rest.
lun. midi.
🅴 🕿 🚗 🍴 CV 📶 🅿 CB🆅🆂🅰 🆎 🅾 E

⚑⚑⚑ LES CEDRES ⋆⋆
M. Me Lardy
☎ 75 39 40 60 ᴵˣ 345175 ᴹᴬˣ 75 39 90 16
🛏 45 ⌧ 300/520 F. ⏎ 70/175 F.
🍴 48 F. 🍽 375 F. 🍴 295 F.
⊠ 15 oct./15 avr.
🅴 SP ⓘ 🖨 🕿 🚗 🚗 🏖 🏊 ⚓ 🍴 🕭 🍴
🚶 🚲 📶 🅿 CB🆅🆂🅰 🆎 🅾 E 🅲

JUAN LES PINS
06160 Alpes Maritimes
75000 hab.

⚑ CECIL ⋆⋆
Rue Jonnard. M. Courtois
☎ 93 61 05 12 ᴹᴬˣ 93 67 09 14
🛏 18 ⌧ 180/340 F. ⏎ 89 F. 🍴 65 F.
🍽 260/310 F. 🍴 200/280 F.
⊠ 15 oct./15 janv.
🅴 🖨 🕿 CV 🅿 CB🆅🆂🅰 E

⚑⚑ JUAN BEACH ⋆⋆
5, rue de l'Oratoire. Mme Moreau
☎ 93 61 02 89 ᴹᴬˣ 93 67 83 31
🛏 27 ⌧ 255/385 F. ⏎ 145 F. 🍴 80 F.
🍽 315/405 F. 🍴 285/365 F.
⊠ 5 nov./31 mars.
ⓘ 🕿 🚗 🍴 🚶 CV 🅿 🆎

JULIENAS
69840 Rhône
700 hab.

⚑ CHEZ LA ROSE ⋆⋆
M. Alizer
☎ 74 04 41 20 ᴹᴬˣ 74 04 49 29
🛏 11 ⌧ 125/280 F. ⏎ 100/300 F.
🍴 65 F. 🍽 250/320 F.
⊠ janv., lun. et mar. midi sauf hôtel.
🅴 🅳 🕿 🚗 🍴 🚶 🅿 CB🆅🆂🅰 🆎
🅾 E

⚜ DES VIGNES ⋆⋆
M. Ochier
☎ 74 04 43 70 ᴹᴬˣ 74 04 41 95
🛏 20 ⌧ 240/270 F.
⊠ dim. soir hiver.
🅴 🅳 🕿 🚗 🚗 🚶 🅿 CB🆅🆂🅰 E

JUNGHOLTZ THIERENBACH
68500 Haut Rhin
700 hab.

🏠🏠 AUBERGE DE THIERENBACH ★★★
M. Vonesch
☎ 89 76 93 01 FAX 89 74 37 45
🛏 16 ⊗ 380/480 F. 🍴 70/280 F.
🍽 45 F. 🍴 430/520 F. 🍴 360/460 F.
⊠ 3 janv./18 fév. et lun. hs.
🄴 🄳 🗄 ☎ 🛏 🛎 🔲 🎛 🖐 CB💳 E

🏠🏠 BIEBLER ★★
2, rue de Rimbach. M. Biebler
☎ 89 76 85 75
🛏 8 ⊗ 120/300 F. 🍴 100/280 F.
🍽 50 F. 🍴 300/320 F. 🍴 230/250 F.
⊠ jeu. soir et ven.
🄴 🄳 🗄 ☎ 🛏 🛏 🛎 🔲 🐾 CV 🖐
CB💳 AE 🅾 E

🏠🏠🏠 LES VIOLETTES ★★★
M. Munsch
☎ 89 76 91 19 FAX 89 74 29 12
🛏 24 ⊗ 220/740 F. 🍴 180/400 F.
🍽 95 F.
⊠ 17/31 janv. Rest. lun. soir et mar.
sauf fériés.
🄴 🄳 🗄 ☎ 🛏 🛏 🛎 🎛 🖐 ✚ 🚶 🔲
🖐 CB💳 AE 🅾 E

JUSSAC
15250 Cantal
630 m. • 1685 hab.

🏠 PRADO ★
M. Arnal
☎ 71 46 66 37
🛏 10 ⊗ 150/200 F. 🍴 65/130 F.
🍽 38 F. 🍴 180/220 F. 🍴 160/180 F.
⊠ 20/30 juin et lun. hs.
🄴 🗄 ☎ 🛏 🛎 CV 🔲 🖐 CB💳 E 🏠

JUSSEY
70500 Haute Saône
2400 hab. 🄸

🏠🏠 CHRISTINA ★★
M. Pheulpin
☎ 84 68 16 22 FAX 84 68 06 21
🛏 10 ⊗ 165/200 F. 🍴 60/210 F.
🍽 40 F. 🍴 240/260 F. 🍴 180/210 F.
⊠ dim. soir hs.
🄴 🄳 🗄 ☎ 🛏 🛎 CV 🔲 🖐 CB💳 AE
🅾 E

JUVIGNY SOUS ANDAINE
61140 Orne
1020 hab. 🄸

🏠🏠 AU BON ACCUEIL ★★
Place Saint-Michel. M. Cousin
☎ 33 38 10 04 FAX 33 37 44 92
🛏 8 ⊗ 250/330 F. 🍴 125/280 F.
🍽 70 F. 🍴 330 F. 🍴 280 F.
⊠ vac. scol. fév., mar. soir et mer.
🄴 🗄 ☎ 🛏 🖐 CB💳 E

🏠 DE LA FORET ★
1, place Saint-Michel. Mme Piard
☎ 33 38 11 77
🛏 7 ⊗ 160/260 F. 🍴 60/110 F. 🍽 55 F.
🍴 190/270 F. 🍴 170/250 F.
⊠ janv.
🄴 ☎ 🖐 CB💳 E

🅺

KATZENTHAL
68230 Haut Rhin
505 hab.

🏠🏠 A L'AGNEAU ★★
16, Grand Rue. M. Meyer
☎ 89 27 04 67 \ 89 80 90 25
FAX 89 27 50 59
🛏 11 ⊗ 250/300 F. 🍴 90/190 F.
🍽 35 F. 🍴 240/290 F.
⊠ 1er oct./25 mars. Rest. lun.
🄴 🄳 🗄 ☎ 🛏 🛎 🔲 🖐 CB💳 E

KAYSERSBERG
68240 Haut Rhin
3000 hab. 🄸

🏠🏠 A L'ARBRE VERT ★★
1, rue Haute du Rempart. M. Kieny
☎ 89 47 11 51
🛏 22 ⊗ 280/360 F. 🍴 120/220 F.
🍽 50 F. 🍴 310/335 F.
⊠ 3 janv./3 fév. Rest. lun.
🄴 🄳 🗄 ☎ 🛏 🖂 🖐 CB💳 E

🏠 DU CHATEAU
M. Kohler
☎ 89 78 24 33
🛏 8 ⊗ 140/280 F. 🍴 75/180 F. 🍽 45 F.
🍴 280/345 F. 🍴 195/265 F.
⊠ 15 fév./15 mars, 3/12 juil., jeu., mer.
soir 1er nov./1er juin.
🄴 🄳 🗄 ☎ CV 🖐 CB💳 E

🏠 LES REMPARTS ★★★
4, rue Flieh. Mme Keller
☎ 89 47 12 12 FAX 89 47 37 24
🛏 30 ⊗ 320/400 F.
🄴 🄳 SP 🄸 🗄 ☎ 🛏 🛏 🖂 🛎 CV 🔲
🖐 CB💳 AE E

KAYSERSBERG (KIENTZHEIM)
68240 Haut Rhin
950 hab.

🏠 HOSTELLERIE SCHWENDI ★★
(A Kientzheim, 2, place Swendi).
Mme Schille-Gisie
☎ 89 47 30 50 FAX 89 49 04 49
🛏 11 ⊗ 260/280 F. 🍴 88/240 F.
🍽 41 F. 🍴 360/370 F. 🍴 270/280 F.
⊠ 3 nov./Pâques, mar. et mer. midi.
🄳 🗄 ☎ 🛏 🛏 🖐 CB💳 AE E

KERSAINT EN LANDUNVEZ
29840 Finistère
1200 hab. 🄸

🏠 HOSTELLERIE DU CASTEL ★
Mmes Talarmin
☎ 98 48 63 35
🛏 17 🍽 65 F. 🍴 270/335 F.
🍴 240/305 F.
⊠ 30 sept./Pâques sauf fêtes fin
années, dim. soir/mar. matin.
🗄 🛏 🛎 🖐 CB💳 E

KIFFIS
68480 Haut Rhin
600 m. • 220 hab.

▲▲ AUBERGE DU JURA ★★
45, rue Principale. M. Frank
☎ 89 40 33 33 ⅢⅩ 89 40 47 81
🛏 8 ◎ 240/280 F. ⅢⅠ 65/280 F. 🍴 48 F.
ⅢⅠ 280/300 F. 🍴 230/250 F.
✉ lun.
🅴 🅳 ⅰ 🕿 🚗 ⋈ 🏃 CV 📶 ☛ CB🆅🆂🅰 E

KNUTANGE
57240 Moselle
3650 hab.

▲▲▲ REMOTEL ★★
M. Remmer
☎ 82 85 19 23 ⅢⅩ 82 84 22 01
🛏 22 ◎ 160/300 F. ⅢⅠ 70/170 F.
🍴 40 F. ⅢⅠ 440/580 F. 🍴 290/460 F.
✉ Rest. lun.
🅴 🅳 ⅰ 🏠 🕿 🚗 ⅎ ⋈ 🏕 🏃 ♿ CV 📶
☛ CB🆅🆂🅰 🅰🅴 ◎ E

KOENIGSMACKER
57110 Moselle
1603 hab.

▲▲ LA LORRAINE ★★
1, rue de l'Eglise. Mme Zenner
☎ 82 55 01 44 ⅢⅩ 82 50 19 84
🛏 29 ◎ 200/300 F. ⅢⅠ 60/200 F.
🍴 45 F.
✉ 2/20 janv. et dim. soir oct./avr.
🅴 🅳 🏠 🕿 ♿ CV 📶 ☛ CB🆅🆂🅰 E

KRUTH
68820 Haut Rhin
1100 hab.

▲▲ AUBERGE DE FRANCE ★★
20, Grande Rue. M. Ruffenach
☎ 89 82 28 02 ⅢⅩ 89 82 24 05
🛏 16 ◎ 220/230 F. ⅢⅠ 70/210 F.
🍴 38 F. ⅢⅠ 230/240 F. 🍴 190/200 F.
✉ 1er nov./10 déc. et jeu.
🅴 🅳 🏠 🕿 🚗 ⋈ 🏕 ☛ CB🆅🆂🅰
◎ E

KRUTH FRENZ
68820 Haut Rhin
850 m. • 20 hab.

▲ DES QUATRE SAISONS
(Le Frenz). M. Lang
☎ 89 82 28 61
🛏 10 ◎ 190/210 F. ⅢⅠ 75/125 F.
🍴 45 F. ⅢⅠ 230/250 F. 🍴 195/210 F.
✉ mer. hs.
🅳 🆂🅿 ⅰ 🏠 🕿 🚗 🏕 🗻 ♿ CV ☛
CB🆅🆂🅰 E

LABALME SUR CERDON
01450 Ain
600 m. • 117 hab.

▲ CARRIER ★
Sur N. 84. M. Carrier
☎ 74 37 37 05 ⅢⅩ 74 37 36 39

🛏 15 ◎ 155/260 F. ⅢⅠ 65/215 F.
🍴 50 F. ⅢⅠ 230/290 F. 🍴 175/230 F.
✉ 2 janv./1er fév. semaine
Toussaint, mar. soir et mer.
🅴 🅳 🏠 🕿 🚗 🚗 🏃 ☛ CB🆅🆂🅰 🅰🅴
◎ E

LABASTIDE D'ANJOU
11320 Aude
943 hab. 🅸

▲ HOSTELLERIE ETIENNE
Sur N. 113. M. Rousselot
☎ 68 60 10 08
🛏 10
🆂🅿 ⅰ 🏠 🕿 🏕 🏃 CV 📶 ☛ CB🆅🆂🅰 🅰🅴
◎ E

▲ LE GRILLADOU ★★
M. Pinel ☎ 68 60 11 63 ⅢⅩ 68 60 11 08
🛏 12 ◎ 130/200 F. ⅢⅠ 65/200 F.
🍴 35 F. ⅢⅠ 270/330 F. 🍴 220/280 F.
✉ 28 juin/10 juil. et sam. midi hs.
🅴 🆂🅿 🕿 🚗 ⋈ CV 📶 ☛ CB🆅🆂🅰 E

LABASTIDE MURAT
46240 Lot
700 hab. 🅸

▲▲ CLIMAT DE FRANCE ★★
M. Recourt
☎ 65 21 18 80 ⅢⅩ 65 21 10 97
🛏 20 ◎ 270 F. ⅢⅠ 60/130 F. 🍴 40 F.
ⅢⅠ 600 F. 🍴 480 F.
✉ 15/31 déc.
🅴 🆂🅿 🏠 🕿 ♿ CV 📶 ☛ CB🆅🆂🅰 🅰🅴 ◎
E 📷

LABENNE
40530 Landes
3000 hab. 🅸

▲ CHEZ LEONIE ★★
Sur N. 10. M. Daramy
☎ 59 45 41 64
🛏 9 ◎ 150/200 F. ⅢⅠ 70/200 F. 🍴 50 F.
ⅢⅠ 240/280 F. 🍴 210/230 F.
✉ 16 oct./2 nov., 24 déc./2 janv.
et sam. hs.
🅴 🆂🅿 🏠 🚗 🏃 📶 ☛ CB🆅🆂🅰 E

LABESSERETTE
15120 Cantal
600 hab. 🅸

▲ LA GRANGEOTTE ★
Mme Fau ☎ 71 49 22 00
🛏 20 ◎ 145/185 F. ⅢⅠ 70/110 F.
🍴 45 F. ⅢⅠ 200/230 F. 🍴 170/200 F.
✉ janv.
ⅰ 🕿 🚗 ⋈ 🏕 🏊 CV 📶 ☛ CB🆅🆂🅰

LABOUHEYRE
40210 Landes
3000 hab. 🅸

▲▲ UNIC HOTEL ★★
Route de Bordeaux.
M. Barthélémy-Japiot
☎ 58 07 00 55 ⅢⅩ 58 04 50 59
🛏 8 ◎ 250/300 F. ⅢⅠ 85/135 F. 🍴 50 F.
🍴 215/240 F.
✉ 15 nov./15 avr. et dim. hs.
🅴 🅳 🏠 🕿 🚗 ☛ CB🆅🆂🅰 🅰🅴 ◎ E 📷

LAC D'ISSARLES (LE)
07470 Ardèche
1000 m. • 300 hab.

⌂ BEAUSEJOUR ★
M. Mousset ☎ 66 46 21 69 FAX 66 46 20 94
📞 18 ◻ 120/210 F. 🍴 70/145 F.
🛏 38 F. 🍴 180/230 F. 🍽 150/200 F.
E 🕿 🚗 🔨 CV 📶 CB VISA E

⌂ LE PANORAMIC ★
M. Lafont ☎ 66 46 21 65
📞 12 ◻ 120/210 F. 🍴 70/145 F.
🛏 40 F. 🍴 180/230 F. 🍽 150/200 F.
🕿 🚗 CV 📶 CB VISA E

LACANAU OCEAN
33680 Gironde
2500 hab. 🛈

⌂⌂ ETOILE D'ARGENT ★★
Place Europe. MM. Dufilh/Dautrey
☎ 56 03 21 07
📞 14 ◻ 200/300 F. 🍴 70/250 F.
🛏 50 F. 🍴 300/350 F. 🍽 230/300 F.
⊠ 1er déc./20 janv., dim. soir et lun.
hors vac. scol.
E 🖵 🕿 🚗 🕆 CV 📶 CB VISA E

LACANCHE
21230 Côte d'Or
630 hab.

⌂ AU BON ACCUEIL
M. Dorier ☎ 80 84 22 47
📞 7 ◻ 100/140 F. 🍴 65/150 F. 🛏 40 F.
🍴 180/200 F. 🍽 140/170 F.
⊠ 1 semaine fév., 3 semaines août
et dim.
🚗 📶 CB VISA E

LACAPELLE MARIVAL
46120 Lot
1350 hab. 🛈

⌂⌂ LA TERRASSE ★★
Route de Latronquière. Mlle Boussac
☎ 65 40 80 07
📞 15 ◻ 150/270 F. 🍴 85/195 F.
🛏 55 F. 🍴 330/360 F. 🍽 230/260 F.
⊠ 1er janv./15 mars, dim. soir et lun.
oct./mars et dim. soir mars/juin.
E SP 🖵 🕿 🚗 🚗 🕆 🔨 CV 📶 📶
CB VISA E 🖮

⌂ LE GLACIER
Route de St Céré. Mme Gibrat
☎ 65 40 82 67
📞 10 ◻ 110/160 F. 🍴 65/160 F.
🛏 50 F. 🍴 210/230 F. 🍽 150/160 F.
📶 CB VISA E

LACAPELLE VIESCAMP
15150 Cantal
400 hab.

⌂⌂ DU LAC ★★
Mme Teulière
☎ 71 46 31 57 FAX 71 46 31 64
📞 23 ◻ 250/280 F. 🍴 80/145 F.
🛏 35 F. 🍴 260/280 F. 🍽 220/240 F.
E 🖵 🕿 🚗 📶 🕆 🔨 🔨 🚹 CV 📶 📶
CB VISA E C 🖮

LACAUNE
81230 Tarn
800 m. • 3500 hab. 🛈

⌂ CALAS LE GLACIER ★★
4, place de la Vierge. M. Calas
☎ 63 37 03 28 FAX 63 37 09 19
📞 18 ◻ 160/300 F. 🍴 70/250 F.
🛏 50 F. 🍴 185/280 F. 🍽 165/230 F.
⊠ 23 déc./15 janv., ven. 16 h/sam. 16 h
oct./1er mars.
E 🖵 🕿 🕆 🔨 🔨 CV 📶 📶 CB VISA AE
⊙ E

⌂⌂⌂ CENTRAL HOTEL FUSIES ★★★
2, rue de la République. M. Fusies
☎ 63 37 02 03 FAX 63 37 10 98
📞 48 ◻ 260/320 F. 🍴 80/280 F.
🛏 65 F. 🍴 300/360 F. 🍽 250/290 F.
⊠ 20 déc./20 janv.
E SP 🖵 🕿 🚗 🚗 🕆 🔨 🔨 CV
📶 📶 CB VISA AE ⊙ E C 🖮

LACAVE
46200 Lot
300 hab.

⌂⌂⌂ LE PONT DE L'OUYSSE ★★★
M. Chambon
☎ 65 37 87 04 FAX 65 32 77 41
📞 13 ◻ 350/700 F. 🍴 150/500 F.
🛏 60 F. 🍽 600 F.
⊠ janv. et fév., lun. midi, lun. soir hs.
E 🖵 🕿 🚗 📶 🕆 🔨 CB VISA AE
⊙ E

LACROUZETTE
81210 Tarn
620 m. • 2000 hab. 🛈

⌂⌂ LE RELAIS DU SIDOBRE ★★
8, route de Vabre. Mme King
☎ 63 50 60 06
📞 9 ◻ 180 F. 🍴 80/230 F. 🛏 40 F.
🍴 245/275 F. 🍽 190/220 F.
E 🕿 🕆 CV 📶 📶 CB VISA

LADOIX SERRIGNY
21550 Côte d'Or
1310 hab.

⌂⌂ LA GREMELLE ★★
Sur N. 74. M. Donno
☎ 80 26 40 56 FAX 80 26 48 23
📞 22 ◻ 250/300 F. 🍴 85/250 F.
🛏 50 F. 🍽 300 F.
⊠ 15 déc./15 fév.
E 🛈 🖵 🕿 🚗 🕆 📶 🔨 🔨 CV 📶 📶
CB VISA AE ⊙ E

LAFFREY
38220 Isère
910 m. • 200 hab. 🛈

⌂⌂ DU GRAND LAC ★
(La Plage). M. Martin ☎ 76 73 12 90
📞 25 ◻ 200/290 F. 🍴 110/180 F.
🛏 60 F. 🍴 300/340 F. 🍽 230/270 F.
⊠ 14 oct./14 nov. Rest. mi-sept/mi-mai.
E 🕿 🚗 🕆 🔨 CV 📶 📶 CB VISA E

235

LAFFREY (suite)

♦ DU PARC
M. Melmoux ☎ 76 73 12 98
🛏 11 ⊗ 125/165 F. 🍽 70/135 F.
🅿 40 F. 🍴 220 F. 🛎 170 F.
⊠ oct. et mer. oct./avr.
⬜🚗🍴🔧🌲 CB🆅🆑 AE E

LAFRANCAISE
82130 Tarn et Garonne
2630 hab. 🛈

♦♦ AU FIN GOURMET ET BELVEDERE ★★
16, rue Mary Lafon. M. Me Paoletti
☎ 63 65 89 55
🛏 7 ⊗ 175/220 F. 🍽 58/160 F. 🅿 45 F.
🍴 205/225 F. 🛎 150/170 F.
⊠ vac. scol. Toussaint.
⬜🛈⬜🖐🚗🚙 CV 🎱 CB🆅🆑 AE E

LAGARDE ENVAL
19150 Corrèze
576 hab.

♦♦ LE CENTRAL ★★
M. Mestre ☎ 55 27 16 12 🆗 55 27 31 85
🛏 7 ⊗ 180/220 F. 🍽 75/150 F. 🅿 50 F.
🍴 280 F. 🛎 250 F.
⊠ sept. et lun. sauf juil./août.
⬜🚗🍴🎿🎱🖐 CB🆅🆑 ⓞ

LAGARRIGUE
81090 Tarn
1695 hab.

♦♦ LE RELAIS DE LA MONTAGNE NOIRE ᵉᶜ
29, av. de Castres. M. Tisseyre
☎ 63 35 52 00 🆗 63 35 25 59
🛏 30 ⊗ 330/450 F. 🍽 78/220 F.
🅿 48 F. 🛎 240 F.
⬜ SP ⬜🚗🚙🍴🖐🌲🎿🚿 CV
🎱🖐 CB🆅🆑 AE E 📷

LAGNY LE SEC
60330 Oise
1750 hab.

♦ A LA BONNE RENCONTRE ★★
Sur N. 2. M. Gonzalo
☎ 44 60 50 08
🛏 9 ⊗ 200 F. 🍽 110/220 F. 🅿 60 F.
🛎 250/295 F.
⊠ 14/28 fév., 18 juil./9 août, lun. soir et mar.
⬜🛈⬜🚗🍴 CB🆅🆑 E

LAGRASSE
11220 Aude
710 hab. 🛈

♦ AUBERGE SAINT HUBERT
9, av. de la Promenade. M. Guidon
☎ 68 43 15 22
🛏 7 ⊗ 120/250 F. 🍽 66/135 F. 🅿 35 F.
🍴 275 F. 🛎 198 F.
⊠ 31 oct./15 mars.
⬜🛈 D ⬜🎱🖐 CB🆅🆑 E

LAGUIOLE
12210 Aveyron
1000 m. • 1300 hab. 🛈

♦♦ BROUZES ★
17, allée de l'Amicale. Mme Brouzes
☎ 65 44 32 13

🛏 19 ⊗ 175/250 F. 🍽 55/110 F.
🅿 55 F. 🍴 224/270 F. 🛎 160/210 F.
⊠ 1er/20 janv.
⬜🚗🚙🖐🍴🔧 CV 🎱 CB🆅🆑 AE
ⓞ E

♦♦ GRAND HOTEL AUGUY ★★
2, allée de l'Amicale.
Mme Muylaert-Auguy
☎ 65 44 31 11 🆗 65 51 50 81
🛏 25 ⊗ 195/310 F. 🍽 110/270 F.
🅿 55 F. 🍴 270/330 F. 🛎 210/270 F.
⊠ 15 nov./15 fév., 11/17 juin, dim. soir et mer.
⬜🛈 D ⬜🚗🚙🍴🖐🎿🚿🔧 CV 🎱
🖐 CB🆅🆑 E

♦♦ REGIS ★★
Place de la Patte d'Oie. M. Vaurs
☎ 65 44 30 05 🆗 65 48 46 44
🛏 23 ⊗ 150/300 F. 🍽 78/131 F.
🅿 59 F. 🍴 210/280 F. 🛎 160/226 F.
⊠ 1/15 déc., 20/30 janv., dim. soir et lundi hors vac. scol., mai, juin et sept.
⬜ SP ⬜🚗🚙🍴🖐🎿🔧 CV 🎱🖐
CB🆅🆑 E

LAILLY EN VAL
45740 Loiret
1600 hab.

♦♦ AUBERGE DES 3 CHEMINEES ★★
Route de Blois, D. 951. Mme Meuret
☎ 38 44 74 20
🛏 12 ⊗ 130/290 F. 🍽 95/250 F.
🅿 50 F. 🍴 265/345 F. 🛎 175/255 F.
⊠ 15 nov./15 mars, dim. soir et lun. sauf juin/fin sept.
⬜ SP ⬜🚗🚙🍴🎿🎱🖐 CB🆅🆑 E

LAISSAC
12310 Aveyron
600 m. • 1500 hab. 🛈

♦ CAZES ★
Mme Cazes ☎ 65 69 60 25
🛏 13 ⊗ 120/180 F. 🍽 65/125 F.
🅿 50 F. 🍴 195/220 F. 🛎 180 F.
⊠ semaine Noël/jour de l'An.
⬜ ◌ CV 🖐 CB🆅🆑 E

LAITRE SOUS AMANCE
54770 Meurthe et Moselle
220 hab.

♦ CHAPON DORE
23, rue Sophie-de-Bar. Mme Xolin
☎ 83 31 10 19
🛏 5 ⊗ 110 F. 🍽 95/160 F. 🅿 45 F.
🍴 200 F. 🛎 160 F.
⊠ fév., dim. soir et lun.
⬜🍴🔧🎱🖐 CB🆅🆑 ⓞ E

LAJOUX
39310 Jura
1182 m. • 200 hab.

♦♦ DE LA HAUTE-MONTAGNE ★★
M. Mermet
☎ 84 41 20 47 🆗 84 41 24 20
🛏 23 ⊗ 120/202 F. 🍽 73/142 F.
🅿 40 F. 🍴 200/250 F. 🛎 158/208 F.
⊠ 4 avr./4 mai et 1er oct./15 déc.
⬜🛈⬜🚗🍴🎱🖐 CB🆅🆑 E

LALACELLE
61320 Orne
300 hab. 🛈

▲▲ LA LENTILLERE ★★
Mme Martin
☎ 33 27 38 48 ⅢⅩ 33 27 38 30
🛏 7 ⊠ 160/240 F. ⏹ 78/210 F. 🍴 48 F.
⏹ 250/290 F. 🍽 195/235 F.
⊠ 6 janv./8 fév., dim. soir et lun.
▯▯▯▯▯▯▯▯▯▯▯
CB🆅🆂🅰 AE ⦿ E

LALAYE
67220 Bas Rhin
350 hab.

▲ DES SAPINS
Sur N. 19. M. Adrian ☎ 88 57 13 10
🛏 6 ⊠ 130/180 F. ⏹ 55/160 F. 🍴 65 F.
⏹ 250 F. 🍽 200 F.
⊠ lun.
▯▯▯▯▯▯ CB🆅🆂🅰 ⦿ E

LALINDE
24150 Dordogne
3000 hab. 🛈

▲▲▲ DU CHATEAU ★★★
1, rue de la Tour. M. Gensou
☎ 53 61 01 82 ⅢⅩ 53 24 74 60
🛏 7 ⊠ 350/850 F. ⏹ 160/230 F.
🍴 98 F. 🍽 410/650 F.
⊠ 1er déc./1er mars, et ven.,
(juil./août ven. midi).
▯▯▯▯▯▯▯ CB🆅🆂🅰 E

▲ DU PERIGORD ★★
1, place du 14 Juillet. M. Amagat
☎ 53 61 19 86 ⅢⅩ 53 61 27 49
🛏 16 ⊠ 200/350 F. ⏹ 70/200 F.
🍴 45 F. ⏹ 260/330 F. 🍽 220/280 F.
⊠ 15 jours déc., ven. soir et dim. soir.
▯▯▯▯▯▯▯ CB🆅🆂🅰 AE
⦿ E

▲▲▲ LA FORGE ★★
Place Victor Hugo. M. Gouzot
☎ 53 24 92 24 ⅢⅩ 53 58 68 51
🛏 21 ⊠ 245/330 F. ⏹ 75/280 F.
🍴 50 F. 🍽 290/340 F.
⊠ Noël, janv., lun. hs et dim. soir
oct./Rameaux.
▯▯▯▯▯▯▯▯▯▯▯
CB🆅🆂🅰 AE ⦿ E

LALIZOLLE
03450 Allier
620 m. • 375 hab.

▲▲ LA CROIX DES BOIS ★★
Route de Bellenaves. Sur D. 987.
M. Gauriault ☎ 70 90 41 55
🛏 7 ⊠ 120/220 F. ⏹ 57/140 F. 🍴 40 F.
⏹ 240/270 F. 🍽 190/220 F.
▯▯▯▯▯▯▯▯▯▯▯▯
CB🆅🆂🅰 ▪

LALLEY
38930 Isère
842 m. • 257 hab.

▲ LA PERGOLA ★★
Mme Fierry-Fraillon ☎ 76 34 70 27

🛏 11 ⊠ 220 F. ⏹ 80/160 F. 🍴 55 F.
⏹ 270 F. 🍽 220 F.
⊠ 20 déc./7 avr.
▯▯▯▯▯ CB🆅🆂🅰 E

LALOUVESC
07520 Ardèche
1050 m. • 500 hab. 🛈

▲ DE LA POSTE ★
M. Deygas ☎ 75 67 82 84
🛏 12 ⊠ 160/220 F. ⏹ 65/160 F.
🍴 45 F. ⏹ 210/230 F. 🍽 200 F.
⊠ 1er déc./15 janv. et mer. après-midi
nov./avr.
▯▯▯▯ CB🆅🆂🅰 E

▲▲ RELAIS DU MONARQUE ★★
Mme Moutard-Solnon ☎ 75 67 80 44
🛏 20 ⊠ 190/300 F. ⏹ 85/170 F.
🍴 50 F. ⏹ 300/400 F. 🍽 220/320 F.
⊠ 1er oct./Pentecôte.
▯▯▯▯▯▯▯▯ CB🆅🆂🅰 AE ⦿ E

LAMALOU LES BAINS
34240 Hérault
3000 hab. 🛈

▲▲ DE LA PAIX ★★★
Rue Alphonse Daudet. M. Bitsch
☎ 67 95 63 11 ⅢⅩ 67 95 67 78
🛏 31 ⊠ 200/280 F. ⏹ 75/200 F.
🍴 45 F. ⏹ 230/260 F. 🍽 200/230 F.
⊠ 15 nov./28 fév.
▯▯▯▯▯▯▯▯▯▯
▯ CB🆅🆂🅰 AE ⦿ E

▲ DU COMMERCE ★
M. Vidal ☎ 67 95 63 14
🛏 24 ⊠ 100/160 F. ⏹ 51 F. 🍴 35 F.
⏹ 100/190 F.
▯▯▯▯ CB🆅🆂🅰 E

▲▲▲ HOTEL MAS ★★
Av. Charcot. M. Bitsch
☎ 67 95 62 22 ⅢⅩ 67 95 67 78
🛏 37 ⊠ 150/230 F. ⏹ 75/220 F.
🍴 45 F. ⏹ 220/260 F. 🍽 200/230 F.
▯▯▯▯▯▯▯▯▯▯▯
CB🆅🆂🅰 AE ⦿ E ▪

LAMARCHE SUR SAONE
21760 Côte d'Or
1500 hab.

▲▲▲ HOSTELLERIE LE SAINT-ANTOINE ★★
Route de Vonges. M. Jagla
☎ 80 47 11 33 ⅢⅩ 80 47 13 56
🛏 12 ⊠ 285/300 F. ⏹ 85/280 F.
🍴 55 F. ⏹ 330/350 F. 🍽 285/310 F.
⊠ 15 déc./30 déc.
▯▯▯▯▯▯▯▯▯▯▯
▯▯▯ CB🆅🆂🅰 AE E ▪

LAMASTRE
07270 Ardèche
500 m. • 2800 hab. 🛈

▲▲▲ CHATEAU D'URBILHAC ★★★
Route de Vernoux. M. Me Xonpero
☎ 75 06 42 11 ⅢⅩ 75 06 52 75
🛏 12 ⊠ 500/650 F. ⏹ 200 F.
🍽 500/575 F.
▯▯▯▯▯▯▯▯▯▯ CB🆅🆂🅰
AE ⦿ E

LAMASTRE (suite)

⚿ DES NEGOCIANTS ★
M. Lopez
☎ 75 06 41 34 ⁍ 75 06 32 58
🛏 18 ⌧ 125/260 F. ⅋ 68/160 F.
🍴 50 F. ⅋ 180/260 F. ⅋ 150/220 F.
⌧ 15 nov./31 déc. et lun. oct./nov.
🅱 Ⓓ ⬚ ⬚ ⬚ 🍴 CV ⬚ CB𝖵𝖨𝖲𝖠 AE
Ⓜ E

⚿⚿⚿ GRAND HOTEL DU COMMERCE ★★
Place Rampon. M. Ranc
☎ 75 06 41 53 ⁍ 75 06 33 48
🛏 23 ⌧ 185/295 F. ⅋ 82/280 F.
🍴 50 F. ⅋ 255/355 F. ⅋ 198/295 F.
⌧ 10 oct./15 mars.
🅱 ⬚ ⬚ ⬚ ⬚ 🍴 ⬚ CV ⬚ CB𝖵𝖨𝖲𝖠 Ⓜ E

LAMBALLE
22400 Côtes d'Armor
11000 hab. 🛈

⚿⚿ D'ANGLETERRE ★★★
29, bld Jobert. M. Toublanc
☎ 96 31 00 16 ⁍ 96 31 91 54
🛏 20 ⌧ 280/320 F. ⅋ 82/260 F.
🍴 50 F. ⅋ 260 F.
⌧ 28 fév./15 mars, rest. dim. soir et lun.
🅱 SP ⬚ ⬚ ⬚ ⬚ ⬚ 🅼 CV ⬚ ⬚
CB𝖵𝖨𝖲𝖠 AE Ⓜ E ⬚

⚿⚿ LA TOUR D'ARGENT ★★
2, rue Docteur Lavergne. M. Mounier
☎ 96 31 01 37 ⁍ 96 31 37 59
🛏 31 ⌧ 180/360 F. ⅋ 80/190 F.
🍴 52 F. ⅋ 280/350 F. ⅋ 210/260 F.
⌧ sam. nov./fin mars.
🅱 ⬚ ⬚ ⬚ ⬚ 🍴 ⬚ CV ⬚ ⬚ CB𝖵𝖨𝖲𝖠
AE Ⓜ E

LAMOTTE BEUVRON
41600 Loir et Cher
4500 hab. 🛈

⚿⚿ LE MONARQUE ★
96, av. de l'Hôtel de Ville. M. Roux
☎ 54 88 04 47
🛏 12 ⌧ 150/260 F. ⅋ 68/148 F.
🍴 36 F. ⅋ 292/312 F. ⅋ 224/244 F.
⌧ mer.
🅱 SP ⬚ 🅼 🍴 ⬚ ⬚ ⬚ CB𝖵𝖨𝖲𝖠 E

⚿⚿ TATIN ★★
5, av. de Vierzon. M. Caille
☎ 54 88 00 03 ⁍ 54 88 96 73
🛏 14 ⌧ 280/450 F. ⅋ 130/250 F.
🍴 55 F. ⅋ 290/320 F.
⌧ 12 janv./20 fév., dim. soir et lun.
🅱 ⬚ ⬚ ⬚ ⬚ 🅼 🍴 🍴 ⬚ ⬚ CB𝖵𝖨𝖲𝖠
AE Ⓜ E

LAMOTTE BEUVRON (LE RABOT)
41600 Loir et Cher
1250 hab.

⚿⚿ MOTEL DES BRUYERES ★★
(Le Rabot). M. Marot
☎ 54 88 05 70 ⁍ 54 88 98 21
🛏 46 ⌧ 186/308 F. ⅋ 89/189 F.
🍴 45 F. ⅋ 230/293 F.
⌧ 24 déc./4 janv.
🅱 Ⓓ ⬚ ⬚ ⬚ 🍴 ⬚ ⬚ ⬚ ⬚ ⬚
CB𝖵𝖨𝖲𝖠 Ⓜ E

LAMOURA
39310 Jura
1150 m. • 350 hab. 🛈

⚿ GIROD
M. Crétin
☎ 84 41 21 56 ⁍ 84 41 24 40
🛏 15 ⌧ 130/220 F. ⅋ 90/115 F.
🍴 38 F. ⅋ 210/240 F. ⅋ 170/200 F.
⌧ 1ère quinzaine mai/1ère quinzaine
sept., ven. soir et sam. hs.
🅱 Ⓓ ⬚ ⬚ ⬚ CV ⬚ ⬚ CB𝖵𝖨𝖲𝖠 AE E

⚿⚿ LA SPATULE ★★
Mme Ferreux
☎ 84 41 20 23 ⁍ 84 41 24 16
🛏 25 ⌧ 210/280 F. ⅋ 70/142 F.
🍴 35 F. ⅋ 240/265 F. ⅋ 200/225 F.
⌧ 5 avr./30 mai, début oct./mi-déc.
et mer. hs.
⬚ ⬚ ⬚ 🍴 ⬚ ⬚ ⬚ CV ⬚ ⬚ CB𝖵𝖨𝖲𝖠
E Ⓒ ⬚

LAMPAUL GUIMILIAU
29400 Finistère
2200 hab. 🛈

⚿⚿ DE L'ENCLOS ★★
Mme Caucino
☎ 98 68 77 08 ⁍ 98 68 61 06
🛏 36 ⌧ 255 F. ⅋ 68/195 F. 🍴 42 F.
⅋ 306 F. ⅋ 244 F.
⌧ ven. soir, sam. midi et dim. soir
1er nov./31 mars.
🅱 ⬚ ⬚ ⬚ 🍴 ⬚ CV ⬚ ⬚ CB𝖵𝖨𝖲𝖠 AE
Ⓜ E ⬚

LAMURE SUR AZERGUES
69870 Rhône
1051 hab. 🛈

⚿ RAVEL ★
M. Gely
☎ 74 03 04 72
🛏 10 ⌧ 140/255 F. ⅋ 85/255 F.
⅋ 240/275 F. ⅋ 195/235 F.
⌧ nov. et ven. 1er oct./30 avr.
⬚ ⬚ ⬚ ⬚ ⬚ CB𝖵𝖨𝖲𝖠 E

LANARCE
07660 Ardèche
1200 m. • 400 hab.

⚿⚿ DES SAPINS ★★
M. Ollier
☎ 66 69 46 08
🛏 14 ⌧ 110/230 F. ⅋ 68/180 F.
🍴 34 F. ⅋ 200/240 F. ⅋ 160/200 F.
⌧ 12 nov./20 déc. et dim. soir
15 sept./15 juin.
🅱 ⬚ ⬚ ⬚ ⬚ 🅼 CV ⬚ CB𝖵𝖨𝖲𝖠 AE
Ⓜ E ⬚

⚿⚿ LE PROVENCE ★★
Mme Philippot
☎ 66 69 46 06 ⁍ 66 69 41 56
🛏 15 ⌧ 145/250 F. ⅋ 65/160 F.
🍴 40 F. ⅋ 210/240 F. ⅋ 170/200 F.
⌧ 30 nov./1er avr.
🅱 ⬚ ⬚ ⬚ ⬚ 🅼 🍴 🍴 ⬚ CV ⬚
CB𝖵𝖨𝖲𝖠 E ⬚

LANDERNEAU
29800 Finistère
16000 hab. *i*

▲▲▲ LE CLOS DU PONTIC ★★
Rue du Pontic. M. Saout
☎ 98 21 50 91 FAX 98 21 34 33
🛏 32 ◈ 300/340 F. 🍴 160/230 F.
🍽 80 F. 🍴 345/360 F. 🛏 260/275 F.
E D SP 🛏 ☎ 🚗 ⊠ ⛵ ♿ 🐕 CV 🎱 🌐
CB VISA E 📷

LANDEVANT
56690 Morbihan
2000 hab.

▲ AU VIEUX CHENE ★★
(A Kerhaut). M. Bouteloup
☎ 97 56 90 01
🛏 7 ◈ 140/220 F. 🍴 70/230 F. 🍽 50 F.
🍴 365/445 F. 🛏 265/345 F.
⊠ 2/25 fév., mar. soir et mer.
🐕 ♿ 🐾 CV 🎱 🌐 CB VISA E

LANDEYRAT
15160 Cantal
1100 m. • 110 hab.

▲ HOSTELLERIE DE LA CALECHE ★
M. Gandilhon
☎ 71 20 40 61 \ 78 60 95 07
FAX 71 20 40 61
🛏 7 ◈ 143/213 F. 🍴 60/120 F. 🍽 45 F.
🛏 190 F.
E ☎ 🚗 ⊠ 🐕 🔪 ⚓ 🏃 ♿ ▶ CV
🌐 CB VISA E

LANDIVISIAU
29230 Finistère
9000 hab. *i*

▲ DE L'AVENUE ★
Place du Champ de Foire. M. Guillerm
☎ 98 68 11 67
🛏 23 ◈ 120/220 F. 🍴 68 F. 🍽 40 F.
🛏 155/190 F.
⊠ 1ère semaine juil., 2ème quinzaine
oct., 25 déc./4 janv., ven. soir, sam. soir
et dim. soir nov./Pâques.
🚗 ☎ 🚗 CV CB VISA E 📷

LANEUVEVILLE DEVANT NANCY
54410 Meurthe et Moselle
5120 hab.

▲ STANISLAS ★
67, rue Patton. M. Baumgarten
☎ 83 51 23 85 FAX 83 56 65 42
🛏 14 ◈ 150/195 F. 🍴 59/110 F.
🍽 45 F. 🍴 195/270 F. 🛏 175/245 F.
E D 🚗 ☎ 🚗 🚗 CV CB VISA AE ● E 📷

LANGEAC
43300 Haute Loire
4733 hab. *i*

▲▲ VAL D'ALLIER ★★
(A Reilhac 2 km). M. Velay
☎ 71 77 02 11 FAX 71 77 19 20
🛏 22 ◈ 280/320 F. 🍴 105/250 F.
🍽 60 F. 🍴 310/330 F. 🛏 260/280 F.
⊠ 15 déc./15 mars.
E 🚗 ☎ 🚗 ⊠ ♿ 🎱 🌐 CB VISA E 📷

LANGEAIS
37130 Indre et Loire
4000 hab. *i*

▲▲ LA DUCHESSE ANNE ★★
10, route de Tours. M. Billi
☎ 47 96 82 03 FAX 47 96 68 60
🛏 15 ◈ 220/295 F. 🍴 65/198 F.
🍽 48 F. 🍴 325 F. 🛏 260 F.
⊠ 20/26 déc., vac. scol. fév., dim. soir
et mer. hs.
E 🚗 ☎ 🚗 🚗 🐕 ♿ CV 🎱 🌐 CB VISA
E 📷

LANGOGNE
48300 Lozère
913 m. • 4500 hab. *i*

▲ BEL AIR ★★
M. Delenne ☎ 66 69 01 08
🛏 11 ◈ 120/180 F. 🍴 55/130 F.
🍽 45 F. 🍴 190/240 F. 🛏 150/190 F.
E 🚗 ☎ 🚗 🐕 🏃 CV 🎱 🌐 CB VISA AE ● E

LANGRES
52200 Haute Marne
11000 hab. *i*

▲▲ AUBERGE DES VOILIERS ★★
(Lac de la Liez). M. Bourrier
☎ 25 87 05 74 FAX 25 87 24 22
🛏 8 ◈ 200/280 F. 🍴 75/240 F. 🍽 40 F.
🍴 280/300 F. 🛏 210/270 F.
⊠ 1er fév./15 mars et lun., dim. soir
1er oct./Pâques.
E D 🚗 ☎ 🚗 🚗 🏃 ⛵ 🌐 CV 🎱 🌐
CB VISA E

▲▲▲ GRAND HOTEL DE L'EUROPE ★★
23-25, rue Diderot. M. Jossinet
☎ 25 87 10 88 FAX 25 87 60 65
🛏 28 ◈ 225/275 F. 🍴 70/190 F.
🛏 205/225 F.
⊠ 8/22 mai, 2/24 oct., dim. soir et lun.
midi, lun. soir oct./mai.
E D 🚗 ☎ 🚗 🚗 🌐 CB VISA AE
● E

▲▲▲ LE CHEVAL BLANC ★★
4, rue de l'Estres. M. Caron
☎ 25 87 07 00 FAX 25 87 23 13
🛏 17 ◈ 270/360 F. 🍴 100/230 F.
🍽 60 F. 🛏 265/320 F.
⊠ janv., mar. 16h/mer. 16h, rest. mar.
soir et mer. hs.
E D 🚗 ☎ 🚗 🐕 🌐 CB VISA E

▲ LES MOULINS
5, place des Etats-Unis. Mme Lebreton
☎ 25 87 08 12 FAX 25 87 17 27
🛏 11 ◈ 140/165 F. 🍴 66/130 F.
🍽 58 F.
⊠ dim. oct./fin janv.
E ☎ 🌐 CB VISA AE ● E

LANGRUNE SUR MER
14830 Calvados
1300 hab. *i*

▲▲ DE LA MER ★
Bld Aristide Briand. Mlle Leplanquois
☎ 31 96 03 37 FAX 31 97 57 94
🛏 11 ◈ 155/250 F. 🍴 58/245 F.
🍽 40 F. 🍴 300/330 F. 🛏 230/260 F.
E 🚗 ☎ 🏃 CV 🎱 🌐 CB VISA AE ● E

LANNE
64570 Pyrénées Atlantiques
542 hab.

▲▲ LACASSIE *
Mme Lacassie ☎ 59 34 62 05
🛏 8 ⌧ 210 F. 🍴 72/138 F. 🍽 38 F.
⌧ lun.
[SP] 🚗 🅿 👶 ▮▮ ● CB📧 E

LANNION
22300 Côtes d'Armor
20000 hab. ℹ

▲▲ DE BRETAGNE ᵉᶜ
32, av. Général de Gaulle.
M. Le Toumelin
☎ 96 37 00 33 🅵🅰🅇 96 37 46 25
🛏 28 ⌧ 210/280 F. 🍴 60/250 F.
🍽 45 F. 🍴 250/270 F. 🍽 195/205 F.
⌧ 22 déc./4 janv., sam. et dim. soir hs.
[E] ℹ 🏠 🅿 🚗 👶 CV ● CB📧 🅰🅴 ⓪
E C 🖥

LANOBRE
15270 Cantal
670 m. • 1800 hab.

▲▲ LA VILLA DE VAL **
M. Moulin ☎ 71 40 33 40 🅵🅰🅇 71 40 36 14
🛏 13 ⌧ 200/280 F. 🍴 65/180 F.
🍽 38 F. 🍴 250/260 F. 🍽 230/240 F.
[E] ℹ 🏠 🅿 🚗 🏊 🎣 ⏲ 👶 CV ▮▮ ●
CB📧 E

LANS EN VERCORS
38250 Isère
1500 hab. ℹ

▲▲▲ DU COL DE L'ARC **
M. Mayousse
☎ 76 95 40 08 🅵🅰🅇 76 95 41 25
🛏 25 ⌧ 250/320 F. 🍴 75/180 F. –
🍽 55 F. 🍴 320/350 F. 🍽 260/290 F.
[E] ℹ 🏠 🅿 🚗 🏊 ⛷ 🎣 CV ▮▮ ●
CB📧 🅰🅴 ⓪ E 🖥

▲ LA SOURCE **
Lieu-dit Bouilly. M. Leroux ☎ 76 95 42 52
🛏 18 ⌧ 210/250 F. 🍴 85/135 F.
🍽 40 F. 🍴 295/305 F. 🍽 220/235 F.
⌧ 15 oct./15 nov., dim. soir, lun.
avr./juin et sept., oct., déc.
🏠 🅿 🎣 CV ▮▮ ● CB📧 E

LANSLEBOURG
73480 Savoie
1400 m. • 570 hab. ℹ

▲▲▲ ALPAZUR ***
(Val Cenis). M. Jorcin
☎ 79 05 93 69 🅵🅰🅇 79 05 81 96
🛏 21 ⌧ 290/430 F. 🍴 98/330 F.
🍽 60 F. 🍴 346/463 F. 🍽 289/393 F.
⌧ 20 avr./1er juin et 20 sept./20 déc.
[E] ℹ 🏠 🅿 🚗 🅿 T CV ▮▮ ● CB📧
🅰🅴 ⓪ E

▲ DE LA VIEILLE POSTE **
Mme Dimier ☎ 79 05 93 47
🛏 18 ⌧ 260 F. 🍴 70/130 F. 🍽 45 F.
🍴 310 F. 🍽 260 F.
⌧ 1er nov./25 déc. et 15 avr./15 mai.
[E] ℹ 🏠 🅿 🚗 🅿 CV ▮▮ ● CB📧
🅰🅴 ⓪ E

▲▲ LES MARMOTTES *
Grande Rue. M. Boch
☎ 79 05 93 67 🅵🅰🅇 79 05 84 94
🛏 20 ⌧ 160/270 F. 🍴 78/150 F.
🍽 42 F. 🍴 250/320 F. 🍽 195/240 F.
⌧ 15 avr./15 juin et 25 sept./20 déc.
[E] ℹ 🏠 🅿 CV ● CB📧 E

▲ RELAIS DES ALPES
MM. Burdin
☎ 79 05 90 26
🛏 18 ⌧ 170/240 F. 🍴 60/130 F.
🍽 39 F. 🍴 240/300 F. 🍽 190/250 F.
⌧ 1er mai/15 juin et 1er oct./20 déc.
[E] ℹ 🏠 🅿 🅿 CV ● CB📧 E

▲▲ RELAIS DES DEUX COLS **
M. Gagnière
☎ 79 05 92 83 🅵🅰🅇 79 05 83 74
🛏 28 ⌧ 240/280 F. 🍴 75/180 F.
🍽 45 F. 🍴 280/350 F. 🍽 230/300 F.
⌧ 2 nov./20 déc.
[E] [D] ℹ 🏠 🅿 🅿 🚗 🅿 🅿 ▮▮ ●
CB📧 🅰🅴 ⓪ E

LANSLEVILLARD
73480 Savoie
1480 m. • 410 hab. ℹ

▲▲ LE GRAND SIGNAL **
M. Clert
☎ 79 05 91 24 🅵🅰🅇 79 05 82 84
🛏 18 ⌧ 200/250 F. 🍴 85/150 F.
🍽 42 F. 🍴 260/350 F. 🍽 230/310 F.
⌧ 4 avr./19 juin et 11 sept./18 déc.
[E] ℹ 🏠 🅿 🚗 🅿 🅿 🎣 ● CB📧 E

▲▲ LES MELEZES **
(La Mathia). M. De Simone
☎ 79 05 93 82
🛏 16 ⌧ 224/303 F. 🍴 85/140 F.
🍴 301/380 F. 🍽 256/310 F.
⌧ 8 sept./20 déc. et 25 avr./25 juin.
[E] ℹ 🏠 🅿 🅿 T

LANTEUIL
19190 Corrèze
430 hab.

▲ LE RELAIS D'AUVERGNE *
Mme Ardailloux
☎ 55 85 51 08
🛏 7 ⌧ 110/210 F. 🍴 65/150 F. 🍽 50 F.
🍴 210/250 F. 🍽 170/200 F.
🏠 🅿 👶 ●

LANTOSQUE
06450 Alpes Maritimes
700 hab.

▲▲▲ HOSTELLERIE DE L'ANCIENNE
GENDARMERIE ***
(Le Rivet). M. Winther
☎ 93 03 00 65 🅵🅰🅇 93 03 06 31
🛏 8 ⌧ 350/710 F. 🍴 165/285 F.
🍽 85 F. 🍽 385/565 F.
⌧ 8 nov./23 déc. et lun. sauf juil/août.
[E] [D] [SP] ℹ 🏠 🅿 🅿 🚗 🅿 🅿 👶
▮▮ ● CB📧 🅰🅴 ⓪ E

LANVOLLON
22290 Côtes d'Armor
1483 hab. 🛈

🔺🔺🔺 LUCOTEL ★★
34, rue des Fontaines. M. Landel
☎ 96 70 01 17 🏧 96 70 08 84
🛏 20 ⬡ 190/320 F. 🍴 68/220 F.
🍴 41 F. 🍽 320/350 F. 🍷 250/280 F.
[icons]
[icons] CB🆚 E C 📷

LAPALISSE
03120 Allier
3775 hab. 🛈

🔺🔺 DU BOURBONNAIS ★
1, place du 14 Juillet. M. Pinet
☎ 70 99 04 11
🛏 11 ⬡ 120/250 F. 🍴 70/220 F.
🍴 45 F.
⊠ 15/28 fév. et lun.
[icons] CB🆚 E

🔺🔺🔺 GALLAND ★★
20, place de la République. M. Duparc
☎ 70 99 07 21
🛏 8 ⬡ 240/340 F. 🍴 110/260 F.
🍴 75 F.
⊠ 15 fév./5 mars et mer.
[icons] CB🆚 E

LAPOUTROIE
68650 Haut Rhin
630 m. • 2000 hab. 🛈

🔺 A L'OREE DU BOIS ★★
(Nº 6 - Faudé). Mme Marchand
☎ 89 47 50 30 🏧 89 47 24 02
🛏 8 ⬡ 200/250 F. 🍴 78/115 F. 🍴 45 F.
🍽 260/285 F. 🍷 190/215 F.
⊠ 14 nov./16 déc.
[icons]
CB🆚 AE ⊙ E C 📷

🔺 DU BOUTON D'OR ★★
31, Bermont. M. Pierrevelcin
☎ 89 47 50 95
🛏 12 ⬡ 230/250 F. 🍴 70/150 F.
🍴 50 F. 🍷 240 F.
⊠ 12/24 nov., 2 janv./5 fév. et mer.
[icons] CB🆚 E

🔺🔺🔺 DU FAUDE ★★★
M. Baldinger
☎ 89 47 50 35 🏧 89 47 24 82
🛏 25 ⬡ 300/400 F. 🍴 75/380 F.
🍴 45 F. 🍷 280/350 F.
⊠ mi-nov./début déc. et mi-mars/fin
mars.
[icons]
[icons] CB🆚 AE ⊙ E 📷

LAQUEUILLE
63820 Puy de Dôme
1030 m. • 501 hab. 🛈

🔺 DE LA POSTE
Mme Gallerand
☎ 73 22 00 78
🛏 8 ⬡ 145/165 F. 🍴 75/105 F. 🍴 45 F.
🍽 190/220 F. 🍷 160/180 F.
⊠ 23 déc./31 janv. et dim. soir hs.
[icons] CB🆚 AE E

LAQUEUILLE GARE
63820 Puy de Dôme
1000 m. • 580 hab.

🔺🔺 LE COMMERCE ★★
Sur D. 82. M. Cheyvialle
☎ 73 22 00 03 🏧 73 22 06 14
🛏 11 ⬡ 200/260 F. 🍴 95/170 F.
🍴 55 F. 🍽 280/310 F. 🍷 210/240 F.
⊠ oct. et dim. soir sauf juil./août.
[icons] CB🆚 E

🔺🔺 LES CLARINES ★★★
Sur D. 82. Mme Bertrand
☎ 73 22 00 43
🛏 12 ⬡ 250/320 F. 🍴 75/160 F.
🍴 56 F. 🍽 310/327 F. 🍷 235/252 F.
⊠ 15 nov./2 fév., rest. dim. soir et lun.
[icons]
CB🆚 AE ⊙ E

LARAGNE
05300 Hautes Alpes
4000 hab. 🛈

🔺 LES TERRASSES ★★
Mme Pellissier
☎ 92 65 08 54
🛏 15 ⬡ 230/280 F. 🍴 95/140 F.
🍴 55 F. 🍷 240/260 F.
⊠ 1er nov./1er avr., rest. fermé midi.
[icons] CB🆚
AE E

LARCEVEAU ARROS CIBITS
64120 Pyrénées Atlantiques
404 hab.

🔺🔺 DU TRINQUET ★★
Mme Olharan
☎ 59 37 81 57 🏧 59 37 85 74
🛏 10 ⬡ 120/230 F. 🍴 58/130 F.
🍴 45 F. 🍽 220/250 F. 🍷 190/210 F.
⊠ 13 nov./6 déc. et lun. sauf juil./août,
jours fériés.
[icons]
CB🆚 E C

🔺🔺 ESPELLET ★★
M. Espellet
☎ 59 37 81 91
🛏 19 ⬡ 170/220 F. 🍴 55/140 F.
🍴 45 F. 🍽 230/250 F. 🍷 190/210 F.
⊠ 6 déc./1er janv., mar. sauf juil./août
et fériés.
[icons] CB🆚
AE ⊙ E

LARCHE
04540 Alpes de Haute Provence
1700 m. • 91 hab.

🔺 AU RELAIS D'ITALIE ★
Mme Palluel
☎ 92 84 31 32 📠 401272 🏧 92 84 33 92
🛏 13 ⬡ 130/240 F. 🍴 80/130 F.
🍴 50 F. 🍽 225/275 F. 🍷 170/220 F.
⊠ janv./avr. sauf vac. scol.
[icons] CB🆚 📷

241

LARDIN (LE)
24570 Dordogne
2000 hab.

⚑⚑⚑ SAUTET ⋆⋆⋆ & ⋆⋆
M. Sautet
☎ 53 51 45 00 ⷶ 53 51 45 29
🛏 33 ⌨ 250/390 F. ⫞ 89/182 F.
🍴 63 F. ⫟ 285/340 F.
✉ vac. scol. Noël et fév., sam. midi et week-ends hiver.
[icons] CBⱽᴵˢᴬ E C ▣

LAREDORTE
11700 Aude
1007 hab.

⚑ DE LA GARE
Av. Victor Hugo. M. Melliès
☎ 68 91 40 19
🛏 8 ⌨ 150/200 F. ⫞ 60/220 F. 🍴 35 F.
⫟ 180 F. ⫟ 150 F.
✉ dim.
SP [icons] CBⱽᴵˢᴬ E

LARMOR BADEN
56870 Morbihan
802 hab. ⓘ

⚑⚑ AUBERGE PARC FETAN ⋆⋆
17, rue de Berder. Mme Gerster
☎ 97 57 04 38 ⷶ 97 57 21 55
🛏 31 ⌨ 158/363 F. ⫞ 100 F. 🍴 60 F.
⫟ 294/397 F. ⫟ 221/324 F.
✉ début nov./15 mars.
[icons] CV [icons] CBⱽᴵˢᴬ AE ⓪ E

LARNAGOL
46160 Lot
169 hab.

⚑⚑ LE MAS DE CARITEAU ⋆⋆
M. Conti
☎ 65 31 28 77 ⷶ (1)47 31 07 59
🛏 30 ⌨ 191/333 F. ⫞ 75/130 F.
🍴 45 F. ⫟ 311/367 F. ⫟ 234/295 F.
✉ oct./juin.
[icons]

LAROQUE
34190 Hérault
1028 hab.

⚑ LE PARC AUX CEDRES ⋆⋆
14, route de Montpellier. M. Domenech
☎ 67 73 82 63 ⷶ 67 73 69 85
🛏 7 ⌨ 230/290 F. ⫞ 90/100 F. 🍴 45 F.
⫟ 240/260 F.
[icons] CBⱽᴵˢᴬ AE ⓪ E ▣

LARRAU
64560 Pyrénées Atlantiques
636 m. • 298 hab.

⚑⚑ ETCHEMAITE ⋆⋆
M. Etchemaïte
☎ 59 28 61 45 ⷶ 59 28 72 71
🛏 16 ⌨ 130/350 F. ⫞ 75/180 F.
🍴 50 F. ⫟ 220/280 F. ⫟ 175/230 F.
✉ 2ème quinzaine janv. et lun. hs.
[icons] CV [icons] CBⱽᴵˢᴬ E

LATHUILE (CHAPARON)
74210 Haute Savoie
600 hab.

⚑⚑⚑ LA CHATAIGNERAIE ⋆⋆
(Lieu-dit Chaperon. A 1km500 de N. 508). M. Millet
☎ 50 44 30 67 ⷶ 50 44 83 71
🛏 25 ⌨ 260/400 F. ⫞ 98/270 F.
🍴 55 F. ⫟ 322/405 F. ⫟ 272/355 F.
✉ 20 oct./1er fév., dim. soir et lun. 1er oct./1er mai.
[icons] CV [icons] CBⱽᴵˢᴬ AE ⓪ E ▣

LATILLE
86190 Vienne
1300 hab.

⚑ DU CENTRE ⋆⋆
21, Place du Marché M. Fraigneau
☎ 49 51 88 75
🛏 12 ⌨ 120/180 F. ⫞ 70/120 F.
🍴 30 F. ⫟ 170/200 F. ⫟ 120/150 F.
✉ Rest. dim. 1er oct./31 mars.
[icons] CV [icons] CBⱽᴵˢᴬ E

LAURIS
84360 Vaucluse
1810 hab. ⓘ

⚑ HOSTELLERIE DE LA CADIERE
Chemin du Meou. M. Djihanian
☎ 90 08 20 41
🛏 6 ⌨ 260/310 F. ⫞ 100/150 F.
🍴 60 F. ⫟ 330/355 F. ⫟ 230/255 F.
✉ 1er fév./7 mars.
[icons] CBⱽᴵˢᴬ E

LAUSSONNE
43150 Haute Loire
929 m. • 1063 hab.

⚑⚑ LE CLAIR LOGIS ⋆⋆
Place de l'Eglise. Mme Sampietro
☎ 71 05 11 75
🛏 9 ⌨ 240/270 F. ⫞ 65/100 F. 🍴 45 F.
⫟ 240/260 F. ⫟ 210/230 F.
✉ début sept./fin sept. et lun. sept./mai.
[icons] CBⱽᴵˢᴬ E

LAVAL DE CERE
46130 Lot
461 hab.

⚑ LES CHANTERELLES
Rue Emile Dautet. Mme Vigouroux
☎ 65 33 85 68
🛏 5 ⌨ 150/280 F. ⫞ 52/135 F. 🍴 40 F.
⫟ 195 F. ⫟ 160 F.
SP [icons] CBⱽᴵˢᴬ

LAVANDOU (LE)
83980 Var
4275 hab. ⓘ

⚑⚑ AUBERGE DE LA FALAISE ⋆⋆
(A St-Clair, 34, bld de la Baleine). M. Brun
☎ 94 71 01 35
🛏 13 ⌨ 260/370 F. ⫞ 125 F. 🍴 57 F.
⫟ 277/332 F.
✉ 30 oct./15 mars.
[icons] CBⱽᴵˢᴬ E

LAVANDOU (LE) (suite)

▲▲▲ LA RAMADE - L'ESPADON ** & ***
16, rue Patron Ravello, place Ernest Reyer
M. Friolet ☎ 94 71 20 40 ╲ 94 71 00 20
📠 94 64 79 19
🛏 40 ⌂ 223/558 F. ⊓ 110/268 F.
🍴 70 F. 🍽 305/414 F.
⊠ Hôtel 15 oct./15 fév., rest.
30 sept./30 mai et mer.
🅴 🅳 ℹ 🗖 🕿 🖭 📶 ⋈ CV ➦ CB🆅🆂🅰
🆎 ⓞ 🅴 🅲 📱

LAVANDOU (LE)
(PRAMOUSQUIER PLAGE)
83980 Var
600 hab.

▲ BEAU SITE **
(A 7 km du Lavandou, sur D 559).
M. Jaume ☎ 94 05 80 08 📠 94 05 76 76
🛏 20 ⌂ 240/340 F. 🍴 92/135 F.
🍴 47 F. ⊓ 335/370 F. 🍽 250/305 F.
⊠ 15 oct./15 mars.
🅴 🅳 ℹ 🗖 🕿 🖭 🦮 🏂 🚿 CV 🎱
CB🆅🆂🅰 🅴

LAVARDAC
47230 Lot et Garonne
2300 hab. ℹ

▲ LA CHAUMIERE D'ALBRET ★
Route de Nérac. M. Pedronie
☎ 53 65 51 75
🛏 8 ⌂ 130/230 F. ⊓ 65/155 F. 🍴 50 F.
⊓ 195/245 F. 🍽 145/195 F.
⊠ 2 semaines vac. scol. fév., 2 semaines
début oct., dim. soir et lun. sauf juil./août.
🅴 🅳 🕿 🖭 📶 CV 🎱 CB🆅🆂🅰 🅴

LAVEISSIERE
15300 Cantal
980 m. ● 600 hab.

▲▲ BELLEVUE **
Mme Le Stang
☎ 71 20 01 22 📠 71 20 09 55
🛏 16 ⌂ 200/230 F. 🍴 80/100 F.
🍴 35 F. ⊓ 210/290 F. 🍽 185/265 F.
⊠ 15 oct./26 déc.
🅴 🅳 🗖 🖭 ⋈ 🚿 ♿ CV 🎱 ➦ CB🆅🆂🅰 🅴

LAVELANET
09300 Ariège
505 m. ● 7740 hab. ℹ

▲▲ DU PARC **
17, av. du Dr Bernadac. M. Mauvernay
☎ 61 03 04 05 📠 61 03 08 66
🛏 15 ⌂ 160/380 F. 🍴 59/160 F.
🍴 45 F. ⊓ 370/400 F. 🍽 310/350 F.
⊠ Rest. dim. soir et lun. midi.
🗖 🕿 🖭 📶 🏂 📵 🎱 ➦ CB🆅🆂🅰 🅴

LAVIGNOLLE DE SALLES
33770 Gironde
3645 hab.

▲▲ LE RELAIS TOURISTIQUE **
Mme Baron ☎ 56 88 62 09 📠 56 88 68 69
🛏 9 ⌂ 220/275 F. 🍴 95/230 F. 🍴 55 F.
⊓ 270/300 F. 🍽 250/280 F.
⊠ mi-oct./mi-nov. et lun.
🅴 🗖 🕿 🖭 📶 🏂 CB🆅🆂🅰 🅴 📱

LAVILLEDIEU
07170 Ardèche
1086 hab.

▲▲▲ LES PERSEDES **
Sur N. 102 (à 5 Km d'Aubenas).
M. Chambon
☎ 75 94 88 08 📠 75 94 29 02
🛏 24 ⌂ 260/340 F. 🍴 85/160 F.
🍴 60 F. 🍽 260/320 F.
⊠ 30 oct./1er avr., dim. soir et lun. midi
sauf juil./août.
🅴 🗖 🕿 🖭 🌿 📶 🏂 🦮 🏂 ▶ 🚿 CV
🍽 ➦ CB🆅🆂🅰 🅴

LAVITARELLE (MONTET ET
BOUXAL)
46210 Lot
600 m. ● 217 hab.

▲▲ GOUZOU ★
M. Pecheyran
☎ 65 40 28 56 📠 65 40 22 20
🛏 14 ⌂ 120/270 F. 🍴 65/180 F.
🍴 40 F. ⊓ 180/260 F. 🍽 140/220 F.
🅴 🕿 🖭 🌿 🏂 CV 🍽 ➦ CB🆅🆂🅰

LECQUES (LES) (SAINT CYR
SUR MER)
83270 Var
5200 hab. ℹ

▲▲ CHANTEPLAGE **
Place du Syndicat d'Initiative.
Mme Marte
☎ 94 26 16 55 ╲ 94 26 33 85
📠 94 26 25 71
🛏 20 ⌂ 248/460 F. 🍴 89/135 F.
🍴 55 F. 🍽 265/320 F.
⊠ 5 oct./1er mars.
🅴 🅳 🗖 🕿 🖭 🖭 ⋈ ➦ CB🆅🆂🅰 🅴

▲▲ LE PETIT NICE **
11, allée du Docteur Seillon. M. Chavant
☎ 94 32 00 64 🆃🆇 400479 📠 94 88 72 39
🛏 30 ⌂ 255/310 F. 🍴 120 F. 🍴 50 F.
⊓ 290/355 F. 🍽 252/316 F.
⊠ 2 nov./1er mars.
🅴 🗖 🕿 🖭 🏂 🦮 🚿 CV ➦ CB🆅🆂🅰 🅴

LEIGNE LES BOIS
86450 Vienne
500 hab.

▲ CHEZ Bernard GAUTIER
M. Gautier
☎ 49 86 53 82
🛏 10 ⌂ 135 F. 🍴 98/220 F. 🍴 60 F.
⊓ 230 F. 🍽 195 F.
⊠ fév. et nov., dim. soir, lun.
🖭 CV 🍽 ➦ CB🆅🆂🅰

LELEX
01410 Ain
900 m. ● 207 hab. ℹ

▲▲ DU CENTRE **
M. Grossiord
☎ 50 20 90 81 📠 50 20 93 97
🛏 19 ⌂ 170/276 F. 🍴 90/220 F.
🍴 50 F. ⊓ 248/320 F. 🍽 218/290 F.
⊠ 9 mai/1er juil., 18 sept./18 déc.
🅴 🗖 🕿 🖭 🏂 CV 🍽 ➦ CB🆅🆂🅰 🅴

LELEX (suite)

⚑ DU CRET DE LA NEIGE ★★
Mme Grospiron
☎ 50 20 90 15 ᴀ 50 20 94 46
🛏 29 🛏 155/290 F. 🍴 78/178 F.
🍽 45 F. 🍴 252/325 F. 🛏 207/280 F.
✉ 17 avr./25 juin, 11 sept./18 déc.
🅴 🕿 🚗 🕴 🏌 🐕 CB💳 E

LENTE
26190 Drôme
1070 m. • 45 hab.

⚑ DE LA FORET
M. Faravellon
☎ 75 48 26 32 ᴀ 75 48 29 45
🛏 13 🛏 140/305 F. 🍴 80/150 F.
🍽 55 F. 🍴 185/270 F. 🛏 145/240 F.
✉ 15 nov./1er déc.
🗔 🚗 🏌 ▶ 🐕 CB💳 E

LEON
40550 Landes
1360 hab.

⚑ DU CENTRE ᵉᶜ
Sur D. 652. Mme Dumora ☎ 58 48 74 09
🛏 10 🛏 200/250 F. 🍴 48/160 F.
🍽 30 F. 🍴 250 F. 🛏 200 F.
🏌 CV 🐕 CB💳 E

LEOUVE LA CROIX
06260 Alpes Maritimes
750 m. • 70 hab.

⚑⚑ HOSTELLERIE LES TILLEULS ★★
Mme Belleudy
☎ 93 05 02 07 ᴀ 93 05 09 95
🛏 14 🛏 250/320 F. 🍴 90/150 F.
🍽 50 F. 🍴 250/350 F. 🛏 210/290 F.
✉ nov./avr.
🅴 🕿 🚗 🕴 🏌 🏌 CV 🚻 🐕 CB💳 E

LEPIN LE LAC
73610 Savoie
200 hab. 🅸

⚑⚑ LE CLOS SAVOYARD
(Lac d'Aiguebelette). M. Daumas
☎ 79 36 00 15
🛏 13 🛏 130 F. 🍴 98/220 F. 🍽 46 F.
🍴 250 F. 🛏 220 F.
✉ 4 sept./15 mai.
🅴 🅸 🚗 🕴 🏌 CV 🐕 CB💳 E

LESCHAUX
74320 Haute Savoie
930 m. • 214 hab.

⚑⚑ AUBERGE DE LA MARGERIAZ ᵉᶜ
Place de l'Eglise. M. Serignat
☎ 50 32 03 32
🛏 5 🛏 245/275 F. 🍴 110/145 F.
🍽 50 F. 🍴 340/385 F. 🛏 265/320 F.
🅴 🅸 🗔 🕿 🚗 🕴 🔜 🏌 🐕 CB💳 ᴀ
👁 E

LESCONIL
29740 Finistère
2500 hab. 🅸

⚑⚑ ATLANTIC ★★
11, rue Jean Jaurès. Mme Toulemont
☎ 98 87 81 06
🛏 23 🛏 190/300 F. 🍴 80/200 F.
🍽 50 F. 🍴 320/360 F. 🛏 280/325 F.
✉ oct./Pâques.
🅴 🕿 🗔 🕕 🕿 🏌 🏌 CV 🐕 CB💳 ᴀ E

⚑ DU PORT ★★
4, rue du Port. M. Stephan
☎ 98 87 81 07
🛏 28 🛏 260/330 F. 🍴 82/175 F.
🍽 40 F. 🍴 310/350 F. 🛏 290/330 F.
✉ fin sept./Pâques.
🏌 🏌 🐕 CB💳 E

LESNEVEN
29260 Finistère
7000 hab. 🅸

⚑⚑ LE WEEK-END ★★
(Pont du Châtel), D. 110 sortie
Lesneven. M. Froger
☎ 98 25 40 57 ᴀ 98 25 46 92
🛏 13 🛏 210/320 F. 🍴 70/250 F.
🍴 290/320 F. 🛏 220/240 F.
✉ janv. et rest. lun. midi.
🅴 🗔 🕿 🚗 🕿 🏌 🏌 🚻 CB💳 E

LESPERON
40260 Landes
1200 hab. 🅸

⚑⚑ CHEZ DARMAILLACQ ★
M. Darmaillacq
☎ 58 89 61 45 ᴀ 58 89 64 96
🛏 10 🛏 120/210 F. 🍴 65/190 F.
🍽 40 F. 🍴 210/280 F. 🛏 190/240 F.
✉ 2ème quinzaine sept., 8 jours
Noël, dim. soir et lun.
🅴 SP 🕿 🚗 🏌 CB💳 E

LEVENS
06670 Alpes Maritimes
600 m. • 2800 hab. 🅸

⚑⚑ DES GRANDS PRES ★
M. Romulus
☎ 93 79 70 35
🛏 8 🛏 210 F. 🍴 80/135 F. 🍴 250 F.
🛏 220 F.
✉ 15 déc./15 fév.
🗔 🚗 🕿 🏌 CV

⚑⚑ LA CHAUMIERE ★★
Quartier des Prés. M. Poblet
☎ 93 79 71 58
🛏 14 🛏 220/240 F. 🍴 80/130 F.
🍽 50 F. 🍴 270 F. 🛏 240 F.
✉ 15 nov./15 déc.
🅴 SP 🅸 🚗 🕿 CV 🚻 🐕 CB💳 E

⚑⚑ MALAUSSENA ★★
9, place de la République.
M. Malausséna
☎ 93 79 70 06 ᴀ 93 79 85 89
🛏 14 🛏 220/300 F. 🍴 80/150 F.
🍽 60 F. 🍴 260/320 F. 🛏 230/290 F.
✉ environ 25 oct./15 déc.
🅴 🅸 🗔 🕿 🕿 🏌 🏌 CV 🚻 🐕 CB💳
ᴀ 👁 E

LEVIER
25270 Doubs
750 m. • 2046 hab. ⓘ

▲▲ DU COMMERCE ET DE LA RESIDENCE ★
10, rue de Pontarlier. M. Guyot
☎ 81 49 50 56 🖷 81 49 53 53
🛏 35 ◎ 120/200 F. 🍽 52/ 68 F.
🍴 40 F. 🍲 190/210 F.
⌧ 11 nov./11 déc.
◻ 🕾 🚗 🚗 ⛵ 🎣 ⚒ ♿ CV 🛎 ⌂
CB🎫 E

LEVROUX
36110 Indre
3200 hab. ⓘ

▲▲ DE LA CLOCHE ★★
M. Capelli
☎ 54 35 70 43
🛏 10 ◎ 165/320 F. 🍽 85/300 F.
🍴 45 F. 🍲 280 F.
⌧ fév., lun. soir et mar.
⚡ ◻ 🚗 ♿ ⌂ CB🎫 E

LEYME
46120 Lot
1600 hab.

▲ LESCURE ★★
Mme Martinez
☎ 65 38 90 07
🛏 15 ◎ 160/235 F. 🍽 65/185 F.
🍴 40 F. 🍲 245 F. 🍲 205 F.
⌧ 18 déc./3 janv. et sam. hs.
⚡ SP 🕾 🚗 🚗 🎣 ♿ ▶ 🛎 ⌂ CB🎫

LEZAN
30350 Gard
900 hab.

▲ LES ARTS ★★
Place du Château. M. Salomon
☎ 66 83 00 60 🖷 66 83 87 21
🛏 9 ◎ 170/280 F. 🍽 75/150 F. 🍴 35 F.
🍲 160/220 F. 🍲 140/200 F.
⌧ dim. soir.
◻ 🕾 🚗 ⛵ CV 🛎 ⌂ CB🎫 E

LEZIGNAN CORBIERES
11200 Aude
7680 hab. ⓘ

▲▲ LE GRAND SOLEIL ᵉᶜ
32, av. Maréchal Foch. Mme Cubilie
☎ 68 27 01 20 🖷 68 27 10 88
🛏 19 ◎ 95/170 F. 🍽 62/160 F. 🍴 45 F.
🍲 170/210 F. 🍲 130/160 F.
⌧ dim. soir hs.
⚡ SP ◻ 🕾 🚗 ♿ CV 🛎 ⌂ CB🎫 E 📻

▲▲ LE RELAIS DES CORBIERES ★★
Route de Narbonne, N. 113. M. Gandais
☎ 68 27 00 77 🖵 499000 A2 LE RELAIS
🖷 68 27 58 98
🛏 16 ◎ 120/220 F. 🍽 58/138 F.
🍴 36 F. 🍲 190/245 F. 🍲 150/195 F.
⌧ 23 déc./4 janv., sam. soir et dim. soir
oct./juin.
⚡ SP ◻ 🕾 🚗 ⛵ 🎣 CV 🛎 ⌂ CB🎫
🅰🅴 E

LIBOURNE
33500 Gironde
21012 hab. ⓘ

▲ AUBERGE LES TREILLES ★★
11-17, rue des Treilles. M. Gallo
☎57 25 02 52 🖷 57 25 29 70
🛏 20 ◎ 280 F. 🍽 85/250 F. 🍴 50 F.
🍲 330 F. 🍲 290 F.
◻ 🕾 🚗 🚗 CV 🛎 ⌂ CB🎫 🅰🅴 ⓞ E

LIEGE (LE)
37460 Indre et Loire
209 hab.

▲ LE CROISSANT
Sur D. 764. M. Métivier
☎ 47 59 52 05
🛏 6 ◎ 160/180 F. 🍽 70/150 F. 🍴 40 F.
🍲 260 F. 🍲 200 F.
⌧ dim. soir et lun. hs.
⚡ 🚗 ⛵ ♿ ⌂ CB🎫 E

LIEPVRE
68660 Haut Rhin
1500 hab.

▲▲ AUX DEUX CLEFS ★★
9, rue de la Gare. Mlle Herment
☎ 89 58 93 29 🖷 89 58 44 54
🛏 11 ◎ 230/300 F. 🍽 120/200 F.
🍴 55 F. 🍲 315/330 F. 🍲 225/240 F.
⌧ 20 déc./20 janv., 28 juin/6 juil., rest.
sam. midi, dim. soir et lun. hs.
⚡ ◻ SP ◻ 🕾 🚗 ⛵ CV ⌂ CB🎫 🅰🅴
ⓞ E

LIESSIES
59740 Nord
515 hab. ⓘ

▲▲ DU CHATEAU DE LA MOTTE ★★
Mme Plateau
☎ 27 61 81 94 🖷 27 61 83 57
🛏 12 ◎ 174/336 F. 🍽 78/180 F.
🍴 60 F. 🍲 240/315 F. 🍲 229/281 F.
⌧ 20 déc./31 janv. et dim. soir.
⚡ ◻ 🕾 🚗 ⛵ 🎣 CV 🛎 ⌂ CB🎫 E 📻

LIEUREY
27560 Eure
1060 hab.

▲▲ LE BRAS D'OR ★★
Mme Deschamps
☎ 32 57 91 07
🛏 10 ◎ 210/320 F. 🍽 98/195 F.
🍴 65 F. 🍲 310/380 F. 🍲 210/280 F.
⌧ fév. et lun.
⚡ 🚗 ⛵ ♿ 🛎 ⌂ CB🎫 E

LIEUTADES
15110 Cantal
970 m. • 280 hab.

▲▲ BOUDON ★★
M. Boudon
☎ 71 73 81 73
🛏 15 ◎ 100/180 F. 🍽 62/ 95 F.
🍴 45 F. 🍲 195/235 F. 🍲 155/195 F.
⌧ 29 août/9 sept., 1 semaine vac.
hiver, sam. et dim. soir hs.
⚡ 🛎 ⌂ CB🎫 🅰🅴 E

LIGNY LE CHATEL
89144 Yonne
1200 hab. ⓘ

▲▲▲ RELAIS SAINT VINCENT ★★
14, Grande Rue. Mme Cointre
☎ 86 47 53 38 Ⅲ 86 47 54 16
🛏 14 ⌧ 210/350 F. Ⅲ 70/155 F.
🍴 40 F. Ⅲ 290/350 F. 🛒 215/285 F.
🄴 🄳 SP 🗇 🕿 🚗 🛏 🌳 🎿 CV 🔟
🌙 ● CB𝒱𝒮𝒜 AE ⊙ E

LIGUEIL
37240 Indre et Loire
2200 hab. ⓘ

▲▲ LE COLOMBIER ★★
4, place Général Leclerc. M. Gaultier
☎ 47 59 60 83
🛏 11 ⌧ 105/240 F. Ⅲ 55/180 F.
Ⅲ 200/250 F. 🛒 165/200 F.
⌧ 1er/15 sept. et ven. hs.
🄴 🗇 🕿 🚗 🚗 🌳 🎿 CV 🔟 ● CB𝒱𝒮𝒜

LIMERAY
37530 Indre et Loire
972 hab.

▲▲▲ AUBERGE DE LAUNAY ★★
N. 152. (6 km d'Amboise vers Blois).
Mme Bail ☎ 47 30 16 82 ⅢⅢ 47 30 15 16
🛏 7 ⌧ 290 F. Ⅲ 95/210 F. 🍴 55 F.
Ⅲ 370 F. 🛒 275 F.
⌧24 déc./12 fév., lun. soir et mar. midi hs.
🄴 🗇 🕿 🚗 🚗 🛏 🌳 🎿 CV ●
CB𝒱𝒮𝒜 E 🛗

▲ AUBERGE DU VIEUX PALAIS
2, rue d'Enfer. Mme Couturier
☎ 47 30 10 62 ⅢⅢ 47 30 02 80
🛏 7 ⌧ 150/250 F. Ⅲ 70/150 F. 🍴 45 F.
Ⅲ 180/200 F. 🛒 120/180 F.
⌧ 2/20 janv. et lun.
🍴 CV ● CB𝒱𝒮𝒜 🄲 🛗

LIMEUIL
24510 Dordogne
154 hab. ⓘ

▲▲ BEAU REGARD ET LES TERRASSES ★★
Route de Tremolat. M. Darnet
☎ 53 63 30 85 ⅢⅢ 53 24 53 55
🛏 8 ⌧ 220/285 F. Ⅲ 90/280 F. 🍴 60 F.
🛒 290/320 F.
⌧fin sept./1er mai, mar. midi et ven. midi.
🄴 SP 🕿 🚗 🍴 CV ● CB𝒱𝒮𝒜 E

LIMOGES
87000 Haute Vienne
150000 hab. ⓘ

▲▲▲ AU BELVEDERE ★★
264, rue de Toulouse. MM. Sagne
☎ 55 30 57 39 ⅢⅢ 55 06 23 51
🛏 26 ⌧ 150/310 F. Ⅲ 83/195 F.
🍴 45 F. Ⅲ 275/290 F. 🛒 215/230 F.
⌧ Noël/16 janv., 1er mai et sam.
oct./fin mars.
🄴 🄳 🗇 🕿 🚗 🚗 🛏 🌳 🎿 CV 🔟 ●
CB𝒱𝒮𝒜 E 🄲 🛗

▲▲▲ LE MARCEAU ★★
2, av. de Turenne. M. Pasquier
☎ 55 77 23 43 ⅢⅢ 55 79 42 60

🛏 24 ⌧ 230/320 F. Ⅲ 67/195 F.
🍴 67 F. Ⅲ 520/540 F. 🛒 400/440 F.
⌧ dim.
🄴 🗇 🕿 🛏 CV 🔟 ● AE ⊙

LIMOGES (BRACHAUD)
87280 Haute Vienne
150000 hab. ⓘ

▲ AUBERGE L'ETAPE ★★
Sur N. 20. Mme Barbier
☎ 55 37 14 33 ⅢⅢ 580 915 ⅢⅢ 55 38 33 42
🛏 13 ⌧ 150/220 F. Ⅲ 75/165 F.
🍴 45 F. Ⅲ 250 F. 🛒 175 F.
⌧ sam. midi et dim. soir.
🄴 🗇 🕿 🚗 🍴 CV 🔟 ● CB𝒱𝒮𝒜 E

LIMOUX
11300 Aude
10885 hab. ⓘ

▲▲ DES ARCADES ★★
96, rue Saint-Martin. M. Durand
☎ 68 31 02 57 ⅢⅢ 68 31 66 42
🛏 7 ⌧ 160/265 F. Ⅲ 75/190 F. 🍴 38 F.
Ⅲ 290/350 F. 🛒 220/280 F.
⌧ nov. et mer.
🄴 SP ⓘ 🗇 🕿 🚗 CV 🔟 ● CB𝒱𝒮𝒜 AE
E 🛗

▲▲▲ MODERNE ET PIGEON ★★★
1, place Général Leclerc. M. Eupherte
☎ 68 31 00 25 ⅢⅢ 68 31 12 43
🛏 19 ⌧ 290/470 F. Ⅲ 135/260 F.
🍴 65 F. Ⅲ 420/460 F. 🛒 300/340 F.
⌧5 déc./15 janv., rest. sam. midi et lun.
🄴 SP 🗇 🕿 🚗 🍴 CV 🔟 CB𝒱𝒮𝒜 AE ⊙ E

LINGE
36220 Indre
276 hab.

▲ AUBERGE DE LA GABRIERE
Etang de la Gabrière. M. Marechau
☎ 54 37 80 97 ⅢⅢ 54 37 70 66
🛏 10 ⌧ 170 F. Ⅲ 58/130 F. 🍴 40 F.
Ⅲ 210 F. 🛒 170 F.
⌧ 1er/15 fév.
🄴 🗇 🕿 🄲 ● CB𝒱𝒮𝒜 E

LINTHAL
68610 Haut Rhin
600 hab.

▲▲ A LA TRUITE DE LA LAUCH ★★
M. Riethmuller
☎ 89 76 32 30
🛏 14 ⌧ 180/230 F. Ⅲ 60/250 F.
🍴 45 F. Ⅲ 250/280 F. 🛒 210/240 F.
⌧ 15 nov./31 déc. et mer. hs.
🄴 🄳 🗇 🕿 🚗 🍴 CV ● CB𝒱𝒮𝒜 E

LINTHES
51230 Marne
101 hab. ⓘ

▲▲▲ FLOROTEL ★★
Sur N. 4 (La Raccroche). Mme Cotelle
☎ 26 80 18 19 ⅢⅢ 842674 FLORTEL
ⅢⅢ 26 80 17 84
🛏 30 ⌧ 180/270 F. Ⅲ 65/140 F.
🍴 35 F. Ⅲ 295 F. 🛒 230 F.
🄴 🗇 🕿 🚗 🍴 🛏 ✚ 🌳 🎿 CV 🔟 ●
CB𝒱𝒮𝒜 AE ⊙ E

LINXE
40260 Landes
1000 hab. 🄻

🄐 AUBERGE LES DEUX ANES ★★
MM. Brettes/Lacroix ☎ 58 42 92 08
🛏 9 ⬙ 220/250 F. ⫟ 70/170 F. 🍴 38 F.
�🏠 280/350 F. 🍽 220/260 F.
🄴 ☎ 🛏 🍴 ♿ CV ◆ CB𝚅𝚂𝙰 E

LION D'ANGERS (LE)
49220 Maine et Loire
3160 hab. 🄻

🄐🄐 LES VOYAGEURS ★★
2, rue du Général Leclerc. M. Lamidon
☎ 41 95 81 81 🄵🄰🄷 41 95 84 80
🛏 14 ⬙ 200/250 F. ⫟ 70/200 F.
�🏠 40 F. 🍴 260/300 F. 🍽 220/220 F.
⊠ mi-janv./mi fév., dim. soir et lun.
🏠 ☎ 🛏 ♿ 🎛 ◆ CB𝚅𝚂𝙰 E

LION SUR MER
14780 Calvados
1685 hab. 🄻

🄐 MODERNE ★★
3, bld Paul Doumer. M. Cottineau
☎ 31 97 20 48
🛏 15 ⬙ 170/300 F. ⫟ 70/150 F.
�🏠 40 F. 🍴 230/310 F. 🍽 200/280 F.
⊠ 15 oct./fin janv., et lun. oct./fin mars.
🄴 ☎ CB𝚅𝚂𝙰 E 🖿

LIORAN (LE) (SUPER LIORAN)
15300 Cantal
1250 m. • 100 hab. 🄻

🄐🄐🄐 LE REMBERTER SAPORTA ★★
6, route Rocher du Cerf. M. Boyer
☎ 71 49 50 28 🄵🄰🄷 71 49 52 88
🛏 32 ⬙ 170/265 F. ⫟ 80/180 F.
�🏠 46 F. 🍴 240/294 F. 🍽 190/245 F.
⊠ 15 sept./15 déc. et 15 avr./15 juin.
🄴 🏠 ☎ 🛏 🛏 🍴 🍴 CV 🎛 ◆ CB𝚅𝚂𝙰 E

LIOUX
84220 Vaucluse
324 hab.

🄐 AUBERGE DE LIOUX
Route de Sault. M. Mirouf
☎ 90 05 77 52 🄵🄰🄷 90 05 61 09
🛏 8 ⬙ 260 F. ⫟ 85 F. �🏠 50 F.
🍽 240 F.
🄴 SP 🍴 🔲 ◆ CB𝚅𝚂𝙰 E

LISIEUX
14100 Calvados
26000 hab. 🄻

🄐🄐 DE LA COUPE D'OR ★★
49, rue Pont-Mortain. M. Lion
☎ 31 31 16 84 🄸🄽 772163 🄵🄰🄷 31 31 35 60
🛏 18 ⬙ 160/350 F. ⫟ 68/160 F.
�🏠 45 F. 🍴 306/365 F. 🍽 216/275 F.
🄴 SP 🏠 ☎ ⊠ CV ◆ CB𝚅𝚂𝙰 AE ⊚ E
🄲 🖿

🄐🄐 LA BRETAGNE ★★
32, place de la République. M. Caro
☎ 31 62 09 19 🄸🄽 170187 CODE 412
🄵🄰🄷 31 61 07 51
🛏 13 ⬙ 250/350 F. ⫟ 40/80 F. �🏠 22 F.
🍽 260/300 F.
🄴 SP 🏠 ☎ ♿ CV 🎛 ◆ CB𝚅𝚂𝙰 E

TERRASSE HOTEL ★★
25, av. Sainte-Thérèse. M. Hue
☎ 31 62 17 65 🄵🄰🄷 31 62 20 25
🛏 17 ⬙ 170/270 F. ⫟ 89/155 F.
�🏠 46 F. 🍴 279/329 F. 🍽 204/254 F.
⊠ 1er janv./6 mars, ven. et dim. soir hs.
🄴 🏠 ☎ 🍴 ♿ CV 🎛 ◆ CB𝚅𝚂𝙰 AE E 🖿

LIVAROT
14140 Calvados
3000 hab. 🄻

🄐🄐 DU VIVIER ★★
Place de la Mairie. M. Lecendrier
☎ 31 63 50 29
🛏 10 ⬙ 135/260 F. ⫟ 78/160 F.
�🏠 60 F. 🍽 200/260 F.
⊠ 21 sept./5 oct., 22 déc./19janv., dim.
soir et lun. sauf fériés.
🄴 🏠 ☎ 🍴 ◆ CB𝚅𝚂𝙰 E 🖿

LIVERNON
46320 Lot
395 hab. 🄻

🄐 LA PAIX
M. Lafon ☎ 65 40 55 05
🛏 7 ⫟ 65/ 95 F. �🏠 40 F. 🍴 220/240 F.
🍽 170/190 F.
⊠ 15/30 sept.
◆ CB𝚅𝚂𝙰 AE E

LIVRON
26250 Drôme
8000 hab. 🄻

🄐🄐 DES VOYAGEURS ★★
132, av. Mazade. M. Robin
☎ 75 61 65 20 🄵🄰🄷 75 85 52 20
🛏 17 ⬙ 100/270 F. ⫟ 65/220 F.
�🏠 50 F. 🍴 170/280 F. 🍽 145/230 F.
⊠ dim. soir hs.
🄴 🏠 ☎ 🛏 🛏 🍴 CV 🎛 ◆ CB𝚅𝚂𝙰 E

LOCHES
37600 Indre et Loire
6550 hab. 🄻

🄐🄐 DE FRANCE ★★
6, rue Picois. M. Barrat
☎ 47 59 00 32 🄵🄰🄷 47 59 28 66
🛏 19 ⬙ 180/330 F. ⫟ 80/250 F.
�🏠 60 F. 🍴 320/360 F. 🍽 240/280 F.
⊠ 7 janv./13 fév., dim. soir et lun. sauf
juil./août.
🄴 🄻 🏠 ☎ 🛏 🛏 ⊠ 🍴 🎛 ◆ CB𝚅𝚂𝙰
⊚ E 🖿

🄐 DU CAFE DE LA VILLE ★
2, Place de la Marne. M. Rocher
☎ 47 59 01 66
🛏 7 ⬙ 250/350 F. ⫟ 60/100 F. �🏠 50 F.
🍴 270 F. 🍽 210 F.
🏠 ☎ 🛏 ◆ CB𝚅𝚂𝙰 E

🄐🄐 GEORGE SAND ★★★
39, rue Quintefol. M. Fortin
☎ 47 59 39 74 🄵🄰🄷 47 91 55 75
🛏 20 ⬙ 200/450 F. ⫟ 85/200 F.
�🏠 65 F. 🍴 360/415 F. 🍽 260/320 F.
⊠ dernière semaine nov./27 déc.
🄴 🏠 ☎ ♿ CV ◆ CB𝚅𝚂𝙰 E

LOCHES (suite)

GRILL MOTEL ★
Rue des Lézards. M. Valton
☎ 47 91 50 04 📠 47 91 53 88
🛏 27 ⊗ 170 F. 🍽 35/100 F. 🍴 35 F.
🛏 230 F. 🍴 170 F.
⊠ 18 déc./3 janv. et dim. sauf réserv.
🅴 ▢ ☎ 🛏 🍽 🛉 ♿ CB💳 E 🛎

LUCCOTEL ★★
Rue des Lézards. M. Valton
☎ 47 91 50 50 📠 47 94 01 18
🛏 42 ⊗ 250/330 F. 🍽 90/300 F.
🍴 50 F. 🛏 360 F. 🍴 275 F.
⊠ 17 déc./15 janv. et rest. sam. midi
sauf réserv. groupe.
🅴 ▢ ☎ 🛏 🍽 🍴 🏊 ♨ 🎾 🏸 ⚽
🛉 CV ♿ ♠ CB💳 E 🛎

LOCMARIAQUER
56740 Morbihan
1200 hab. 🅸

L'ESCALE ★★
Sur Le Port. M. Cabelguem
☎ 97 57 32 51 📠 97 57 38 87
🛏 12 ⊗ 209/347 F. 🍽 77/161 F.
🍴 35 F. 🛏 287/373 F. 🍴 204/291 F.
⊠ 25 sept./2 avr.
🅴 ▢ ☎ 🍴 ♠ CB💳 E

LAUTRAM ★★
M. Lautram
☎ 97 57 31 32 📠 97 57 37 87
🛏 29 ⊗ 170/320 F. 🍽 65/200 F.
🍴 35 F. 🛏 270/380 F. 🍴 220/300 F.
⊠ fin sept./début avr.
🅴 ▢ ☎ 🍴 CV ♠ CB💳 E

LOCMINE
56500 Morbihan
4000 hab. 🅸

L'ARGOAT ★★
Place Anne de Bretagne. M. Cadieu
☎ 97 60 01 02 📠 97 44 20 55
🛏 20 ⊗ 220/260 F. 🍽 60/200 F.
🍴 40 F. 🛏 280/340 F. 🍴 220/260 F.
⊠ 25 déc./25 janv. et sam.
🅴 🅳 🆂🅿 ▢ ☎ 🛏 🛉 ♠ CB💳 E

LOCQUELTAS
56390 Morbihan
850 hab. 🅸

LA VOLTIGE ★★
Lieu-dit Parcarre. Sur D. 778. M. Tabard
☎ 97 60 72 06 📠 97 44 63 01
🛏 10 ⊗ 205/290 F. 🍽 65/200 F.
🍴 55 F. 🛏 260/300 F. 🍴 210/245 F.
⊠ 2 semaines oct., 2 semaines fin
fév./début mars. Rest. lun. et dim. soir
nov./Pâques.
🅴 ▢ ☎ 🍴 🛉 CV CB💳 E 🛎

LOCRONAN
29180 Finistère
800 hab. 🅸

DU PRIEURE ★★
11, rue du Prieuré. Mme Le Gac
☎ 98 91 70 89 📠 98 91 77 60
🛏 12 ⊗ 270/300 F. 🍽 65/250 F.

🍴 35 F. 🛏 270/290 F.
⊠ Toussaint/Pâques.
🅴 ▢ ☎ 🛏 🍴 🛉 CV ♨ ♠ CB💳 E

LODEVE
34700 Hérault
8560 hab. 🅸

DU NORD
18, bld de la Liberté. M. Rouvier
☎ 67 44 10 08
🛏 15 ⊗ 150/280 F. 🍽 80/130 F.
🍴 50 F. 🛏 336/386 F. 🍴 256/306 F.
⊠ dim. oct./mai sauf vac. scol.
🅴 ☎ 🛏 🍴 ♠ CB💳 E

LODS
25930 Doubs
300 hab. 🅸

DE LA TRUITE D'OR ★★
Rue du Moulin neuf. M. Vigneron
☎ 81 60 95 48 📠 81 60 95 73
🛏 13 ⊗ 120/240 F. 🍽 95/260 F.
🍴 55 F. 🍴 400/540 F.
⊠ 15 déc./1er fév., dim. soir et lun. sauf
juin/sept.
🅴 🆂🅿 ▢ ☎ 🍴 ♨ ♠ CB💳 E

LOGELHEIM
68280 Haut Rhin
450 hab.

A LA VIGNE "STOFFEL" ★
5, Grand'Rue. M. Stoffel
☎ 89 22 08 40
🛏 7 ⊗ 230 F. 🍽 100/180 F. 🍴 55 F.
🍴 260 F. 🍴 230 F.
⊠ 21 juin/13 juil., mar. soir et mer.
🅳 ☎ 🛏 ♨ CB💳 🅰🅴 🆀 E

LOGIS NEUF (LE)
01310 Ain
700 hab.

DE BRESSE ★★
M. Rolly ☎ 74 30 27 13
🛏 15 ⊗ 170/270 F. 🍽 70/230 F.
🍴 50 F. 🛏 310/350 F. 🍴 250/270 F.
▢ ☎ 🛏 🍴 ♨ 🏸 ♨ ♠ CB💳 E

LONDINIERES
76660 Seine Maritime
1200 hab. 🅸

AUBERGE DU PONT ᵉᶜ
Rue du Pont de Pierre. M. Noël
☎ 35 93 80 47 📠 32 97 00 57
🛏 10 ⊗ 120/220 F. 🍽 50/185 F.
🍴 39 F. 🛏 280/360 F. 🍴 225/280 F.
⊠ 24 janv./6 fév.
▢ ☎ 🛏 ▶ CV ♨ ♠ CB💳 E

LONGEVILLES MONT D'OR (LES)
25370 Doubs
1000 m. ● *250 hab.*

LES SAPINS ★★
M. Lanquetin ☎ 81 49 90 90
🛏 11 ⊗ 125/150 F. 🍽 58/102 F.
🍴 42 F. 🛏 195/212 F. 🍴 160/176 F.
⊠ 30 sept./15 déc. et 8 mai/10 juin.
🅴 ▢ ☎ 🛏 🍴 🛉 CV ♠ CB💳 🅰🅴 E

248

LONGNY AU PERCHE
61290 Orne
1600 hab. ℹ️

⌂ DE FRANCE
6-8, rue de Paris. M. Lalaounis
☎ 33 73 64 11 🖷 33 83 68 05
📞 6 🛏 140/190 F. 🍽 80/235 F. 🍴 60 F.
🍴 250/350 F. 🅿 200/250 F.
⊠ dim. soir et lun.
🄴 🔲 🚗 🚙 �│ CB🆅🆂🅰 E

LONGPONT
02600 Aisne
300 hab. ℹ️

⌂⌂ DE L'ABBAYE ★★
8, rue des Tourelles. M. Verdun
☎ 23 96 02 44
📞 12 🛏 170/320 F. 🍽 100/180 F.
🍴 65 F. 🍴 340/390 F. 🅿 270/320 F.
🄴 🄳 🚗 🚙 🌴 🎰 🎱 🎯 CB🆅🆂🅰 E

LONGUE
49160 Maine et Loire
6600 hab.

⌂ DE L'UNION
2, place de la République. M. Theuil
☎ 41 52 10 25
📞 5 🛏 102/220 F. 🍽 58/170 F. 🍴 30 F.
🍴 240/310 F. 🅿 180/250 F.
⊠ dim. soir hs.
🄴 🚗 🌴 CB🆅🆂🅰 E

LONGUYON
54260 Meurthe et Moselle
7000 hab. ℹ️

⌂⌂⌂ DE LORRAINE Rest. LE MAS ★★
M. Tisserant
☎ 82 26 50 07 🖷 82 39 26 09
📞 15 🛏 160/290 F. 🍽 109/355 F.
🍴 75 F. 🍴 222/285 F.
⊠ janv. et Rest. lun. hs.
🄴 🄳 SP 🔲 🚗 🌴 CB🆅🆂🅰 🅰🅴 🅾 E
🄲 🔲

⌂⌂ HOSTELLERIE DE LA GARE - LA TABLE
DE NAPO ᵉᶜ
Rue de la Gare. M. Reinalter
☎ 82 26 50 85 🖷 82 39 21 33
📞 8 🛏 180/220 F. 🍽 70/250 F. 🍴 60 F.
🍴 350/400 F. 🅿 265/330 F.
⊠ 1er/15 mars, 6/30 sept. et ven. soir
sauf juil./août.
🄴 🚗 🚙 CV 🎰 🌴 CB🆅🆂🅰 🅰🅴 🅾 E

LONGWY
54400 Meurthe et Moselle
17480 hab. ℹ️

⌂⌂ DU NORD ★★
(A Longwy-Haut, 16, rue Gambetta).
Mme Pranzetti
☎ 82 23 40 81 🖷 82 23 17 73
📞 19 🛏 270/300 F.
🄴 🄳 SP 🔲 🚗 🚙 🎰 🌴 CB🆅🆂🅰 🅰🅴 E

LONS LE SAUNIER
39000 Jura
25000 hab. ℹ️

TERMINUS ★★
37, av. Aristide Briand. M. Dellerba
☎ 84 24 41 83 🖷 84 24 68 07
📞 18 🛏 190/220 F. 🍽 90/140 F.
🍴 60 F. 🍴 390 F. 🅿 320 F.
⊠ 20 déc./5 janv. et dim.
🄴 🔲 🚗 🚙 ✉ CB🆅🆂🅰 🅰🅴 🅾 E ■

LORAY
25390 Doubs
750 m. • 310 hab.

⌂⌂ VIEILLE-ROBICHON ★★
22, Grande Rue. M. Robichon
☎ 81 43 21 67 🖷 81 43 26 10
📞 9 🛏 230/260 F. 🍽 70/260 F. 🍴 50 F.
🍴 250/270 F. 🅿 230/240 F.
⊠ dim. soir et lun.
🔲 🚗 🚙 🌴 🎱 🎰 🌴 CB🆅🆂🅰 E

LORGUES
83510 Var
6000 hab. ℹ️

⌂ DU PARC ★
25, bld Clemenceau. M. Cauvin
☎ 94 73 70 01
📞 20 🛏 110/260 F. 🍽 65/230 F.
🍴 45 F. 🍴 190/261 F. 🅿 130/204 F.
⊠ 21 nov./5 déc.
🄴 ℹ️ 🔲 🚗 🌴 🎱 CV 🎰 🌴 CB🆅🆂🅰 🅰🅴
🅾 E

LORIENT
56100 Morbihan
71923 hab. ℹ️

⌂ D'ARVOR ★
104, rue Lazare Carnot. M. Marchalot
☎ 97 21 07 55
📞 16 🛏 100/180 F. 🍽 80/120 F.
🍴 45 F. 🍴 170/190 F.
⊠ Rest. 20 déc./3 janv. et dim. hs.
🚗 🎱

LORMES
58140 Nièvre
1350 hab. ℹ️

⌂⌂ PERREAU ★★
8, route d'Avallon. M. Girbal
☎ 86 22 53 21 🖷 86 22 82 15
📞 12 🛏 260/350 F. 🍽 85/200 F.
🍴 50 F. 🍴 300 F. 🅿 215 F.
⊠ mi-janv. et fév., dim. soir et lun. hs.
🄴 🔲 🚗 🚙 🎰 🌴 CB🆅🆂🅰

LOROUX BOTTEREAU (LE)
44430 Loire Atlantique
4000 hab. ℹ️

⌂⌂ DU CHEVAL BLANC ★
6, place Saint-Jean. Mme Normand
☎ 40 33 80 34
📞 9 🛏 190/210 F. 🍽 52/140 F. 🍴 30 F.
🍴 210/230 F. 🅿 160/180 F.
⊠ 14/31 juil. Rest. ven. soir, sam. soir et
dim. après-midi.
🄴 🔲 🚗 🚙 ✉ 🎰 🌴 CB🆅🆂🅰 🅰🅴 E

LORP SENTARAILLE
09190 Ariège
800 hab.

▲▲▲ HORIZON 117 ★★
Route de Toulouse. M. Puech
☎ 61 66 26 80 ▥ 61 66 26 08
🛏 20 ▭ 240/330 F. ⑪ 95/210 F.
🍴 45 F. ▯ 290/370 F. ▩ 220/290 F.
⊠ 1ère quinzaine nov. et dim. soir hs.

LORRIS
45260 Loiret
2600 hab. 🛈

▲▲ DU SAUVAGE ★★
2, place du Martroi. M. Coutanceau
☎ 38 92 43 79 ▥ 38 94 82 46
🛏 8 ▭ 250/300 F. ⑪ 95/220 F. 🍴 45 F.
⑪ 280/310 F. ▩ 220/250 F.
⊠ 15 jours oct., jeu. soir et ven.

LOUBRESSAC
46130 Lot
452 hab. 🛈

▲▲ LOU CANTOU ★★
M. Cayrouse
☎ 65 38 20 58 ▥ 65 38 25 37
🛏 12 ▭ 250/300 F. ⑪ 65/190 F.
🍴 45 F. ⑪ 310/350 F. ▩ 250/280 F.
⊠ 20 oct./15 nov. et lun. hs.

LOUDEAC
22600 Côtes d'Armor
11000 hab. 🛈

▲▲ DE FRANCE ★★
1, rue de Cadelac. Place de l'Eglise.
M. Me Le Boudec
☎ 96 28 00 15 ▥ 96 28 61 94
🛏 36 ▭ 110/300 F. ⑪ 70/240 F.
🍴 40 F. ▩ 175/240 F.
⊠ Noël/Nouvel an. Rest. dim. oct./mai.

▲▲ DES VOYAGEURS ★★
10, rue de Cadelac. Mme Gaultier
☎ 96 28 00 47 ▥ 96 28 22 30
🛏 25 ▭ 160/300 F. ⑪ 70/245 F.
🍴 45 F. ⑪ 210/350 F. ▩ 150/280 F.
⊠ Rest. sam.

▲▲ MOTEL D'ARMOR Rest. LE BOLERO ★★
Sur N. 164, direction Rennes.
M. Fraboulet
☎ 96 25 90 87 ▥ 96 25 76 72
🛏 10 ▭ 255/290 F. ⑪ 80/210 F.
🍴 50 F. ⑪ 310/340 F. ▩ 230/260 F.
⊠ vac. scol. fév. Rest. dim. soir et lun. midi.

LOUDUN
86200 Vienne
10000 hab. 🛈

▲▲ DE LA ROUE D'OR ★★
1, av. d'Anjou. M. Bozec
☎ 49 98 01 23 ▥ 49 22 31 05
🛏 14 ▭ 280/330 F. ⑪ 65/195 F.
🍴 45 F.

LOUHANS
71500 Saône et Loire
7500 hab. 🛈

▲▲ CHEVAL ROUGE ★★
5, rue d'Alsace. Mme Aubry
☎ 85 75 21 42 ▥ 85 75 44 48
🛏 12 ▭ 150/280 F. ⑪ 85/190 F.
🍴 50 F. ⑪ 225/320 F. ▩ 200/250 F.
⊠ 18/28 juin, 31 déc./17 janv., dim. soir
et lun.

▲ LA POULARDE ★★
5, rue du Jura. M. Thomas
☎ 85 75 03 06 ▥ 85 75 47 54
🛏 8 ▭ 176/326 F. ⑪ 76/180 F. 🍴 50 F.
⑪ 250/310 F. ▩ 180/235 F.
⊠ 25 déc./25 janv. et mer.

LOUPE (LA)
28240 Eure et Loir
5000 hab. 🛈

▲▲ LE CHENE DORE ★★
12, place de l'Hôtel de Ville.
Mme Castan ☎ 37 81 06 71
🛏 12 ▭ 196/236 F. ⑪ 80/210 F.
🍴 40 F. ⑪ 320 F. ▩ 235 F.
⊠ 20 déc./5 janv., et dim. soir. Rest. lun.

LOURMARIN
84160 Vaucluse
800 hab. 🛈

▲ LES HAUTES PRAIRIES
Route de Vaugines. M. Benzi
☎ 90 68 39 12 ▥ 90 68 23 83
🛏 6 ▭ 260 F. ⑪ 60/120 F. 🍴 50 F.
⑪ 280 F. ▩ 220 F.
⊠ fév.

LOURY
45470 Loiret
1810 hab.

▲▲ RELAIS DE LA FORGE
602, rue Saint Nicolas. M. Thierry
☎ 38 65 60 27 ▥ 38 52 77 56
🛏 7 ▭ 180/250 F. ⑪ 80/240 F. 🍴 50 F.
▩ 220/250 F.
⊠ 2 semaines début janv., dim. soir et lun.

LOUVIERS
27400 Eure
20000 hab. 🛈

▲▲▲ DE LA HAYE LE COMTE ★★★
4, route de La Haye le Comte.
M. Granoux ☎ 32 40 00 40 ▥ 32 25 03 85
🛏 16 ▭ 250/450 F. ⑪ 110/160 F.
🍴 65 F. ⑪ 252/387 F. ▩ 351/531 F.
⊠ 1er janv./31 mars.

LOUVIERS (suite)

⚑ DE ROUEN ★★
11, place E. Thorel. M. Me Juhel
☎ 32 40 40 02 ᴴᴬˣ 32 50 73 41
🛏 15 ⊠ 195/290 F. ⫰ 63/ 95 F.
🍽 45 F. ⫯ 260/330 F. ⫰ 200/250 F.
⊠ dim. 1er oct./1er mars.
🄴 🗔 ☎ 🛏 ➤ CV 🔧 CB𝚅𝚂𝙰 ᴬᴱ E

LUBBON
40240 Landes
95 hab.

⚑⚑ LE BON COIN ★★
M. Saint-Marc
☎ 58 93 60 43
🛏 7 ⊠ 220 F. ⫰ 65/200 F. 🍽 35 F.
⫯ 250 F. ⫰ 200 F.
⊠ 2/9 janv., sept., ven. soir et sam. sauf
juil./août.
🄴 SP ☎ 🛏 🏊 ➤ 🔧 CB𝚅𝚂𝙰 ᴬᴱ ◑ E

LUC EN DIOIS
26310 Drôme
565 m. • 470 hab. ⓘ

⚑⚑ DU LEVANT ★★
Route Nationale. M. Guagliardo
☎ 75 21 33 30 ᴴᴬˣ 75 21 31 42
🛏 17 ⊠ 160/230 F. ⫰ 65/158 F.
🍽 42 F. ⫯ 225/280 F. ⫰ 180/225 F.
⊠ 1er nov./31 mars.
🄴 SP ⓘ ☎ 🛏 🏊 ⚲ 🎿 CV 🔧 ➤
CB𝚅𝚂𝙰 E 🎫

LUC SUR MER
14530 Calvados
3650 hab. ⓘ

⚑⚑⚑ DES THERMES ET DU CASINO ★★★
Av. Guynemer. Mme Leparfait
☎ 31 97 32 37 ᵀᴷ 170656
🛏 48 ⊠ 300/500 F. ⫰ 120/300 F.
🍽 70 F. ⫯ 365/500 F. ⫰ 300/400 F.
⊠ 15 nov./1er avr.
🄴 SP 🗔 ☎ 🛏 🏊 🎿 🏐 ➤ 🎿
🔧 CV 🔧 ➤ CB𝚅𝚂𝙰 ᴬᴱ ◑ E C

LUCELLE
68480 Haut Rhin
700 m. • 64 hab.

⚑⚑ LE PETIT KOHLBERG ★★
Mme Gasser
☎ 89 40 85 30 ᴴᴬˣ 89 40 89 40
🛏 35 ⊠ 295 F. ⫰ 85/195 F. 🍽 45 F.
⫯ 365/440 F. ⫰ 285/360 F.
⊠ vac. scol. fév. et mar.
🄴 🄳 🗔 ☎ 🛏 🏊 🎿 🎿 ♿ 🔧
➤ CB𝚅𝚂𝙰 E

LUCHE PRINGE
72800 Sarthe
1384 hab. ⓘ

⚑⚑ AUBERGE DU PORT DES ROCHES ★★
M. Martin
☎ 43 45 44 48 ᴴᴬˣ 43 45 39 61

🛏 12 ⊠ 210/300 F. ⫰ 135/160 F.
🍽 50 F. ⫯ 320/360 F. ⫰ 250/290 F.
⊠ dim. soir et lun. hs.
🗔 ☎ 🛏 ➤ CV CB𝚅𝚂𝙰 E

LUCHON
31110 Haute Garonne
630 m. • 3096 hab. ⓘ

⚑⚑ BELLEVUE ★★
3, allée d'Etigny. M. Audran
☎ 61 79 01 65
🛏 20 ⊠ 210/350 F. ⫰ 65/150 F.
🍽 45 F. ⫯ 260/290 F. ⫰ 200/260 F.
⊠ 2 nov./18 déc.
🄴 SP 🗔 ☎ 🛏 🏊 ➤ 🎿 CV ➤
CB𝚅𝚂𝙰 ᴬᴱ E

⚑⚑ CONCORDE ★★
12, allées d'Etigny. M. Bacqué
☎ 61 79 00 69
🛏 15 ⊠ 230/320 F. ⫰ 75/145 F.
🍽 45 F. ⫯ 240/300 F. ⫰ 200/270 F.
⊠ 1er nov./20 déc.
🄴 SP 🗔 ☎ 🛏 🏊 CV 🔧 ➤ CB𝚅𝚂𝙰 E

⚑⚑⚑ D'ETIGNY ★★
Face aux Thermes. M. Me Baron/Organ
☎ 61 79 01 42 ᴴᴬˣ 61 79 80 64
🛏 50 ⊠ 260/550 F. ⫰ 95/200 F.
🍽 50 F. ⫯ 245/390 F. ⫰ 235/370 F.
⊠ 28 oct./1er avr.
🄴 🄳 SP 🗔 ☎ 🛏 🛏 🏊 ⫯ ➤ 🎿 ♿
CV 🔧 ➤ CB𝚅𝚂𝙰 E

⚑⚑ DARDENNE ★★
2, bld Dardenne. M. Lafont
☎ 61 79 00 06
🛏 19 ⊠ 180/300 F. ⫰ 85/180 F.
🍽 45 F. ⫯ 200/260 F. ⫰ 170/230 F.
⊠ 29 oct./20 déc., 4 janv./15 fév.,
16/30 mars.
🄴 SP 🗔 ☎ ➤ CV 🔧 ➤ CB𝚅𝚂𝙰 E

⚑ DES 2 NATIONS ★
5, rue Victor Hugo. M. Ruiz
☎ 61 79 01 71 ᴴᴬˣ 61 79 27 89
🛏 27 ⊠ 136/188 F. ⫰ 54/150 F.
🍽 45 F. ⫯ 210/224 F. ⫰ 202/212 F.
🄴 SP ☎ 🛏 🏊 ➤ 🎿 CV ➤ CB𝚅𝚂𝙰 E

⚑⚑ PANORAMIC ★★
6, av. Carnot. M. Estrade-Berdot
☎ 61 79 00 67 \ 61 79 30 90
ᴴᴬˣ 61 79 32 84
🛏 30 ⊠ 180/360 F. ⫰ 75/168 F.
🍽 35 F.
⊠ Hôtel 10/20 janv., rest. 1ère
quinzaine déc. et lun. sauf vac. scol.
🄴 SP 🗔 ☎ 🛏 🏊 CV ➤ CB𝚅𝚂𝙰 E

LUCHON (SAINT MAMET)
31110 Haute Garonne
640 m. • 600 hab.

⚑⚑⚑ LA RECLUSE ★★
4, av. Gascogne. M. Chaleon
☎ 61 79 02 81 ᴴᴬˣ 61 79 82 99
🛏 34 ⊠ 200/300 F. ⫰ 69/145 F.
🍽 60 F. ⫯ 220/270 F. ⫰ 200/250 F.
⊠ 7 oct./30 avr. et vac. scol. hiver.
🄴 SP 🗔 ☎ 🛏 ➤ ♿ ➤ CB𝚅𝚂𝙰 ᴬᴱ E

LUDE (LE)
72800 Sarthe
5000 hab. [i]

⌂⌂ DU MAINE **
17, av. de Saumur. Mme Laporte
☎ 43 94 60 54 [FAX] 43 94 19 74
[🛏] 24 [◫] 190/300 F. [◫] 105/195 F.
[🍴] 45 F. [◫] 320/375 F. [◫] 225/280 F.
[⊠] 9/29 nov. ven. soir 1er oct./1er avr.
et rest. sam. midi.
[E] [□] [☎] [👁] [🛁] [CV] [◫] [●] CB[VISA] E

LUGAGNAN
65100 Hautes Pyrénées
190 hab.

⌂ DES TROIS VALLEES **
M. Souverbielle ☎ 62 94 73 05
[🛏] 41 [◫] 120/210 F. [◫] 45/155 F.
[◫] 190/240 F. [◫] 140/185 F.
[⊠] janv.
[E] [SP] [□] [□] [□] [□] [🧺] [✦] [✎] [◫] CB[VISA]
[AE] [●] E

LUGNY
71260 Saône et Loire
950 hab.

⌂ DU CENTRE **
Mlle Giroud ☎ 85 33 22 82
[🛏] 8 [◫] 160/380 F. [◫] 80 F. [🍴] 50 F.
[◫] 300/320 F. [◫] 220/250 F.
[⊠] janv., dim. soir et lun.
1er janv./31 juin, 1er oct./31 déc.
[□] [□] [□] [T] [🛁] [●] CB[VISA] E

LUGOS
33830 Gironde
392 hab.

⌂⌂ LA BONNE AUBERGE *
Mme Hoechstetter ☎ 56 58 40 34
[🛏] 14 [◫] 180/240 F. [◫] 70/230 F.
[🍴] 50 F. [◫] 240 F. [◫] 220 F.
[⊠] nov. et lun. hs.
[E] [□] [T] [●] CB[VISA] E

LULLIN
74470 Haute Savoie
860 m. • 515 hab. [i]

⌂⌂ L'UNION **
M. Piccot ☎ 50 73 81 02
[🛏] 22 [◫] 170/290 F. [◫] 72/190 F.
[🍴] 45 F. [◫] 235/275 F. [◫] 220/235 F.
[⊠] 15 avr./20 juin et 10 sept./20 déc.
sauf groupes.
[E] [□] [□] [□] [T] [🛁] [CV] [C]

LURS
04700 Alpes de Haute Provence
612 m. • 320 hab. [i]

⌂⌂ LE SEMINAIRE ᶜᶜ
M. Olleon ☎ 92 79 94 19 [FAX] 92 79 94 19
[🛏] 16 [◫] 330/345 F. [◫] 87/160 F.
[🍴] 45 F. [◫] 375/390 F. [◫] 310/325 F.
[E] [D] [□] [□] [T] [✎] [🛁] [CV] [◫] [●]
CB[VISA] E [C] [■]

LUS LA CROIX HAUTE
26620 Drôme
1020 m. • 500 hab. [i]

⌂ LE CHAMOUSSET *
Mme Paron
☎ 92 58 51 12
[🛏] 15 [◫] 180/230 F. [◫] 80/150 F.
[🍴] 48 F. [◫] 200/270 F. [◫] 170/230 F.
[E] [SP] [□] [□] [□] [🛁] [🛁] [◫] [●] CB[VISA] E

LUSIGNAN
86600 Vienne
3000 hab. [i]

⌂⌂ DU CHAPEAU ROUGE **
1, rue Nationale. M. Nau
☎ 49 43 31 10
[🛏] 8 [◫] 200/260 F. [◫] 80/190 F. [🍴] 45 F.
[◫] 250/290 F. [◫] 190/220 F.
[⊠] vac. scol fév., 2ème quinzaine
oct., dim. soir, lun. sauf juil./août et fériés.
[E] [□] [□] [□] [T] [●] CB[VISA] E

LUSSAC
33570 Gironde
1450 hab. [i]

⌂ L'OASIS *
A 800 m., (près de la N. 89) Sorillon.
M. Verbrugghe ☎ 57 49 17 18
[🛏] 8 [◫] 150/230 F. [◫] 70/200 F. [🍴] 40 F.
[◫] 240/290 F. [◫] 170/190 F.
[⊠] oct./fév. et rest. lun. juil./août.
[E] [□] [□] [□] [□] [T] [✎] [✦] [🛁] [⏱] [CV] [●]
CB[VISA] E

LUSSAC LES CHATEAUX
86320 Vienne
2235 hab. [i]

⌂ LE RELAIS *
M. Dardillac ☎ 49 48 40 20
[🛏] 8 [◫] 90/110 F. [◫] 58/220 F. [🍴] 35 F.
[◫] 230 F. [◫] 180 F.
[⊠] 18/24 fév., 3/20 oct., dim. soir et lun.
sauf fériés.
[□] [□] [◫] [●] CB[VISA] [AE] [●] E

LUTTENBACH
68140 Haut Rhin
720 hab.

⌂ LE CHALET **
1, route du Ried. M. Spenle
☎ 89 77 38 33
[🛏] 20 [◫] 140/280 F. [◫] 60/200 F.
[🍴] 35 F. [◫] 200/240 F. [◫] 175/215 F.
[⊠] 10 déc./25 janv., 15/24 mars, mer.
soir et jeu. hs.
[E] [D] [□] [□] [T] [🛁] [🛁] [CV] [◫] [●] CB[VISA] E

LUTTER
68480 Haut Rhin
260 hab.

⌂⌂ AUBERGE ET HOSTELLERIE
PAYSANNE **
Mme Litzler
☎ 89 40 71 67 [FAX] 89 07 33 38
[🛏] 16 [◫] 290/420 F. [◫] 50/300 F.
[🍴] 50 F. [◫] 300/375 F.
[⊠] 24 janv./15 fév., 4/14 juil., lun. et
mar. matin 1 nov./1er avr.
[E] [D] [□] [□] [□] [□] [T] [CV] [◫] [●] CB[VISA]
E [■]

LUTZELBOURG
57820 Moselle
768 hab. 🛈

⌂ DES VOSGES ★★
149, rue Ackermann. M. Husser
☎ 87 25 30 09 ⊞ 87 25 42 22
🛏 15 ⊞ 80/180 F. ⅋ 45 F.
⊞ 190/280 F. ⅋ 180/250 F.
⊠ 17/29 janv., 14/26 nov. et ven. sauf
juil./août.

LUXEUIL LES BAINS
70300 Haute Saône
10700 hab. 🛈

⌂⌂⌂ BEAU SITE ★★★
18, rue Georges Moulinard.
M. Me Althoffer/Lalloz
☎ 84 40 14 67 ⊞ 84 40 50 25
🛏 36 ⊠ 180/360 F. ⊞ 85/220 F.
⅋ 40 F. ⊞ 260/360 F. ⅋ 190/300 F.
⊠ sam. et dim. soir 15 nov./1er mars.

⌂⌂ DE FRANCE ★★
6, rue Clemenceau.
M. Me Pesenti/Douheret
☎ 84 40 13 90
🛏 17 ⊠ 190/260 F. ⊞ 70/170 F.
⅋ 40 F. ⊞ 235/270 F. ⅋ 170/200 F.
⊠ Rest. dim. soir hs.

⌂ DE LA POSTE ★★
(A Saint-Sauveur, 7, rue Clemenceau).
Mme Bosser
☎ 84 40 16 02 ⊞ 84 40 17 45
🛏 32 ⊠ 100/250 F. ⊞ 65/140 F.
⅋ 40 F. ⊞ 220/280 F. ⅋ 180/230 F.

⌂⌂ DU LION VERT ★★
16, rue Carnot Mme Lack
☎ 84 40 50 66 ⊞ 84 93 65 45
🛏 18 ⊠ 85/250 F. ⊞ 50/ 95 F. ⅋ 40 F.
⊞ 200/315 F. ⅋ 155/260 F.
⊠ 25 déc./1er janv. et dim. soir.

LUXEY
40430 Landes
856 hab.

⌂ RELAIS DE LA HAUTE LANDE ★★
M. Baris
☎ 58 08 02 30 ⊞ 58 08 00 64
🛏 7 ⊠ 180/200 F. ⊞ 70/230 F.
⊞ 270 F. ⅋ 170 F.
⊠ 15 janv./15 fév., dim. soir et lun.

LUZ SAINT SAUVEUR
65120 Hautes Pyrénées
700 m. • 1020 hab. 🛈

⌂⌂⌂ MONTAIGU ★★★
M. Abadie
☎ 62 92 81 71 ⊠ 521959 ⊞ 62 92 94 11
🛏 35 ⊠ 280/380 F. ⊞ 85/250 F.

⅋ 60 F. ⊞ 320/360 F. ⅋ 280/300 F.
⊠ 15 avr./1er mai, 15 oct./15 déc.

✻ PANORAMIC ET DES BAINS ★★
Mme Pujo ☎ 62 92 80 14 ⊞ 62 92 92 58
🛏 20 ⊠ 150/220 F.
⊠ oct./nov./Noël et entre saison
hiver/15 mai.

LUZY
58170 Nièvre
2735 hab. 🛈

⌂ DU CENTRE ★★
26, rue de la République. M. Ciraldo
☎ 86 30 01 55 ⊞ 86 30 11 91
🛏 11 ⊠ 115/200 F. ⊞ 70/140 F.
⅋ 37 F. ⊞ 175/245 F. ⅋ 155/205 F.
⊠ vac. scol. Noël et mi-fév., dim. soir et
lun. hs.

⌂⌂ DU MORVAN ★★
73, rue Docteur Dollet. M. Tisserand
☎ 86 30 00 66
🛏 12 ⊠ 150/220 F. ⊞ 80/160 F.
⅋ 35 F. ⊞ 180/250 F. ⅋ 150/185 F.
⊠ 20 déc./5 janv.

LYON (BRIGNAIS)
69530 Rhône
6800 hab.

⌂⌂ RESTOTEL ★★
Les Aigais à Brignais (à 10km Lyon).
M. Cortèse ☎ 78 05 24 57 ⊞ 78 05 37 57
🛏 27 ⊠ 260/280 F. ⊞ 105/250 F.
⅋ 70 F.
⊠ Rest. 3 dernières semaines août,
Noël/Nouvel An, dim. soir et lun.

LYON (FRANCHEVILLE)
69340 Rhône
9580 hab.

⌂⌂ AUBERGE DE LA VALLEE ET LE
FLEURY ★★
(Francheville à 5km) 39, av. du Chater.
M. Me Porteneuve
☎ 78 59 11 88 ⊞ 78 59 47 16
🛏 12 ⊠ 200/270 F. ⊞ 65/225 F.
⊞ 500 F. ⅋ 380 F.
⊠ Rest. fin fév./début mars, 3 dernières
semaines août, dim. soir et lun.

LYONS LA FORET
27480 Eure
850 hab. 🛈

⌂⌂⌂ DOMAINE SAINT-PAUL ★★
Sur N. 321. M. Lorrain
☎ 32 49 60 57 ⊞ 32 49 56 05
🛏 17 ⊞ 135/165 F. ⅋ 80 F.
⊞ 395/485 F. ⅋ 290/380 F.
⊠ 15 nov./26 mars.

MACHECOUL
44270 Loire Atlantique
5350 hab. ⓘ

▲▲ DU CHEVAL BLANC ★★
Route de Challans. Mme Badau
☎ 40 31 42 22
🛏 20 ◈ 140/310 F. ⫼ 65/190 F.
🍽 35 F. ⫼ 230/290 F. 🖼 175/235 F.
◻ ☎ 🖨 🐕 CV 🔌 🔆 CB🆅🆂🅰 AE ⓞ E

MACON
71000 Saône et Loire
45000 hab. ⓘ

▲▲ DE GENEVE ★★
1, rue Bigonnet (Direction Gare).
M. Ploteau
☎ 85 38 18 10 📠 809012 📠 85 38 22 32
🛏 58 ◈ 268/325 F. ⫼ 70/245 F.
🍽 42 F. ⫼ 350/369 F. 🖼 260/279 F.
🄴 🄳 🆂🄿 ⓘ 🖨 ☎ 🖨 🔆 🗺 🐕 CV 🔌
🔆 CB🆅🆂🅰 AE ⓞ E C 📷

▲▲▲ TERMINUS ★★
91, rue Victor Hugo. M. Masriera
☎ 85 39 17 11 📠 809381 📠 85 38 02 75
🛏 48 ◈ 305/380 F. ⫼ 88/165 F.
🍽 40 F. 🖼 244 F.
🄴 🄳 🆂🄿 ⓘ 🖨 ☎ 🖨 🖨 🗺 🔆 🔆 🔆
CV 🔆 CB🆅🆂🅰 AE ⓞ E C

MACON (SENNECE LES MACON)
71000 Saône et Loire
45000 hab. ⓘ

▲▲ DE LA TOUR ★★
(Sortie Péage A6 Macon Nord).
M. Gatinet
☎ 85 36 02 70 📠 85 36 03 47
🛏 23 ◈ 160/400 F. ⫼ 95/210 F.
🍽 53 F. ⫼ 270/329 F. 🖼 198/248 F.
🄴 🄳 🖨 ☎ 🖨 🗺 🔆 🔆 🔆 🔆 🔆
CB🆅🆂🅰 E 📷

MAGLAND
74300 Haute Savoie
513 m. • 2873 hab.

▲ LE RELAIS DU MONT BLANC ★★
Mme Legras
☎ 50 34 75 33 📠 50 34 77 91
🛏 14 ◈ 165/240 F. ⫼ 60/140 F.
🍽 38 F. ⫼ 240/295 F. 🖼 190/245 F.
🄴 🖨 ☎ 🖨 🐕 CV 🔆 CB🆅🆂🅰 E

MAGNAC BOURG
87380 Haute Vienne
860 hab. ⓘ

▲▲▲ AUBERGE DE L'ETANG ★★
M. Lagorce
☎ 55 00 81 37 📠 55 48 70 74
🛏 14 ◈ 220/320 F. ⫼ 65/230 F.
🍽 48 F. ⫼ 260/320 F. 🖼 230/280 F.
◻ 12/24 oct., 24 déc./23 janv., dim. soir et lun. hs.
🄴 🖨 ☎ 🖨 🖨 🔆 CV 🔌 🔆 CB🆅🆂🅰 E

▲▲ DES VOYAGEURS ★
Place de la Pharmacie (A20 sortie 41).
M. Fusade
☎ 55 00 80 36
🛏 7 ◈ 190/250 F. ⫼ 70/240 F. 🍽 70 F.
⫼ 250 F. 🖼 200 F.
◻ 2/17 janv., 13/23 sept., mar. soir et sam. sauf vac. scol.
🄴 🆂🄿 ⓘ 🖨 ☎ 🖨 🔆 CB🆅🆂🅰 E

▲▲▲ DU MIDI ★★
Sur N. 20. M. Tricard
☎ 55 00 80 13 📠 55 48 70 96
🛏 13 ◈ 210/280 F. ⫼ 75/250 F.
🍽 55 F. 🖼 280/330 F.
◻ 15/30 nov., 15 janv./15 fév. et lun. sauf fêtes et fériés.
🄴 🆂🄿 🖨 ☎ 🖨 🔆 🔆 CV 🔌 CB🆅🆂🅰 AE ⓞ E

MAGNAC LAVAL
87190 Haute Vienne
2512 hab. ⓘ

▲ LE BRAM ★
3, route de la Souterraine.
MM. Vassy/Verrier
☎ 55 68 56 97 \ 55 68 64 45
🛏 13 ◈ 130/220 F. ⫼ 55/160 F.
🍽 45 F. ⫼ 180/240 F. 🖼 130/180 F.
◻ 2 semaines oct., 1 semaine janv. et lun. sauf juil./août/sept.
🖨 ☎ 🖨 🖨 🔆 🔆 🔆 CV 🔆 CB🆅🆂🅰 E

MAGNANT
10110 Aube
200 hab.

▲▲ LE VAL MORET ★★
Mme Marisy
☎ 25 29 85 12 📠 25 29 70 81
🛏 30 ◈ 190/260 F. ⫼ 75/200 F.
🍽 36 F.
🄴 🄳 🆂🄿 🖨 ☎ 🖨 🖨 🔆 🔆 🔆 🔆
CV 🔌 🔆 CB🆅🆂🅰 AE E 📷

MAGNY COURS
58470 Nièvre
2000 hab.

▲▲▲ LA RENAISSANCE ★★★★
Ancienne N. 7. M. Dray
☎ 86 58 10 40 📠 86 21 22 60
🛏 9 ◈ 500/900 F. ⫼ 200/500 F.
🍽 150 F.
◻ 20 fév./14 mars, 1er/15 août, dim. soir et lun.
🄴 ⓘ 🖨 ☎ 🖨 🖨 🖨 🔆 🔆 🔌 🔆
CB🆅🆂🅰 AE E

MAICHE
25120 Doubs
810 m. • 5000 hab. ⓘ

▲ DES COMBES ★★
2, rue des Combes. M. Vittori
☎ 81 64 09 36 📠 81 64 27 46
🛏 10 ◈ 160/210 F. 🍽 47 F.
⫼ 190/230 F. 🖼 170/200 F.
◻ 1er/15 nov.
🄴 🖨 ☎ 🖨 🖨 🔆 CV 🔆 CB🆅🆂🅰 AE E

MAICHE (suite)

▲▲ PANORAMA ★★
Côteau Saint-Michel. M. Puc
☎ 81 64 04 78 ☒ 81 64 08 95
🛏 38 ◈ 210/325 F. ⫴ 100/225 F.
🍴 60 F. ⫴ 260/330 F. ⓜ 230/300 F.
⊠ 15/26 déc., rest. ven. et dim. soir
oct./mars. sauf vac. scol.
🅴 🅳 ⬜ ☎ 🅰 🅿 🛆 🛌 ♿ CV ⚇ ⬅
CB🆅🅸🆂🅰 E ▣

MAILLEZAIS
85420 Vendée
900 hab. ⓘ

✻ SAINT NICOLAS ★★
Rue du Docteur Daroux. M. Tallineau
☎ 51 00 74 45 ☒ 51 87 29 10
🛏 16 ◈ 200/310 F.
⊠ 15 nov./15 fév.
🅴 ⬜ ☎ 🅰 🅿 🛆 ⚇ CB🆅🅸🆂🅰 E

MAILLY LE CHATEAU
89660 Yonne
500 hab.

▲▲ LE CASTEL ★★
M. Breerette
☎ 86 81 43 06 ☒ 86 81 49 26
🛏 12 ◈ 150/360 F. ⫴ 75/170 F.
🍴 60 F.
⊠ 15 nov./15 mars et mer.
🅴 SP ☎ 🅿 🛆 🛌 ⚇ CB🆅🅸🆂🅰 E

MAINTENON
28130 Eure et Loir
3000 hab. ⓘ

▲ SAINT DENIS ★
5, place Aristide Briand. M. Hallier
☎ 37 23 00 76
🛏 13 ◈ 250 F. ⫴ 135/165 F. 🍴 60 F.
⫴ 350 F.
⊠ déc. et vac. scol. fév.
🅴 ⬜ 🅿 ⚇ ⬅ CB🆅🅸🆂🅰 E ▣

MAISONNEUVE CHANDOLAS
07230 Ardèche
300 hab.

▲▲▲ LE RELAIS DE LA VIGNASSE ★★
M. Benoist
☎ 75 39 31 91 ☒ 75 39 08 12
🛏 11 ◈ 230/380 F. ⫴ 95/240 F.
🍴 52 F. ⫴ 260/340 F. ⓜ 230/310 F.
⊠ 8 jours oct., 8 jours nov. et 15 jours fév.
🅴 🅳 ⬜ ☎ 🅰 🅿 🛆 🛌 🛆 CV ⚇
⬅ CB🆅🅸🆂🅰 E ▣

MAISONS LES CHAOURCE
10210 Aube
180 hab. ⓘ

▲▲ AUX MAISONS ★★
M. Enfert
☎ 25 70 07 19 ☒ 25 70 07 75
🛏 13 ◈ 140/260 F. ⫴ 75/180 F.
🍴 45 F. ⓜ 220/280 F.
⊠ Rest. dim. soir hs.
🅴 🅳 ⬜ ☎ 🅰 🅿 🛆 ♿ CV ⚇ ⬅
CB🆅🅸🆂🅰 E

MAIZIERES LA GRANDE PAROISSE
10510 Aube
1722 hab.

▲ DES GRANGES ᵉᶜ
84, av. Général de Gaulle. Mme Pinal
☎ 25 24 84 18 ☒ 25 24 37 35
🛏 20 ◈ 135/230 F. ⫴ 56/130 F.
🍴 45 F. ⫴ 225/275 F. ⓜ 170/230 F.
⊠ 30 juil./16 août et sam. sauf hôtel sur réservations.
🅴 ⬜ ☎ 🅰 🅿 🛆 🛌 ⬅ CB🆅🅸🆂🅰 E

MAIZIERES LES VIC
57810 Moselle
398 hab.

▲▲ LE ROUGE BONNET ★★
58, Grand'Rue. M. Vanier
☎ 87 86 64 37 ☒ 87 86 69 44
🛏 10 ◈ 200 F. ⫴ 80/120 F. 🍴 50 F.
⊠ dernière semaine août/1ère semaine sept. et lun.
🅳 ⬜ ☎ 🅰 🛌 🛆 CV ⬅ CB🆅🅸🆂🅰 E

MALAUCENE
84340 Vaucluse
2000 hab. ⓘ

▲ HOSTELLERIE LA CHEVALERIE
Les Remparts. Mme Houdy
☎ 90 65 11 19
🛏 5 ◈ 230/320 F. ⫴ 90/200 F. 🍴 50 F.
⫴ 320 F. ⓜ 240 F.
⊠ 22/29 oct., 1er/15 mars, 1 semaine juil. et mer.
🅴 🅳 ☎ 🅰 ⬅ CB🆅🅸🆂🅰 E

▲ LE VENAISSIN ★★
Mme Pourquier
☎ 90 65 20 31
🛏 20 ◈ 190/250 F. ⫴ 70/150 F.
🍴 40 F. ⫴ 290 F. ⓜ 240 F.
⊠ jeu. hs.
☎ CV ⚇ ⬅ CB🆅🅸🆂🅰 ⓞ E

MALAY
71460 Saône et Loire
219 hab. ⓘ

▲▲ LA PLACE ★★
M. Litaudon
☎ 85 50 15 08 ☒ 85 50 13 23
🛏 30 ◈ 270 F. ⫴ 68/260 F. 🍴 50 F.
⫴ 295 F. ⓜ 235 F.
⊠ 3 dernières semaines janv. et 1ère semaine fév., dim. soir et lun. hs.
🅴 ⬜ ☎ 🅰 🅿 🛌 ☎ 🛆 🛌 CV ⚇ ⬅
CB🆅🅸🆂🅰 E

MALAY LE PETIT
89100 Yonne
187 hab.

▲ AUBERGE LE RABELAIS ★★
55, route de Genève. M. Lelu
☎ 86 88 21 44
🛏 6 ◈ 165/260 F. ⫴ 99/220 F. 🍴 45 F.
⊠ 1er/15 nov., 1er/15 fév., mer. soir et jeu. sauf fêtes.
🅴 ☎ 🅰 🅿 ⚇ ⬅ CB🆅🅸🆂🅰 E

MALESHERBES
45330 Loiret
5000 hab. 📓

🏨🏨🏨 ECU DE FRANCE ★★
10, place du Martois. M. Grosmangin
☎ 38 34 87 25
🛏 14 ⬛ 120/350 F. 🍽 100/230 F.
🅿 38 F. 🍴 180/240 F.
⊠ Rest. jeu. soir.
🎫🖥🕿🚗🕿 CB🌐 AE ⦿ E

MALZIEU VILLE (LE)
48140 Lozère
860 m. • 924 hab. 📓

🏨🏨 DES VOYAGEURS ★★
Route de Saugues. M. Pages
☎ 66 31 70 08 🅵🅰🆇 66 31 80 36
🛏 18 ⬛ 230 F. 🍽 70/150 F. 🍴 270 F.
🍴 230 F.
⊠ 20 déc./28 fév. et dim. soir hs.
🎫🕿🚗 CV 🕸 CB🌐 E

MAMERS
72600 Sarthe
6200 hab. 📓

🏨🏨 AU BON LABOUREUR ★★
1, rue Paul Bert. M. Guet
☎ 43 97 60 27 🅵🅰🆇 43 97 16 19
🛏 10 ⬛ 160/275 F. 🍽 85/190 F.
🅿 45 F. 🍴 235/295 F. 🍴 205/275 F.
⊠ vac. scol. fév., ven. et sam. midi
oct./mai.
🎫🖥🕿🚗 CV 🕸 CB🌐 AE ⦿ E 📷

MANDAILLES SAINT JULIEN
15590 Cantal
950 m. • 270 hab. 📓

🏨 DES TOURISTES - MAISON BONAL
(A Saint-Julien-de-Jordanne).
Mme Mager-Bonal ☎ 71 47 94 71
🛏 18 ⬛ 150/250 F. 🍽 80/120 F.
🅿 30 F. 🍴 200/220 F. 🍴 180/200 F.
⊠ oct.
🎫🚗🕿🕿 CV 🔧 CB🌐 AE E

MANDEREN
57480 Moselle
375 hab. 📓

🏨🏨 AU RELAIS DU CHATEAU MENSBERG
15, rue du château. Mme Schneider
☎ 82 83 73 16 🅵🅰🆇 82 83 23 37
🛏 13 ⬛ 280 F. 🍽 68/240 F. 🅿 45 F.
🍴 350 F. 🍴 270 F.
🎫🖥🕿🚗🕿🕿🔧 CV 🕸 🔧
CB🌐 AE ⦿ E

MANE
31260 Haute Garonne
1054 hab. 📓

🏨 DE FRANCE ★
Place de l'Eglise. M. Peyriguer
☎ 61 90 54 55 🅵🅰🆇 61 90 05 93
🛏 12 ⬛ 150/185 F. 🍽 58/145 F.
🅿 35 F. 🍴 200/230 F. 🍴 160/180 F.
⊠ oct. et ven. hs.
🎫 SP 🖥🕿🚗 🔧 CB🌐 E 📷

MANHES
15220 Cantal
674 m. • 1200 hab. 📓

LE CANTOU ★
Sur N. 122 (3 km de Saint-Mamet).
M. Prunet ☎ 71 64 70 12
🛏 10 ⬛ 180/240 F. 🍽 80/120 F.
🍴 230/250 F. 🍴 200/220 F.
🚗🕿🕿🔧 CV 🕸 🔧 CB🌐 AE ⦿ E

MANIGOD (COL DE LA CROIX FRY)
74230 Haute Savoie
1477 m. • 600 hab. 📓

🏨🏨 LES ROSIERES ★★
(Col de la Croix Fry). M. Segas
☎ 50 44 90 27 🅵🅰🆇 50 44 94 70
🛏 17 ⬛ 220/250 F. 🍽 60/140 F.
🅿 42 F. 🍴 250/300 F. 🍴 230/240 F.
⊠ 1er/21 juin et 1er/30 nov.
🎫🖥🕿🚗🕿🔧🕿🕿 CV 🕸
CB🌐 E

LES SAPINS ★
M. Veyrat-Durebex ☎ 50 44 90 29
🛏 12 ⬛ 150/200 F. 🍽 45/125 F.
🅿 45 F. 🍴 240/270 F. 🍴 200/230 F.
⊠ 9 mai/14 juin et oct./mi-déc.
🎫 ⅅ SP 🚗🕿🔧🕿 CV 🔧 CB🌐 AE
⦿ E

MANOSQUE
04100 Alpes de Haute Provence
22000 hab. 📓

🏨🏨 LE PROVENCE ★★
M. Bruel ☎ 92 72 39 38
🛏 10 ⬛ 250/270 F. 🍽 85/150 F.
🅿 50 F. 🍴 240 F.
🎫🖥🕿🚗🔧🔧🕿 CB🌐 E 📷

MANOSQUE (VILLENEUVE)
04180 Alpes de Haute Provence
2542 hab. 📓

🏨🏨 LE MAS SAINT-YVES ★★
Route de Sisteron, à Villeneuve.
Mme Agier-Monier ☎ 92 78 42 51
🛏 12 ⬛ 195/360 F. 🍽 79/265 F.
🅿 49 F. 🍴 265/335 F.
⊠ 20 déc./1er fév.
🎫🖥🕿🚗🕿🔧🔧🔧 CB🌐 AE ⦿ E

MANSLE
16230 Charente
1601 hab. 📓

🏨🏨 BEAU RIVAGE ★★
M. Louis ☎ 45 20 31 26 🅵🅰🆇 45 22 24 24
🛏 26 ⬛ 140/250 F. 🍽 66/160 F.
🍴 200/260 F. 🍴 150/210 F.
⊠ 3 dernières semaines nov.,
2 dernières semaines fév. et dim. soir hs.
🎫 SP 🖥🕿🚗🕿🔧🕿🔧 CB🌐 E

MANSLE (SAINT GROUX)
16230 Charente
110 hab.

🏨🏨 LES TROIS SAULES ★★
(A St-Groux 3 km). M. Faure ☎ 45 20 31 40
🛏 10 ⬛ 199/230 F. 🍽 58/165 F.
🅿 35 F. 🍴 220/245 F. 🍴 180/210 F.
⊠ 20 fév./7 mars, 30 oct./14 nov., dim.
soir et lun. midi.
🎫 ⅅ SP ℹ🖥🕿🚗🕿🕿🔧🔧 CB🌐 E

MANTHELAN
37240 Indre et Loire
1100 hab.

AA MODERNE
8, rue Nationale. M. Indrault
☎ 47 92 80 17 ☒ 47 92 87 70
🛏 9 ◎ 123/210 F. 🍴 55/110 F. 🍽 35 F.
🏠 200/210 F. 🍴 150/160 F.
✉ 22 août/13 sept., dim. et lun.
🅴 🄳 🚗 🛩 ⚓ 🚶 👶 CV CB VISA E

MANTRY
39230 Jura
430 hab.

A AUBERGE DU COL DES TILLES
M. Masson
☎ 84 85 51 72
🛏 11 ◎ 140 F. 🍴 77/205 F. 🍽 47 F.
🏠 265 F. 🍴 193 F.
✉ 1er/20 fév., 1er/15 oct. et lun.
🚗 🚗 🌅 CB VISA ◉ E

MANTRY (MONTCHAUVROT)
39230 Jura
430 hab.

AAA LA FONTAINE ★★
M. Belpois
☎ 84 85 50 02 ☒ 84 85 56 18
🛏 20 ◎ 230/300 F. 🍴 80/250 F.
🍽 45 F. 🏠 350/400 F. 🍴 260/280 F.
✉ 23 déc./1er fév., dim. soir et lun. hs.
🅴 🄳 🚗 🛩 🚗 🚶 🛩 👶 🎿 🎱 🌅
CB VISA E

MANZAC SUR VERN
24110 Dordogne
450 hab.

AA DU LION D'OR ★★
Place de l'Eglise. M. Beauvais
☎ 53 54 28 09
🛏 7 ◎ 110/190 F. 🍴 69/190 F. 🍽 50 F.
🏠 260/280 F. 🍴 220/240 F.
✉ 25 oct./10 nov., vac. scol. fév., dim.
soir et lun. (lun. juil./août).
🅴 🄳 🛩 🍴 🎱 👶 CV 🎱 🌅 CB VISA AE ◉ E

MANZAT
63410 Puy de Dôme
630 m. • 1500 hab. 🄻

A LA BONNE AUBERGE ★★
M. Pierzak
☎ 73 86 61 67 ⟍ 73 86 56 85
🛏 7 ◎ 120/250 F. 🍴 60/180 F. 🍽 50 F.
🏠 280/300 F. 🍴 220/240 F.
✉ 1er/20 oct. et lun. sauf juil./août.
🚗 🛩 🍴 👶 🌅 CB VISA E

MARANS
17230 Charente Maritime
4300 hab.

A DES VOYAGEURS ★★
11, rue des Fours. M. Dilosquer
☎ 46 01 10 62
🛏 11 ◎ 160/260 F. 🍴 90/200 F.
🍽 40 F.
✉ 3 janv./1er fév., dim. soir et lun. hs.
🅴 🚗 🛩 🍴 CV 🌅 CB VISA E

MARCENAY LE LAC
21330 Côte d'Or
200 hab.

AAA LE SANTENOY ★★
MM. Roblot
☎ 80 81 40 08 ☒ 80 81 43 05
🛏 18 ◎ 123/223 F. 🍴 65/180 F.
🍽 50 F. 🏠 240/265 F. 🍴 180/200 F.
🅴 🄳 🚗 🛩 🚗 🍴 🎿 🌅 👶 CV 🎱 🌅
CB VISA E 🅲 🎱

MARCIGNY
71110 Saône et Loire
2500 hab. 🄻

A SAINT ANTOINE ★
M. Brenon
☎ 85 25 11 23
🛏 9 ◎ 90/220 F. 🍴 70/160 F. 🍽 45 F.
🏠 220/250 F. 🍴 170/220 F.
✉ 15/20 jours mars, ven. soir et sam.
midi sauf juil./août.
🚗 🚗 CV 🌅 CB VISA E

MARCILLAT EN COMBRAILLE
03420 Allier
976 hab.

A DU COMMERCE
M. Pawlica
☎ 70 51 60 24
🛏 8 ◎ 105/155 F. 🍴 58/133 F. 🍽 45 F.
🏠 185/200 F. 🍴 145/160 F.
🚗 CV 🌅 CB VISA E

MARCILLY EN VILLETTE
45240 Loiret
1500 hab.

AA AUBERGE DE LA CROIX BLANCHE ★
118, place de l'Eglise. M. Pocceschi
☎ 38 76 10 14 ☒ 38 76 10 67
🛏 7 ◎ 150/190 F. 🍴 78/166 F. 🍽 46 F.
🏠 290/310 F. 🍴 193/213 F.
✉ 7/28 fév., 16/31 août et ven.
🅴 SP 🚗 🛩 🍴 CV 🌅 CB VISA E

MARCONNE
62140 Pas de Calais
1800 hab.

AA LES 3 FONTAINES ★★
Route d'Abbeville. Mme Herbin
☎ 21 86 81 65 ☒ 21 86 33 34
🛏 10 ◎ 300/400 F. 🍴 85/200 F.
🍽 60 F. 🏠 350/400 F. 🍴 280/340 F.
✉ 25 déc./1er janv.
🅴 🄳 🚗 🛩 🚗 🍴 🎿 👶 🎿 CV 🎱 🌅
CB VISA AE ◉ E

MARGENCEL
74200 Haute Savoie
1180 hab.

A LES CYGNES ★
Port de Sechex. Mme Plassat
☎ 50 72 63 10 ☒ 50 72 68 22
🛏 9 ◎ 255 F. 🍴 80/155 F. 🍽 45 F.
🏠 305 F. 🍴 245 F.
✉ déc./janv. et mar. hs.
🅴 🄸 🛩 🚗 🍴 🎿 👶 CV 🌅 CB VISA E

MARGES
26260 Drôme
475 hab.

▲▲ AUBERGE LE PONT DU CHALON ★★
Sur D. 538. M. Milan
☎ 75 45 62 13 Ⅳ 75 45 60 19
🛏 9 ◈ 190/250 F. ⅱ 75/220 F. ⅙ 38 F.
ⅲ 250/270 F. ⅳ 200/220 F.
⌧ 15 jours début oct., 15 jours mi-janv.
et lun. sauf juin./août.
CB🆅🆂🅰 E

MARINGUES
63350 Puy de Dôme
2300 hab. 🅸

▲▲ LE CLOS FLEURI ★★
18, route de Clermont. Mme Vigier
☎ 73 68 70 46 Ⅳ 73 68 75 58
🛏 16 ◈ 195/280 F. ⅱ 75/220 F.
⅙ 55 F. ⅲ 270/300 F. ⅳ 220/250 F.
⌧ 15 fév./15 mars, vac. scol.
Toussaint, dim. soir et lun.
15 sept./15 juin.
CB🆅🆂🅰 E

MARKSTEIN
68610 Haut Rhin
1240 m. • 640 hab. 🅸

▲▲ WOLF ★★
M. Wolf
☎ 89 82 61 80 Ⅳ 89 38 72 06
🛏 20 ◈ 160/310 F. ⅱ 72/160 F.
⅙ 40 F. ⅲ 260/350 F. ⅳ 220/310 F.
⌧ 10 nov./10 déc.
CB🆅🆂🅰 AE E

MARLE
02250 Aisne
2670 hab. 🅸

▲▲ LE CENTRAL ★★
1, rue Desains. M. Sorlin
☎ 23 20 00 33 ⅣⅩ 23 20 08 12
🛏 9 ◈ 140/245 F. ⅱ 70/180 F. ⅙ 48 F.
ⅲ 450/525 F. ⅳ 325/410 F.
⌧ 27 juil./27 août, dim. soir et lun. midi.
CB🆅🆂🅰 E

MARLENHEIM
67520 Bas Rhin
3500 hab. 🅸

▲▲▲ HOSTELLERIE REEB ★★
2, rue Albert Schweitzer. Mme Reeb
☎ 88 87 52 70 ⅣⅩ 871308 Ⅳ 88 87 69 73
🛏 25 ◈ 250/275 F. ⅱ 50/290 F.
⅙ 45 F. ⅲ 275/300 F. ⅳ 235/265 F.
⌧ dim. soir et lun. nov./mars.
CB🆅🆂🅰 AE ◉ E

MARMANDE
47200 Lot et Garonne
19000 hab. 🅸

▲▲ LE CAPRICORNE ★★
Route d'Agen. Mme Millecam
☎ 53 64 16 14 ⅣⅩ 53 20 80 18

🛏 34 ◈ 270 F. ⅱ 75/300 F. ⅙ 50 F.
ⅲ 260 F. ⅳ 220 F.
⌧ 16 déc./8 janv.
CB🆅🆂🅰 E

▲▲ LE LION D'OR ★★
Av. de la République. M. Beaulieu
☎ 53 64 21 30 ⅣⅩ 53 64 18 35
🛏 40 ◈ 200/350 F. ⅱ 59/170 F.
⅙ 45 F. ⅲ 200/350 F. ⅳ 170/300 F.
CB🆅🆂🅰 AE ◉ E

MARNAY SUR MARNE
52800 Haute Marne
190 hab.

▲ LA VALLEE
Sur N. 19. M. Farina ☎ 25 31 10 11
🛏 6 ◈ 100/200 F. ⅱ 58/275 F. ⅙ 48 F.
ⅳ 200 F.
⌧ dim. soir et lun.
CB🆅🆂🅰 E

MARQUAY
24620 Dordogne
420 hab.

▲▲▲ DES BORIES ★★
M. Dalbavie ☎
53 29 67 02 ⅣⅩ chamcom 550 689
ⅣⅩ 53 29 64 15
🛏 28 ◈ 220/270 F. ⅱ 85/250 F.
⅙ 50 F. ⅲ 370/420 F. ⅳ 280/320 F.
⌧ 2 nov./31 mars et rest. lun. midi.
CB🆅🆂🅰 E

MARSAC SUR DON
44170 Loire Atlantique
1500 hab.

▲ DU DON
Mme Herrouet ☎ 40 87 54 55
🛏 4 ◈ 180/260 F. ⅱ 55/200 F. ⅙ 35 F.
ⅲ 210/280 F. ⅳ 160/230 F.
⌧ 1er/21 août et dim. soir.
CB🆅🆂🅰 E

MARSEILLE
13008 Bouches du Rhône
914356 hab. 🅸

▲ MISTRAL ★★
31, av. de la Pointe Rouge. M. Esposito
☎ 91 73 44 69 \ 91 73 52 45
ⅣⅩ 91 25 02 19
🛏 17 ◈ 250/380 F. ⅱ 70/120 F.
⅙ 70 F. ⅳ 200/250 F.
⌧ Rest. 16 déc./2 janv., dim. soir et lun.
CB🆅🆂🅰 AE E

MARSEILLETTE
11800 Aude
650 hab.

▲ LA MUSCADELLE ★
Route de Béziers. M. Vanmeenen
☎ 68 79 20 90
🛏 9 ◈ 145/230 F. ⅱ 65/120 F. ⅙ 40 F.
ⅲ 240/265 F. ⅳ 190/215 F.
⌧ 15 déc./1er fév.
CB🆅🆂🅰 AE E

MARTEL
46600 Lot
1530 hab. 🛈

▲▲ LE TURENNE Rest. LE QUERCY ⋆⋆
Mme Campastie
☎ 65 37 30 30
🛏 12 ◎ 165/210 F. 🍽 72/200 F.
🍴 50 F. 🛏 274 F. 🚗 202 F.
⊠ 1er fév./1er mars.
🄳 🕿 🍴 ♿ 📶 CB🆚 🅰🅴 E

MARTIGUES
13500 Bouches du Rhône
42040 hab.

▲ LE PROVENCAL ⋆⋆
37, bld du 14 juillet. M. Roux
☎ 42 80 49 16 📠 42 49 26 41
🛏 18 ◎ 200/250 F. 🍽 85/150 F.
🍴 50 F. 🛏 270/300 F. 🚗 220/250 F.
🄴 🆂🄿 🛈 🖥 🕿 📧 📶 📶 CB🆚 🅰🅴
⊕ E

MARTIN EGLISE
76370 Seine Maritime
1185 hab.

▲▲ AUBERGE DU CLOS NORMAND ⋆
22, rue Henri IV. M. Hauchecorne
☎ 35 04 40 34 📠 35 04 48 49
🛏 8 ◎ 260/450 F. 🍽 180/240 F.
🍴 75 F. 🚗 400/440 F.
⊠ 15 nov./15 déc., lun. soir et mar.
🄴 🖥 🕿 🍴 📶 CB🆚 🅰🅴 E

MARVEJOLS
48100 Lozère
600 m. • 6500 hab. 🛈

▲▲▲ DE LA GARE ET DES ROCHERS ⋆⋆
Place de la Gare. M. Teissier
☎ 66 32 10 58 📠 66 32 14 65
🛏 30 ◎ 150/280 F. 🍽 90/190 F.
🍴 62 F. 🛏 270/300 F. 🚗 210/240 F.
⊠ 15 janv./1er mars et rest. sam. hs.
🄴 🆂🄿 🖥 🕿 🍴 ♿ 📺 📶 CB🆚 E

MASLIVES
41250 Loir et Cher
500 hab. 🛈

▲▲ L'OREE DE CHAMBORD ⋆⋆
Mme Gibier
☎ 54 81 61 62 📠 54 81 66 76
🛏 38 ◎ 155/320 F. 🍽 68/240 F.
🍴 55 F. 🛏 300/350 F. 🚗 210/260 F.
⊠ 22 janv./20 fév.
🖥 🕿 🖥 📧 🍴 ♿ 📺 📶 CB🆚 E

MASSAGUEL
81110 Tarn
385 hab.

▲ AUBERGE DES CHEVALIERS
Place de la Fontaine. M. Martin
☎ 63 50 32 33
🛏 7 ◎ 120/180 F. 🍽 85/190 F.
🛏 210/270 F. 🚗 175/230 F.
⊠ mi-sept./mi-oct. et mer.
🆂🄿 ♿ 📺 📶 CB🆚 E

MASSAT
09320 Ariège
730 m. • 711 hab. 🛈

▲ COUTANCEAU ⋆⋆
Rue des Prêtres. M. Coutanceau
☎ 61 96 95 56
🛏 18 ◎ 170/230 F. 🍽 60/260 F.
🍴 45 F. 🛏 220/250 F. 🚗 180/220 F.
⊠ oct.
🄴 🄳 🆂🄿 🕿 🖥 🍴 📶 📶 CB🆚 🅰🅴 E

▲ HOSTELLERIE DES TROIS SEIGNEURS ⋆⋆
Mme Alonso
☎ 61 96 95 89 \ 61 04 90 52
🛏 19 ◎ 185/260 F. 🍽 65/180 F.
🛏 265 F. 🚗 235 F.
⊠ 2 nov./mars.
🄴 🄳 🆂🄿 🛈 🕿 🖥 🍴 ♿ 📶 CB🆚 E

▲ LE GLOBE ⋆⋆
22, place de l'Eglise. Mme Troirieux
☎ 61 96 96 66 📠 61 04 91 63
🛏 7 ◎ 200 F. 🍽 75/120 F. 🍴 45 F.
🛏 270/300 F. 🚗 190/220 F.
🄴 🆂🄿 🕿 🖥 🍴 ♿ 📺 CB🆚 🅰🅴 ⊕ E

MASSAY
18120 Cher
1300 hab.

▲ RELAIS SAINT HUBERT ⋆⋆
53, av. Maréchal Foch. M. Termereau
☎ 48 51 91 37
🛏 7 ◎ 200/240 F. 🍽 92/150 F.
🛏 280 F. 🚗 220 F.
⊠ 3 semaines vac. scol. fév., mar. soir
et mer.
🄴 🕿 🖥 🖥 🍴 ♿ 📶 CB🆚 E

MASSERET
19510 Corrèze
815 hab. 🛈

▲▲ DE LA TOUR ⋆⋆
Place de la Butte. M. Meizaud
☎ 55 73 40 12 📠 55 73 49 41
🛏 16 ◎ 160/250 F. 🍽 90/180 F.
🍴 60 F. 🛏 310 F. 🚗 210/230 F.
🄴 🆂🄿 🖥 🕿 📧 📶 📶 CB🆚 E

MASSIAC
15500 Cantal
2100 hab. 🛈

▲▲ DE LA MAIRIE ⋆⋆
8, rue A. Chalvet. M. Delorme
☎ 71 23 02 51 📠 71 23 11 93
🛏 20 ◎ 190/290 F. 🍽 80/230 F.
🍴 48 F. 🛏 250/300 F. 🚗 200/245 F.
🄴 🆂🄿 🖥 🕿 🖥 📺 📶 📶 CB🆚 🅰🅴 ⊕
E 🄲

MAUBEUGE
59600 Nord
35470 hab. 🛈

▲▲ LE GRAND HOTEL ⋆⋆
1, Porte de Paris. M. Marszolik
☎ 27 64 63 16 📠 27 65 05 76
🛏 27 ◎ 180/280 F. 🍽 68/300 F.
🍴 68 F. 🛏 250/280 F. 🚗 180/230 F.
🄴 🄳 🖥 🕿 🖥 🖥 📧 📺 📶 📶
CB🆚 🅰🅴 ⊕ E 🄲 🏠

MAULEON
79700 Deux Sèvres
3500 hab. ⓘ

▲▲ DE LA TERRASSE ★★
7, place de la Terrasse. M. Durand
☎ 49 81 47 24 ⏣ 49 81 65 04
🛏 13 ◈ 250/280 F. ⏍ 75/180 F.
🍽 45 F. �ⅲ 385/435 F. 🍴 315/365 F.
⊠ 1 semaine mai/août/nov., 15 jours
fév., week-ends oct./mai, Rest. dim.
juin/sept.
🄴 🆂🅿 ⬛ 🕿 🖼 🖼 🕇 🔟 🍽 CB🆅🆂🅰 E 🔳

MAULEON LICHARRE
64130 Pyrénées Atlantiques
5000 hab. ⓘ

▲▲ HOSTELLERIE DU CHATEAU ★★
25, rue de la Navarre. M. Anso
☎ 59 28 19 06 ⏣ 59 28 43 27
🛏 30 ◈ 155/200 F. ⏍ 60/125 F.
🍽 45 F. ⅲ 230 F. 🍴 195 F.
⊠ 18 janv./1er mars.
⬛ 🕿 🖼 🖼 🕇 🦽 🔟 🍽 CB🆅🆂🅰 E

MAURIAC
15200 Cantal
720 m. • 5000 hab. ⓘ

▲ BONNE AUBERGE ET VOYAGEURS ★
Mmes Bac/Escurbassiére
☎ 71 68 01 01 ⏣ 71 68 01 56
🛏 17 ◈ 99/219 F. ⏍ 60/160 F. 🍽 30 F.
ⅲ 170/230 F. 🍴 109/170 F.
⊠ semaine Noël/Nouvel An et dim. soir
2 nov./31 avr.
🄴 ⬛ 🕿 CV 🍽 CB🆅🆂🅰 E 🄲

▲ CENTRAL HOTEL ★
4, rue de la République. M. Baduel
☎ 71 68 01 90 ⏣ 71 68 08 33
🛏 18 ◈ 120/200 F. ⏍ 60/180 F.
🍽 40 F. ⅲ 190/240 F. 🍴 150/190 F.
⊠ dim. soir automne et hiver.
🄴 🆂🅿 ⬛ 🕿 🖼 CV 🔟 🍽 CB🆅🆂🅰 ⓞ E

▲▲ L'ECU DE FRANCE ★★
6, av. Charles Perie. M. Meynial
☎ 71 68 00 75 ⏣ 71 67 31 06
🛏 18 ◈ 160/270 F. ⏍ 70/195 F.
🍽 40 F. ⅲ 220/270 F. 🍴 160/220 F.
🄴 🆂🅿 ⬛ 🕿 🖼 CV 🔟 🍽 CB🆅🆂🅰 E

MAURIAC (CHALVIGNAC)
15200 Cantal
550 m. • 580 hab. ⓘ

▲ HOSTELLERIE DE LA BRUYERE ★★
(A Chalvignac). M. Aubert
☎ 71 68 20 26 ⏣ 71 68 11 66
🛏 10 ◈ 200/290 F. ⏍ 80/160 F.
🍽 40 F. ⅲ 260/280 F. 🍴 220/240 F.
⊠ janv., févr., dim. soir et lun. hs.
🄴 🆂🅿 ⬛ 🕿 🖼 🖼 🖂 🕇 🖼 🦽 🦽 ▶ 🦽 CV
🔟 CB🆅🆂🅰 ⓞ E

MAUROUX
46700 Lot
325 hab. ⓘ

▲▲▲ HOSTELLERIE LE VERT ★★
M. Philippe
☎ 65 36 51 36 ⏣ 65 36 56 84
🛏 7 ◈ 250/340 F. ⏍ 100/190 F.

🍽 50 F. ⅲ 355/400 F. 🍴 275/320 F.
⊠ 1er déc./14 fév., rest. jeu. et ven. midi.
🄴 🄳 ⬛ 🕿 🖼 🖼 🕇 🔆 🍽 CB🆅🆂🅰 🅰🅴 E

MAURS
15600 Cantal
3000 hab. ⓘ

▲ AU BON ACCUEIL
15, place du Champ de Foire.
M. Podevigne ☎ 71 49 00 44
🛏 6 ◈ 150/220 F. ⏍ 55/160 F. 🍽 37 F.
ⅲ 200/240 F. 🍴 160/200 F.
🆂🅿 🦽 CV 🍽 CB🆅🆂🅰 🅰🅴 ⓞ E

▲ LE PLAISANCE
M. Lacam ☎ 71 49 02 47
🛏 10 ◈ 170/180 F. ⏍ 62/200 F.
🍽 37 F. ⅲ 230/240 F. 🍴 200 F.
⊠ 24 déc./2 janv. et sam. oct./mai.
CV 🍽 CB🆅🆂🅰 🅰🅴 ⓞ E

MAUSSANE LES ALPILLES
13520 Bouches du Rhône
1850 hab. ⓘ

▲ HOSTELLERIE "LES MAGNANARELLES" ★★
104, av. Vallée des Baux. M. Priaulet
☎ 90 54 30 25
🛏 18 ◈ 220/380 F. ⏍ 90/200 F.
🍽 60 F. ⅲ 320 F. 🍴 260 F.
⊠ janv./fév. et mer. hs.
🄴 🆂🅿 ⬛ 🕿 🖼 🖼 🖂 🦽 🦽 🔟 🍽 CB🆅🆂🅰
E 🄲

MAUZE SUR LE MIGNON
79210 Deux Sèvres
2410 hab. ⓘ

▲▲ LE RELAIS DE LA FOURCHE EN PRE ★★
Route de Niort. M. Servant ☎ 49 26 32 36
🛏 12 ◈ 230/330 F. ⏍ 66/175 F.
🍽 45 F. ⅲ 381 F. 🍴 316 F.
⊠ 20 déc./10 janv., 2ème quinzaine
fév., dim. soir et lun.
🄴 ⬛ 🕿 🖼 🖼 🕇 🍽 CB🆅🆂🅰 E

MAYENNE
53100 Mayenne
15000 hab. ⓘ

▲ DES QUATRE VENTS ★
1, rue Duguesclin. M. Mézière
☎ 43 04 25 01
🛏 10 ◈ 170/210 F. ⏍ 60/140 F.
🍽 50 F. ⅲ 260/390 F. 🍴 200/300 F.
🄴 ⬛ 🕿 🦽 CV 🍽 CB🆅🆂🅰 E 🔳

▲▲▲ LA CROIX COUVERTE ★★
Route d'Alençon. M. Couge
☎ 43 04 32 48 ⏣ 43 04 43 69
🛏 13 ◈ 240/280 F. ⏍ 88/265 F.
🍽 52 F. ⅲ 310/360 F. 🍴 230/280 F.
⊠ 23/30 déc. et dim. 1er oct./30 avr.
🄴 🄳 ⬛ 🕿 🖼 🖼 🖂 🕇 🦽 CV 🔟 🍽
CB🆅🆂🅰 🅰🅴 ⓞ E 🔳

▲▲▲ LE GRAND HOTEL ★★
2, rue Amboise-de-Lore. M. Van Marle
☎ 43 00 96 00 ⏣ 43 32 08 49
🛏 30 ◈ 217/387 F. ⏍ 95/199 F.
🍽 55 F. ⅲ 358/443 F. 🍴 245/328 F.
⊠ 23 déc./3 janv., ven. soir et sam. soir
nov./mars.
🄴 🄳 🄾 ⬛ 🕿 🖼 🖼 🖂 🕇 🦽 CV 🍽
CB🆅🆂🅰 E 🔳

MAYET DE MONTAGNE (LE)
03250 Allier
1950 hab. 🛈

🏚🏚 LE RELAIS DU LAC ★★
Route de Laprugne. M. Cazals
☎ 70 59 70 23
🛏 5 ◎ 220/250 F. 🍽 95/170 F. 🍴 40 F.
🛏 270/280 F. 🍴 210/225 F.
🅴 ⓢⓟ 🗇 🖀 🖨 🖂 🖧 CV

MAZAMET
81200 Tarn
20000 hab. 🛈

🏚🏚🏚 LA METAIRIE NEUVE ★★★
(Pont de l'Arn). Mme Tournier
☎ 63 61 23 31
🛏 11 ◎ 320/550 F. 🍽 100/230 F.
🍴 45 F. 🍽 425/475 F. 🍴 275/375 F.
✉ Rest. sam. 1er oct./30 mars et sam.
midi 1er avr./30 sept.
🅴 🗇 🖀 🖂 🖂 🖧 🖤 CBᵥₛₐ
ⓞ Ⓔ

🏚🏚 LES COMTES D'HAUTPOUL ★★
3, av. Charles Sabatier. M. Abadie
☎ 63 61 98 14 🅵🅰🆇 63 98 95 76
🛏 40 ◎ 230 F. 🍽 68/300 F. 🍴 40 F.
🛏 260/320 F. 🍴 200/220 F.
✉ août et sam.
🅴 ⓢⓟ 🗇 🖀 🖨 CV 🖂 🖤 CBᵥₛₐ Ⓔ

MAZAMET (SAINT BAUDILLE)
81660 Tarn
1700 hab.

🏚🏚 AUBERGE DU ROSE D'ANJOU ★★
Mme Dure ☎ 63 61 14 07
🛏 9 ◎ 200/250 F. 🍽 75/200 F. 🍴 40 F.
🛏 285/300 F. 🍴 210/240 F.
✉ janv. et fév.
🅴 🖀 🖂 🖧 🖂 🖧 CV 🖂 🖤 CBᵥₛₐ Ⓔ

MAZAN
84380 Vaucluse
4600 hab. 🛈

✳ LE SIECLE ★
Le Terreau. Mmes Faure/Ispa
☎ 90 69 75 70
🛏 12 ◎ 140/260 F.
🖀 CV 🖤 CBᵥₛₐ Ⓔ

MAZEROLLES
86320 Vienne
650 hab. 🛈

🏚🏚 AUBERGE DU CONNESTABLE CHANDOS ★★
(Pont de Lussac). M. Champeau
☎ 49 48 40 24
🛏 7 ◎ 180/210 F. 🍽 90/240 F.
✉ 15/30 nov., 14 fév./7 mars, dim. soir
1er oct./1er mai et lun. sauf fériés.
🅴 🗇 🖀 🖂 🖧 🖤 CBᵥₛₐ 🅰🅴 ⓞ Ⓔ

MAZET SAINT VOY
43520 Haute Loire
1000 m. • 500 hab.

🏚🏚 L'ESCUELLE ★★
M. Neboit ☎ 71 65 00 51
🛏 11 ◎ 150/230 F. 🍽 65/140 F.
🍴 55 F. 🛏 210/270 F. 🍴 150/210 F.

✉ nov., janv., dim. soir et lun.
10 sept./30 juin.
🅴 🖀 🖤

MAZIRAT
03420 Allier
300 hab.

🏚 AU CHANT DU GRILLON ★
Mme Desseauves ☎ 70 51 71 50
🛏 12 ◎ 150/200 F. 🍽 52/118 F.
🍴 45 F. 🛏 150/210 F. 🍴 115/165 F.
✉ 30 janv./2 mars et mer.
🗇 🖀 🖧 🖧 CV 🖂 🖤 CBᵥₛₐ 🅰🅴 ⓞ Ⓔ

MEAUDRE
38112 Isère
1012 m. • 840 hab. 🛈

🏚🏚 AUBERGE DU FURON ★★
M. Arnaud ☎ 76 95 21 47
🛏 9 ◎ 240 F. 🍽 75/200 F. 🍴 40 F.
🛏 260/285 F. 🍴 230/260 F.
✉ 20/30 avr., 17 oct./1er déc., dim. soir
et lun. hs.
🅴 🖀 🖂 🖂 🖧 CV 🖤 CBᵥₛₐ Ⓔ

🏚🏚 DU PARC ★★
Mlle Blanc-Brude ☎ 76 95 20 02
🛏 19 ◎ 180/230 F. 🍽 75/120 F.
🍴 40 F. 🛏 250/295 F. 🍴 210/255 F.
✉ 20 oct./20 déc., 25 avr./20 mai, dim.
soir et lun. hs.
🅴 🖀 🖂 🖂 🖧 CV 🖂 🖤 CBᵥₛₐ Ⓔ

🏚🏚 LA PRAIRIE ★★
MM. Barnier Père et Fils ☎ 76 95 22 55
🛏 24 ◎ 230/270 F. 🍽 75/120 F.
🍴 36 F. 🛏 250/275 F. 🍴 230/240 F.
✉ 8 avr./2 mai, 7 oct./2 nov. et sam.
mai, fin sept./déc.
🅴 🗇 🖀 🖂 🖧 🖧 🖧 🖧 CV 🖂 🖤
CBᵥₛₐ Ⓔ

🏚🏚 LE PERTUZON ★★
M. Blanc-Brude ☎ 76 95 21 17
🛏 8 ◎ 160/220 F. 🍽 86/230 F. 🍴 45 F.
🛏 250/290 F. 🍴 225/255 F.
✉ 1er/15 juin, oct., dim. soir, mar. soir
et mer. hs.
🅴 🗇 🖀 🖂 🖧 🖧 CV 🖤 CBᵥₛₐ Ⓔ

MEGEVE
74120 Haute Savoie
1113 m. • 4750 hab. 🛈

🏚 LE SEVIGNE ★
Mme Mollier ☎ 50 21 23 09
🛏 7 ◎ 180/260 F. 🍽 80/120 F. 🍴 45 F.
🛏 260/270 F. 🍴 240/250 F.
🗇 🖀 🖂 🖧 🖧 CV 🖂 🖤 CBᵥₛₐ

🏚🏚 LES CIMES ★★
341, av. Charles Feuge. M. Freixas
☎ 50 21 01 71
🛏 8 ◎ 270/330 F. 🍽 75/119 F. 🍴 40 F.
🛏 320/350 F. 🍴 260/290 F.
✉ Rest. mar. soir et mer.
15 sept./30 nov. et 8 mai/19 juin.
🅴 🗇 🖀 CV 🖤 CBᵥₛₐ 🅰🅴 Ⓔ

MEGEVE (suite)

⌂ LES POMMIERS
2370, route de Praz. M. Rivière
☎ 50 21 01 67
🍴 15 ⊗ 170/280 F. ⏚ 70/135 F.
🍴 45 F. ⏚ 210/270 F. 🍴 260/310 F.
⊠ 15 jours juin, 15 jours nov., sam.
matin et dim. soir.
🚗 🆃 🕺 CV 🍴 CB🆅🆂🅰 E C 🔲

▲▲▲ LES SAPINS ★★
42, allée verte. M. Socquet-Juglard
☎ 50 21 02 79 🅵🅰🆇 50 93 07 54
🍴 18 ⊗ 308/520 F. ⏚ 160/267 F.
🍴 85 F. ⏚ 500 F. 🍴 470 F.
⊠ 20 avr./20 juin et 10-15 sept./20 déc.
🅸 🅳 🅸 🎧 🔲 🆃 🕺 🍴 🔲
🍴 CB🆅🆂🅰 E

MEHUN SUR YEVRE
18500 Cher
7178 hab. 🅸

⌂ LA CROIX BLANCHE ★
164, rue Jeanne d'Arc. M. Badoux
☎ 48 57 30 01 🅵🅰🆇 48 57 29 66
🍴 19 ⊗ 150/280 F. ⏚ 68/170 F.
🍴 40 F. ⏚ 245/315 F. 🍴 170/235 F.
⊠ 20 déc./20 janv. et dim. soir
1er oct./Pâques.
🅸 🔲 🎧 🚗 🆃 🕺 CV 🔲 🍴
CB🆅🆂🅰 E 🔲

MEILLERIE
74500 Haute Savoie
258 hab.

⌂ LES TERRASSES ★★
Lieu-Dit "La Tronche". Sur Nationale.
M. Wengler
☎ 50 76 04 06
🍴 14 ⊗ 220/260 F. ⏚ 75/195 F.
🍴 65 F. ⏚ 280/320 F. 🍴 270/310 F.
⊠ janv., lun. soir et mar.
🅸 🅳 SP 🅸 🔲 🎧 🚗 🚗 🔲 🆃 🔲 🍴
CB🆅🆂🅰 E

MEISENTHAL
57960 Moselle
828 hab.

▲▲ AUBERGE DES MESANGES ★★
2, rue du Tiseur. M. Fath
☎ 87 96 92 28 🅵🅰🆇 87 96 99 14
🍴 10 ⊗ 220/280 F. ⏚ 60/158 F.
🍴 40 F. ⏚ 250 F. 🍴 220 F.
⊠ 24 déc./4 janv., 1er fév./1er mars,
lun. soir et mar.
🅸 🅳 🔲 🎧 🚗 🕺 🍴 CB🆅🆂🅰 E

MELE SUR SARTHE (LE)
61170 Orne
1000 hab. 🅸

▲▲ DE LA POSTE ★
Place Charles de Gaulle. M. Leopold
☎ 33 27 60 13 🅵🅰🆇 33 27 67 20
🍴 18 ⊗ 105/330 F. ⏚ 50/250 F.
🍴 50 F. 🍴 170/360 F.
⊠ 1 semaine fév., dim. soir et lun. soir
nov./fév.
🅸 🔲 🎧 🚗 🕺 CV 🔲 🍴 CB🆅🆂🅰 E

MELLE
79500 Deux Sèvres
4575 hab. 🅸

▲▲ LES GLYCINES ★★
5, place René Groussard. M. Me Caillon
☎ 49 27 01 11
🍴 8 ⊗ 140/230 F. ⏚ 72/160 F. 🍴 50 F.
⏚ 200/255 F. 🍴 154/210 F.
⊠ 11/20 nov. et dim. soir sauf juil./août.
🅸 🅳 SP 🔲 🎧 CV 🔲 🍴 CB🆅🆂🅰 E 🔲

MELLE (SAINT MARTIN LES MELLE)
79500 Deux Sèvres
511 hab.

▲▲ L'ARGENTIERE ★★
Route de Niort. M. Mautret
☎ 49 29 13 22 ⟍ 49 29 13 74
🅵🅰🆇 49 29 06 63
🍴 18 ⊗ 210/230 F. ⏚ 65/210 F.
🍴 45 F. 🍴 260/385 F.
⊠ dim. soir.
🅸 🔲 🎧 🚗 🆃 🕺 🔲 CB🆅🆂🅰 E

MEMBROLLE SUR CHOISILLE (LA)
37390 Indre et Loire
2644 hab. 🅸

▲▲ HOSTELLERIE CHATEAU DE L'AUBRIERE ★★
Route des Fondettes. M. Brisou
☎ 47 51 50 35 🅵🅰🆇 47 51 34 69
🍴 12 ⊗ 400/850 F. ⏚ 190/300 F.
⏚ 700/800 F. 🍴 500/600 F.
⊠ Rest. lun.
🅸 🔲 🎧 🚗 🆃 🕺 🍴 CV 🔲 🍴
CB🆅🆂🅰 E

MENDE
48000 Lozère
730 m. • *12000 hab.* 🅸

▲▲ DE FRANCE ★★
9, bld Lucien Arnault. Mme Brager
☎ 66 65 00 04 🅵🅰🆇 66 49 30 47
🍴 27 ⊗ 200/320 F. ⏚ 85/200 F.
🍴 50 F. ⏚ 320/350 F. 🍴 250/280 F.
⊠ 20 déc./fin janv. Rest. dim. soir et
lun. hs.
🅸 🔲 🎧 🚗 🚗 🆃 🕺 CV 🔲 🍴 CB🆅🆂🅰
E 🔲

▲▲ DU PONT ROUPT ★★★
Av. du 11 Novembre. M. Gerbail
☎ 66 65 01 43 🅵🅰🆇 66 65 22 96
🍴 25 ⊗ 250/400 F. ⏚ 85/280 F.
🍴 60 F. ⏚ 340/410 F. 🍴 270/315 F.
⊠ 15 fév./15 mars, dim. soir et lun.
🅸 🅳 SP 🔲 🎧 🚗 🚗 🚗 🆃 🕺 🔲
🍴 🕺 CV 🔲 CB🆅🆂🅰 E 🔲

MENESQUEVILLE
27850 Eure
390 hab.

▲▲ LE RELAIS DE LA LIEURE ★★
Mme Trepagny
☎ 32 49 06 21 🅵🅰🆇 32 49 53 87
🍴 16 ⊗ 210/300 F. ⏚ 80/260 F.
🍴 52 F. ⏚ 200/280 F. 🍴 280/340 F.
⊠ 24 déc./1er fév., dim. soir et lun. hs.
🅸 🔲 🎧 🚗 🕺 🍴 CB🆅🆂🅰 E C

262

MENIL THILLOT (LE)
88160 Vosges
600 m. • 1100 hab.

⚐⚐ LES SAPINS ★★
M. Vuillemin ☎ 29 25 02 46
🛏 23 ◎ 175/235 F. � 95/190 F.
🍴 58 F. Ⅲ 270/315 F. 🍽 235/260 F.
✉ 12 nov./18 déc.
Ⓓ 🕿 🚗 ⛟ 🎿 🚲 ⠠⠠ ◗ CB𝗩𝗜𝗦𝗔 E

MENITRE (LA)
49250 Maine et Loire
1750 hab. ⓘ

⚐⚐ LE BEC SALE ★★
(Le Port St-Maur) route Angers-Saumur.
M. Roger ☎ 41 45 63 56 🕾 41 45 67 88
🛏 11 ◎ 168/240 F. �, 68/160 F.
🍴 44 F. Ⅲ 310 F. 🍽 230 F.
✉ 3 janv./6 fév. et jeu. sauf hs.
Ⓔ 🕿 ☎ 🚲 CV ◗ CB𝗩𝗜𝗦𝗔 E C

⚐ LE RELAIS BELLEVUE
(La Levée de la Loire).
M. Me Costard/Leborgne ☎ 41 45 61 05
🛏 6 ◎ 160/210 F. � 83/190 F. 🍴 50 F.
Ⅲ 260/295 F. 🍽 190/215 F.
✉ 10 fév./16 mars et dim. soir, mar. soir
et mer. oct./mai.
Ⓔ 🆂🅿 🕿 🚗 ⛟ 🎿 ▶ 🚲 ◗
CB𝗩𝗜𝗦𝗔 E

MENONCOURT (LES ERRUES)
90150 Territoire de Belfort
35 hab.

⚐ LA POMME D'ARGENT
M. Welte ☎ 84 27 63 69
🛏 3 ◎ 125/150 F. � 70/170 F. 🍴 40 F.
Ⅲ 200 F. 🍽 150/180 F.
✉ 20 sept./20 oct., lun. et mar. soir.
Ⓔ Ⓓ 🚗 ◗ CB𝗩𝗜𝗦𝗔 E

MENTON
06500 Alpes Maritimes
30000 hab. ⓘ

⚐⚐ DE LONDRES ★★
15, av. Carnot. M. Bensoussan
☎ 93 35 74 62 🕾 93 41 77 78
🛏 21 ◎ 250/480 F. �, 85/120 F.
🍴 50 F. Ⅲ 320/400 F. 🍽 250/360 F.
✉ 15 nov./10 janv. et rest. mer.
Ⓔ ⓘ 🕿 🛏 ⛟ 🍴 🚲 ◗ CB𝗩𝗜𝗦𝗔 AE
E C

⚐⚐ LE GLOBE ★★
21, av. de Verdun. M. Cannavo
☎ 93 35 73 03
🛏 20 ◎ 250/350 F. Ⅲ 96/240 F.
🍴 60 F. Ⅲ 325/375 F. 🍽 245/295 F.
✉ 15 nov./15 déc. et rest. mer.
Ⓔ ⓘ 🕿 🛏 ◗ CB𝗩𝗜𝗦𝗔 E

⚐⚐⚐ PARIS ROME ★★
79, Porte de France. Mme Castellana
☎ 93 35 73 45 🕾 93 35 29 30
🛏 15 ◎ 290/450 F. �, 87/160 F.
Ⅲ 315/390 F. 🍽 250/325 F.
✉ 11 nov./22 déc. et rest. lun.
ⓘ 🕿 🛏 ⛟ 🍴 CV 🚲 ◗ CB𝗩𝗜𝗦𝗔 AE
⓪ E C

MENTON (MONTI)
06503 Alpes Maritimes
300 hab. ⓘ

⚐⚐ LE RELAIS DE MONTI ★★
Route de Sospel. M. Bollaro
☎ 93 35 81 08
🛏 10 ◎ 246/306 F. Ⅲ 115/185 F.
🍴 50 F. Ⅲ 335/350 F. 🍽 235/250 F.
✉ 15 nov./15 déc. et mer. sauf juin/sept.
🕿 ◗ CB𝗩𝗜𝗦𝗔 E

MERCUROL
26600 Drôme
1600 hab. ⓘ

⚐ DE LA TOUR ★★
M. Gauchier
☎ 75 07 40 07 🕾 75 07 46 20
🛏 18 ◎ 160/270 F. Ⅲ 50/130 F.
🍴 40 F. Ⅲ 240/270 F. 🍽 180/210 F.
✉ 21 déc./1er fév.
Ⓔ Ⓓ 🕿 🚗 ⛟ CV CB𝗩𝗜𝗦𝗔 E ■

MEREVILLE
54850 Meurthe et Moselle
1200 hab.

⚐⚐⚐ MAISON CARREE ★★★
M. Girard
☎ 83 47 09 23 🕾 83 47 50 75
🛏 22 ◎ 240/420 F. Ⅲ 95/120 F.
🍴 60 F. Ⅲ 350/410 F. 🍽 250/310 F.
Ⓔ Ⓓ 🕿 🚗 ⛟ 🍴 🎿 🚲 ◯ 🚲
⠠⠠ ◗ CB𝗩𝗜𝗦𝗔 E ■

MERVILLE FRANCEVILLE PLAGE
14810 Calvados
1500 hab. ⓘ

⚐⚐⚐ CHEZ MARION ★★★
10, place de la Plage. M. Marion
☎ 31 24 23 39 🕾 31 24 88 75
🛏 14 ◎ 260/430 F. Ⅲ 130/440 F.
🍴 60 F. Ⅲ 340/480 F. 🍽 290/450 F.
✉ 3 janv./4 fév., lun. soir et mar. sauf
vac. scol.
Ⓔ 🆂🅿 🚗 🕿 🛏 ⛟ CV 🚲 ◗ CB𝗩𝗜𝗦𝗔 AE
⓪ E ■

⚐ DE LA GARE ★★
Route de Cabourg. M. Jeanne
☎ 31 24 23 37 🕾 31 24 54 40
🛏 15 ◎ 240 F. Ⅲ 80/200 F. 🍴 48 F.
Ⅲ 310 F. 🍽 235 F.
✉ 15/30 déc., mar. soir et mer. hs.
Ⓔ Ⓓ 🚗 🕿 🚗 🚲 ◗ CB𝗩𝗜𝗦𝗔 ⓪ E

MESLAY DU MAINE
53170 Mayenne
2306 hab. ⓘ

⚐ LE CHEVAL BLANC ★
7, route de Laval. M. Rossignol
☎ 43 98 68 00
🛏 9 ◎ 90/200 F. Ⅲ 70/200 F. 🍴 35 F.
Ⅲ 175/230 F. 🍽 120/180 F.
✉ vac. scol. fév., 1ère quinzaine
août, dim. soir et lun.
Ⓔ 🚗 🕿 CV 🚲 ◗ CB𝗩𝗜𝗦𝗔 E ■

MESNIL ESNARD (LE)
76240 Seine Maritime
6092 hab.

⌂ LEONARD ★★
38, rue Gambetta. Mme Pelorgeas
☎ 35 80 16 88 ⊠ 35 80 07 82
🛏 8 ⌷ 200/220 F. ⑪ 76/172 F. ⚇ 60 F.
⑪ 276/286 F. ⚇ 200/210 F.
⊠ 19 fév./6 mars, dim. soir et lun.
🗔 🕾 🍸 CV ▥ ♠ CB▨ E

MESNIL SAINT PERE
10140 Aube
370 hab. ⓘ

⌂⌂ AUBERGE DU LAC ★★
(Sortie A. 5 n° 22, A. 26 n° 32).
M. Gublin
☎ 25 41 27 16 ⊠ 25 41 57 59
🛏 15 ⌷ 250/310 F. ⑪ 150/300 F.
⚇ 70 F. ⑪ 380/400 F. ⚇ 300/320 F.
⊠ dim. soir 15 sept./20 mars.
🗉 🗔 🕾 🍸 🐟 ▥ ♠ CB▨ E

MESNIL VAL PLAGE
76910 Seine Maritime
500 hab. ⓘ

⌂⌂ HOSTELLERIE DE LA VIEILLE FERME ★★
(A 4 km du Treport). M. Maxime
☎ 35 86 72 18 ⊠ 35 86 12 67
🛏 34 ⌷ 250/420 F. ⑪ 75/215 F.
⑪ 335/420 F. ⚇ 255/340 F.
⊠ 1ère quinzaine janv. et dim. soir oct.
/mars sauf fériés.
🗉 🗔 🕾 🍸 ⇑ CV ▥ ♠ CB▨ ⒶⒺ
ⓄⒺ ▤

MESSERY
74140 Haute Savoie
1200 hab. ⓘ

⌂ BELLEVUE. DU CLOS SAINTE MARIE ★
M. Vuarnet
☎ 50 94 70 55
🛏 22 ⌷ 190/230 F. ⑪ 78/135 F.
⚇ 55 F. ⑪ 220/250 F. ⚇ 195/225 F.
⊠ 1er/20 oct. et mar.
🗉 🕾 🍸 ▥ ♠ CB▨ E

MESSEY SUR GROSNE
71940 Saône et Loire
435 hab.

⌂⌂ AUBERGE DU MOULIN DE LA CHAPELLE ★
M. Champion
☎ 85 44 00 58 ⊠ 85 44 07 29
🛏 9 ⌷ 126/210 F. ⑪ 60/140 F. ⚇ 44 F.
⑪ 242/280 F. ⚇ 165/205 F.
⊠ fév., mar. soir et mer. sauf juil./août.
🗉 SP 🕾 ▥ CV ▥ ♠ CB▨ E

METABIEF
25370 Doubs
1000 m. • 500 hab. ⓘ

⌂ L'ETOILE DES NEIGES ★★
4, rue du Village. M. Gignet
☎ 81 49 11 21 ⊠ 81 49 26 91
🛏 14 ⌷ 178/220 F. ⑪ 70/120 F.
⚇ 45 F. ⑪ 220/250 F. ⚇ 170/200 F.
⊠ 15 nov./15 déc. et 15 mai/15 juin.
🗔 🕾 🍸 CV ♠ CB▨ E

METZ
57050 Moselle
118500 hab. ⓘ

⌂⌂ DU NORD ★★
173 A, route de Thionville.
Mme Chateaux
☎ 87 32 53 29 ⊠ 87 30 66 10
🛏 47 ⌷ 200/260 F. ⑪ 55/ 75 F.
⑪ 250 F. ⚇ 190 F.
🗉 🗅 ⓘ 🗔 🕾 🍸 CV ♠ CB▨ ⒶⒺ E

METZ (ARGANCY RUGY)
57640 Moselle
80 hab.

⌂⌂ LA BERGERIE ★★
15, route des Vignes. Mme Keichinger
☎ 87 77 82 27 ⊠ 87 77 87 07
🛏 42 ⌷ 290/350 F. ⑪ 125/250 F.
⚇ 50 F. ⑪ 520 F. ⚇ 420 F.
🗔 🕾 🚗 🍸 🐟 ▥ ♠ CB▨ E

METZERAL
68380 Haut Rhin
1000 hab.

⌂ AUX DEUX CLEFS ★★
12, rue de l'Altenhof. Mme Kasper
☎ 89 77 61 48
🛏 12 ⌷ 230/250 F. ⑪ 75/160 F.
⚇ 40 F. ⑪ 540/560 F. ⚇ 430/450 F.
⊠ 1er nov./1er avr.
🗉 🗅 SP ⓘ 🗔 🕾 🍸 CV ▥ ♠ CB▨
ⒶⒺ ⓄⒺ

⌂⌂ DU PONT ★★
M. Kempf ☎ 89 77 60 84
🛏 13 ⌷ 220/250 F. ⑪ 80/300 F.
⚇ 50 F. ⑪ 300/350 F. ⚇ 240/260 F.
⊠ 25 nov./25 déc., 10/22 janv. et lun.
hs sauf juin/oct.
🗉 🗅 🗔 🕾 🚗 CV ♠ CB▨ E

MEUNG SUR LOIRE
45130 Loiret
6000 hab. ⓘ

⌂⌂ AUBERGE SAINT JACQUES ★★
60, rue Général de Gaulle. M. Le Gall
☎ 38 44 30 39 ⊠ 38 45 17 02
🛏 12 ⌷ 220/260 F. ⑪ 90/220 F.
⚇ 50 F. ⑪ 290/350 F. ⚇ 210/260 F.
🗉 🗔 🕾 🚗 🐟 ▥ ♠ CB▨ ⒶⒺ E 🇨 ▤

MEURSAULT
21190 Côte d'Or
1550 hab. ⓘ

⌂⌂ DU CENTRE ★★
4, rue de Lattre de Tassigny. M. Forêt
☎ 80 21 20 75
🛏 7 ⌷ 140/365 F. ⑪ 69/135 F. ⚇ 46 F.
⑪ 281/394 F. ⚇ 188/301 F.
⊠ fév., 21/30 nov., dim. soir et lun. midi.
🗉 🗅 🗔 🕾 🚗 ⇑ CV ♠ CB▨ E

⌂ LES ARTS ★
4, place de l'Hôtel de Ville. M. Laroche
☎ 80 21 20 28
🛏 19 ⌷ 145/220 F. ⑪ 79/180 F.
⚇ 45 F. ⑪ 320/380 F. ⚇ 250/280 F.
⊠ 20 déc./20 janv. et mer. oct./mars.
🗉 🗔 🕾 ♠ CB▨ E

MEXIMIEUX
01800 Ain
6000 hab. 🛈

▲▲ LUTZ ★★
17, rue de Lyon. M. Lutz
☎ 74 61 06 78 ⅢⅢ 74 34 75 23
🛏 13 ⌧ 180/340 F. ⅢⅢ 70 F.
⌧ 18/25 juil., 17 oct./7 nov., dim. soir
et lun.
🄴 🗔 🕿 🚗 🎛 🆘 CB🆅🆂 🆎 E

MEYMAC
19250 Corrèze
702 m. • 2783 hab. 🛈

▲▲ SPLENDID HOTEL ★★
76, av. Limousine. M. Vizier ☎ 55 95 12 11
🛏 23 ⌧ 150/260 F. ⅢⅢ 65/150 F.
🍽 50 F. ⅢⅢ 190/250 F. 🍴 170/200 F.
⌧ déc. et dim.
🄴 🕿 🚗 🎣 🆘 CB🆅🆂 🆎 E

MEYRONNE
46200 Lot
200 hab.

▲▲ LA TERRASSE ★★
M. Liebus
☎ 65 32 21 60 ⅢⅢ 65 32 26 93
🛏 16 ⌧ 220/500 F. ⅢⅢ 75/270 F.
🍽 50 F. ⅢⅢ 270/350 F. 🍴 220/300 F.
⌧ 3 oct./1er mars.
🄴 🕿 🎣 🏖 CV 🎛 CB🆅🆂 🆎 ⓪ E

MEYRUEIS
48150 Lozère
700 m. • 700 hab. 🛈

▲▲ FAMILY ★★
M. Julien ☎ 66 45 60 02 ⅢⅢ 66 45 66 54
🛏 48 ⌧ 200/220 F. ⅢⅢ 70/120 F.
🍽 42 F. ⅢⅢ 270 F. 🍴 220 F.
⌧ 2 nov./Rameaux.
🄴 🆂🅿 🕿 🚗 🚗 🈂 🎣 🏊 🎿 🚶 CV 🎛
🆘 CB🆅🆂 E

▲ LE MONT AIGOUAL ★★
Rue de la Barrière. Mme Robert
☎ 66 45 65 61 ⅢⅢ 66 45 64 25
🛏 28 ⌧ 200/250 F. ⅢⅢ 80/140 F.
🍽 40 F. ⅢⅢ 250/300 F. 🍴 220/250 F.
⌧ début nov./fin mars.
🕿 🚗 🈂 🎣 🏖 🆘 CB🆅🆂 E

MEYSSAC
19500 Corrèze
1124 hab. 🛈

▲▲ RELAIS DU QUERCY ★
Mme Ercole
☎ 55 25 40 31 ⅢⅢ 55 74 48 62
🛏 12 ⌧ 150/320 F. ⅢⅢ 65/180 F.
🍽 45 F. ⅢⅢ 240/340 F. 🍴 190/265 F.
🄴 🄳 🆂🅿 🗔 🚗 🚗 ⅢⅢ 🈂 🏖 🏊 🎛
🆘 CB🆅🆂 🆎 ⓪ E

MEZERIAT
01660 Ain
1600 hab. 🛈

▲ LES BESSIERES
M. Foraison ☎ 74 30 24 24
🛏 6 ⌧ 170/240 F. ⅢⅢ 128/170 F.

🍽 60 F. 🍴 225/300 F.
⌧ janv. et lun. oct./mai.
🕿 🚗 🈂 🎛 🆘 CB🆅🆂 E

MEZIERES EN BRENNE
36290 Indre
1190 hab. 🛈

▲ AU BOEUF COURONNE ★★
Place Charles de Gaulle. M. Brossier
☎ 54 38 04 39
🛏 8 ⌧ 210 F. ⅢⅢ 99/235 F. 🍽 36 F.
🍴 175/225 F.
⌧ 3/18 oct., 2/24 janv., dim. soir et lun.
🄴 🗔 🕿 🆘 CB🆅🆂 E

MEZILHAC
07530 Ardèche
1140 m. • 124 hab.

▲ DES CEVENNES ★
M. Mazè ☎ 75 38 78 01 ⅢⅢ 75 38 77 08
🛏 17 ⌧ 120/220 F. ⅢⅢ 75/100 F.
🍽 40 F. ⅢⅢ 200/260 F. 🍴 155/200 F.
⌧ 15 oct./15 déc.
🄴 🗔 🕿 🚗 🚗 🈂 🎿 CV 🎛 🆘 CB🆅🆂 E

MIEUSSY
74440 Haute Savoie
600 m. • 1169 hab. 🛈

▲▲ L'ACCUEIL SAVOYARD ★★
M. Gaudin
☎ 50 43 01 90 ⅢⅢ 50 43 09 59
🛏 19 ⌧ 155/288 F. ⅢⅢ 55/135 F.
🍽 40 F. ⅢⅢ 202/288 F. 🍴 166/248 F.
⌧ 20 oct./10 nov.
🄴 🗔 🚗 🈂 CV 🎛 🆘 CB🆅🆂 ⓪ E

MIGENNES
89400 Yonne
12000 hab. 🛈

▲▲▲ DE PARIS ★★
57, av. Jean Jaurès. M. Chauvin
☎ 86 80 23 22 ⅢⅢ 86 80 31 04
🛏 10 ⌧ 220 F. ⅢⅢ 80/150 F. 🍽 50 F.
ⅢⅢ 320/350 F. 🍴 230/250 F.
⌧ 2/15 janv. et août.
🄴 🆂🅿 🗔 🕿 🚗 ✉ 🎛 🆘 CB🆅🆂 E

MIGNIERES
28630 Eure et Loir
500 hab.

▲▲ LE RELAIS BEAUCERON ★★
Sur N. 10. M. Lichet
☎ 37 26 46 21 ⅢⅢ 37 26 30 64
🛏 30 ⌧ 190/220 F. ⅢⅢ 71/138 F.
🍽 38 F. 🍴 200 F.
⌧ dim. et sam. soir hs.
🄴 🆂🅿 🗔 🕿 🚗 🎛 🆘 CB🆅🆂 E

MILLAU
12100 Aveyron
23000 hab. 🛈

▲▲ DES CAUSSES ★★
56, av. Jean Jaurès. M. Fernandez
☎ 65 60 03 19 ⅢⅢ 65 60 86 90
🛏 22 ⌧ 205/245 F. ⅢⅢ 82/150 F.
🍽 55 F. ⅢⅢ 300/320 F. 🍴 225/235 F.
⌧ Rest. Week-end Toussaint,
23 déc./2 janv., sam. et dim. soir
sept./juin.
🄴 🆂🅿 🗔 🕿 🚗 ✉ 🈂 CV 🆘 CB🆅🆂 ⓪ E

MIMET
13105 Bouches du Rhône
600 m. • 3500 hab. ℹ️

⌂ HOSTELLERIE DU PUECH ★
8, rue Saint-Sébastien. Mme Boucher
☎ 42 58 91 06
🛏 8 ▫ 160/250 F. 🍴 90/260 F. 🍽 50 F.
🍴 245/285 F. 🏠 170/210 F.
✉ 15 fév./15 mars, 30 sept./30 oct. et mer.
CV ● CB VISA E ▫

MIMIZAN
40200 Landes
7672 hab. ℹ️

⌂⌂ HOTEL CLUB ATLANTIS ★★
19, rue de l'Abbaye. M. Taris
☎ 58 09 02 18 [fax] 58 09 36 60
🛏 10 ▫ 195/465 F. 🍴 69/195 F.
🍽 49 F. 🍴 320/480 F. 🏠 230/380 F.
[icons] CV ▫ CB VISA E ▫

MIMIZAN PLAGE
40200 Landes
7672 hab. ℹ️

⌂⌂ BELLEVUE ★★
Mme Lartigue
☎ 58 09 05 23 [fax] 58 09 19 15
🛏 36 ▫ 140/330 F. 🍴 70/140 F.
🍽 43 F. 🍴 284/400 F. 🏠 214/330 F.
✉ 25 oct./1er mars.
[icons] CV ● CB VISA
● E

⌂⌂ EMERAUDE DES BOIS ★★
68, av. du Courant. M. Brassenx
☎ 58 09 05 28
🛏 16 ▫ 160/270 F. 🍴 95/100 F.
🏠 210/270 F.
✉ oct./Pâques.
E SP ☎ [icons] ● CB VISA E

MIONS
69780 Rhône
7604 hab.

⌂ DU PARC ★★
30, rue de la Libération. M. Gouilloud
☎ 78 20 16 41
🛏 18 ▫ 210/260 F. 🍴 90/289 F.
🍽 69 F. 🍴 449/499 F. 🏠 355/405 F.
✉ 3 premières semaines août, rest. dim.
soir et lun.
[icons] ● CB VISA E

MIRABEAU
84120 Vaucluse
458 hab.

⌂⌂ HOSTELLERIE DE MALACOSTE
(A la Beaume, sur N. 96). Mme Fromont
☎ 90 77 03 84
🛏 7 ▫ 180/240 F. 🍴 89/118 F. 🍽 45 F.
🍴 250/280 F. 🏠 200/230 F.
✉ 24 déc./3 janv. et sam.
1er oct./31 mars.
[icons] ● CB VISA

MIRAMAS LE VIEUX
13140 Bouches du Rhône
21602 hab. ℹ️

⌂ LE PINASTRE
Route des Pins. M. Fiori
☎ 90 58 27 59 [fax] 90 50 34 72
🛏 9 ▫ 240 F. 🍴 68/140 F. 🍽 39 F.
🍴 275 F. 🏠 210 F.
✉ dim. soir hiver et sam. midi.
[icons] ● CB VISA E ▫

MIRAMONT DE GUYENNE
47800 Lot et Garonne
3790 hab. ℹ️

⌂ DE LA POSTE
31, place Martignac. M. Quai
☎ 53 93 20 03 [fax] 53 89 64 55
🛏 12 ▫ 190/270 F. 🍴 57/220 F.
🍽 45 F. 🍴 240/270 F. 🏠 210/230 F.
✉ sam. hiver.
[icons] CV ▫ ● CB VISA E

MIRANDE
32300 Gers
3700 hab. ℹ️

⌂⌂⌂ DES PYRENEES ★★
5, av. d'Etigny. M. Sainte-Marie
☎ 62 66 51 16 [fax] 62 66 79 96
🛏 18 ▫ 200/350 F. 🍴 95/220 F.
🍽 45 F. 🏠 230/270 F.
✉ Rest. lun.
[icons] CB VISA AE E

⌂ METROPOLE ET DE GASCOGNE ★★
31, rue Victor Hugo. M. Guibot
☎ 62 66 50 25 [fax] 62 66 77 63
🛏 12 ▫ 155/220 F. 🍴 53/200 F.
🍽 35 F. 🍴 220/250 F. 🏠 180/210 F.
✉ sam. et dim. sauf résidents.
SP ☎ [icons] CV ● CB VISA E

MIREBEAU SUR BEZE
21310 Côte d'Or
1200 hab.

⌂⌂ AUBERGE DES MARRONNIERS ★★
Mme Perrin
☎ 80 36 71 05 [fax] 80 36 75 92
🛏 17 ▫ 160/250 F. 🍴 58/150 F.
🍽 35 F. 🍴 226/261 F. 🏠 168/203 F.
✉ 24 déc./6 janv. et dim. soir ven. soir
1er oct./31 mars.
[icons]
CB VISA

MIRECOURT
88500 Vosges
8511 hab.

⌂⌂⌂ LE LUTH ★★
Route de Neufchâteau. Mmes Burnel
☎ 29 37 12 12 [fax] 29 65 68 88
🛏 30 ▫ 260/280 F. 🍴 75/156 F.
🍽 48 F. 🍴 310/330 F. 🏠 240/280 F.
✉ Rest. 1ère quinzaine juil., ven. soir et
sam.
[icons] ● CB VISA E ▫

MIREPOIX
09500 Ariège
5000 hab. ⓘ

⏷⏷ LE COMMERCE ✶✶
Mme Puntis
☎ 61 68 10 29 ⅲ 61 68 20 99
🛏 30 ⬡ 172/260 F. ⅱ 63/180 F.
🍴 40 F. ⅲ 240/280 F. 🍴 178/220 F.
✉ 1er/15 oct. et janv.
🄴 🄳 🖼 🛏 🍴 📺 CV 🕪 🕻 CB🆅🆂🅰🅴 ⓞ E

MIRIBEL LES ECHELLES
38380 Isère
600 m. • *1500 hab.* ⓘ

⏷ LES 3 BICHES ✶
M. Comba ☎ 76 55 28 02
🛏 6 ⬡ 160/230 F. ⅱ 65/170 F. 🍴 65 F.
ⅲ 215/225 F. 🍴 185/195 F.
✉ 1er/12 mars, 20/30 juin, 1er/12 sept.
et mer. sauf juil./août.
🄴 🖼 🚗 🖼 CV 🕪 🕻 CB🆅🆂🅰 ⓞ E

MITTELBERGHEIM
67140 Bas Rhin
640 hab.

⏷⏷ GILG ✶✶
1, route du Vin. M. Gilg
☎ 88 08 91 37
🛏 10 ⬡ 250/360 F. ⅲ 130/325 F.
✉ 10 janv./2 fév., 27 juin./13 juil., mar.
soir et mer.
🄴 🄳 🖼 🛏 🖼 🕻 CB🆅🆂🅰 ⓞ E

MITTELHAUSBERGEN
67206 Bas Rhin
1425 hab.

⏷⏷ AU TILLEUL ✶✶
5, route de Strasbourg. M. Me Lorentz
☎ 88 56 18 31 ⅲ 88 56 07 23
🛏 12 ⬡ 280/320 F. ⅲ 50/200 F.
🍴 50 F. ⅲ 260/280 F. 🍴 210/230 F.
✉ Rest. vac. scol. fév., 8 jours après
14 juil. et mer.
🖼 🛏 🖼 🕻 🚗 CV 🕪 🕻 CB🆅🆂🅰 ⓞ E 🖼

MITTELHAUSEN
67170 Bas Rhin
485 hab.

⏷⏷⏷ A L'ETOILE ✶✶
12, rue de la Hey. M. Bruckmann
☎ 88 51 28 44 ⅲ 88 51 24 79
🛏 19 ⬡ 220/270 F. ⅲ 60/200 F.
🍴 40 F. ⅲ 260/290 F. 🍴 200/230 F.
✉ 2/10 janv., 12 juil./2 août, rest. dim.
soir et lun.
🄴 🄳 🄾 🖼 🛏 🖼 🖼 🕿 🕻 🚗 🕻
🕪 🕻 CB🆅🆂🅰 E

MITTERSHEIM
57930 Moselle
650 hab. ⓘ

⏷ L'ESCALE ✶✶
33, route de Dieuze. M. Hamant
☎ 87 07 67 01 ⅲ 87 07 54 57
🛏 13 ⬡ 220/250 F. ⅲ 70/180 F.
🍴 70 F. 🍴 220/260 F.
✉ 15 janv./28 fév. et mer.
🄳 🄾 🖼 🛏 🕿 CV CB🆅🆂🅰 ⓞ E

MIZOEN
38142 Isère
1200 m. • *94 hab.* ⓘ

⏷⏷⏷ LE PANORAMIQUE ✶✶
M. Manenti ☎ 76 80 06 25
🛏 10 ⬡ 245/400 F. ⅲ 92/160 F.
🍴 60 F. ⅲ 230/255 F.
✉ 30 sept./25 déc. et 1er/30 mai.
🄴 ⓘ 🄾 🖼 🛏 🛏 🕿 🕻 🚗 🕻 🕪 🕻
CB🆅🆂🅰 E

MODANE VALFREJUS
73500 Savoie
1057 m. • *4500 hab.* ⓘ

⏷⏷⏷ LE PERCE-NEIGE ✶✶
14, av. Jean-Jaurès. M. Nousse
☎ 79 05 00 50 ⅲ 79 05 12 92
🛏 18 ⬡ 230/320 F. ⅲ 76/165 F.
🍴 49 F. ⅲ 294/338 F. 🍴 218/262 F.
✉ 1er/15 mai et 16 oct./3 nov.
🄴 ⓘ 🄾 🖼 🛏 🕿 🕻 CV CB🆅🆂🅰 E

MODANE VALFREJUS
(FOURNEAUX)
73500 Savoie
1050 m. • *1304 hab.* ⓘ

⏷ BELLEVUE
(A Fourneaux, 15, rue du Replat).
M. Mestre
☎ 79 05 20 64 ⅲ 79 05 37 42
🛏 14 ⬡ 180/240 F. ⅲ 70/140 F.
🍴 45 F. ⅲ 230/260 F. 🍴 200/230 F.
✉ 1er/21 nov. et dim. hs.
🄴 🄳 🖼 🛏 🖼 🖼 CV 🕻 CB🆅🆂🅰 E

MOERNACH
68480 Haut Rhin
426 hab. ⓘ

⏷⏷ AUX DEUX CLEFS ✶✶
218, rue Hennin Blenner. Mme Enderlin
☎ 89 40 80 56
🛏 7 ⬡ 230/270 F. ⅲ 95/270 F. 🍴 45 F.
🍴 255/280 F.
✉ 28 oct./10 nov., 14 fév./4 mars, jeu.
et ven./17h.
🄴 🄳 🖼 🛏 🛏 🕿 🚗 🕻 🕪 🕻 CB🆅🆂🅰 E

MOISSAC
82200 Tarn et Garonne
11408 hab.

⏷⏷ LE CHAPON FIN ✶✶
Place des Récollets. M. Ressayre
☎ 63 04 04 22
🛏 29 ⬡ 160/300 F. ⅲ 85/135 F.
🍴 60 F. 🍴 190/235 F.
✉ nov.
🄴 SP 🄾 🖼 🛏 🛏 CV 🕻 CB🆅🆂🅰 🅰🅴 ⓞ E

MOLIERES SUR CEZE
30410 Gard
2142 hab.

⏷ LA LUXERIERE
M. Chacon ☎ 66 24 33 17
🛏 6 ⬡ 190/300 F. ⅲ 98/260 F. 🍴 45 F.
ⅲ 320 F. 🍴 260 F.
✉ oct./mars.
SP 🄾 🖼 🛏 🖼 🕿 🚗 🕻 🚗 CV 🕪 🕻
CB🆅🆂🅰 E

267

MOLINES EN QUEYRAS
05350 Hautes Alpes
1750 m. • 400 hab. ⓘ

▲▲ L'EQUIPE ★★
Route de Saint Véran. M. Catalin
☎ 92 45 83 20 Ⅲ 92 45 81 85
🛏 22 ⊗ 260/280 F. Ⅲ 62/146 F.
🍴 40 F. Ⅲ 295/320 F. ⅏ 239/250 F.
⊠ 4 nov./17 déc. et 6 avr./26 mai.
[icons] CB伀 AE
⊙ E

▲▲ LE CHAMOIS ★★
Mme Monetto
☎ 92 45 83 71 Ⅲ 92 45 80 58
🛏 17 ⊗ 260/270 F. Ⅲ 73/180 F.
🍴 54 F. Ⅲ 310 F. ⅏ 250 F.
⊠ 24 avr./9 mai. Rest. 12 mai,
30 oct./20 déc. et mer. midi hs.
[icons] CV CB伀 AE ⊙ E

▲▲ LE COGNAREL ★★
(Le Coin - à 2010 m.). M. Catala
☎ 92 45 81 03 ⅢX 409000 T 37659
ⅢX 92 45 81 17
🛏 22 ⊗ 228/365 F. Ⅲ 95/160 F.
🍴 55 F. Ⅲ 350/400 F. ⅏ 290/340 F.
⊠ 30 sept./20 déc., 30 avr./1er juin et
rest. lun.
[icons] SP CB伀
AE ⊙ E

MOLINGHEM
62330 Pas de Calais
3418 hab.

▲▲ LE BUFFET
22, rue de la Gare. M. Wident
☎ 21 25 82 40
🛏 5 ⊗ 110/180 F. Ⅲ 75/270 F. 🍴 55 F.
Ⅲ 220/270 F. ⅏ 180/230 F.
⊠ 3 premières semaines août, dim. soir
et lun.
[icons] CB伀

MOLITG LES BAINS
66500 Pyrénées Orientales
610 m. • 180 hab. ⓘ

▲▲ DU COL DE JAU ET CANIGOU ★★
Mme Kosmalski
☎ 68 05 03 20
🛏 12 ⊗ 200/280 F. Ⅲ 120/180 F.
🍴 60 F. Ⅲ 280/420 F. ⅏ 250/350 F.
⊠ 3 janv./15 mars.
[icons] CB伀 E

MOLLANS SUR OUVEZE
26170 Drôme
690 hab.

▲▲ SAINT MARC ★★
M. Veilex
☎ 75 28 70 01 ⅢX 75 28 78 63
🛏 14 ⊗ 300/370 F. Ⅲ 115/215 F.
🍴 60 F. ⅏ 280/333 F.
⊠ 20 nov./15 mars, dim. soir et lun.
mars/avr.
[icons] CV
CB伀 E

MOLLKIRCH
67190 Bas Rhin
500 hab.

▲▲ FISCHHUTTE ★★
Route de Grendelbruch. M. Schahl
☎ 88 97 42 03 ⅢX 88 97 51 85
🛏 18 ⊗ 200/340 F. Ⅲ 72/260 F.
🍴 56 F. Ⅲ 315/395 F. ⅏ 250/330 F.
⊠ 15 fév./15 mars, 20 juin/2 juil., lun.
soir et mar.
[icons] CV CB伀 AE E

MOLLON
01800 Ain
200 hab.

▲ LES ACACIAS ★
M. Gousse ☎ 74 35 60 71 ⅢX 74 35 46 00
🛏 7 ⊗ 140/160 F. Ⅲ 55/150 F. 🍴 45 F.
Ⅲ 190/220 F. ⅏ 140/160 F.
⊠ 1ère quinzaine avr., 1ère quinzaine
sept., ven. et dim. soir.
[icons] CB伀

MOLSHEIM
67120 Bas Rhin
8000 hab. ⓘ

▲ AU CHEVAL BLANC ★
Place de l'Hôtel de Ville. M. Ferrenbach
☎ 88 38 16 87 ⅢX 88 38 20 96
🛏 13 ⊗ 145/260 F. Ⅲ 80/160 F.
🍴 35 F. ⅏ 175/234 F.
⊠ dernières semaines juin, nov., vac.
scol. fév., rest. mar. soir et mer.
[icons] CV CB伀 AE E

▲▲ DU CENTRE ★★
1, rue Saint-Martin. Mme Heiligenstein
☎ 88 38 54 50 ⅢX 88 49 82 57
🛏 29 ⊗ 170/270 F. ⅏ 185/235 F.
[icons] SP CB伀
AE E

MOLUNES (LES)
39310 Jura
1274 m. • 72 hab.

▲▲ LE PRE FILLET ★★
M. Grosrey ☎ 84 41 62 89 ⅢX 84 41 64 75
🛏 20 Ⅲ 54/155 F. 🍴 27 F.
Ⅲ 205/220 F. ⅏ 170/185 F.
⊠ Rest. dim. soir.
[icons] CB伀 E

MONAMPTEUIL
02000 Aisne
115 hab.

▲ AUBERGE DU LAC ᵉᶜ
M. Giot ☎ 23 21 63 87
🛏 7 ⊗ 160/300 F. Ⅲ 70/185 F. 🍴 50 F.
Ⅲ 250/360 F. ⅏ 160/250 F.
[icons] CB伀 E

MONCOURT FROMONVILLE
77140 Seine et Marne
2000 hab.

▲▲ HOSTELLERIE DES TROIS SOURCES ★
125, rue Grande. Mme Lefevre
☎ (1) 64 28 94 75 ⅢX 692131
🛏 10 ⊗ 200/240 F. Ⅲ 150/185 F.
Ⅲ 250/300 F. ⅏ 200/260 F.
⊠ lun. soir et mar.
[icons] CB伀 E

MONCRABEAU
47600 Lot et Garonne
900 hab. 📖

⛉⛉ LE PHARE **
M. Lestrade ☎ 53 65 42 08
🛏 8 ◎ 250/370 F. 🍽 60/180 F. 🏃 60 F.
🍴 310/380 F. 💳 250/320 F.
✉ 15 jours fév., 3 semaines oct., lun.
soir et mar.
🇪 SP 📷 ☎ 📺 ⛄ 🎿 ♿ CB VISA AE ⊙ E

MONDOUBLEAU
41170 Loir et Cher
1800 hab. 📖

⛉⛉ LE GRAND MONARQUE **
2, rue Chrétien. MM. Chachaut/Delmond
☎ 54 80 92 10 FAX 54 80 77 40
🛏 13 ◎ 230/260 F. 🍽 85/125 F.
🏃 50 F. 🍴 280/300 F. 💳 205/220 F.
✉ 24 déc./3 janv. et lun. nov./mars.
🇪 SP 📷 ☎ 📺 ⛄ 🏊 CV ♿ CB VISA

MONDRAGON
84430 Vaucluse
3000 hab.

🌲 SOMMEIL DU ROY **
Mmes Vallat/Roche ☎ 90 40 81 58
🛏 10 ◎ 115/236 F.
📷 ☎ CV ♿ CB VISA E

MONESTIER DE CLERMONT
38650 Isère
850 m. • 917 hab. 📖

⛉⛉ PIOT **
7, rue des Chambons. M. Piot
☎ 76 34 07 35
🛏 19 ◎ 135/280 F. 🍽 75/135 F.
🏃 48 F. 🍴 235/310 F. 💳 180/250 F.
✉ 15 nov./15 fév., mar. soir et mer.
16 sept./14 juin.
🇪 📷 ☎ 📺 ⛄ 🎿 CV ♿ CB VISA E

MONESTIER DE CLERMONT
(SAINT PAUL LES MONESTIER)
38650 Isère
850 m. • 140 hab.

⛉⛉⛉ AU SANS SOUCI **
M. Maurice ☎ 76 34 03 60
🛏 11 ◎ 240/300 F. 🍽 95/180 F.
🏃 48 F. 🍴 340 F. 💳 260 F.
✉ 15 déc./fin janv., dim. soir et lun.
sauf juil./août.
🇪 📷 ☎ 📺 ⛄ 🎿 🏊 CV ♿
♿ CB VISA E

MONESTIES
81640 Tarn
1200 hab. 📖

⛉ L'OREE DES BOIS *
Mme Fabres ☎ 63 76 11 72
🛏 8 ◎ 150/300 F. 🍽 75/150 F. 🏃 45 F.
🍴 220 F. 💳 190 F.
📷 ☎ CB VISA AE E

MONETIER LES BAINS (LE)
(SERRE CHEVALIER)
05220 Hautes Alpes
1500 m. • 1000 hab. 📖

ALLIEY **
11, rue de l'Ecole. M. Buisson
☎ 92 24 40 02 FAX 92 24 40 60
🛏 24 ◎ 260/480 F. 🍽 90/120 F.
🏃 68 F. 🍴 345/450 F. 💳 275/380 F.
✉ 9 avr./24 juin et 10 sept./17 déc.
🇪 🇩 📷 ☎ 📺 ⛄ 🎿 ♿ CB VISA
⊙ E

⛉⛉⛉ AUBERGE DU CHOUCAS ***
Rue de la Fruitière.
Mme SanchezVentura
☎ 92 24 42 73 FAX 92 24 51 60
🛏 13 ◎ 240/1350 F. 🍽 140/380 F.
🏃 80 F. 🍴 425/795 F.
✉ Hôtel 2 nov./17 déc., rest.
2 mai/4 juin, 1er oct./17 déc., lun. et
mer. déjeuner.
🇪 SP 📷 ☎ 📺 ⛄ ♿ CB VISA E

⛉ CASTEL PELERIN *
(Le Lauzet à 6 km). M. Garambois
☎ 92 24 42 09
🛏 6 ◎ 250 F. 🍽 88/150 F. 🏃 45 F.
🍴 275 F. 💳 235 F.
✉ 5 avr./20 juin et 1er sept./20 déc.
🇪 📷 ♿ CB VISA E

⛉⛉ DE L'EUROPE **
1, rue Saint Eldrade. Mme Finat
☎ 92 24 40 03 FAX 92 24 52 17
🛏 30 ◎ 310/470 F. 🍽 88/155 F.
🏃 50 F. 🍴 330/445 F. 💳 270/385 F.
✉ 1er oct./15 déc. et du 1er/30 mai.
🇪 🇩 📷 ☎ 📺 ⛄ ♿ CB VISA AE ⊙ E

MONGIE (LA)
65200 Hautes Pyrénées
1800 m. • 25 hab. 📖

⛉⛉ LE PIC D'ESPADE HOTEL **
M. Mengelatte
☎ 62 91 92 27 TX 521 984 F
FAX 62 91 90 64
🛏 30 ◎ 250/350 F. 🍽 75/ 90 F.
🏃 40 F. 💳 250/390 F.
✉ 15 sept./15 déc. et 15 avr./15 juin.
🇪 🇩 SP 📷 ☎ 📺 CV CB VISA AE E

MONSEC
24340 Dordogne
270 hab.

⛉ BEAUSEJOUR
Mme Biche
☎ 53 60 92 45 FAX 53 56 39 88
🛏 13 ◎ 150/200 F. 🍽 65/190 F.
🏃 35 F. 🍴 180/250 F. 💳 150/200 F.
✉ semaine Noël/1er janv., ven. soir et
sam. hs.
🇪 📷 ☎ 📺 ⛄ 🎿 CV ♿ CB VISA AE
⊙ E

MONT DE MARSAN
40000 Landes
30161 hab. 📖

⛉ DES PYRENEES *
Rue du 34ème Régiment d'Infanterie.
Mme Masson ☎ 58 46 49 49
🛏 22 ◎ 100/240 F. 🍽 60/195 F.
🏃 45 F. 🍴 215/250 F. 💳 170/220 F.
✉ dim. juil./août.
🇪 SP 📷 ☎ ♿ ♿ CB VISA E

269

MONT DE MARSAN (suite)

▲▲ LA SIESTA ★★
8, place Jean Jaurès. M. Dumeaux
☎ 58 06 44 44
🛏 16 🛆 200/240 F. ⏲ 68/140 F.
🍴 38 F. ⏲ 290/310 F. 🍽 230/250 F.
🅴 SP 🕿 ⊠ 🕹 CV ▦ ⌂ CB🆅🆂🅰 🅴

▲▲ ZANCHETTIN "RENDEZ-VOUS DES BOULISTES" ★★
1565, av. de Villeneuve. M. Zanchettin
☎ 58 75 19 52
🛏 9 🛆 170/230 F. ⏲ 65/150 F. 🍴 50 F.
⏲ 210/230 F. 🍽 160/180 F.
⊠ 14 août soir/13 sept., dim. soir et lun.
🅴 🕿 🚗 🍴 CV ▦ ⌂ CB🆅🆂🅰 🅴 ▣

MONT DORE (LE)
63240 Puy de Dôme
1300 m. • 2000 hab. ℹ

▲▲ DE LA PAIX ★★
8, rue Rigny. M. Crossard
☎ 73 65 00 17 📠 283155 F 2 PO 8
📠 73 65 00 31
🛏 36 🛆 200/250 F. ⏲ 80/140 F.
🍴 36 F. ⏲ 270 F. 🍽 220 F.
⊠ 10 oct./22 déc.
🅴 🕿 🍴 ⌂ CB🆅🆂🅰 🅰 🅾 🅴

▲▲ DU PARC ★★
11, rue Meynadier. M. Bargain
☎ 73 65 02 92 📠 73 65 28 36
🛏 33 🛆 265/300 F. ⏲ 75/ 95 F.
🍴 40 F. ⏲ 295/318 F. 🍽 265/288 F.
⊠ 15 oct./25 déc.
🅴 🕿 🍴 🚲 🕹 ⌂ CB🆅🆂🅰 🅰 🅾 🅴

▲▲ DU PUY FERRAND ★★
Mme Guesne
☎ 73 65 18 99 📠 990147 📠 73 65 28 38
🛏 40 🛆 180/360 F. ⏲ 98/250 F.
🍴 45 F. ⏲ 280/370 F. 🍽 230/320 F.
⊠ 10 oct./20 déc.
🅴 🕿 🚗 🍴 🚲 🚴 🕹 CV ▦ ⌂ CB🆅🆂🅰 🅰 🅾 🅴

▲ LA RUCHE ★
25, av. des Belges. M. Lacombe-Aubert
☎ 73 65 05 93
🛏 14 🛆 110/240 F. ⏲ 85/130 F.
🍴 48 F. ⏲ 190/250 F. 🍽 160/215 F.
⊠ 15 oct./20 déc.
🅴 🚗 🍴 🕹 ⌂ CB🆅🆂🅰 🅰 🅴

▲▲ LE CASTELET ★★
Av. Michel Bertrand. M. Pilot
☎ 73 65 05 29 📠 73 65 27 95
🛏 37 🛆 323 F. ⏲ 110/218 F. 🍴 46 F.
⏲ 345/359 F. 🍽 288/299 F.
⊠ 1er oct./20 déc. et 30 mars/15 mai.
🅴 SP 🕿 🚗 🍴 🍴 🚴 CV ▦ ⌂ CB🆅🆂🅰 🅾 🅴

▲▲ LE PARIS ★★
Place du Panthéon. M. Dulondel
☎ 73 65 01 79 📠 SIMDORE 990332
📠 73 65 20 98
🛏 23 🛆 270/300 F. ⏲ 71/155 F.
🍴 35 F. ⏲ 328 F. 🍽 288 F.
⊠ 20 oct./20 déc. et 1er/8 mai.
🕿 🕿 ⊠ 🚲 🕹 ⌂ CB🆅🆂🅰

▲ MON CLOCHER ★★
M. Rivière
☎ 73 65 05 41 📠 73 65 20 80
🛏 30 🛆 152/225 F. ⏲ 69/100 F.
🍴 28 F. ⏲ 232/265 F. 🍽 198/231 F.
⊠ 30 sept./Noël et 15 mars/15 mai.
🕿 🕿 CV ⌂ CB🆅🆂🅰 🅴

MONT DORE
(LE) (LAC DE GUERY)
63240 Puy de Dôme
1263 m. • 10 hab.

▲▲ AUBERGE DU LAC DE GUERY ★★
(A 7 km du Mont Dore). M. Me Leclerc
☎ 73 65 02 76 📠 73 65 08 78
🛏 11 🛆 250 F. ⏲ 75/180 F. 🍴 40 F.
⏲ 310 F. 🍽 250 F.
⊠ 15 oct./15 déc.
🅴 🅾 🕿 🚗 🍴 🚴 ▦ ⌂ CB🆅🆂🅰 🅰 🅴

MONT LOUIS
66210 Pyrénées Orientales
1600 m. • 420 hab. ℹ

▲ LA TAVERNE ★
10, rue Victor Hugo. Mme Pontie
☎ 68 04 23 67 📠 68 04 13 35
🛏 9 🛆 250 F. ⏲ 68/150 F. 🍴 58 F.
⏲ 275 F. 🍽 220 F.
⊠ 2 nov./12 déc. et lun. hs.
🅴 SP 🕿 🕹 CV ⌂ CB🆅🆂🅰 🅴

MONT LOUIS (LA LLAGONNE)
66210 Pyrénées Orientales
1650 m. • 200 hab. ℹ

▲▲▲ CORRIEU ★★
A 3 km par D118. M. Corrieu
☎ 68 04 22 04
🛏 28 🛆 138/350 F. ⏲ 82/136 F.
🍴 46 F. ⏲ 230/360 F. 🍽 170/290 F.
⊠ 5 avr./2 juin et 28 sept./18 déc.
🅴 SP 🕿 🕿 🚗 ⊠ 🍴 🍴 CV ▦ ⌂ CB🆅🆂🅰 🅰 🅴

MONT PRES CHAMBORD
41250 Loir et Cher
2415 hab. ℹ

▲▲ LE SAINT FLORENT ★★
14, rue de la Chabardière.
M. Me Gillmett/Pilleboue
☎ 54 70 81 00 📠 54 70 78 53
🛏 18 🛆 195/280 F. ⏲ 82/210 F.
🍴 50 F. ⏲ 330/360 F. 🍽 240/270 F.
⊠ janv., dim soir nov./mars. et rest. lun. midi.
🅴 🕿 🕿 🚗 🚗 🍴 🚴 🚴 🕹 CV ▦ ⌂ CB🆅🆂🅰 🅰 🅴

MONT ROC
81120 Tarn
200 hab. ℹ

▲▲ LE CANTEGREL ★
(Barrage de Rassisse). M. Libourel
☎ 63 55 70 37
🛏 7 🛆 125/160 F. ⏲ 65/155 F. 🍴 40 F.
⏲ 220 F. 🍽 185 F.
⊠ ven. soir oct./mars.
🚗 🚗 ▦ ⌂ CB🆅🆂🅰 🅰 🅾 🅴

MONT SAINT MICHEL (LE)
50116 Manche
114 hab. [i]

▲▲ DE LA DIGUE ★★★
Mme Bourdon
☎ 33 60 14 02 [TX] 170157 [FAX] 33 60 37 59
[🛏] 35 ◎ 330/430 F. [🍴] 85/220 F.
[♨] 46 F. [🍽] 355/420 F.
⊠ 15 nov./25 mars.
[icons] CB[VISA] AE ◉ E C

▲ DU GUESCLIN ★★
M. Nicolle
☎ 33 60 14 10
[🛏] 13 ◎ 180/390 F. [🍴] 78/160 F.
[♨] 50 F. [🍽] 236/341 F.
⊠ 15 oct./20 mars, mar. soir et mer.
sauf juil./août.
[icons] CB[VISA] E C

▲▲ HOTEL-MOTEL VERT ★★
M. François
☎ 33 60 09 33 [TX] 170537 [FAX] 33 68 22 09
[🛏] 53 ◎ 250/350 F. [🍴] 57/198 F.
[♨] 41 F.
⊠ 15 nov./15 fév.
[icons] CB[VISA]
E C

▲▲ RELAIS DU ROY ★★★
M. Galton
☎ 33 60 14 25 [TX] 170561 [FAX] 33 60 37 69
[🛏] 27 ◎ 335/420 F. [🍴] 88/180 F.
[♨] 45 F. [🍽] 365/405 F.
⊠ 30 nov./26 mars.
[icons] CB[VISA]
AE E

▲▲ SAINT-PIERRE ★★★
Grande Rue. Mme Gaulois
☎ 33 60 14 03 [TX]
[🛏] 21 ◎ 420/580 F. [🍴] 90/310 F.
[♨] 48 F. [🍽] 380/450 F.
⊠ 15 déc./2 fév.
[icons] CB[VISA] AE E

MONT SAXONNEX
74130 Haute Savoie
1000 m. ● 750 hab. [i]

▲▲ DU BARGY ★
M. Donat-Magnin
☎ 50 96 90 42
[🛏] 19 ◎ 120/200 F. [🍴] 75/120 F.
[♨] 45 F. [🍽] 200/220 F. [🍽] 170/190 F.
⊠ 15 sept./26 déc. et vac.
Pâques/25 juin.
[icons] CB[VISA] AE E

MONT SOUS VAUDREY
39380 Jura
1000 hab.

▲ AUBERGE JURASSIENNE
M. Cattenoz
☎ 84 81 50 17
[🛏] 5 ◎ 180/210 F. [🍴] 70/150 F. [♨] 35 F.
[🍽] 240 F. [🍽] 180 F.
⊠ mar. soir et mer.
[icons] CB[VISA] E

▲ DU CENTRE ᵉᶜ
1, rue Jules Grévy. M. Creusot
☎ 84 71 71 94 [FAX] 84 81 59 47
[🛏] 5 ◎ 260/270 F. [🍴] 63/150 F. [♨] 50 F.
[🍽] 260 F. [🍽] 195 F.
⊠ 15/31 mai, 20 oct./11 nov., dim. soir
et lun. midi.
[icons] CB[VISA] E

MONTAGNAC
34530 Hérault
3000 hab. [i]

▲▲ LES ROCAILLES ★★
Sur N. 113. MM. Gravendeel/Ten Broek
☎ 67 24 00 27
[🛏] 12 ◎ 210/250 F. [🍴] 80/120 F.
[♨] 55 F.
⊠ 1er déc./20 fév. et jeu. hs.
[icons] CV CB[VISA] AE ◉ E

MONTAIGU
85600 Vendée
4800 hab. [i]

▲▲▲ HOSTELLERIE DES VOYAGEURS ★★
9, av. Villebois Mareuil. M. Meuret
☎ 51 94 00 71 [TX] 701877 [FAX] 51 94 07 78
[🛏] 40 ◎ 165 F. [🍴] 89/160 F. [♨] 45 F.
[🍽] 295/395 F.
[icons]
[icons] CB[VISA] AE ◉ E

MONTARGIS
45200 Loiret
20000 hab. [i]

▲▲▲ DE LA GLOIRE ★★★
74, av. du Général de Gaulle. M. Jolly
☎ 38 85 04 69 [FAX] 38 98 52 32
[🛏] 12 ◎ 250/350 F. [🍴] 160/310 F.
[♨] 70 F.
⊠ 21 jours fév. vac. scol., 15/25 août,
mar. soir et mer.
[icons] CB[VISA] E

⚜ GRAND HOTEL DE FRANCE ★★
54, place de la République.
M. Delanian-Manini ☎ 38 98 01 18
[🛏] 25 ◎ 110/280 F.
[icons] CB[VISA] E

MONTAUBAN
82000 Tarn et Garonne
55000 hab. [i]

▲▲▲ DU MIDI ★★
12, rue Notre-Dame. M. Roméo
☎ 63 63 17 23 [TX] 533548 [FAX] 63 66 43 66
[🛏] 50 ◎ 200/360 F. [🍴] 79/200 F.
[♨] 45 F. [🍽] 260/320 F. [🍽] 200/260 F.
⊠ Rest. 1er mai uniquement.
[icons] CV CB[VISA]
AE ◉ E

▲▲ ORSAY LA CUISINE D'ALAIN ★★
Face Gare, Villebourbon. M. Blanc
☎ 63 66 06 66 [TX] 520 362 [FAX] 63 66 19 39
[🛏] 20 ◎ 220 F. [🍴] 120/300 F. [♨] 70 F.
[🍽] 250/400 F.
⊠ 1er/8 mai, 8/23 août, 23 déc./4 janv.,
lun. midi, dim. midi. et fériés.
[icons]
CB[VISA] AE ◉ E

MONTAUBAN DE BRETAGNE
35360 Ille et Vilaine
3500 hab.

DE FRANCE ★★
34, rue Général de Gaulle.
M. Le Metayer ☎ 99 06 40 19
☎ 12 ⌧ 115/215 F. ⯃ 62/160 F.
⯃ 42 F. ⯃ 220/270 F. ⯃ 180/230 F.
⌧ 1ère quinzaine oct., 24 déc./20 janv.
et lun. hs.
CB VISA E

DE LA HUCHERAIS ★★
La Hucherais. M. Meheust
☎ 99 06 54 31
☎ 14 ⌧ 200/210 F. ⯃ 50/120 F.
⯃ 30 F. ⯃ 200 F. ⯃ 180 F.
⌧ Rest. sam. soir et dim.
CB VISA AE ⊙ E

MONTAUROUX
83440 Var
1997 hab.

LA MARJOLAINE ★★
Quartier les Laouves. Mme Payen-Dazon
☎ 94 76 43 32 ⯃ 94 47 73 09
☎ 17 ⌧ 185/300 F. ⯃ 110/260 F.
⯃ 65 F. ⯃ 300/350 F. ⯃ 225/260 F.
⌧ jeu.
CB VISA AE ⊙ E

MONTBARD
21500 Côte d'Or
7749 hab.

DE L'ECU ★★★
7, rue Auguste Carré. M. Coupat
☎ 80 92 11 66 ⯃ 351102 ⯃ 80 92 14 13
☎ 25 ⌧ 280/400 F. ⯃ 100/270 F.
⯃ 60 F. ⯃ 350/400 F. ⯃ 320/370 F.
CB VISA AE ⊙ E

MONTBAZENS
12220 Aveyron
1420 hab.

DU LEVANT ★★
M. Bauguil ☎ 65 80 60 24
☎ 9 ⌧ 240/360 F. ⯃ 75/170 F. ⯃ 50 F.
⯃ 250/290 F. ⯃ 230/280 F.
⌧ 20 sept./10 oct., dim. soir et lun.
CB VISA E

MONTBEL
48170 Lozère
1200 m. • 300 hab.

AUBERGE DE LA PLAINE ★★
M. Meyniel ☎ 66 47 90 76
☎ 8 ⌧ 120/190 F. ⯃ 70/240 F. ⯃ 50 F.
⯃ 200/240 F. ⯃ 180/190 F.
⌧ 5/25 janv.
CB VISA AE ⊙ E

MONTBRISON
42600 Loire
15000 hab.

GIL DE FRANCE ★★
18 bis, bld Lacheze. M. Bajard

☎ 77 58 06 16 ⯃ 77 58 73 78
☎ 28 ⌧ 200 F. ⯃ 85/120 F. ⯃ 45 F.
⯃ 260 F. ⯃ 193 F.
CB VISA AE ⊙ E

L'ESCALE ★★
27, rue de la République. M. Crepet
☎ 77 58 17 77 ⯃ 77 96 12 14
☎ 18 ⌧ 100/200 F. ⯃ 50/ 90 F.
⯃ 30 F. ⯃ 150/200 F. ⯃ 120/230 F.
⌧ 15 jours août et dim.
CB VISA E

MONTBRON
16220 Charente
2600 hab.

LE RELAIS DES TROIS MARCHANDS ★★
10, rue de Limoges. M. Chateau
☎ 45 70 71 29 ⯃ 793 301 ⯃ 45 70 73 26
☎ 12 ⌧ 190/220 F. ⯃ 105/250 F.
⯃ 325 F. ⯃ 275 F.
CB VISA AE ⊙ E

MONTCABRIER
46700 Lot
350 hab.

HOSTELLERIE DU MOULIN DE CAVART ★
Route de Fumel Gourdon. M. Duranthon
☎ 65 36 51 38 ⯃ 65 24 61 76
☎ 7 ⌧ 150/220 F. ⯃ 55/250 F. ⯃ 42 F.
⯃ 270/300 F. ⯃ 210/230 F.
⌧ Toussaint/Pâques.
CB VISA AE ⊙ E

MONTCLAR
04140 Alpes de Haute Provence
1120 m. • 258 hab.

ESPACE ★★
(Station St-Jean de Montclar).
M. Savornin ☎ 92 35 37 00 ⯃ 92 35 14 93
☎ 44 ⌧ 230/265 F. ⯃ 68/180 F.
⯃ 45 F. ⯃ 300/360 F. ⯃ 230/290 F.
CB VISA AE E C

MONTCUQ
46800 Lot
1082 hab.

DU PARC ★★
(A saint-Jean), route de Fumel.
Mme Adam ☎ 65 31 81 82
☎ 12 ⌧ 155/235 F. ⯃ 89/139 F.
⯃ 45 F. ⯃ 235/275 F. ⯃ 175/215 F.
⌧ 30 oct./15 avr.
CB VISA E

MONTDIDIER
80500 Somme
6280 hab.

DE DIJON ★★
1, place du 10 Août 1918. M. Mulle
☎ 22 78 01 35
☎ 14 ⌧ 215/310 F. ⯃ 85/200 F.
⯃ 45 F. ⯃ 265/306 F. ⯃ 188/234 F.
⌧ 31 juil./17 août, 27 déc./20 janv.,
dim. soir et lun. midi, soirs fêtes.
CB VISA E

MONTECH
82700 Tarn et Garonne
2000 hab. [i]

▲▲ LE NOTRE-DAME ★★
7, place Jean Jaurès. Mme Rabassa
☎ 63 64 77 45
[†] 11 [◎] 160/210 F. [Ⅲ] 75/180 F.
[⚒] 45 F. [Ⅲ] 240/280 F. [🍴] 200/250 F.
[E] [SP] [◻] [☎] [CV] [▦] [♠] CB🆅🆂🅰 E [📷]

MONTELIMAR
26200 Drôme
30000 hab. [i]

▲▲ DAUPHINE-PROVENCE ★★
41, bld Général de Gaulle. Mme Ditmar
☎ 75 01 24 08 [FAX] 75 53 08 29
[†] 19 [◎] 200/260 F. [Ⅲ] 75/140 F.
[⚒] 35 F. [Ⅲ] 300 F. [🍴] 220 F.
[E] [D] [◻] [☎] [▤] [▤] [🕊] [⌖] [CV] [▦] [♠]
CB🆅🆂🅰 E

✳ PIERRE ★★
7, place des Clercs. Mme Enjolvin
☎ 75 01 33 16
[†] 11 [◎] 125/220 F.
[◻] [☎] [♠]

MONTFAUCON
55270 Meuse
359 hab.

▲ DU COQ D'OR ★
Mme Mongeville ☎ 29 85 13 31
[†] 7 [◎] 120 F. [Ⅲ] 60/180 F. [⚒] 60 F.
[Ⅲ] 210 F. [🍴] 180 F.
[E] [D] [SP] [i] [▤] [CV] [▦] [AE] E

MONTFAUCON EN VELAY
43290 Haute Loire
930 m. • 1510 hab. [i]

▲▲ DE L'AVENUE ★★
"Les Maisonnettes" N° 1. M. Faure
☎ 71 59 90 16 [FAX] 71 59 99 39
[†] 7 [◎] 110/250 F. [Ⅲ] 55/155 F. [⚒] 39 F.
[Ⅲ] 200/285 F. [🍴] 165/250 F.
[✕] 10 déc./10 fév. et ven. hs.
[E] [SP] [◻] [☎] [▤] [▤] [🕊] [🎿] [♠] CB🆅🆂🅰 E

▲▲ LES PLATANES ★★
M. Vachon ☎ 71 59 92 44
[†] 9 [◎] 110/240 F. [Ⅲ] 60/150 F. [⚒] 40 F.
[Ⅲ] 195/250 F. [🍴] 165/215 F.
[✕] 20 déc./5 fév. et ven. hs.
[E] [SP] [◻] [☎] [▤] [▤] [🕊] [🎿] [⌖] [CV] [▦] [♠]
CB🆅🆂🅰 AE E

MONTFORT EN CHALOSSE
40380 Landes
1026 hab. [i]

▲▲▲ AUX TOUZINS ★★
M. Lincontang
☎ 58 98 60 22 \ 58 98 61 09
[FAX] 58 98 45 79
[†] 16 [◎] 220/240 F. [Ⅲ] 95/185 F.
[⚒] 45 F. [Ⅲ] 285/300 F. [🍴] 210/225 F.
[✕] 1er/15 oct., 10/31 janv. et lun.
[E] [◻] [☎] [▤] [▤] [🕊] [🎿] [🎿] [⌖] [🕊] [▦] [♠]
CB🆅🆂🅰 E

MONTFORT L'AMAURY
78490 Yvelines
3000 hab. [i]

▲ DES VOYAGEURS ★★
49-51, rue de Paris. Mme Renard
☎ (1) 34 86 00 14 [FAX] (1) 34 86 14 56
[†] 7 [◎] 210/250 F. [Ⅲ] 75/125 F. [⚒] 60 F.
[Ⅲ] 370/410 F. [🍴] 300/340 F.
[✕] 15/31 août et lun.
[E] [☎] [▤] [CV] [▦] [♠] CB🆅🆂🅰 E

MONTFORT SUR MEU
35160 Ille et Vilaine
4412 hab. [i]

▲▲ LE RELAIS DE LA CANE ★★
2, rue de la Gare. M. Despierre
☎ 99 09 00 07 [FAX] 99 09 18 77
[†] 13 [◎] 185/250 F. [Ⅲ] 46/145 F.
[⚒] 35 F. [Ⅲ] 240/310 F. [🍴] 200/280 F.
[✕] sam. et dim. soir sauf juin/juil./août.
[E] [D] [◻] [☎] [▤] [🕊] [🎿] [CV] [♠] CB🆅🆂🅰 E [📷]

MONTHERME
08800 Ardennes
3800 hab. [i]

▲▲ DE LA PAIX ★
M. Capelli ☎ 24 53 01 55
[†] 10 [◎] 145/230 F. [Ⅲ] 80/210 F.
[Ⅲ] 220/260 F. [🍴] 200/240 F.
[✕] 17 déc./7 janv. et sam. oct./mars sauf
groupes.
[E] [i] [◻] [☎] [▤] CB🆅🆂🅰 E

▲▲ FRANCO-BELGE ★★
M. Me Leguay ☎ 24 53 01 20
[†] 18 [◎] 200/270 F. [Ⅲ] 88/260 F.
[⚒] 55 F. [Ⅲ] 260/270 F. [🍴] 220/230 F.
[✕] 24 déc. et 25 déc., 30 déc./15 janv.,
ven. soir et dim. soir sauf juil/août
[E] [i] [◻] [☎] [▤] [🕊] [CV] CB🆅🆂🅰 E

MONTIERAMEY
10270 Aube
400 hab.

▲ DU CENTRE
Mme Sbrovazzo
☎ 25 41 21 64 [FAX] 25 41 20 56
[†] 4 [◎] 140/170 F. [Ⅲ] 60/150 F. [⚒] 35 F.
[E] [◻] [☎] [🕊] [🎿] [♠] CB🆅🆂🅰 AE E

MONTIGNY (CANTELEU)
76380 Seine Maritime
16090 hab.

▲▲ RELAIS DE MONTIGNY ★★★
Rue du lieutenant Aubert à Canteleu.
M. Lenoble ☎ 35 36 05 97 [FAX] 35 36 19 60
[†] 22 [◎] 300/420 F. [Ⅲ] 95/215 F.
[⚒] 60 F. [Ⅲ] 400/500 F. [🍴] 350/400 F.
[✕] 25 déc./4 janv. Rest. sam. midi.
[E] [◻] [☎] [▤] [▤] [▤] [🎿] [▦] [♠] CB🆅🆂🅰 AE

MONTIGNY LA RESLE
89230 Yonne
450 hab.

▲▲▲ LE SOLEIL D'OR ★★
Sur N. 77. Mme Pajot
☎ 86 41 81 21 [FAX] 86 41 86 88
[†] 16 [◎] 275 F. [Ⅲ] 88/325 F. [⚒] 58 F.
[Ⅲ] 295 F. [🍴] 240 F.
[✕] janv. et mer. midi.
[E] [◻] [☎] [▤] [▤] [🕊] [🎿] [🎿] [▦] [♠] CB🆅🆂🅰
AE ⓞ E

273

MONTIGNY LE ROI
52140 Haute Marne
1200 hab. 🛈

🏨🏨 MODERNE ★★
Av. de Lierneux. M. Maillot
☎ 25 90 30 18 🆁🆇 25 90 71 80
🛏 26 ⬡ 220/290 F. 🍽 80/200 F.
🍴 42 F. 🏨 300/320 F. 🍴 210/235 F.
[icons]
CB🆅🅸🆂🅰 AE ⊙ E

MONTIGNY SUR LOING
77690 Seine et Marne
2553 hab.

🏨🏨 LA VANNE ROUGE ★★
Rue de l'Abreuvoir. M. Fougère
☎ 64 45 82 10
🛏 10 ⬡ 270/300 F. 🍽 90/210 F.
🍴 60 F. 🏨 360 F. 🍴 265 F.
⊠ 15 janv./28 fév. et lun., dim. soir hiver.
[icons] CB🆅🅸🆂🅰 E

MONTLOUIS
37270 Indre et Loire
8309 hab. 🛈

🏨🏨 DE LA VILLE ★★
Place de la Mairie. M. Chalopin
☎ 47 50 84 84 🆁🆇 47 45 08 43
🛏 29 ⬡ 210/350 F. 🍽 80/220 F.
🍴 50 F. 🏨 270/310 F. 🍴 205/250 F.
⊠ Rest. 24 et 25 déc.
[icons]
CB🆅🅸🆂🅰 E 📧

MONTLUCON
03100 Allier
50000 hab. 🛈

🏨 CHEVALIER ᶜᶜ
46, rue des Marais. Mme Berthaud
☎ 70 03 30 10
🛏 5 ⬡ 200/220 F. 🍽 69/158 F. 🍴 40 F.
🏨 220/250 F. 🍴 190/230 F.
⊠ ven. soir et sam. midi.
[icons] CB🆅🅸🆂🅰 E

🏨🏨 DES BOURBONS Rest. AUX DUCS DE
BOURBON ★★
47, av. Marx Dormoy. M. Bujard
☎ 70 05 22 79 \ 70 05 28 93
🆁🆇 70 05 16 92
🛏 43 ⬡ 140/260 F. 🍽 75/187 F.
🍴 45 F. 🏨 293/323 F. 🍴 193/223 F.
⊠ Rest. dim. soir et lun.
[icons] CB🆅🅸🆂🅰
AE ⊙ E

MONTLUCON (DOMERAT)
03410 Allier
5725 hab. 🛈

🏨🏨🏨 LE NOVELTA ★★★
RN. 145. M. Pyron
☎ 70 03 34 88 🆇 392936 🆁🆇 70 03 37 09
🛏 36 ⬡ 230/350 F. 🍽 79/180 F.
🍴 45 F. 🏨 302 F. 🍴 222 F.
⊠ Rest. dim. soir.
[icons]
[icons] CB🆅🅸🆂🅰 AE E ⒞ 📧

MONTMARAULT
03390 Allier
1900 hab. 🛈

🏨🏨 CENTROTEL ★★
26, route de Moulins. M. Roullier
☎ 70 07 61 23 🆇 393 005 F
🆁🆇 70 07 31 28
🛏 22 ⬡ 240/300 F. 🍽 50/180 F.
🍴 40 F. 🏨 220/250 F. 🍴 180/200 F.
⊠ 1er/11 janv., 11/25 juil., 24/31 déc.,
dim. soir et lun.
[icons] CB🆅🅸🆂🅰 E

🏨🏨 DE FRANCE ★★
1, rue Marx Dormoy. M. Omont
☎ 70 07 60 26 🆁🆇 70 07 68 45
🛏 8 ⬡ 205/290 F. 🍽 75/210 F. 🍴 45 F.
🍴 230/260 F.
⊠ 15 janv./1er févr., 1 semaine fév. ou
mars selon vac. scol.
[icons] CB🆅🅸🆂🅰 E

MONTMEDY
55600 Meuse
2324 hab. 🛈

🏨 LE MADY ★★
8, place Raymond Poincaré. M. Noël
☎ 29 80 10 87 🆁🆇 29 80 02 40
🛏 11 ⬡ 250/330 F. 🍽 72/275 F.
🍴 55 F. 🍴 215/239 F.
⊠ 20 déc./3 janv., 7/28 fév., dim. soir et
lun. sauf 15 juin/15 sept. lun. midi.
[icons] CB🆅🅸🆂🅰 E

MONTMELIAN
73800 Savoie
5000 hab. 🛈

🏨🏨 VIBOUD ★
(Vieux Montmelian). M. Viboud
☎ 79 84 07 24
🛏 8 ⬡ 195/225 F. 🍽 95/160 F. 🍴 45 F.
🏨 245 F. 🍴 265 F.
⊠ 26 sept./23 oct., 1er/20 janv., dim.
soir et lun.
[icons] CB🆅🅸🆂🅰 AE ⊙ E

MONTMERLE SUR SAONE
01090 Ain
2200 hab.

🏨🏨 DU RIVAGE ★★
12, rue du Pont. M. Job
☎ 74 69 33 92 🆁🆇 74 69 49 21
🛏 21 ⬡ 240/400 F. 🍽 90/270 F.
🍴 65 F. 🏨 440/470 F. 🍴 290/340 F.
⊠ nov., dim. soir et lun. 1er oct./31 mai,
lun. midi 1er juin/30 sept.
[icons] CB🆅🅸🆂🅰 E 📧

MONTMIN
74210 Haute Savoie
1050 m. • 180 hab.

🏨 EDELWEISS ★★
(Au Col de la Forclaz 1157 m).
Mme Maniglier
☎ 50 60 70 24
🛏 7 ⬡ 230/250 F. 🍽 75/130 F. 🍴 32 F.
🏨 280/320 F. 🍴 240/290 F.
⊠ 15 oct./1er avr.
[icons] CB🆅🅸🆂🅰 E

MONTMIN (suite)

△ LE CHARDON BLEU
Mme Maniglier ☎ 50 60 70 10
🛏 9 ⬜ 205/255 F. ⑪ 72/135 F.
⑪ 240/275 F. 🍽 215/255 F.
⊠ Hôtel 20 oct./20 janv.
🚗 ⽊ ⬥ CB🆚

MONTMIRAIL
51210 Marne
3420 hab.

△ LA TOUR D'AUVERGNE
2, av Général de Gaulle. M. Pitois
☎ 26 81 20 38 ⅨⅩ 26 81 60 28
🛏 5 ⬜ 200/250 F. ⑪ 62/150 F. ⌖ 50 F.
⑪ 255/300 F. 🍽 180/200 F.
⊠ ven. et dim. soir.
🎬 🗑 ☎ 🚗 🎰 🎙 ⬥ CB🆚 ﷼ E

MONTMORT
51270 Marne
580 hab.

△△ DE LA PLACE ★★
M. Thiroux-Viellard
☎ 26 59 10 38 ⅨⅩ 26 59 11 60
🛏 26 ⬜ 145/280 F. ⑪ 65/250 F.
⌖ 60 F. ⑪ 210/320 F. 🍽 180/250 F.
⊠ 3 premières semaines mars.
🎬 🗑 🗑 ☎ 🚗 🎰 🎣 🦽 🎙 ⬥
CB🆚 E 🄲 📠

△△△ DU CHEVAL BLANC ★★
Rue de la Libération. M. Cousinat
☎ 26 59 10 03 ⅨⅩ 26 59 15 88
🛏 19 ⬜ 160/300 F. ⑪ 70/280 F.
⌖ 50 F. ⑪ 250/400 F. 🍽 180/280 F.
⊠ 15 fév./1er mars et ven.
1er nov./1er avr.
🎬 🗑 🗑 ☎ 🚗 🚗 🎣 🦽 🎙 ⬥ CB🆚 E 📠

MONTOIRE SUR LE LOIR
41800 Loir et Cher
4243 hab. 🛈

△△ DU CHEVAL ROUGE ★★
1, place Foch. M. Velasco
☎ 54 85 07 05 ⅨⅩ 54 85 17 42
🛏 15 ⬜ 127/218 F. ⑪ 117/283 F.
⌖ 48 F. ⑪ 320/365 F. 🍽 208/254 F.
⊠ 30 janv./3 mars, mar. soir et mer.
🎬 ☎ 🚗 🚗 🎣 CV ⬥ CB🆚 ﷼ E 📠

MONTPELLIER
34000 Hérault
210866 hab. 🛈

△△ GEORGE V ★★★
42, av. St-Lazare. M. Me Picamal
☎ 67 72 35 91 ⅨⅩ 480953 ⅨⅩ 67 72 53 33
🛏 38 ⬜ 250/470 F. ⑪ 65/118 F.
⌖ 45 F. ⑪ 380/430 F. 🍽 300/350 F.
⊠ Rest. sam. et dim.
🎬 SP 🗑 ☎ 🚗 ⌗ 🎰 🗯 CV 🎙 ⬥
CB🆚 ﷼ Ⓞ E 📠

△△ LA PEYRONIE ★★
4, rue des Petettes. M. Chartier
☎ 67 52 52 20 ⅨⅩ 67 63 56 65
🛏 20 ⬜ 260/290 F. ⑪ 75/160 F.
⑪ 283/298 F. 🍽 215/230 F.

⊠ Rest. 20 déc./3 janv., sam et dim.
midi.
🎬 🗑 ☎ 🚗 🎰 🎣 CV ⬥ CB🆚 E

MONTPEZAT SOUS BAUZON
07560 Ardèche
550 m. ● 680 hab. 🛈

△ AUBERGE DE LA FONTAINE
Mme Marquand ☎ 75 94 50 00
🛏 5 ⬜ 160/240 F. ⑪ 59/125 F. ⌖ 35 F.
⑪ 170/220 F. 🍽 160/190 F.
⊠ ven. et dim. soir.
🎬 🗯 ☎ 🎣 🍺 CV ⬥ CB🆚 E

MONTPON MENESTEROL
24700 Dordogne
5940 hab. 🛈

△△ DU PUITS D'OR ★★
7, rue Carnot. M. Lovato ☎ 53 80 33 07
🛏 21 ⬜ 190/210 F. ⑪ 65/160 F.
⌖ 65 F. 🍽 245 F.
⊠ dim. soir et lun. midi hs. Rest.
semaine Noël.
🎬 🗑 ☎ 🚗 🎣 🦽 CV 🎙 ⬥ CB🆚 ﷼
Ⓞ E

MONTREDON DES CORBIERES
11100 Aude
850 hab. 🛈

△△ MAS DE LA BERCHERE ★★
Route de Carcassonne M. Affre
☎ 68 41 20 57 ⅨⅩ 68 41 26 60
🛏 14 ⬜ 260/460 F. ⑪ 75/150 F.
⌖ 55 F. ⑪ 310/460 F. 🍽 250/400 F.
🗑 ☎ 🚗 🎣 🦽 🎙 ⬥ CB🆚 E

MONTREDON LABESSONNIE
81360 Tarn
560 m. ● 2500 hab. 🛈

△△ HOSTELLERIE DU PARC ★★
Route de Lacaune. M. Lafon
☎ 63 75 14 08 ⅨⅩ 63 75 10 47
🛏 19 ⬜ 170/270 F. ⑪ 75/180 F.
⌖ 45 F. ⑪ 230/280 F. 🍽 205/260 F.
⊠ fév., dim. soir et lun. nov./avr.
🎬 SP 🗑 ☎ 🚗 🎣 🦽 🎙 ⬥ CB🆚
E 📠

MONTREUIL BELLAY
49260 Maine et Loire
4500 hab. 🛈

△△ SPLENDID HOTEL ★★
2, rue du Docteur Gaudrez. M. Berville
☎ 41 53 10 00 ⅨⅩ 41 52 45 17
🛏 18 ⬜ 160/400 F. ⑪ 70/220 F.
⌖ 40 F. ⑪ 260/450 F. 🍽 200/350 F.
🎬 🗑 ☎ 🚗 🗯 🎣 🦽 CV 🎙 ⬥
CB🆚 E 📠

MONTREUIL SUR MER
62170 Pas de Calais
2948 hab. 🛈

△△ BELLEVUE ★
6, av. du 11 Novembre. M. Heno
☎ 21 06 04 19
🛏 13 ⬜ 210/280 F. ⑪ 85/150 F.
⌖ 45 F. ⑪ 480/540 F. 🍽 410/480 F.
🎬 🗑 ☎ 🚗 ⬥ CB🆚 E

MONTREUIL SUR MER (suite)

▲▲ LES REMPARTS ★★
46, place du Général de Gaulle.
M. Merlin
☎ 21 06 08 65 ᴵᴬˣ 21 81 20 45
🛏 7 🍽 300 F. ⊟ 75/145 F. 🍴 45 F.
▯▯ 400/500 F. 🍽 300/350 F.
⊠ vac. Noël et 10 jours fin juin.
🅔 🗇 🕾 📻 ⋈ 🕭 🛠 CV ● CB🆅🆂🅰 🅰🅴
E 🛎

MONTRICHARD
41400 Loir et Cher
3857 hab. ⓘ

▲ DE LA GARE ★
20, av. de la Gare. M. Rousselet
☎ 54 32 04 36 ᴵᴬˣ 54 32 78 17
🛏 13 🍽 163/176 F. ⊟ 67/110 F.
🍴 48 F. ▯▯ 230/240 F. 🍽 172/183 F.
⊠ 20 déc./25 janv. et dim. soir
30 oct./30 mars.
🅔 🗇 🕾 🖨 CV CB🆅🆂🅰 E 🛎

▲▲ LE BELLEVUE ★★★ & ★★
M. Cocozza
☎ 54 32 06 17 ᵀˣ 751673 ᴵᴬˣ 54 32 48 06
🛏 48 🍽 235/375 F. ⊟ 80/250 F.
🍴 42 F. ▯▯ 345/385 F. 🍽 265/305 F.
🅔 🅳 🗇 🕾 🖨 🖨 ⚘ CV 🎛 ● CB🆅🆂🅰
🅰🅴 ⓞ E

▲▲ TETE NOIRE ★★★
24, rue de Tours. Famille Coutant
☎ 54 32 05 55 ᴵᴬˣ 54 32 78 37
🛏 38 🍽 195/315 F. ⊟ 95/250 F.
🍴 60 F. 🍽 273/340 F.
⊠ 3/31 janv.
🅔 🆂🅿 🗇 🕾 🖨 🕭 🛠 🎛 ● CB🆅🆂🅰 E

MONTRIOND
74110 Haute Savoie
1065 m. • 650 hab. ⓘ

▲▲ DES PLAGNETTES ★★
M. Neuraz
☎ 50 79 05 41 ᴵᴬˣ 50 75 95 46
🛏 20 🍽 240/280 F. ⊟ 95/130 F.
🍴 60 F. ▯▯ 250/310 F. 🍽 220/280 F.
⊠ 15 sept./20 déc. et 12 avr./25 mai.
🅔 🕾 🖨 🖨 ⚘ 🕭 ⊘ CV 🎛 ● CB🆅🆂🅰
E C

▲▲ LES SAPINS ★★
(Au Lac). M. Seguin
☎ 50 75 90 56 ᴵᴬˣ 50 75 96 43
🛏 19 🍽 170/250 F. ⊟ 85/135 F.
🍴 45 F. ▯▯ 260/300 F. 🍽 230/250 F.
⊠ 15 oct./15 déc. et mer. hs.
🅔 🅳 🗇 🕾 🖨 🕭 🛠 ⊘ CV ● CB🆅🆂🅰
E C 🛎

MONTSALVY
15120 Cantal
800 m. • 1200 hab. ⓘ

▲▲ DU NORD ★★
M. Cayron
☎ 71 49 20 03 ᴵᴬˣ 71 49 29 00
🛏 26 🍽 160/270 F. ⊟ 80/250 F.

🍴 38 F. ▯▯ 260/320 F. 🍽 220/270 F.
⊠ 1er janv./31 mars.
🅔 🗇 🕾 🖨 ⋈ 🛠 🕭 CV 🎛 ● CB🆅🆂🅰 🅰🅴
ⓞ E

▲ L'AUBERGE FLEURIE
Place du Barry.
MM. Couchinoux/Barbance
☎ 71 49 20 02
🛏 11 🍽 120/190 F. ⊟ 50/175 F.
🍴 30 F. ▯▯ 240/280 F. 🍽 190/230 F.
⊠ 3 janv./6 fév.
🅔 🆂🅿 CV ● CB🆅🆂🅰 E

MONTSEGUR
09300 Ariège
900 m. • 108 hab. ⓘ

▲ COSTES ★★
Mme Auge-Costes
☎ 61 01 10 24 ᴵᴬˣ 61 03 06 28
🛏 9 🍽 190/300 F. ⊟ 75/140 F. 🍴 33 F.
▯▯ 220/240 F. 🍽 180/210 F.
⊠ 15 déc./6 fév. et lun. sauf juil./août.
🕾 ● CB🆅🆂🅰

MONTSOREAU
49730 Maine et Loire
500 hab. ⓘ

▲▲ DIANE DE MERIDOR-LE BUSSY ★★
M. Wurffel
☎ 41 51 70 18 ᴵᴬˣ 41 38 15 93
🛏 12 🍽 150/335 F. ⊟ 80/250 F.
🍴 50 F. ▯▯ 380/410 F. 🍽 290/320 F.
⊠ 15 déc./31 janv., mar. juin et sept.,
lun. soir et mar. oct./mai, mar. midi
seulement juil./août.
🅔 🅳 ⓘ 🕾 🖨 🖨 ⋈ 🛠 CV ● CB🆅🆂🅰
E 🛎

MORBIER
39400 Jura
930 m. • 2000 hab.

▲▲ LES CLARINES ★★
31, route de la Haute Combe.
Mme Cretin ☎ 84 33 02 20
🛏 22 🍽 230/400 F. ⊟ 70/120 F.
🍴 60 F. ▯▯ 280/360 F. 🍽 240/320 F.
⊠ 15 sept./15 déc. et 15 avr./15 juin.
🅔 🕾 🖨 🛠 ⋈ 🛠 ⚘ 🛠 CV CB🆅🆂🅰 🅰🅴
ⓞ E

MORCENX
40110 Landes
6000 hab. ⓘ

▲▲ BELLEVUE ★★
Mme Ardouin-Caupenne
☎ 58 07 85 07
🛏 21 🍽 320/500 F. ⊟ 90/160 F.
🍴 47 F. ▯▯ 335/455 F. 🍽 265/385 F.
⊠ 25 déc./10 janv., fév., 8/15 mai et
week-ends oct./mai.
🅔 🆂🅿 🗇 🕾 🖨 🖨 🛠 ⚘ ⊘ 🎛
CB🆅🆂🅰 E

▲▲ DU COMMERCE ★
14, av. Foch. M. Adam ☎ 58 07 80 25
🛏 9 🍽 190 F. ⊟ 55/150 F. 🍴 40 F.
▯▯ 220 F. 🍽 190 F.
🅔 🕾 ⋈ CV 🎛 ● CB🆅🆂🅰 E

MORESTEL
38510 Isère
3000 hab. 🛈

▲▲▲ DE FRANCE ✶✶✶
Grande Rue. M. Tachet
☎ 74 80 04 77 ⟨FAX⟩ 74 33 07 47
🛏 11 ◫ 210/380 F. � 110/320 F.
🍴 80 F. 🍽 310 F.
⊠ Rest. dim. soir et lun. midi .
🄴 📄 🛋 🏠 🚪 📶 ☎ CB𝚅𝙸𝚂𝙰 E 📺

MORET SUR LOING
77250 Seine et Marne
4200 hab. 🛈

▲▲ AUBERGE DE LA TERRASSE ✶✶
40, rue de la Pêcherie. M. Mignon
☎ (1) 60 70 51 03 ⟨FAX⟩ (1) 60 70 51 69
🛏 20 ◫ 200/380 F. � 105/180 F.
🍴 60 F. 🍽 265/320 F.
⊠ Rest. dim. soir et lun. sauf fériés.
🄴 SP 📄 🛋 ☎ 📶 ☎ CB𝚅𝙸𝚂𝙰

▲▲▲ HOSTELLERIE DU CHEVAL NOIR ✶✶
47, av. Jean Jaurès. Mme Hublet
☎ (1) 60 70 50 20 ⟨FAX⟩ (1) 60 70 15 32
🛏 10 ◫ 275/310 F. � 90/175 F.
🍴 45 F. 🍽 315/335 F. 🍽 245 F.
⊠ vac. scol. fév., rest. dim. soir et lun. sauf fériés.
🄴 📄 🛋 🕙 CV 📶 CB𝚅𝙸𝚂𝙰 ⑩ E

MOREZ
39400 Jura
750 m. • 8000 hab. 🛈

▲▲ DE LA POSTE ✶✶
165, rue de la République. Mlle Adenot
☎ 84 33 11 03 ⟨FAX⟩ 84 33 09 23
🛏 38 ◫ 140/280 F. ⓘ 80/300 F.
🍴 38 F. 🍽 255/320 F. 🍽 175/240 F.
⊠ 15 déc./15 janv. et rest. sam.
🄴 📄 🛋 🏠 🚪 ☎ 🚶 🏃 🎿 CV ☎
CB𝚅𝙸𝚂𝙰 𝖠𝖤 ⑩ E

MORHANGE
57340 Moselle
5652 hab.

▲▲ LA BELLE VUE ✶✶
21, rue de la Gare. M. Scur
☎ 87 86 20 40 ⟨FAX⟩ 87 86 14 80
🛏 12 ◫ 190/250 F. ⓘ 50/130 F.
🍴 45 F. 🍽 200 F. 🍽 160 F.
⊠ 23 déc./10 janv. et rest. ven. soir.
🄴 📄 🛋 🏠 🚪 🚶 🏃 CV 📶 ☎
CB𝚅𝙸𝚂𝙰 E

MORILLON
74440 Haute Savoie
687 m. • 428 hab.

▲▲▲ LE MORILLON ✶✶
M. Jourdan ☎ 50 90 10 32 ⟨FAX⟩ 50 90 70 08
🛏 22 ◫ 200/295 F. ⓘ 80/120 F.
🍴 45 F. 🍽 225/345 F. 🍽 225/310 F.
⊠ 15 avr./12 juin et 15 sept./17 déc.
📄 🛋 🚪 ☎ 🚶 🎿 🏃 CV 📶 ☎ CB𝚅𝙸𝚂𝙰
⑩ E

MORLAIX
29600 Finistère
19541 hab. 🛈

▲ LE SHAKO ✶✶
Route de Lannion. Mme Olivier
☎ 98 88 08 44 ⟨FAX⟩ 98 88 80 15
🛏 14 ◫ 215/240 F. ⓘ 65/110 F.
🍴 35 F. 🍽 215 F.
🄴 📄 🛋 ☎ 📶 ☎ CB𝚅𝙸𝚂𝙰 E 📺

MORNANT
69440 Rhône
4000 hab. 🛈

▲ DE LA POSTE ✶✶
5, place de la Liberté. M. Bajard
☎ 78 44 00 40
🛏 14 ◫ 180/280 F. ⓘ 82/220 F.
🍴 55 F. 🍽 280/300 F. 🍽 240/280 F.
⊠ Rest. dim. soir sauf juil./août.
🄴 📄 📄 🛋 🏠 🚪 🏃 CV ☎ CB𝚅𝙸𝚂𝙰 E 📺

MORNAS
84550 Vaucluse
2000 hab.

▲ HOSTELLERIE DU BARON DES ADRETS ✶✶
Ancienne N. 7. M. Jastrzebski
☎ 90 37 05 15 ⟨FAX⟩ 90 37 01 57
🛏 7 ◫ 200/250 F. ⓘ 60/240 F. 🍴 40 F.
🍽 450 F. 🍽 344 F.
⊠ sam. midi hs.
📄 🛋 🏠 🚪 🚶 🎿 🏃 CV ☎ CB𝚅𝙸𝚂𝙰 E

▲▲▲ LE MANOIR ✶✶
Sur N. 7. Mme Caillet
☎ 90 37 00 79 ⟨FAX⟩ 90 37 10 34
🛏 25 ◫ 250/300 F. ⓘ 130/185 F.
🍴 45 F. 🍽 390 F. 🍽 315 F.
⊠ 10 janv./10 fév., 11 nov./8 déc., dim. soir et lun. 15 sept./1er juin.
🄴 📄 🛋 🏠 🚪 🛏 🚶 🏃 🎿 🏃 CV 📶
☎ CB𝚅𝙸𝚂𝙰 𝖠𝖤 E 📺

MORSBRONN LES BAINS
67360 Bas Rhin
540 hab.

▲▲ RITTER HOFT ✶✶
23, rue Principale. Mme Ritter
☎ 88 54 07 37 ⟨FAX⟩ 88 09 33 39
🛏 16 ◫ 240/260 F. ⓘ 50/220 F.
🍴 25 F. 🍽 300 F. 🍽 280 F.
🄴 📄 SP 📄 🛋 🏠 ☎ 🛏 🚪 ☎ 🚶 🎿 🏃
CV 📶 ☎ CB𝚅𝙸𝚂𝙰 E

MORTAGNE AU PERCHE
61400 Orne
6000 hab. 🛈

▲▲ DU TRIBUNAL ᵉᶜ
4, place du Palais. M. Le Boucher
☎ 33 25 04 77 ⟨FAX⟩ 33 83 60 83
🛏 10 ◫ 220/320 F. ⓘ 65/160 F.
🍴 65 F. 🍽 520 F.
🄴 📄 🛋 ☎ 🏃 CV ☎ CB𝚅𝙸𝚂𝙰 E 📺

MORTAGNE SUR GIRONDE
17120 Charente Maritime
1200 hab. 🛈

▲ AUBERGE DE LA GARENNE ✶✶
3, impasse de l'ancienne gare.
Mme Denis ☎ 46 90 63 69 ⟨FAX⟩ 46 90 50 93
🛏 11 ◫ 170/310 F. ⓘ 85/200 F.
🍴 40 F. 🍽 255/295 F. 🍽 190/230 F.
⊠ 15 jours janv., 24 oct./15 nov., mar. soir et mer. oct./Pâques.
🄴 📄 🛋 ☎ 🚶 🏃 🎿 CV ☎ CB𝚅𝙸𝚂𝙰 E

MORTAIN
50140 Manche
3030 hab. [i]

AA DE LA POSTE ★★
1, place des Arcades. M. Durand
☎ 33 59 00 05 FAX 33 69 53 89
🛏 29 ◆ 170 F. 🍽 78 F. 🍴 60 F.
230 F.
✉ mi-janv./mi-fév., dim. soir
1er oct./31 mars.
CB VISA E

MORTEAU
25500 Doubs
750 m. • 8500 hab. [i]

AA DE LA GUIMBARDE ★★
10, place Carnot. Mme Devouge
☎ 81 67 14 12 FAX 81 67 48 27
🛏 19 ◆ 260/360 F. 🍽 90/260 F.
🍴 40 F. 300/360 F.
✉ Rest. oct. et lun. midi sauf fêtes, dim. soir nov./avr.
CB VISA AE E

MORTEMART
87330 Haute Vienne
200 hab. [i]

AA LE RELAIS ec
M. Pradeau
☎ 55 68 12 09
🛏 5 ◆ 240/290 F. 🍽 90/240 F. 🍴 52 F.
✉ vac. scol. fév., mar. soir et mer.
CB VISA E

MORZINE
74110 Haute Savoie
1000 m. • 3005 hab. [i]

AA ALPINA ★★
(Bois-Venants). M. Marullaz
☎ 50 79 05 24 FAX 50 75 94 23
🛏 15 ◆ 240/380 F. 🍽 100/180 F.
🍴 70 F. 300/370 F. 280/350 F.
✉ 10 avr./18 juin et 10 sept./18 déc.
CB VISA AE

AAA BEAU-REGARD ★★
(Les Bois-Venants). M. Grorod
☎ 50 79 11 05 FAX 50 79 07 41
🛏 30 ◆ 250/380 F. 🍽 120 F. 🍴 70 F.
330/370 F. 300/330 F.
✉ 10 avr./fin juin et début sept./Noël.
CB VISA

AA BONNEVALETTE ★★
M. Berger
☎ 50 79 04 31 FAX 50 74 71 36
🛏 19 ◆ 240/300 F. 🍽 90/100 F.
🍴 50 F. 225/305 F. 235/275 F.
✉ 20 avr./15 juin et 20 sept./15 déc.
CB VISA E

AA DES BRUYERES ★★
M. Deffert
☎ 50 79 15 76 FAX 50 74 70 09
🛏 22 ◆ 250/280 F. 🍽 100/120 F.

🍴 50 F. 270/340 F. 250/300 F.
✉ 10 sept./20 déc. et 10 avr./30 juin.
CB VISA E

AA L'EQUIPE HOTEL ★★
M. Beard
☎ 50 79 11 43 FAX 50 79 26 07
🛏 35 ◆ 250/350 F. 🍽 100/120 F.
🍴 50 F. 290/410 F. 250/370 F.
✉ 10 sept./15 déc. et 10 avr./15 juin.
CB VISA AE ⊙ E

AA LE CRET ★★
M. Coquillard
☎ 50 79 09 21 FAX 50 75 93 62
🛏 20 ◆ 230/400 F. 🍽 80/105 F.
🍴 60 F. 320/440 F. 285/385 F.
✉ 22 sept./18 déc. et 16 avr./10 juin.
CB VISA AE ⊙ E

A LE LAURY'S ★★
Route des Ardoisières. Mme Figueiredo
☎ 50 79 06 10 FAX 50 79 09 38
🛏 9 ◆ 230/250 F. 🍽 55/110 F. 🍴 35 F.
270/350 F. 240/300 F.
CB VISA AE ⊙ E

AA LE NEVE ★★
La Muraille. M. Dides
☎ 50 79 01 96 TX 385620F
FAX 50 79 20 91
🛏 20 260/340 F. 230/305 F.
✉ 10 avr./15 juin et 15 sept./15 déc.
CB VISA E C

AA LE SOLY-VARNAY ★★
Le Bourg. M. Passaquin
☎ 50 79 09 45 FAX 50 74 71 82
🛏 19 ◆ 295 F. 🍽 95/140 F.
330/370 F. 290/330 F.
✉ 20 avr./18 juin et 18 sept./20 déc.
CB VISA AE ⊙ E

AAA LES COTES RESIDENCE HOTEL ★★
(A la Salle). M. Marullaz
☎ 50 79 09 96 FAX 50 75 97 38
🛏 20 ◆ 270/580 F. 🍽 95/115 F.
🍴 50 F. 280/365 F.
✉ 20 avr./31 juin et 6 sept./18 déc.
CB VISA E

AA LES DENTS BLANCHES ★★
M. Taberlet
☎ 50 79 08 42
🛏 18 ◆ 200/230 F. 🍽 65/110 F.
🍴 40 F. 280/300 F. 240/260 F.
✉ 15 mai/15 juin et 15 sept./15 déc.
CB VISA AE E

AA LES FLEURS ★★
M. Trombert
☎ 50 79 11 30 FAX 50 75 95 60
🛏 21 ◆ 260/270 F. 🍽 80/ 90 F.
🍴 45 F. 260/310 F. 240/290 F.
✉ 15 sept./20 déc. et 15 avr./15 juin.
CB VISA AE E

MORZINE (suite)

▲▲▲ NEIGE ROC ★★★
Les Prodains (pied téléphérique Avoriaz).
M. Richard
☎ 50 79 03 21 FAX 50 79 24 30
🛏 26 ◎ 250/500 F. 🍽 65/175 F.
🍴 45 F. 🍽 300/470 F. 🍽 260/400 F.
⊠ 24 avr./15 juin et 30 sept./10 déc.

▲▲▲ SPORTING HOTEL ★★
M. Passaquin
☎ 50 79 15 03 FAX 50 79 11 25
🛏 26 ◎ 260/380 F. 🍽 110/150 F.
🍽 330/395 F. 🍽 290/355 F.
⊠ 18 avr./2 juin et 29 sept./11 déc.

MOSTUEJOULS
12720 Aveyron
100 hab.

▲ MAS DE LAFONT ★
Route des Gorges du Tarn, D. 907.
Mme Mas
☎ 65 62 60 40
🛏 10 ◎ 115/190 F. 🍽 68/ 90 F.
🍴 38 F. 🍽 220/250 F. 🍽 165/185 F.
⊠ 31 oct./1er mars.

MOTHE SAINT HERAY (LA)
79800 Deux Sèvres
1857 hab.

▲▲ LE CORNEILLE ★★
13, rue du Maréchal Joffre. Mme Richard
☎ 49 05 17 08 FAX 49 05 19 56
🛏 7 ◎ 160/200 F. 🍽 60/150 F. 🍴 40 F.
🍽 200/220 F. 🍽 150/160 F.
⊠ ven. soir et dim. soir.

MOUANS SARTOUX
06370 Alpes Maritimes
7000 hab.

▲ LA PAIX ★
Route Nationale. Mme Saudino
☎ 93 75 65 30
🛏 21 ◎ 170/260 F. 🍽 60/ 75 F.
🍴 45 F.

MOUCHARD
39330 Jura
1290 hab.

▲▲▲ CHALET BEL AIR HOTEL ★★
M. Gatto
☎ 84 37 80 34 FAX 84 73 81 18
🛏 9 ◎ 245/400 F. 🍽 99/340 F. 🍴 80 F.
🍽 365/440 F. 🍽 265/340 F.
⊠ Rest. mer. sauf vac. scol.

MOULINS
03000 Allier
27408 hab.

▲▲▲ LE PARC ★★
31, av. Général Leclerc. M. Barret
☎ 70 44 12 25 FAX 70 46 79 35
🛏 26 ◎ 190/320 F. 🍽 90/210 F.
🍴 55 F. 🍽 240 F.
⊠ 15/22 juil., 1er/15 oct.,
23 déc/4 janv. Rest. sam.

MOULINS (AVERMES PRES)
03000 Allier
27408 hab.

▲▲ DE LA TERRASSE ★★
Sur N. 7, Moulins du Nord. M. Menu
☎ 70 44 35 10
🛏 12 ◎ 150/270 F. 🍽 65/170 F.
🍴 42 F. 🍽 280/300 F. 🍽 210 F.
⊠ janv., dim. soir et lun.
1er oct./30 juin.

MOULINS (COULANDON PRES)
03000 Allier
27408 hab.

▲▲▲ LE CHALET ★★★
M. Hulot ☎ 70 44 50 08 FAX 70 44 07 09
🛏 28 ◎ 340/430 F. 🍽 100/220 F.
🍴 60 F. 🍽 400/425 F. 🍽 300/325 F.
⊠ 16 déc./31 janv.

MOULINS ENGILBERT
58290 Nièvre
1730 hab.

▲ AU BON LABOUREUR ★★
15-17, place Boucaumont. Mme Loreau
☎ 86 84 20 55
🛏 21 ◎ 110/280 F. 🍽 59/210 F.
🍴 40 F. 🍽 205/265 F. 🍽 150/210 F.

MOUSSY
51530 Marne
800 hab.

▲▲ AUBERGE CHAMPENOISE ★★
M. Arthozoul
☎ 26 54 03 48 FAX 26 51 87 25
🛏 33 ◎ 125/255 F. 🍽 65/200 F.
🍴 45 F. 🍽 195/315 F. 🍽 135/250 F.
⊠ Rest. week-end Noël.

MOUSTERLIN
29170 Finistère
400 hab.

▲▲▲ DE LA POINTE DE MOUSTERLIN ★★
(Pointe de Mousterlin). M. Morvan
☎ 98 56 04 12 FAX 98 56 61 02
🛏 52 ◎ 285/425 F. 🍽 90/385 F.
🍴 60 F. 🍽 330/455 F. 🍽 295/420 F.
⊠ Hôtel 1er oct./2 avr.

279

MOUSTIERS SAINTE MARIE
04360 Alpes de Haute Provence
630 m. • 600 hab. ⓘ

▲▲ LA BONNE AUBERGE ✶✶
Route de Castellane. M. Bondil
☎ 92 74 66 18 Ⅷ 92 74 65 11
🛏 16 ⊠ 260/290 F. ⅡⅠ 95/155 F.
🍴 48 F. ⅡⅠ 370 F. 🖼 290 F.
⊠ 16 nov./1er mars.
🎁 🗐 🗇 🗟 🗟 🕙 🏧 CB𝖵𝖨𝖲𝖠 AE E

MOUTHIER
25920 Doubs
370 hab. ⓘ

▲▲▲ LA CASCADE ✶✶✶
Mme Savonet
☎ 81 60 95 30 Ⅷ 81 60 94 55
🛏 23 ⊠ 260/340 F. ⅡⅠ 105/275 F.
🍴 80 F. ⅡⅠ 360/395 F. 🖼 260/300 F.
⊠ 15 nov./15 fév.
🎁 🗐 🗇 🗟 🗟 🗟 🏧 CB𝖵𝖨𝖲𝖠 E

MOUTIER ROZEILLE
23200 Creuse
500 hab.

▲▲ AU PETIT VATEL ✶✶
Sur D. 982. M. Kneppert
☎ 55 66 13 15 Ⅷ 55 83 86 05
🛏 11 ⊠ 190/290 F. ⅡⅠ 70/250 F.
🍴 49 F. ⅡⅠ 280/320 F. 🖼 195/250 F.
⊠ 23 déc./17 janv., ven. soir, sam. hs et
hors fêtes.
🎁 SP 🗟 🗟 🕙 🏧 🗟 CB𝖵𝖨𝖲𝖠 E

MOUTIERS
73600 Savoie
5000 hab. ⓘ

▲▲ AUBERGE DE SAVOIE ✶✶
M. Elia ☎ 79 24 20 15 Ⅷ 79 24 54 65
🛏 20 ⊠ 240/280 F. ⅡⅠ 78/180 F.
🍴 45 F. ⅡⅠ 300 F. 🖼 240 F.
🎁 🗐 🗇 🗟 🔟 CV 🗟 CB𝖵𝖨𝖲𝖠 E

MOUX EN MORVAN
58230 Nièvre
708 hab. ⓘ

▲ BEAU SITE
M. Margalida ☎ 86 76 11 75 Ⅷ 86 76 15 84
🛏 19 ⊠ 135 F. ⅡⅠ 62/180 F. 🍴 50 F.
ⅡⅠ 209/275 F. 🖼 190/242 F.
⊠ Hôtel 20 nov./20 mars, rest. 24 déc./
10 fév., dim. et lun. soir 14 nov./23 mars.
🎁 🗟 🗟 🗟 🕙 🗟 🗟 CB𝖵𝖨𝖲𝖠 E

MOYENMOUTIER
88420 Vosges
3854 hab.

▲ HOSTELLERIE DE L'ABBAYE ✶
33, rue de l'Hôtel de Ville. M. Trabach
☎ 29 41 54 31 ⟍ 29 41 46 68
🛏 12 ⊠ 140/210 F. ⅡⅠ 65/210 F.
🍴 50 F. ⅡⅠ 190/240 F. 🖼 165/200 F.
⊠ 15/23 fév., 30 sept./31 oct.,
24/27 déc., dim. soir et lun. sauf juil./août.
🗇 🗟 🗟 CB𝖵𝖨𝖲𝖠 AE ⦿ E

MUHLBACH SUR MUNSTER
68380 Haut Rhin
600 m. • 950 hab.

▲▲ PERLE DES VOSGES ✶✶
22, route du Gaschney. Mme Ertle
☎ 89 77 61 34 Ⅷ 89 77 74 40
🛏 40 ⊠ 210/320 F. ⅡⅠ 65/200 F.
🍴 35 F. ⅡⅠ 245/320 F. 🖼 185/250 F.
⊠ 3 janv./3 fév. et 15 nov./1er déc.
🎁 🗐 🗇 🗟 🗟 🕙 🗟 🗟 🗟 🗟 CB𝖵𝖨𝖲𝖠 ⦿ E

MUIDES SUR LOIRE
41500 Loir et Cher
1215 hab. ⓘ

▲ AUBERGE LA CHAUMETTE ᵉᶜ
Rue de la Chaumette. M. Foucqueteau
☎ 54 87 50 97 ⟍ 54 87 50 15
Ⅷ 54 87 01 02
🛏 19 ⊠ 199/320 F. ⅡⅠ 76/245 F.
🍴 52 F. ⅡⅠ 325/370 F. 🖼 220/270 F.
⊠ 20 déc./15 janv., 20 fév./12 mars
et dim. soir hs 31 oct./mars.
🎁 SP 🗇 🗟 🗟 🗟 🕙 🗟 🗟 CV 🗟 🗟
CB𝖵𝖨𝖲𝖠 AE ⦿ E

MULHOUSE (BALDERSHEIM)
68390 Haut Rhin
2000 hab.

▲▲ AU CHEVAL BLANC ✶✶
(Baldersheim à 7 km). MM. Landwerlin
☎ 89 45 45 44 Ⅷ 89 56 28 93
🛏 83 ⊠ 260/335 F. ⅡⅠ 82/225 F.
🍴 55 F. ⅡⅠ 305/325 F. 🖼 240/260 F.
⊠ 22 déc./5 janv., rest. jeu. et dim. soir.
🎁 🗐 🗇 🗟 🗟 🗟 🗟 🗟 🗟 CV 🗟 🗟
CB𝖵𝖨𝖲𝖠 E

MUNSTER
68140 Haut Rhin
5000 hab. ⓘ

▲▲ AU VAL SAINT GREGOIRE ✶✶
M. Weinryb ☎ 89 77 36 22 Ⅷ 89 77 13 76
🛏 50 ⊠ 310/390 F. ⅡⅠ 59/195 F.
🍴 48 F. ⅡⅠ 298/360 F. 🖼 228/290 F.
⊠ 4/30 janv., mer. et jeu. midi.
🎁 🗐 🗇 🗟 🗟 🗟 🗟 🕙 🗟 🗟 🗟
CV 🗟 🗟 CB𝖵𝖨𝖲𝖠 AE ⦿ E

▲▲ AUX DEUX SAPINS ✶✶
49, rue du 9ème Zouave. M. Rousselet
☎ 89 77 33 96 Ⅸ 870560 Ⅷ 89 77 03 90
🛏 25 ⊠ 220/320 F. ⅡⅠ 70/220 F.
🍴 42 F. ⅡⅠ 290/330 F. 🖼 210/250 F.
⊠ 15 nov./15 déc., dim. soir et lun.
oct./avr.
🎁 🗐 🗇 🗟 🗟 🗟 🕙 🗟 CV 🗟 🗟
CB𝖵𝖨𝖲𝖠 AE ⦿ E

▲▲ DE LA CIGOGNE ✶✶✶
4, place du Marché. M. Pultar
☎ 89 77 32 27 Ⅷ 89 77 28 64
🛏 22 ⊠ 280/350 F. ⅡⅠ 40/180 F.
🍴 35 F. 🖼 280/380 F.
🎁 🗐 SP 🗇 🗇 🗟 🗟 🗟 🕙 CV 🗟 🗟
CB𝖵𝖨𝖲𝖠 E

▲ DES VOSGES ✶✶
58, Grand'Rue. M. Wendling
☎ 89 77 31 41 ⅧⅨ 89 77 59 86
🛏 13 ⊠ 180/260 F.
⊠ 7/13 fév., 11 avr./8 mai, dim. soir et
lun. matin sauf vac. scol.
🎁 🗐 🗇 🗟 CV 🗟 CB𝖵𝖨𝖲𝖠 E

MUNSTER (suite)

⚖ DEYBACH ᵉᶜ
4, rue du Badischhof. Mme Deybach
☎ 89 77 32 71
🛏 16 ⊗ 230/250 F. ▯ 78/190 F.
🍴 42 F. ▯ 245/265 F. 🖾 200/230 F.
⊠ 28 mai/6 juin, 4/20 oct.,
22 déc./3 janv. et lun.
⬚⬚⬚⬚⬚⬚⬚⬚⬚ CB🅥🅢🅐 ⊙ E

⚖⚖⚖ VERTE VALLEE ★★
10, rue Alfred Hartmann. M. Gautier
☎ 89 77 15 15 🖷 89 77 17 40
🛏 107 ⊗ 310/345 F. ▯ 80/240 F.
🍴 60 F. ▯ 327/347 F. 🖾 273/300 F.
⊠ janv.
⬚⬚⬚⬚⬚⬚⬚⬚⬚⬚
⬚ CV ▦ ⬚ CB🅥🅢🅐 AB ⊙ E C

MUR DE BARREZ
12600 Aveyron
780 m. • 1380 hab. 🛈

⚖⚖⚖ AUBERGE DU BARREZ ★★
M. Gaudel
☎ 65 66 00 76 🖷 530366 🖷 65 66 07 98
🛏 10 ⊗ 210/250 F. ▯ 62/185 F.
🍴 45 F. ▯ 265/291 F. 🖾 205/225 F.
⊠ 1er janv./10 fév. Rest. dim. soir et
lundi Toussaint/Pâques.
⬚⬚⬚⬚⬚⬚⬚⬚⬚ CB🅥🅢 AB E

MUR DE SOLOGNE
41230 Loir et Cher
1100 hab. 🛈

⚖⚖ DU BROCARD ★★
Rue de Blois. M. Girault
☎ 54 83 90 29
🛏 24 ⊗ 220/330 F. ▯ 65/200 F.
🍴 38 F. ▯ 296/320 F. 🖾 216/260 F.
⊠ 15 déc./15 janv.
⬚⬚⬚⬚⬚⬚⬚ CB🅥🅢 E

MURAT
15300 Cantal
930 m. • 3000 hab. 🛈

⚖⚖⚖ LES MESSAGERIES ★★
18, av. Docteur Louis Mallet. M. Hugon
☎ 71 20 04 04 🖷 283155 F POSTE
🖷 71 20 02 81
🛏 24 ⊗ 230 F. ▯ 75/180 F. 🍴 40 F.
▯ 275 F. 🖾 215 F.
⊠ 4 nov./25 déc.
⬚⬚⬚⬚⬚⬚⬚⬚⬚⬚⬚⬚⬚
CB🅥🅢 AB ⬚

MURBACH
68530 Haut Rhin
750 m. • 90 hab.

⚖⚖⚖ DOMAINE LANGMATT ★★★
Langmatt-Murbach. M. Bisel
☎ 89 76 21 12 🖷 89 74 88 77
🛏 22 ⊗ 480/720 F. ▯ 160/326 F.
🍴 85 F. ▯ 590/710 F. 🖾 470/590 F.
⊠ Rest. 27 fév./5 mars et mer. midi.
⬚⬚⬚⬚⬚⬚⬚⬚⬚⬚⬚⬚
⬚ ▦ CB🅥🅢 AB E C

MURE (LA)
38350 Isère
900 m. • 7000 hab. 🛈

⚖⚖ HELME ★★
51, av. du 22 Août 1944. M. Helme
☎ 76 81 01 96 🖷 76 81 17 68
🛏 16 ⊗ 170/320 F. ▯ 70/130 F.
🍴 35 F. ▯ 220/240 F. 🖾 160/190 F.
⊠ 23 déc./9 janv., 12 août/4 sept. et
sam.
⬚⬚ SP ⬚⬚⬚⬚⬚⬚⬚ CV ▦
⬚ CB🅥🅢 E ⬚

⚖⚖ MURTEL ★★
Coteau de Beauregard. M. Charnay
☎ 76 30 96 10 🖷 76 30 91 38
🛏 39 ⊗ 240/260 F. ▯ 69/180 F.
🍴 38 F. ▯ 250/340 F. 🖾 195/210 F.
⬚⬚⬚⬚⬚⬚⬚ ▦ ⬚ CB🅥🅢 E

MURET (LE)
40410 Landes
655 hab.

✳ LE CARAVANIER ★
M. Lafargue
☎ 58 09 62 14
🛏 10 ⊗ 120/350 F.
⬚⬚⬚⬚⬚⬚⬚⬚⬚⬚ CB🅥🅢 E

⚖⚖ LE GRANDGOUSIER ★★
Sur N. 10. Mme Bardot
☎ 58 09 62 17 ⟍ 58 09 62 19
🖷 58 09 60 29
🛏 24 ⊗ 230/380 F. ▯ 55/200 F.
🍴 40 F. ▯ 325/330 F. 🖾 235/255 F.
⊠ lun. hs.
⬚⬚⬚⬚⬚⬚⬚⬚⬚⬚ CV ▦ ⬚
CB🅥🅢 AB ⊙ E

MUROL
63790 Puy de Dôme
840 m. • 620 hab. 🛈

⚖ DE PARIS ★★
Place de l'Hôtel de Ville. M. Planeix
☎ 73 88 60 09 🖷 73 88 69 62
🛏 20 ⊗ 140/210 F. ▯ 55/120 F.
🍴 36 F. ▯ 180/210 F. 🖾 160/190 F.
⊠ 27 sept./vac. scol. Pâques.
⬚⬚⬚⬚ CV CB🅥🅢 E

⚖ DES PINS ★★
M. Simon
☎ 73 88 60 50 🖷 73 88 60 29
🛏 29 ⊗ 220/270 F. ▯ 55/150 F.
🍴 45 F. ▯ 270/295 F. 🖾 240/265 F.
⊠ 30 sept./1er mai.
⬚⬚⬚⬚⬚ CV ⬚ CB🅥🅢 E

MUROL (BEAUNE LE FROID)
63790 Puy de Dôme
1050 m. • 150 hab. 🛈

⚖ RELAIS DES MONTAGNES ★
Mlle Bouche
☎ 73 88 61 48
🛏 11 ⊗ 95/240 F. ▯ 85/150 F. 🍴 48 F.
▯ 195/250 F. 🖾 165/215 F.
⊠ 1er oct./1er fév.
⬚⬚⬚⬚⬚ CV ⬚ CB🅥🅢 AB E

MURS
84220 Vaucluse
500 m. • 400 hab.

▲▲ LE CRILLON
Le Village. MM. Castelli/Sigrist
☎ 90 72 60 31 \ 90 72 68 04
FAX 90 72 63 12
🍴 8 🛏 240/330 F. 🍽 65/130 F. 🍴 40 F.
🛏 310 F. 📷 260 F.
⊠ 2ème quinzaine nov. et jeu. hs.
E 🖹 ☎ 🏠 🕯 ⬥ CB VISA E

MUSCULDY
64130 Pyrénées Atlantiques
289 hab. ⓘ

▲▲ DU COL D'OSQUICH ★★
Mme Idiart
☎ 59 37 81 23
🍴 18 🛏 160/230 F. 🍽 80/180 F.
🍴 50 F. 🛏 240 F. 📷 210 F.
⊠ 11 nov./Pâques.
🖹 ☎ 🏠 🕯 🍴 🛗 ⬥ CB VISA E

MUSSIDAN
24400 Dordogne
3500 hab. ⓘ

▲▲ DU MIDI ★★
Av. de la Gare. M. Gasis
☎ 53 81 01 77
🍴 10 🛏 190/300 F. 🍽 68/160 F.
🍴 48 F. 🛏 240/280 F. 📷 210/250 F.
⊠ 3/17 janv., 22 avr./8 mai, 4/14 nov.,
ven. soir et sam. hs.
E 🖹 ☎ 🏠 ☎ 🕯 🍴 CV CB VISA E

MUTZIG
67190 Bas Rhin
5000 hab.

▲▲ HOSTELLERIE DE LA POSTE ★★
4, place de la Fontaine. M. Pfeiffer
☎ 88 38 38 38 FAX 88 49 82 05
🍴 19 🛏 200/260 F. 🍽 100/280 F.
📷 250/290 F.
E D 🖹 ☎ 🏠 🏠 CV 🛗 CB VISA E ⬛

NAGES
81320 Tarn
800 m. • 300 hab.

▲ L'ESCAPADE ★★
Mme Cavaillés
☎ 63 37 40 51
🍴 24 🛏 200/260 F. 🍽 80/240 F.
🍴 50 F. 🛏 290/310 F. 📷 265/285 F.
🖹 ☎ 🏠 🏠 🕯 🍴 🛗 CV 🛗 ⬥
CB VISA E

NAILLOUX
31560 Haute Garonne
1000 hab.

▲▲ AUBERGE DU PASTEL ★★
Route de Villefranche-Lauragais.
M. Baudouy
☎ 61 81 46 61 FAX 61 27 89 63

🍴 24 🛏 225 F. 🍽 60/185 F. 🍴 45 F.
🛏 300 F. 📷 220 F.
E SP 🖹 ☎ 🏠 🕯 🍴 🛗 CV 🛗 ⬥
CB VISA E

NAJAC
12270 Aveyron
500 hab. ⓘ

▲▲▲ BELLE RIVE ★★
(Au Roc du Pont). M. Mazières
☎ 65 29 73 90
🍴 31 🛏 240/280 F. 🍽 80/230 F.
🍴 50 F. 🛏 340/360 F. 📷 260/280 F.
⊠ Toussaint/Rameaux.
🖹 ☎ 🏠 🏠 🕯 🍴 🛗 ⬥ 🍴 🛗 🛗
⬥ CB VISA ⓞ E

▲▲▲ L'OUSTAL DEL BARRY ★★
Place du Bourg. M. Miquel
☎ 65 29 74 32 FAX 65 29 75 32
🍴 20 🛏 231/450 F. 🍽 100/320 F.
🍴 65 F. 🛏 345/395 F. 📷 282/310 F.
⊠ fin oct./fin mars, lun. midi avr., mai,
juin et oct. sauf jours fériés.
E 🖹 ☎ 🏠 🕯 🍴 🛗 ⬥ CB VISA AE E

NANCY
54000 Meurthe et Moselle
99300 hab. ⓘ

▲▲ AU BON COIN ★★
33, rue de Villers. M. Spens
☎ 83 40 04 01 FAX 83 90 32 08
🍴 20 🛏 250/270 F. 🍽 71/160 F.
🍴 50 F. 🛏 300 F. 📷 240 F.
⊠ 30 juil./16 août, 24 déc./1er janv.
et rest. dim., sam. soir 1er oct./30 avr.
E 🖹 ☎ 🏠 🕯 ⬥ CV 🛗 ⬥ CB VISA E C ⬛

▲ LE PIROUX ★
12, rue Raymond Poincaré. M. Leclère
☎ 83 32 01 10 FAX 83 35 44 92
🍴 22 🛏 130/200 F. 🍽 70/140 F.
🍴 45 F. 🛏 235/255 F.
📷 170/190 F.
⊠ entre Noël/Nouvel An, rest. sam. et
dim.
E D 🖹 ☎ CV ⬥ CB VISA E

NANGIS
77370 Seine et Marne
7005 hab. ⓘ

▲▲ HOSTELLERIE LE DAUPHIN ★★
14, rue du Dauphin - 9, rue Aristide
Briand. M. Vaschalde
☎ (1) 64 08 00 27 FAX 64 08 12 97
🍴 14 🛏 200/310 F. 🍽 100/310 F.
🛏 335/600 F. 📷 260/400 F.
⊠ dim. soir.
E 🖹 ☎ 🏠 🏠 🛗 ⬥ CB VISA AE ⓞ E

▲ LA BARAQUE ★★
16, route de Paris. M. Bequignon
☎ (1) 64 08 01 91 FAX (1) 64 08 77 01
🍴 6 🛏 200/240 F. 🍽 75/200 F. 🍴 50 F.
📷 270 F.
⊠ 16 jours août sauf 15 août et dim.
E 🖹 ☎ 🏠 🏠 🛗 ⬥ ⬥ CB VISA AE E ⬛

NANGIS (FONTAINS)
77370 Seine et Marne
140 hab.

▲▲ LES BILLETTES **
Sur D. 201. (à 2 Km de Nangis).
M. Farjon
☎ (1) 64 08 22 50 📇 692131
🛏 11 ⬓ 135/210 F. 🍽 75/129 F.
🍴 50 F.
⬚ Rest. lun.
📺 🗂 ☎ 🚗 🚭 🏇 🎿 📺 🛎 🍷 CB🆅🆂 E

NANTES
44300 Loire Atlantique
252029 hab. 🆗

▲▲ BEAUJOIRE HOTEL Rest. LE JARDIN **
15, rue des Pays de Loire. Mme Joseph
☎ 40 93 00 01 📠 40 68 98 32
🛏 42 ⬓ 290 F. 🍽 90/153 F. 🍴 45 F.
🍽 293 F. 🍴 220 F.
📺 🗂 ☎ 🚗 🚭 🎿 📺 🛎 🍷 CB🆅🆂 AE
⦾ E C 🍴

NANTEUIL SUR MARNE
77730 Seine et Marne
305 hab.

▲▲ AUBERGE DU LION D'OR *
2, rue du Bac. M. Masson
☎ (1) 60 23 62 21
🛏 7 ⬓ 180/220 F. 🍽 62/150 F. 🍴 45 F.
🍽 220 F. 🍴 180 F.
⬚ environ 20 août/10 sept. dim. soir et
mer.
📺 🗂 ☎ 🚗 🚭 🍷 CB🆅🆂 E 🍴

NANTUA
01130 Ain
3800 hab. 🆗

▲▲ EMBARCADERE **
M. Jantet
☎ 74 75 22 88 📠 74 75 22 25
🛏 50 ⬓ 220/325 F. 🍽 105/300 F.
🍴 50 F. 🍽 385/420 F. 🍴 280/315 F.
⬚ 20 déc./20 janv., 1ère semaine mai et
Rest. lun.
📺 🗂 ☎ 🚗 🚭 🛎 🍷 CB🆅🆂 E

NANTUA (LES NEYROLLES)
01130 Ain
500 hab. 🆗

▲▲ LES DAPHNES **
Les Neyrolles. M. Humbert
☎ 74 75 01 42
🛏 12 ⬓ 220/340 F. 🍽 110/270 F.
🍴 95 F. 🍽 250/390 F. 🍴 200/260 F.
⬚ 25 avr./12 mai, 1er oct./31 déc., lun.
soir et mar. sept./juin, mar. midi
juil./août.
📺 🗂 🛏 🗂 ☎ 🚭 🍷 CB🆅🆂 E 🍴

▲ REFFAY *
Les Neyrolles (à 3 km), route de
Genève. M. Reffay
☎ 74 75 04 35
🛏 14 ⬓ 130/220 F. 🍽 59/140 F.

🍴 40 F. 🍽 240/290 F. 🍴 200/250 F.
⬚ 15/30 avr., 20 oct./10 nov., mer. et
dim. soir.
🗂 ☎ 🚗 🚭 🎿 📺 🍷 CB🆅🆂 🍴

NARBONNE
11100 Aude
46800 hab. 🆗

▲▲ CROQUE CAILLE
Route de Perpignan, à 3 km. M. Estarella
☎ 68 41 29 69
🛏 10 ⬓ 198/450 F. 🍽 68/120 F.
🍴 37 F. 🍽 195/238 F.
⬚ 24 déc./5 janv., sam. et dim. hs.
📺 🗂 ☎ 🚗 🚭 🍽 🚭 🍴 📺 🍷
CB🆅🆂 AE E 🍴

▲▲ DU MIDI **
4, av. de Toulouse. Mme Oliva
☎ 68 41 04 62 📇 500401F
📠 68 42 45 87
🛏 46 ⬓ 150/220 F. 🍽 65 F. 🍴 30 F.
🍴 160/210 F.
⬚ Rest. 1er déc./2 janv.
E 🆂🅿 🛏 📺 🗂 ☎ 🚗 🚭 📺 🛎 🍷 CB🆅🆂
AE ⦾ E

NARBONNE PLAGE
11100 Aude
450 hab. 🆗

▲ GRAND HOTEL LA CARAVELLE **
Bld du Front de Mer. Mme Boyer
☎ 68 49 80 38
🛏 24 ⬓ 200/300 F. 🍴 65 F.
🍴 225/280 F.
E 🆂🅿 🗂 ☎ 🚗 🍴 🛎 🍷 CB🆅🆂 E

▲ L'OASIS
Bld du Front de Mer. M. Grillère
☎ 68 49 80 12\68 49 86 43
🛏 20 ⬓ 130/330 F. 🍽 78/180 F.
🍴 35 F. 🍽 245/345 F. 🍴 170/270 F.
⬚ 15 oct./1er avr.
E 🆂🅿 🗂 ☎ 📺 🛎 🍷 CB🆅🆂 AE E

NASBINALS (PONT DE GOURNIER)
48260 Lozère
1063 m. • 200 hab. 🆗

▲▲ RELAIS DE L'AUBRAC **
M. Pages
☎ 66 32 52 06
🛏 22 ⬓ 220/250 F. 🍽 95/160 F.
🍴 40 F. 🍽 240/280 F. 🍴 200/240 F.
⬚ 15 nov./26 déc. et 4 janv./12 fév.
📺 🗂 ☎ 🚗 🚭 🎿 🚭 📺 🛎 🍷 CB🆅🆂 E

NATZWILLER
67130 Bas Rhin
650 m. • 800 hab.

▲▲ METZGER **
M. Metzger
☎ 88 97 02 42 📠 88 97 93 59
🛏 10 ⬓ 235/250 F. 🍽 57/260 F.
🍴 45 F. 🍽 285/295 F. 🍴 250/260 F.
⬚ 28 fév./6 mars, 27 juin/3 juil., dim.
soir et lun. sauf juil./août.
🛏 🗂 ☎ 🚗 🚭 🚭 📺 🍷 CB🆅🆂 AE E

NAVACELLES
34520 Hérault
8 hab.

⌂ AUBERGE DE LA CASCADE ★★
(Cirque de Navacelles). M. Vernay
☎ 67 81 50 95
🛏 5 ◫ 200/300 F. 🍴 82/150 F.
🏨 285/320 F. 🍽 235/270 F.
✉ janv. ou fév. et mer. 1er mars/30 sept.
📶 📷 🏠 🏧 🅿 🗓 🚹 🎿 🐕 🛗 🎯 🆘 CB🆚

NAVES
19460 Corrèze
2500 hab.

⌂⌂ AUBERGE DE LA ROUTE ★★
Sur N. 120. Mme Laurent
☎ 55 26 62 02 🅵🅰🆇 55 26 03 95
🛏 20 ◫ 190/210 F. 🍴 70/185 F.
🏓 50 F. 🍽 210 F. 🍴 185 F.
✉ 16/23 janv., ven. et dim. oct./mars.
📶 📷 🏠 🚗 🚐 🎯 🆘 CB🆚 🅰🅴 🅾 E

⌂⌂ L'OUSTAL ★
(Le Bourg). M. Betaillouloux
☎ 55 26 62 42
🛏 10 ◫ 140/190 F. 🍴 60/140 F.
🏓 35 F. 🍽 190/230 F. 🍴 170/200 F.
✉ 25 déc./2 janv. et dim. soir hs.
E SP 📷 🏠 🚗 🚐 🗓 🆘 CB🆚 E

NAVES PARMELAN
74370 Haute Savoie
640 m. ● 500 hab.

⌂ PANISSET ★
Mme Panisset ☎ 50 60 64 38
🛏 12 ◫ 140/230 F. 🍴 65/150 F.
🏓 40 F. 🍽 170/240 F. 🍴 145/190 F.
✉ sept.
E 🎯 🎿 CV 🎯

NAY
64800 Pyrénées Atlantiques
3500 hab. 𝒊

⌂ DES VOYAGEURS ★★
12, place Marcadieu. M. Larruhat
☎ 59 61 04 69 🅵🅰🆇 59 61 15 68
🛏 22 ◫ 170/250 F. 🍴 70/200 F.
🏓 45 F. 🍽 250/290 F. 🍴 180/240 F.
E SP 📷 🏠 🛏 🚐 🗓 🆘 CB🆚 E

NEANT SUR YVEL
56430 Morbihan
890 hab. 𝒊

⌂ AUBERGE TABLE RONDE ᵉᶜ
Place de l'Eglise. M. Me Morice
☎ 97 93 03 96 🅵🅰🆇 97 93 05 26
🛏 10 ◫ 115/230 F. 🍴 56/170 F.
🏓 30 F. 🍽 170/210 F. 🍴 115/150 F.
✉ 3/18 janv., 5/13 sept., dim. soir et lun. hs.
E 🗓 SP 📷 🏠 🚗 🗓 CV 🆘 CB🆚 🅾 E

NEAU
53150 Mayenne
680 hab.

⌂ LA CROIX VERTE ★★
2, rue d'Evron. M. Boullier
☎ 43 98 23 41 🅵🅰🆇 43 98 25 39
🛏 14 ◫ 150/190 F. 🏓 40 F. 🍽 250 F.
🍴 200 F.

✉ 28 fév./13 mars.
📷 🏠 🗓 CV 🎯 🆘 CB🆚 E 🖼

NEMOURS
77140 Seine et Marne
11676 hab.

⌂⌂ L'ECU DE FRANCE ★★
3-5-7, rue de Paris. M. Happart
☎ (1) 64 28 11 54 🅵🅰🆇 (1) 64 45 03 65
🛏 24 ◫ 140/300 F. 🍴 96/260 F.
🏓 55 F. 🍽 295/340 F. 🍴 200/245 F.
🅴 🅳 📷 🏠 🚗 🚐 CV 🎯 🆘 CB🆚 🅰🅴
🅾 E 🖼

NEMPONT SAINT FIRMIN
62180 Pas de Calais
163 hab.

⌂ AUBERGE DE L'AUTHIE ★
32, rue Nationale. M. Turlure
☎ 21 81 20 21
🛏 6 ◫ 130/250 F. 🍴 49/120 F. 🏓 35 F.
🍽 190 F. 🍴 170 F.
✉ 2 dernières semaines oct., 2 dernières
semaines janv. et mar.
E 🗓 🚗 🗓 🎿 🐕 🆘 CB🆚 🅾

NERAC
47600 Lot et Garonne
7015 hab. 𝒊

⌂⌂ D'ALBRET ★★
40, allée d'Albret. M. Capes
☎ 53 65 01 47 🅵🅰🆇 53 65 20 26
🛏 23 ◫ 235/480 F. 🍴 65/280 F.
🏓 50 F. 🍽 285/385 F. 🍴 215/315 F.
✉ sept., 1 semaine mars et lun. oct./mai.
📶 📷 🏠 🚗 🏧 🛏 🚐 CV 🎯 CB🆚 E

⌂ LE CHATEAU Rest. DU ROY ★★
7, av. Mondenard. M. Cellie
☎ 53 65 09 05 🅵🅰🆇 53 65 89 78
🛏 20 ◫ 160/250 F. 🍴 60/230 F.
🏓 45 F. 🍽 245/290 F. 🍴 195/225 F.
✉ 3/18 janv. Rest. ven. soir, sam. midi
et dim. soir hs.
📷 🏠 🚗 🎯 🆘 CB🆚 🅾 E

NERIS LES BAINS
03310 Allier
3000 hab. 𝒊

⌂⌂ DU PARC DES RIVALLES ★★
7, rue Parmentier. M. Daureyre
☎ 70 03 10 50 🅵🅰🆇 70 03 11 05
🛏 26 ◫ 160/250 F. 🍴 78/270 F.
🏓 50 F. 🍽 216/276 F.
✉ 10 oct./17 avr.
E 📷 🏠 🚗 🛏 🚐 🏠 🆘 CB🆚

⌂ LE CENTRE ET PROXIMA ★
10, rue du Capitaine Migat. M. Huguet
☎ 70 03 10 74 🅵🅰🆇 70 03 15 37
🛏 18 ◫ 150/190 F. 🍴 62/ 78 F.
🍽 210/277 F.
✉ 1er oct./6 avril.
E 🏠 🏠 🆘 CB🆚 E

⌂⌂ LE GARDEN ★★
12, av. Marx Dormoy. M. Gasparoux
☎ 70 03 21 16 🅵🅰🆇 70 03 10 67
🛏 19 ◫ 210/310 F. 🍴 75/190 F.
🏓 45 F. 🍽 260/290 F. 🍴 220/250 F.
🅴 📷 🏠 🚗 🚐 🏠 🎿 CV 🎯 🆘 CB🆚
🅰🅴 E 🖼

NERONDES
18350 Cher
1300 hab.

⚏ LE LION D'OR ∗
Place de l'Hôtel de Ville. M. Boutillon
☎ 48 74 87 81
🛏 11 ◲ 130/250 F. ⅋ 75/190 F.
🍴 44 F.
⊠ 3 semaines fin fév., 1 semaine début mars et mer.
🇪🔲🖥☎🚗🚹🎷⚏🕪 CB🆅🆂🅰 E 🖼

NESTIER
65150 Hautes Pyrénées
180 hab.

⚏ RELAIS DU CASTERA ∗∗
Place du Calvaire. M. Latour
☎ 62 39 77 37
🛏 7 ◲ 220/260 F. ⅋ 98/220 F. 🍴 45 F.
🍽 280/320 F. 🔲 240/280 F.
⊠ 6/24 janv., dim. soir et lun.
🇪 SP ☎🎷🕪 CB🆅🆂🅰 E

NEUBOURG (LE)
27110 Eure
3600 hab. ⓘ

⚏ AU GRAND SAINT MARTIN ∗∗
M. Lachaux-Martinet ☎ 32 35 04 80
🛏 10 ◲ 120/250 F. ⅋ 65/160 F.
🍴 40 F. 🍽 280 F. 🔲 200 F.
⊠ 2ème/3ème semaine juin,
1ère semaine jui., 23/29 déc., Rest. jeu., mer. soir et dim. soir.
🇪🔲☎🚗🚹 CV🕪 CB🆅🆂🅰 E 🖼

NEUF BRISACH (VOGELGRUN)
68600 Haut Rhin
450 hab. ⓘ

⚏ L'EUROPEEN ∗∗∗
(A Volgelgrun 5 Km. Ile du Rhin).
M. Daegele ☎ 89 72 51 57 🅵🅰🆇 89 72 74 54
🛏 40 ◲ 320/520 F. ⅋ 150/350 F.
🍴 60 F. 🍽 450/550 F. 🔲 360/480 F.
⊠ Rest. dim. soir et lun. sauf fév.
🇪🔲🖥🔳☎🚗🛏🖼🎷🌳🚾
🏊🎣🐕⛷ CV🕪🕪⚏ CB🆅🆂🅰🆎🅞 E C

⚏ LE CABALLIN ∗∗∗
(Ile du Rhin). M. Schmitt
☎ 89 72 56 56 🅵🅰🆇 89 72 95 00
🛏 24 ◲ 250/420 F. ⅋ 41/210 F.
🍴 45 F. 🍽 300/450 F. 🔲 250/350 F.
🇪🔲🖥☎🚗🌳🎷🚾🎣 CV🕪⚏
🕪 CB🆅🆂🅰🅰🆎 E 🖼

NEUFCHATEL EN BRAY
76270 Seine Maritime
6140 hab. ⓘ

⚐ LE GRAND CERF ∗∗
9, Grande Rue Fosse Porte. M. Chapelle
☎ 35 93 00 02 🅵🅰🆇 35 94 14 92
🛏 12 ◲ 200/250 F. ⅋ 75/160 F.
🍴 46 F. 🔲 260 F.
🇪🔲🖥☎🚗🎷 CV🕪⚏ CB🆅🆂🅰🆎 E

⚏ LES AIRELLES ∗∗
2, passage Michu. M. Diomard
☎ 35 93 14 60 🅵🅰🆇 35 93 89 03
🛏 14 ◲ 200/250 F. ⅋ 90/220 F.

🍴 60 F.
⊠ vac. scol. fin année.
🇪🔲🖥☎🚗🎷🕪⚏ CB🆅🆂🅰🆎 E 🖼

NEUNG SUR BEUVRON
41210 Loir et Cher
1195 hab.

⚏ LES TILLEULS ∗∗
Place Albert Prudhomme. M. Lerck
☎ 54 83 63 30
🛏 7 ◲ 185/200 F. ⅋ 75/205 F. 🍴 50 F.
🍽 280/290 F. 🔲 205/215 F.
⊠ mi-fév./mi-mars, mar. soir et mer. hs.
🇪☎🎷🚹⚏ CB🆅🆂🅰 E 🖼

NEUSSARGUES
15170 Cantal
810 m. • *1300 hab.* ⓘ

⚏ DU MIDI ∗∗
(Au Pont du Vernet). Mme Chalier
☎ 71 20 51 20 🅵🅰🆇 71 20 57 07
🛏 10 ◲ 150/240 F. ⅋ 60/150 F.
🍴 40 F. 🍽 240/280 F. 🔲 200/230 F.
⊠ dim. soir.
🇪🔲🖥☎🚗🌳🎣🚾🕪⚏ CB🆅🆂🅰 E

NEUVEGLISE
15260 Cantal
938 m. • *1100 hab.* ⓘ

⚏ RELAIS DE LA POSTE ∗∗
(A Cordesse). M. Chadelat
☎ 71 23 82 32 🅵🅰🆇 71 23 86 23
🛏 8 ◲ 200/320 F. ⅋ 70/200 F. 🍴 40 F.
🍽 250/320 F. 🔲 220/270 F.
⊠ 15 nov./15 mars.
🇪 SP 🔲🖥☎🚗🎷🌳🎣🚾 CV🕪
⚏ CB🆅🆂🅰🆎 E

NEUVIC
19160 Corrèze
620 m. • *2274 hab.* ⓘ

⚏ DU LAC ∗∗
M. Watson ☎ 55 95 81 43 🅵🅰🆇 55 95 05 15
🛏 15 ◲ 260/320 F. ⅋ 120/250 F.
🍴 45 F. 🍽 320/360 F. 🔲 240/280 F.
⊠ fin sept./Pâques.
🇪 SP ☎🚗🎷🐟🎣🌳▶🕨🚾🕪
CB🆅🆂🅰 E

NEUVILLE LES DAMES
01400 Ain
1070 hab. ⓘ

⚐ DU MIDI ∗∗
M. Noblet ☎ 74 55 60 26
🛏 7 ◲ 170 F. ⅋ 90/300 F.
⊠ mer.
🔲☎🚗🚹⚏ CB🆅🆂🅰 E

NEUVILLE LEZ BEAULIEU (LA)
08380 Ardennes
400 hab.

⚏ MOTEL DU BOIS ∗∗
Sur N. 43. M. Dubois
☎ 24 54 32 55 🅵🅰🆇 24 54 34 90
🛏 10 ◲ 160/180 F. ⅋ 50/120 F.
🍴 45 F. 🔲 200 F.
⊠ 1er déc./1er fév. et lun. midi sauf fériés.
🇪🔲🖥☎🚗🚹⚏ CB🆅🆂🅰🆎🅞 E

285

NEUVILLE SAINT AMAND
02100 Aisne
732 hab.

▲▲▲ HOSTELLERIE DU CHATEAU ★★★
M. Meiresonne
☎ 23 68 41 82 ℻ 23 68 46 02
🛏 15 ⬦ 340 F. 🍽 120/330 F. 🍴 80 F.
✉ 23/31 déc., 1er/21 août, sam. midi et dim. soir.
▯▯▯▯▯▯▯▯▯ CB🆅🆂🅰 AE ⓞ E

NEUVILLE SUR BRENNE
37110 Indre et Loire
516 hab.

▲ AUBERGE DE LA DILIGENCE
Sur N. 10. M. Colas
☎ 47 56 28 11
🛏 5 ⬦ 150/250 F. 🍽 85/165 F. 🍴 50 F.
🍴 250 F. 🚗 200 F.
✉ vac. scol. fév., mer. soir et dim. soir oct./fin mars.
▯▯▯▯▯ CB🆅🆂🅰 E ▯

NEUVY PAILLOUX
36100 Indre
1422 hab.

▲ BERRY RELAIS ★★
9, N. 151. M. Vermeulen
☎ 54 49 50 57
🛏 10 ⬦ 150/250 F. 🍽 85/250 F.
🍴 55 F.
✉ 2/25 janv., 1ère semaine juil., dim. soir et lun. hs.
▯▯▯▯▯▯▯▯ CB🆅🆂🅰 E

NEUVY SUR BARANGEON
18330 Cher
1300 hab.

▲ LE CHEVAL ROUGE ★
2, place du Marché. Mme Jacquemin
☎ 48 51 62 15
🛏 9 ⬦ 140/220 F. 🍽 72/155 F. 🍴 45 F.
✉ 1er/20 mars et 15/25 sept.
▯▯▯▯▯▯ CB🆅🆂🅰 E ▯

NEVERS
58000 Nièvre
45500 hab. ℹ

▲▲ DU MORVAN ★★
28, rue de Mouesse. M. Geoffroy
☎ 86 61 14 16 ℻ 86 21 47 75
🛏 8 ⬦ 210/290 F. 🍽 98/230 F. 🍴 50 F.
🚗 310/350 F.
✉ 5/26 juil., 3/18 janv., rest. mar. soir et mer.
▯▯▯▯▯ CB🆅🆂🅰 E

▲▲ LA FOLIE ★★
Route des Saulaies. M. Rosier
☎ 86 57 05 31 ℻ 86 57 66 99
🛏 37 ⬦ 265/285 F. 🍽 95/145 F.
🍴 45 F. 🚗 255/265 F.
✉ ven. et dim. soir.
▯▯▯▯▯▯▯▯▯▯▯
CB🆅🆂🅰 E

NEVERS (VARENNES VAUZELLES)
58640 Nièvre
8061 hab. ℹ

▲ AUBERGE DE LA CROIX DE VERNUCHE
9, rue Voltaire. Mme Bardou
☎ 86 38 07 13
🛏 8 ⬦ 85/200 F. 🍽 80/150 F. 🍴 55 F.
✉ fév. et lun.
▯▯▯ CB🆅🆂🅰

NEZIGNAN L'EVEQUE
34120 Hérault
753 hab.

▲▲ HOSTELLERIE DE SAINT ALBAN ★★★
31, route d'Agde. M. Me Lescure
☎ 67 98 11 38 ℻ 67 98 91 63
🛏 14 ⬦ 380/520 F. 🍽 135/350 F.
🍴 85 F. 🚗 400/510 F.
✉ janv., rest. sam. midi et dim. soir hs.
▯▯▯▯▯▯▯▯▯▯
CB🆅🆂🅰 E ▯

NICE
06000 Alpes Maritimes
295000 hab. ℹ

❄ LE RELAIS DE RIMIEZ ★★
128, av. de Rimiez. Mme Pietruschi
☎ 93 81 18 65 ℻ 93 53 51 23
🛏 24 ⬦ 245/330 F.
✉ 4 janv./10 fév. dim. midi automne et hiver.
▯▯▯▯▯▯▯▯ CB🆅🆂🅰 AE E

▲ LES GEMEAUX ★
S/Grande Corniche - 149, bld
Observatoire. M. Dieude
☎ 93 89 03 60 ℻ 460 000 ℻ 93 26 90 38
🛏 12 ⬦ 190/280 F. 🍽 65/125 F.
🍴 35 F. 🚗 190/240 F.
✉ Rest. dim. 1er oct./31 mars sauf pension.
▯▯▯▯▯▯▯ CB🆅🆂🅰 AE ⓞ E ▯

NIEDERBRONN LES BAINS
67110 Bas Rhin
5000 hab. ℹ

▲▲ MULLER ★★★
16, av. de la Libération. M. Muller
☎ 88 63 38 38 ℻ 871327 ℻ 88 09 02 79
🛏 41 ⬦ 224/388 F. 🍽 55/220 F.
🍴 47 F. 🍴 228/342 F. 🚗 214/328 F.
✉ Rest. dim. soir et lun.
▯▯▯▯▯▯▯▯▯▯▯
▯▯▯▯▯ CB🆅🆂🅰 AE ⓞ E ▯

NIEDERHASLACH
67280 Bas Rhin
1100 hab. ℹ

▲▲ POMME D'OR ★★
36, rue Principale. M. Abelhauser
☎ 88 50 90 21 ℻ 88 50 95 17
🛏 20 ⬦ 210/270 F. 🍽 40/165 F.
🍴 40 F. 🚗 240 F.
▯▯▯▯▯▯ CB🆅🆂🅰 E

NIEDERMORSCHWIHR
68230 Haut Rhin
500 hab.

AA DE L'ANGE ★★
M. Boxler
☎ 89 27 05 73 ⅡⅫ 89 27 01 44
🛏 14 ⊗ 255/345 F. ⅠⅠ 98/250 F.
🍴 40 F. 🍽 252/300 F.
⊠ Hôtel 1er janv./31 mars, rest.
4 janv./12 fév. et mer.
🅳 🗔 ☎ 🌡 🕶 ⬤ CB🆅🆂🅰 E

NIEDERSCHAEFFOLSHEIM
67500 Bas Rhin
1220 hab.

AA AU BOEUF ROUGE ★★
39, rue Général de Gaulle. M. Golla
☎ 88 73 81 00 ⅡⅫ 88 73 89 71
🛏 15 ⊗ 190/270 F. ⅠⅠ 110/290 F.
🍴 50 F. ⅠⅠⅠ 300 F. 🍽 240 F.
⊠ 12 juil./1er août, dim. soir et lun.
sauf fêtes.
🅴 🅳 🗔 ☎ 🚗 🌡 CV 🕶 ⬤ CB🆅🆂🅰 🅰🅴
⊕ E ▦

NIEDERSTEINBACH
67510 Bas Rhin
200 hab.

AAA CHEVAL BLANC ★★
Route de Bitche. M. Zinck
☎ 88 09 55 31 ⅡⅫ 88 09 50 24
🛏 29 ⊗ 230/300 F. ⅠⅠ 87/270 F.
🍴 65 F. ⅠⅠⅠ 260/300 F. 🍽 240/280 F.
⊠ 1er fév./8 mars, 16/30 juin,
28 nov./8 déc., jeu. et ven. midi hs.
🅴 🅳 🗔 ☎ 🚗 🚗 🌡 ⛷ 🎿 ♿ ⭕ CV
🕶 ⬤ CB🆅🆂🅰 E

NIMES
30900 Gard
128471 hab. ⅰ

AA AUBERGE BOIS DES ESPEISSES ★★
127, route d'Alès. M. Arent
☎ 66 23 62 98 ⅡⅫ 66 62 38 24
🛏 25 ⊗ 220/260 F. ⅠⅠ 59/175 F.
🍴 35 F. ⅠⅠⅠ 270/300 F. 🍽 210/250 F.
⊠ dim. soir sauf réserv.
🅴 🆂🅿 ⅰ 🗔 ☎ 🚗 🚗 ⋈ 🌡 ♿ ⬤
CB🆅🆂🅰 E C ▦

NIMES (MARGUERITTES)
30320 Gard
7548 hab.

AAA L'HACIENDA ★★★
Le Mas de Brignon. M. Chauvin
☎ 66 75 02 25 ⅡⅫ 66 75 45 58
🛏 10 ⊗ 400/550 F. ⅠⅠ 140/320 F.
🍴 85 F. 🍽 425/550 F.
⊠ janv./fév.
🅴 🅳 🗔 ☎ 🚗 🚗 🌡 ⛷ ⛳ 🎿 ⭕ 🕶
⬤ CB🆅🆂🅰 E

NIORT
79000 Deux Sèvres
70000 hab. ⅰ

AA TERMINUS - LA POELE D'OR ★★
82, rue de la Gare. M. Tavernier
☎ 49 24 00 38 ⅡⅫ 49 24 94 38
🛏 30 ⊗ 150/290 F. ⅠⅠ 95/155 F.

🍴 40 F. ⅠⅠⅠ 280 F. 🍽 250 F.
⊠ 20 déc./5 janv. et sam. hiver.
🅴 🅳 🗔 ☎ 🌡 🕶 ⬤ CB🆅🆂🅰 E C ▦

NIORT (SAINT REMY)
79410 Deux Sèvres
440 hab. ⅰ

AA RELAIS DU POITOU ★★
Route de Nantes. Mme Gaillard
☎ 49 73 43 99 ⅡⅫ 793 199 ⅡⅫ 49 73 44 67
🛏 20 ⊗ 200/235 F. ⅠⅠ 80/220 F.
🍴 38 F.
⊠ Rest. 24 déc./24 janv. et lun.
🅴 🆂🅿 🗔 ☎ 🚗 ♿ 🕶 ⬤ CB🆅🆂🅰 E

NISSAN LEZ ENSERUNE
34440 Hérault
2700 hab. ⅰ

AA RESIDENCE ★★
35, av. de la Cave. Mme Lourbet-Rouzier
☎ 67 37 00 63 ⅡⅫ 67 37 68 63
🛏 18 ⊗ 235/270 F. ⅠⅠ 88/ 95 F.
🍴 45 F. 🍽 240/250 F.
⊠ 1er/15 nov. et 1er/15 fév.
🅴 🆂🅿 ☎ 🚗 🚗 🌡 CB🆅🆂🅰 E ▦

NOEUX LES MINES
62290 Pas de Calais
13600 hab.

AA LES TOURTERELLES ★★
374, route nationale. M. Verbrugge
☎ 21 66 90 75 ⅡⅫ 21 26 98 98
🛏 18 ⊗ 220/350 F. ⅠⅠ 95/250 F.
🍴 40 F.
⊠ dim. soir.
🅴 🗔 ☎ 🚗 🚗 🌡 🎿 CV 🕶 ⬤ CB🆅🆂🅰
🅰🅴 ⊕ E

NOGENT LE ROTROU
28400 Eure et Loir
13586 hab. ⅰ

AAA DU LION D'OR ★★
Place Saint-Pol. M. Drouet
☎ 37 52 01 60 ⅡⅫ 37 52 23 82
🛏 14 ⊗ 260/360 F. ⅠⅠ 105/260 F.
🍴 65 F. ⅠⅠⅠ 425/460 F. 🍽 290/330 F.
⊠ 3/23 août et 23 déc./3 janv.
🅴 🆂🅿 🗔 ☎ 🚗 🚗 🌡 🕶 ⬤ CB🆅🆂🅰 E ▦

NOGENT SUR SEINE
10400 Aube
5000 hab. ⅰ

A LE BEAU RIVAGE
20, rue Villiers aux Choux. M. Duhayer
☎ 25 39 84 22
🛏 7 ⊗ 110/185 F. ⅠⅠ 72/182 F. 🍴 69 F.
ⅠⅠⅠ 193/213 F. 🍽 158/188 F.
⊠ dim. soir et lun. sauf fériés.
🅴 🌡 ⬤ CB🆅🆂🅰

NOHANENT
63830 Puy de Dôme
1700 hab.

A LA TAILLANDERIE ★★
13, place de la Farge. M. Taillandier
☎ 73 62 80 10
🛏 7 ⊗ 120/230 F. ⅠⅠ 70/120 F. 🍴 40 F.
ⅠⅠⅠ 230/280 F. 🍽 200/260 F.
⊠ ven. après-midi.
☎ 🚗 🚗 ⋈ 🕶 ⬤ CB🆅🆂🅰 🅰🅴 ⊕ E

NOIRETABLE
42440 Loire
800 m. • 1780 hab.

RENDEZ-VOUS DES CHASSEURS ★★
Route de l'Hermitage. M. Rouillat
☎ 77 24 72 51
15 ⌂ 130/250 F. 60/180 F.
55 F. 190/230 F. 150/190 F.
environ 20 sept./4 oct, 10 jours vac. scol. fév., dim. soir et lun. oct./juin.

NOIRMOUTIER EN L'ILE
85330 Vendée
4000 hab.

FLEUR DE SEL ★★★
(A 500 m. derrière l'église).
M. Wattecamps
☎ 51 39 21 59 FAX 51 39 75 66
35 ⌂ 325/595 F. 100/245 F.
70 F. 460/600 F. 360/500 F.
1er nov./18 fév.

LES CAPUCINES ★★
38, av. de la Victoire. Mme Gueneau
☎ 51 39 06 82 FAX 51 39 33 10
21 ⌂ 200/380 F. 70/190 F.
45 F. 320/420 F. 260/350 F.
15 nov./15 fév., rest. 1er oct./30 mars et hôtel mer. hs.

LES DOUVES ★★
11, rue des Douves. M. Maisonneuve
☎ 51 39 02 72 FAX 51 39 73 09
22 ⌂ 320/411 F. 80/160 F.
58 F. 391/438 F. 318/364 F.
janv.

NOLAY
21340 Côte d'Or
1686 hab.

DU CHEVREUIL ★★
Mme Parent
☎ 80 21 71 89 FAX 80 21 82 18
14 ⌂ 170/280 F. 80/140 F.
40 F. 325 F. 230 F.
20 déc./10 janv. et mer.

SAINTE MARIE ★
MM. Fechoz/Trouillat
☎ 80 21 73 19 FAX 80 21 81 80
12 ⌂ 175/250 F. 75/170 F.
45 F. 260/300 F.
déc./10 janv., dim. soir et lun. hs.

NONAVILLE
16120 Charente
167 hab.

LA CLE DES CHAMPS ★★
Lieu-dit Pont à Brac, Ancienne N. 10
M. Idier
☎ 45 78 57 59

8 ⌂ 240 F. 75/170 F. 35 F.
240 F. 200 F.
dim. soir et lun. 1er oct./30 avr.

NONTRON
24300 Dordogne
4100 hab.

GRAND HOTEL ★★
Mme Pelisson
☎ 53 56 11 22 FAX 53 56 59 94
26 ⌂ 150/330 F. 75/250 F.
52 F. 240/350 F. 200/290 F.
dim. soir nov./mars.

NORGES LA VILLE
21490 Côte d'Or
600 hab.

DE LA NORGES ★★
M. Tebaldini
☎ 80 35 72 17 FAX 80 35 75 78
34 ⌂ 190/280 F. 70/160 F.
38 F. 200/240 F.
entre Noël/Nouvel an et dim. soir mi-oct./mi-avr. Rest. midi.

NORT SUR ERDRE
44390 Loire Atlantique
5700 hab.

DE BRETAGNE ★★
41, av. Aristide Briand. M. Lorin
☎ 40 72 21 95 FAX 40 72 25 07
7 ⌂ 230/260 F. 75/210 F. 45 F.
220/260 F.
vac. scol. fév., dim. soir et lun.

NORVILLE
76330 Seine Maritime
1200 hab.

AUBERGE DE NORVILLE ★
Rue des Ecoles. M. Eliard
☎ 35 39 91 14
10 ⌂ 240/260 F. 70/210 F.
48 F.
Rest. dim. soir et lun.

NOTRE DAME DE BELLECOMBE
73590 Savoie
1130 m. • 500 hab.

BEAU SEJOUR
Mme Mollier ☎ 79 31 61 84
14 ⌂ 260/300 F. 80/ 95 F.
38 F. 275/310 F. 250/275 F.
15 sept./20 déc. et 20 avr./15 juin.

BELLEVUE ★★
M. Perrin
☎ 79 31 60 56 FAX 79 31 69 84
20 ⌂ 210/300 F. 98/140 F.
52 F. 270/330 F. 235/295 F.
25 avr./20 juin et 10 sept./18 déc.

NOTRE DAME DE BELLECOMBE (suite)

▲▲▲ LE TETRAS ★★
(Les Frasses - Alt. 1480m).
M. Rossat-Mignod
☎ 79 31 61 70 ᴍ 79 31 77 31
🛏 19 🍽 220/340 F. ⫟ 79/142 F.
⫟ 45 F. ⫟ 280/380 F. ⫟ 240/340 F.
⊠ 23 avr./21 mai et 1er oct./10 déc.
🅴 🅳 ⬚ 🕿 🛋 ⤇ ⬚ ♨ ⚓ ⟳ ▶
🚶 CV 🛁 ⌂ CB🆅🆂🅰 ⓞ E

NOTRE DAME DE MONTS
85690 Vendée
1300 hab. ⓘ

▲▲ DE LA PLAGE ★★★
2, av. de la Mer. M. Civel
☎ 51 58 83 09 ᴍ 51 58 97 12
🛏 49 🍽 200/440 F. ⫟ 65/350 F.
⫟ 44 F. ⫟ 336/477 F. ⫟ 253/385 F.
⊠ 2 nov./29 mars.
🅴 🅳 ⬚ 🕿 🛋 ⬚ ⟳ ⬚ 🚶 CV 🛁 ⌂
CB🆅🆂🅰 🅰🅴 ⓞ E

▲▲ DU CENTRE ★★
Place de l'Eglise. M. Brunet
☎ 51 58 83 05 ᴍ 51 59 16 62
🛏 19 🍽 200/270 F. ⫟ 59/230 F.
⫟ 43 F. ⫟ 243/288 F. ⫟ 198/243 F.
⊠ 15 déc./15 janv., dim. soir hs et hors
vac. scol.
🅴 SP ⬚ 🕿 🛋 ⤇ 🚶 CV ⌂ CB🆅🆂🅰 E

NOTRE DAME DE SANILHAC
24660 Dordogne
2300 hab.

▲ AUBERGE NOTRE DAME
Route de Vergt. M. Debacker
☎ 53 07 60 69
🛏 5 🍽 120/180 F. ⫟ 55/140 F. ⫟ 35 F.
⫟ 220/260 F. ⫟ 165/220 F.
🅴 SP 🛋 🕿 🛁 ⌂ CB🆅🆂🅰 E

NOUVION EN THIERACHE (LE)
02170 Aisne
3146 hab. ⓘ

▲▲ LA PAIX ★★
37, rue Vimont Vicary. M. Pierrart
☎ 23 97 04 55 ᴍ 23 98 98 39
🛏 18 🍽 135/265 F. ⫟ 78/215 F.
⫟ 50 F. ⫟ 250/320 F. ⫟ 185/250 F.
⊠ 21 juil./12 août, dim. soir et lun.
midi.
🅴 🅳 ⬚ 🕿 🛋 🕿 🛁 ⌂ CB🆅🆂🅰 E

NOYAL SUR VILAINE
35530 Ille et Vilaine
4000 hab.

▲▲ LES FORGES ★★
22, av. Général de Gaulle. M. Pilard
☎ 99 00 51 08 ᴍ 99 00 62 02
🛏 11 🍽 230/330 F. ⫟ 120/250 F.
⫟ 65 F.
⊠ 2ème quinzaine fév., dim. soir et
soirs fériés.
🅴 🅳 ⬚ 🕿 🛋 🛁 ⌂ CB🆅🆂🅰 🅰🅴 ⓞ E
C ⌂

NOYANT
49490 Maine et Loire
1700 hab.

▲ HOSTELLERIE SAINT MARTIN
6, place de l'Eglise. M. Deslandes
☎ 41 89 60 44
🛏 6 🍽 160/240 F. ⫟ 80/165 F. ⫟ 40 F.
⫟ 250/270 F. ⫟ 200/220 F.
⊠ 1ère quinzaine oct., dernière semaine
déc., dim. soir et mar.
🅴 ⬚ 🛋 🕿 🛁 ⌂ CB🆅🆂🅰 E

NOYERS BOCAGE
14210 Calvados
800 hab.

▲▲ LE RELAIS NORMAND ★★
M. Boureau
☎ 31 77 97 37 ᴍ 31 77 94 41
🛏 8 🍽 160/260 F. ⫟ 95/250 F. ⫟ 50 F.
⫟ 300/325 F. ⫟ 235/250 F.
⊠ 15 jrs fin nov., dernière semaine
janv., 1ère semaine fév., mer. et mar.
soir 1er nov./25 fév.
🅴 ⬚ 🕿 ⤇ 🛁 CV 🛁 ⌂ CB🆅🆂🅰 E

NOYERS SUR CHER
41140 Loir et Cher
2000 hab. ⓘ

▲▲ LE MANOIR DES GRANDES VIGNES ★★★
16-18, rue Général de Gaulle. M. Letrone
☎ 54 75 40 77
🛏 7 🍽 220/400 F. ⫟ 95/210 F. ⫟ 60 F.
⫟ 720 F. ⫟ 560 F.
⊠ 15 nov./15 mars.
🅴 🕿 🛋 🛋 🛁 🛁 🛁 ⌂ CB🆅🆂🅰 E

▲ RELAIS TOURAINE - SOLOGNE ★★
Lieu-dit Le Boeuf Couronne. M. Robert
☎ 54 75 15 23 ᴍ 54 75 03 79
🛏 14 🍽 150/260 F. ⫟ 108/280 F.
⫟ 60 F. ⫟ 280/360 F. ⫟ 230/280 F.
⊠ 5 janv./20 fév., mar. soir et mer
1er oct./15 juin.
🅴 🕿 🛋 🛁 ⟳ CB🆅🆂🅰 🅰🅴 ⓞ E

NOYON
60400 Oise
14150 hab. ⓘ

▲▲ LE GRILLON ★★
39, Rue Saint-Eloi. MM. Arvault
☎ 44 09 14 18 ᴍ 44 44 34 30
🛏 28 🍽 200/260 F. ⫟ 85/160 F.
⫟ 59 F. ⫟ 380/410 F. ⫟ 290/320 F.
⊠ Rest. ven. soir, sam. midi et dim. soir.
🅴 SP ⬚ 🕿 🛋 🛋 🕿 CV 🛁 ⌂ CB🆅🆂🅰 E ⌂

NOZAY
44170 Loire Atlantique
3240 hab. ⓘ

▲ GERGAUD ★
12, route de Nantes. M. Forte
☎ 40 79 47 54
🛏 9 🍽 110/180 F. ⫟ 60/180 F. ⫟ 45 F.
⫟ 195/225 F. ⫟ 140/170 F.
⊠ 3/26 janv., dim. soir et lun.
🅴 SP ⓘ ⬚ 🕿 🛋 🕿 🛁 CV 🛁 ⌂
CB🆅🆂🅰 E

NUAILLE
49340 Maine et Loire
1120 hab.

△△△ RELAIS DES BICHES ★★
Place de l'Eglise. M. Baume
☎ 41 62 38 99 ⅢX 720547 ℻ 41 62 96 24
🛏 12 ◎ 320/340 F. Ⅲ 105/165 F.
🍴 45 F. 🍽 330/350 F. 🍽 275/285 F.
⊠ Rest. dim.
▢▢▢▢▢▢▢▢▢▢
CB VISA AE ⑩ E ▢

NUITS SAINT GEORGES
21700 Côte d'Or
6000 hab. ℹ

△△△ LE SAINT GEORGES ★★★
Carrefour de l'Europe. Mme Robyn
☎ 80 61 15 00 ⅢX 351370 ℻ 80 61 23 80
🛏 47 ◎ 280/350 F. Ⅲ 93/250 F.
🍴 50 F. Ⅲ 370/412 F. 🍽 283/305 F.
▢▢▢▢▢▢▢▢▢ CB VISA AE
⑩ E C

NYONS
26110 Drôme
6000 hab. ℹ

△△ LA PICHOLINE ★★★
Promenade de la Perrière. Mme Greffier
☎ 75 26 06 21 ℻ 75 26 40 72
🛏 16 ◎ 280/375 F. Ⅲ 118/185 F.
🍴 60 F. Ⅲ 370/475 F. 🍽 268/365 F.
⊠ fév., rest. lun. soir et mar.
▢▢▢▢▢▢▢▢ CB VISA E

△ MONIER ★★
Av. Henri Rochier. Mme Valette
☎ 75 26 09 00
🛏 20 ◎ 150/300 F. Ⅲ 80/160 F.
🍴 50 F. Ⅲ 300/350 F. 🍽 250/300 F.
⊠ 10 nov./15 déc.
▢▢▢▢ CB VISA

NYONS (VIEUX VILLAGE D'AUBRES)
26110 Drôme
207 hab. ℹ

△△△ AUBERGE DU VIEUX VILLAGE D'AUBRES ★★★
Aubres. Mme Colombe.
☎ 75 26 12 89 ℻ 75 26 38 10
🛏 23 ◎ 300/780 F. Ⅲ 80/240 F.
🍴 45 F. 🍽 360/616 F.
⊠ mer. midi.
▢▢▢▢▢▢▢▢▢▢▢▢
▢▢ CB VISA AE ⑩ E

OBERHASLACH
67280 Bas Rhin
1200 hab. ℹ

△ RELAIS DES MARCHES DE L'EST ★★
24, rue de Molsheim. Mme Weber
☎ 88 50 99 60
🛏 8 ◎ 180/200 F. Ⅲ 60/120 F. 🍴 30 F.
🍽 190/230 F.
▢▢▢▢▢▢▢▢

RUINES DU NIDECK ★★
2, rue de Molsheim. Mme Gruber
☎ 88 50 90 14
🛏 14 ◎ 230/310 F. Ⅲ 110/220 F.
🍴 50 F. 🍽 220/270 F.
⊠ 14/23 nov., 2/23 janv., mar. après-midi et mer.
▢▢▢▢▢▢▢▢ CB VISA E

OBERMORSCHWIHR
68420 Haut Rhin
428 hab.

△ LA COURONNE ★★
11, rue Principale. M. Woelfflin
☎ 89 49 30 69
🛏 12 ◎ 220/240 F. Ⅲ 78/200 F.
🍴 43 F. 🍽 225 F.
⊠ 15 nov./1er avr., 1ère quinzaine juil., ven. soir et sam.
▢▢▢▢▢ CB VISA AE ⑩ E

OBERNAI
67210 Bas Rhin
10000 hab. ℹ

△ DE LA CIGOGNE ★★
49, rue Général Gouraud. M. Barbier
☎ 88 95 52 35 ℻ 88 95 01 80
🛏 20 ◎ 200/350 F. Ⅲ 65/200 F.
🍴 35 F. 🍽 280/310 F. 🍽 210/240 F.
⊠ 1er nov./1er fév., jeu. et ven. midi hs.
▢▢▢▢▢▢▢ CB VISA AE ⑩ E

△ DE LA CLOCHE ★★
90, rue Général Gouraud. Mme Drendel
☎ 88 95 52 89 ℻ 88 95 07 63
🛏 20 ◎ 250/280 F. Ⅲ 70/130 F.
🍴 30 F. Ⅲ 295/320 F. 🍽 240/260 F.
▢▢▢▢▢▢ CV ▢ CB VISA E

△△ DES VOSGES ★★
5, place de la Gare. M. Weller
☎ 88 95 53 78 \ 88 95 47 33
℻ 88 49 92 65
🛏 20 ◎ 200/280 F. Ⅲ 78/280 F.
🍴 50 F. Ⅲ 340 F. 🍽 290 F.
⊠ Rest. 20 juin/4 juil., dim. soir hs et lun.
▢▢▢▢▢▢▢▢▢ CV ▢▢
CB VISA E

△△ HOSTELLERIE DUC D'ALSACE ★★★
6, place de la Gare. M. Rothenburger
☎ 88 95 55 34 ⅢX 889 000 T 51343
℻ 88 95 00 92
🛏 19 ◎ 290/390 F. Ⅲ 85/170 F.
🍴 48 F. 🍽 320/340 F.
▢▢▢▢▢▢▢▢ CV ▢▢
CB VISA AE ⑩ E ▢

△△ HOSTELLERIE LA DILIGENCE ★★
23, place de la Mairie.
Mme Fritz-Garstecki
☎ 88 95 55 69 ⅢX 880133 ℻ 88 95 42 46
🛏 41 ◎ 195/410 F.
▢▢▢▢▢▢▢▢ CV ▢ CB VISA E C

△ ZUM SCHNOGALOCH
18, place de l'Etoile. M. Rolli
☎ 88 95 54 57
🛏 10 ◎ 210/250 F. Ⅲ 60/150 F.
Ⅲ 300 F. 🍽 250 F.
⊠ 20 juin/13 juil., 1er nov./1er déc. et lun.
▢▢▢ CV ▢ CB VISA ⑩ E

OBERSTEINBACH
67510 Bas Rhin
199 hab. 🛈

⊞ ALSACE VILLAGES ★★
49, rue Principale.
M. Me Zérafa/Ullmann
☎ 88 09 50 59 ⓕ 88 09 53 56
🛏 8 ⌕ 225/265 F. ⍟ 85/110 F. ⍐ 65 F.
🍽 250/300 F.
⊠ 2 janv./20 fév. Hôtel dim. et lun. sauf
réserv. Rest. dim. après-midi, lun. et mar.
🄴 🄳 ⊡ 🕿 🖥 🕇 🕭 🕭 📺 🎢 🖐
CB🆅🆂🅰 🅰🅴 🅾 E

OBJAT
19130 Corrèze
3200 hab. 🛈

⊟ DE FRANCE ★★
12, av. Georges Clemenceau.
M. Dumond ☎ 55 25 80 38 ⓕ 55 25 91 87
🛏 15 ⌕ 150/250 F. ⍟ 75/175 F.
⍐ 45 F. ⍟ 220/250 F. 🍽 190/220 F.
⊠ 15 sept./5 oct., 24 déc./2 janv. et
dim. hs.
🄴 ⊡ 🕿 🖥 🕇 📺 🖐 CB🆅🆂🅰 E

⊟ DELAGE - REY ★
53, av. Jean Lascaux. MM. Delage/Rey
☎ 55 84 12 50
🛏 10 ⌕ 150/220 F. ⍟ 80/160 F.
⍐ 50 F. ⍟ 210/220 F. 🍽 160/170 F.
⊠ 7/27 juin, 24 déc./3 janv., dim. soir
et dernier week-end de chaque mois.
🄴 ⊡ 🕿 🖥 🕇 ⍿ 🕭 📺 🖐 CB🆅🆂🅰 E

OFFEMONT
90300 Territoire de Belfort
4300 hab.

⊟ MON VILLAGE ★★
53, rue Aristide Briand. M. Mougenot
☎ 84 26 65 66 ⓕ 84 26 18 50
🛏 30 ⌕ 190/270 F. ⍟ 65/180 F.
⍐ 35 F. ⍟ 215/245 F. 🍽 170/200 F.
🄴 🄳 ⊡ 🕿 🖥 🕇 🔍 📺 🖐 CB🆅🆂🅰
🅰🅴 🅾 E

OIE (L')
85140 Vendée
840 hab.

⊞ LE GRAND TURC ★★
33, rue Nationale. M. Greau
☎ 51 66 08 74 ⓕ 51 66 14 13
🛏 16 ⌕ 220/300 F. ⍟ 55/170 F.
⍐ 45 F. ⍟ 250/300 F. 🍽 195/245 F.
⊠ Noël, Nouvel an, 1er mai et dim. soir.
🄴 🆂🅿 ⊡ 🕿 🖥 🕇 🕭 🎢 📺 🖐
CB🆅🆂🅰 🅰🅴 🅾 E

OLLIERES SUR EYRIEUX (LES)
07360 Ardèche
800 hab. 🛈

⊞ AUBERGE DE LA VALLEE ★★
Bas Pranles-Les Ollières. M. Serre
☎ 75 66 20 32
🛏 7 ⌕ 185/300 F. ⍟ 90/300 F.
⊠ 1er fév./15 mars, 20/27 sept., dim.
soir et lun. hs sauf fériés.
🄴 🆂🅿 ⊡ 🕿 🖥 📺 CB🆅🆂🅰 E

OLLIERGUES
63880 Puy de Dôme
1800 hab. 🛈

⊟ DES VOYAGEURS
M. Achard ☎ 73 95 50 43 ⓕ 73 95 59 00
🛏 8 ⌕ 150/230 F. ⍟ 60/150 F. ⍐ 35 F.
⍟ 220/250 F. 🍽 180 F.
⊠ 20 sept./20 oct.
🄴 ⊡ 🕿 🖥 📺 CB🆅🆂🅰 🅰🅴 E

OLMETO PLAGE
20113 Corse
1300 hab.

⊟⊟⊟ ABBARTELLO ★
M. Balisoni ☎ 95 74 04 73 ⓕ 73 95 74 06 17
🛏 14 ⌕ 130/350 F. ⍟ 90/140 F.
⍐ 50 F. 🍽 125 F.
🄴 🛈 ⍀ CB🆅🆂🅰 E

OLORON SAINTE MARIE (GURMENCON)
64400 Pyrénées Atlantiques
500 hab. 🛈

⊞ AU RELAIS ASPOIS ★★
(A Gurmençon-village). M. Casenave
☎ 59 39 09 50 ⓕ 59 39 02 33
🛏 15 ⌕ 160/240 F. ⍟ 70/150 F.
⍐ 40 F. ⍟ 200/260 F. 🍽 180/220 F.
⊠ 2ème quinzaine nov.
🄴 🆂🅿 ⊡ 🕿 🖥 🖥 🕇 🕭 🎢 🕭 📺 🖐
🖐 CB🆅🆂🅰 🅰🅴 🅾 E 🏊

OMPS
15290 Cantal
621 m. • 246 hab.

⊟ MAISON CAPELLE
Mlle Capelle ☎ 71 64 70 14
🛏 12 ⌕ 160 F. ⍟ 60/120 F. ⍐ 35 F.
⍟ 190 F. 🍽 160 F.
🄴 🖥 🕇 🕭 🖐 CB🆅🆂🅰

ONZAIN
41150 Loir et Cher
3000 hab. 🛈

⊟ AUBERGE DU BEAU RIVAGE
(A Escures), sur N. 152. M. Guil
☎ 54 20 70 39
🛏 8 ⌕ 130/250 F. ⍟ 80/180 F. ⍐ 50 F.
🍽 380/480 F.
🄴 🖥 CB🆅🆂🅰 E

ORANGE
84100 Vaucluse
27000 hab. 🛈

⊹ ARENE ★★★
Place de Langes. M. Coutel
☎ 90 34 10 95 ⓕ 90 34 91 62
🛏 30 ⌕ 310/410 F.
⊠ 15 déc./1er nov.
🄴 🄳 🆂🅿 ⊡ 🕿 🖥 ⍿ 🖐 📺 🖐
CB🆅🆂🅰 🅰🅴 🅾 E

⊹ LE GLACIER ★★
46, cours Aristide Briand. M. Cunha
☎ 90 34 02 01 ⓕ 90 51 13 80
🛏 28 ⌕ 250/285 F.
⊠ 22 déc./1er fév. et dim. soir
Toussaint/Pâques.
🄴 🄳 ⊡ 🕿 🖥 🖥 🕇 🕭 📺 🖐 CB🆅🆂🅰
🅰🅴 E 🅲

ORBEC EN AUGE
14290 Calvados
3700 hab. [i]

⌂ DE FRANCE ★★
152, rue Grande. M. Corbet
☎ 31 32 74 02 ⠋ 31 32 27 77
🛏 24 ⌸ 140/400 F. ⑪ 59/165 F.
🍴 50 F. ⑪ 274/364 F. 🍽 188/278 F.
✉ 17 déc./16 janv. Rest. dim. soir
sept./avr.
[i] [D] 🖼 ☎ 🛏 ⛱ 🕆 [CV] ● CB🆅🆂🅰 E C

ORBEY
68370 Haut Rhin
600 m. • 3140 hab. [i]

⌂⌂ BON REPOS ★★
235, Orbey Pairis. Mme Hermann
☎ 89 71 21 92 ⠋ 89 71 24 51
🛏 18 ⌸ 215/225 F. ⑪ 78/150 F.
🍴 45 F. ⑪ 275/285 F. 🍽 220/230 F.
✉ 14 nov./20 déc. et mer.
☎ 🛏 🕆 🎿 [CV] ● CB🆅🆂🅰 🄰🄴 E

⌂⌂ DE LA CROIX D'OR ★★
13, rue de l'Eglise. M. Thomann
☎ 89 71 20 51 ⠋ 89 71 35 60
🛏 18 ⌸ 210/265 F. ⑪ 90/200 F.
🍴 60 F. ⑪ 300/350 F. 🍽 240/270 F.
✉ 16 nov./24 déc. et mer. hs.
[i] [D] 🖼 ☎ ⛱ ⛱ ✚ [CV] ● CB🆅🆂🅰
🄰🄴 ⒶE

⌂⌂⌂ HOSTELLERIE MOTEL AU BOIS LE SIRE ★★★
20, rue Général de Gaulle.
Mme Florence
☎ 89 71 25 25 ⠋ 89 71 30 75
🛏 36 ⌸ 230/360 F. ⑪ 78/255 F.
🍴 50 F. ⑪ 313/390 F. 🍽 253/323 F.
✉ 3 janv./11 fév. et lun.
[i] [D] 🖼 ☎ 🛏 🕆 🖼 🎿 🖼 [CV] ●
CB🆅🆂🅰 🄰🄴 E C

⌂⌂ LE SAUT DE LA TRUITE ★★
(A Remomont). Mme Gaudel
☎ 89 71 20 04 ⠋ 89 71 31 52
🛏 22 ⌸ 200/305 F. ⑪ 70/200 F.
🍴 45 F. ⑪ 290/350 F. 🍽 250/305 F.
✉ 1er déc./2 fév. et mer. sauf juil./sept.
[i] [D] 🖼 ☎ 🛏 🕆 [CV] 🖼 ● CB🆅🆂🅰 E

⌂⌂ LES BRUYERES ★★
35, rue Général de Gaulle. M. Beaulieu
☎ 89 71 20 36 ⠋ 89 71 35 30
🛏 28 ⌸ 180/260 F. ⑪ 70/150 F.
🍴 48 F. ⑪ 260/300 F. 🍽 210/250 F.
✉ 1er nov./31 janv. sauf groupes.
[i] [D] 🖼 [CV] ● CB🆅🆂🅰 🄰🄴 Ⓐ E

⌂⌂ PAIRIS ★★
233, Pairis. M. Streng
☎ 89 71 20 15
🛏 15 ⌸ 180/210 F. ⑪ 60/300 F.
🍴 55 F. ⑪ 290 F. 🍽 225 F.
✉ 10 janv./20 fév. et mer.
[D] 🖼 ☎ 🛏 🕆 🎿 🖼 [CV] 🖼 ● CB🆅🆂🅰 🄰🄴
Ⓐ E 🖼

ORBEY (BASSES HUTTES)
68370 Haut Rhin
150 hab. [i]

⌂⌂ WETTERER ★★
(à Basses Huttes). Mme Wetterer

☎ 89 71 20 28 ⠋ 89 71 36 50
🛏 16 ⌸ 230/260 F. ⑪ 75/170 F.
🍴 45 F. 🍽 230/240 F.
✉ 7 nov./20 déc. et mer. sauf juil./août.
[i] [D] ☎ 🛏 ⛱ 🕆 🖼 ● CB🆅🆂🅰 E

ORCHAMPS VENNES
25390 Doubs
850 m. • 1500 hab.

⌂⌂ BARREY ★★
Place Saint-Pierre. M. Barrey
☎ 81 43 50 97
🛏 13 ⌸ 90/280 F. ⑪ 80/300 F. 🍴 45 F.
⑪ 250/280 F. 🍽 220/250 F.
✉ dim. soir et lun. hs.
🖼 ☎ 🎿 [CV] 🖼 ● CB🆅🆂🅰 E

ORCINES
63870 Puy de Dôme
836 m. • 2873 hab.

⌂ HOSTELLERIE LES HIRONDELLES ★★
Route de Limoges. M. Amblard
☎ 73 62 22 43
🛏 18 ⌸ 230/295 F. ⑪ 70/150 F.
🍴 45 F. ⑪ 280/300 F. 🍽 210/230 F.
✉ 15 nov./15 déc.
🖼 ☎ 🛏 ⛱ 🕆 🎿 🖼 [CV] ● CB🆅🆂🅰 E 🖼

ORCINES (LA BARAQUE)
63870 Puy de Dôme
780 m. • 200 hab.

⌂⌂ RELAIS DES PUYS ★★
Sur D. 941 A. M. Esbelin
☎ 73 62 10 51 ⠋ 73 62 22 09
🛏 28 ⌸ 135/298 F. ⑪ 75/185 F.
🍴 45 F. ⑪ 235/296 F. 🍽 195/250 F.
✉ 10 déc./1er fév., dim. soir 15 sept.
/1er juin et rest. lun. midi.
[i] [D] 🖼 ☎ 🕆 🎿 [CV] 🖼 ● CB🆅🆂🅰 🄰🄴
E C 🖼

ORCINES (LA FONT DE L'ARBRE)
63870 Puy de Dôme
836 m. • 500 hab.

⌂ AUBERGE DES DOMES
Mme Carneiro
☎ 73 62 10 13 ⠋ 73 62 24 08
🛏 12 ⌸ 110/180 F. ⑪ 80/170 F.
🍴 40 F. ⑪ 170/200 F. 🍽 140/170 F.
✉ 15 jours fin nov., 15 jours fin
fév., lun. et mar. 15 oct./10 avr.
🛏 ● CB🆅🆂🅰 E

ORCIVAL
63210 Puy de Dôme
860 m. • 360 hab. [i]

⌂ DES TOURISTES ★★
M. Gauthier
☎ 73 65 82 55 ⠋ 73 65 91 11
🛏 8 ⌸ 195/260 F. ⑪ 60/180 F. 🍴 42 F.
⑪ 260 F. 🍽 210 F.
✉ nov./déc./janv., lun. soir et mar. hs.
[i] 🖼 ☎ 🕆 [CV] ● CB🆅🆂🅰 E

MINITEL

3615/3617 iTi

OU TÉLÉPHONE

36701818

PRÉPARER
SON iTiNÉRAIRE,
C'EST PRENDRE
LA ROUTE
DU BON CÔTÉ

LA PREVENTION ROUTIERE

MINITEL

3615 / 3617 iTi

OU TÉLÉPHONE

36 70 18 18

iTi,

C'EST LA ROUTE

AU BOUT DU FIL:

▼

Votre iTinéraire avec* ou sans étape :

Autoroutes, sans péage

ou itinéraires bis**,

▼

Le coût de votre trajet

▼

Le trafic*

▼

Les étapes gastronomiques

▼

NOUVEAU

Sur demande, iTi vous envoie

par **FAX** ou par **COURRIER**

la feuille de route de votre iTinéraire***.

**LA PRÉVENTION
ROUTIÈRE**

* Sur Minitel ** Sur Minitel 3615 *** Sur Minitel 3617 et par téléphone

ORCIVAL (suite)

🅰 DU MONT DORE ★★
Mme Goyon ☎ 73 65 82 06 \ 73 65 85 43
🛏 8 🔲 120/240 F. 🍴 60/120 F. 🍴 30 F.
🏨 190/220 F. 🍴 140/170 F.
✉ 15 nov./25 déc. et jeu. hs.
🅸 🕿 🎠 🅼 CB🆅🆂🄰

ORGELET
39270 Jura
2000 hab. ℹ️

🅰🅰 DE LA VALOUSE ★★
M. Trichard ☎ 84 25 40 64 🅵🄰🅇 84 35 55 28
🛏 15 🔲 196/244 F. 🍴 72/235 F.
🏨 48 F. 🍴 273/295 F. 🍴 232/254 F.
✉ dim. soir.
🅸 🅳 🗜 🕿 🚗 🍴 🐾 ⏱ 🌳 🎣 CB🆅🆂🄰
🅔 🄴 🄲

ORGNAC L'AVEN
07150 Ardèche
300 hab.

🅰🅰 DE L'AVEN ★★
M. Sarrazin ☎ 75 38 61 80 🅵🄰🅇 75 38 66 39
🛏 25 🔲 150/275 F. 🍴 75/150 F.
🏨 50 F. 🍴 250/300 F. 🍴 225/275 F.
✉ 15 nov./1er mars.
🅸 🕿 🚗 🍴 🚶 🅑 CV 🐾 CB🆅🆂🄰🄴 🄔 🄴

🅰🅰 LES STALAGMITES ★
M. Rieu ☎ 75 38 60 67 🅵🄰🅇 75 38 66 02
🛏 20 🔲 150/260 F. 🍴 70/135 F.
🏨 45 F. 🍴 210/260 F. 🍴 185/218 F.
✉ 15 nov./1er mars.
🅸 🕿 🚗 🍴 🚶 🚴 CV 🐾

ORLEANS (SAINT JEAN LE BLANC)
45650 Loiret
6531 hab. ℹ️

🅰 LE MARJANE ★★
121, route de Sandillon. Mme Leclerc
☎ 38 66 35 13 🅵🄰🅇 38 56 51 01
🛏 24 🔲 150/280 F. 🍴 70 F. 🏨 50 F.
🅸 🕿 🚗 🍴 🚶 CV 🐾 CB🆅🆂🄰🄴 🄴 🖥

ORNANS
25290 Doubs
5000 hab. ℹ️

🅰🅰🅰 DE FRANCE ★★★
51-53, rue Pierre vernier.
M. Me Gresset/Vincent
☎ 81 62 24 44 🅵🄰🅇 81 62 12 03
🛏 31 🔲 280/350 F. 🍴 130/240 F.
🍴 300/375 F.
✉ 15 déc./15 janv., dim. soir et lun.
sauf vac. scol.
🅸 🗜 🕿 🚗 🍴 🚴 🅼 CB🆅🆂🄰 🄔 🄴

ORPIERRE
05700 Hautes Alpes
750 m. • 51 hab.

🅰🅰 LE CEANS ★★
(Les Bègues à 5 Km). M. Roux
☎ 92 66 24 22 🅵🄰🅇 92 66 28 29
🛏 22 🔲 200/230 F. 🏨 50 F.
🍴 220/260 F. 🍴 220/250 F.
✉ 1er nov./15 mars.
🅸 🗜 🕿 🚗 🍴 🏊 🎣 🌳 🅼
CB🆅🆂🄰🄴 🄴

ORSCHWILLER
67600 Bas Rhin
650 m. • 605 hab.

🅰🅰 DU HAUT KOENIGSBOURG ★★
Route du Haut Koenigsbourg.
Mme Ichter ☎
88 92 10 92 🅵🄰🅇 88 82 50 04
🛏 25 🔲 255/325 F. 🍴 50/200 F.
🏨 50 F. 🍴 335/375 F. 🍴 270/315 F.
✉ janv., mar. soir et mer. hs.
🅸 🅳 🕿 🚗 🍴 🚶 🚴 🐾 CV 🅼 🐾
CB🆅🆂🄰🄴 🄔 🄴

ORTHEZ
64300 Pyrénées Atlantiques
11542 hab. ℹ️

🅰🅰🅰 AU TEMPS DE LA REINE JEANNE ★★
44, rue Bourg Vieux. M. Couture
☎ 59 67 00 76
🛏 20 🔲 245/275 F. 🍴 80/130 F.
🏨 40 F. 🍴 270/290 F. 🍴 210/230 F.
✉ 2 semaines fév.
🅸 SP 🗜 🕿 🍴 🚶 CV 🅼 🐾 CB🆅🆂🄰🄴 🄴

OSSEJA (VALCEBOLLERE)
66340 Pyrénées Orientales
1250 m. • 1900 hab. ℹ️

🅰🅰🅰 AUBERGE LES ECUREUILS ★★
M. Laffitte ☎ 68 04 52 03
🛏 14 🔲 180/320 F. 🍴 65/240 F.
🏨 65 F. 🍴 265/350 F. 🍴 215/290 F.
✉ nov./15 déc. et 9/29 mai.
🅸 🅳 SP 🗜 🕿 🚗 🍴 🍴 🚶 🦌 🚶
🎣 🅼 🐾 CB🆅🆂🄰🄴 🄴

OSSES
64780 Pyrénées Atlantiques
800 m. • 700 hab.

🅰🅰🅰 MENDI-ALDE ★★
Mme Minaberry
☎ 59 37 71 78 🅵🄰🅇 59 37 77 22
🛏 15 🔲 185/255 F. 🍴 65/180 F.
🏨 40 F. 🍴 265/295 F. 🍴 215/245 F.
✉ 1er/14 fév.
🅸 🅳 SP 🗜 🕿 🚗 🍴 🚴 🌳 CV 🅼
🐾 CB🆅🆂🄰🄴 🄴

OSTHEIM
68150 Haut Rhin
1500 hab.

🅰🅰🅰 AU NID DE CIGOGNES ★★★
2, route de Colmar. M. Utzmann
☎ 89 47 91 44 🅵🄰🅇 871247 🅵🄰🅇 89 47 99 88
🛏 47 🔲 220/380 F. 🍴 68/185 F.
🏨 48 F. 🍴 330/350 F. 🍴 250/280 F.
✉ 15 fév./26 mars, dim. soir et lun.
🅸 🅳 🗜 🕿 🚗 🍴 🚶 CV 🅼 🐾
CB🆅🆂🄰 🄴 🖥

🅰🅰 BALTZINGER ★★
16, route de Colmar. M. Meinrad
☎ 89 47 95 51 🅵🄰🅇 89 49 02 45
🛏 36 🔲 150/290 F. 🍴 58/140 F.
🏨 35 F. 🍴 260/320 F. 🍴 200/250 F.
✉ déc., janv. et mar.
🅸 🅳 🗜 🕿 🚗 🍴 CV 🅼 🐾 CB🆅🆂🄰🄴
🄔 🄴

OTTROTT
67530 Bas Rhin
1600 hab.

A L'AMI FRITZ ★★
8, rue du Vignoble. M. Fritz
88 95 80 81 TX 890555 F
FAX 88 95 84 85
17 205/215 F. 115/265 F.
50 F. 430/460 F. 330/360 F.
4/20 janv. et Rest. mer.
CB VISA AE E

DOMAINE LE MOULIN ★★
32, route de Klingenthal. M. Schreiber
88 95 87 33 FAX 88 95 98 03
21 280/390 F. 110/250 F.
65 F. 300/340 F.
20 déc./15 janv.
CB VISA E

HOSTELLERIE DES CHATEAUX ★★★
11, rue des Châteaux. M. Schaetzel
88 95 81 54 TX 870439 FAX 88 95 95 20
67 390/680 F. 150/390 F.
75 F. 550/850 F. 450/750 F.
15 janv./15 fév., dim. soir et lun. hs.
CV CB VISA AE E

OUCHAMPS
41120 Loir et Cher
415 hab.

LE RELAIS DES LANDES ★★★
M. Badenier
54 44 03 33 FAX 54 44 03 89
28 495/725 F. 160/295 F.
95 F. 533/645 F.
1er déc./5 janv.
SP
CB VISA AE E

OUCQUES
41290 Loir et Cher
1480 hab.

DU COMMERCE ★★
M. Lanchais 54 23 20 41 FAX 54 23 02 88
12 240/400 F. 90/250 F.
60 F. 300 F.
20 déc./31 janv., dim. soir et lun. sauf fêtes.
CB VISA E

OUHANS
25520 Doubs
600 m. • 269 hab.

DES SOURCES DE LA LOUE ★
13, Grande Rue. M. Salomon
81 69 90 06
13 160/220 F. 78/185 F.
40 F. 240/250 F. 210/220 F.
27 oct./9 nov., 20 déc./1er fév. et mer. soir hs.
CB VISA AE E

OUISTREHAM RIVA BELLA
14150 Calvados
8000 hab.

LA BROCHE D'ARGENT ★★
Place Général de Gaulle. M. Romagne
31 97 12 16 TX 170352 FAX 31 97 03 33
44 260/440 F. 59/215 F.
50 F. 290/340 F.
CV CB VISA E C

LE NORMANDIE - LE CHALUT ★★
71, av. Michel-Cabieu. M. Maudouit
31 97 19 57 TX 171751 FAX 31 97 20 07
23 230/340 F. 98/325 F.
50 F. 310/390 F. 230/320 F.
2/20 janv., dim. soir et lun. oct./mars.
CV CB VISA AE E

SAINT-GEORGES ★★
51, av. Andry. M. Rougemond
31 97 18 79 FAX 31 96 08 94
20 280/320 F. 95/300 F.
68 F. 345/370 F. 280/315 F.
15 nov./6 déc. et 6/21 janv.
CB VISA E

OUYRE
12360 Aveyron
70 hab.

MONTEILS
M. Majorel
65 99 50 66
9 110/170 F. 56/140 F. 35 F.
180/200 F. 150/170 F.
19 déc./5 janv., sam. oct./1er mars.
CV CB VISA E

OYE ET PALLET
25160 Doubs
870 m. • 425 hab.

PARNET ★★★
MM. Parnet 81 89 42 03 FAX 81 89 41 47
16 290/340 F. 95/240 F.
395/430 F. 360/395 F.
20 déc./1er fév., dim. soir et lun. hors vac. scol.
CB VISA E

OYONNAX
01100 Ain
540 m. • 25000 hab.

BUFFARD ★★
Place de l'Eglise. M. Perrin
74 77 86 01 TX 389000 FAX 74 73 77 68
25 160/320 F. 70/195 F.
50 F. 240/320 F. 180/240 F.
Rest. 24 juil./8 août, ven. soir, sam. et dim. soir.
SP CB VISA E

OZOIR LA FERRIERE
77330 Seine et Marne
18000 hab.

AU PAVILLON BLEU ★★
108, avenue Général Leclerc. M. Ferrière
(1) 64 40 05 56 FAX (1) 64 40 29 74
38 190/230 F. 85/250 F.
50 F. 250 F. 200 F.
CV CB VISA AE E C

PACAUDIERE (LA)
42310 Loire
1222 hab. 🛈

🏠 DU LYS ★★
Mme Richard
☎ 77 64 35 20 📠 77 64 11 62
🛏 7 ◈ 120/210 F. 🍽 69/143 F. 🍴 40 F.
🏢 185/230 F. 🍲 140/180 F.
✉ 15 jours oct., 15 jours janv. et mer.
sauf réserv.
🅴 🅳 🆂🅿 📺 ☎ 🚗 📺 CV CBⓋⓈⒶ E

PADIRAC
46500 Lot
180 hab. 🛈

🏠🏠 L'AUBERGE DE MATHIEU ★★
M. Pinquié ☎ 65 33 64 68 📠 65 33 69 29
🛏 7 ◈ 190/260 F. 🍽 95/190 F. 🍴 40 F.
🏢 280/330 F. 🍲 220/260 F.
✉ 15 nov./15 mars et sam. hs.
🅴 🆂🅿 📺 ☎ 🚗 ☂ 🏃 CV 📺 CBⓋⓈⒶ E

🏠🏠 MONTBERTRAND ★★
M. Montbertrand ☎ 65 33 64 47
🛏 7 ◈ 210/260 F. 🍽 85/185 F. 🍴 70 F.
🍲 205/227 F.
✉ 24 oct.
📺 ☎ 🚗 📺 🛌 CBⓋⓈⒶ E

🏠🏠 PADIRAC HOTEL ★★
(au Gouffre de Padirac) M. Morel
☎ 65 33 64 23 📠 65 33 72 03
🛏 23 ◈ 100/210 F. 🍽 58/180 F.
🍴 35 F. 🍲 155/200 F.
✉ 2ème dim. oct./1er avr.
🅴 ☎ 🚗 📺 CV 📺 CBⓋⓈⒶ E

PAILHEROLS
15800 Cantal
1000 m. • 160 hab.

🏠🏠 AUBERGE DES MONTAGNES ★★
Mme Combourieu ☎ 71 47 57 01
🛏 16 ◈ 188/210 F. 🍽 65/115 F.
🏢 230/250 F. 🍲 200/225 F.
✉ 10 oct./20 déc. sauf week-end
Toussaint.
🅴 📺 ☎ 🚗 📺 🏊 ⛷ 🏃 🛌 CV 📺
📺 CBⓋⓈⒶ E

PAIMPOL
22500 Côtes d'Armor
8498 hab. 🛈

🏠🏠 DE LA MARNE ★★
30, rue de la Marne. M. Kokoszka
☎ 96 20 82 16 📠 96 20 92 07
🛏 12 ◈ 290/380 F. 🍽 95/370 F.
🍴 70 F. 🍲 270/305 F.
✉ dim. soir et lun.
🅴 📺 ☎ 🚗 🏃 📺 CBⓋⓈⒶ E

PAIMPOL (PLOUBAZLANEC)
22620 Côtes d'Armor
3797 hab.

🏠🏠🏠 LE BARBU ★★★
Pointe de l'Arcouest. M. Bothorel
☎ 96 55 86 98 📠 96 55 73 87
🛏 20 ◈ 500/700 F. 🍽 90/350 F.
🍴 90 F. 🍽 600/750 F. 🍲 500/650 F.
✉ 3 janv./10 fév.
🅴 📺 ☎ 🚗 📺 🎾 🏊 🏃 🛌 📺 📺
CBⓋⓈⒶ ⒶⒺ E

🏠 LE RELAIS DE LAUNAY ᵉᶜ
Route de l'Arcouest. M. Escaillet
☎ 96 55 86 30 📠 96 55 73 87
🛏 9 ◈ 250/300 F. 🍽 90/180 F. 🍴 60 F.
🏢 380/400 F. 🍲 300/330 F.
✉ 3 nov./31 mars.
🅴 ☎ 🚗 📺 🏃 🛌 🛌 📺 CBⓋⓈⒶ E

PAJAY
38260 Isère
800 hab.

🏠 MA PETITE AUBERGE
Mme Vivier ☎ 74 54 26 06
🛏 7 ◈ 110/280 F. 🍽 60/180 F. 🍴 50 F.
🏢 180/260 F. 🍲 142/210 F.
✉ 15/25 sept.
🅴 🚗 📺 🏃 📺 CBⓋⓈⒶ ⒶⒺ Ⓓ E

PALLUAU
85670 Vendée
665 hab.

🏠 LOUIS PHILIPPE ★
61 place Saint-Gille. M. Laidet
☎ 51 98 51 11
🛏 10 ◈ 170/190 F. 🍽 45/100 F.
🍴 39 F. 🍽 190/230 F. 🍲 150/180 F.
✉ 15/30 sept. et sam. hs.
☎ 🚗 📺 CV 📺 CBⓋⓈⒶ E

PALUD SUR VERDON (LA)
04120 Alpes de Haute Provence
950 m. • 200 hab. 🛈

🏠 AUBERGE DES CRETES ★
Mme Sturma-Sedola
☎ 92 77 38 47 📠 92 77 30 40
🛏 12 ◈ 220/250 F. 🍽 74/ 99 F.
🍴 50 F. 🍽 294/315 F. 🍲 221/244 F.
✉ 30 oct./30 mars, jeu. sauf juil/août,
vac. scol. et fériés.
🅴 🛈 ☎ 🚗 📺 🏃 CV 📺 CBⓋⓈⒶ E

🏠🏠🏠 DES GORGES DU VERDON ★★★
Mme Bogliorio
☎ 92 77 38 26 📠 92 77 35 00
🛏 27 ◈ 290/530 F. 🍽 85/200 F.
🍴 55 F. 🍽 395/515 F. 🍲 300/420 F.
✉ 10 oct./26 mars.
🅴 🛈 📺 ☎ 🚗 📺 🎾 🏃 🛌 🛌 CV 📺
📺 CBⓋⓈⒶ ⒶⒺ E

🏠🏠 LE PANORAMIC ★★
Route de Moustiers. M. Caron
☎ 92 77 35 07 📠 92 77 30 17
🛏 20 ◈ 240/360 F. 🍽 95/210 F.
🍴 55 F. 🍽 345/405 F. 🍲 255/315 F.
✉ mi-nov./fin mars, et mer. hs.
🅴 📺 ☎ 🚗 🚗 📺 🏃 🛌 CV 📺 📺
CBⓋⓈⒶ E

🏠🏠 LE PROVENCE ★★
M. Seguin ☎ 92 77 36 50 ＼92 77 38 88
🛏 20 ◈ 205/280 F. 🍽 75/130 F.
🍴 45 F. 🍽 290/330 F. 🍲 220/250 F.
✉ nov./Rameaux.
🅴 🛈 🛈 ☎ 🚗 📺 🛌 CV 📺 📺 CBⓋⓈⒶ E

PAMIERS
09100 Ariège
15000 hab. 🛈

▲▲▲ DE FRANCE ★★
5, rue Dr. Rambaud ou 13, rue Hospice.
M. Raja ☎ 61 60 20 88 🆖 61 67 29 48
🛏 29 🔲 200/350 F. 🍴 84/220 F.
🍴 53 F. 🍽 275/315 F. 🛒 220/245 F.
⊠ Rest. 24 déc./3 janv. et dim.
1er oct./25 mai.
🅴 🆂🅿 🗔 🕿 🚗 �"▷ 🛬 🔥 ♿ 🅲🆅
🙾 🖐 CB🆅🅸🆂🅰 🅰🅴 ⓓ 🅴 🅲

PANNESSIERES
39570 Jura
460 hab.

▲▲ HOSTELLERIE DES MONTS JURA ★★
Route de Champagnole. M. Louis
☎ 84 43 10 03 🆖 84 24 57 37
🛏 8 🔲 220/260 F. 🍴 90/250 F. 🍴 52 F.
⊠ 1er/20 janv., 25 août/15 sept., dim.
soir et lun.
🅴 🅳 🗔 🕿 🚗 🚗 ▷ 🛬 🔥 ♿ 🅲🆅 🙾
CB🆅🅸🆂🅰 ⓓ 🅴

PARAY LE MONIAL
71600 Saône et Loire
10000 hab. 🛈

▲ AUX VENDANGES DE BOURGOGNE ★★
5, rue Denis Papin. M. Thomas
☎ 85 81 13 43 🆖 85 88 87 59
🛏 17 🔲 160/240 F. 🍴 68/165 F.
🍴 50 F. 🍽 260/320 F. 🛒 190/250 F.
⊠ 25 nov./15 déc. et dim. soir hs.
🅴 🗔 🕿 🚗 🚗 ▷ 🛬 ♿ 🅲🆅 🙾 ♍ CB🆅🅸🆂🅰
🅰🅴 ⓓ 🅴

▲ DU NORD ★
1, av. de la Gare. M. Levite
☎ 85 81 05 12 🆖 85 81 58 93
🛏 13 🔲 145/230 F. 🍴 65/165 F.
🍴 40 F. 🍽 195/250 F. 🛒 150/200 F.
⊠ 24 déc./25 janv. et sam. hs.
🗔 🕿 🚗 🚖 🖐 ♍ CB🆅🅸🆂🅰 🅴

PARAY SOUS BRIAILLES
03500 Allier
513 hab.

▲ DU FOOT
M. Besset ☎ 70 45 05 80
🛏 8 🔲 95/115 F. 🍴 50 F. 🍴 30 F.
🍽 170/185 F. 🛒 135/150 F.
⊠ 27 août/4 sept., 26 déc./31 déc.
et mer.
🙾 ♍

PARCEY
39100 Jura
659 hab.

▲▲ HOSTELLERIE DE L'AS DE PIQUE ★★
M. Beauvais
☎ 84 71 00 76 🆖 84 71 09 18
🛏 7 🔲 295 F. 🍴 95/220 F.
🍽 390/420 F. 🛒 320/370 F.
⊠ dim. soir et lun. midi.
🅴 🅳 🗔 🕿 🚗 🚗 🚗 ▷ 🛬 🔥 🙾 ♍
CB🆅🅸🆂🅰 🅰🅴 🅴

▲ LE PARCEY ★
Route N. 5. M. Reffay
☎ 84 71 00 57 🆖 84 71 09 27
🛏 8 🔲 170/210 F. 🍴 60/125 F. 🍴 35 F.
🍽 280/320 F. 🛒 200/240 F.
⊠ 25 nov./10 déc. et mer. hs.
🅴 🅳 🗔 🕿 🚗 🚗 🛬 🔥 🅲🆅 🙾 CB🆅🅸🆂🅰
🅴 🖾

PARENT GARE
63270 Puy de Dôme
680 hab.

▲▲ MON AUBERGE ★★
Av. de la Gare. M. Favier
☎ 73 96 62 06 🆖 73 96 90 14
🛏 7 🔲 140/240 F. 🍴 75/240 F. 🍴 40 F.
🍽 200/250 F. 🛒 160/200 F.
⊠ 1 semaine juin, déc. et lun.
🅴 🗔 🕿 🔥 ♍ CB🆅🅸🆂🅰 🅴

PARENTIS EN BORN
40160 Landes
4260 hab. 🛈

▲ COUSSEAU
M. Lepesteur ☎ 58 78 42 46
🛏 9 🔲 150/260 F. 🍴 68/280 F.
🍽 215 F.
⊠ 9/15 mai, 15 oct./6 nov., ven. soir et
dim. soir
🚗 ♍ CB🆅🅸🆂🅰 🅴

PARSAC GARE
23140 Creuse
680 hab.

▲ DE LA GARE ★★
Sur N. 145. M. Landon
☎ 55 62 23 23 🆖 55 81 72 65
🛏 11 🔲 140/180 F. 🍴 70/160 F.
🍴 40 F. 🍽 230/280 F. 🛒 190/230 F.
⊠ 23 déc./15 janv., dim. soir et lun.
🅴 🅳 🗔 🚗 🚖 🅲🆅 🙾 ♍ CB🆅🅸🆂🅰 🅴

PARTHENAY
79200 Deux Sèvres
12000 hab. 🛈

▲ DU COMMERCE ★★
30, bld Edgar Quinet. M. Belleville
☎ 49 94 11 55
🛏 10 🔲 120/180 F. 🍴 60/120 F.
🍴 40 F.
⊠ dim. et fériés.
🅲🆅 🙾 CB🆅🅸🆂🅰 🅰🅴 ⓓ 🅴

▲▲ DU NORD ★★
86, av. Général de Gaulle. M. Reveillaud
☎ 49 94 29 11 🆖 49 64 11 72
🛏 10 🔲 200/290 F. 🍴 68/220 F.
🍴 46 F. 🍽 310/320 F. 🛒 225/240 F.
⊠ 20 déc./9 janv. et sam.
🅴 🗔 🕿 🚖 🖐 🔥 🅲🆅 🙾 ♍ CB🆅🅸🆂🅰 🅰🅴
🅴 🖾

▲▲ RENOTEL ★★
Boulevard de l'Europe. Mme Reveillaud
☎ 49 94 06 44 🆖 49 64 01 94
🛏 41 🔲 190/320 F. 🍴 70/190 F.
🍴 45 F. 🍽 280/370 F. 🛒 210/300 F.
🅴 🅳 🗔 🕿 🚗 🛢 🔥 ♿ 🅲🆅 🙾 ♍
CB🆅🅸🆂🅰 🅰🅴 ⓓ 🅴 🖾

PARTHENAY (suite)

✸ SAINT JACQUES ✶✶
13, av. du 114e - R.I. M. Réveillaud
☎ 49 64 33 33 ⅢⅩ 49 94 00 69
🛏 46 ◌ 200/310 F.
Ⅰ Ⅱ 🕾 🚗 🛒 🍴 🕌 🕭 CV 🕮 🌦 CB🆚
AE ◉ E

PASSENANS
39230 Jura
290 hab.

🏠 AUBERGE DU ROSTAING
M. Eckert ☎ 84 85 23 70 ⅢⅩ 84 44 66 87
🛏 9 ◌ 105/195 F. Ⅲ 63/156 F. 🍴 55 F.
▥ 173/236 F. 🖾 121/179 F.
✉ janv., déc. et lun. soir hs.
Ⅰ Ⅱ 🕭 CV 🌦 CB🆚 ◉ E

🏠🏠🏠 DOMAINE TOURISTIQUE DU
REVERMONT ✶✶
M. Schmit ☎ 84 44 61 02 ⅢⅩ 84 44 64 83
🛏 28 ◌ 230/365 F. Ⅲ 100/270 F.
🍴 50 F. ▥ 315/383 F. 🖾 240/308 F.
✉ janv., fév., dim. soir et lun. oct., nov.,
déc., mars.
Ⅰ 🕾 🚗 🛒 🍴 🕌 🕭 🕮 🌦
🛏 🕮 🌦 CB🆚 AE E

PASSY
74190 Haute Savoie
700 m. • 10000 hab. 𝐢

🏠🏠 DU CENTRE ET DU COTEAU ✶✶
M. Devillaz ☎ 50 78 23 66
🛏 32 ◌ 250/320 F. Ⅲ 90/130 F.
🍴 50 F. ▥ 270/320 F. 🖾 250/270 F.
✉ oct. et sam. après-midi.
Ⅰ Ⅱ 🕾 🚗 🛒 🍴 🕭 CV 🌦 CB🆚 E

PATAY
45310 Loiret
1800 hab.

🏠 DU CHEVAL BLANC
5, rue de la Gare. M. Vaslier
☎ 38 80 80 11
🛏 6 ◌ 110/260 F. Ⅲ 66/140 F. 🍴 40 F.
▥ 205/250 F. 🖾 165/200 F.
✉ 1er/15 fév., 15/31 août, sam. et dim. soir.
Ⅰ 𝐢 🚗 🛒 🍴 CB🆚 E

PAU
64000 Pyrénées Atlantiques
82157 hab. 𝐢

🏠🏠 LE COMMERCE ✶✶
9, rue Maréchal Joffre. M. Baumert
☎ 59 27 24 40 ⅢⅩ 540 193 ⅢⅩ 59 83 81 74
🛏 51 ◌ 265/305 F. Ⅲ 74/145 F.
🍴 45 F. ▥ 350/370 F. 🖾 265/285 F.
✉ Rest. dim.
Ⅰ Ⅱ 🕾 🚗 🛒 🍴 🍴 CV 🕮 🌦 CB🆚
AE ◉ E 🖥

PAULHAC
15430 Cantal
1117 m. • 500 hab.

🏠 DE LA PLANEZE ✶
M. Jouve ☎ 71 73 32 60
🛏 12 ◌ 165/185 F. Ⅲ 60/150 F.
🍴 40 F. ▥ 195/215 F. 🖾 175/195 F.

✉ mer. hs.
🕾 🍴 CV 🌦 CB🆚 AE ◉ E

PAYRAC
46350 Lot
420 hab.

🏠🏠🏠 HOSTELLERIE DE LA PAIX ✶✶
M. Deschamps
☎ 65 37 95 15 ⅢⅩ 65 37 90 37
🛏 50 ◌ 225/310 F. Ⅲ 70/150 F.
🍴 27 F. ▥ 300/345 F. 🖾 230/275 F.
✉ 2 janv./20 fév.
Ⅰ Ⅱ 🕾 🚗 🍴 🛒 🍴 🕌 🕭 🕮 🌦 CB🆚
AE E

PEAUGRES
07340 Ardèche
1500 hab.

🏠 LE BON GITE ✶
Rue principale Mme Bertois
☎ 75 34 80 44
🛏 11 ◌ 195/215 F. Ⅲ 75/100 F.
🍴 35 F. ▥ 240/250 F. 🖾 173/183 F.
Ⅰ Ⅱ 🕾 🍴 🕭 CV 🌦 CB🆚 E

PEAULE
56130 Morbihan
2000 hab.

🏠🏠 AUBERGE ARMOR VILAINE ✶✶
M. Boeffard ☎ 97 42 91 03 ⅢⅩ 97 42 82 27
🛏 21 ◌ 210/270 F. Ⅲ 65/230 F.
🍴 55 F. ▥ 270/310 F. 🖾 230/280 F.
✉ 2ème quinzaine nov., vac. scol.
fév., dim. soir et lun. sauf juil./août et
fériés.
Ⅱ 🕾 🚗 🍴 CV 🌦 CB🆚 AE E

PECHEREAU (LE)
36200 Indre
1930 hab. 𝐢

🏠🏠 L'ESCAPADE ✶✶
Route de Gargilesse, (Le Vivier).
Mme Arnaud ☎ 54 24 26 10 ⅢⅩ 54 24 33 16
🛏 8 ◌ 180/280 F. Ⅲ 58/210 F. 🍴 40 F.
▥ 250/320 F. 🖾 220/290 F.
✉ mer. après-midi et soir.
Ⅰ Ⅱ 🕾 🚗 🕌 🛒 CV 🕮 CB🆚 AE E

PEGOMAS
06580 Alpes Maritimes
3740 hab. 𝐢

🏠 LES JASMINS ✶
115, av. de Grasse, (quartier du Logis).
M. Latour ☎ 93 42 22 94
🛏 14 ◌ 205/350 F. Ⅲ 75/190 F.
🍴 35 F. ▥ 285/390 F. 🖾 210/330 F.
✉ nov.
🚗 CV 🌦 CB🆚 AE E

PEGUE (LE)
26770 Drôme
315 hab.

🏠 AUBERGE DU DONJON ✶
M. Beaud ☎ 75 53 55 71 ⅢⅩ 75 53 69 44
🛏 11 ◌ 150/235 F. Ⅲ 65/150 F.
🍴 45 F. ▥ 195/285 F. 🖾 180/245 F.
✉ janv. et lun. hs.
𝐢 🕾 🚗 🍴 🕌 🕭 🌦 CB🆚 E

297

PEILLAC
56220 Morbihan
1800 hab. 🛈

△△ CHEZ ANTOINE ★★
17, rue du Stade. Mme Serazin
☎ 99 91 24 43
🛏 8 ⊗ 180/205 F. 🍴 60/170 F. 🍷 50 F.
🍽 240/260 F. 🍽 210/240 F.
⊠ fév. et lun.

PEILLE
06440 Alpes Maritimes
630 m. • 1000 hab. 🛈

△ BELVEDERE HOTEL
3, place Jean Hiol. M. Beauseigneur
☎ 93 79 90 45
🛏 5 ⊗ 180/220 F. 🍴 85/170 F.
🍽 280 F. 🍽 230 F.
⊠ 1er/24 déc.

PEILLON VILLAGE
06440 Alpes Maritimes
110 hab. 🛈

△△△ AUBERGE DE LA MADONE ★★★
M. Millo ☎ 93 79 91 17
🛏 18 ⊗ 380/700 F. 🍴 130/300 F.
🍽 440/700 F.
⊠ 7/24 janv., 20 oct./20 déc. et mer.

PEISEY NANCROIX
73210 Savoie
1350 m. • 500 hab. 🛈

△△ RELAIS DES TROIS STATIONS
Mme Villiod ☎ 79 07 93 09 🅵🅰🆇 79 07 94 52
🛏 14 ⊗ 260/340 F. 🍴 65/110 F. 🍷 45 F.
🍽 290/380 F. 🍽 260/350 F.
⊠ mai/15 juin et sept./15 déc.

PELUSSIN
42410 Loire
3000 hab. 🛈

△ DE FRANCE ★★
4, place des Croix. Mme Chomienne
☎ 74 87 68 88
🛏 8 ⊗ 240 F. 🍴 58/200 F. 🍷 48 F.
🍽 220 F. 🍽 170 F.
⊠ 1ère quinzaine janv., 1 semaine
sept., dim. soir et lun. hs.

△△ DE L'ANCIENNE GARE ★★
M. Chenavier
☎ 74 87 61 51 🅵🅰🆇 74 87 93 96
🛏 7 ⊗ 120/250 F. 🍴 98/250 F. 🍷 60 F.
🍽 200/310 F. 🍽 190/250 F.
⊠ 22 fév./8 mars, 13/19 juil., 22/29 oct.
et sam. hs.

△△ LE COTTAGE ★★
M. Thomas
☎ 74 87 61 37 🅵🅰🆇 74 87 63 99
🛏 25 ⊗ 130/320 F. 🍴 68/160 F.

🍷 50 F. 🍴 180/340 F. 🍽 150/300 F.
⊠ 6 fév./6 mars et ven.

PELVOUX
05340 Hautes Alpes
1250 m. • 350 hab. 🛈

△ LA CONDAMINE ★★
M. Estienne ☎ 92 23 35 48
🛏 19 ⊗ 210/270 F. 🍴 75/130 F.
🍽 250/270 F. 🍽 220/230 F.
⊠ 30 mars/1er juin et 15 sept./20 déc.

△ SAINT ANTOINE ★
M. Staub ☎ 92 23 36 99
🛏 11 ⊗ 160/250 F. 🍴 75/135 F.
🍷 40 F. 🍽 205/260 F. 🍽 165/220 F.
⊠ 10 mai/5 juin, oct. et mer. hs.

PELVOUX AILEFROIDE
05340 Hautes Alpes
1515 m. • 30 hab.

△ LES CLOUZIS ★
M. Gallice ☎ 92 23 32 07
🛏 11 ⊗ 200/300 F. 🍴 79/120 F.
🍽 260/300 F. 🍽 220/260 F.
⊠ 31 oct./15 mai.

PENHORS (PLAGE)
29710 Finistère
170 hab. 🛈

△△△ BREIZ-ARMOR ★★
Plage de Penhors. M. Segalen
☎ 98 51 52 53 🅵🅰🆇 98 51 52 30
🛏 23 ⊗ 306/355 F. 🍴 90/230 F.
🍷 45 F. 🍽 355/400 F. 🍽 328/349 F.
⊠ Hôtel début oct./début avr. sauf vac.
scol. Noël, rest. janv./fév. et lun. sauf
résidents.

PENNE D'AGENAIS
47140 Lot et Garonne
2250 hab. 🛈

△ LE MOULIN ★★
(A Port de Penne). Mme Paltrie
☎ 53 41 21 34
🛏 10 ⊗ 200/230 F. 🍴 80/160 F.
🍷 40 F. 🍽 260 F. 🍽 230 F.
⊠ dim. soir et lun. hs.

PENNEDEPIE
14600 Calvados
250 hab.

△△△ ROMANTICA ᵉᶜ
Chemin du Petit Paris. Mme Lorant
☎ 31 81 14 00 🅵🅰🆇 31 81 54 78
🛏 18 ⊗ 250/500 F. 🍴 100/250 F.
🍷 65 F. 🍽 325/455 F. 🍽 245/370 F.
⊠ Rest. 15 nov./15 déc., 5 janv./5 fév.,
mer. et jeu. midi hors vac. scol.

PENTREZ PLAGE
29550 Finistère
600 hab. ℹ️

⌂ DE LA MER
Mme Livet ☎ 98 26 50 55
🛏 14 ⬙ 150/200 F. 🍽 75/150 F.
🍴 40 F. 🏠 220/250 F. 🏡 175/195 F.
⊠ 15 sept./28 mai., lun. juin et sept.
🅴 🚗 🇹 🛎 CB💳 E

PEPIEUX
11700 Aude
1054 hab.

⌂ MINERVOIS ★
Mme fuster ☎ 68 91 41 28
🛏 21 ⬙ 170/220 F. 🍽 65 F. 🏠 220 F.
🏡 180 F.
🅳 🆂🅿 🚗 🐕 🛎 🔌

PERIERS
50190 Manche
2566 hab.

⌂ DE LA POSTE ★★
5, av. de la Gare. M. Roulet
☎ 33 46 64 01 🅵🅰🆇 33 46 77 11
🛏 10 ⬙ 200/260 F. 🍽 105/180 F.
🍴 50 F. 🏡 230 F.
⊠ mi-déc./début janv. et lun.
🅴 🗇 🚗 🚗 🔌 CB💳 E

PERIGNAC
17800 Charente Maritime
867 hab.

⌂ L'ALAMBIC
(Autoroute sortie 26). Mme Praud
☎ 46 96 41 16
🛏 5 ⬙ 130/195 F. 🍽 48/100 F. 🍴 38 F.
🏠 203/228 F. 🏡 168/183 F.
⊠ 30 mars/16 avr.
🅴 🅳 🚗 🇹

PERIGUEUX
24000 Dordogne
43000 hab. ℹ️

⌂⌂ DU MIDI ★
18, rue Denis Papin. M. Faure
☎ 53 53 41 06 🅵🅰🆇 53 08 19 32
🛏 23 ⬙ 155/250 F. 🍽 75/220 F.
🍴 40 F. 🏠 240/300 F. 🏡 170/230 F.
⊠ 25 sept./11 oct. et 23 déc./4 janv.
🅴 🚗 🚗 🆅 🔌 CB💳 🅰🅴 ⓞ E ▤

⌂⌂ DU PERIGORD ★★
74, rue Victor Hugo. Mme Vallejo
☎ 53 53 33 63
🛏 20 ⬙ 190/290 F. 🍽 67/168 F.
🍴 50 F. 🏡 230/250 F.
⊠ 19 oct./3 nov., 1 semaine
Carnaval, rest. sam. et dim. soir.
🆂🅿 🗇 🚗 🇹 🛎 🔌 CB💳 E

⌂ L'UNIVERS ★★
18, cours Montaigne. M. Cadol
☎ 53 53 34 79
🛏 12 ⬙ 180/230 F. 🍽 80/160 F.
🍴 65 F.
⊠ vac. Noël, dim. soir et lun. hors vac.
scol.
🅴 🆂🅿 🗇 🚗 🇹 🆅 CB💳 E

PERIGUEUX (BASSILLAC)
24000 Dordogne
1297 hab.

⌂⌂ CHATEAU DE ROGNAC ★★
Mme Daudrix
☎ 53 54 40 78 🅵🅰🆇 53 54 53 95
🛏 12 ⬙ 252/384 F. 🍽 130/285 F.
🍴 60 F. 🏠 386/452 F. 🏡 256/322 F.
⊠ 1er oct./25 mars, rest. lun. midi, mar.
midi et mer. midi.
🅴 🚗 🇲 🇹 🛎 CB💳 E

PERIGUEUX (RAZAC)
24430 Dordogne
1702 hab.

⌂⌂⌂ CHATEAU DE LALANDE ★★★
(Annesse et Beaulieu). M. Sicard
☎ 53 54 52 30 🅵🅰🆇 53 07 46 67
🛏 22 ⬙ 245/430 F. 🍽 92/300 F.
🍴 45 F. 🏠 375/480 F. 🏡 295/385 F.
⊠ 15 nov./15 mars et mer. midi hs.
🅴 🅳 🗇 🚗 🚗 🏊 🎾 🛎 CB💳
🅰🅴 ⓞ E

PERLES ET CASTELET
09110 Ariège
700 m. ● 157 hab.

⌂⌂⌂ LE CASTELET ★★
Mme Tissier
☎ 61 64 24 52 🆃🆇 533376 F
🅵🅰🆇 61 64 05 93
🛏 27 ⬙ 231/341 F. 🍽 90/240 F.
🍴 48 F. 🏡 252/320 F.
⊠ 16 oct./9 mai, man. après-midi, mer.
mai/juin et sept./oct.
🆂🅿 🗇 🚗 🇲 🇹 🎾 🔌 🔌 CB💳 🅰🅴 E

PERNES LES FONTAINES
84210 Vaucluse
5000 hab. ℹ️

⌂⌂ PRATO-PLAGE ★★
M. Boffelli
☎ 90 61 31 72 🅵🅰🆇 90 61 33 34
🛏 10 ⬙ 250/280 F. 🍽 100/190 F.
🍴 60 F. 🏠 330/360 F. 🏡 255/280 F.
🅴 ℹ️ 🗇 🚗 🇹 🏊 🆅 🔌 CB💳 🅰🅴
ⓞ E

PERONNE
80200 Somme
9600 hab. ℹ️

⌂⌂⌂ HOSTELLERIE DES REMPARTS ★★
21, rue Beaubois. Mme Drichemont
☎ 22 84 38 21 ⧵22 84 01 22
🅵🅰🆇 22 84 31 96
🛏 16 ⬙ 190/450 F. 🍽 80/250 F.
🍴 50 F. 🏠 310/400 F. 🏡 235/320 F.
🅴 🗇 🚗 🚗 🇹 🆅 🛎 🔌 CB💳 🅰🅴
ⓞ E

⌂⌂ SAINT CLAUDE ★★
42, place Louis Daudre. M. Lalos
☎ 22 84 46 00 🆃🆇 145 618
🛏 24 ⬙ 140/300 F. 🍽 85/180 F.
🍴 55 F. 🏠 250/310 F. 🏡 170/230 F.
🅴 🅳 🗇 🚗 🛎 🔌 CB💳 🅰🅴 ⓞ E

PERPIGNAN
66000 Pyrénées Orientales
113646 hab. 𝑖

⌂ DE LA POSTE ET DE LA PERDRIX ★★
6, rue Fabriques Nabot. Mme Broisseau
☎ 68 34 42 53 📠 68 34 58 20
🛏 38 ⬙ 150/260 F. 🍽 78/135 F.
🍴 58 F. ⏹ 255/305 F. 🛎 175/225 F.
⊠ 20 janv./1er mars. Rest. dim. soir et lun. 1er juil./31 août.
🔲 🅳 SP 📷 ☎ ⬆ CV ← CB𝒱ℐ𝒮𝒜 AE ⓐ E

PERROS GUIREC
22700 Côtes d'Armor
8500 hab. 𝑖

⌂ AU SAINT YVES ★★
Rue Saint-Yves. M. Ledieu
☎ 96 23 21 31 📠 96 23 05 24
🛏 20 ⬙ 130/230 F. 🍽 59/289 F.
🍴 49 F. ⏹ 235/305 F. 🛎 190/255 F.
⊠ 21 janv./7 fév. et 1er/23 nov.
🔲 📷 ☎ � ♿ CV ← CB𝒱ℐ𝒮𝒜 E 📷

⌂⌂ HERMITAGE HOTEL ★★
20, rue le Montreer. M. Cariou
☎ 96 23 21 22 📠 96 91 16 56
🛏 23 ⬙ 258/295 F. 🍽 92/120 F.
🍴 48 F. ⏹ 310/350 F. 🛎 240/280 F.
⊠ 15 sept./12 mai.
🔲 📷 ☎ 🚗 🌳 CV 🚿 ← CB𝒱ℐ𝒮𝒜 AE ⓐ E

⌂⌂ KER MOR ★★
38, rue du Maréchal Foch.
Mme Nouailhac
☎ 96 23 14 19 📠 96 23 18 49
🛏 29 ⬙ 198/500 F. 🍽 75/205 F.
🍴 35 F. ⏹ 314/454 F. 🛎 254/394 F.
⊠ 2 nov./1er avr.
🔲 SP 📷 ☎ 🚗 🌳 CV 🚿 ← CB𝒱ℐ𝒮𝒜 E

⌂⌂⌂ LES FEUX DES ILES ★★★
53, bld Clemenceau. M. Le Roux
☎ 96 23 22 94 📠 96 91 07 30
🛏 15 ⬙ 350/620 F. 🍽 120/330 F.
🍴 80 F. ⏹ 520/640 F. 🛎 400/540 F.
⊠ 4/11 oct., 25 fév./14 mars, dim. soir et lun. hs oct./Pâques.
🔲 SP 📷 ☎ 🚗 🏠 🌳 ← 🌳 🚿 CB𝒱ℐ𝒮𝒜
AE ⓐ E 📷

PERROS GUIREC (PLOUMANACH EN)
22700 Côtes d'Armor
7793 hab. 𝑖

⌂⌂ DU PARC ★★
Mme Salvi
☎ 96 91 40 80 📠 96 91 60 48
🛏 11 ⬙ 160/265 F. 🍽 74/160 F.
🍴 46 F. 🛎 220/270 F.
⊠ 25 sept./1er avr.
🔲 📷 ☎ 🚗 CV ← CB𝒱ℐ𝒮𝒜 E

⌂ LE PHARE ★★
39, rue Saint-Guirec. M. Pesci
☎ 96 91 41 19 📠 96 91 42 68
🛏 24 ⬙ 190/250 F. 🍽 72/145 F.
🍴 45 F. ⏹ 260/300 F. 🛎 190/230 F.
⊠ 1er/15 oct., 15 nov./15 fév. et mer.
🔲 SP 🚗 🌳 CV ← CB𝒱ℐ𝒮𝒜 E C

⌂⌂ LES ROCHERS ★★
Chemin de la Pointe. Mme Justin
☎ 96 91 44 49 📠 96 91 43 64
🛏 15 ⬙ 310/340 F. 🍽 150/400 F.
🍴 92 F. ⏹ 540/560 F. 🛎 405/425 F.
⊠ fin sept./vac. Pâques, rest. mer. midi hs.
🔲 🅳 📷 ← CB𝒱ℐ𝒮𝒜 E

⌂ SAINT GUIREC ET DE LA PLAGE ★★
162, rue Saint Guirec. Mme Hardouin
☎ 96 91 40 89 📠 96 91 49 27
🛏 24 ⬙ 160/320 F. 🍽 68/250 F.
🍴 35 F. ⏹ 260/368 F. 🛎 215/318 F.
⊠ 7/31 mars. et 2 nov./11 fév.
🔲 📷 ☎ 🚗 CV ← CB𝒱ℐ𝒮𝒜 E

PERTHES
52100 Haute Marne
640 hab. 𝑖

⌂⌂ LA CIGOGNE GOURMANDE
46, route Nationale. M. Bonnefois
☎ 25 56 40 29
🛏 6 ⬙ 195/275 F. 🍽 78/285 F. 🍴 55 F.
⊠ 1er/30 juil.
🔲 📷 🚗 🌳 ← CB𝒱ℐ𝒮𝒜 AE ⓐ E

PERTUIS
84120 Vaucluse
15000 hab. 𝑖

⌂⌂ L'AUBARESTIERO ★★
Place Garcin. MM. Jacqueline/Jalong
☎ 90 79 14 74
🛏 13 ⬙ 160/220 F. 🍽 70/200 F.
🍴 50 F. ⏹ 265/295 F. 🛎 185/215 F.
🔲 🅳 📷 ☎ 🌳 ← CB𝒱ℐ𝒮𝒜 E

PESMES
70140 Haute Saône
1100 hab. 𝑖

⌂⌂⌂ DE FRANCE ★★
MM. Vieille
☎ 84 31 20 05
🛏 10 ⬙ 190/260 F. 🍽 80/170 F.
🍴 50 F. ⏹ 290/300 F. 🛎 260/270 F.
🔲 🅳 📷 🚗 🌳 🌳 CV 🚿 ← CB𝒱ℐ𝒮𝒜

PESSE (LA)
39370 Jura
1160 m. • 230 hab.

⌂ BURDET ★★
M. Raymond
☎ 84 42 70 12
🛏 18 ⬙ 130/250 F. 🍽 55/145 F.
🍴 40 F. ⏹ 230/275 F. 🛎 185/230 F.
⊠ 1er nov./15 déc., mar. soir et mer. hs.
📷 🚗 CV 🚿 ← CB𝒱ℐ𝒮𝒜

PETITE FOSSE (LA)
88490 Vosges
600 m. • 73 hab.

⌂⌂ AUBERGE DU SPITZEMBERG ★★
(Altitude 600m.). M. Duhem
☎ 29 51 20 46 📠 29 51 10 12
🛏 11 ⬙ 175/320 F. 🍽 75/125 F.
🍴 50 F. ⏹ 235/280 F. 🛎 175/230 F.
⊠ mar.
📷 ☎ 🚗 🌳 🌳 ▶ 🚿 🚿 ← CB𝒱ℐ𝒮𝒜 E

PETITE PIERRE (LA)
67290 Bas Rhin
640 hab. [i]

▲▲▲ AU LION D'OR ★★
15, rue Principale. M. Velten
☎ 88 70 45 06 FAX 88 70 45 56
♦ 40 ☯ 200/420 F. ⊞ 98/260 F.
♨ 65 F. ⊞ 275/400 F. ☼ 245/370 F.
⊠ janv., mer. soir et jeu. nov./mars sauf résidents.

▲▲▲ AUBERGE D'IMSTHAL ★★
Route Forestière d'Imsthal. M. Michaely
☎ 88 70 45 21 FAX 88 70 40 26
♦ 23 ☯ 270/600 F. ⊞ 80/220 F.
⊞ 380/540 F. ☼ 300/460 F.

PETITE VERRIERE (LA)
71400 Saône et Loire
75 hab.

▲▲ AU BON ACCUEIL ★★
M. Menart ☎ 85 54 14 10
♦ 7 ☯ 200/240 F. ⊞ 60/150 F. ♨ 40 F.
⊞ 250/300 F. ☼ 190/240 F.

PETITES DALLES (LES)
76540 Seine Maritime
680 hab. [i]

▲ DE LA PLAGE
M. Pierre ☎ 35 27 40 77
♦ 6 ☯ 110/207 F. ⊞ 79/236 F. ♨ 39 F.
⊞ 231/277 F. ☼ 155/202 F.
⊠ 24 janv./28 fév., 14/28 nov., rest. mar. soir, mer. soir, jeu. soir 1er/24 janv. et 1er/31 déc., dim. soir et lun. hs.

PEYRAT LE CHATEAU
87470 Haute Vienne
1518 hab. [i]

▲▲ AUBERGE DU BOIS DE L'ETANG ★
M. Merle ☎ 55 69 40 19 FAX 55 69 42 93
♦ 28 ☯ 135/270 F. ⊞ 75/195 F.
♨ 45 F. ⊞ 220/270 F. ☼ 160/210 F.
⊠ 15 déc./fin janv., dim. soir et lun. 15 nov./fin mars.

▲▲ DES VOYAGEURS ★
Av. de la Tour. M. Loriol
☎ 55 69 40 02
♦ 14 ☯ 140/260 F. ⊞ 75/150 F.
♨ 48 F. ⊞ 220/260 F. ☼ 170/220 F.
⊠ 1er oct./28 fév.

PEYRAT LE CHATEAU (AUPHELLE)
87470 Haute Vienne
650 m. • 100 hab. [i]

▲▲▲ GOLF DU LIMOUSIN ★★
(Lac de Vassivière). M. Lucchesi
☎ 55 69 41 34 FAX 55 69 49 16
♦ 18 ☯ 171/254 F. ♨ 47 F.
⊞ 255/275 F. ☼ 210/232 F.
⊠ 20 oct./20 mars.

PEYREHORADE
40300 Landes
3000 hab. [i]

▲▲ LES PECHEURS ᵉᶜ
Route de Bidache. M. Flous
☎ 58 73 02 40 FAX 58 73 62 92
♦ 6 ☯ 180/260 F. ⊞ 65/110 F. ♨ 45 F.
☼ 180/220 F.

PEYRELEVADE
19290 Corrèze
804 m. • 1012 hab.

▲▲ LA CRAMAILLOTTE ★★
Mme Chouraqui ☎ 55 94 73 73
♦ 10 ☯ 200/270 F. ⊞ 55/160 F.
♨ 35 F. ⊞ 215/255 F. ☼ 175/205 F.
⊠ mer. oct./fin avr.

PEYRIAC DE MER
11440 Aude
727 hab. [i]

▲ LA CIGOGNE
Sur N. 9. M. Gautier ☎ 68 41 76 31
♦ 11 ☯ 120/ 95 F. ⊞ 70/160 F.
♨ 40 F. 255 F. ☼ 205 F.
⊠ lun., mar., mer. hiver, 15 déc./30 janv. dim. soir et lun. hs.

PEYRIAC MINERVOIS
11160 Aude
1053 hab.

▲▲▲ CHATEAU DE VIOLET ★★★
Route de Pépieux. Mme Faussié
☎ 68 78 10 42\68 78 11 44
FAX 68 78 30 01
♦ 12 ☯ 450/990 F. ⊞ 170/250 F.
♨ 60 F. ⊞ 525/795 F. ☼ 445/715 F.

PEYROLLES EN PROVENCE
13860 Bouches du Rhône
2500 hab.

▲ LE MIRABEAU ★★
Sur N. 96. M. Herzog ☎ 42 67 11 78
♦ 9 ☯ 150/200 F. ⊞ 65/150 F. ♨ 45 F.
⊞ 240/290 F. ☼ 180/230 F.
⊠ dim. soir.

PEZENAS
34120 Hérault
7613 hab. [i]

▲▲ GENIEYS ★★
7-9, avenue Aristide Briand.
M. Hyvonnet
☎ 67 98 13 99 FAX 67 98 04 80
♦ 28 ☯ 160/300 F. ⊞ 72/160 F.
♨ 45 F. ⊞ 285/350 F. ☼ 195/265 F.
⊠ 15 nov./1er déc. et Rest. dim. soir sauf juil./août.

PEZENAS (suite)

LE MOLIERE ★★
Place du 14 Juillet. M. Navarro
☎ 67 98 14 00 ⁣⁣℻ 67 98 98 28
🛏 15 ⬜ 260/380 F. 🍽 88/128 F.
🍴 48 F. 🛏 330/360 F. 🍽 250/280 F.
[icons]
[icons] CB🆅🅢🅐 E

PEZENS
11170 Aude
1240 hab. ⓘ

LE REVERBERE
Sur N. 113. M. Goupil
☎ 68 24 92 53
🛏 6 ⬜ 220 F. 🍽 68/185 F. 🍴 42 F.
🍽 230/300 F. 🛏 180/250 F.
✉ 9 janv./10 fév., mar. et lun. soir sauf
juil/août mar. uniquement.
[icons] CB🆅🅢🅐 E

PFAFFENHEIM
68250 Haut Rhin
1250 hab.

RELAIS AU PETIT PFAFFENHEIM
1, rue de la Chapelle. M. Bass
☎ 89 49 62 06 ⁣⁣℻ 89 49 75 34
🛏 7 ⬜ 140/150 F. 🍽 80/265 F. 🍴 50 F.
🍽 280 F. 🛏 220 F.
✉ 20 déc./15 janv. et dernière semaine
juin.
[icons] CB🆅🅢🅐

PHALSBOURG
57370 Moselle
4230 hab. ⓘ

ERCKMANN CHATRIAN ★★
14, place d'Armes. M. Richert
☎ 87 24 31 33 ⁣⁣℻ 87 24 27 81
🛏 16 ⬜ 225/290 F. 🍽 58/265 F.
🍴 45 F.
✉ lun. et mar. midi.
[icons] CB🆅🅢🅐
[icons] E

PIAN MEDOC (LE)
33290 Gironde
5078 hab.

LE PONT BERNET ★★★
A Louens, route du Verdon. M. Sauvage
☎ 56 72 00 19 ⁣⁣℻ 56 72 02 90
🛏 18 ⬜ 300/350 F. 🍽 100/290 F.
🍴 50 F. 🍽 440 F. 🛏 325 F.
[icons]
CB🆅🅢🅐 AE ⓞ E 🔳

PIARDS (LES)
39150 Jura
940 m. • 175 hab. ⓘ

LES ROULIERS ★★
M. Vincent
☎ 84 60 42 36 ⁣⁣℻ 84 60 41 56
🛏 18 ⬜ 215/247 F. 🍽 67/144 F.
🍴 38 F. 🍽 262/301 F. 🛏 203/233 F.
✉ mar. soir et mer. hs.
[icons] CB🆅🅢🅐 AE ⓞ E

PICHERANDE
63113 Puy de Dôme
1116 m. • 530 hab. ⓘ

CENTRAL HOTEL
M. Goigoux
☎ 73 22 30 79
🛏 18 ⬜ 145 F. 🍽 70/145 F. 🍴 45 F.
🍽 180 F. 🛏 150 F.
✉ oct./nov.
CV 🅐 CB🆅🅢🅐 E

PIERRE BUFFIERE
87260 Haute Vienne
1300 hab. ⓘ

DUPUYTREN ★
24, av. de la République. Mme Gibaut
☎ 55 00 60 26
🛏 7 ⬜ 170/195 F. 🍽 90/140 F. 🍴 42 F.
🛏 210/240 F.
✉ mars et lun. hs.
[icons] CB🆅🅢🅐 AE E

PIERREFITTE SUR LOIRE
03470 Allier
649 hab.

DU PORT ★★
Le Bassin. Mme Talon
☎ 70 47 00 68
🛏 10 ⬜ 110/250 F. 🍽 60/120 F.
🍴 35 F. 🍽 190/220 F. 🛏 130/160 F.
[icons] CB🆅🅢🅐 E

PIERREFONDS
60350 Oise
1600 hab. ⓘ

DES ETRANGERS ★★
10, rue Beaudon. Mme Ducatillon
☎ 44 42 80 18\44 42 87 11
℻ 44 42 86 74
🛏 17 ⬜ 250/350 F. 🍽 85/170 F.
🍴 70 F. 🍽 355 F. 🛏 440 F.
[icons] CB🆅🅢🅐
AE ⓞ E

PIERREFONDS (CHELLES)
60350 Oise
270 hab.

LE RELAIS BRUNEHAUT
(A Chelles, rue de l'Eglise - à 4 Km).
Mme Fresnel
☎ 44 42 85 05 ⁣⁣℻ 44 42 83 30
🛏 5 ⬜ 190/300 F. 🍽 130/240 F.
🍴 60 F. 🍽 330/350 F. 🛏 250/290 F.
✉ 1er/12 août, lun. et mar. Rest.
lun./jeu. 1er déc./1er mai.
[icons] CB🆅🅢🅐 E

PIERREFONTAINE LES VARANS
25510 Doubs
700 m. • 1700 hab.

DU COMMERCE ★★
4, Grande Rue. M. Boiteux
☎ 81 56 10 50
🛏 10 ⬜ 100/250 F. 🍽 56/170 F.
🍴 40 F. 🍽 230/260 F. 🛏 200/230 F.
✉ 20 déc./20 janv., dim. soir et lun. hs.
[icons] CB🆅🅢🅐 E

PINEY
10220 Aube
1112 hab.

▲▲ LE TADORNE ★★
3, Place de la Halle. M. Carillon
☎ 25 46 30 35 📠 25 46 36 49
🛎 15 ☜ 150/275 F. 🍽 55/160 F.
🍴 38 F. 🍽 190/320 F. 🛏 180/260 F.
⊠ 1er/15 fév. et dim. soir 15 oct./1er avr.
🄴 🄳 📱 ☎ 🚗 ⊠ 🛏 🦆 🖐 CV 🎱 ☞
CB🆅🅸🆂🅰 E C ▨

PIOLENC
84420 Vaucluse
3259 hab.

▲▲ AUBERGE DE L'ORANGERIE
4, rue de l'Ormeau. Mme Delarocque
☎ 90 29 59 88 📠 90 29 67 74
🛎 5 ☜ 180/380 F. 🍽 85/200 F. 🍴 45 F.
🍽 300/400 F. 🛏 215/315 F.
🄴 🄳 🆂🅿 📱 ☎ 🚗 ☎ 🛏 🎱 ☞ CB🆅🅸🆂🅰
🅰🅴 E

▲▲ AUBERGE DU BORI
(Quartier Valbonnette). Mme Berluti
☎ 90 37 00 36 📠 90 37 10 37
🛎 9 ☜ 300/330 F. 🍽 98/175 F. 🍴 40 F.
🍽 380/395 F. 🛏 275/290 F.
⊠ fév., mer. et mar. soir hs.
🄴 📱 ☎ 🛏 🦆 🖐 🛏 🎱 ☞ CB🆅🅸🆂🅰 E

PIRIAC SUR MER
44420 Loire Atlantique
1150 hab. 🅸

▲▲ DE LA POSTE ★★
25, rue de la Plage. Mme Daniel
☎ 40 23 50 90
🛎 15 ☜ 210/300 F. 🍽 98/150 F.
🍴 45 F. 🍽 315/350 F. 🛏 230/260 F.
⊠ fin oct./début avr. et Rest. lundi sauf
15 juin/15 sept.
🄴 📱 ☎ 🛏 CV ☞ CB🆅🅸🆂🅰 E

PITHIVIERS
45300 Loiret
10000 hab. 🅸

▲▲▲ LA CHAUMIERE ★★
77, av. de la République.
Mme Chaboudez
☎ 38 30 03 61 📠 38 30 72 65
🛎 8 ☜ 145/255 F. 🍽 75/140 F. 🍴 55 F.
🍽 320 F. 🛏 280 F.
⊠ sam. hs.
🄴 🄳 📱 ☎ 🚗 CV 🎱 ☞ CB🆅🅸🆂🅰 🅰🅴 E

▲▲ RELAIS SAINT GEORGES ★★
Av. du 8 Mai. M. Levassort
☎ 38 30 40 25 📠 783 773 📠 38 30 09 05
🛎 42 ☜ 260/340 F. 🍽 90/120 F.
🍴 45 F. 🍽 232/272 F.
⊠ Rest. dim.
🄴 📱 ☎ 🚗 🛏 🦆 🎱 ☞ CB🆅🅸🆂🅰 🅰🅴 ⓞ
E ▨

PLAILLY
60128 Oise
1541 hab.

▲▲ AUBERGE DU PETIT CHEVAL D'OR ★★
Rue de Paris. Mme Duval
☎ 44 54 36 33 📠 44 54 38 02

🛎 28 ☜ 180/550 F. 🍽 105/145 F.
🍴 65 F. 🍽 320/480 F. 🛏 240/380 F.
🄴 🄳 📱 ☎ 🛏 🦆 ☎ 🦆 CV 🎱 ☞ CB🆅🅸🆂🅰
🅰🅴 ⓞ E

PLAISANCE
12550 Aveyron
300 hab.

▲▲▲ LES MAGNOLIAS ★★
M. Roussel ☎ 65 99 77 34 📠 65 99 70 57
🛎 6 ☜ 190/300 F. 🍽 68/300 F. 🍴 68 F.
🍽 275/345 F. 🛏 200/270 F.
⊠ 15 nov./1er avr.
🄴 🆂🅿 📱 ☎ 🚗 🛏 🎱 ☞ E

PLAISIA
39270 Jura
100 hab.

▲▲▲ LE VIEUX PRESSOIR ★★
M. Noël ☎ 84 25 41 89
🛎 7 ☜ 200/260 F. 🍽 80/260 F. 🍴 40 F.
🍽 270/300 F. 🛏 220/250 F.
⊠ fév., dim. soir et lun. hs.
🄴 🄳 📱 ☎ 🛏 🦆 CV ☞ CB🆅🅸🆂🅰 ⓞ E

PLAN D'AUPS SAINTE BAUME
83640 Var
700 m. • 400 hab. 🅸

▲▲▲ LOU PEBRE D'AI ★★
Sur D. 80. M. Carteri
☎ 42 04 50 42 📠 42 62 55 52
🛎 12 ☜ 250/380 F. 🍽 105/210 F.
🍴 50 F. 🍽 335/420 F. 🛏 265/340 F.
⊠ 2 janv./15 fév., dim. soir et lun. hs.
📱 ☎ 🚗 🛏 🦆 🦆 ⚙ 🦆 CV ☞ CB🆅🅸🆂🅰
🅰🅴 ⓞ E

PLAN DU VAR
06670 Alpes Maritimes
200 hab.

▲▲ CASSINI ★★
Sur N. 202. M. Martin
☎ 93 08 91 03 📠 93 08 45 48
🛎 20 ☜ 160/280 F. 🍽 120/200 F.
🍴 55 F. 🍽 270/340 F. 🛏 190/250 F.
⊠ 15 jours janv., 15 jours juin, dim. soir
et lun. sauf juil/août.
🄴 🄳 🅸 📱 ☎ 🚗 CV 🎱 ☞ CB🆅🅸🆂🅰 🅰🅴 E

PLANCHEZ
58230 Nièvre
630 m. • 450 hab.

▲▲ LE RELAIS DES LACS ★★
M. Dumarais ☎ 86 78 41 68 📠 86 78 44 11
🛎 32 ☜ 210/300 F. 🍽 92/265 F.
🍴 42 F. 🍽 240/280 F. 🛏 200/240 F.
⊠ 15 nov./15 déc., 5 janv./15 fév.
et lun. hs.
🄴 🅸 📱 ☎ 🦆 CV 🎱 ☞ CB🆅🅸🆂🅰 🅰🅴 ⓞ E

PLANCOET
22130 Côtes d'Armor
3000 hab. 🅸

▲▲▲ "CHEZ CROUZIL" HOTEL L'ECRIN ★★★
Les Quais. M. Crouzil
☎ 96 84 10 24 📠 96 84 01 93
🛎 7 ☜ 350/700 F. 🍽 110/450 F.
🍽 500/650 F. 🛏 400/550 F.
🄴 📱 ☎ 🖐 🚗 🦆🦆 🦆 🎱 ☞ CB🆅🅸🆂🅰 🅰🅴 ⓞ E

303

PLANQUES (LES)
12510 Aveyron
18 hab.
⚐ SEGONDS
Mme Segonds ☎ 65 69 34 37
🛏 2 ⬡ 100 F. 🍽 50/200 F. 🍴 40 F.
🏨 170 F. 🍽 140 F.
⌧ 1er/15 sept., dim. soir et lun. sauf fériés.
🚗

PLANTIERS (LES)
30122 Gard
230 hab.
⚐⚐ VALGRAND
Mme Lozin ☎ 66 83 92 51
🛏 8 ⬡ 230 F. 🍽 85/190 F. 🍴 45 F.
🏨 290 F. 🍽 235 F.
⌧ 10 nov./5 avr. et lun.
🄴 🄳 SP ☎ 🍴 CV 🐾 CB🆅🆂🅰 E

PLASCASSIER DE GRASSE
06130 Alpes Maritimes
1500 hab.
⚐⚐ LES MOULINIERS ★
Chemin de Masseboeuf. M. Claude
☎ 93 60 10 37
🛏 10 ⬡ 200/250 F. 🍽 65/150 F.
🏨 220/250 F. 🍽 180/210 F.
⌧ Rest. ven. soir hiver.
🄴 🄸 ☎ 🛏 🍴 🎿 CV 🐾 CB🆅🆂🅰 E

PLATEAU D'ASSY
74480 Haute Savoie
1000 m. • 1000 hab. ℹ
⚐⚐ LA REGENCE ★★
Place de la Poste. M. Marty
☎ 50 58 80 20 📠 50 93 80 00
🛏 25 ⬡ 230/250 F. 🍽 65/145 F.
🏨 45 F. 🍽 270 F. 🍽 230 F.
🄴 ☎ 🍴 🎿 🐾 CB🆅🆂🅰 🅰🅴 E

PLEAUX
15700 Cantal
620 m. • 2666 hab. ℹ
⚐ DU COMMERCE
Mme Chassan ☎ 71 40 41 11
🛏 9 ⬡ 160/200 F. 🍽 65/100 F. 🍴 45 F.
🏨 220/240 F. 🍽 180/200 F.
⌧ 20 déc./10 janv.
🄳 CV CB🆅🆂🅰 🅰🅴 🅾 E

PLENEUF VAL ANDRE
22370 Côtes d'Armor
3600 hab. ℹ
⚐ DE FRANCE ET DU PETIT PRINCE ★
Face Eglise de Pleneuf. M. Pottier
☎ 96 72 22 52 📠 96 72 91 67
🛏 44 ⬡ 157/295 F. 🍽 76/150 F.
🏨 39 F. 🍽 280 F. 🍽 223 F.
⌧ nov./avr., dim. soir et lun. hs.
🄴 SP 🄳 ☎ 🛏 🍴 🐾 CB🆅🆂🅰 E

PLESSIS BELLEVILLE (LE)
60330 Oise
1700 hab.
⚐ LE RALLYE ★
6, av. de la Gare. Mme Lesniewski
☎ 44 60 50 29 📠 44 60 88 23
🛏 18 ⬡ 150/200 F. 🍽 70/200 F.
🏨 40 F. 🍽 236/266 F. 🍽 175/205 F.

⌧ Rest. sam.
🄴 ☎ 🛏 🐾 CB🆅🆂🅰 E

PLEUDIHEN SUR RANCE
22690 Côtes d'Armor
2500 hab.
⚐ LA BROCHETTERIE ★★
Place du Bourg. M. Rouaux ☎ 96 83 31 10
🛏 8 ⬡ 200 F. 🍽 69 F. 🍴 35 F.
🍽 220 F.
⌧ vac. Toussaint et mer.
🄴 🄳 ☎ 🖊 🐾 CB🆅🆂🅰 🅰🅴 E

PLEURS
51230 Marne
700 hab.
⚐⚐ DE LA PAIX ★★
4, rue Général Leclerc. M. Champy
☎ 26 80 10 14
🛏 7 ⬡ 180 F. 🍽 60 F. 🍴 50 F.
⌧ 19 fév./3 mars, 18 juil./8 août, dim.
soir et lun.
🄴 🄳 ☎ 🛏 🎿 🐾 CB🆅🆂🅰 E
⚐ DU CHEVAL GRIS
M. Laureaut ☎ 26 80 10 20
🛏 12 ⬡ 110/150 F. 🍽 50/190 F.
🍴 45 F. 🏨 174/235 F. 🍽 131/191 F.
⌧ 5 janv./5 fév., dim. et soirs fêtes.
🛏 🎿 🚼 🐾 CB🆅🆂🅰 E

PLEYBEN
29190 Finistère
3897 hab. ℹ
⚐ AUBERGE DU POISSON BLANC
(A Pont Coblant). M. Le Roux
☎ 98 73 34 76
🛏 6 ⬡ 220/350 F. 🍽 68/250 F. 🍴 43 F.
🏨 245/275 F. 🍽 205/225 F.
⌧ lun. sauf juil./août.
🄴 SP 🄳 🍴 CV 🚼 CB🆅🆂🅰 E

PLOERMEL
56800 Morbihan
7258 hab. ℹ
⚐ DU COMMERCE ★★
70, rue de la Gare. Mme Meslet
☎ 97 74 05 32 📠 97 74 36 41
🛏 19 ⬡ 140/250 F. 🍽 68/170 F.
🍴 40 F. 🏨 224/277 F. 🍽 160/212 F.
⌧ 15 déc./15 janv.
🄴 🄳 ☎ 🛏 🎿 CV 🐾 CB🆅🆂🅰 E 🏕
⚐⚐⚐ LE COBH Rest. CRUAUD ★★★
10, rue des Forges. M. Me Cruaud
☎ 97 74 00 49
🛏 13 ⬡ 150/385 F. 🍽 58/220 F.
🍴 50 F. 🏨 260/320 F. 🍽 200/240 F.
🄴 🄳 SP 🄳 ☎ 🛏 🛏 🍴 🎿 🐃 CV 🚼
🐾 CB🆅🆂🅰 E 🏕

PLOGOFF (POINTE DU RAZ)
29770 Finistère
2300 hab.
⚐⚐ DE LA BAIE DES TREPASSES ★★
M. Brehonnet
☎ 98 70 61 34 📠 98 70 35 20
🛏 27 ⬡ 158/340 F. 🍽 94/275 F.
🍴 56 F. 🏨 347/449 F. 🍽 257/355 F.
⌧ 5 janv./14 fév.
🄴 ☎ 🛏 🍴 🚼 🐾 CB🆅🆂🅰 E

PLOGONNEC
29136 Finistère
3100 hab. 🛈

▲ LE RELAIS DU NEVET ★
2, rue de la Mairie. M. Coadou
☎ 98 91 72 36
🛌 10 🛏 160/220 F. 🍴 55/170 F.
🍴 40 F. 🍽 220/250 F. 🍽 190/220 F.
✉ 2/30 nov. et sam. hs.
🄴 📶 CV 📶 CB📶 E

PLOMBIERES LES BAINS
88370 Vosges
2300 hab. 🛈

▲▲ DES ABBESSES ★★
6, place de l'Eglise. M. Chicheportiche
☎ 29 66 00 40 📠 29 30 04 22
🛌 33 🛏 150/230 F. 🍴 68/180 F.
🍴 50 F. 🍽 230/290 F. 🍽 190/250 F.
✉ 3 oct./20 avr.
🄴 📶 CV 📶 CB📶 E

▲▲ DU COMMERCE ★★
16, rue de l'Hôtel de Ville. M. Daval
☎ 29 66 00 47 📠 960573 COM.
🛌 30 🛏 120/195 F. 🍴 82/160 F.
🍴 47 F. 🍽 220/250 F. 🍽 160/190 F.
✉ 1er oct./30 avr.
🄴 📶 CB📶

▲▲ HOSTELLERIE LES ROSIERS ★★
38 av. du Val d'Ajol. Mme Bonnard
☎ 29 66 02 66
🛌 20 🛏 147/240 F. 🍴 95/170 F.
🍴 48 F. 🍽 255/315 F. 🍽 163/231 F.
✉ 15 déc./15 fév. et lun. hs.
🄴 📶 CV 📶 CB📶
📶 E

▲▲ LE STRASBOURGEOIS ★
Place Beaumarchais. M. Robert
☎ 29 66 01 73 📠 29 66 01 06
🛌 9 🛏 120/195 F. 🍴 75/140 F. 🍴 60 F.
🍽 200/260 F. 🍽 160/220 F.
✉ nov., sam. soir et dim.
1er oct./1er avr.
📶 CV 📶 CB📶 AE E

▲▲ MODERN HOTEL ★★★
Rue Théophile Gautier. Mme Durupt
☎ 29 66 04 02 📠 29 66 09 92
🛌 26 🛏 140/240 F. 🍴 90/180 F.
🍴 50 F. 🍽 230/320 F. 🍽 190/280 F.
✉ 16 oct./14 avr. sauf réserv. et vac.
scol.
🄴 📶 CV 📶 CB📶
📶 E

PLOMEUR
29120 Finistère
3000 hab. 🛈

▲▲ RELAIS BIGOUDEN ET LA FERME DU
RELAIS BIGOUDEN ★★
Rue Pen Allée. M. Cariou
☎ 98 82 04 79 📠 98 82 09 62
🛌 28 🛏 220/290 F. 🍴 68/220 F.
🍴 47 F. 🍽 290/340 F. 🍽 255/305 F.
✉ janv. et dim. soir hs.
🄴 📶 CV 📶 CB📶 E

PLONEOUR LANVERN
29720 Finistère
4800 hab. 🛈

▲▲ DE LA MAIRIE ★★
3, rue Jules Ferry. M. Dilosquer
☎ 98 87 61 34 📠 98 87 77 04
🛌 18 🛏 160/290 F. 🍴 65/250 F.
🍴 52 F. 🍽 270/320 F. 🍽 220/285 F.
✉ 20/31 déc. et 1er/20 janv.
🄴 📶 CV 📶 CB📶 E

▲▲ DES VOYAGEURS ★★
(Derrière l'église) M. Legrand
☎ 98 87 61 35 📠 98 82 62 82
🛌 12 🛏 205/295 F. 🍴 89/320 F.
🍴 50 F. 🍽 250/325 F. 🍽 220/285 F.
✉ nov. ven. soir et sam. midi
15 sept./15 mai.
🄴 📶 CV 📶 CB📶
AE 📶 E

PLOUDALMEZEAU
29830 Finistère
4874 hab. 🛈

▲ DES VOYAGEURS ★
1, rue Henri Provostic. M. Marzin
☎ 98 48 10 13 📠 98 48 19 92
🛌 9 🛏 150/260 F. 🍴 75/180 F. 🍴 50 F.
🍽 270/315 F. 🍽 195/240 F.
✉ 7/21 mars, 2/21 nov. et lun, dim. soir
sauf juil./août.
📶 CV 📶 CB📶 E 📶

PLOUESCAT
29430 Finistère
4000 hab. 🛈

▲▲ LA CARAVELLE ★★
20, rue du Calvaire. Mme Creach
☎ 98 69 61 75 📠 98 61 92 61
🛌 16 🛏 230/270 F. 🍴 65/250 F.
🍴 40 F. 🍽 275/310 F. 🍽 210/250 F.
✉ Rest. lun. sauf 1er juil./15 sept.
🄴 📶 CV 📶
CB📶 AE 📶 E C 📶

PLOUHA
22580 Côtes d'Armor
4197 hab. 🛈

▲ LE RELAIS D'ARMOR ★★
Place de Bretagne. M. Cals
☎ 96 22 44 88
🛌 15 🛏 200/400 F. 🍴 90/220 F.
🍴 40 F. 🍽 285/315 F. 🍽 210/240 F.
✉ dim. soir et lun. 1er oct./1er avr.
🄴 📶 CV 📶 CB📶 E 📶

PLOUHARNEL
56340 Morbihan
1500 hab. 🛈

▲▲ CHEZ MICHEL ★★
1, av. de l'Océan. M. Pierre
☎ 97 52 31 05 📠 97 52 30 73
🛌 23 🛏 160/320 F. 🍴 75/150 F.
🍴 42 F. 🍽 310/390 F. 🍽 210/290 F.
✉ 1er janv./23 mars, 14 nov./31 déc. et
mer. sept./juin.
🄴 📶 CV 📶 CB📶 E

PLOUHINEC
29780 Finistère
6000 hab. [i]

AA TY-FRAPP ★★
32, rue de Rozavot. M. Urvois
☎ 98 70 89 90 [FAX] 98 70 81 04
[🛏] 16 [⊗] 240/260 F. [🍴] 110/220 F.
[🍴] 50 F. [🏠] 350 F. [🛎] 280/300 F.
[⊠] 21 déc./1er fév., dim. soir et lun.
[E] [📷] [☎] [🚗] [CV] [⋈] [✦] CB[VISA] E [▣]

PLOUHINEC
56680 Morbihan
3000 hab.

A DE KERLON ★★
M. Coeffic ☎ 97 36 77 03
[🛏] 16 [⊗] 160/300 F. [🍴] 80/160 F.
[🍴] 60 F. [🛎] 210/290 F.
[⊠] début nov./15 mars.
[E] [D] [☎] [🚗] [T] [CV] CB[VISA] [AE] [⊙] E

PLOUIDER
29260 Finistère
1800 hab.

AAA DE LA BUTTE ★★★
M. Becam ☎ 98 25 40 54 [FAX] 98 25 44 17
[🛏] 25 [⊗] 290/380 F. [🍴] 88/265 F.
[🍴] 45 F. [🍴] 380/410 F. [🛎] 300/330 F.
[⊠] dim. soir sept./Pâques.
[E] [SPI] [📷] [⊙] [☎] [🚗] [▣] [⋈] [T] [♿] [CV]
[⋈] [✦] CB[VISA] [AE] [⊙] E [▣]

PLOUIGNEAU
29234 Finistère
4200 hab.

AA AN TY KORN
M. Jacq ☎ 98 67 72 72
[🛏] 7 [⊗] 160/220 F. [🍴] 70/300 F. [🍴] 60 F.
[🍴] 260/300 F. [🛎] 230 F.
[⊠] 20 sept./10 oct., dim. soir et lun. sauf
juil./août.
[E] [🚗] [T] [⋈] [✦] CB[VISA] [AE] [⊙] E

PLUVIGNER
56330 Morbihan
4727 hab.

A LA CROIX BLANCHE ★
14, rue Saint-Michel. Mme Dréan
☎ 97 24 71 03
[🛏] 8 [⊗] 150/280 F. [🍴] 82/145 F. [🍴] 60 F.
[🍴] 200/300 F. [🛎] 180/250 F.
[⊠] lun.
[E] [D] [📷] [☎] [🚗] [T] [CV] [⋈] [✦] CB[VISA] E

POCE SUR CISSE
37530 Indre et Loire
1493 hab.

A LA RAMBERGE ★★
9, route de Saint-Ouen. M. Clin
☎ 47 57 27 58 [FAX] 47 30 49 25
[🛏] 16 [⊗] 160/250 F. [🍴] 75/240 F.
[🍴] 42 F. [🍴] 210/265 F. [🛎] 155/200 F.
[⊠] 15 janv./15 fév. et mer.
[E] [📷] [🚗] [⋈] [✦] CB[VISA] [AE] [⊙] E

POIRE SUR VIE (LE)
85170 Vendée
4960 hab. [i]

AA DU CENTRE ★★
Place du Marché. Mme Buton
☎ 51 31 81 20 [FAX] 51 31 88 21
[🛏] 32 [⊗] 150/320 F. [🍴] 48/320 F.
[🍴] 50 F. [🍴] 260/410 F. [🛎] 218/349 F.
[⊠] 24 déc./2 janv., ven. soir et dim. soir hs.
[E] [📷] [☎] [T] [⋈] [♿] [CV] [⋈] [✦] CB[VISA]
[AE] E [▣]

POITIERS
86000 Vienne
110000 hab. [i]

A DE PARIS ★
123, bld du Grand Cerf. Mme Bussonnet
☎ 49 58 39 37
[🛏] 10 [⊗] 120/165 F. [🍴] 68/155 F.
[🍴] 48 F. [🍴] 230/250 F. [🛎] 165/185 F.
[⊠] lun.
[E] [📷] [CV] CB[VISA] [AE] [⊙] E

POLIGNY
39800 Jura
5000 hab. [i]

AAA DE PARIS ★★
7, rue Travot. M. Bietry ☎ 84 37 13 87
[🛏] 25 [⊗] 160/310 F. [🍴] 80/160 F.
[🍴] 55 F. [🍴] 320/340 F. [🛎] 270/290 F.
[⊠] 2 nov./1er fév., rest. lun. et mar.
midi hs.
[E] [D] [📷] [☎] [🚗] [⋈] [♿] [CV] [✦] CB[VISA] E

AAA DOMAINE VALLEE HEUREUSE ★★★
Route de Genève. M. Me Lombard
☎ 84 37 12 13 [FAX] 84 37 08 75
[🛏] 9 [⊗] 350/550 F. [🍴] 135/420 F.
[🍴] 90 F. [🛎] 480/550 F.
[⊠] mer., rest. jeu. midi sauf vac. scol.
[E] [D] [SPI] [📷] [⊙] [☎] [🚗] [▣] [⋈] [♣] [CV]
[⋈] [✦] CB[VISA] [AE] E

A LES CHARMILLES ★
14, av. de la Gare (Route de Dôle).
Mme Picaud ☎ 84 37 24 51 \ 84 37 33 66
[🛏] 12 [⊗] 210/260 F. [🍴] 80/150 F.
[🍴] 48 F. [🍴] 285/310 F. [🛎] 210/225 F.
[⊠] 20 déc./20 janv.
[E] [D] [📷] [☎] [🚗] [T] [♿] [CV] [✦] CB[VISA] E [▣]

POLLIAT
01310 Ain
2000 hab.

A DE LA PLACE ★★
M. Tejerina ☎ 74 30 40 19
[🛏] 8 [⊗] 123/270 F. [🍴] 82/220 F. [🍴] 50 F.
[🍴] 300/340 F. [🛎] 240/270 F.
[⊠] 15/18 juil., 26 sept./10 oct., 2/9 janv.
et dim. soir. Rest. dim. soir et lun.
[E] [📷] [🚗] [🚗] [⋈] [CV] [✦] CB[VISA] E

POLMINHAC
15800 Cantal
650 m. • 1175 hab. [i]

AA AU BON ACCUEIL ★★
9, allée des Monts d'Auvergne.
Mme Courbeyrotte
☎ 71 47 40 21
[🛏] 20 [⊗] 155/250 F. [🍴] 52/120 F.
[🍴] 35 F. [🍴] 225/250 F. [🛎] 195/220 F.
[⊠] 15 oct./1er déc. et dim.
après-midi/lun. midi sauf vac. scol.
[📷] [☎] [🚗] [⋈] [T] [♿] [♣] [CV] [⋈] CB[VISA] E

POLMINHAC (suite)

⚑ LES PLANOTTES ★
Cabanes. M. Chardonnal
☎ 71 47 44 88
🛏 10 🍽 150 F. ⏸ 60/150 F. 🍴 35 F.
🏠 210 F. 🍴 175 F.
⊠ déc./25 janv.
🅴 🗋 ☎ 🚗 🏊 🐎 ☘ ♿ CV ⬛ ➤
CB🆅🆂 ⓞ E 📷

POMMIERS LA PLACETTE
38340 Isère
600 m. • 500 hab.

⚑⚑ DU COL ★★
Col de la Placette. M. Fagot
☎ 76 56 30 42
🛏 15 🍽 180/250 F. ⏸ 60/150 F.
🍴 40 F. 🏠 250/300 F. 🍴 180/230 F.
⊠ 25 oct./8 nov., dim. soir et lun. sauf
juil./août.
🅴 🆂🅿 🗋 ☎ 🚗 ⚡ CV ⬛ ➤ CB🆅🆂 🆎
ⓞ E

POMPADOUR
19230 Corrèze
1500 hab. ⓘ

⚑⚑ AUBERGE DE LA MANDRIE ★★
Route de Périgueux (5 Km). M. Millot
☎ 55 73 37 14 📠 55 73 67 13
🛏 22 🍽 210/228 F. ⏸ 72/216 F.
🍴 42 F. 🏠 215/255 F. 🍴 185/225 F.
⊠ 14/27 nov.
🅴 🗋 ☎ 🚗 🚲 ⊙ 🐎 ♿ CV ⬛ ➤
CB🆅🆂 ⓞ E

⚑⚑ AUBERGE DE LA MARQUISE ★★
4, av. des Ecuyers. M. Leblond
☎ 55 73 33 98 📠 55 73 69 30
🛏 9 🍽 195/280 F. ⏸ 98/198 F. 🍴 55 F.
🍴 260/295 F.
🅴 🆂🅿 🗋 ☎ 🚗 🍴 🐎 CV ➤ CB🆅🆂 E

POMPADOUR (ARNAC)
19230 Corrèze
1500 hab. ⓘ

⚑⚑ DU PARC ★★
Place du Vieux Lavoir. M. Marko
☎ 55 73 30 54 📠 55 79 39 79
🛏 10 🍽 220/240 F. ⏸ 98/145 F.
🍴 45 F. 🏠 260/280 F. 🍴 210/230 F.
⊠ janv. sam. et dim. hs.
🅴 🗋 ☎ 🚗 🍴 ➕ ✳ ⊙ CV ➤ CB🆅🆂 🆎 E

PONS
17800 Charente Maritime
5364 hab.

⚑⚑ DE BORDEAUX ★★
1, av. Gambetta. M. Me Jaubert/Muller
☎ 46 91 31 12 📠 46 91 22 25
🛏 15 🍽 250 F. ⏸ 80/180 F. 🍴 50 F.
🏠 300 F. 🍴 220 F.
⊠ fév.
🅴 🗋 🅳 🆂🅿 🗋 ☎ 🚗 🍴 ♿ ➤ CB🆅🆂 E 📷

PONT AUDEMER
27500 Eure
10156 hab. ⓘ

⚑ LE PILORI ★
38, place Victor Hugo. Mme Terrasson

☎ 32 41 01 80
🛏 9 🍽 150/280 F. ⏸ 80/150 F. 🍴 65 F.
🏠 270 F. 🍴 200 F.
⊠ déc., ven. soir et sam. midi.
CB🆅🆂 🆎 ⓞ E

PONT AVEN
29930 Finistère
3300 hab. ⓘ

⚑⚑⚑ LES AJONCS D'OR ★★
1, place de l'Hôtel de Ville. M. Breut
☎ 98 06 02 06 📠 98 06 18 91
🛏 24 🍽 240/315 F. ⏸ 105/395 F.
🍴 48 F. 🏠 370/410 F. 🍴 270/310 F.
⊠ mi-nov./mi-déc., 2ème quinzaine de
janv.
🅴 🆂🅿 🗋 ☎ 🐎 ⬛ ➤ CB🆅🆂 E

PONT D'AIN
01160 Ain
2000 hab. ⓘ

⚑⚑ DES ALLIES ★★
M. Vieudrin ☎ 74 39 00 09 📠 74 39 13 66
🛏 18 🍽 170/330 F. ⏸ 98/220 F.
⊠ 20 déc./20 janv., 30 mai/9 juin. Hôtel
dim. et lun. sauf juil./août. Rest. dim. soir
sauf juil/Août lun. midi-lun. soir.
🅴 🗋 ☎ 🚗 ✉ ⬛ ➤ CB🆅🆂 E 📷

PONT D'OUILLY
14690 Calvados
1100 hab. ⓘ

⚑⚑ AUBERGE SAINT-CHRISTOPHE ★★
M. Lecoeur ☎ 31 69 81 23 📠 31 69 26 58
🛏 7 🍽 250 F. ⏸ 90/240 F. 🍴 55 F.
🏠 360 F. 🍴 265 F.
⊠ 14 fév./11 mars, 17 oct./4 nov., dim.
soir et lun.
🅴 🗋 ☎ 🚗 🐎 ⬛ ➤ CB🆅🆂 🆎 E 📷

⚑ DU COMMERCE ★
M. Rivière ☎ 31 69 80 16 📠 31 69 78 08
🛏 16 🍽 160/250 F. ⏸ 60/170 F.
🍴 40 F. 🏠 230/250 F. 🍴 200/220 F.
⊠ 6 janv./6 fév., dim. soir et lun.
1er sept./30 juin.
🅴 🗋 ☎ 🚗 🍴 🐎 ⬛ ➤ CB🆅🆂 E

PONT DE CE
49130 Maine et Loire
11000 hab. ⓘ

⚑⚑ HOSTELLERIE LE BOSQUET ★
2, rue Maurice Berne. Sur N. 160.
M. Adam ☎ 41 57 72 42 📠 41 45 92 98
🛏 10 🍽 250/325 F. ⏸ 98/260 F.
🍴 75 F. 🍴 300/400 F.
⊠ 25 fév./11 mars, 14/28 août, dim. soir
et lun.
🅴 🗋 ☎ 🚗 🍴 ➤ CB🆅🆂 🆎 ⓞ E 📷

PONT DE CHERUY
38230 Isère
4000 hab.

⚜ BERGERON ★
3, rue Giffard. M. Hyvert
☎ 78 32 10 08 📠 78 32 11 70
🛏 16 🍽 120/225 F.
⊠ 2ème et 3ème semaine août, dim.
12h/20h.
☎ 🚗 🍴 ➤ CB🆅🆂

307

PONT DE CLAIX
38800 Isère
15000 hab.

⌂ LE VILLANCOURT ★★
98, cours Saint-André. M. Egea
☎ 76 98 18 54 ⩨ 76 98 05 24
🛏 33 ⬡ 210/280 F. 🍽 69/129 F.
🍴 50 F. 🛏 360 F. 🛏 300 F.
⊠ Rest. dim. et jours fériés.
🄴 🆂🅿 🛈 ⬚ 🕿 🛏 🛏 🕿 🕿 🆅 ▦
CB🆅🆂🅰 ⓔ E

PONT DE LABEAUME
07380 Ardèche
500 hab.

⌂ AUBERGE DE LA TRUITE
ENCHANTÉE ★
M. Gueugnaud
☎ 75 38 05 02
🛏 7 ⬡ 150/200 F. 🍽 85/210 F. 🍴 50 F.
🍽 450/500 F. 🛏 380 F.
⊠ 24 déc./10 janv., ven. soir et sam.
hiver.
🛏 🛏 🕿 CB🆅🆂🅰 ⓔ E

PONT DE MONTVERT
48220 Lozère
885 m. • 300 hab. 🛈

⌂ AUX SOURCES DU TARN ★
Pont de Montvert. M. Mazoyer
☎ 66 45 80 25 ╲ 66 45 82 13
🛏 19 ⬡ 220/320 F. 🍽 85/165 F.
🍴 45 F. 🍽 300/350 F. 🛏 215/245 F.
🄴 🕿 🛏 🕿 🌀 🆅 CB🆅🆂🅰 E

PONT DE POITTE
39130 Jura
600 hab.

⌂⌂ DE L'AIN ★★
M. Bailly
☎ 84 48 30 16
🛏 10 ⬡ 210/300 F. 🍽 100/300 F.
🛏 240/260 F.
⊠ janv., dim. soir et lun., lun.
seulement juil./août.
🄴 ⬚ 🕿 🛏 🛏 🕿 CB🆅🆂🅰 E

PONT DE SALARS
12290 Aveyron
686 m. • 1500 hab. 🛈

⌂ DES TILLEULS ★
35, av. de Rodez. M. Gombert
☎ 65 46 82 02
🛏 23 ⬡ 120/175 F. 🍽 58/ 85 F.
🍴 35 F. 🍽 160/195 F. 🛏 130/160 F.
⊠ 8 jours fin avr. et 8 jours fin sept.
🕿 🛏 🛏 🕿 CB🆅🆂🅰 E

⌂⌂ DES VOYAGEURS ★★
1, av. de Rodez. M. Guibert
☎ 65 46 82 08 ⩨ 65 46 89 99
🛏 30 ⬡ 125/310 F. 🍽 75/240 F.
🍴 55 F. 🛏 280/298 F. 🛏 215/250 F.
⊠ fév., dim. soir et lun. oct./mai.
🄴 🆂🅿 ⬚ 🕿 🛏 🛏 ⬚ 🕿 🛏 🆅 ▦ 🕿
CB🆅🆂🅰 🅰 E 🄲 ▦

PONT DE VAUX
01190 Ain
2165 hab. 🛈

⌂⌂ LE RAISIN ★★
2, place Michel Poisat. M. Chazot
☎ 85 30 30 97 ⩨ 85 30 67 89
🛏 8 ⬡ 230/300 F. 🍽 98/300 F. 🍴 68 F.
⊠ janv., dim. soir et lun. sauf fériés.
🄴 🆂🅿 ⬚ 🕿 🛏 🛏 🕿 CB🆅🆂🅰 🅰 ⓔ E

PONT DE VAUX (GORREVOD)
01190 Ain
500 hab.

⌂ DE LA REYSSOUZE ★★
(Les Quatre-Vents). M. Gaudet
☎ 85 30 32 13
🛏 10 ⬡ 140/225 F. 🍽 95/260 F.
🍴 65 F. 🛏 245 F. 🛏 190/210 F.
⊠ 26/29 déc., vac. scol. de fév.
(20 fév./8 mars environ) et ven. soir.
🄴 🕿 🛏 ⬚ 🕿 🕿 🛏 🆅 CB🆅🆂🅰 E

⌂ LES PLATANES ★★
(Les Quatre-Vents). M. Perron
☎ 85 30 32 84
🛏 7 ⬡ 160/220 F. 🍽 70/230 F. 🍴 50 F.
🍽 250/270 F. 🛏 200/220 F.
⊠ 15/30 nov., 20 fév./6 mars et jeu.
⬚ 🕿 🛏 🕿 🆅 CB🆅🆂🅰 🅰 E

PONT DU BOUCHET (LES
ANCIZES COMPS)
63770 Puy de Dôme
500 m. • 1998 hab. 🛈

⌂ BELLE VUE ★★
Plan d'eau Pont du Bouchet (Alt. 510 m.).
M. Chomilier
☎ 73 86 80 39
🛏 20 ⬡ 125/180 F. 🍽 65/160 F.
🍴 35 F. 🍽 180/200 F. 🛏 150/170 F.
⊠ nov./fév. et mer. hs.
🄴 🕿 🛏 🕿 🛏 🆅 🕿 CB🆅🆂🅰 E ▦

PONT DU BOUCHET (PRES
MIREMONT)
63380 Puy de Dôme
407 hab.

⌂⌂ LA CREMAILLERE ★★
M. Chefdeville
☎ 73 86 80 07
🛏 16 ⬡ 160/284 F. 🍽 70/200 F.
🍴 36 F. 🍽 230/263 F. 🛏 186/230 F.
⊠ 15 déc./15 janv., ven. soir et sam.
midi hs.
🄴 ⬚ 🕿 🛏 🕿 ▦ CB🆅🆂🅰 E

PONT DU NAVOY
39300 Jura
245 hab.

⌂⌂ DU CERF ᵉᶜ
M. Berbey
☎ 84 51 20 87 ⩨ 84 51 24 17
🛏 19 ⬡ 120/270 F. 🍽 80/240 F.
🍴 45 F. 🍽 237/305 F. 🛏 207/275 F.
⊠ 15 nov./15 fév.
⬚ ⬚ 🕿 🛏 🛏 🕿 🛏 🆅 ▦ 🕿 CB🆅🆂🅰 E

PONT EN ROYANS
38680 Isère
1038 hab. 🛈

▲ BEAU RIVAGE ★
Rue Gambetta. M. Simonnard
☎ 76 36 00 63
🛏 16 🔲 100/200 F. 🍽 79/200 F.
🍴 40 F. 🍽 150/215 F.
⌧ Rest. 15 déc./15 janv., Hôtel
1er nov./1er avr. et sam. 1er nov./1er avr.
📶 ☎ 🚗 🛠 ♿ 🐾 CB💳 E

PONT L'ABBE
29120 Finistère
8000 hab. 🛈

▲▲ DE BRETAGNE ★★
24, place de la République. Mme Cossec
☎ 98 87 17 22 ⓕ 98 82 39 31
🛏 18 🔲 230/360 F. 🍽 70/380 F.
🍴 60 F. 🍽 335/390 F. 🍽 275/330 F.
⌧ 15 janv./5 fév. et rest. lun. hs.
📶 🗄 ☎ 🚗 CV ♿ CB💳 AE E ▪

PONT LES MOULINS
25110 Doubs
170 hab.

▲▲ AUBERGE DES MOULINS ★★
M. Me Porru ☎ 81 84 09 99 ⓕ 81 84 04 44
🛏 10 🔲 280/320 F. 🍽 88/138 F.
🍴 40 F. 🍽 250/280 F.
⌧ 23 déc./10 janv. et sam. hiver.
📶 📦 🗄 ☎ 🚗 ♿ 🎿 ♿ CB💳 AE ▪

PONT REAN
35580 Ille et Vilaine
1500 hab.

▲▲ LE GRAND HOTEL ★★
84, rue de Redon. M. Guillet
☎ 99 42 21 72 ⓕ 99 42 28 17
🛏 18 🔲 230/350 F. 🍽 60/185 F.
🍴 40 F. 🍽 265/285 F. 🍽 205 F.
⌧ dim. soir.
📶 🗄 ☎ 🚗 🛠 🎿 ♿ CV 🔲 ♿
CB💳 E ▪

PONT SAINT ESPRIT
30130 Gard
8500 hab. 🛈

▲ DU PARC ★
Av. Gaston Doumergue. M. Senegas
☎ 66 39 09 96 ⓕ 66 90 71 98
🛏 19 🔲 150/250 F. 🍽 70/180 F.
🍴 38 F. 🍽 215/250 F. 🍽 180/220 F.
⌧ Rest. mer.
📶 📦 🗄 🗄 ☎ 🚗 🛠 🎿 CV ♿ CB💳
AE ⓞ E

PONT SAINT PIERRE
27360 Eure
980 hab.

▲▲▲ LA BONNE MARMITE ★★★
10, rue René Raban. M. Amiot
☎ 32 49 70 24 ⓕ 32 48 12 41
🛏 9 🔲 360/480 F. 🍽 140/310 F.
🍴 98 F. 🍽 425/495 F. 🍽 345/380 F.

⌧ 20 fév./10 mars, 25 juil./13 août, dim.
soir et lun.
📶 🗄 ☎ 🚗 🛠 🎿 🔲 ♿ CB💳 AE ⓞ E

PONT SCORFF
56620 Morbihan
2800 hab.

▲ DU FER A CHEVAL ★★
6, rue Général de Langle de Cary.
Mme Ruello ☎ 97 32 60 20
🛏 13 🔲 148/220 F. 🍽 50/140 F.
🍴 45 F. 🍽 240/270 F. 🍽 170/225 F.
⌧ dim. soir hs.
📶 🗄 ☎ 🚗 🖊 📠 🎿 🔲 ♿ CB💳 AE

PONT SUR YONNE
89140 Yonne
2800 hab. 🛈

▲▲ HOSTELLERIE DE L'ECU ★
3, rue Carnot. M. Vallier
☎ 86 67 01 00
🛏 8 🔲 100/200 F. 🍽 80/155 F. 🍴 55 F.
🍽 230/387 F. 🍽 160/252 F.
⌧ 25 janv./26 fév., lun. soir et mar.
📶 📦 SP 🛈 ☎ 🚗 🔲 ♿ CB💳 AE ⓞ E

PONTAUBERT
89200 Yonne
337 hab.

▲▲ AU SOLEIL D'OR ★★
46, route de Vèzelay. MM. Hochart
☎ 86 34 15 74 ⓕ 86 34 15 63
🛏 15 🔲 170/340 F. 🍽 70/230 F.
🍴 50 F. 🍽 360/380 F. 🍽 260/280 F.
🗄 ☎ 🚗 🎿 CV 🔲 ♿ CB💳 E

▲▲ LES FLEURS ★★
M. Gauthier
☎ 86 34 13 81 ⓕ 86 34 23 32
🛏 7 🔲 240/350 F. 🍽 88/250 F.
🍽 360 F. 🍽 270 F.
⌧ déc./15 janv. environ, mer. et jeu.
midi hs.
📶 🗄 ☎ 🚗 🛠 ♿ CB💳 E

PONTAUMUR
63380 Puy de Dôme
980 hab. 🛈

▲▲ DE LA POSTE ★★
Av. du Marronnier. M. Quinty
☎ 73 79 90 15 ⓕ 73 79 73 17
🛏 15 🔲 185/260 F. 🍽 85/230 F.
🍴 55 F. 🍽 240/260 F. 🍽 185/210 F.
⌧ 15 déc./1er fév., dim. soir et lun. sauf
juil./août.
📶 🗄 ☎ 🚗 CV 🔲 ♿ CB💳 E

PONTCHATEAU
44160 Loire Atlantique
7304 hab. 🛈

▲▲ AUBERGE DU CALVAIRE ★★
Sur D. 33 - Lieu-dit le Calvaire.
Mme Couvrand
☎ 40 01 61 65 ⓕ 40 01 64 68
🛏 10 🔲 180/250 F. 🍽 60/150 F.
🍴 50 F. 🍽 210/260 F.
📶 🗄 ☎ 🚗 🚗 🖊 🎿 CV ♿ CB💳 AE
ⓞ E ▪

PONTCHATEAU (suite)

⌂ LE RELAIS DE BEAULIEU
(A Beaulieu). Mme Praud
☎ 40 01 60 58 ⊠ 40 45 60 82
📖 7 ◈ 210/270 F. ⬛ 68/155 F. 🍴 42 F.
⊠ sam. soir et dim. soir hs.
🅴 🅸 🖼 🍽 CV 🕴 CB〽️ AE ⓪ E

PONTEMPEYRAT
43500 Haute Loire
750 m. • 60 hab.

⌂⌂⌂ MISTOU ★★★
M. Roux
☎ 77 50 62 46 ⊠ 77 50 66 70
📖 24 ◈ 280/460 F. ⬛ 110/270 F.
🍴 75 F. 🛏 280/440 F.
⊠ 1er nov./Pâques, Rest. midi sauf
week-ends, jours fériés, juil./août.
🅴 SP 🖼 🖼 🖼 🍽 🕴 CB〽️ E ▣

PONTEVES
83670 Var
451 hab.

⌂⌂ LE ROUGE GORGE ★★
(Les Costes). Mme Roux
☎ 94 77 03 97
📖 10 ◈ 235/305 F. ⬛ 90/190 F.
🍴 55 F. ⬛ 317/352 F. 🛏 232/267 F.
⊠ 1er fév./15 mars, dim. soir et lun. hs.
🅴 🅸 🖼 🖼 🍽 🕴 CB〽️ E

PONTGIBAUD
63230 Puy de Dôme
675 m. • 1000 hab. 🅸

⌂ DE LA POSTE ★
Place de la République. M. Andant
☎ 73 88 70 02
📖 10 ◈ 160/200 F. ⬛ 70/185 F.
🍴 40 F. ⬛ 240/270 F. 🛏 180/200 F.
⊠ 1ère quinzaine oct., janv., dim. soir
et lun. sauf juil./août.
🅴 SP 🖼 🖼 🍽 CB〽️ AE E

PONTIVY
56300 Morbihan
15000 hab. 🅸

⌂⌂ LE VILLENEUVE ★★
(à 5km, route de Vannes. D. 767).
Mme Duclos
☎ 97 39 83 10
📖 10 ◈ 180/250 F. ⬛ 65/175 F.
🛏 210/230 F.
⊠ 1 semaine fév. et sam. hs.
🅴 🅳 SP 🖼 🖼 🖼 🍽 🛏 🍴 CV
🕴 CB〽️ AE ⓪ E

PONTLEVOY
41400 Loir et Cher
1700 hab. 🅸

⌂⌂ DE L'ECOLE ★★
12, route de Montrichard. M. Preteseille
☎ 54 32 50 30 ⊠ 54 32 33 58
📖 11 ◈ 250/400 F. ⬛ 98/260 F.
🍴 60 F. 🛏 290/310 F.
⊠ fév. et mar. sauf juil./août.
🖼 🖼 🖼 🍽 🕴 CB〽️ E

PONTORSON
50170 Manche
5377 hab. 🅸

⌂⌂ DE LA TOUR BRETTE ★
8, rue Couesnon. Mme Fraysse
☎ 33 60 10 69
📖 10 ◈ 170/220 F. ⬛ 56/125 F.
🍴 37 F. 🛏 190/210 F.
⊠ 15/30 nov. et mer. hs.
🅴 🖼 🖼 🛏 🍽 CB〽️ E ▣

⌂⌂ LE BRETAGNE ★★
59, rue Couesnon. Mme Carnet
☎ 33 60 10 55
📖 11 ◈ 250/380 F. ⬛ 70/240 F.
🍴 38 F. 🛏 300/325 F.
⊠ fév., dim. soir et lun.
🅴 🖼 🖼 🍽 🖼 🍽 CB〽️ E ▣

☀ LE VAUBAN ★★
Bld Clemenceau. M. Guesdon
☎ 33 60 03 84
📖 15 ◈ 180/330 F.
⊠ 5/20 oct.
🅴 🖼 🖼 🖼 🍽 🕙 🛏 CB〽️ E

⌂⌂⌂ MONTGOMERY ★★★
13, rue Couesnon. M. Le Bellegard
☎ 33 60 00 09 ⅨⅩ 171332 ⊠ 33 60 37 66
📖 32 ◈ 290/460 F. ⬛ 122/194 F.
🍴 64 F. 🛏 316/401 F.
⊠ début nov./fin mars sauf vac. scol.
Noël, lun. avr. et oct.
🅴 🅳 🖼 🖼 🖼 🍽 🛏 CV 🕴 🍽 CB〽️
AE ⓪ E

PONTORSON (BREE EN TANIS)
50170 Manche
250 hab.

⌂⌂ LE SILLON DE BRETAGNE ★★
Mme Xerri
☎ 33 60 13 04 ⊠ 33 70 91 75
📖 9 ◈ 220/240 F. ⬛ 70/240 F. 🍴 39 F.
⬛ 285/295 F. 🛏 215/225 F.
⊠ 15/30 nov., mer. après-midi et jeu.
🅴 🅸 🖼 🖼 🖼 🖼 🍽 🍴 CV 🕴 🍽
CB〽️ AE ⓪ E C ▣

PORCELETTE
57890 Moselle
2200 hab.

⌂⌂ AU RELAIS D'ALSACE ★
2, rue de Saint-Avold. Mme Cordier
☎ 87 93 02 68
📖 10 ◈ 150/200 F. ⬛ 50/150 F.
🍴 50 F. ⬛ 170/235 F. 🛏 145/210 F.
⊠ 6 août/2 sept., 24 déc./6 janv. et lun.
🅴 🅳 🖼 🖼 🖼 🍽 CB〽️ E

PORNIC
44210 Loire Atlantique
9908 hab. 🅸

⌂⌂ LES SABLONS ★★
13, rue des Sablons. Ste Marie-sur-Mer.
M. Noblet
☎ 40 82 09 14 ⊠ 40 82 04 26
📖 30 ◈ 280/510 F. ⬛ 110/265 F.
🍴 53 F. ⬛ 410/460 F. 🛏 330/360 F.
⊠ Rest. dim. soir et lun. hs.
🅴 🖼 🖼 🖼 🍽 🍴 🛏 CV 🕴 CB〽️ E

PORNICHET
44380 Loire Atlantique
8133 hab. ℹ️

ΔΔ DE FRANCE ★★
Place de la Gare. Mme Cavalie
☎ 40 61 08 68
🛏 20 ⊗ 250/300 F. 🍽 70/ 90 F.
🍴 300/325 F. 📅 250/275 F.
✉ sept.
🅴 🅳 🆂🅿 ℹ️ 🎮 🛏 📺 🚻 CB🔲 AE ⓞ E 🅴

ΔΔ LE REGENT ★★
150, bld des Océanides. M. Mainguet
☎ 40 61 05 68 🅵🅰🅽 40 61 25 53
🛏 17 ⊗ 325/370 F. 🍽 85/160 F.
🍴 50 F. 🍴 365/390 F. 📅 275/295 F.
✉ 1er nov./31 janv.
🅴 🅳 🆂🅿 🎮 🛏 🚻 🛏 CV 🚻 🎮
CB🔲 AE 🅴 🅴

Δ LES OCEANIDES ★
4, bld des Océanides. Mme Vigneron
☎ 40 61 33 25 🅵🅰🅽 40 61 75 44
🛏 14 ⊗ 220/280 F. 🍽 80/160 F.
🍴 60 F. 🍴 310 F. 📅 260 F.
✉ 1er déc./mi-fév.
🅴 🆂🅿 🎮 🛏 CB🔲 E

PORS EVEN
22620 Côtes d'Armor
3507 hab.

Δ PENSION BOCHER ★★
44, rue Pierre Loti. Mme Le Roux
☎ 96 55 84 16
🛏 15 ⊗ 160/295 F. 🍽 110/230 F.
🍴 70 F. 🍴 345/415 F. 📅 245/312 F.
✉ 5 nov./Rameaux.
🅴 🅳 🎮 🛏 🚻 🛏 CV 🚻 CB🔲 E

PORT BLANC
22710 Côtes d'Armor
3000 hab. ℹ️

Δ DES ILES ★
19, rue Anatole Le Braz. M. Bourgne
☎ 96 92 66 49
🛏 21 ⊗ 190/260 F. 🍽 78/190 F.
🍴 48 F. 🍴 245/300 F. 📅 190/240 F.
✉ janv./fév. oct. à déc. sauf week-ends
et vac. scol.
🅴 🆂🅿 🛏 🚻 🛏 🎮 CB🔲

Δ GRAND HOTEL ★★
Bld de la Mer. Mme Monfrance
☎ 96 92 66 52
🛏 29 ⊗ 190/290 F. 🍽 73/200 F.
🍴 45 F. 🍴 295/315 F. 📅 220/240 F.
✉ 1er nov./15 fév.
🅴 🎮 🛏 🚻 🛏 🚻 CV 🎮 CB🔲 ⓞ E

PORT DE LANNE
40300 Landes
650 hab.

ΔΔΔ LA VIEILLE AUBERGE ★★★
Place de l'Eglise. M. Lataillade
☎ 58 89 16 29 🅵🅰🅽 58 89 12 89
🛏 8 ⊗ 200/400 F. 🍽 110/185 F.
🍴 50 F. 📅 280/400 F.
✉ oct./fin mai-début juin et lun. midi.
🅴 🅳 🆂🅿 🎮 🛏 🚻 🛏 🚻 🎮

PORT LA NOUVELLE
11210 Aude
5000 hab. ℹ️

ΔΔΔ MEDITERRANEE ★★★
Front de Mer, face plage. M. Castaing
☎ 68 48 03 08 🆇 500712 🅵🅰🅽 68 48 53 81
🛏 31 ⊗ 200/490 F. 🍽 65/190 F.
🍴 45 F. 🍴 260/390 F. 📅 250/350 F.
✉ 5 janv./5 fév.
🅴 🅳 🆂🅿 ℹ️ 🎮 🛏 🛏 🚻 🛏 CV
🚻 🎮 CB🔲 AE ⓞ E 🅲 🖼

PORT LOUIS
56290 Morbihan
2900 hab.

ΔΔ DU COMMERCE ★★
1, place du Marché. M. Boutbien
☎ 97 82 46 05 🅵🅰🅽 97 82 11 02
🛏 37 ⊗ 110/315 F. 🍽 60/235 F.
🍴 55 F. 🍴 230/335 F. 📅 200/295 F.
✉ 20 oct./15 nov., vac. scol. fév., lun.
oct./mai.
🅴 🅳 🎮 🛏 🚻 🛏 🚻 🎮 CB🔲 E
🅲 🖼

PORT MANECH EN NEVEZ
29920 Finistère
2800 hab. ℹ️

ΔΔ DU PORT ★★
Rue de l'Aven. M. Danielou
☎ 98 06 82 17
🛏 33 ⊗ 210/350 F. 🍽 90/200 F.
🍴 58 F. 🍴 260/360 F. 📅 210/310 F.
✉ fin sept./Pâques et rest. lun. midi.
🅴 🅳 🎮 🛏 🚻 CB🔲 E 🅲 🖼

PORT SUR SAONE
70170 Haute Saône
2650 hab. ℹ️

ΔΔ DES VOYAGEURS ★★
2, av. de la Gare. M. Bornier
☎ 84 91 52 30 🅵🅰🅽 84 91 55 91
🛏 14 ⊗ 180/240 F. 🍽 56/135 F.
🍴 35 F. 🍴 210 F. 📅 190 F.
✉ semaine Noël, rest. sam. soir et dim.
🅴 🎮 🛏 🛏 CV 🎮 CB🔲 E

PORTIRAGNES PLAGE (LA REDOUTE)
34420 Hérault
400 hab. ℹ️

ΔΔ LE MIRADOR ★★
4, bld Front de Mer. Mme Gil
☎ 67 90 91 33 🅵🅰🅽 67 90 88 80
🛏 17 ⊗ 190/370 F. 🍽 92/210 F.
🍴 45 F. 🍴 300/370 F. 📅 250/300 F.
✉ 1er oct./1er avr.
🅴 🅳 🎮 🛏 CV 🚻 🎮 CB🔲 E 🖼

PORTO OTA
20150 Corse
600 hab. ℹ️

ΔΔ CAPO D'ORTO ★★
M. Battini
☎ 95 26 11 14 🅵🅰🅽 95 26 13 49
🛏 30 ⊗ 270/360 F. 📅 270/340 F.
✉ 11 oct./5 avr.
🅴 ℹ️ 🎮 🛏 🛏 🛏 🎮 CB🔲 E

311

PORTO OTA (suite)

KALLISTE II ★★
(Porto-Marine). M. Coeroli
☎ 95 26 10 30 ⅢⅩ 95 26 12 75
🛏 35 ❀ 280/470 F. ⅢⅠ 80/120 F.
🍴 50 F. ⅢⅠ 350/405 F. 🍽 270/430 F.
⊠ 1er oct./30 mars.
🄴 🆂🄿 ⓘ ☎ 🚗 ♠ CB🆅🅸🆂🅰 AE ⊙ E

MOTEL LE LONCA ★★
M. Leca
☎ 95 26 16 44 ⅢⅩ 95 26 11 83
🛏 12 ❀ 180/350 F.
🄴 ⓘ ☎ 🚗 ⚡ ☒ 🍴 ♿ ♠ CB🆅🅸🆂🅰 E

PORTO VECCHIO
20137 Corse
10000 hab. ⓘ

DE LA RIVIERE ★★
(Quartier de Bala). M. Pasqualini
☎ 95 70 22 23 ⅢⅩ 95 70 56 13
🛏 25 ❀ 450/580 F. ⅢⅠ 150 F. 🍴 50 F.
🍽 375/440 F.
⊠ 15 oct./1er avr.
ⓘ ☎ 🚗 🍴 📺 ♨ 🎣 ⚡ CV ⚫ CB🆅🅸🆂🅰
AE ⊙ E

SAN GIOVANNI ★★
Route d'Arca. M. Vidoni
☎ 95 70 22 25 ⅢⅩ 95 70 20 11
🛏 26 ❀ 383/520 F. 🍽 339/499 F.
⊠ 31 oct./30 avr.
🄴 ⓘ ☎ 🚗 📺 ♨ ♧ ⚡ ♿
CB🆅🅸🆂🅰 AE ⊙ E

SANTA GIULIA ★★
Baie de Santa Giulia. M. Poletti
☎ 95 70 18 66
🛏 25 ❀ 150/450 F.
⊠ 25 oct./1er mai.
🄴 🄳 ⓘ ☎ CB🆅🅸🆂🅰 AE ⊙ E

POTIGNY
14420 Calvados
2155 hab.

LA TAVERNE ★★
57, rue Général Leclerc. Mme Marie
☎ 31 90 67 25 ＼ 31 40 75 47
ⅢⅩ 31 90 16 65
🛏 7 ❀ 195/245 F. ⅢⅠ 55/125 F. 🍴 45 F.
ⅢⅠ 220/270 F. 🍽 190/230 F.
⊠ dim. hs.
🄴 🄳 ☎ 🚗 CV ⚫ CB🆅🅸🆂🅰 E 📷

POUGUES LES EAUX
58320 Nièvre
2800 hab.

CENTRAL HOTEL ★
Route de Paris. Mme Beaufils
☎ 86 68 85 00
🛏 8 ❀ 150/240 F. ⅢⅠ 48/170 F. 🍴 45 F.
ⅢⅠ 290/330 F. 🍽 240/290 F.
⊠ 14 nov./15 déc., 7/27 janv. et mar.
🄴 🄳 ☎ ♿ ⚫ ♠ CB🆅🅸🆂🅰 E

POUILLY EN AUXOIS
21320 Côte d'Or
1500 hab. ⓘ

DE LA POSTE ★★
M. Bonnardot

☎ 80 90 86 44 ⅢⅩ 80 90 75 99
🛏 7 ❀ 250 F. ⅢⅠ 68/175 F. 🍴 48 F.
ⅢⅠ 290 F. 🍽 225 F.
⊠ dim. soir et lun. sauf juil./août.
🄴 🄳 ☎ ♠ CB🆅🅸🆂🅰 E

POUILLY SUR LOIRE
58150 Nièvre
1800 hab. ⓘ

LA BOUTEILLE D'OR ★★★
Mme Pivarec
☎ 86 39 13 84
🛏 21 ❀ 180/220 F. ⅢⅠ 90/270 F.
🍴 55 F. ⅢⅠ 280/320 F. 🍽 240/260 F.
⊠ 10 janv./20 fév., dim. soir et lun. sauf
juil./août.
☎ 🍴 ♠ CB🆅🅸🆂🅰 E

LE RELAIS FLEURI Rest. LE COQ HARDI ★★★
42, av. de la Tuilerie. Mme Astruc
☎ 86 39 12 99 ⅢⅩ 86 39 14 15
🛏 9 ❀ 200/290 F. ⅢⅠ 99/230 F. 🍴 40 F.
🍽 275/300 F.
⊠ 15 janv./15 fév., mer. soir et jeu.
oct./Pâques.
🄴 🄳 🆂🄿 🗄 ☎ 🚗 🍴 ♧ ♿ 🍴 ♠
CB🆅🅸🆂🅰 AE ⊙ E 📷

POULDREUZIC
29710 Finistère
2300 hab. ⓘ

KER ANSQUER ★★★
(A Lababan). Mme Ansquer
☎ 98 54 41 83
🛏 11 ❀ 330 F. ⅢⅠ 100/280 F. 🍴 60 F.
🍽 330 F.
⊠ 1er oct./1er avr. sauf Noël et Pâques.
🄴 🄳 🆂🄿 🗄 ☎ 🚗 📺 🍴 ♠ CB🆅🅸🆂🅰 E

POULDU (LE)
29360 Finistère
3330 hab. ⓘ

ARMEN ★★★
Route du Port. Mme Decaillet
☎ 98 39 90 44 ⅢⅩ 98 39 98 69
🛏 38 ❀ 260/460 F. ⅢⅠ 80/230 F.
🍴 52 F. ⅢⅠ 350/470 F. 🍽 310/420 F.
⊠ 28 sept./23 avr.
🄴 🄳 🗄 ☎ 🚗 🛏 📺 🍴 ♧ ♿ CV
♠ CB🆅🅸🆂🅰 AE ⊙ E

DES BAINS ★★
Place des Grands Sables. M. Plumer
☎ 98 39 90 11
🛏 49 ❀ 195/380 F. ⅢⅠ 95/250 F.
🍴 55 F. ⅢⅠ 290/380 F. 🍽 245/350 F.
⊠ 25 sept./mars.
🄴 ☎ 🛏 CV CB🆅🅸🆂🅰 AE E

POULIGUEN (LE)
44510 Loire Atlantique
5000 hab. ⓘ

BEAU-RIVAGE ★★
Sur la Plage, 11, rue Jules Benoist.
M. Maillard
☎ 40 42 31 61 ⅢⅩ 40 42 82 98
🛏 54 ❀ 330/350 F. ⅢⅠ 130/280 F.
🍴 80 F. ⅢⅠ 345/400 F. 🍽 325/400 F.
⊠ mi-oct./Pâques.
🄴 🄳 ☎ 🛏 ♨ ♿ CV ⚫ ♠ CB🆅🅸🆂🅰 E

POURVILLE SUR MER
76550 Seine Maritime
300 hab. 🛈

AUX PRODUITS DE LA MER ★
Rue du 19 Août. M. Lebon
☎ 35 84 38 34
🛏 8 ⊗ 190/260 F. 🍴 80/110 F. 🍷 60 F.
✉ nov., fév. mars sauf vac. scol. et week-ends, déc. et janv., mardi soir et mer.
🇫 CB VISA E

POUZAUGES
85700 Vendée
5473 hab. 🛈

AUBERGE DE LA BRUYERE ★★
Rue du Docteur Barbanneau. M. Bordron
☎ 51 91 93 46 FAX 701804 51 57 08 18
🛏 27 ⊗ 300/385 F. 🍴 53/168 F.
🍷 44 F. 380/420 F. 290/330 F.
AE ⊙ E

POUZIN (LE)
07250 Ardèche
3000 hab.

DE L'AVENUE ★★
Route du Teil. M. Malosse
☎ 75 63 80 43 FAX 75 85 93 27
🛏 14 ⊗ 170/230 F. 🍴 70 F. 🍷 35 F.
205/260 F. 170/230 F.
✉ 19 sept./16 oct., 24 déc./2 janv. dim., sam. et dim. hs.
CB VISA AE ⊙ E

PRA LOUP
04400 Alpes de Haute Provence
1630 m. • 3213 hab. 🛈

DES BERGERS ★★★
M. Schaeffer
☎ 92 84 14 54 FAX 92 84 17 00
🛏 34 ⊗ 270/580 F. 🍴 80/200 F.
🍷 50 F. 320/580 F. 270/530 F.
✉ 30 avr./12 juin et 15 sept./11 déc.
CB VISA E

PRALOGNAN LA VANOISE
73710 Savoie
1430 m. • 650 hab. 🛈

DU GRAND BEC ★★
M. Favre
☎ 79 08 71 10 FAX 79 08 72 22
🛏 39 ⊗ 240/410 F. 🍴 100/200 F.
🍷 50 F. 310/395 F. 270/355 F.
✉ 26 avr./2 juin et 21 sept./19 déc.
CB VISA E

LE CAPRICORNE ★★
Mme Blanc
☎ 79 08 71 63 FAX 79 08 76 25
🛏 14 ⊗ 250/360 F. 🍴 110/165 F.
🍷 45 F. 300/360 F. 260/320 F.
✉ mi-avr./début juin et mi-sept. /mi-déc.
CB VISA AE ⊙ E

LES AIRELLES ★★
Rue des Darbelays. M. Boyer
☎ 79 08 70 32 FAX 79 08 73 51

🛏 18 ⊗ 295/415 F. 🍴 120/160 F.
🍷 50 F. 295/395 F. 265/345 F.
✉ 23 avr./1er juin et 25 sept./19 déc.
CB VISA E

PARISIEN ★
M. Vion ☎ 79 08 72 31 FAX 79 08 76 26
🛏 22 ⊗ 175/310 F. 🍴 95/140 F.
🍷 40 F. 205/330 F. 185/280 F.
✉ 20 avr./1er juin et 20 sept./18 déc.
CB VISA E

PRATS DE MOLLO LA PRESTE
66230 Pyrénées Orientales
730 m. • 1500 hab. 🛈

BELLEVUE ★★
Le Foiral. M. Visellach
☎ 68 39 72 48 68 39 78 04
🛏 18 ⊗ 150/245 F. 🍴 90/180 F.
🍷 50 F. 220/320 F. 265/345 F.
✉ 2 nov./20 mars sauf vac. scol.
CB VISA E

DES TOURISTES ★★
Mme Pouliquen ☎ 68 39 72 12
🛏 28 ⊗ 150/250 F. 🍴 85/130 F.
🍷 45 F. 200/250 F. 170/220 F.
✉ 30 oct./1er avr.
CB VISA E

LE VAL DU TECH ★★
(La Preste-les-Bains).
M. Me Maler/Remedi
☎ 68 39 71 12 FAX 68 39 78 07
🛏 42 ⊗ 150/290 F. 🍴 90/120 F.
🍷 50 F. 260/340 F. 220/300 F.
✉ 1er nov./31 mars.
CB VISA E

PRAZ SUR ARLY
74120 Haute Savoie
1036 m. • 700 hab. 🛈

AUBERGE DES 2 SAVOIES ★★
M. Goulard ☎
50 21 90 14 FAX 50 21 93 28
🛏 18 ⊗ 200/260 F. 🍴 78/130 F.
🍷 50 F. 290/350 F. 240/290 F.
✉ 15 avr./15 mai, ven. soir et sam. midi hs.
CB VISA ⊙ E

PRE EN PAIL
53140 Mayenne
2500 hab. 🛈

DE BRETAGNE ★★
145, rue Aristide Briand. M. Grange
☎ 43 03 13 00
🛏 18 ⊗ 175/250 F. 🍴 72/170 F.
🍷 45 F. 260/290 F.
✉ 15 déc./15 janv. et dim. soir.
CB VISA E

LE NORMANDIE ★
40-42, rue Aristide Briand. Mme Legeay
☎ 43 03 01 14
🛏 8 ⊗ 120/280 F. 🍴 48/160 F. 🍷 45 F.
280/300 F. 240/260 F.
✉ 15 jours fin janv., 15 jours début fév. et mar. hs.
CB VISA E

PRECY SOUS THIL
21390 Côte d'Or
610 hab. 🛈

▲▲▲ LORIOT ★★
4, rue de l'Eglise. M. Pagny
☎ 80 64 56 33
🛏 11 ⬛ 250/270 F. 🍽 80/190 F.
🍴 50 F. 🛏 280 F. 🍴 230 F.
✉ dim. soir, lun. 18 H. hs.
🇪 📷 ☎ 🛏 🗙 🍽 🏋 CV 🎱 🖐 CB🆅🆂🅰 E

PREFAILLES
44770 Loire Atlantique
625 hab. 🛈

▲▲▲ LA FLOTTILLE ★★
(Pointe Saint Gildas). Mme Cassin
☎ 40 21 61 18 📠 701962 📠 40 64 51 72
🛏 13 ⬛ 350/380 F. 🍽 96/270 F.
🍴 50 F. 🛏 450/480 F. 🍴 380/430 F.
🇪 🇩 SP 📷 ☎ 🛏 🗙 🖐 🏋 CV 🎱 🖐
CB🆅🆂🅰 🅰🅴 ⊙ E 🇨 📺

PREUILLY SUR CLAISE
37290 Indre et Loire
1427 hab. 🛈

▲ AUBERGE SAINT NICOLAS
6, Grande Rue. M. Bertrand
☎ 47 94 50 80
🛏 9 ⬛ 130/300 F. 🍽 95/200 F. 🍴 48 F.
🍽 220/270 F. 🍴 180/230 F.
✉ sept. soir et lun. hs.
📷 🛏 🎱 🖐 CB🆅🆂🅰 E

PREVERANGES
18370 Cher
720 hab. 🛈

▲ PONTABRY
Place de l'Eglise. M. Pontabry
☎ 48 56 47 49
🛏 6 ⬛ 110/160 F. 🍽 60/100 F. 🍴 50 F.
🍽 210 F. 🍴 160 F.
✉ 1er/21 juil., 1er/21 sept. et sam.
🖐 CB🆅🆂🅰 E

PRIVAS
07000 Ardèche
12000 hab. 🛈

▲ LION D'OR
29, rue de la République. M. Armand
☎ 75 64 11 43
🛏 10 ⬛ 125/200 F. 🍽 49/120 F.
🍴 40 F. 🍽 170/220 F. 🍴 160/200 F.
✉ 20 déc./10 janv., sam. soir et dim.
soir sauf août.
☎ 🖐 CB🆅🆂🅰 E

PRIVAS (COL DE L'ESCRINET)
07200 Ardèche
250 hab.

▲▲▲ PANORAMIQUE DU COL DE
L'ESCRINET ★★
M. Rojon ☎ 75 87 10 11 📠 75 87 10 34
🛏 20 ⬛ 270/470 F. 🍽 120/220 F.
🍴 70 F. 🍽 360/440 F. 🍴 300/380 F.
✉ dim. soir.
🇪 📷 ☎ 🛏 🗙 🍽 🏋 🦽 CV 🎱 🖐
CB🆅🆂🅰 🅰🅴 ⊙ E 📺

PRIZIAC
56320 Morbihan
1480 hab.

▲▲ DU CHEVAL BLANC ★★
5, rue Albert Saint-Jalmes. M. Brabant
☎ 97 34 61 15
🛏 13 ⬛ 250/300 F. 🍽 69/189 F.
🍴 49 F. 🍽 250/325 F. 🍴 200/250 F.
🇪 📷 ☎ 🛏 🛏 🗙 🍽 🖐 🖐 CB🆅🆂🅰 🅰🅴
⊙ E 🇨 📺

PROPIAC LES BAINS
26170 Drôme
50 hab.

▲ PLANTEVIN ★★
Mme Auguste ☎ 75 28 02 42
🛏 16 ⬛ 230/250 F. 🍽 100/150 F.
🍴 45 F. 🍽 300/320 F. 🍴 220/240 F.
✉ Hôtel oct./avr. et rest. sur
réservations.
📷 🛏 🍽 🖐 🖐 CB🆅🆂🅰

PROVINS
77160 Seine et Marne
12500 hab. 🛈

▲▲ HOSTELLERIE DE LA CROIX D'OR ★
1, rue des Capucins. M. Goncalves
☎ (1) 64 00 01 96 📠 692131
🛏 5 ⬛ 100/280 F. 🍽 89/210 F. 🍴 35 F.
🍽 240/380 F. 🍴 180/320 F.
🇪 SP 🛈 📷 ☎ CB🆅🆂🅰 🅰🅴 ⊙ E

PRUNIERES
05230 Hautes Alpes
1000 m. ● 150 hab.

▲▲ LE PREYRET ★★
M. Ceard
☎ 92 50 62 29 📠 92 50 64 64
🛏 40 ⬛ 304/364 F. 🍽 89/155 F.
🍴 59 F. 🍽 385/422 F. 🍴 280/317 F.
✉ 20 oct./20 déc. et 10/20 avr.
🇪 📷 ☎ 🛏 🍽 🖐 🦽 🎱 CB🆅🆂🅰 E

PUBLIER
74500 Haute Savoie
500 m. ● 3740 hab. 🛈

▲▲ LE CHABLAIS ★★
Rue du Chablais. M. Colliard
☎ 50 75 28 06 📠 50 74 67 32
🛏 25 ⬛ 150/280 F. 🍽 80/105 F.
🍴 45 F. 🍽 190/300 F. 🍴 200/260 F.
✉ 24/31 déc. et 1er/24 janv. et dim.
oct./fin avr.
🇪 📷 ☎ 🛏 🦽 CV 🖐 CB🆅🆂🅰 ⊙ E

PUGEY
25720 Doubs
500 hab.

▲ CHAMP FLEURI ★★
M. Sage
☎ 81 57 21 54 📠 81 57 30 55
🛏 35 ⬛ 160/260 F. 🍽 59/150 F.
🍴 46 F. 🍽 185 F. 🍴 245 F.
✉ 20 déc./16 janv., sam. et dim. soir
16 janv./15 mai, sam. midi
16 mai/30 sept., sam. et dim. soir
1er oct./20 déc.
🛈 📷 ☎ 🛏 🏋 🎱 🖐 CB🆅🆂🅰 E

PUID (LE)
88210 Vosges
600 m. • 82 hab.

▲▲ LE RAYBOIS ★
Rue Principale. M. Thomas
☎ 29 57 67 97 📠 29 57 69 57
🛏 10 ⊗ 167/200 F. 🍽 50/ 80 F.
🍴 25 F. 🍽 264/308 F. 🔲 215/260 F.
⊠ 15 jours sept. et lun. sauf pension.
midi.
📺 🚗 ☎ 🚗 🛌 🏊 🎿 🐕 CV 🍃 CB🆅🆂🅰
🆎 ⓪ E

PULVERSHEIM
68840 Haut Rhin
2100 hab.

▲▲ NIEMERICH ★★
M. Weiss
☎ 89 48 11 03 📠 89 48 25 06
🛏 30 ⊗ 160/240 F. 🍽 60/145 F.
🍴 45 F. 🍽 340/390 F. 🔲 280/310 F.
⊠ Hôtel 1er/15 août, rest. 1er/21 août,
et ven.
📺 📖 🚗 ☎ 🚗 🚗 ♨ 🛌 🚷 🚽 🍃
CB🆅🆂🅰 🆎 E

PUTANGES PONT ECREPIN
61210 Orne
900 hab. ℹ

▲▲ DU LION VERD ★★
M. Guillais
☎ 33 35 01 86 📠 33 39 53 32
🛏 20 ⊗ 120/320 F. 🍽 70/200 F.
🍴 35 F. 🍽 165/220 F. 🔲 140/190 F.
⊠ 24 déc./31 janv. et ven. soir hs.
📺 🚗 ☎ 🍴 🚽 🍃 CB🆅🆂🅰 🆎 E

PUTTELANGE AUX LACS
57510 Moselle
3016 hab.

▲▲ LA CHAUMIERE ★★
24, rue Robert Schuman M. Adam
☎ 87 09 61 68 📠 87 09 47 74
🛏 9 ⊗ 220 F. 🍽 50/150 F. 🍴 38 F.
🍽 220 F. 🔲 170 F.
⊠ 1er/15 juil. et rest. lun.
📺 📖 ℹ 🚗 ☎ 🚗 🚗 🍴 🌾 🚽 🍃
CB🆅🆂🅰 E

PUY EN VELAY(LE)
43000 Haute Loire
630 m. • 35000 hab. ℹ

▲▲ BRISTOL ★★
7, av. Foch. M. Mallet
☎ 71 09 13 38 📠 71 09 51 70
🛏 37 ⊗ 170/290 F. 🍽 89/150 F.
🍴 45 F. 🔲 195/235 F.
⊠ vac. scol. Toussaint et fév.
📺 📖 🚗 ☎ 🚗 🚗 🚽 🍴 🍽 CV 🍃 CB🆅🆂🅰
🆎 ⓪ E ▪

PUY L'EVEQUE
46700 Lot
3000 hab. ℹ

▲▲ BELLEVUE ★★
Place de la Truffière. Mme Amouroux
☎ 65 21 30 70 📠 65 21 37 76
🛏 16 ⊗ 264/306 F. 🍽 74/360 F.

🍴 48 F. 🍽 442/484 F. 🔲 262/304 F.
⊠ 4 janv./10 mars.
📺 🆂🅿 ℹ 🚗 ☎ 🔲 CV 🍃 CB🆅🆂🅰 🆎 E

▲▲ HENRY ★★
M. Henry
☎ 65 21 32 24
🛏 20 ⊗ 140/210 F. 🍽 45/180 F.
🍴 35 F. 🍽 215/245 F. 🔲 175/205 F.
🚗 ☎ 🚗 🚗 🍴 🎿 CV 🍃 CB🆅🆂🅰 E

PUY SAINT VINCENT
05290 Hautes Alpes
1380 m. • 298 hab. ℹ

▲▲ L'AIGLIERE ★★
M. Engilberge
☎ 92 23 30 59 📠 92 23 48 75
🛏 36 ⊗ 190/300 F. 🍽 68/150 F.
🍴 55 F. 🍽 220/310 F. 🔲 185/270 F.
⊠ 15 sept./15 déc. et 20 avr./15 juin.
📺 ℹ 🚗 ☎ 🚗 🛌 🎿 🚷 CV 🔅 🍃
CB🆅🆂🅰 E

▲ LA PENDINE ★★
(Les Prés). MM. Blein
☎ 92 23 32 62 📠 92 23 46 63
🛏 28 ⊗ 168/319 F. 🍽 80/190 F.
🍴 60 F. 🍽 235/330 F. 🔲 198/290 F.
⊠ 15 sept./10 déc. et 15 avr./10 juin.
ℹ 🚗 ☎ 🍴 CV CB🆅🆂🅰 E

PUYLAURENS
81700 Tarn
1300 hab. ℹ

▲▲ GRAND HOTEL PAGES ★★
M. Pages
☎ 63 75 00 09
🛏 21 ⊗ 120/180 F. 🍽 60/130 F.
🍴 35 F. 🍽 200 F. 🔲 180 F.
🚗 ☎ 🚗 🔲 🔅 CB🆅🆂🅰

QUATRE ROUTES D'ALBUSSAC
19380 Corrèze
600 m. • 50 hab.

▲▲ AUBERGE LIMOUSINE ★★
4, route d'Albussac. M. Escaravage
☎ 55 28 15 83
🛏 13 ⊗ 150/230 F. 🍽 70/170 F.
🍴 50 F. 🍽 200/250 F. 🔲 180/200 F.
⊠ 1er nov./15 déc. et lun. sauf
juil./août.
📺 🚗 ☎ 🚗 🚗 🍴 🎿 CV 🔅 🍃
CB🆅🆂🅰 E

▲▲ ROCHE DE VIC ★★
Mme Paillier
☎ 55 28 15 87 📠 55 28 01 09
🛏 13 ⊗ 125/250 F. 🍽 70/160 F.
🍴 45 F. 🍽 240/260 F. 🔲 200/230 F.
⊠ janv./fév., lun. sauf juil./août et jours
fériés.
📺 🚗 ☎ 🚗 🚗 🍴 🎿 🚷 🔅 🍃
CB🆅🆂🅰 E

QUEDILLAC
35290 Ille et Vilaine
1000 hab.

▲▲▲ RELAIS DE LA RANCE ★★
6, rue de Rennes. MM. Guitton/Chevrier
☎ 99 06 20 20 ☒ 99 06 24 01
🛏 13 ⬡ 220/400 F. 🍽 105/400 F.
🍴 60 F. 🍴 310/420 F. 🍴 260/370 F.
☒ 24 déc./11 janv. et dim. soir sauf
juil./août.
🅴 ⬜ ☎ 🛏 🍴 🎿 🕴 ⬤ CB🆚 AE E ▦

QUESTEMBERT
56230 Morbihan
5213 hab. 🅸

▲ DE LA GARE Rest. LE SAINTE-ANNE ★★
A Bel Air - 19, av. de la Gare.
M. Le Bihan
☎ 97 26 11 47 ☒ 97 26 53 95
🛏 10 ⬡ 160/220 F. 🍽 75/220 F.
🍴 45 F. 🍴 240/260 F. 🍴 180/200 F.
☒ dim. soir et lun. midi.
🅴 ⓓ SP ⬜ ☎ 🛏 🎿 🕴 ⬤ CB🆚
AE ⓞ E

QUIBERON
56170 Morbihan
5000 hab. 🅸

▲▲▲ BELLEVUE ★★★
Rue de Tiviec. M. Le Quellec
☎ 97 50 16 28 ☒ 97 30 44 34
🛏 38 ⬡ 345/660 F. 🍽 95/140 F.
🍴 65 F. 🍴 375/565 F. 🍴 310/500 F.
☒ mi-oct.-début nov./fin mars-début avr.
🅴 ⬜ ☎ 🛏 🎿 🕴 CV🆚 ⓞ E

▲▲▲ DES DRUIDES ★★★
6, rue de Portmaria. M. Machabey
☎ 97 50 14 74 ☒ 97 50 35 72
🛏 31 ⬡ 280/460 F. 🍽 80/170 F.
🍴 48 F. 🍴 355/460 F. 🍴 295/390 F.
☒ 31 oct./1er mars.
🅴 SP ⬜ ☎ 🛏 🎿 🕴 CV🕴 CB🆚 AE E

▲▲ HOCHE ★★
19, place Hoche. Mme Quelven
☎ 97 50 07 73 ☒ 97 50 31 86
🛏 39 ⬡ 180/410 F. 🍽 85/290 F.
🍴 50 F. 🍴 280/460 F. 🍴 230/400 F.
☒ 1er oct./1er fév.
🅴 ⬜ ☎ 🛏 🍴 CV 🕴 ⬤ CB🆚 E

▲▲ LE NEPTUNE ★★
4, Quai de Houat. M. Naour
☎ 97 50 09 62 ☒ 97 50 41 44
🛏 21 ⬡ 280/380 F. 🍽 75/260 F.
🍴 50 F. 🍴 335/390 F. 🍴 280/330 F.
☒ 20 déc./5 fév. et lun.
Toussaint/Pâques.
🅴 ⬜ ☎ 🛏 🍴 🍴 CV ⬤ CB🆚 E

QUIBERON (SAINT PIERRE)
56510 Morbihan
2035 hab. 🅸

▲▲ AUBERGE DU PETIT MATELOT ★★
(Plage de Penthièvre). M. Le Mouroux
☎ 97 52 31 21
🛏 25 ⬡ 180/375 F. 🍽 80/180 F.

🍴 50 F. 🍴 295/360 F. 🍴 220/315 F.
☒ 2 nov./15 mars et rest. lun. hs.
🅴 ⬜ ☎ 🛏 🎿 🕴 CV🕴 CB🆚 E ▦

▲▲ DE BRETAGNE ★★
Rue Général de Gaulle. M. Madec
☎ 97 30 91 47 ☒ 97 30 89 78
🛏 21 ⬡ 245/275 F. 🍽 80/220 F.
🍴 50 F. 🍴 340/360 F. 🍴 260/290 F.
☒ Hôtel fin sept./Pâques, rest. fin
sept./15 mai.
🅴 ⬜ ☎ 🛏 ⬤ CB🆚 E

▲▲▲ DE LA PLAGE ★★★
Mme Audic-Pichot
☎ 97 30 92 10 ☒ 97 30 99 61
🛏 44 ⬡ 230/560 F. 🍽 86/175 F.
🍴 52 F. 🍴 360/560 F. 🍴 260/460 F.
☒ début oct./début avr.
🅴 ⓓ ⬜ ☎ 🛏 🎿 🕴 CV🕴 ⬤ CB🆚
AE ⓞ E C

▲ SAINT PIERRE ★★
34, route de Quiberon M. Thomas
☎ 97 50 26 90 ☒ 97 50 37 98
🛏 27 ⬡ 250/340 F. 🍽 79/175 F.
🍴 50 F. 🍴 400/450 F. 🍴 300/350 F.
☒ janv.
🅴 ⓓ ⬜ ☎ 🛏 🍴 🍴 🎿 CV ⬤ CB🆚
AE ⓞ E

QUIBERVILLE SUR MER
76860 Seine Maritime
400 hab. 🅸

▲ L'HUITRIERE ★★
M. Arachequesne
☎ 35 83 02 96 ☒ 35 04 28 23
🛏 18 ⬡ 195/500 F. 🍽 120/220 F.
🍴 45 F. 🍴 300/360 F. 🍴 250/300 F.
🅴 ⬜ ☎ 🛏 🕴 ⬤ CB🆚 AE ⓞ E

▲▲ LES FALAISES ★★
M. Arachequesne
☎ 35 83 04 03 ☒ 35 04 28 23
🛏 14 ⬡ 230/270 F. 🍽 62/140 F.
🍴 40 F. 🍴 305 F. 🍴 260 F.
☒ 15 nov./31 janv.
🅴 ⬜ ☎ 🛏 🕴 ⬤ CB🆚 AE ⓞ E

QUILLAN
11500 Aude
4000 hab. 🅸

▲▲ CARTIER Rest. LES 3 QUILLES ★★
31, bld Charles de Gaulle. M. Cartier
☎ 68 20 05 14 ☒ 68 20 22 57
🛏 30 ⬡ 160/340 F. 🍽 77/130 F.
🍴 42 F. 🍴 240/320 F.
☒ 20 déc./1er mars et rest. sam.
mars/avr. et oct.
🅴 SP ⬜ ☎ 🛏 🍴 🍴 CV ⬤ CB🆚 AE E

▲▲ LA CHAUMIERE ★★★
25, bld Charles de Gaulle.
M. Me Audabram/Tanière
☎ 68 20 17 90 \ 68 20 08 62
☒ 68 20 13 55
🛏 33 ⬡ 130/340 F. 🍽 75/250 F.
🍴 50 F. 🍴 260/380 F. 🍴 180/300 F.
☒ 20 déc./31 janv., dim. soir et lun.
midi janv./mars.
🅴 SP ⬜ ☎ 🛏 🍴 🕴 CB🆚 E ▦

QUIMIAC EN MESQUER
44420 Loire Atlantique
1200 hab. 🇮

▲▲ MODERNE ★★
Rue Principale. M. Hund
☎ 40 42 51 09
🛏 20 ◈ 145/270 F. ⅡⅠ 75/250 F.
🍴 40 F. 🍽 270/330 F. 🎫 195/250 F.
⊠ Hôtel 15 oct./15 mars, Rest.
nov./janv./fév., mar. soir et mer. sauf
1er juin/15 sept.
[icons] CB🎫 E

QUIMPER
29000 Finistère
60510 hab. 🇮

❋ GRADLON ★★★
30, rue de Brest. Mme Coller
☎ 98 95 04 39 📠 98 95 61 25
🛏 23 ◈ 330/700 F.
[icons] CB🎫 AE ① E

▲▲ LA TOUR D'AUVERGNE ★★
13, rue des Reguaires. Mme Le Brun
☎ 98 95 08 70 📠 98 95 17 31
🛏 43 ◈ 265/495 F. ⅡⅠ 125/230 F.
🍴 79 F. 🎫 395/455 F.
⊠ Rest. 18 déc./12 janv., sam. midi et
dim 1er oct./30 avr., sam. midi
1er mai/15 juil.
[icons] CB🎫 AE
E ●

QUINCIE EN BEAUJOLAIS
69430 Rhône
1020 hab.

▲▲ LE MONT BROUILLY ★★
(Le Pont des Samsons). M. Bouchacourt
☎ 74 04 33 73 📠 74 69 00 72
🛏 29 ◈ 260/330 F. ⅡⅠ 80/250 F.
🍴 50 F. 🍽 320/340 F. 🎫 250/265 F.
⊠ semaine Noël, fév., lun. midi
mars/oct, dim. soir et lun. oct./janv.
[icons]
● CB🎫 AE ●

QUINGEY
25440 Doubs
1000 hab.

▲▲ HOSTELLERIE DU GAI LOGIS ★★
Route de Lyon. Mme Louis-Etienne
☎ 81 63 63 01
🛏 10 ◈ 155/187 F. ⅡⅠ 67/155 F.
🍴 45 F. 🍽 192 F. 🎫 177 F.
⊠ 15 oct./15 nov.
[icons] AE

QUINSON
04480 Alpes de Haute Provence
274 hab. 🇮

▲▲ RELAIS NOTRE DAME ★★
Mlle Berne
☎ 92 74 40 01
🛏 14 ◈ 200/280 F. ⅡⅠ 85/170 F.
🍴 35 F. 🍽 207/308 F. 🎫 175/255 F.
⊠ 15 oct./15 mars, dim. soir et lun.
sauf Pâques/15 sept.
[icons] CB🎫 E

QUINTIN
22800 Côtes d'Armor
3500 hab. 🇮

▲▲ DU COMMERCE ★★
2, rue Rochonen. M. Adam ☎ 96 74 94 67
🛏 13 ◈ 160/240 F. ⅡⅠ 65/289 F.
🍴 55 F. 🍽 240/300 F. 🎫 180/220 F.
⊠ déc., dim. soir et lun. midi sauf
juil./août.
[icons] CB🎫 E

RABASTENS
81800 Tarn
4700 hab. 🇮

▲▲ DU PRE VERT ★★
54, promenade des Lices.
Mme Leroy-Fays
☎ 63 33 70 51 📠 63 33 82 58
🛏 13 ◈ 190/330 F. ⅡⅠ 69/170 F.
🍴 45 F. 🍽 290/340 F. 🎫 200/250 F.
⊠ Rest. dim. et lun. midi.
[icons]
CB🎫 E

RAGUENES PLAGE
29920 Finistère
100 hab.

▲▲ CHEZ PIERRE ★★
Rue des Iles. M. Guillou ☎ 98 06 81 06
🛏 35 ◈ 176/385 F. ⅡⅠ 105/250 F.
🍴 72 F. 🍽 235/375 F. 🎫 195/330 F.
⊠ 27 sept./1er juin/14 sept. sauf pension.
[icons] CB🎫 E ●

RAMERUPT
10240 Aube
380 hab.

▲ DU CENTRE
Mme Tallot ☎ 25 37 60 22
🛏 5 ◈ 120/170 F. ⅡⅠ 80/160 F. 🍴 50 F.
🍽 195/205 F. 🎫 165/175 F.
⊠ 16/31 août et lun. après-midi.
[icons] CB🎫 AE E

RANCHOT
39700 Jura
400 hab.

▲ DE LA MARINE ★★
26, Grande Rue. M. Thuegaz
☎ 84 71 13 26 📠 84 81 37 70
🛏 13 ◈ 210 F. ⅡⅠ 68/ 98 F. 🍴 40 F.
🍽 250 F. 🎫 220 F.
[icons] CB🎫 E

RANDAN
63310 Puy de Dôme
1429 hab.

▲ HOSTELLERIE DU PARC ★★
52, rue du Commerce. Mme Combe
☎ 70 41 51 89
🛏 11 ◈ 150/190 F. ⅡⅠ 65/135 F.
🍴 50 F. 🍽 200/215 F. 🎫 145/155 F.
⊠ janv./fév., dim. soir et lun.
[icons] CB🎫 E

317

RANES
61150 Orne
1000 hab. ℹ️

▲▲ SAINT PIERRE ★★
M. Delaunay
☎ 33 39 75 14 ⅎ 33 35 49 23
🛏 12 ⬡ 195/340 F. 🍽 68/215 F.
🍴 48 F. 🍴 325 F. 🛏 275 F.
✉ Rest. ven. soir hs.
🅴 🅸 🛏 🏠 🚗 ♿ 🅲🆅 🔆 ♠ CB𝘝𝘐𝘚𝘈 AE
⓪ E C 🐕

RAON L'ETAPE
88110 Vosges
8000 hab. ℹ️

▲▲ RELAIS LORRAINE ALSACE ★★★
31, rue Jules Ferry. Mme Elasri
☎ 29 41 61 93 ⅎ 29 41 93 09
🛏 10 ⬡ 189/289 F. 🍽 68/149 F.
🍴 65 F. 🍽 240/290 F. 🛏 175/225 F.
✉ nov. et rest. lun.
🅴 🅳 🛏 🏠 🏨 🔆 CB𝘝𝘐𝘚𝘈 AE ⓪ E

RASTEAU
84110 Vaucluse
700 hab.

▲▲▲ BELLERIVE ★★
M. Petrier ☎ 90 46 10 20 ⅎ 90 46 14 96
🛏 20 ⬡ 470/490 F. 🍽 130/300 F.
🍴 70 F. 🛏 410/430 F.
✉ 1er janv./1er avr. et 15 nov./1er avr.
🅴 🅳 🛏 🏠 🚗 🏊 🔆 ♠ CB𝘝𝘐𝘚𝘈 E

RAZES
87640 Haute Vienne
950 hab. ℹ️

▲ DES FAMILLES
M. Merigaud ☎ 55 71 03 61
🛏 7 ⬡ 95/130 F. 🍽 60/110 F. 🍴 40 F.
🍽 200/220 F. 🛏 180/200 F.
✉ 15 nov./15 déc., ven. et sam. soir hs.
🚗 ♠

REALMONT
81120 Tarn
2700 hab. ℹ️

▲▲▲ NOEL ★★
1, rue de l'Hôtel de Ville. M. Granier
☎ 63 55 52 80
🛏 9 ⬡ 195/300 F. 🍽 120/260 F.
🍴 60 F. 🍽 310/380 F. 🛏 220/280 F.
✉ vac. scol. fév., dim. soir et lun. sauf
juil./août.
🅴 🛏 🏠 🚗 🍴 🔆 CB𝘝𝘐𝘚𝘈 AE ⓪ E

REAU (VILLAROCHE)
77550 Seine et Marne
550 hab.

▲▲ LA PAYELLE ★★
M. Desdoit
☎ (1) 64 38 87 12 ⅎ (1) 64 38 88 54
🛏 38 ⬡ 175/215 F. 🍽 85/230 F.
🍴 55 F. 🛏 235/265 F.
✉ 8/15 mai, 23 déc./10 janv., ven. soir,
sam. et dim.
🅴 🛏 🏠 🚗 ♿ 🔆 ♠ CB𝘝𝘐𝘚𝘈 E

RECOLOGNE
25170 Doubs
486 hab.

⚜ L'ESCALE ★★
Mme Faye
☎ 81 58 12 13
🛏 11 ⬡ 140/185 F.
✉ 15 oct./15 nov.
🛏 🚗 🅲🆅 ♠ CB𝘝𝘐𝘚𝘈 AE ⓪ E

REFFANNES
79420 Deux Sèvres
331 hab.

⚜ DU COMMERCE
M. Chiron ☎ 49 70 22 08
🛏 6 ⬡ 105/145 F. 🍽 50/120 F. 🍴 30 F.
🍽 175/215 F. 🛏 130/160 F.
🅴 🚗 🍴 🔆 ♠

REICHSTETT
67116 Bas Rhin
4500 hab.

⚜ AIGLE D'OR ★★★
5, rue de la Wantzenau. Mme Finck
☎ 88 20 07 87 ⅎ 88 81 83 75
🛏 17 ⬡ 340 F.
🅴 🅳 🅸 🛏 🏠 🚗 🏨 🔆 ♠
CB𝘝𝘐𝘚𝘈 AE ⓪ E

▲▲ DE PARIS ★★
Mme Steinmetz
☎ 88 20 00 23 ⅎ 88 20 30 60
🛏 17 ⬡ 320 F. 🍽 90/350 F. 🍴 58 F.
🍽 315 F. 🛏 252 F.
🅴 🅳 🛏 🏠 🚗 🏊 🍴 🔆 ♠ CB𝘝𝘐𝘚𝘈 ⓪ E

REIMS
51100 Marne
181990 hab. ℹ️

▲▲ AU TAMBOUR ★★
63, rue de Magneux. M. Platteaux
☎ 26 40 59 22 ⅎ 26 88 34 33
🛏 14 ⬡ 265/290 F. 🍽 78/215 F.
🍴 38 F. 🍽 300/310 F. 🛏 230/240 F.
✉ Rest. sam. midi et dim.
🅴 🅳 🛏 🏠 🅲🆅 🔆 ♠ CB𝘝𝘐𝘚𝘈 ⓪ E C 🐕

RELEVANT
01990 Ain
350 hab.

⚜ CHEZ NOELLE ★★
Mme Bouchard ☎ 74 55 32 90
🛏 7 ⬡ 170/250 F. 🍽 88/200 F. 🍴 60 F.
🍽 260/350 F. 🛏 260/300 F.
✉ 15 déc./15 fév., dim. soir et mer.
oct./fin avr. et lun. midi mai/fin sept.
🅴 🛏 🏠 🚗 🍴 ♠ CB𝘝𝘐𝘚𝘈 E

REMILLY AILLICOURT
08450 Ardennes
900 hab.

▲▲ LA SAPINIERE ★★
M. Perin-Movet
☎ 24 26 75 22 ⅎ 24 26 75 19
🛏 8 ⬡ 250/310 F. 🍽 90/190 F. 🍴 60 F.
🍽 310 F. 🛏 260 F.
✉ vac. scol. Noël, dim. soir et lun. midi.
🅳 🛏 🏠 🚗 🏨 🍴 🏊 🅲🆅 🔆 CB𝘝𝘐𝘚𝘈 E

REMIREMONT
88200 Vosges
11499 hab. 🛈

🏨🏨 DE LA POSTE ★★
67, rue Charles de Gaulle.
M. Me Riquoir
☎ 29 62 55 67 🖷 29 62 34 90
🛏 21 ⌾ 255/345 F. 🍴 82/190 F.
🍽 52 F. 🍴 320/365 F. 🖼 240/285 F.
✉ 17/30 août, 16 déc./9 janv., ven. soir
et sam. oct./mars.
🔲🔲🔲🔲🔲🔲🔲🔲 CB🆅🆂🅰 AE ⓪ E

⚹ DU CHEVAL DE BRONZE ★★
59, rue Charles de Gaulle. M. Riquoir
☎ 29 62 52 24 🖷 29 62 34 90
🛏 36 ⌾ 145/325 F. 🍴 255/355 F.
🖼 185/278 F.
🔲🔲🔲🔲 CV 🔲 🔲 CB🆅🆂🅰 AE E

🏨🏨 IRIS ★★
16, Fg du Val d'Ajol. Mme Rosin
☎ 29 62 27 46 🖶 960 277 🖷 29 23 38 76
🛏 15 ⌾ 230 F. 🍴 70/130 F. 🍽 38 F.
🍴 300 F. 🖼 220 F.
🔲🔲🔲🔲 CV 🔲 CB🆅🆂🅰 ⓪ E 🔲

REMIREMONT (FALLIERES)
88200 Vosges
300 hab.

🏨🏨🏨 LE LOGIS DES PRES BRAHEUX ★★★
Lieu-dit le Pré Brayeu. Mlle Pierrel
☎ 29 62 23 67 🖷 29 62 01 40
🛏 17 ⌾ 240/340 F. 🍴 130/280 F.
🍽 45 F. 🖼 300/340 F.
✉ 2/10 janv., 25 juil./9 août, Hôtel dim.
soir sauf réserv., rest. dim. soir et lun.
🔲🔲 SP 🔲🔲🔲🔲🔲🔲🔲 CV
🔲 CB🆅🆂🅰 AE E

REMOULINS
30210 Gard
1870 hab. 🛈

🏨🏨 LE COLOMBIER ★★
(Pont du Gard, Rive Droite).
MM. Baratin/Cochet
☎ 66 37 05 28 🖷 66 37 35 75
🛏 10 ⌾ 230/280 F. 🍴 65/150 F.
🍽 50 F. 🍴 325/350 F. 🖼 235/260 F.
🔲 SP 🔲🔲🔲🔲🔲🔲 CV CB🆅🆂🅰 AE
⓪ E

🏨🏨 MODERNE Rest. LES GLYCINES ★★
Place des Grands Jours. M. Abraham
☎ 66 37 20 13 🖷 66 37 01 85
🛏 22 ⌾ 230/310 F. 🍴 78/110 F.
🍽 42 F. 🍴 260/310 F. 🖼 220/290 F.
✉ 15 oct./13 nov., vac. scol. fév., ven.
soir, sam. oct./mars et sam. hs sauf
juil./août.
🔲🔲🔲🔲🔲🔲🔲🔲 CV 🔲 CB🆅🆂🅰 AE
E 🔲

RENAISON
42370 Loire
2500 hab. 🛈

🏨🏨 CENTRAL ★★
Place du 11 Novembre. M. Sonnery
☎ 77 64 25 39
🛏 8 ⌾ 130/240 F. 🍴 77/240 F. 🍽 55 F.

🍴 250/310 F. 🖼 200/250 F.
✉ 8/24 fév., 27 sept./27 oct., dim. soir
et mer.
🔲🔲🔲🔲🔲🔲🔲🔲 CB🆅🆂🅰 E 🔲

🏨🏨 JACQUES COEUR ★★
15, rue de Roanne. M. Giraudon
☎ 77 64 25 34 🖷 77 64 43 88
🛏 8 ⌾ 185/275 F. 🍴 85/320 F.
🍴 330/370 F. 🖼 230/260 F.
✉ dim. soir et lun.
🔲🔲🔲🔲🔲🔲🔲 CB🆅🆂🅰 E

RENCUREL
38680 Isère
800 m. • 350 hab. 🛈

🏨🏨 PERAZZI ★★
Mme Blanc-Gonnet
☎ 76 38 97 68 🖷 76 38 98 99
🛏 18 ⌾ 125/245 F. 🍴 68/145 F.
🍽 48 F. 🍴 225/310 F. 🖼 195/280 F.
✉ 1er nov./27 déc.
🔲🔲🔲🔲🔲🔲🔲🔲🔲🔲🔲 CV
🔲 🔲 CB🆅🆂🅰 E

RENNES LES BAINS
11190 Aude
194 hab. 🛈

🏨🏨 DE FRANCE ★★
Mme Rousselot ☎ 68 69 87 03
🛏 25 ⌾ 170/190 F. 🍴 70/200 F.
🍽 35 F. 🍴 450 F. 🖼 230 F.
✉ 30 oct./15 mars.
🔲🔲🔲🔲🔲🔲 CB🆅🆂🅰 E

RETHEL
08300 Ardennes
8500 hab. 🛈

🏨🏨🏨 LE MODERNE ★★
Place de la Gare. MM. Nicolle/Dogna
☎ 24 38 44 54 🖶 842898 🖷 24 38 37 84
🛏 22 ⌾ 150/260 F. 🍴 83/135 F.
🍽 45 F. 🍴 295/309 F. 🖼 212/226 F.
🔲🔲🔲🔲🔲🔲🔲🔲 CB🆅🆂🅰 AE ⓪
E 🔲 🔲

🏨🏨 SANGLIER DES ARDENNES ★★
1, rue Pierre Curie. Mme Faucheux
☎ 24 38 45 19 🖷 24 38 45 14
🛏 18 ⌾ 120/260 F. 🍴 60/150 F.
🍽 50 F. 🍴 220/290 F. 🖼 180/240 F.
✉ 24 déc./3 janv. et rest. dim. soir.
🔲🔲🔲🔲🔲🔲 CV 🔲 🔲 CB🆅🆂🅰 AE ⓪
E 🔲

REUILLY SAUVIGNY
02850 Aisne
163 hab.

🏨🏨🏨 AUBERGE LE RELAIS ★★
Sur N. 3. M. Berthuit
☎ 23 70 35 36 🖷 23 70 27 76
🛏 7 ⌾ 300/375 F. 🍴 150/245 F.
🍽 100 F.
✉ 21 août/7 sept., 12 fév./9 mars, mar.
soir et mer.
🔲🔲🔲🔲🔲🔲🔲 CB🆅🆂🅰 AE ⓪ E

REUNION (ILE DE LA)
Voir page 91.

REVARD (LE)
73100 Savoie
1500 m. • 822 hab. ℹ️

▲▲ LE CHALET BOUVARD ★★
Mme Bouvard ☎ 79 54 00 80
🛎 26 ⬡ 180/300 F. 🍴 80/150 F.
🍴 50 F. ⬡ 220/300 F. 🍴 190/240 F.
✉ 20 avr./31 mai et 30 sept./18 déc.
🎛 SP 🖰 📷 🖭 🖦 🏋️ 🐾 🎛 CV ⚙️ ➶
CB🖩 AE E

REVEL
31250 Haute Garonne
7329 hab. ℹ️

▲▲ AUBERGE DES MAZIES ★★
Route de Castres. M. Garnier
☎ 61 27 69 70 🖩 62 18 06 37
🛎 7 ⬡ 265/285 F. 🍴 80/225 F. 🍴 50 F.
🍴 300/320 F. 🍴 230/250 F.
✉ vac. scol. fév., 1ère quinzaine
oct., Rest. dim. soir et lun.
🎛 SP 🖰 📷 🖭 🖦 🏋️ CV ⚙️ ➶ CB🖩 E

▲▲▲ DU MIDI ★★
34, bld Gambetta. M. Aymes
☎ 61 83 50 50 🖩 61 83 34 74
🛎 20 ⬡ 170/320 F. 🍴 90/260 F.
🍴 60 F. 🍴 430/580 F. 🍴 300/440 F.
🎛 SP 🖰 📷 🖭 🖦 🐾 CV ⚙️ ➶ CB🖩
AE E

REVENTIN VAUGRIS
38121 Isère
1230 hab. ℹ️

▲▲ LE REVENTEL ★★
(RN 7 St Christ Vienne Sud).
Mme Degoulange
☎ 74 53 17 09 🖩 74 85 27 88
🛎 16 ⬡ 180/280 F. 🍴 60/150 F.
🍴 45 F. 🍴 230/260 F. 🍴 180/200 F.
✉ 27 déc./10 janv., 22 août/5 sept.,
sam. midi et lun.
🖰 📷 🖭 🖦 🖦 🏋️ ⚙️ ➶ CB🖩 AE ◉ E

▲ RELAIS 500 DE VIENNE ★★
Sur N. 7. Mme Courant
☎ 74 58 81 44 🖹 380343 🖩 74 58 85 30
🛎 36 ⬡ 225/245 F. 🍴 50/195 F.
🍴 45 F. 🍴 274 F. 🍴 211 F.
🎛 🖸 🖊 🖰 📷 🖭 🖦 🖦 🐾 🖭 🖭 🏋️ 🐾
CV ⚙️ ➶ CB🖩 AE ◉ E C

RIANS
83560 Var
2500 hab. ℹ️

▲ L'ESPLANADE ★
M. Hotel ☎ 94 80 31 12
🛎 9 ⬡ 140/200 F. 🍴 70/140 F. 🍴 40 F.
🍴 200/220 F. 🍴 150/180 F.
✉ sam. hs.
🎛 🖸 🖊 🖰 📷 🖭 🖦 CV ➶ CB🖩 E

RIBEAUVILLE
68150 Haut Rhin
4300 hab. ℹ️

▲ AU CHEVAL BLANC ★★
122, Grande Rue. M. Leber
☎ 89 73 61 38 🖩 89 73 37 03
🛎 25 ⬡ 180/250 F. 🍴 50/200 F.
🍴 40 F. 🍴 220/260 F. 🍴 200/220 F.

✉ 1er nov./1er fév. Rest. lun.
🎛 🖸 📷 🖭 🖦 🏋️ 🐾 CV ➶ CB🖩 E

♨ DE LA TOUR ★★
1, rue de la Mairie. Mme Alt
☎ 89 73 72 73 🖩 89 73 38 74
🛎 35 ⬡ 296/396 F.
✉ début janv./mi-mars.
🎛 🖸 📷 🖭 🖦 🖦 🖭 🐾 ➶ CV CB🖩
◉ E

RIBERAC
24600 Dordogne
4444 hab. ℹ️

▲▲ DE FRANCE ★★
3, rue Marc Dufraisse. Mlle Jauvin
☎ 53 90 00 61 🖩 53 91 06 05
🛎 20 ⬡ 165/250 F. 🍴 168/270 F.
🍴 40 F. 🍴 225/275 F. 🍴 155/195 F.
🎛 🖸 🖊 🖰 📷 🖭 🐾 ⚙️ ➶ CB🖩 AE E C

RICEYS (LES)
10340 Aube
1558 hab. ℹ️

▲▲ LE MAGNY ★★
Route de Tonnerre. M. Oliveau
☎ 25 29 38 39 🖩 25 29 11 72
🛎 7 ⬡ 200/220 F. 🍴 65/195 F. 🍴 45 F.
🍴 245/255 F. 🍴 185/195 F.
✉ 25 janv./17 fév., 30 août/10 sept.,
mar. soir et mer.
🎛 🖸 📷 🖭 🖦 🖭 🖦 🏋️ ⚙️ ➶ CB🖩 E

RICHARDMENIL
54630 Meurthe et Moselle
3500 hab.

▲▲ RELAIS DU SOUS BOIS ★
Sur N. 57. M. Rodriguez
☎ 83 26 11 12 🖩 83 26 10 26
🛎 15 ⬡ 200 F. 🍴 62/135 F. 🍴 40 F.
🍴 260 F. 🍴 195 F.
✉ 24 déc./2 janv., sam. soir, dim. et
jours fériés.
🎛 SP 🖰 📷 🖭 ➶ CB🖩 E ■

RIEUPEYROUX
12240 Aveyron
800 m. • 2000 hab. ℹ️

▲ CHEZ PASCAL ★
Rue de l'Hom. M. Bou
☎ 65 65 51 13 \ 65 65 59 73
🛎 14 ⬡ 95/210 F. 🍴 55/130 F. 🍴 45 F.
🍴 170/195 F. 🍴 140/165 F.
✉ 25 sept./18 oct., dim. soir hs.
🎛 🖸 📷 🖭 🖦 🖭 CV ➶ CB🖩 E

▲ DE LA POSTE ★
Rue de la Mairie. M. Tarrajat
☎ 65 65 52 06
🛎 7 ⬡ 148 F. 🍴 55/120 F. 🍴 40 F.
🍴 204 F. 🍴 162 F.
✉ lun. soir 1er oct./1er juin.
🎛 🖸 📷 🖭 🖦 CV ➶ CB🖩 E

▲▲▲ DU COMMERCE ★★
M. Delmas ☎ 65 65 53 06 🖩 65 65 56 58
🛎 24 ⬡ 130/300 F. 🍴 65/180 F.
🍴 40 F. 🍴 200/270 F. 🍴 170/240 F.
✉ 15 déc./15 janv., dim. soir/lun. midi
sept./juin et dim. soir/mar. nov./fév.
🎛 🖸 📷 🖭 🖦 🖭 🖭 🏋️ ⚙️ CV ⚙️ ➶
CB🖩 ◉ E

RIEUX MINERVOIS
11160 Aude
1893 hab. 🛈

▲▲ LE LOGIS DE MERINVILLE ★★
Av. Georges Clémenceau. M. Morin
☎ 68 78 12 49
🛏 8 ◈ 150/250 F. ⏢ 75/170 F. ⏶ 45 F.
⏢ 280/310 F. ⏢ 200/235 F.
✉ 12 janv./10 mars, 12 nov./10 déc., et mer. hs
Ⓕ SP ⏢ 🎮 CB🅥🅸🆂🅰 E

RIGNAC
12390 Aveyron
1900 hab. 🛈

▲ DELHON ★
Mme Delhon ☎ 65 64 50 27
🛏 18 ◈ 90/165 F. ⏢ 50/120 F. ⏶ 40 F.
⏢ 165/180 F. ⏢ 140/155 F.
✉ sam. et dim. soir mi-oct./juin.
🎮 CB🅥🅸🆂🅰 E

▲ MARRE ★★
Route de Colombies. M. Cousseau
☎ 65 64 51 56
🛏 16 ◈ 120/200 F. ⏢ 50/140 F.
⏶ 42 F. ⏢ 205/225 F. ⏢ 170/190 F.
✉ vac. scol. Noël, Pâques et dim. sept./juin.
Ⓕ 🎮 CB🅥🅸🆂🅰 E 📠

RILLE
37340 Indre et Loire
275 hab.

▲▲ LOGIS DU LAC ★★
M. Dufresne ☎ 47 24 66 61
🛏 7 ◈ 225 F. ⏢ 70/140 F. ⏶ 45 F.
⏢ 275 F. ⏢ 195 F.
✉ 18 fév./10 mars, 21 oct./2 nov. et mer.
Ⓕ 🎮 CB🅥🅸🆂🅰 E

RILLY SUR LOIRE
41150 Loir et Cher
360 hab.

▲▲ AUBERGE DES VOYAGEURS ★★
Mme Guilbert ☎ 54 20 98 85
🛏 16 ◈ 250/270 F. ⏢ 76/165 F.
⏶ 55 F. ⏢ 280/320 F. ⏢ 240/250 F.
✉ 1er déc./15 fév. et mer. sauf juin/sept.
🎮 CB🅥🅸🆂🅰 E Ⓒ

▲ CHATEAU DE LA HAUTE BORDE ★★
M. Very ☎ 54 20 98 09 📠 54 20 97 16
🛏 18 ◈ 125/320 F. ⏢ 60/168 F.
⏶ 50 F. ⏢ 267/355 F. ⏢ 212/295 F.
✉ 15 déc./30 janv.
🎮 CB🅥🅸🆂🅰 E

RIMBACH
68500 Haut Rhin
600 m. • 110 hab.

▲▲ A L'AIGLE D'OR ★
M. Marck ☎ 89 76 89 90
🛏 21 ◈ 165/200 F. ⏶ 40 F.
⏢ 185/220 F. ⏢ 165/200 F.

✉ 6/10 déc., 21 fév./16 mars et lun. oct./juin.
Ⓕ Ⓓ 🎮 CB🅥🅸🆂🅰 AE ⓞ E

RIOM ES MONTAGNES
15400 Cantal
840 m. • 4200 hab. 🛈

▲ MODERN'HOTEL ★ & ★★
Mme Couderc
☎ 71 78 00 13 📠 71 78 12 05
🛏 25 ◈ 140/240 F. ⏢ 65/150 F.
⏶ 50 F. ⏢ 210/260 F. ⏢ 160/210 F.
✉ ven. soir et sam. hs.
Ⓕ 🎮 CV 🎮 CB🅥🅸🆂🅰 E

▲ PANORAMIC
Route de Marchastel. Mme Maze
☎ 71 78 06 41
🛏 8 ◈ 180/200 F. ⏢ 80/110 F. ⏶ 45 F.
⏢ 200/220 F. ⏢ 160/180 F.
✉ 1er nov./1er fév. sauf vac. scol.
Ⓕ 🎮 CV 🎮 CB🅥🅸🆂🅰 AE ⓞ E

RIOZ
70190 Haute Saône
889 hab.

▲ LE LOGIS COMTOIS ★★
111, rue Charles de Gaulle. Mme Belot
☎ 84 91 83 83
🛏 27 ◈ 150/240 F. ⏢ 70/130 F.
⏶ 47 F. ⏢ 240/280 F. ⏢ 170/210 F.
✉ 20 déc./31 janv., dim. soir et lun. midi.
Ⓕ 🎮 CB🅥🅸🆂🅰 E 📠

RIQUEWIHR
68340 Haut Rhin
1045 hab. 🛈

▲ DU CERF ★★
5, rue Général de Gaulle. M. Schmidt
☎ 89 47 92 18 📠 89 49 04 58
🛏 16 ◈ 270/350 F. ⏢ 72/450 F.
⏶ 43 F. ⏢ 300/350 F.
✉ 1ère quinzaine janv., 2ème quinzaine fév., lun. et mar.
Ⓕ Ⓓ 🎮 CB🅥🅸🆂🅰 E

▲ HOSTELLERIE AU MOULIN ★★
3, rue du Général de Gaulle. M. Lau
☎ 89 47 93 13 📠 89 47 87 50
🛏 10 ◈ 270/300 F. ⏢ 75/176 F.
⏶ 40 F. ⏢ 385/520 F. ⏢ 290/370 F.
✉ fév., dernière semaine juin, 1 semaine juil., dim. soir et jeu. hs.
Ⓕ Ⓓ 🎮 CB🅥🅸🆂🅰 E

▲▲ LE SARMENT D'OR ★★
4, rue du Cerf. M. Merckling
☎ 89 47 92 85 📠 89 47 99 23
🛏 10 ◈ 280/420 F. ⏢ 95/260 F.
⏶ 49 F. ⏢ 280/400 F.
✉ 3 janv./8 fév., dim. soir et lun.
Ⓓ 🎮 CB🅥🅸🆂🅰 E

▲▲ SCHOENENBOURG ★★★
Rue du Schoenenbourg. M. Kiener
☎ 89 49 01 11 📠 89 47 95 88
🛏 45 ◈ 375/650 F. ⏢ 170/355 F.
⏶ 85 F. ⏢ 433/505 F.
Ⓕ Ⓓ 🎮 CB🅥🅸🆂🅰 E 📠

RISOUL
05600 Hautes Alpes
1100 m. • 527 hab. ⓘ

▲ LA BONNE AUBERGE ★★
M. Maurel ☎ 92 45 02 40
🛏 25 ◈ 280/300 F. 🍴 110 F. 🍽 55 F.
🏠 285/300 F. 🍽 250/265 F.
⊠ 1er avr./1er juin, 20 sept./26 déc. et
5 janv./10 fév.
🅴 🈺 ☎ 🛏 🍴 🌲 🎿 🎳 CV 🐾

▲ LE ROCHASSON 2 ★★
(Le Gaudissard). Mlle Arnaud
☎ 92 45 14 47
🛏 18 ◈ 230/280 F. 🍴 70/110 F.
🍽 45 F. 🏠 225/265 F. 🍽 195/235 F.
⊠ 10 sept./15 déc. et 15 avr./15 juin.
🅴 ⓘ ☎ 🛏 🍴 🐾 🎿 🎳 CV 🐾 CB🆚 E

RIVARENNES
37190 Indre et Loire
712 hab.

▲ DE LA POSTE
Place de l'Eglise. M. Caron
☎ 47 95 51 16
🛏 9 ◈ 160/250 F. 🍴 68/115 F. 🍽 45 F.
🏠 245/280 F. 🍽 175/215 F.
⊠ 20 nov./30 mars et jeu. hs.
🅴 SP 🛏 🍴 🎳 CV 🈁 🐾 CB🆚 E

RIVEDOUX PLAGE
17940 Charente Maritime
973 hab. ⓘ

▲▲▲ AUBERGE DE LA MAREE ★★★
321, rue Albert Sarrault. M. Bernard
☎ 46 09 80 02 🕿 46 09 88 25
🛏 30 ◈ 300/800 F. 🍴 120/350 F.
🍽 70 F. 🍽 350/600 F.
⊠ Hôtel 12 nov./Rameaux. Rest.
1er oct./Ascension, lun. midi et mar.
midi.
🅴 ⓘ ☎ 🛏 🍴 🌲 🐚 🎳 🈁 🐾
CB🆚 E

RIVIERE SUR TARN
12640 Aveyron
710 hab. ⓘ

▲▲ LE CLOS D'IS ★
Route des Gorges du Tarn. M. Basset
☎ 65 59 81 40 🕿 65 59 84 03
🛏 22 ◈ 150/260 F. 🍴 75/180 F.
🍽 40 F. 🏠 480/590 F. 🍽 360/460 F.
🅴 ☎ 🛏 🍴 🎳 CV 🈁 🐾 CB🆚 E

▲ PEYRELADE
M. Blanc
☎ 65 62 61 20
🛏 9 ◈ 130/200 F. 🍴 70/160 F.
🏠 240/270 F. 🍽 185/200 F.
⊠ dim. soir et lun. soir 1er oct./1er mai.
🛏 CV 🐾 CB🆚 AE ⓪ E

RIXHEIM
68170 Haut Rhin
9600 hab. ⓘ

▲ AU CYGNE ★
1, route de Mulhouse. M. Tritsch
☎ 89 44 06 83 🕿 89 65 19 12
🛏 7 ◈ 165/170 F. 🍴 85/240 F. 🍽 60 F.

🏠 195/215 F. 🍽 180 F.
⊠ dim. soir et lun.
🅴 🅳 🛏 CV 🐾 CB🆚 AE E

▲ ELECTRA ★★
1, route de l'Ile Napoléon. M. Tritsch
☎ 89 44 11 18 🕿 89 65 19 12
🛏 24 ◈ 180/300 F. 🍴 85/240 F.
🍽 60 F. 🏠 245/275 F. 🍽 185/215 F.
⊠ dim. soir et lun.
🅴 🅳 ⓘ ☎ 🛏 CV 🐾 CB🆚 AE E

ROANNE (LE COTEAU)
42120 Loire
54748 hab. ⓘ

▲▲▲ ARTAUD ★★★
133, av. de la Libération. M. Artaud
☎ 77 68 46 44 🕿 77 72 23 50
🛏 25 ◈ 180/400 F. 🍴 95/350 F.
🍽 50 F. 🍽 250/300 F.
⊠ Rest. 24 juil./15 août et dim. sauf fêtes.
🅴 ⓘ ☎ 🛏 🍴 🎳 CV 🈁 🐾 CB🆚 AE E C

ROANNE (PARIGNY)
42120 Loire
469 hab.

▲ LE DAHU ★★
Sur N. 7. M. Duret
☎ 77 62 06 56 🕿 77 62 05 47
🛏 16 ◈ 200/260 F. 🍴 63/180 F.
🍽 32 F. 🍽 180/210 F.
🛏 ☎ 🛏 🍴 🌲 🎳 CV 🈁 🐾 CB🆚 E 🖥

ROANNE (RIORGES)
42153 Loire
9366 hab. ⓘ

▲▲ LE MARCASSIN ★★★
Le Bourg. M. Farge ☎ 77 71 30 18
🛏 10 ◈ 260/300 F. 🍴 105/295 F.
🍽 65 F. 🏠 350 F. 🍽 250 F.
⊠ sam. et dim. soir.
🛏 ☎ 🛏 🍴 🐾 CB🆚 AE E

ROCAMADOUR
46500 Lot
708 hab. ⓘ

▲▲ AUBERGE DE LA GARENNE ★★
Sur D. 247, route Lacave-Souillac.
Mme Lesgourgues
☎ 65 33 65 88 🕿 65 33 61 14
🛏 60 ◈ 150/550 F. 🍴 95/220 F.
🍽 45 F. 🏠 200/400 F. 🍽 130/340 F.
🅴 ⓘ ☎ 🛏 🍴 🐚 🎳 🎾 🐾 🎳 CV 🈁
🐾 CB🆚 AE ⓪ E 🖥

▲▲ BELLEVUE ★★
(A l'Hospitalet). Mme Amare
☎ 65 33 62 10 🕿 65 33 65 61
🛏 13 ◈ 155/270 F. 🍴 88/300 F.
🍽 40 F.
⊠ janv./15 mars et mer. hs sauf vac. scol.
🅴 SP ⓘ ☎ 🛏 🎳 🐾 CB🆚 AE ⓪ E

▲▲ DU LION D'OR ★★
(Cité Médiévale). M. Duclos
☎ 65 33 62 04 🕿 65 33 72 54
🛏 35 ◈ 180/260 F. 🍴 59/210 F.
🍽 40 F. 🏠 310/330 F. 🍽 225/245 F.
⊠ 3 nov./1er avr.
🅴 SP 🛏 🍴 🎳 🈁 🐾 CB🆚 E C

322

ROCAMADOUR (suite)

▲▲ LE BELVEDERE ★★
Mme Scheid
☎ 65 33 63 25 🖬 65 33 69 25
🛉 18 🖃 235/340 F. 🍽 65/235 F.
🍴 45 F. 🍽 340/360 F. 🍴 260/360 F.
⊠ 2 nov./1er avr.
🔲 🗔 🖀 🚗 🖧 CV ⟵ CB🌐 AE E

▲ LE COMP'HOSTEL ★★
L'Hospitalet. M. Me Mejecaze/Andral
☎ 65 33 73 50 🖬 65 33 68 26
🛉 15 🖃 240/320 F. 🍽 63/200 F.
🍴 42 F. 🍽 327 F. 🍴 242 F.
⊠ Toussaint/Rameaux.
🔲 🗓 🖀 🗔 🖂 🏕 🏊 🖧 🧗 🖧 CV
⟵ CB🌐 E

▲▲ LE PANORAMIC ★★
Route du Château. M. Mejecaze
☎ 65 33 63 06 🖬 65 33 69 26
🛉 21 🖃 230/280 F. 🍽 67/250 F.
🍴 47 F. 🍴 238/258 F.
⊠ 5 nov./14 fév., rest. ven. sauf vac.
scol. et fériés.
🔲 🗔 🖀 🚗 🏕 🏊 CV ⟵ CB🌐 AE ⓞ
E C 🖵

▲▲▲ LES VIEILLES TOURS ★★
Sur D. 673, (à 2, 5 Km de Rocamadour).
M. Zozzoli
☎ 65 33 68 01 🖬 65 33 68 59
🛉 18 🖃 210/440 F. 🍽 115/255 F.
🍴 57 F. 🍴 230/365 F.
⊠ Deuxième quinzaine nov.
🔲 🗔 🖀 🚗 🖂 🏕 🏊 🧗 🖧 CV 🔳
⟵ CB🌐 E C

▲▲ TERMINUS HOTEL ET DES PELERINS ★★
Place de la Carretta. M. Me Aymard
☎ 65 33 62 14 🖬 65 33 72 10
🛉 12 🖃 220/300 F. 🍽 67/230 F.
🍴 45 F. 🍴 225/250 F.
⊠ 2 nov./27 mars.
🔲 SP 🗔 🖀 🖂 🖧 CV ⟵ CB🌐 AE ⓞ
E 🖵

ROCHE BERNARD (LA)
56130 Morbihan
770 hab. 🛈

▲▲ AUBERGE DES DEUX MAGOTS ★★
place du Bouffay. M. Morice
☎ 99 90 60 75 ⟍ 99 90 68 13
🖬 99 90 87 87
🛉 15 🖃 280/320 F. 🍽 80/340 F.
🍴 50 F. 🍴 280 F.
⊠ 15 déc./15 janv., dim. soir et lun.
15 sept./30 juin sauf week-ends fériés.
Rest. lun. sauf fériés.
🔲 🗔 🖀 CB🌐 E

ROCHE CANILLAC (LA)
19320 Corrèze
185 hab. 🛈

▲▲ L'AUBERGE LIMOUSINE ★★
Mme Coudert
☎ 55 29 12 06 🖬 55 29 27 03
🛉 26 🖃 200/286 F. 🍽 85/200 F.
🍴 50 F. 🍴 260/300 F. 🍴 220/260 F.
⊠ oct./Pâques.
🔲 🖀 🚗 🏕 🏊 🧗 🖧 🖧 CV 🔳 ⟵ CB🌐 E

ROCHE DES ARNAUDS (LA)
05400 Hautes Alpes
933 m. ● 750 hab.

▲ CEUSE-HOTEL ★★
M. Para
☎ 92 57 82 02
🛉 20 🖃 200/270 F. 🍽 68/140 F.
🍴 45 F. 🍽 245/280 F. 🍴 220/250 F.
⊠ 15/30 nov.
🔲 🖀 🚗 🏕 CV 🔳 ⟵ CB🌐 AE E

ROCHE POSAY (LA)
86270 Vienne
1400 hab. 🛈

▲▲ CLOS PAILLE
Mme Courtault
☎ 49 86 20 66
🛉 14 🖃 125/195 F. 🍽 68/125 F.
🍴 40 F. 🍽 220/269 F. 🍴 175/198 F.
⊠ 15 oct./10 mars.
🔲 🖀 🏕 🏊 🧗 🖧 CV ⟵ CB🌐 E 🖵

▲▲ HOSTELLERIE SAINT LOUIS ★★
3, rue Saint-Louis. M. Courtault
☎ 49 86 20 54
🛉 17 🖃 120/230 F. 🍽 70/125 F.
🍴 42 F. 🍽 200/280 F. 🍴 165/245 F.
⊠ 20 oct./10 mars.
🔲 SP 🗔 🖀 🚗 🖀 🏕 ⟵ CB🌐 E

ROCHE SAINT SECRET
26770 Drôme
213 hab.

▲ AUBERGE DE LA TOUR ★
M. Charpenel
☎ 75 53 55 86
🛉 8 🖃 150 F. 🍽 65/150 F. 🍴 40 F.
🍽 210 F. 🍴 180 F.
🚗 CB🌐 AE ⓞ E

ROCHE SUR YON (LA)
85000 Vendée
53000 hab. 🛈

▲▲ LE POINT DU JOUR ★★
7, rue Gutemberg. M. Borderon
☎ 51 37 08 98 🖬 51 46 22 44
🛉 25 🖃 200/290 F. 🍽 58/260 F.
🍴 48 F. 🍽 240/280 F. 🍴 210/240 F.
⊠ 25 déc./1er janv., dim. soir
1er oct./30 avr.
🔲 SP 🗔 🖀 🚗 🖂 🏕 🧗 🖧 CV ⟵
CB🌐 AE E 🖵

▲▲ LE VINCENNES ★★
81, bld Maréchal Leclerc. Mme Grelaud
☎ 51 62 73 22 🖬 51 37 45 85
🛉 19 🖃 200/265 F. 🍽 60/120 F.
🍴 50 F. 🍴 240/250 F.
🔲 🗔 🖀 🚗 🖧 ⟵ CB🌐 AE ⓞ E 🖵

ROCHEFORT
17300 Charente Maritime
27720 hab. 🛈

▲▲ LA BELLE POULE ★★
Route de Royan. Mme Noyaud
☎ 46 99 71 87 🖬 46 83 99 77
🛉 20 🖃 250/285 F. 🍽 82/162 F.
🍴 45 F. 🍽 325 F. 🍴 255 F.
⊠ dim. soir hs.
🗔 🖀 🚗 🏕 CV 🔳 ⟵ CB🌐 E C 🖵

ROCHEFORT (suite)

LE PARIS ★★
27, 29 av. Lafayette. M. Lalanne
☎ 46 99 33 11 ⚞ 46 99 77 34
🛏 38 ⬗ 200/310 F. 🍴 70/185 F.
🍽 57 F. 🍴 290/385 F. 🍽 215/290 F.
✉ 24 déc./15 janv. Rest. dim.
🅴 🅳 🆂🅿 ⬛ ☎ ⬛ CV ⬛ ⬛ CB💳 E C ⬛

ROCHEFORT DU GARD
30650 Gard
3700 hab.

MAS DE LA ROUVETTE ★★
Sur D. 976. M. Botti
☎ 90 31 73 11
🛏 15 ⬗ 180/230 F. 🍴 68/160 F.
🍽 50 F. 🍴 330 F. 🍽 250 F.
✉ 31 janv./28 fév. et mer.
🅴 🆂🅿 ⬛ ☎ ⬛ ⬛ ⬛ ⬛ ⬛ ⬛ ⬛ ⬛ ⬛
CB💳 E

ROCHEFORT SUR LOIRE
49190 Maine et Loire
1700 hab. 𝒾

GRAND HOTEL ★★
30, rue René Gasnier. M. Preziosi
☎ 41 78 80 46
🛏 8 ⬗ 180/205 F. 🍴 70/150 F. 🍽 40 F.
🍴 240/255 F. 🍽 180/190 F.
✉ 1er fév./8 mars, rest. 22 déc./5 janv.,
dim. soir et mer. hs.
🅴 🅳 ⬛ ☎ ⬛ ⬛ CB💳 E

ROCHEFORT SUR NENON
39700 Jura
597 hab.

FERNOUX-COUTENET ★★
Rue Barbière. Mme Fernoux-Coutenet
☎ 84 70 60 45 ⚞ 84 70 50 89
🛏 20 ⬗ 220/340 F. 🍴 70/160 F.
🍽 50 F. 🍴 250/270 F. 🍽 210/230 F.
✉ 24 déc./10 janv., rest. sam. midi
saison, sam. midi et dim. hs.
🅴 🅳 ⬛ ☎ ⬛ ⬛ ⬛ ⬛ ⬛ ⬛ ⬛ ⬛
⬛ CB💳 E

ROCHELLE (LA)
17000 Charente Maritime
78231 hab. 𝒾

DU COMMERCE ★★
6-12, place de Verdun. M. Aubineau
☎ 46 41 08 22 ⚞ 793325 ⚞ 46 41 74 85
🛏 63 ⬗ 120/300 F. 🍴 70/150 F.
🍽 52 F. 🍴 275/367 F. 🍽 187/279 F.
✉ 7/31 janv., ven. soir et sam., rest.
oct./fév.
🅴 🅳 🆂🅿 ⬛ ☎ ⬛ CV ⬛ ⬛ CB💳 ⚞
⬛ E C ⬛

ROCHER
07110 Ardèche
300 hab.

LE CHENE VERT ★★
M. Jacquet
☎ 75 88 34 02
🛏 27 ⬗ 200/350 F. 🍴 70/170 F.
🍽 40 F. 🍴 280/350 F. 🍽 215/285 F.
✉ 15 nov./20 mars.
🅴 ⬛ ⬛ ⬛ ☎ ⬛ ⬛ ⬛ CB💳 E

ROCHETTE (LA)
73110 Savoie
3260 hab. 𝒾

DU PARC
Rue Neuve. M. Perilliat
☎ 79 25 53 37
🛏 12 ⬗ 165/185 F. 🍴 75/185 F.
🍽 55 F. 🍴 245/265 F. 🍽 200/220 F.
✉ dim. soir. 15 sept./30 juin.
🅴 ⬛ ☎ CB💳 ⚞ ⓐ E

ROCHETTE (LA) (ARVILLARD)
73110 Savoie
800 hab. 𝒾

LES IRIS ★★
(A Arvillard, 2Km). Mme Josse
☎ 79 25 51 29 ⚞ 79 25 54 62
🛏 27 ⬗ 160/300 F. 🍴 61/230 F.
🍽 40 F. 🍴 190/320 F. 🍽 160/290 F.
🅴 🅳 ⬛ ☎ ⬛ ⬛ ⬛ ⬛ ⬛ ⬛ ⬛ CV
⬛ ⬛ CB💳 E C ⬛

RODEZ
12000 Aveyron
640 m. • 28000 hab. 𝒾

DU MIDI ★★
1, rue Béteille. M. de Schepper
☎ 65 68 02 07
🛏 33 ⬗ 130/210 F. 🍴 49/145 F.
🍽 40 F. 🍴 190/250 F. 🍽 140/200 F.
✉ 17 déc./17 janv. Rest. lun. midi
saison, sam. et dim. hs.
🅴 ⬛ ☎ ⬛ ⬛ ⬛ ⬛ ⬛ CB💳 E

ROGNONAS
13870 Bouches du Rhône
3400 hab.

AUBERGE ROGNONAISE ★
10, bld des Arènes. M. Gaffet
☎ 90 94 88 43 ⚞ 90 94 86 51
🛏 14 ⬗ 140/225 F. 🍴 93/140 F.
🍽 48 F. 🍴 240/450 F. 🍽 205/400 F.
✉ dim. soir oct./mars.
🅴 ⬛ ☎ ⬛ ⬛ ⬛ CB💳 ⚞ ⓐ E ⬛

ROHRBACH LES BITCHE
57410 Moselle
2000 hab.

AUBERGE DE LA CROIX D'OR
M. Lauer
☎ 87 09 73 01
🛏 10 ⬗ 190/200 F. 🍴 50/130 F.
🍽 35 F. 🍴 195/215 F. 🍽 160/180 F.
✉ 1er/22 août, 19 déc./3 janv., ven. soir
et lun.
🅳 ☎ ⬛ ⬛ CB💳 E

ROMAGNY
50140 Manche
1178 hab.

AUBERGE DES CLOSEAUX ★★
M. Clouard
☎ 33 59 01 86 ⚞ 33 69 41 02
🛏 10 ⬗ 180/230 F. 🍴 55/145 F.
🍽 35 F. 🍴 210/260 F. 🍽 180/220 F.
✉ 20 déc./10 janv. et dim.
🅴 ⬛ ☎ ⬛ ⬛ CV ⬛ CB💳 E

ROMANS
26100 Drôme
34202 hab. 🛈

▲▲ DES BALMES Rest. AU TAHITI ★★
Quartier des Balmes, route de Tain.
Mme Grégoire
☎ 75 02 29 52 ᴴᴬˣ 75 02 75 47
🛏 12 ⬗ 240/320 F. 🍽 90/160 F.
⌖ 45 F. 🍴 300/340 F. 🍴 220/260 F.
⌧ dim. soir et lun. midi.
🄴 🄳 🆂🅿 🖿 🖮 🖨 🖻 🕾 🔄 🖱 🄲🅅 🕮 🌢
CB🆅🆂🅰 E

ROMAZY
35490 Ille et Vilaine
250 hab.

▲ LE SAINT MARC ★
Route du Mont Saint-Michel. M. Bellier
☎ 99 39 50 94
🛏 9 ⬗ 150/200 F. 🍽 65/130 F. ⌖ 40 F.
🍴 300/450 F. 🍴 250/350 F.
⌧ 1ère quinzaine oct. et mer. hiver.
🄴 🖻 🖨 🕮 🌢 CB🆅🆂🅰 E

ROMENAY
71470 Saône et Loire
1691 hab.

▲ DU LION D'OR ★★
Place Occidentale. M. Chevauchet
☎ 85 40 30 78
🛏 9 ⬗ 145/240 F. 🍽 55/180 F. ⌖ 40 F.
⌧ 1ère quinzaine juin, nov., mar. soir et
mer.
🄴 🖻 🌢 CB🆅🆂🅰 E

ROMILLY SUR SEINE
10100 Aube
16291 hab.

▲▲▲ AUBERGE DE NICEY ★★★
24, rue Carnot. M. Féry
☎ 25 24 10 07 ᴴᴬˣ 25 24 47 01
🛏 12 ⬗ 320/390 F. 🍽 90/230 F.
⌖ 60 F. 🍴 400/500 F. 🍴 310/400 F.
⌧ 2/9 janv., 8/28 août, sam. midi (rest.
uniquement) et dim. soir.
🄴 🄳 🖿 🖨 🖮 🕸 🕷 🕹 🕮 🌢
CB🆅🆂🅰 🅰🅴 E

ROMORANTIN LANTHENAY
41200 Loir et Cher
18150 hab. 🛈

▲▲ AUBERGE LE LANTHENAY ★★
9, rue Notre-Dame du Lieu. M. Talmon
☎ 54 76 09 19 ᴴᴬˣ 54 76 72 91
🛏 9 ⬗ 230/270 F. 🍽 98/270 F. ⌖ 60 F.
🍴 320/350 F. 🍴 250 F.
⌧ dim. soir. rest. lun.
🄴 🖿 🖻 🌢 CB🆅🆂🅰 🅾 E

▲▲ D'ORLEANS ★★
2, Place Général de Gaulle.
Mme Maratrey-Petit.
☎ 54 76 01 65
🛏 10 ⬗ 160/250 F. 🍽 90/195 F.
⌖ 55 F. 🍴 300 F. 🍴 220 F.
⌧ dim. soir.
🄴 🖿 🖻 🕾 🌢 CB🆅🆂🅰 E

DU LION D'OR ★★★★
69, rue Georges Clémenceau. M. Barrat
☎ 54 76 00 28 ᴴᴬˣ 750990 ᴴᴬˣ 54 88 24 87
🛏 16 ⬗ 700/2100 F. 🍽 400/690 F.
⌧ début janv./mi-fév.
🄴 🖿 🖻 🖨 🖻 🖮 🖱 🕸 🕹 🌢
CB🆅🆂🅰 🅰🅴 🅾 E

RONCHAMP
70250 Haute Saône
3000 hab. 🛈

▲▲▲ CARRER ★★
(Le Rhien). Mme Frachebois
☎ 84 20 62 32 ᴴᴬˣ 84 63 57 08
🛏 22 ⬗ 135/200 F. 🍽 50/220 F.
⌖ 35 F. 🍴 138/228 F. 🍴 138/180 F.
🄴 🄳 🖿 🖻 🖨 🖻 🕾 🕷 🕹 🖁 🕹
🄲🅅 🕮 🌢 CB🆅🆂🅰 E

▲▲ LA POMME D'OR ★
Mme Cenci
☎ 84 20 62 12 ᴴᴬˣ 84 63 59 45
🛏 25 ⬗ 100/200 F. 🍽 50/200 F.
⌖ 35 F. 🍴 185/220 F. 🍴 155/190 F.
🄴 🄳 🖿 🖻 🖨 🖻 ⬗ 🖮 🕹 🄲🅅 🕮 🌢
CB🆅🆂🅰 E ▮

ROQUE D'ANTHERON (LA)
13640 Bouches du Rhône
4800 hab. 🛈

▲▲ LE MAS DE LIVANY ★★
Avenue du Parc. M. Duclos
☎ 42 50 47 41 ᴴᴬˣ 42 50 49 26
🛏 20 ⬗ 280/300 F. 🍽 80/190 F.
⌖ 50 F. 🍴 240/260 F.
⌧ 16 janv./16 fév. et mer.
1er oct./1er avr.
🖿 🖻 🖨 🖮 🕾 🕷 🕹 🄲🅅 🕮 🌢 CB🆅🆂🅰 E

ROQUE GAGEAC (LA)
24250 Dordogne
500 hab. 🛈

▲▲ BELLE ETOILE ★★
M. Lorblanchet-Ongaro
☎ 53 29 51 44 ᴴᴬˣ 53 29 45 63
🛏 17 ⬗ 180/320 F. 🍽 110/250 F.
⌖ 50 F. 🍴 380/400 F. 🍴 310/330 F.
⌧ 15 oct./Pâques.
🄴 🆂🅿 🛈 🖻 🖨 🕮 🕾 CB🆅🆂🅰 E

▲▲▲ LE PERIGORD ★★
M. Delrieu
☎ 53 28 36 55 ᴴᴬˣ 53 28 38 73
🛏 40 ⬗ 260/350 F. 🍽 100/350 F.
🍴 360/410 F. 🍴 290/340 F.
⌧ 1er nov./1er avr.
🄴 🆂🅿 🖿 🖻 🖨 🕾 🕸 🕹 🕹 🕮 🌢
CB🆅🆂🅰 🅰🅴

ROQUEBILLIERE
06450 Alpes Maritimes
640 m. • 1650 hab. 🛈

▲▲▲ SAINT SEBASTIEN ★★
M. Cailleau
☎ 93 03 45 38 ᴴᴬˣ 93 03 45 33
🛏 23 ⬗ 200/450 F. 🍽 95 F. ⌖ 55 F.
🍴 280/370 F. 🍴 240/320 F.
⌧ 15 nov./15 déc. et rest. jeu. hiver.
🄴 🄳 🖿 🖻 🖨 🖻 ⬗ 🕾 🕷 🕸
🕹 🕮 🌢 CB🆅🆂🅰

ROQUEBRUNE CAP MARTIN
06190 Alpes Maritimes
15000 hab. ⓘ

🏠 EUROPE VILLAGE ∗
Avenue Virginie Hériot. M. Prat
☎ 93 35 62 45 ⩕ 93 57 72 59
🛏 24 ⌧ 330 F. 🍴 80 F. 🍽 40 F.
🛎 245 F.
⌧ 13 nov./11 fév.
🇪 🅳 ⓘ 🗄 ☎ 🛎 🖵 CB🆅🆂🅰 E 🖼

🏠🏠🏠 WESTMINSTER ∗∗
14, av. Louis Laurens. M. Pérégrini
☎ 93 35 00 68 ⩕ 93 28 88 50
🛏 27 ⌧ 270/380 F. 🍴 70/130 F.
🍽 70 F. 🍱 260/320 F.
⌧ 14 nov./24 déc., 10 janv./15 fév.
et rest. mer. soir.
🇪 🅳 ⓘ 🗄 ☎ 🛏 🖵 🏃 🌀 CV 🛎
CB🆅🆂🅰 🅰🅴 E

ROQUEFAVOUR
13122 Bouches du Rhône
30 hab.

🏠🏠 ARQUIER ∗∗
M. Courtines
☎ 42 24 20 45 ⩕ 42 24 29 52
🛏 16
⌧ dim. soir et lun.
🇪 ⓘ 🗄 ☎ 🛏 ☎ 🖵 CV 🛎 CB🆅🆂🅰 E 🖼

ROQUEFORT
40120 Landes
2112 hab. ⓘ

🏠🏠 DU COMMERCE Rest. LE
TOURNEBROCHE
M. Labat ☎ 58 45 50 13 ⩕ 58 45 62 52
🛏 9 ⌧ 160/265 F. 🍽 45 F.
🍴 170/230 F. 🍱 150/180 F.
⌧ dim. soir et lun. sauf juil./aôut.
🇪 🗄 ☎ 🛏 🖵 CV 🛎 🖵 CB🆅🆂🅰 E

🏠🏠 LE COLOMBIER ∗
M. Deyts ☎ 58 45 50 57 ⩕ 58 45 59 63
🛏 17 🍴 60/120 F. 🍽 40 F.
🇪 🗄 ☎ 🛏 ☎ 🏃 🍽 🛎 🖵 CB🆅🆂🅰 E

ROQUETTE (LA)
12850 Aveyron
110 hab.

🏠 LA ROCADE ∗
M. Gayraud
☎ 65 67 17 12 ⩕ 65 78 29 15
🛏 14 ⌧ 130/210 F. 🍴 54/110 F.
🍽 40 F. 🍴 200/230 F. 🍱 175/210 F.
⌧ 1er/14 juil., 20 déc./10 janv., ven.
soir et sam.
🗄 🛏 ☎ CV 🛎 🖵 CB🆅🆂🅰 E 🖼

ROSCOFF
29680 Finistère
5000 hab. ⓘ

🏠🏠 BELLEVUE ∗∗
(Direction Ferry et les Viviers).
M. Pichon
☎ 98 61 23 38 ⩕ 98 61 11 80
🛏 18 ⌧ 250/380 F. 🍴 105/240 F.
🍽 62 F. 🍴 310/450 F. 🍱 230/330 F.

⌧ Hôtel 11 nov./20 mars, rest.
11 nov./20 déc., 10 janv./20 mars et
mer. sauf vac. scol.
🇪 🗄 ☎ 🛏 CV 🖵 CB🆅🆂🅰 E

🏠🏠 DU CENTRE ∗∗
5, rue Gambetta. Mme Gonçalves
☎ 98 61 24 25
🛏 16 ⌧ 160/300 F. 🍴 80/245 F.
🍽 38 F. 🍴 280/350 F. 🍱 200/270 F.
⌧ 1er janv./15 fév. et jeu. oct./mars.
🇪 🅳 SP 🗄 ☎ 🖵 CB🆅🆂🅰 🅰🅴 E

🏠🏠 LES CHARDONS BLEUS ∗∗
4, rue Amiral Reveillère. M. Kerdiles
☎ 98 69 72 03
🛏 10 ⌧ 250/300 F. 🍴 80/220 F.
🍽 50 F. 🍴 270/305 F. 🍱 250/295 F.
⌧ 15 déc./10 fév. et jeu. sauf juil./août.
🇪 🗄 ☎ 🦽 🖵 CB🆅🆂🅰 E 🖼

ROSIERE MONTVALEZAN (LA)
73700 Savoie
1850 m. ● 500 hab. ⓘ

🏠🏠🏠 LE SOLARET ∗∗
(à La Rosière). M. Herbigny
☎ 79 06 80 47 ⩕ 79 06 82 02
🛏 26 ⌧ 190/370 F. 🍴 70/150 F.
🍽 50 F. 🍴 240/390 F. 🍱 200/350 F.
⌧ 1er mai/7 juil. et 28 août/15 déc.
🇪 🅳 ⓘ 🗄 ☎ 🛏 ㎡ 🖂 CV 🛎 🖵 CB🆅🆂🅰 E

🏠🏠 RELAIS DU PETIT SAINT BERNARD ∗∗
(à La Rosière). M. Arpin
☎ 79 06 80 84 ⩕ 79 06 83 40
🛏 20 ⌧ 240/275 F. 🍴 72/102 F.
🍽 72 F. 🍴 320/350 F. 🍱 240/270 F.
⌧ 1er mai/25 juin et 10 sept./20 déc.
🇪 ☎ 🛏 🖵 CB🆅🆂🅰 E

ROSIERES
07260 Ardèche
860 hab.

🏠 LES CEVENNES ∗
Mme Reynouard ☎ 75 39 52 07
🛏 8 ⌧ 130/150 F. 🍴 70/100 F. 🍽 25 F.
🍴 190/200 F. 🍱 150/160 F.
⌧ 20 sept./15 oct environ.
🛏 ☎ 🏃 CV CB🆅🆂🅰 E

ROSIERS (LES)
49350 Maine et Loire
2000 hab. ⓘ

🏠🏠 AU VAL DE LOIRE
Place de l'Eglise. M. Vidus
☎ 41 51 80 30 ⩕ 41 51 95 00
🛏 10 ⌧ 220/260 F. 🍴 70/180 F.
🍽 50 F. 🍴 346/382 F. 🍱 290/325 F.
⌧ fév./15 mars, dim. soir et lun. hs.
🗄 ☎ 🦽 🖵 CB🆅🆂🅰 E

ROSTASSAC
46150 Lot
140 hab.

🏠🏠 AUBERGE DU VERT ∗
M. Jouclas ☎ 65 36 22 85
🛏 7 ⌧ 140/180 F. 🍴 65/220 F. 🍽 50 F.
🍴 240/260 F. 🍱 170/190 F.
⌧ 15/30 nov., fév., lun. soir et mar.
🇪 ⓘ 🗄 🛏 ☎ 🏃 🖵 CB🆅🆂🅰 E

ROTHIERE (LA)
10500 Aube
120 hab.

AA AUBERGE DE LA PLAINE ★★
Sur D. 396. Mme Galton
☎ 25 92 21 79 FAX 25 92 26 16
🛏 18 ⊗ 190/260 F. 🍴 70/250 F.
🍴 50 F. 🍽 260/300 F. 🖼 180/220 F.
⊠ vac. Noël et ven. soir hs.
[icons] CB VISA AE
⊙ E ▦

ROUFFACH
68250 Haut Rhin
5000 hab.

AA A LA VILLE DE LYON ★★
1, rue Poincaré. M. Bohrer
☎ 89 49 65 51 \ 89 49 62 49
FAX 89 49 76 67
🛏 44 ⊗ 225/420 F. 🍴 50/370 F.
🍴 75 F.
⊠ Hôtel 20 fév./15 mars et lun.
[icons] CB VISA
AE ⊙ E

ROUFFIAC TOLOSAN
31180 Haute Garonne
750 hab.

AA LE CLOS DU LOUP ★★
Route d'Albi. Sur N. 88. M. Masbou
☎ 61 09 28 39 FAX 61 35 13 97
🛏 17 ⊗ 195/215 F. 🍴 95/220 F.
🍴 50 F. 🍽 300/360 F. 🖼 210/250 F.
⊠ Rest. dim. soir et lun.
[icons] CB VISA E

ROUFFILLAC DE CARLUX
24370 Dordogne
600 hab.

AA CAYRE "AUX POISSONS FRAIS" ★★
M. Cayre
☎ 53 29 70 24
🛏 18 ⊗ 250/370 F. 🍴 75/220 F.
🍽 310 F. 🖼 290 F.
⊠ oct.
[icons]
CB VISA E ▦

ROUGET (LE)
15290 Cantal
600 m. • 1000 hab. 𝑖

AA DES VOYAGEURS ★★
M. Roussilhe
☎ 71 46 10 14
🛏 30 ⊗ 180/200 F. 🍴 60/120 F.
🍽 190/200 F. 🖼 170/180 F.
[icons]

ROUGON (GORGES DU VERDON)
04120 Alpes de Haute Provence
800 m. • 50 hab. 𝑖

AA AUBERGE DU POINT SUBLIME ★★
Sur D. 952. Mme Monier/Sturma
☎ 92 83 60 35 FAX 92 83 74 31
🛏 14 ⊗ 210/262 F. 🍴 79/167 F.
🍴 49 F. 🍽 295/315 F. 🖼 215/237 F.
⊠ 1er nov./1er avr.
[icons] CV [icons] CB VISA E

ROULLET
16440 Charente
2337 hab.

AA LE BERGUILLE ★★
M. Contamines
☎ 45 66 34 72 FAX 45 66 41 72
🛏 17 ⊗ 170/250 F. 🍴 78/200 F.
🍴 55 F. 🍽 320 F. 🖼 235 F.
⊠ 19 fév./7 mars. Rest. dim. soir et lun.
soir sauf juil./août.
[icons] CB VISA
E C ▦

ROUMAZIERES LOUBERT
16270 Charente
3100 hab. 𝑖

AA DU COMMERCE ★★
11, av. de la Gare. M. Da Costa
☎ 45 71 21 38 FAX 45 71 17 20
🛏 18 ⊗ 130/350 F. 🍴 72/150 F.
🍴 38 F. 🍽 250/435 F. 🖼 200/350 F.
[icons] CB VISA AE

ROURE
06420 Alpes Maritimes
1100 m. • 147 hab. 𝑖

AA LE ROBUR ★
Rue Centrale. M. Galli
☎ 93 02 03 57
🛏 12 ⊗ 170/340 F. 🍴 110/190 F.
🍴 70 F. 🍽 320/360 F. 🖼 240/260 F.
[icons] CB VISA AE ⊙ E

ROUSSES (LES)
39220 Jura
1120 m. • 3000 hab. 𝑖

AA CHALET LA REDOUTE ★★
(Route Blanche). M. Perrard
☎ 84 60 00 40
🛏 26 ⊗ 290/350 F. 🍴 80/200 F.
🍴 50 F. 🍽 350/370 F. 🖼 290/320 F.
⊠ 15 nov./1er déc.
[icons] CV [icons] CB VISA E

A LE NOIRMONT ★★
(Au By). Mme Perrard
☎ 84 60 30 15
🛏 7 ⊗ 300/350 F. 🍽 360/380 F.
🖼 300/320 F.
[icons] CV CB VISA E

AAA RELAIS DES GENTIANES ★★
309, rue Pasteur. M. Abréal
☎ 84 60 50 64 FAX 84 60 04 58
🛏 14 ⊗ 292/320 F. 🍴 98/260 F.
🍽 398 F. 🖼 340 F.
⊠ dim. soir et lun. hs.
[icons] CV [icons] CB VISA AE ⊙ E

ROUSSES (LES) (NOIRMONT)
39220 Jura
1150 m. • 2700 hab. 𝑖

AA LE CHAMOIS ★★
M. Mandrillon
☎ 84 60 01 48
🛏 12 ⊗ 230/250 F. 🍴 78/200 F.
🍴 38 F. 🍽 300 F. 🖼 250 F.
⊠ ven. soir 15 nov./15 déc.
[icons] CB VISA

327

ROUVRES EN XAINTOIS
88500 Vosges
390 hab.

▲▲▲ BURNEL ET LA CLE DES CHAMPS ★★
22, rue Jeanne d'Arc. Mmes Burnel
☎ 29 65 64 10 [FAX] 29 65 68 88
🔑 18 🛏 185/285 F. 🍴 78/250 F.
🧒 58 F. 🏛 260/318 F. 🏨 190/230 F.
⊠ 23/31 déc. et dim. soir hs.
[E] [D] 📺 ☎ 🚗 🅿 ⋈ ⛱ 🚸 🎠 🚶 🎾
♿ 👥 🐕 CB VISA [AE] E

▲▲▲ RELAIS PARK HOTEL ★★
142 La Gare. M. Pernot
☎ 29 65 63 43 [TX] 850894 [FAX] 29 37 71 12
🔑 19 🛏 180/245 F. 🍴 55/150 F.
🧒 40 F. 🏛 220/245 F. 🏨 155/170 F.
[E] [D] 📺 ☎ 🚗 🅿 ⛱ 🚶 ♿ [CV] 👥 🐕
CB VISA [AE] E 💼

ROUVRES LA CHETIVE
88170 Vosges
400 hab.

▲▲ DE LA FREZELLE ★★
M. Martin ☎ 29 94 51 51 [FAX] 29 94 27 07
🔑 7 🛏 220/315 F. 🍴 70/210 F. 🧒 55 F.
🏛 263/308 F. 🏨 196/255 F.
⊠ 22 déc./4 janv. Rest. sam.
[D] 📺 ☎ 🚗 🅿 ⛱ [CV] 🍳 CB VISA [AE] ◐
E 💼

ROVON
38470 Isère
310 hab.

▲ AUBERGE DE LA COMBE
Mme Matera ☎ 76 64 77 16
🔑 4 🛏 200/300 F. 🍴 105/190 F.
🧒 50 F.
⊠ lun. oct./fin avr.
[i] 🅿 ⛱ 🏊 🚶 🍳 CB VISA [AE] E

ROYAN
17200 Charente Maritime
18600 hab. [i]

▲▲ LES BLEUETS ★★
21, Façade de Foncillon. M. Delhez
☎ 46 38 51 79 [FAX] 46 23 82 00
🔑 16 🛏 250/320 F. 🍴 95 F. 🧒 55 F.
🏨 250/285 F.
⊠ Rest. ven., sam. et dim. hs.
[E] 📺 ☎ [CV] CB VISA E 💼

ROYAT
63130 Puy de Dôme
4000 hab. [i]

▲▲ BARRIEU ★★
1, bld Barrieu. M. Raynaud
☎ 73 35 82 50 [FAX] 73 35 63 31
🔑 30 🛏 285/305 F. 🍴 70/120 F.
🧒 50 F. 🏛 360/378 F. 🏨 335/350 F.
⊠ 1er nov./1er avr.
[E] [SP] 📺 ☎ 🚗 🅿 ↕ ⋈ 🐕 CB VISA ◐ E

▲▲ BELLE MEUNIERE ★★
25, av. de la Vallée. M. Bon
☎ 73 35 80 17
🔑 8 🛏 200/280 F. 🍴 135/260 F.
🧒 60 F. 🏛 300/325 F. 🏨 250/280 F.
⊠ 15 derniers jours nov., vac. scol. fév., dim. soir et mer.
[SP] [i] 📺 ☎ 🚗 ♿ 👥 🐕 CB VISA [AE] ◐ E

▲▲ LE CHATEL ★★
20, av. de la Vallée. M. Hureau
☎ 73 35 82 78 [FAX] 73 35 79 49
🔑 25 🛏 110/300 F. 🍴 67/160 F.
🧒 45 F. 🏛 193/300 F. 🏨 170/262 F.
⊠ 30 nov./1er mars.
[E] [SP] 📺 ☎ 🚗 🅿 ↕ ⛱ ♿ [CV] 🐕 CB VISA

ROYE
80700 Somme
6500 hab.

▲▲ CENTRAL Rest. LE FLORENTIN [ec]
36, rue d'Amiens. M. Devaux
☎ 22 87 11 05 [FAX] 22 87 42 74
🔑 8 🛏 260/320 F. 🍴 85/200 F. 🧒 60 F.
🏨 300 F.
⊠ 23 déc./4 janv., 7/14 mars, 21/28 août, dim. soir et lun.
[E] 📺 ☎ 🅿 ⋈ 👥 🍳 CB VISA [AE] ◐ E 💼

▲ DU NORD Rest. LUTZ ★
Place de la République. M. Lutz
☎ 22 87 10 87 [FAX] 22 87 46 88
🔑 7 🛏 130/255 F. 🍴 95/290 F. 🧒 65 F.
[E] 👥 🐕 CB VISA E

ROZ SUR COUESNON
35610 Ille et Vilaine
1006 hab.

▲ LES QUATRE SALINES ★★
(Les Quatre Salines. D. 797). M. Bilheu
☎ 99 80 23 80 [FAX] 99 80 21 73
🔑 18 🛏 185/230 F. 🍴 60/140 F.
🧒 39 F. 🏛 240/280 F. 🏨 175/235 F.
[E] 📺 ☎ 🅿 ⛱ 🚶 ♿ [CV] 👥 🐕 CB VISA
◐ E 💼

ROZIER (LE)
48150 Lozère
110 hab. [i]

▲▲ GRAND HOTEL DES VOYAGEURS ★★
M. Viala ☎ 65 62 60 09 [FAX] 65 62 64 01
🔑 29 🛏 260/420 F. 🍴 80/150 F.
🧒 48 F. 🏛 290/320 F. 🏨 240/280 F.
⊠ début oct./Fév.
[E] ☎ ↕ CB VISA [AE] E

RUCH
33350 Gironde
523 hab.

▲▲ HOSTELLERIE DU CHATEAU LARDIER ★★
M. Bauzin ☎ 57 40 54 11 [FAX] 57 40 70 38
🔑 9 🛏 215/330 F. 🍴 85/270 F. 🧒 40 F.
🏛 330/430 F. 🏨 235/320 F.
⊠ 15 nov./1er semaine mars, dim. soir et lun. hs.
[E] [SP] ☎ 🅿 ⛱ 🚶 ♿ 👥 🐕 CB VISA E

RUMILLY MOYE
74150 Haute Savoie
640 hab. [i]

▲▲▲ RELAIS DU CLERGEON ★★
Route du Clergeon. M. Chal
☎ 50 01 23 80
🔑 19 🛏 145/330 F. 🍴 75/200 F.
🧒 48 F. 🏛 260/330 F. 🏨 210/280 F.
⊠ 29 août/5 sept., vac. Toussaint, dim. soir et lun.
[E] [D] [i] 📺 ☎ 🚗 🅿 ⋈ ⛱ 🚶 ♿ [CV]
👥 🐕 CB VISA ◐ E 💼

RUOMS
07120 Ardèche
3000 hab.

▲▲ LA CHAPOULIERE ★★
Quartier la Chapoulière. Mme Mazars
☎ 75 39 65 43 ☒ 75 39 75 82
🛏 12 ◈ 240/310 F. 🍽 85/190 F.
🅿 45 F. 🍴 290/325 F. 🍽 230/275 F.
⊠ 1er janv./15 mars et
30 nov./31 déc.
🖼🖥🔲🚗🍴♿♨🐾 CB🆚 E

RUPT SUR MOSELLE
88360 Vosges
3501 hab.

▲▲▲ DU CENTRE ★★
28-30, rue de l'Eglise. M. Perry
☎ 29 24 34 73 ╲ 29 24 37 43
☒ 29 24 45 26
🛏 11 ◈ 135/320 F. 🍽 105/330 F.
🅿 55 F. 🍴 250/330 F. 🍽 190/260 F.
⊠ dim. soir et lun. sauf vac. scol.
🖼🖥🔲🚗🍴♿♨🐾 CB🆚 AE ⓞ E

▲▲ RELAIS BENELUX BALE ★★
69, rue de Lorraine. M. Remy
☎ 29 24 35 40 ☒ 29 24 40 47
🛏 10 ◈ 160 F. 🍽 60/160 F. 🅿 41 F.
🍴 230/300 F. 🍽 175/235 F.
🖼🖥🔲🚗🍴♿♨🐾
CB🆚 AE E 🏠

RUSSEY (LE)
25210 Doubs
875 m. • 1912 hab.

▲▲ DE LA COURONNE ★★
18, rue De Lattre De Tassigny.
M. Breney
☎ 81 43 71 66 ☒ 81 43 77 77
🛏 16 ◈ 150/200 F. 🍽 57/190 F.
🅿 36 F. 🍴 210/240 F. 🍽 180/210 F.
🖼🖥🔲🚗🍴♨🐾 CB🆚 E

RUSTREL
84400 Vaucluse
600 hab.

▲ AUBERGE DE RUSTREOU
Mme Favier
☎ 90 04 90 90
🛏 8 ◈ 230/270 F. 🍽 95/180 F. 🅿 50 F.
🍴 330/450 F. 🍽 250/370 F.
⊠ 20 déc./20 janv.
🔲♿🐾 CB🆚 E

RUYNES EN MARGERIDE
15320 Cantal
900 m. • 600 hab.

▲▲ MODERNE ★★
M. Rousset
☎ 71 23 41 17
🛏 33 ◈ 135/180 F. 🍽 58/135 F.
🅿 42 F. 🍴 205/225 F. 🍽 180/200 F.
⊠ oct./mars.
🔲🚗🍴 CV♨🐾 CB🆚 E

S

SAALES
67420 Bas Rhin
1200 hab.

▲▲ ROCHE DES FEES ★★
Rue de l'Eglise. M. Kastler
☎ 88 97 70 90 ☒ 88 97 75 16
🛏 14 ◈ 210/250 F. 🍽 95/250 F.
🅿 42 F. 🍴 530/570 F. 🍽 450/490 F.
⊠ 18/28 déc.
🖥🔲🚗🍴♿ CV🐾 CB🆚 AE ⓞ E 🏠

SABLE SUR SARTHE
72300 Sarthe
12721 hab.

▲ L'ESCU DU ROY ★★
20, rue Léon Legludic.
Mme Seince-Françoise
☎ 43 95 90 31
🛏 9 ◈ 200/250 F. 🍽 85/220 F. 🅿 40 F.
🍴 290 F. 🍽 250 F.
⊠ dim. soir.
🖼🖥🔲🍙🚕♿🐾 CB🆚 E

SABLES D'OLONNE (LES)
85100 Vendée
15830 hab.

▲▲ LE CALME DES PINS ★★
43, av. Aristide Briand. Mme Bohéas
☎ 51 21 03 18 ☒ 51 21 59 85
🛏 46 ◈ 300/350 F. 🍽 95/150 F.
🅿 50 F. 🍴 300/340 F. 🍽 270/310 F.
⊠ oct./Pâques, et rest. lun. soir.
🖥🔲🚗🛏🍴♿ CV♨🐾 CB🆚

▲▲ LES HIRONDELLES ★★
44, rue des Corderies. Mme Demaria
☎ 51 95 10 50 ☒ 51 32 31 01
🛏 54 ◈ 300/350 F. 🍽 95/130 F.
🅿 50 F. 🍴 300/340 F. 🍽 270/310 F.
⊠ 1er oct./31 mars.
🖼🖥🔲🚗🛏🍴♿ CV♨🐾
CB🆚 AE E

SABLES D'OR LES PINS
22240 Côtes d'Armor
2116 hab.

▲▲ DE DIANE ★★
M. Rolland
☎ 96 41 42 07 ☒ 96 41 42 67
🛏 28 ◈ 150/360 F. 🍽 80/160 F.
🅿 45 F. 🍴 255/365 F. 🍽 190/310 F.
⊠ 1er janv./4 avr. et 1er oct./31 déc.
🖼🖥🔲🚗🛏🍴♿♨🐾 CB🆚
AE ⓞ E

▲▲▲ LA VOILE D'OR ★★★
Allée des Accacias. M. Orio
☎ 96 41 42 49 ☒ 96 41 55 45
🛏 26 ◈ 193/390 F. 🍽 92/375 F.
🅿 55 F. 🍴 338/425 F. 🍽 288/375 F.
⊠ 15 nov./15 mars, lun. et mar. midi hs
et hors vac. scol.
🖼🖥🔲🚗🍴♿♿♨ CB🆚 E

329

36 15 LOGIS DE FRANCE

SABRES
40630 Landes
1100 hab. 🛈

▲▲▲ AUBERGE DES PINS ★★
Route de la Piscine. M. Lesclauze
☎ 58 07 50 47 🕿 58 07 56 74
🛏 26 ⊠ 250/650 F. 🍽 90/350 F.
🍴 70 F.
⊠ janv., dim. soir et lun. sauf juil./août.
🄴 SP 🖨 ☎ 🖨 🗙 ⤴ 🛆 🌡 🎿 ⅲ CB🅥🅢🅐

SAGY
71580 Saône et Loire
1200 hab.

▲▲ LA GROTTE ★★
Mme Bernard
☎ 85 74 02 33 🕿 85 74 07 11
🛏 15 ⊠ 130/265 F. 🍽 60/350 F.
🍴 60 F. 🍽 245/260 F. 🖾 185/200 F.
🄴 SP 🖨 ☎ 🖨 🗙 🌡 🎿 CV ⅲ 🍷
CB🅥🅢🅐 AE ⊙ E

SAHORRE
66360 Pyrénées Orientales
650 m. • 359 hab.

▲ LA CHATAIGNERAIE ★
Route de Vernet les Bains.
Mme Tessarotto ☎ 68 05 51 04
🛏 10 ⊠ 160/248 F. 🍽 74/122 F.
🍴 55 F. 🍽 225/260 F. 🖾 185/225 F.
⊠ oct./fin avr.
SP 🖨 🖨 🌡 CB🅥🅢

SAHUNE
26510 Drôme
300 hab. 🛈

▲ DAUPHINE PROVENCE ★
M. Aumage
☎ 75 27 40 99
🛏 10 ⊠ 205/225 F. 🍽 80/160 F.
🍴 40 F. 🍽 230/240 F. 🖾 200/210 F.
⊠ 26 août/8 sept., 23 déc./3 janv.
et mer.
🖨 ⅲ CB🅥🅢 AE ⊙ E

SAHURS
76113 Seine Maritime
1000 hab.

▲ LE CLOS DES ROSES ★★
Rue du Haut. M. Danger
☎ 35 32 46 09 🕿 35 32 69 17
🛏 18 ⊠ 150/250 F. 🍽 55/200 F.
🍴 50 F. 🍽 360/420 F. 🖾 280/330 F.
⊠ 15 déc./15 janv. et lun.
🄴 🖨 ☎ 🖨 🌡 🎿 CV ⅲ 🍷 CB🅥🅢 AE E

SAIGNES
15240 Cantal
970 hab. 🛈

▲ RELAIS ARVERNE ★
M. Cosnefroy
☎ 71 40 62 64 🕿 71 40 61 14
🛏 10 ⊠ 150/220 F. 🍽 65/200 F.
🍴 45 F. 🍽 190/240 F. 🖾 152/202 F.
⊠ 1er/15 oct., 3 semaines vac. scol.
hiver, ven. soir et dim. soir hs.
☎ 🖨 🌡 🎿 CV ⅲ 🍷 CB🅥🅢 E

SAILLAGOUSE
66800 Pyrénées Orientales
1300 m. • 840 hab. 🛈

▲▲▲ PLANES "LA VIEILLE MAISON
CERDANE" ★★
Place de Cerdagne. M. Planes
☎ 68 04 72 08 🕿 68 04 75 93
🛏 18 ⊠ 185/235 F. 🍽 100/250 F.
🍴 60 F. 🍽 280/290 F. 🖾 240/255 F.
⊠ 15 oct./20 déc.
🄴 SP 🖨 ☎ 🖨 🖨 ♿ 🎿 🏊 CV ⅲ 🍷
CB🅥🅢 AE E

SAINT AFFRIQUE
12400 Aveyron
9200 hab. 🛈

▲▲▲ MODERNE ★★
54, av. A. Pezet. M. Decuq
☎ 65 49 20 44 🕿 65 49 36 55
🛏 28 ⊠ 250/390 F. 🍽 72/270 F.
🍴 72 F. 🍽 288/342 F. 🖾 211/265 F.
⊠ 20 déc./20 janv. et rest.
2ème semaine oct.
🄴 SP 🖨 ☎ 🖨 🗙 CV ⅲ 🍷 CB🅥🅢 AE E

SAINT AGREVE
07320 Ardèche
1050 m. • 3000 hab. 🛈

▲▲ DES CEVENNES ★
10, place de la République. M. Rochedy
☎ 75 30 10 22
🛏 10 ⊠ 150/250 F. 🍽 85/195 F.
🍴 58 F. 🍽 260/320 F. 🖾 220/280 F.
⊠ 15 nov./15 déc. et mar. 15 sept./15 juin.
🄴 🖨 ☎ ⅲ CB🅥🅢 E

▲▲ LE CLAIR LOGIS ★
Sur D. 120, à 800m. (face au lac).
M. Reynaud
☎ 75 30 13 24 🕿 75 30 22 05
🛏 7 ⊠ 110/220 F. 🍽 60/130 F. 🍴 35 F.
🍽 200/230 F. 🖾 170/200 F.
⊠ 15 oct./28 déc., 28 mars/4 avr. et
lun. hs.
🄴 ☎ 🖨 🌡 🎿 CV 🍷 CB🅥🅢 E

SAINT AIGNAN
41110 Loir et Cher
4000 hab. 🛈

▲▲ GRAND HOTEL SAINT-AIGNAN ★★
7-9, quai J. J. Delorme. M. Chapelot
☎ 54 75 18 04
🛏 21 ⊠ 120/330 F. 🍽 78/180 F.
🍴 50 F. 🍽 285/390 F. 🖾 195/300 F.
⊠ 14/28 fév., 14/28 nov., dim. soir et
lun. nov./fin mars.
🄴 D 🖨 ☎ 🖨 🌡 🎿 CV ⅲ 🍷
CB🅥🅢 AE E

SAINT AIGNAN DE CRAMESNIL
14540 Calvados
360 hab.

▲▲ AUBERGE DE LA JALOUSIE ★★
Sur N. 158, Echangeur de la Jalousie.
M. Duclos ☎ 31 23 51 69 🕿 31 23 95 55
🛏 12 ⊠ 140/280 F. 🍽 77/225 F.
🍴 48 F. 🍽 265/350 F. 🖾 180/260 F.
⊠ fév., dim. soir et lun. hs sauf fériés.
🄴 🖨 ☎ 🖨 🌡 ⅲ 🍷 CB🅥🅢

SAINT AIGNAN SUR ROE
53390 Mayenne
900 hab.

AA LA BOULE D'OR ★★
Rue du Relais des Diligences. M. Pauvert
☎ 43 06 51 02
🛏 6 ⊠ 180/290 F. 🍽 45/160 F. 🍴 60 F.
🍽 240/340 F. 🛎 200/280 F.
⊠ août, dim. soir et lun.
[symbols]
CB VISA AE E

SAINT ALBAN DE MONTBEL
73610 Savoie
190 hab.

AA LE LYONNAIS ★★
(Lac d'Aiguebelette). M. Bernet
☎ 79 36 00 10 FAX 79 44 10 57
🛏 12 ⊠ 135/250 F. 🍽 69/190 F.
🍴 50 F. 🛎 165/230 F.
⊠ 20 déc./31 janv. et lun. hs.
[symbols] CB VISA
AE E C

SAINT ALBAN SUR LIMAGNOLE
48120 Lozère
950 m. • 2160 hab. [i]

AA RELAIS SAINT ROCH ★★★
Chateau de la Chastre. M. Chavignon
☎ 66 31 55 48 FAX 66 31 53 26
🛏 9 ⊠ 305/580 F. 🍽 98/238 F. 🍴 78 F.
🍽 461/590 F. 🛎 335/452 F.
⊠ 1er déc./31 mars. Rest. lun. et mar.
midi.
[symbols]
CB VISA AE ⊕ E

SAINT AMAND DE COLY
24290 Dordogne
300 hab.

A GARDETTE
Mme Baulimon
☎ 53 51 68 50
🛏 6 ⊠ 170/220 F. 🍽 60/120 F. 🍴 35 F.
🛎 380/440 F.
⊠ 31 oct./Pâques.
[symbols] CB VISA E

SAINT AMAND MONTROND
18200 Cher
12500 hab. [i]

AA CROIX D'OR ★★
28, rue du 14 Juillet. M. Moranges
☎ 48 96 09 41 FAX 48 96 72 89
🛏 12 ⊠ 180/270 F. 🍽 88/280 F.
🍴 40 F.
⊠ ven. soir oct./juin sauf week-end de
fêtes.
[symbols] CB VISA E

AA DE LA POSTE ★★
9, rue du Docteur Vallet. M. Bardary
☎ 48 96 27 14
🛏 21 ⊠ 180/280 F. 🍽 98/235 F.
🛎 310 F.
⊠ environ 15 déc./15 janv., lun. sauf
juin/15 déc. et fériés.
[symbols] CB VISA E

SAINT AMANS SOULT
81240 Tarn
1696 hab. [i]

AA HOSTELLERIE DES CEDRES ★★
M. Prat
☎ 63 98 36 73
🛏 12 ⊠ 150/320 F. 🍽 85/200 F.
🍴 45 F. 🛎 200/480 F.
⊠ dim. soir et lun.
[symbols] CB VISA E

SAINT AMARIN
68550 Haut Rhin
700 m. • 2035 hab. [i]

AA AUBERGE DU MEHRBAECHEL ᶜᶜ
Route de Geishouse. M. Kornacker
☎ 89 82 60 68
🛏 24 ⊠ 200/250 F. 🍽 70/200 F.
🍴 50 F. 🍽 230/270 F. 🛎 200/240 F.
⊠ 21 oct./21 nov. et ven.
[symbols] CB VISA E

SAINT AMOUR
39160 Jura
2500 hab. [i]

A DU COMMERCE
Place de la Chevalerie. M. Raffin
☎ 84 48 73 05
🛏 10 ⊠ 150/240 F. 🍽 85/200 F.
🍴 65 F. 🍽 250 F. 🛎 200/220 F.
⊠ 20 déc./25 janv., dim. soir et lun.
sauf juil./août.
[symbols] CB VISA E

SAINT ANDRE D'HEBERTOT
14130 Calvados
244 hab.

AAA AUBERGE DU PRIEURE ★★
M. Millet ☎ 31 64 03 03 FAX 31 64 16 66
🛏 12 ⊠ 345/980 F. 🍽 145/180 F.
🍴 65 F. 🍽 460/780 F. 🛎 320/635 F.
⊠ 15 janv./28 fév. et mer.
[symbols]
CB VISA E

SAINT ANDRE LE GAZ
38490 Isère
1642 hab.

A LE CHARMY ★
Rue Anatole France. M. Masat
☎ 74 88 10 37
🛏 9 ⊠ 140/170 F. 🍽 58/176 F. 🍴 40 F.
🍽 200/250 F. 🛎 170/220 F.
⊠ 13/27 fév., 21 août/12 sept., dim. soir
et mer. soir.
[symbols] CB VISA AE
⊕ E

SAINT ANDRE LES ALPES
04170 Alpes de Haute Provence
900 m. • 1000 hab. [i]

AA LE CLAIR LOGIS ★★
Route de Digne. M. Le Gac
☎ 92 89 04 05
🛏 12 ⊠ 220/260 F. 🍽 68/180 F.
🍴 38 F. 🍽 270/290 F. 🛎 230/250 F.
⊠ 1er nov./1er mars.
[symbols] CB VISA AE
⊕ E

LE COLOMBIER **
(La Mure). Mme Fhal
☎ 92 89 07 11 FAX 92 89 10 45
🛏 20 ⬡ 190/310 F. 🍴 69/175 F.
🏃 45 F. 🏠 300/355 F. 🛌 245/265 F.
✉ 1er/21 oct.
CB VISA AE ⊙ E

SAINT ANTHEME
63660 Puy de Dôme
940 m. • 1000 hab. [i]

DES VOYAGEURS **
M. Colomb
☎ 73 95 40 16 FAX 73 95 80 94
🛏 32 ⬡ 227/267 F. 🍴 83/150 F.
🏃 40 F. 🏠 252/302 F. 🛌 212/262 F.
✉ 1er nov./31 janv., dim. soir et lun.
sauf 15 juin/15 sept.
CB VISA AE ⊙ E C

LE PONT DE RAFFINY **
(A Saint-Romain). M. Beaudoux
☎ 73 95 49 10 FAX 73 95 80 21
🛏 12 ⬡ 215 F. 🍴 80/155 F. 🏃 50 F.
🏠 240 F. 🛌 190 F.
✉ 1er janv./15 fév., dim. soir et lun.
sauf 1er juil./15 sept.
CB VISA E

SAINT AUBAN
06850 Alpes Maritimes
1100 m. • 110 hab.

AUBERGE DE LA CLUE *
M. Bonnome
☎ 93 60 43 12
🛏 10 ⬡ 175/240 F. 🍴 60/160 F.
🏠 255/290 F. 🛌 220/240 F.
✉ mi-nov./début avr. et mar. hs.

SAINT AUBIN DE MEDOC
33160 Gironde
4332 hab.

AUX QUATRE SAISONS **
Route de Picot. M. Bobineau
☎ 56 95 86 90 FAX 56 95 79 72
🛏 15 ⬡ 250/350 F. 🍴 85/230 F.
🏃 50 F. 🏠 350 F. 🛌 250 F.
✉ dim. soir et lun. midi.
CB VISA E

SAINT AUBIN DU CORMIER
35140 Ille et Vilaine
3400 hab.

DE BRETAGNE
68, rue de l'Ecu. M. Juban
☎ 99 39 10 22
🛏 13 🍴 54/130 F. 🏃 40 F.
🏠 165/185 F. 🛌 140/165 F.
✉ 1 semaine vac. Toussaint et
2 semaines vac. Carnaval.
CB VISA E

SAINT AUBIN SUR MER
14750 Calvados
1500 hab. [i]

DE NORMANDIE **
126, rue Pasteur. M. Grosset
☎ 31 97 30 17 FAX 31 97 57 37
🛏 25 ⬡ 180/250 F. 🍴 65/210 F.
🏃 40 F. 🏠 280/330 F. 🛌 210/265 F.
✉ fin sept./mi-mars.
CB VISA AE E C

LE CLOS NORMAND **
Promenade Guynemer. M. Wahl
☎ 31 97 30 47 Tél 170234 FAX 31 96 46 23
🛏 29 ⬡ 230/330 F. 🍴 98/260 F.
🏃 58 F. 🏠 330/420 F. 🛌 270/340 F.
✉ 15 oct./24 mars.
CB VISA E

SAINT-AUBIN **
Place du Canada (Face Plage).
M. Taboga ☎ 31 97 30 39 FAX 31 97 41 56
🛏 24 ⬡ 250/350 F. 🍴 110/260 F.
🏃 50 F. 🏠 360/400 F. 🛌 270/320 F.
✉ 3ème semaine nov., 2 janv./1er fév.,
dim. soir et lun.
CB VISA ⊙ E

SAINT AULAIRE
19130 Corrèze
750 hab.

AUBERGE BELLEVUE *
Mme Vianne ☎ 55 25 81 39
🛏 9 ⬡ 150/260 F. 🍴 65/180 F. 🏃 35 F.
🏠 220/280 F. 🛌 170/220 F.
✉ janv., ven. soir et sam. hs.
CB VISA ⊙ E

SAINT AVOLD
57500 Moselle
20000 hab. [i]

DE L'EUROPE ***
7, rue Altmayer. M. Zirn
☎ 87 92 00 33 FAX 87 92 01 23
🛏 34 ⬡ 335/355 F. 🍴 120/270 F.
🏃 60 F. 🏠 353 F. 🛌 283 F.
✉ Rest. 1er/15 août, sam. midi et dim.
CB VISA AE ⊙ E

SAINT AYGULF
83370 Var
2800 hab. [i]

LA PALANGROTTE
246, av. F. Millet. Mme Mondin
☎ 94 81 21 69 FAX 94 81 78 84
🛏 14 ⬡ 200/290 F. 🍴 70/195 F.
🏃 45 F. 🏠 240/280 F. 🛌 200/240 F.
✉ nov./début fév.
CB VISA E

LA PETITE AUBERGE **
118, rue d'Alsace. M. Dubois
☎ 94 81 01 26 FAX 94 81 78 08
🛏 11 ⬡ 240/300 F. 🍴 95/150 F.
🏃 49 F. 🏠 330/350 F. 🛌 285/300 F.
✉ mi-nov./mi-fév.
CB VISA E

SAINT BENOIT
86280 Vienne
5950 hab. 🛈

▲▲ L'OREE DES BOIS ★★
Route de Ligugé. Sortie A10 sud.
M. Galpin ☎ 49 57 11 44 🖷 49 43 21 40
🛏 14 ⊗ 240/325 F. ⫼ 79/338 F.
🍴 50 F.
⊠ Hôtel dim. soir et rest. dim. soir et
lun., dim. soir et rest. lun.
🔲 📷 ☎ 🛎 📶 CB🏧 E

SAINT BENOIT SUR LOIRE
45730 Loiret
1800 hab. 🛈

▲▲ LE LABRADOR ★★
7, place de l'Abbaye. Mme Labrette
☎ 38 35 74 38 🖷 38 35 78 33
🛏 44 ⊗ 165/380 F.
⊠ 1er janv./15 fév.
🔲 📷 ☎ 🍴 📐 🛎 📶 ♿ CB🏧 AE E

SAINT BERTRAND DE COMMINGES
31510 Haute Garonne
518 m. ● 228 hab. 🛈

▲▲ L'OPPIDUM ★★
Rue de la Poste. Mme Salis
☎ 61 88 33 50 🖷 61 95 94 04
🛏 15 ⊗ 200/340 F. ⫼ 75/160 F.
🍴 50 F.
⊠ 22 nov./17 déc., 15/31 janv. et mer.
sauf vac. scol.
🔲 SP 📷 ☎ ♿ CV 🛎 ♿ CB🏧 AE E

SAINT BLAISE LA ROCHE
67420 Bas Rhin
245 hab. 🛈

▲▲ AUBERGE DE LA BRUCHE ★★
Rue Principale. M. Debut
☎ 88 97 68 68 🖷 88 47 22 22
🛏 10 ⊗ 180/250 F. ⫼ 80/250 F.
🍴 60 F. ⫼ 265/335 F. 🍽 220/290 F.
⊠ janv. et lun.
🔲 ☎ 🍴 📶 CV 🛎 ♿ CB🏧 E

SAINT BOIL
71940 Saône et Loire
300 hab.

▲▲ AUBERGE DU CHEVAL BLANC ★★★
M. Cantin ☎ 85 44 03 16 🖷 85 44 07 25
🛏 13 ⊗ 170/370 F. ⫼ 85/250 F.
🍴 45 F. 🍽 325/380 F.
⊠ 15 jours mi-fév., 15 jours mi-mars
et mer.
📷 ☎ 🍴 📶 🛎 CB🏧 E

SAINT BONNET EN CHAMPSAUR
05500 Hautes Alpes
1025 m. ● 1376 hab. 🛈

▲▲ LA CREMAILLERE ★★
M. Montier ☎ 92 50 00 60
🛏 21 ⊗ 250/310 F. ⫼ 90/220 F.
🍴 55 F. ⫼ 300/330 F. 🍽 250/280 F.
⊠ 1er oct./30 mars.
🔲 📷 ☎ 🍴 📶 🛎 ♿ CB🏧 E

SAINT BONNET TRONCAIS
03360 Allier
1000 hab.

▲▲▲ LE TRONCAIS ★★
Rond de Tronçais-Sur D. 978A. M. Bajard
☎ 70 06 11 95 🖷 70 06 16 15
🛏 12 ⊗ 245/324 F. ⫼ 100/180 F.
🍴 60 F. ⫼ 280/320 F. 🍽 230/270 F.
⊠ 15 déc./15 mars, dim. soir et lun.
sauf été.
🔲 🔳 SP 📷 ☎ 🍴 📶 🎿 🛎 CB🏧 E

SAINT BONNET TRONCAIS (ISLE ET BARDAIS)
03360 Allier
476 hab. 🛈

▲ LE ROND GARDIEN ★
(Forêt de Tronçais). M. Labrousse
☎ 70 06 11 21 🖷 70 06 16 37
🛏 7 ⊗ 150/280 F. ⫼ 65/160 F. 🍴 40 F.
⫼ 210/220 F. 🍽 185/210 F.
⊠ dim. soir et lun. hs.
🔲 🔳 SP 📷 ☎ 🍴 📶 🎿 🛎 CB🏧 E

SAINT BREVIN LES PINS
44250 Loire Atlantique
8000 hab. 🛈

▲▲ LA BOISSIERE ★★
70, av de Mindin. M. Le Berrigaud
☎ 40 27 21 79 🖷 40 39 11 88
🛏 23 ⊗ 230/410 F. ⫼ 80/180 F.
🍴 45 F. ⫼ 280/405 F. 🍽 250/375 F.
⊠ 1er janv./1er avr. et 5 oct./31 déc.
🔲 🔳 📷 ☎ 🍴 📶 🎿 CV ♿ CB🏧

▲▲ LE DEBARCADERE ★★
Place de la Marine. Mme Moissard
☎ 40 27 20 53
🛏 14 ⊗ 220/300 F. ⫼ 100/160 F.
🍴 50 F. ⫼ 280/330 F. 🍽 250/300 F.
⊠ 1er déc./15 janv., sam. et dim. soir
hs.
🔲 📷 ☎ 🍴 📐 🛎 CV 🛎 ♿ CB🏧
E 🏴

▲ LE PETIT TRIANON ★★
239, avenue de Mindin. Mme Turgis
☎ 40 27 22 16 🖷 40 64 43 49
🛏 18 ⊗ 140/286 F. ⫼ 65/165 F.
🍴 44 F. ⫼ 262/308 F. 🍽 218/262 F.
⊠ 15/30 nov., Rest. dim. soir et lun.
🔲 ☎ 🍴 🛎 CV ♿ CB🏧 E

SAINT BRIEUC (PLERIN)
22190 Côtes d'Armor
10753 hab. 🛈

▲▲ LE CHENE VERT ★★
Route Saint-Laurent de la Mer sur N. 12.
M. Parcheminer
☎ 96 79 80 20 🖷 96 79 80 21
🛏 55 ⊗ 270/350 F. ⫼ 75/160 F.
🍴 40 F. 🍽 255/275 F.
⊠ dim. midi.
🔲 📷 ☎ 🍴 📐 🛎 📶 🎿 CV 🛎 ♿
CB🏧 AE ⊙ E 🏴

SAINT BRISSON
45500 Loiret
1000 hab.

▲▲ CHEZ HUGUETTE ★
M. Carreau
☎ 38 36 70 10
🛏 10 ◎ 180/200 F. 🍴 55/200 F.
🍽 40 F. 🛏 220/240 F. 🍴 200/220 F.
☎ ⬤ CB🔲

SAINT CAPRAISE DE LALINDE
24150 Dordogne
557 hab.

▲▲ RELAIS SAINT-JACQUES ★★
Place de l'Eglise. M. Rossignol
☎ 53 63 47 54
🛏 6 ◎ 210/280 F. 🍴 80/225 F. 🍽 55 F.
🛏 230/270 F.
⊠ 15 janv./20 fév. mer. 1er sept./14 juil.
🅴 ☎ ♿ 🈁 ⬤ CB🔲 E

SAINT CAST
22380 Côtes d'Armor
3246 hab. 🛈

▲ BON ABRI ★
4, rue du Sémaphore. M. Isambert
☎ 96 41 85 74 🖷 96 41 99 11
🛏 40 ◎ 170/250 F. 🍴 100/125 F.
🍽 50 F. 🛏 220/275 F. 🍴 190/245 F.
⊠ 10 sept./Ascension.
🅴 ☎ 🚗 🍴 🦽 ⬤ CB🔲 E

▲▲ DES ARCADES ★★★
15, rue du Duc d'Aiguillon. M. Thebault
☎ 96 41 80 50 🖷 96 41 77 34
🛏 32 ◎ 325/460 F. 🍴 75/168 F.
🍽 38 F. 🛏 395/470 F. 🍴 295/370 F.
⊠ 2 nov./1er avr.
🅴 🅳 SP 🛈 ☎ 🍴 ♿ CV ⬤ CB🔲
AE ⓞ E 🅲

▲▲ DES DUNES ★★
MM. Feret
☎ 96 41 80 31 🖷 96 41 85 34
🛏 29 ◎ 260/355 F. 🍴 98/370 F.
🍽 75 F. 🛏 390/430 F. 🍴 330/370 F.
⊠ 2 nov./25 mars, dim. soir et lun. oct.
🅴 ☎ 🚗 🍴 🅝 ⬤ CB🔲 E

▲ DES MIELLES ★★
3, rue du Duc d'Aiguillon. M. Thebault
☎ 96 41 80 95 🖷 96 41 77 34
🛏 20 ◎ 160/300 F. 🍴 75/110 F.
🍽 35 F. 🛏 275/365 F. 🍴 200/285 F.
⊠ 2 nov./1er avr.
🅴 🅳 SP 🛈 ☎ 🦽 CV 🈁 ⬤ CB🔲
AE ⓞ E

SAINT CERE
46400 Lot
5000 hab. 🛈

▲▲▲ DE FRANCE ★★★
181, av. François de Maynard. M. Lherm
☎ 65 38 02 16 🖷 65 38 02 98
🛏 22 ◎ 250/350 F. 🍴 100/240 F.
🍽 50 F. 🛏 380/440 F. 🍴 280/340 F.
⊠ 15 nov./15 janv., rest. mar. midi et
sam. midi.
🅴 🅳 🛈 ☎ 🚗 🍴 ♿ CV 🈁 ⬤
CB🔲 E

SAINT CERGUES
74140 Haute Savoie
615 m. • 2200 hab.

▲▲ DE FRANCE ★★
MM. Tetaz-Chambon/Jacquet
☎ 50 43 50 32 🖷 50 94 66 45
🛏 21 ◎ 150/270 F. 🍴 100/240 F.
🍽 50 F. 🍴 255/310 F. 🍴 175/230 F.
⊠ 24 avr./9 mai, 14 oct./14 nov., dim.
soir et lun. 4 sept./25 juin.
🅴 🛈 ☎ 🚗 🍴 🦽 🈁 ⬤ CB🔲
E 🏠

SAINT CEZAIRE SUR SIAGNE
06780 Alpes Maritimes
2500 hab.

▲ LA PETITE AUBERGE
4, place Général de Gaulle.
M. Me Phillippoteaux
☎ 93 60 26 60
🛏 6 ◎ 113/190 F. 🍴 75/150 F. 🍽 45 F.
🍴 240 F. 🍴 170 F.
⊠ mi-déc./mi-janv., lun. soir et mar. sauf
juil./août.
🅴 ♿ CV ⬤ CB🔲

▲▲ LE CLAUX DE TALADOIRE ★★
Route de Saint-Vallier. M. Brochard
☎ 93 60 20 09 🖷 93 60 80 45
🛏 20 ◎ 200/260 F. 🍴 85/170 F.
🍽 65 F. 🍴 320/345 F. 🍴 220/245 F.
🅴 ☎ 🚗 🍴 🦽 ♿ ♿ CV 🈁 ⬤
CB🔲 AE ⓞ E

SAINT CHARTIER
36400 Indre
560 hab.

▲▲▲ CHATEAU LA VALLEE BLEUE ★★★
Route de Verneuil. M. Gasquet
☎ 54 31 01 91 🖷 54 31 04 48
🛏 13 ◎ 315 F. 🍴 120/295 F. 🍽 60 F.
🍴 500/600 F. 🍴 400/500 F.
⊠ 19 déc./fin fév., dim. soir et lun.
oct./Rameaux.
🅴 🅳 SP ☎ 🚗 🍴 🅝 🍴 🦽 ♿
🈁 ⬤ CB🔲 E 🏠

SAINT CHEF
38890 Isère
2500 hab. 🛈

▲ BOUVIER ★
M. Bouvier
☎ 74 92 41 40
🛏 10 ◎ 160/180 F. 🍴 60/160 F.
🍽 50 F. 🍴 210/230 F. 🍴 170/190 F.
⊠ 19 août/21 sept. Rest. dim. soir et lun
soir.
☎ 🚗 CB🔲 AE E

SAINT CHELY D'APCHER
48200 Lozère
1000 m. • 5000 hab. 🛈

▲▲ JEANNE D'ARC ★★
49, av. de la Gare. M. Caule
☎ 66 31 00 46 🖷 66 31 28 85
🛏 13 ◎ 190/240 F. 🍴 70/180 F.
🍽 50 F. 🍴 220/250 F. 🍴 220/240 F.
🅴 ☎ 🚗 🚗 🍴 🦽 ♿ CV 🈁 CB🔲
E 🏠

SAINT CHELY D'APCHER (LA GARDE)
48200 Lozère
1040 m. • 330 hab.

▲▲ LE ROCHER BLANC ★★
La Garde. M. Brunel
☎ 66 31 90 09 ⚞ 66 31 93 67
🛏 18 ◫ 200/380 F. �𝄐 75/185 F.
🍽 50 F. ⫿ 250/320 F. ⫾ 200/300 F.
⊠ 15 déc./1er avr. et dim. soir hors
vac. scol.
🄴 SP ⌂ 🕾 🚗 🌳 📺 🎣 🚶 ♿ 🅿
♠ CB𝑉𝐼𝑆𝐴 E

SAINT CHRISTO EN JAREZ
42320 Loire
810 m. • 1200 hab.

▲ DES TOURISTES ★
M. Besson ☎ 77 20 85 01
🛏 10 ◫ 170/220 F. �𝄐 80/160 F.
🍽 50 F. ⫿ 240 F. ⫾ 190 F.
⊠ 25 août/10 sept. et mer.
🚗 🌳 📺 🅿 CB𝑉𝐼𝑆𝐴 E

SAINT CHRISTOPHE SUR LE NAIS
37370 Indre et Loire
925 hab.

▲ LES GLYCINES ★
5, place Jehan d'Alluye. M. Desnoës
☎ 47 29 24 10
🛏 7 ◫ 120/200 F. ⟦ 68/170 F. 🍽 50 F.
⫾ 210/260 F.
⊠ dernière semaine mars, 1ère semaine
sept., dim. soir et mer.
🄴 ♠ CB𝑉𝐼𝑆𝐴 E

SAINT CIRGUES DE JORDANNE
15590 Cantal
800 m. • 200 hab.

▲▲ LES TILLEULS ★★
Mme Fritsch ☎ 71 47 92 19 ⚞ 71 47 91 06
🛏 14 ◫ 250/270 F. ⟦ 70/200 F. 🍽 35 F.
⫿ 280/300 F. ⫾ 230/250 F.
⊠ dim. soir et lun. Toussaint/Pâques.
🄴 SP ⌂ 🕾 🚗 🌳 🎣 🚶 ♿ 🌳
CV 📺 ♠ CB𝑉𝐼𝑆𝐴 ⦿ E

SAINT CIRGUES EN MONTAGNE
07510 Ardèche
1040 m. • 300 hab. 🅸

▲▲ AU PARFUM DES BOIS ★★
M. Lespinasse
☎ 75 38 93 93 ⚞ 75 38 95 38
🛏 24 ◫ 240/320 F. ⟦ 70/220 F.
🍽 45 F. ⫿ 250/280 F. ⫾ 220/250 F.
⊠ 1er/26 déc.
⌂ 🕾 🚗 ⤢ 🎣 🌳 🅿 CV 📺 CB𝑉𝐼𝑆𝐴 ⒜
⦿ E

SAINT CLAUDE
39200 Jura
13156 hab. 🅸

▲ AU PONT DE ROCHEFORT
M. des Bordes
☎ 84 45 02 13 ⚞ 84 45 18 06
🛏 10 ◫ 130/280 F. ⟦ 65/100 F.
🍽 37 F. ⫿ 195/290 F. ⫾ 150/230 F.

⊠ 1ère semaine sept., 20/31 déc., ven.
soir, sam. midi et dim. soir hs.
🕾 🌳 🅿 CB𝑉𝐼𝑆𝐴

▲▲▲ SAINT HUBERT ★★
3, place Saint Hubert. M. Jannet
☎ 84 45 10 70 ⚞ 84 45 64 76
🛏 30 ◫ 225/395 F. ⫿ 88/275 F.
🍽 55 F. ⫿ 285/305 F. ⫾ 235/255 F.
⊠ 23 déc./3 janv., rest. dim. et lun. midi.
🄴 🄳 ⌂ 🕾 🚗 🚗 🛏 🅿 ♿ 📺 ♠
CB𝑉𝐼𝑆𝐴 E 🄲

SAINT CLAUDE (LE MARTINET)
39200 Jura
14086 hab. 🅸

▲▲ JOLY ★★
(Le Martinet). M. Buchin
☎ 84 45 12 36 ⚞ 84 41 02 49
🛏 15 ◫ 200/330 F. ⫿ 110/170 F.
🍽 65 F. ⫿ 360/390 F. ⫾ 240/340 F.
⊠ sam. et dim. soir hs. sauf vac. scol.
🄴 ⌂ 🕾 🚗 🌳 🎣 ♿ CV ♠ CB𝑉𝐼𝑆𝐴
⒜ ⦿ E 🖥

SAINT CLAUDE (VILLARD SAINT SAUVEUR)
39200 Jura
600 m. • 25 hab.

▲▲▲ HOSTELLERIE "AU RETOUR DE LA CHASSE" ★★
M. Vuillermoz
☎ 84 45 11 32 ⚞ 84 45 13 96
🛏 16 ◫ 260/360 F. ⫿ 100/340 F.
🍽 90 F. ⫿ 350/400 F. ⫾ 300/330 F.
⊠ 18/30 déc., dim. soir et lun. hors vac.
scol.
🄴 ⌂ 🕾 🎣 🚶 🅿 CV 📺 ♠ CB𝑉𝐼𝑆𝐴 ⒜
⦿ E 🖥

SAINT CLEMENT SUR VALSONNE
69170 Rhône
457 hab.

▲▲ LE SAINT CLEMENT ★★
Place de l'Europe. M. Royer
☎ 74 05 17 80
🛏 9 ◫ 240 F. ⫿ 60/195 F. 🍽 45 F.
⫿ 280 F. ⫾ 240 F.
⊠ 3ème semaine janv., lun. soir et mar.
🕾 🚶 📺 ♠ CB𝑉𝐼𝑆𝐴 ⒜ E

SAINT COLOMBAN DES VILLARDS
73130 Savoie
1104 m. • 205 hab. 🅸

▲ DE LA POSTE
M. Martin-Fardon
☎ 79 56 25 33 ⚞ 79 59 12 22
🛏 20 ◫ 140/230 F. ⫿ 75/130 F.
🍽 35 F. ⫿ 200/240 F. ⫾ 170/200 F.
🚗 🌳 CV 📺 ♠ CB𝑉𝐼𝑆𝐴 ⒜ E

SAINT CYPRIEN
24220 Dordogne
2000 hab. 🅸

▲▲ DE LA TERRASSE ★★
Place Jean Ladignac. Mme Costes
☎ 53 29 21 69 ⚞ 53 29 60 88
🛏 17 ◫ 210/355 F. ⫿ 100/220 F.
🍽 55 F. ⫿ 270/350 F. ⫾ 245/315 F.
⊠ 2 nov./15 mars, lun. mars et oct.
🄴 ⌂ 🕾 🕾 🌳 CV ♠ CB𝑉𝐼𝑆𝐴 E

SAINT CYPRIEN SUR DOURDOU
12320 Aveyron
870 hab. 🛈

⌂ AUBERGE DU DOURDOU ★
Mme Rols ☎ 65 69 83 20
🛏 11 ⬙ 175/250 F. 🍽 75/160 F.
🍴 50 F. 🍲 230/250 F. 🛌 205/225 F.
⌧ 1er oct./15 nov. et lun.
☎ 🚗 🛟 🎿 🐶 CB🅥🅸🅢🅰

SAINT CYR L'ECOLE
78210 Yvelines
20000 hab.

⌂ LA BOULE D'OR
99, av. Pierre Curie. Mme Lepêtre-Drean
☎ (1) 30 45 00 38
🛏 13 ⬙ 200/250 F. 🍽 85/170 F.
🍴 60 F. 🍲 280/300 F. 🛌 220/250 F.
⌧ août, sam. et dim. soir.
🇪 🚗 🖃 CB🅥🅸🅢🅰 E

SAINT DALMAS DE TENDE
06430 Alpes Maritimes
700 m. • 400 hab.

⌂ TERMINUS ★
M. Giordano ☎ 93 04 60 10 \ 92 92 13 47
🛏 10 ⬙ 160/250 F. 🍽 90/145 F.
🍴 58 F. 🛌 220/265 F.
⌧ 1er nov./1er mai.
🇪 SP 🛈 🚗 🛟 🈁 🗬 CB🅥🅸🅢🅰

SAINT DENIS D'ANJOU
53290 Mayenne
1279 hab. 🛈

⌂ LA CALECHE
2, route d'Angers. M. Henaff
☎ 43 70 61 00
🛏 7 ⬙ 205 F. 🍽 70/170 F. 🍴 45 F.
🍲 280/295 F. 🛌 250/260 F.
⌧ Hôtel 1er janv./31 mars,
15 oct./8 nov., 15/28 fév., dim. soir et
mar. sauf juil./août
🇪 🗔 🚗 🚙 🦽 CV 🈁 🗬 CB🅥🅸🅢🅰 E

SAINT DENIS DE L'HOTEL
45550 Loiret
2290 hab.

⌂⌂ LE DAUPHIN ★★
Avenue des Fontaines. Mme Pierre
☎ 38 59 07 26 🅵🅰🆇 38 59 07 63
🛏 21 ⬙ 265 F. 🍽 78/195 F. 🍴 60 F.
🍲 320 F. 🛌 230 F.
⌧ 20 déc./4 janv. et dim. soir.
🇪 🗔 🚗 🚗 🖃 🛟 ⚙ 🦽 🈁 🗬 CB🅥🅸🅢🅰
🅰🅴 E

SAINT DIE
88100 Vosges
24820 hab. 🛈

⌂⌂ MODERNE ★★
64, rue d'Alsace. M. Natter
☎ 29 56 11 71 🅵🅰🆇 29 56 45 06
🛏 10 ⬙ 230/280 F. 🍽 75/175 F.
🍴 45 F. 🍲 250/270 F. 🛌 200/225 F.
⌧ 19 août/4 sept., 23 déc./8 janv., ven.
soir et sam.
🗔 🚗 🚗 🦽 🗬 CB🅥🅸🅢🅰 E

SAINT DIE (TAINTRUX)
88100 Vosges
1000 hab.

⌂⌂ LE HAUT FER ★★
(A Rougiville, route d'Epinal N. 420).
Mme Louis
☎ 29 55 03 48 🅵🅰🆇 29 55 23 40
🛏 16 ⬙ 280/300 F. 🍽 75/200 F.
🍴 50 F. 🍲 305/325 F. 🛌 250/270 F.
⌧ 1er/17 janv., dim. soir et lun. hs.
🇪 🗗 🗔 🚗 🚗 🈁 🛟 🗬 🎿 CV 🈁
🗬 CB🅥🅸🅢🅰 🅰🅴 E

SAINT DISDIER
05250 Hautes Alpes
1040 m. • 160 hab.

⌂⌂ LA NEYRETTE ★★
M. Muzard ☎ 92 58 81 17
🛏 10 ⬙ 270 F. 🍽 96/189 F. 🍴 61 F.
🍲 335 F. 🛌 250 F.
⌧ 1er oct./15 déc.
🇪 🗗 🛈 🗔 🚗 🚗 🈁 🛟 🗬 🎿 CV 🗬
CB🅥🅸🅢🅰 🅰🅴 ⓞ E

SAINT DIZIER
52100 Haute Marne
37445 hab. 🛈

⌂⌂ LE GAMBETTA ★★★
62, rue Gambetta. M. Dupied
☎ 25 56 52 10 🆃🆇 842 365 🅵🅰🆇 25 56 39 47
🛏 63 ⬙ 240/390 F. 🍽 65/125 F.
🍴 50 F. 🛌 220/320 F.
⌧ Rest. dim. soir et soirs fériés.
🇪 🗗 🗔 🗔 🚗 🚗 🛒 ♿ CV 🈁 🗬
CB🅥🅸🅢🅰 🅰🅴 ⓞ E C 🗬

SAINT DONAT SUR L'HERBASSE
26260 Drôme
2250 hab. 🛈

⌂⌂ CHARTRON ★★★
1, av. Gambetta. M. Chartron
☎ 75 45 11 82 🅵🅰🆇 75 45 01 36
🛏 7 ⬙ 300/340 F. 🍽 120/360 F.
🍴 70 F. 🛌 280/300 F.
⌧ lun soir sauf juil./août et mar.
🇪 SP 🗗 🚗 🚗 🗔 🖃 🈁 🛟 🗬 CB🅥🅸🅢🅰
🅰🅴 ⓞ E

SAINT ESTEBEN
64640 Pyrénées Atlantiques
420 hab.

⌂⌂ DU FRONTON ★★
M. Mendivil ☎ 59 29 64 82
🛏 8 ⬙ 140/260 F. 🍽 80/150 F.
🍲 250/300 F. 🛌 220/260 F.
⌧ nov. et rest. lun.
🇪 SP 🗗 🚗 🚗 🖃 🎿 ♿ CB🅥🅸🅢🅰 E

SAINT ETIENNE DE CHOMEIL
15400 Cantal
730 m. • 311 hab.

⌂ LA RUCHE CANTALIENNE
M. Chaumeil
☎ 71 78 32 04
🛏 7 ⬙ 155 F. 🍽 70/120 F. 🍴 45 F.
🍲 170/190 F. 🛌 150/170 F.
⌧ lun. soir et mer. sauf vac. scol.
🇪 CV CB🅥🅸🅢🅰 🅰🅴 E

SAINT ETIENNE DE FURSAC
23290 Creuse
500 hab.

▲▲ NOUGIER ★★
M. Nougier
☎ 55 63 60 56 ᴼᴵ 55 63 65 47
🛏 12 ⌧ 280/320 F. 🍴 75/200 F.
🍽 70 F. 🏠 320 F. 🛏 260 F.
⌧ 1er déc./28 fév., dim. soir et lun. hs.
[icons] CB VISA ⊕ E

SAINT ETIENNE DE TINEE
06660 Alpes Maritimes
1142 m. • 2030 hab. 🅸

▲ DES AMIS
3, rue Val Gelé. Mme Fulconis
☎ 93 02 40 30
🛏 6 🍴 80/130 F. 🍽 30 F. 🏠 230/240 F.
🛏 180/185 F.
⌧ mi-juin/début oct. et mer.
[icons] CB VISA AE ⊕ E

SAINT ETIENNE EN COGLES
35460 Ille et Vilaine
1422 hab.

▲ AUBERGE DU COGLAIS ★★
5, rue Charles de Gaulle. M. Desbles
☎ 99 98 65 10
🛏 17 ⌧ 130/200 F. 🍴 50/160 F.
🍽 50 F. 🏠 255/325 F. 🛏 205/275 F.
⌧ fév., dim. soir et lun.
[icons] CB VISA E

SAINT ETIENNE LES ORGUES
04230 Alpes de Haute Provence
700 m. • 1000 hab. 🅸

▲▲ SAINT CLAIR ★★
Chemin du Serre. M. Brusseau
☎ 92 73 07 09
🛏 27 ⌧ 172/380 F. 🍴 95/140 F.
🍽 50 F. 🏠 242/380 F. 🛏 193/307 F.
⌧ 31 oct./1er mars.
[icons]
CB VISA E C

SAINT FARGEAU
89170 Yonne
1920 hab. 🅸

▲▲ LE RELAIS DU CHATEAU ★★
25, rue Saint-Martin. M. Robert
☎ 86 74 01 75 ᴼᴵ 86 74 09 73
🛏 28 ⌧ 280 F. 🍴 85/320 F. 🍽 55 F.
🏠 330 F. 🛏 250 F.
⌧ 15 nov./15 mars.
[icons] CB VISA
AE ⊕ E 🖪

SAINT FELIX LAURAGAIS
31540 Haute Garonne
1100 hab. 🅸

▲▲▲ AUBERGE DU POIDS PUBLIC ★★★
Faubourg Saint-Roch. M. Taffarello
☎ 61 83 00 20 ᴼᴵ 61 83 86 21
🛏 13 ⌧ 240/290 F. 🍴 125/285 F.

🍽 90 F. 🛏 255/275 F.
⌧ janv. et dim. soir oct./avr.
[icons]
CB VISA E

SAINT FERREOL (LAC)
31250 Haute Garonne
71 hab. 🅸

▲ LA RENAISSANCE ★★
M. Franc ☎ 61 83 51 50 ᴼᴵ 61 83 19 90
🛏 24 ⌧ 130/270 F. 🍴 65/220 F.
🍽 44 F. 🍴 220/300 F. 🛏 180/240 F.
⌧ 31 oct./31 mars.
[icons] CB VISA AE ⊕ E

SAINT FLORENT LE VIEIL
49410 Maine et Loire
3000 hab. 🅸

▲▲▲ HOSTELLERIE DE LA GABELLE ★★
Quai de la Loire. Mme Redureau
☎ 41 72 50 19 ᴼᴵ 41 72 54 38
🛏 20 ⌧ 180/250 F. 🍴 75/180 F.
🍽 37 F. 🍴 275/300 F. 🛏 215/250 F.
⌧ Toussaint, Noël et 31 janv.
[icons] CB VISA AE ⊕ E

SAINT FLORENTIN
89600 Yonne
7000 hab. 🅸

▲▲ LES TILLEULS ★★
3, rue Descourtives. Mme Hubert
☎ 86 35 09 09 ᴼᴵ 86 35 36 90
🛏 9 ⌧ 260/320 F. 🍴 115/230 F.
🍽 55 F.
⌧ vac. scol. fév./mars 3 semaines, hôtel
dim. soir, rest. dim. soir et lun. sauf
juil./août.
[icons] CB VISA AE ⊕ E 🖪

SAINT FLOUR
15100 Cantal
900 m. • 9000 hab. 🅸

▲▲ AUBERGE DE LA PROVIDENCE ★★
1, rue du Château d'Alleuze.
M. Charbonnel
☎ 71 60 12 05 ᴼᴵ 71 60 33 94
🛏 10 ⌧ 250/280 F. 🍴 80/150 F.
🍽 50 F. 🛏 250/270 F.
⌧ 15 oct./15 nov., dim., lun. hs,
Toussaint et Pâques.
[icons]
CB VISA AE ⊕ E 🖪

▲▲▲ DES MESSAGERIES ★★
23, av. Charles De Gaulle. M. Giral
☎ 71 60 11 36 ᴼᴵ 71 60 46 79
🛏 17 ⌧ 195/410 F. 🍴 79/300 F.
🍽 60 F. 🍴 335/425 F. 🛏 255/325 F.
⌧ ven. et sam. 16 h début
nov./début avr.
[icons]
CB VISA E

▲ DU NORD ★
18, rue des Lacs. M. Paga
☎ 71 60 28 00 ᴼᴵ 71 60 07 33
🛏 30 ⌧ 150/250 F. 🍴 55/140 F.
🍽 35 F. 🍴 200/240 F. 🛏 170/200 F.
[icons] CB VISA AE ⊕ E

SAINT FLOUR (suite)

▲▲ L'ANDER ★★
6 bis, av. du Ct. Delorme. M. Quairel
☎ 71 60 21 63 📟 393160 🆔 71 60 46 40
🛏 38 ◎ 180/250 F. 🍽 60/120 F.
🍴 35 F. 🍽 230/260 F. 🛏 190/210 F.
[E] [SP] 🗐 🖨 🖨 ⭍ ⋈ 🐕 CV 🎱
CB🆅🅰 ◎ E

▲▲ NOUVEL HOTEL LA BONNE TABLE ★★
21, av. de la République. M. Juillard
☎ 71 60 05 86 📟 393 160 🆔 71 60 41 60
🛏 40 ◎ 230/350 F. 🍽 70/160 F.
🍴 50 F. 🍽 260/380 F. 🛏 210/250 F.
⊠ Toussaint/Rameaux.
[E] 🗐 🖨 🖨 ⭍ 🚼 CV 🎱 CB🆅🅰

SAINT GAUDENS
31800 Haute Garonne
13000 hab. 🔎

▲▲ PEDUSSAUT ★★
9, av. de Boulogne. Mme Gay
☎ 61 89 15 70
🛏 20 ◎ 140/220 F. 🍽 65/175 F.
🍴 45 F. 🍽 170/250 F. 🛏 130/190 F.
[E] [SP] 🗐 🖨 🖨 ⭍ 🚼 CV 🎱 CB🆅🅰 E

SAINT GAUDENS (LABARTHE INARD)
31800 Haute Garonne
614 hab. 🔎

▲▲ HOSTELLERIE DU PARC ★★
Sur N. 117. Mme Castets
☎ 61 89 08 21 🆔 61 95 99 14
🛏 14 ◎ 180/200 F. 🍽 70/220 F.
🍴 50 F. 🛏 220 F.
⊠ 15 janv./fin fév. et lun. oct./fin juin
sauf fêtes.
[E] [SP] 🗐 🖨 🖨 ⋈ 🚼 ⚓ 🚼 🚼 CV 🎱
🐾 CB🆅🅰

▲▲ LA TUILIERE ★★
Sur R. N. 117. Mme Gago
☎ 61 89 08 51
🛏 20 ◎ 200/240 F. 🍽 65/190 F.
🍴 45 F. 🍽 240/285 F. 🛏 175/205 F.
⊠ Rest. dim. soir hiver.
[E] 🗐 🖨 🖨 ⭍ 🚼 🚼 🚼 CV 🎱 🐾
CB🆅🅰 🅰🅴 E

SAINT GAUDENS (VILLENEUVE DE RIVIERE)
31800 Haute Garonne
1275 hab.

▲▲▲ HOSTELLERIE DES CEDRES ★★★
Mme Cellier
☎ 61 89 36 00 🆔 61 88 31 04
🛏 17 ◎ 350/690 F. 🍽 110/255 F.
🍴 60 F. 🛏 410/580 F.
⊠ Rest. 3 premières semaines déc., dim.
soir et lun. midi 15 nov./15 avr.
[E] [SP] 🗐 🖨 🖨 ⋈ 🚼 ⚓ 🐕 🚼 🚼
🎱 🐾 CB🆅🅰 E

SAINT GELVEN
22570 Côtes d'Armor
332 hab. 🔎

▲ HOTELLERIE DE L'ABBAYE
Lieu-dit Bon Repos. M. Gadin
☎ 96 24 98 38

🛏 5 ◎ 240/270 F. 🍽 60/200 F. 🍴 60 F.
🛏 240/250 F.
⊠ mar. soir et mer.
[E] 🖨 🚼 🚼 🐾 CB🆅🅰 E

SAINT GENGOUX LE NATIONAL
71460 Saône et Loire
1050 hab. 🔎

▲ DE LA GARE ★
M. Piedoie ☎ 85 92 66 39
🛏 10 ◎ 120/250 F. 🍽 60/150 F.
🍴 45 F. 🍽 185/260 F. 🛏 145/210 F.
⊠ 15/30 sept.
🖨 🖨 🚼 🚼 🚼 CV 🎱 CB🆅🅰 E

SAINT GENIES DE MALGOIRES
30190 Gard
1420 hab.

▲▲ L'ESQUIELLE ★★
Rue des Faubourgs. M. Tramunt
☎ 66 81 75 05 🆔 66 81 74 31
🛏 8 ◎ 220/275 F. 🍽 70/215 F. 🍴 40 F.
🍽 240/260 F. 🛏 180/210 F.
⊠ Rest. 1ère quizaine sept.
[E] [SP] 🗐 🖨 🖨 🚼 🗐 🚼 CV 🎱 🐾 CB🆅🅰 E

SAINT GENIES DES MOURGUES
34160 Hérault
1112 hab.

▲ AUBERGE DU BERANGE ★★
Mme Bonnet
☎ 67 70 16 00 🆔 67 70 80 85
🛏 34 ◎ 170/220 F. 🍽 75/190 F.
🍴 40 F. 🍽 200 F. 🛏 160 F.
[E] [SP] 🗐 🖨 🖨 🚼 🗐 ⚓ 🚼 🚼 🎱 🐾
C 🖨

SAINT GENIEZ D'OLT
12130 Aveyron
2000 hab. 🔎

▲▲▲ DU LION D'OR ★★
M. Rascalou ☎ 65 47 43 32
🛏 12 ◎ 175/310 F. 🍽 85/190 F.
🍴 50 F. 🍽 195/295 F. 🛏 175/265 F.
⊠ 1er janv./10 mars.
[E] [SP] 🗐 🖨 🖨 📺 ⋈ 🚼 🚼 🚼 CV
🎱 🐾 CB🆅🅰 E

SAINT GEORGES DE MONTCLARD
24140 Dordogne
270 hab.

▲▲ LAMBERT ★
M. Lambert ☎ 53 82 98 56
🛏 8 ◎ 170/260 F. 🍽 60/250 F. 🍴 50 F.
🍽 275/295 F. 🛏 255/275 F.
⊠ vac. scol. Toussaint et fév., ven. soir hs.
[E] 🗐 🖨 🚼 🎱 🐾 CB🆅🅰

SAINT GEORGES DU VIEVRE
27450 Eure
560 hab. 🔎

▲ DE FRANCE ᵉᶜ
Place de la Mairie. M. Vochelet
☎ 32 42 81 13
🛏 4 ◎ 185/240 F. 🍽 98/180 F.
🍽 230/245 F. 🛏 170/185 F.
⊠ 15/31 oct. et mar.
[E] 🗐 🖨 CB🆅🅰 E

SAINT GEOSMES
52200 Haute Marne
900 hab. [i]

⌂ AUBERGE DES TROIS JUMEAUX ★★
Route d'Auberive. M. Thomassin
☎ 25 87 03 36 [FAX] 25 87 58 68
[1] 10 ◎ 220/280 F. [11] 80/295 F.
[11] 40 F. [11] 300/380 F. [2] 220/300 F.
⊠ 14 nov./5 déc., lun. 1er mai/1er nov.,
dim. soir et lun. 2 nov./30 avr.
[icons] CB[VISA] E

SAINT GERMAIN DE JOUX
01130 Ain
600 hab.

⌂⌂ HOSTELLERIE REYGROBELLET ★★
Mme Pannier-Gavard
☎ 50 59 81 13
[1] 10 ◎ 220/250 F. [11] 95/260 F.
[11] 60 F. [11] 240/260 F. [2] 200/220 F.
⊠ 13/21 mars, 3/12 juil., 10 oct./3 nov.,
dim. soir et lun.
[icons] CB[VISA] ⊙ E

SAINT GERMAIN DU BOIS
71330 Saône et Loire
1952 hab.

⌂⌂ HOSTELLERIE BRESSANE ★★
M. Picardat
☎ 85 72 04 69 [FAX] 85 72 07 75
[1] 9 ◎ 100/230 F. [11] 52/135 F. [11] 36 F.
[11] 280/310 F. [2] 220/250 F.
⊠ 18 juin/3 juil. et 18 déc./8 janv.
[icons] CV [icon] CB[VISA] E

SAINT GERMAIN DU CRIOULT
14110 Calvados
718 hab.

⌂⌂ AUBERGE SAINT-GERMAIN ★
M. Baude
☎ 31 69 08 10
[1] 9 ◎ 160/210 F. [11] 70/140 F. [11] 45 F.
[11] 220/240 F. [2] 165/200 F.
⊠ 26 déc./10 janv., 1er/10 août, dim.
soir, ven. soir 1er oct./1er mai.
[icons] CB[VISA] E

SAINT GERMAIN LEMBRON
63340 Puy de Dôme
1800 hab.

⌂ LA POSTE ★★
M. Gouzon
☎ 73 96 41 21
[1] 18 ◎ 130/250 F. [11] 70/140 F.
[11] 45 F. [11] 200/260 F. [2] 160/220 F.
⊠ 2 nov./2 déc., sam. et dim. soir hs
sauf vac. scol.
[icons] CB[VISA] E

SAINT GERMAIN LES ARLAY
39210 Jura
403 hab. [i]

⌂⌂ HOSTELLERIE SAINT GERMAIN ★★
M. Bertin
☎ 84 44 60 91
[1] 8 ◎ 250/280 F. [11] 110/190 F.

[icons] 60 F. [11] 350 F. [2] 250 F.
⊠ 1ère quinzaine fév. et mar.
[icons] CB[VISA] E

SAINT GERMAIN LES BELLES
87380 Haute Vienne
1270 hab.

⌂⌂ HOSTELLERIE LE TISON D'OR ★★
A 7 km s/N 20 Le Martoulet (sortie 42
A. 20). Mme Ceyrolles
☎ 55 71 84 78 \ 55 71 83 64
[FAX] 55 71 81 32
[1] 10 ◎ 130/250 F. [11] 65/185 F.
[11] 40 F. [11] 285/365 F. [2] 220/300 F.
⊠ ven. hs.
[icons] CB[VISA] AE E [icon]

SAINT GERVAIS D'AUVERGNE
63390 Puy de Dôme
725 m. • 2000 hab. [i]

⌂⌂ CASTEL-HOTEL 1904 ★★
Rue du Castel. M. Mouty
☎ 73 85 70 42
[1] 17 ◎ 250/280 F. [11] 70/280 F.
[11] 70 F. [11] 290/300 F. [2] 230/250 F.
[icons] CB[VISA] E

⌂ LE RELAIS D'AUVERGNE ★★
Route de Châteauneuf les Bains.
M. Lafont
☎ 73 85 70 10
[1] 12 ◎ 120/220 F. [11] 68/140 F.
[11] 45 F. [11] 200/240 F. [2] 150/190 F.
[icons] SP [icons] CV [icons]
CB[VISA] E

SAINT GERVAIS LES BAINS
74170 Haute Savoie
900 m. • 5000 hab. [i]

⌂⌂ LA MAISON BLANCHE ★★
64, rue du Vieux Pont. M. Satonay
☎ 50 47 75 81 [FAX] 50 93 68 36
[1] 14 ◎ 180/260 F. [11] 95/160 F.
[11] 45 F. [11] 250/300 F. [2] 200/250 F.
[icons] CB[VISA] E

⌂ LA MARMOTTE ★
Route des Contamines. Mme Grimaud
☎ 50 93 42 76
[1] 8 ◎ 160 F. [11] 65/98 F. [11] 35 F.
[11] 220 F. [2] 190 F.
[icons] CB[VISA] AE ⊙ E

SAINT GILLES CROIX DE VIE
85800 Vendée
6340 hab. [i]

⌂⌂ LE LION D'OR ★★
84, rue du Calvaire. M. Giraudeau
☎ 51 55 50 39 [FAX] 51 55 22 84
[1] 54 ◎ 160/335 F. [11] 75/165 F.
[11] 40 F. [11] 270/355 F. [2] 210/295 F.
⊠ Rest. 24 déc./16 janv., sam. et dim.
1er nov./31 mars.
[icons] SP [icons] CV [icons]
CB[VISA] AE E C [icon]

SAINT GILLES VIEUX MARCHE
22530 Côtes d'Armor
430 hab.

⌂ DES TOURISTES ★
Mme Nevo
☎ 96 28 53 30
🛏 8 ⌷ 160/170 F. ⫽ 60/150 F. 🍽 40 F.
⫽ 300/350 F. 🛎 200/220 F.
✉ 2 nov./Pâques.
�︎ ☝ CB🆅🆂🅰 ⓞ E

SAINT GINGOLPH
74500 Haute Savoie
750 hab. ⓘ

⌂ LE LEMAN ★
(A Bret St-Gingolph). MM. Mongellaz
☎ 50 76 73 67 �𝐅𝐀𝐗 50 76 73 96
🛏 17 ⌷ 118/300 F. ⫽ 90/150 F.
⫽ 210/295 F. 🛎 194/250 F.
🄴 🄳 🛋 🍴 🚗 CV ☝ CB🆅🆂 E

⌂⌂ NATIONAL ★★
M. Chevallay
☎ 50 76 72 97 �𝐅𝐀𝐗 50 76 71 93
🛏 14 ⌷ 180/320 F. ⫽ 100/250 F.
🍽 50 F. ⫽ 280/330 F. 🛎 260/300 F.
✉ 20 oct./20 nov., mar. soir et mer. hs.
🄴 🄳 SP 🛋 🍴 🚗 🛏 CV ☝ CB🆅🆂 🄰🄴 E

SAINT GIRONS
09200 Ariège
9500 hab. ⓘ

⌂ MIROUZE ★★
19, av. Gallièni. M. Mirouze
☎ 61 66 12 77
🛏 24 ⌷ 110/260 F. ⫽ 75/140 F.
🍽 46 F. ⫽ 225/270 F. 🛎 155/200 F.
✉ 20/31 déc.
SP 🛋 🍴 🚗 CV ☝ CB🆅🆂 E

SAINT GIRONS PLAGE
40560 Landes
900 hab. ⓘ

⌂ DE LA PLAGE ★
M. Duplaa
☎ 58 47 93 07
🛏 12 ⌷ 200/300 F. ⫽ 68 F.
🛎 200/250 F.
✉ 1er oct./31 mars.
🄴 🄳 🛋 🍴 ☝ CB🆅🆂 E

SAINT HILAIRE D'OZILHAN
30210 Gard
672 hab.

⌂⌂⌂ L'ARCEAU ★★
1, rue de l'Arceau. Mme Cabanel
☎ 66 37 34 45 �𝐅𝐀𝐗 66 37 33 90
🛏 25 ⌷ 250 F. ⫽ 90/220 F. 🍽 50 F.
⫽ 320/340 F. 🛎 240/260 F.
✉ 1er déc./30 janv., dim. soir et lun. hs.
🄴 🄳 🛋 🍴 🍴 🚗 🛏 🍴 CV 🛎 ☝
CB🆅🆂 🄰🄴 E C 🖥

SAINT HILAIRE DU HARCOUET
50600 Manche
5077 hab. ⓘ

⌂⌂ LA VERTE CAMPAGNE ★★
Route de Paris. M. Daufouy
☎ 33 49 20 84

🛏 20 ⌷ 150/250 F. ⫽ 50/150 F.
🍽 35 F. ⫽ 250 F. 🛎 180 F.
🄴 🄳 🛋 🍴 🚗 CV 🛎 ☝ CB🆅🆂 E

SAINT HILAIRE LA GRAVELLE
41160 Loir et Cher
665 hab.

⌂ AUBERGE DU LOIR
10, rue Léon Cibie. M. Pierdos
☎ 54 82 65 00
🛏 2 ⌷ 220 F. ⫽ 63/200 F. 🍽 42 F.
⫽ 255 F. 🛎 205 F.
✉ 1er/15 sept. et mer.
🄴 🄳 🍴 🛎 ☝ CB🆅🆂

SAINT HILAIRE LE CHATEAU
23250 Creuse
400 hab.

⌂⌂ DU THAURION ★★
M. Fanton ☎ 55 64 50 12 �𝐅𝐀𝐗 55 64 90 92
🛏 9 ⌷ 270/550 F. ⫽ 85/400 F. 🍽 55 F.
🛎 300/475 F.
✉ 21/27 déc., 3 janv./1er mars, mer. et
jeu. midi.
🛋 🍴 🍴 🍴 CV 🛎 ☝ CB🆅🆂 🄰🄴 ⓞ E

SAINT HILAIRE LES COURBES
19170 Corrèze
680 m. • 208 hab.

⌂ MAZAUD ★
Mme Mazaud ☎ 55 98 02 44
🛏 7 ⌷ 130/180 F. ⫽ 55/150 F. 🍽 50 F.
⫽ 180 F. 🛎 140 F.
🍴 CV ☝ CB🆅🆂 E

SAINT HILAIRE SAINT MESMIN
45160 Loiret
1900 hab.

⌂⌂⌂ L'ESCALE DU PORT ARTHUR ★★
205, rue de l'Eglise. M. Marquet
☎ 38 76 30 36 �𝐅𝐀𝐗 38 76 37 67
🛏 19 ⌷ 270/310 F. ⫽ 102/192 F.
🍽 70 F. ⫽ 400/430 F. 🛎 300/330 F.
✉ 1er/12 janv.
🄴 🄳 🄸 🛋 🍴 🛏 🍴 🕐 🚗 CV 🛎
☝ CB🆅🆂 🄰🄴 ⓞ E C 🖥

SAINT HIPPOLYTE
25190 Doubs
1500 hab. ⓘ

⌂⌂ LE BELLEVUE ★★
Sur N. 437. Mme Claude
☎ 81 96 51 53 �𝐅𝐀𝐗 81 96 52 40
🛏 15 ⌷ 140/280 F. ⫽ 78/200 F.
🍽 55 F. ⫽ 205/260 F. 🛎 180/238 F.
✉ vac. scol. Toussaint, ven. soir, sam.
midi et dim. soir 1er oct./31 mars.
🄴 🄳 🛋 🍴 🍴 🕐 CV 🛎 ☝
CB🆅🆂 E

SAINT HIPPOLYTE
68590 Haut Rhin
1250 hab. 📖

🏠🏠 A LA VIGNETTE ★★
66, route du Vin. M. Humbrecht
☎ 89 73 00 17 🆚 89 73 05 69
🛏 26 ◫ 170/340 F. 🍽 85/250 F.
🍴 65 F. 🍽 285/340 F. 🍽 205/295 F.
⊠ 1er janv./15 fév., 20/31 déc. et mer.
🅴 🅳 ⬜ 🛎 ⬜ ⬜ ♨ ⬜ ⬜ 🆑 CB🆚 E

🏠🏠 DU PARC ★★
6, rue du Parc. M. Kientzel
☎ 89 73 00 06 🆚 89 73 04 30
🛏 40 ◫ 250/485 F. 🍽 85/260 F.
🍴 60 F. 🍽 375/500 F. 🍽 275/400 F.
⊠ 28 fév./15 mars. Rest. 21/26 nov. et lun.
🅴 🅳 ⬜ 🛎 ⬜ ⬜ ♨ 🛏 ⬜ ⬜ 🆚 ⬜ 🆑 CB🆚 AE ⓞ E ⬜

🏠🏠🏠 MUNSCH. AUX DUCS DE LORRAINE ★★★
16, route du Vin. M. Meyer
☎ 89 73 00 09 🆚 89 73 05 46
🛏 40 ◫ 290/700 F. 🍽 95/310 F.
🍽 440/600 F.
⊠ 10 janv./1er mars, 29 nov./15 déc., rest. lun., dim. soir lun.
🅴 🅳 ⬜ 🛎 ⬜ ⬜ ♨ ⬜ ⬜ 🆚 ⬜
♥ CB🆚 E Ⓒ ⬜

SAINT HIPPOLYTE DU FORT
30170 Gard
3460 hab. 📖

🏠🏠 AUBERGE CIGALOISE ★★
Route de Nîmes. M. Faurichon
☎ 66 77 64 59 🆚 66 77 25 08
🛏 10 ◫ 250 F. 🍽 75/155 F. 🍴 52 F.
🍽 310 F. 🍽 225 F.
⊠ 15 nov./15 déc. et mer. midi.
🅴 ⬜ 🛎 ⬜ ⬜ ♨ ♥ ⬜ ⬜ 🆚 ⬜ ♥
CB🆚 E

SAINT HONORE LES BAINS
58360 Nièvre
800 hab. 📖

🏠 LE CENTRE
Mmes Le Poulain/Néant
☎ 86 30 73 55
🛏 9 ◫ 200 F. 🍽 65 F. 🍴 45 F.
🍽 220 F.
⊠ Hôtel 1er oct./31 mars et mer.

SAINT JACQUES DES BLATS
15800 Cantal
1000 m. • 400 hab.

🏠 AU CHALET FLEURI ★
M. Guillemin
☎ 71 47 05 09 🆚 71 47 06 63
🛏 31 ◫ 140/190 F. 🍽 60/140 F.
🍴 40 F. 🍽 188/208 F. 🍽 173/188 F.
⊠ 15 oct./15 déc.
⬜ 🛎 ⬜ ♨ ⬜ 🆚 ⬜ ♥ CB🆚 E

🏠🏠 DES CHAZES ★★
M. Serio
☎ 71 47 05 68 🆚 71 47 00 10
🛏 20 ◫ 160/260 F. 🍽 70/210 F.
🍴 45 F. 🍽 210/240 F. 🍽 195/225 F.
🅴 ⬜ 🛎 ⬜ ⬜ ♨ ⬜ 🆚 ⬜ ♥
CB🆚 E

🏠 L'ESCOUNDILLOU
Route de la Gare. Mme Bruges
☎ 71 47 06 42
🛏 6 ◫ 140/190 F. 🍽 53/102 F. 🍴 38 F.
🍽 170/195 F. 🍽 150/175 F.
⊠ 22/27 déc., sam. et dim.
15 nov./25 déc.
🅴 ⬜ 🛎 ♨ ⬜ 🆚 ♥ CB🆚 E

🏠 LE BRUNET ★★
M. Troupel
☎ 71 47 05 86
🛏 15 ◫ 190/240 F. 🍽 70/135 F.
🍴 40 F. 🍽 225/250 F. 🍽 205/230 F.
⊠ 15 oct./20 déc.
🅴 🅳 ⬜ 🛎 ⬜ ♨ ♥ ⬜ ⬜ ♥ CB🆚 E

🏠🏠 LE GRIOU ★★
M. Troupel
☎ 71 47 06 25 🆚 71 47 00 16
🛏 20 ◫ 170/290 F. 🍽 65/180 F.
🍴 45 F. 🍽 210/255 F. 🍽 190/235 F.
⊠ 15 oct./15 déc.
🅴 🅳 ⬜ 🛎 ⬜ ♨ ♥ 🆚 ⬜ ♥ CB🆚 E

SAINT JAMES
50240 Manche
3025 hab. 📖

🏠🏠 NORMANDIE HOTEL ★★
Place Bagot. M. Boyer
☎ 33 48 31 45
🛏 14 ◫ 180/260 F. 🍽 70/215 F.
🍴 55 F. 🍽 265 F.
⊠ 23 déc./7 janv.
🅴 🅳 ⬜ 🛎 ⬜ ⬜ ♨ 🆚 ⬜ 🆚 ⬜ ♥
CB🆚 ⓞ E

SAINT JEAN D'ANGELY
17400 Charente Maritime
9580 hab. 📖

🏠 DE LA PAIX ★★
6, allée d'Aussy. M. Poutier
☎ 46 32 00 93 🆚 46 32 08 74
🛏 39 ◫ 110/240 F. 🍽 65/150 F.
🍴 45 F. 🍽 274/345 F. 🍽 187/280 F.
🅴 ⬜ 🛎 ⬜ ⬜ 🆚 ⬜ ♥ CB🆚 AE E

SAINT JEAN D'AULPS
74430 Haute Savoie
801 m. • 914 hab.

🏠🏠🏠 LE PERROUDY ★★
Mme Desroches
☎ 50 74 84 00
🛏 10 ◫ 270 F. 🍽 65/ 98 F. 🍴 38 F.
🍽 315 F. 🍽 240/260 F.
⊠ Rest. lun.
🅴 SP ⬜ 🛎 ⬜ ♨ ♥ ⬜ ♥ 🆚 🆚 ⬜
♥ CB🆚 E

SAINT JEAN DE CHEVELU
73170 Savoie
435 hab.

🏠🏠 DE LA SOURCE ★★
Route Col du Chat. MM. Jacquet
☎ 79 36 80 16
🛏 8 ◫ 210/330 F. 🍽 90/210 F. 🍴 70 F.
🍽 300/330 F. 🍽 260/290 F.
⊠ janv.
🅴 ⬜ 🛎 ⬜ ⬜ ♨ 🆚 ⬜ ♥

SAINT JEAN DE LA BLAQUIERE
34700 Hérault
263 hab.

▲▲ LE SANGLIER ★★★
Domaine de Cambourras. Mme Plazanet
☎ 67 44 70 51 ⊠ 67 44 72 33
🛏 10 ⬚ 340/400 F. 🍴 135/205 F.
🍽 60 F. 🍴 422/490 F. 🖼 329/385 F.
⊠ 25 oct./15 mars. et Rest. mer. midi
hs.
E SP ▢ ▢ ▢ ▢ ▢ ▢ ▢ ▢ ▢
CB VISA E ▪

SAINT JEAN DE LOSNE
21170 Côte d'Or
1500 hab. ℹ

▲▲ AUBERGE DE LA MARINE ★★
(A Losne).
MM. Grandvuillemin/Ducordeau
☎ 80 29 05 11 ⊠ 80 29 10 45
🛏 16 ⬚ 200/280 F. 🍴 50/200 F.
🍽 50 F. 🖼 165/220 F.
E D ▢ ▢ CV CB VISA ▪

SAINT JEAN DE LUZ
64500 Pyrénées Atlantiques
13000 hab. ℹ

▲▲▲ LA FAYETTE Rest. KAYOLA ★★
18-20, rue de la République.
Mme Colombet
☎ 59 26 17 74 ⊠ 59 51 11 78
🛏 18 ⬚ 160/350 F. 🍴 98/195 F.
🍽 45 F. 🍴 560 F. 🖼 430 F.
⊠ 17/30 janv.
E SP ▢ ▢ ▢ CV ▢ ▢ CB VISA AE ⊙ E

SAINT JEAN DE MONTS
85160 Vendée
5543 hab. ℹ

▲▲ L'ESPADON ★★
8, av. de la Forêt. M. Mériau
☎ 51 58 03 18 ⊠ 51 59 16 11
🛏 27 ⬚ 255/315 F. 🍴 75/170 F.
🍽 58 F. 🍴 265/350 F. 🖼 245/330 F.
⊠ Rest. 15 nov./1er mars.
E ▢ ▢ ▢ ▢ ▢ ▢ ▢ CV ▢ ▢
CB VISA AE ⊙ E

▲ LE RICHELIEU ★★★
8, av. des Oeillets. M. Coulon
☎ 51 58 06 78
🛏 8 ⬚ 250/270 F. 🍴 95/260 F. 🍽 40 F.
🍴 310/350 F. 🖼 250/290 F.
⊠ 15 nov./15 mars. et mer. hs.
E ▢ ▢ ▢ ▢ ▢ ▢ CB VISA AE E

▲▲ LE ROBINSON ★★
28, bld Leclerc. M. Besseau
☎ 51 58 21 01 ⊠ 51 58 88 03
🛏 62 ⬚ 180/350 F. 🍴 70/190 F.
🍽 58 F. 🍴 255/350 F. 🖼 225/260 F.
⊠ 1er déc./31 janv.
E ▢ ▢ ▢ ▢ ▢ CV ▢ ▢ CB VISA AE
⊙ E

▲▲ TANTE PAULETTE ★★
32, rue Neuve. M. Bonnamy
☎ 51 58 01 12
🛏 33 ⬚ 170/290 F. 🍴 70/300 F.

🍽 45 F. 🍴 280/350 F. 🖼 250/320 F.
⊠ 2 nov./28 fév.
E ▢ ▢ ▢ CV ▢ CB VISA AE ⊙ E

SAINT JEAN DE MONTS
(OROUET)
85160 Vendée
5543 hab.

▲▲ AUBERGE DE LA CHAUMIERE ★★
A Orouet sur D. 38, à 6 km dir. Sab.
d'Olonne. Mme Boucher
☎ 51 58 67 44 ⊠ 51 58 98 12
🛏 28 ⬚ 200/400 F. 🍴 98/220 F.
🍽 60 F. 🍴 320/400 F. 🖼 270/350 F.
⊠ 15 oct./31 mars.
▢ ▢ ▢ ▢ ▢ ▢ ▢ ▢ ▢ ▢ ▢
▢ CV ▢ ▢ CB VISA AE E

SAINT JEAN DE SIXT
74450 Haute Savoie
960 m. • 800 hab. ℹ

▲▲ BEAU-SITE ★★
M. Bastard-Rosset
☎ 50 02 24 04 ⊠ 50 02 35 82
🛏 15 ⬚ 235/300 F. 🍴 80/150 F.
🍽 50 F. 🍴 260/310 F. 🖼 220/270 F.
⊠ 10 avr./20 juin et 10 sept./Noël.
E ▢ ▢ ▢ ▢ ▢ ▢ CV ▢ ▢
CB VISA E

▲ LE VAL D'OR ★
M. Dallara
☎ 50 02 24 15 ⊠ 50 02 28 76
🛏 20 ⬚ 195/230 F. 🍴 69/207 F.
🍽 45 F. 🍴 268 F. 🖼 211 F.
⊠ sam. midi hs.
E ℹ ▢ CV ▢ ▢ CB VISA E

SAINT JEAN DU BRUEL
12230 Aveyron
1000 hab. ℹ

▲▲ MIDI-PAPILLON ★★
M. Papillon
☎ 65 62 26 04 ⊠ 65 62 12 97
🛏 19 ⬚ 93/187 F. 🍴 69/187 F. 🍽 40 F.
🍴 186/243 F. 🖼 155/212 F.
⊠ 11 nov./26 mars.
E SP ▢ ▢ ▢ ▢ ▢ ▢ ▢ CB VISA E

SAINT JEAN DU GARD
30270 Gard
2500 hab. ℹ

▲▲ AUBERGE DU PERAS ★★
Route de Nîmes. M. Roudaut
☎ 66 85 35 94 ⊠ 66 52 30 32
🛏 10 ⬚ 268/290 F. 🍴 60/190 F.
🍽 35 F. 🍴 315 F. 🖼 238 F.
⊠ 1er déc./1er mars.
E SP ▢ ▢ ▢ ▢ ▢ ▢ ▢ CV ▢ ▢
CB VISA AE ⊙

▲ LA CORNICHE DES CEVENNES ★
Quartier le Razet. M. Soulier
☎ 66 85 30 38 ⊠ 66 85 32 48
🛏 16 ⬚ 150/210 F. 🍴 70/140 F.
🍽 40 F. 🍴 270/310 F. 🖼 200/270 F.
⊠ 15 nov./10 mars, mer. mars/avr. et
oct./nov.
E ▢ ▢ ▢ ▢ CV ▢ ▢ CB VISA C

SAINT JEAN EN ROYANS
26190 Drôme
2895 hab. [i]

▲▲ LE CASTEL FLEURI ★★
Place du Champs de Mars. M. Colin
☎ 75 47 58 01 [FAX] 75 47 79 30
[↑] 7 [◇] 190/280 F. [🍴] 85/210 F. [til] 50 F.
[🍴] 410 F. [🛏] 340 F.
[✉] 17 nov./6 déc., dim. soir et lun. hs.
[icons] CB[VISA] E

SAINT JEAN EN ROYANS (COL DE LA MACHINE)
26190 Drôme
1015 m. • 3 hab. [i]

▲▲ DU COL DE LA MACHINE ★
(Au Col, à 11 km). M. Faravellon
☎ 75 48 26 36 [FAX] 75 48 29 12
[↑] 16 [◇] 155/255 F. [🍴] 85/140 F.
[til] 45 F. [🍴] 232/280 F. [🛏] 180/240 F.
[✉] 12 nov./5 déc., 14/19 mars, dim. soir
et lun. hs.
[icons] CB[VISA] E

SAINT JEAN LE THOMAS
50530 Manche
327 hab. [i]

▲▲ DES BAINS ★★
8, allée Clemenceau. M. Gautier
☎ 33 48 84 20 [FAX] 33 48 66 42
[↑] 30 [◇] 145/309 F. [🍴] 63/175 F.
[til] 51 F. [🍴] 317/393 F. [🛏] 217/293 F.
[✉] 1er janv./26 mars, 2 nov./31 déc.
et mer. 5 oct./2 nov.
[icons] CB[VISA] AE [⊙] E [icon]

SAINT JEAN LE VIEUX
64220 Pyrénées Atlantiques
910 hab. [i]

▲▲ MENDY ★★
M. Hiriart
☎ 59 37 11 81
[↑] 10 [◇] 185/250 F. [🍴] 60/130 F.
[til] 40 F. [🍴] 250/270 F. [🛏] 200/220 F.
[✉] mar. nov./juin.
[icons] CB[VISA]

SAINT JEAN LES DEUX JUMEAUX
77660 Seine et Marne
918 hab.

▲▲ HOSTELLERIE DU VIEUX MOULIN ★★
M. Conchon
☎ (1) 64 35 90 29
[↑] 14 [◇] 270 F. [🍴] 65/190 F. [til] 35 F.
[✉] Hôtel 1er oct./1er mai. Rest.
fév., mar. soir et mer.
[icons] CB[VISA] E

SAINT JEAN PIED DE PORT
64220 Pyrénées Atlantiques
2000 hab. [i]

▲▲ CAMOU ★★
Route de Bayonne. M. Camou
☎ 59 37 02 78 [FAX] 59 37 36 61
[↑] 27 [◇] 180/280 F. [🍴] 55/150 F.

[til] 40 F. [🍴] 250/280 F. [🛏] 190/240 F.
[✉] janv. et déc.
[SP] [icons] CB[VISA] E

▲ ITZALPEA ★★
5, place du Trinquet. Mme Chapital
☎ 59 37 03 66 [FAX] 59 37 33 18
[↑] 9 [◇] 200/230 F. [🍴] 70/150 F. [til] 40 F.
[🍴] 250/270 F. [🛏] 200/220 F.
[✉] sam. hs.
[SP] [icons] CB[VISA] E

▲▲ RAMUNTCHO ★★
1, rue de France. M. Bigot
☎ 59 37 03 91 [FAX] 59 37 35 17
[↑] 17 [◇] 250/370 F. [🍴] 80/110 F.
[til] 55 F. [🍴] 265/330 F. [🛏] 250/315 F.
[✉] 20 nov./20 déc. et mer.
[icons] CB[VISA] AE [⊙] E

SAINT JEAN SAINT NICOLAS
05260 Hautes Alpes
1129 m. • 865 hab.

▲▲ LE CASTELL ᵉᶜ
Mme Cassibba ☎ 92 50 43 88
[↑] 11 [◇] 160/220 F. [🍴] 59/220 F.
[til] 40 F. [🍴] 250 F. [🛏] 220 F.
[✉] mer.
[icons] CB[VISA] E

SAINT JEAN SAVERNE
67700 Bas Rhin
563 hab.

▲▲ KLEIBER ★★
37, Grande Rue. M. Lorentz
☎ 88 91 11 82 [FAX] 88 71 09 64
[↑] 16 [◇] 230/350 F. [🍴] 75/240 F.
[til] 45 F. [🍴] 250/280 F.
[✉] 15/20 déc. et dim. soir.
[icons] CB[VISA] E [icon]

SAINT JEANNET
06640 Alpes Maritimes
3000 hab. [i]

▲▲ AUBERGE DE SAINT JEANNET ★★
Place Sainte Barbe. M. Plutino
☎ 93 24 90 06 [FAX] 93 24 70 60
[↑] 7 [◇] 250/350 F. [🍴] 110/220 F.
[til] 70 F. [🛏] 325/350 F.
[✉] 17 janv./28 fév. et lun. hs.
[icons] CB[VISA] AE [⊙] E

▲ SAINTE-BARBE ★
Place Sainte Barbe. M. Priori
☎ 93 24 94 38
[↑] 4 [◇] 160/260 F. [🍴] 70/130 F. [til] 45 F.
[🍴] 260/280 F. [🛏] 200/220 F.
[✉] 24 oct./21 nov. et mar.
[icons] CB[VISA] E

SAINT JORIOZ
74410 Haute Savoie
4000 hab. [i]

▲▲▲ AUBERGE DES TERRASSES ★★
M. Gros-Cadoux
☎ 50 68 60 16 [FAX] 50 68 52 94
[↑] 26 [◇] 260/320 F. [🍴] 75/150 F.
[til] 48 F. [🍴] 315/375 F. [🛏] 255/315 F.
[✉] dim. soir et lun. hs.
[icons] CB[VISA] E

SAINT JORIOZ (suite)

AA AUBERGE LE SEMNOZ ★★
Mme Herisson
☎ 50 68 60 28 ⌷ 50 68 98 38
🛏 30 ◯ 300/350 F. �🍽 90/150 F.
🍴 70 F. ⌷ 300/350 F. 🖼 250/320 F.
⊠ 15 oct./20 avr.
⌷ ◯ 🛏 🏠 🐟 🎣 🐕 🦽 CV 🛗
🏠 CB🆅 E

AAA LE MANOIR BON ACCUEIL ★★
M. Berthier ☎ 50 68 60 40 ⌷ 50 68 94 84
🛏 28 ◯ 300/500 F. � 120/200 F. 🍴 60 F.
⌷ 390/500 F. 🖼 330/490 F.
⊠ 20 déc./20 janv. et dim. soir
20 sept./20 avr.
⌷ ⓘ ◯ 🛏 🏠 🐕 🌴 🎣 🐟 CV 🛗
🏠 CB🆅 E

AAA LES CHATAIGNIERS ★★
Lieu-dit Machevaz. Route de Lornard.
Mme Bolle-Duval
☎ 50 68 63 29 ⌷ 50 68 57 11
🛏 49 ◯ 165/460 F. ⌷ 105/250 F.
🍴 55 F. ⌷ 320/530 F. 🖼 270/480 F.
⊠ 3 oct./23 avr.
⌷ Ⓓ ⓘ ◯ 🛏 🏠 ▶ 🌴 🎣 🖼 ♣ 🐟
🎣 🐕 🦽 CV 🛗 CB🆅 ⒶⒺ

SAINT JULIEN CHAPTEUIL
43260 Haute Loire
820 m. • 1700 hab. ⓘ

AA BARRIOL ★★
M. Barriol ☎ 71 08 70 17 ⌷ 71 08 74 19
🛏 11 ◯ 265 F. ⌷ 71/198 F. 🍴 50 F.
⌷ 291 F. 🖼 226 F.
⊠ 1er oct./31 janv., dim. soir et lun.
⌷ ◯ 🛏 🏠 ▶ 🌴 CV CB🆅 E

A DU MIDI ★
Place de la Mairie. M. Vincent
☎ 71 08 70 20
🛏 9 ◯ 110/170 F. ⌷ 75/200 F. 🍴 45 F.
⌷ 160/200 F. 🖼 150/180 F.
⌷ 🌴 CV 🏠 CB🆅 ⓞ E

SAINT JULIEN EN CHAMPSAUR
05500 Hautes Alpes
1040 m. • 300 hab.

A LES CHENETS ★★
M. Guerin ☎ 92 50 03 15 ⌷ 92 50 73 06
🛏 19 ◯ 240/270 F. ⌷ 80/145 F.
🍴 48 F. ⌷ 280 F. 🖼 250 F.
⊠ 11/29 avr., 17 oct./21 déc., mer. et
dim. soir hs.
⌷ Ⓓ ⓘ ◯ 🛏 🌴 CV 🏠 CB🆅 E

SAINT JULIEN EN VERCORS
26420 Drôme
950 m. • 200 hab.

A DE LA GROTTE
M. Callet-Ravat ☎ 75 45 52 67
🛏 12 ◯ 185/195 F. ⌷ 76/178 F.
🍴 48 F. ⌷ 220/235 F. 🖼 195/210 F.
ⓘ 🛏 🌴 🏠 CB🆅 ⒶⒺ E

A LE COIN TRANQUILLE
M. Chabert
☎ 75 45 50 27
🛏 6 ◯ 145/195 F. ⌷ 72/120 F. 🍴 55 F.

🛏 215/235 F. 🖼 180/205 F.
◯ 🛏 🏠 🎣 CV 🏠 CB🆅 ⒶⒺ ⓞ E

SAINT JUNIEN
87200 Haute Vienne
12000 hab. ⓘ

A AU RENDEZ VOUS DES CHASSEURS ★
(Le Pont à la Planche). M. Demery
☎ 55 02 19 73
🛏 7 ◯ 180/250 F. ⌷ 68/210 F. 🍴 40 F.
⌷ 240/260 F. 🖼 200/220 F.
⊠ 15 jours fév., 15 jours nov. et ven.
⌷ ◯ 🛏 🦽 CV 🏠 CB🆅 E

AAA LE BOEUF ROUGE ★★
57, bld Victor Hugo. M. Brissaud
☎ 55 02 31 84 ⌷ 55 02 62 40
🛏 30 ◯ 200/340 F. ⌷ 69/170 F.
🍴 55 F. ⌷ 290/350 F. 🖼 225/275 F.
⌷ Ⓓ ◯ 🛏 🏠 🎛 ▶ 🌴 🖼 🦽 CV
🛗 🏠 CB🆅 ⒶⒺ E

AAA LE RELAIS DE COMODOLIAC ★★
22-26, av. Sadi-Carnot. M. Ferres-Texier
☎ 55 02 12 25 ⌷ 55 02 68 79
🛏 28 ◯ 220/310 F. ⌷ 95/265 F.
🍴 50 F.
⊠ Rest. dim. soir 1er nov./28 fév.
⌷ Ⓓ ◯ 🛏 🌴 🦽 CV 🛗 🏠 CB🆅 ⒶⒺ
ⓞ E ⌷

SAINT JUST
18340 Cher
582 hab.

A LE CHEVAL BLANC ★
Sur N. 76. M. Mathurin ☎ 48 25 62 18
🛏 7 ◯ 120/190 F. ⌷ 68/220 F. 🍴 68 F.
⊠ 15 jours janv., 15 jours nov., dim.
soir et lun. sauf juil./août.
⌷ ⓘ ⓘ ◯ 🛏 🏠 CB🆅 E

SAINT JUST SAUVAGE
51260 Marne
1500 hab.

A AUBERGE DU GRILLON
M. Dufour ☎ 26 80 02 81
🛏 7 ◯ 120 F. ⌷ 65/120 F. 🍴 35 F.
⌷ 230 F. 🖼 200 F.
⊠ mer.
⌷ Ⓓ 🛏 🦽 🏠 CB🆅 Ⓒ

SAINT JUSTIN
40240 Landes
1300 hab. ⓘ

A LE CADET DE GASCOGNE
Place de la Mairie. Mlle Loubery
☎ 58 44 80 77
🛏 10 ◯ 120/210 F. ⌷ 55/120 F.
🍴 40 F. ⌷ 170/195 F. 🖼 160/170 F.
⊠ dim. soir/mar. matin.
⌷ SP ◯ 🏠 🏠

SAINT LARY SOULAN
65170 Hautes Pyrénées
836 m. • 921 hab. ⓘ

AA LA SAPINIERE ★★
(A Espiaube). M. Garraialde
☎ 62 98 44 04
🛏 16 ◯ 320 F. ⌷ 100 F. 🍴 50 F.
⌷ 360 F. 🖼 340 F.
⌷ SP ◯ 🏠 🏠 ⒶⒺ ⓞ

SAINT LARY SOULAN (VIGNEC)
65170 Hautes Pyrénées
800 m. • 1300 hab. 📖

▲▲▲ DE LA NESTE ★★
M. Gregorio
☎ 62 39 42 79 📠 62 39 58 77
🛏 18 ⌂ 230/285 F. ⬛ 65/160 F.
🍴 38 F. ⬛ 290/325 F. ⬛ 235/260 F.
⊠ mai, oct./15 déc.
🅴 SP ⬛ ⬛ ⬛ ⬛ ⬛ ⬛ ⬛ CV CB🆅🆂🅰 🅴

SAINT LATTIER
38840 Isère
850 hab.

▲▲ BRUN ★★
(Les Fauries). M. Brun
☎ 76 64 54 76 \ 76 64 54 08
🛏 10 ⌂ 190/210 F. ⬛ 90/190 F.
🍴 40 F. ⬛ 225 F. ⬛ 165 F.
⬛ ⬛ CV ⬛ CB🆅🆂🅰 🅴 ⬛

SAINT LAURENT DE LA SALANQUE
66250 Pyrénées Orientales
7000 hab. 📖

▲▲ LE COMMERCE ★★
2, bld de la Révolution. M. Sire
☎ 68 28 02 21
🛏 14 ⌂ 180/260 F. ⬛ 95/200 F.
🍴 65 F. ⬛ 270/300 F. ⬛ 210/250 F.
⊠ vac. scol. Toussaint, vac. scol. fév., dim. soir et lun. hs.
🅴 SP ⬛ ⬛ CB🆅🆂🅰 ⬛

SAINT LAURENT DU PAPE
07800 Ardèche
1300 hab.

▲▲ DE LA VALLEE DE L'EYRIEUX ★★
M. Allègre
☎ 75 62 20 19 📠 75 62 44 42
🛏 14 ⌂ 165/300 F. 🍴 45 F.
⬛ 240/300 F. ⬛ 200/250 F.
⊠ 1er/14 mars, dim. soir et lun.
1er oct./30 avr.
🅴 SP ⬛ ⬛ ⬛ ⬛ ⬛ CV ⬛ ⬛ CB🆅🆂🅰 🅰🅴 🅴

SAINT LAURENT DU PONT
38380 Isère
4600 hab.

▲▲ DES VOYAGEURS ★★
Rue Pasteur. Mme Martinet
☎ 76 55 21 05 📠 76 55 12 68
🛏 17 ⌂ 120/270 F. ⬛ 57/300 F.
🍴 40 F. ⬛ 193/264 F. ⬛ 138/209 F.
⊠ mi-déc./mi-janv., 1 semaine printemps, ven. soir et dim. soir
14 juil./15 août.
🅴 ⬛ ⬛ ⬛ ⬛ CV ⬛ ⬛ CB🆅🆂🅰

SAINT LAURENT EN GRANDVAUX
39150 Jura
950 m. • 1800 hab. 📖

▲▲ DE LA POSTE ★★
M. Faivre
☎ 84 60 15 39
🛏 10 ⌂ 190/220 F. ⬛ 70/120 F.

🍴 220 F. ⬛ 190 F.
⊠ 26 oct./1er lun. déc.
🅴 🅳 ⬛ ⬛ ⬛ ⬛ ⬛ ⬛ ⬛ CB🆅🆂🅰 🅴

SAINT LAURENT LES EGLISES (PONT DU DOGNON)
87340 Haute Vienne
630 hab. 📖

▲▲▲ LE RALLYE ★★
Pont du Dognon. M. Me Perieras
☎ 55 56 56 11 \ 55 56 57 63
📠 55 56 50 67
🛏 18 ⌂ 200/300 F. ⬛ 100/190 F.
🍴 60 F. ⬛ 200/260 F.
⊠ 3 oct./Pâques, rest. lun. et mar. midi hs.
🅴 ⬛ ⬛ ⬛ ⬛ ⬛ CV ⬛ ⬛ CB🆅🆂🅰 🅴 🅲

SAINT LAURENT NOUAN
41220 Loir et Cher
3230 hab. 📖

▲ LE VIEUX CASTEL
1, route d'Orléans. M. Touitou
☎ 54 87 70 42
🛏 14 ⌂ 150/230 F. ⬛ 80/110 F.
🍴 45 F. ⬛ 190/230 F. ⬛ 160/190 F.
⊠ dim. 15 oct./31 mars.
🅴 ⬛ CB🆅🆂🅰 🅰🅴 🅾 🅴

▲▲ RELAIS DES SAPINS ★★
203, route de Blois. M. Gracia
☎ 54 87 70 71 📠 54 87 21 99
🛏 42 ⌂ 240/280 F. ⬛ 60/160 F.
🍴 35 F. ⬛ 350/500 F. ⬛ 250/400 F.
🅴 🅳 SP ⬛ ⬛ ⬛ ⬛ ⬛ ⬛ ⬛ ⬛ ⬛
CV ⬛ CB🆅🆂🅰 🅰🅴 🅾 🅴

SAINT LAURENT SUR GORRE
87310 Haute Vienne
1443 hab. 📖

▲ LE SAINT LAURENT
Place Léon Litaud. M. Barde
☎ 55 00 03 96
🛏 5 ⌂ 155/230 F. ⬛ 5/140 F. 🍴 40 F.
⬛ 240/270 F. ⬛ 230 F.
⊠ fin sept./fin oct., fêtes fin années et sam. sauf juil./août.
🅴 ⬛ ⬛ ⬛ ⬛ CV ⬛ CB🆅🆂🅰 🅰🅴 🅴

SAINT LAURENT SUR OTHAIN
55150 Meuse
380 hab.

▲▲ LE RALLYE ★
22, rue de la Chaussée. M. Vuillaume
☎ 29 88 01 45
🛏 11 ⌂ 130/250 F. ⬛ 60/200 F.
🍴 30 F. ⬛ 210/270 F. ⬛ 160/210 F.
🅴 ⬛ CV ⬛ CB🆅🆂🅰 🅴

SAINT LEGER LES MELEZES
05260 Hautes Alpes
1260 m. • 190 hab. 📖

▲ LE GRILLON ★★
M. Gilbert-Jeanselme
☎ 92 50 40 48
🛏 15 ⌂ 235/260 F. ⬛ 85/100 F.
🍴 50 F. ⬛ 265/290 F. ⬛ 240/265 F.
⊠ 1er avr./15 juin et 1er sept./25 déc.
🅴 ⬛ ⬛ ⬛ ⬛ ⬛ ⬛ ⬛ ⬛ ⬛ CB🆅🆂🅰
🅰🅴 🅾 🅴

SAINT LEON SUR L'ISLE
24110 Dordogne
1941 hab.

▲▲ LE GUE DES MEUNIERS ★★
Mme Sicard
☎ 53 80 64 06 ℻ 53 80 40 19
🛏 10 🌙 240/350 F. 🍴 92/220 F. 🍽 40 F.
🍴 260/320 F.
⊠ déc., janv., dim. soir et lun. hs.
[icons] CB🃏 E

SAINT LEONARD
76400 Seine Maritime
1600 hab.

▲▲▲ AUBERGE DE LA ROUGE ★★
(Hameau le Chesnay). M. Guyot
☎ 35 28 07 59 ℻ 35 28 70 55
🛏 8 🌙 300/370 F. 🍴 105/260 F.
🍽 50 F.
⊠ Rest. dim. soir et lun.
[icons] CB🃏
🅰🅴 ⓪ E

SAINT LEONARD DE NOBLAT
87400 Haute Vienne
6000 hab. 🛈

▲▲ MODERN'HOTEL ★★
Bld Adrien Pressemane. M. Royer
☎ 55 56 00 25
🛏 7 🌙 240/290 F. 🍴 105/200 F.
🍽 65 F. 🍴 230/280 F.
⊠ fév., 3ème semaine oct., dim. soir et
lun. hs, lun. midi saison.
[icons] CV CB🃏 E

SAINT LEONARD DE NOBLAT
(ROYERES)
87400 Haute Vienne
600 hab.

▲▲ BEAU SITE ★★
A Royères 6 km, lieu-dit Brignac,
sur D. 124. M. Vigneron
☎ 55 56 00 56 ℻ 55 56 31 17
🛏 11 🌙 265/300 F. 🍴 82/235 F.
🍽 55 F. 🍴 330/360 F. 🍴 270/295 F.
⊠ 1er janv./1er avr., vend. soir, sam.
midi et lun. midi hs.
[icons] SP
CB🃏 E

SAINT LO
50000 Manche
23221 hab. 🛈

▲▲ DES VOYAGEURS Rest. LE
TOCQUEVILLE ★★
Place de la Gare. Mme Trebouville
☎ 33 05 08 63 ℡ 170753 ℻ 33 05 14 34
🛏 31 🌙 280/400 F. 🍴 120/300 F.
🍽 55 F. 🍴 350/440 F. 🍴 250/340 F.
[icons] CV CB🃏
🅰🅴 ⓪ E

SAINT LOUBES
33450 Gironde
6269 hab.

▲▲ AU VIEUX LOGIS ★★
92 et 57, av. de la République. M. Belot
☎ 56 78 91 18 ╲ 56 78 92 99

℻ 56 78 91 18
🛏 7 🌙 255/285 F. 🍴 69/260 F. 🍽 60 F.
⊠ 10 jours sept. sam. midi sauf réserv.
et dim. soir.
[icons] CV CB🃏 🅰🅴 ⓪ E

SAINT LOUBOUER
40320 Landes
425 hab.

▲▲ LES QUATRE VENTS ★★
(Face aux Arènes). M. Darzacq
☎ 58 51 19 80
🛏 6 🌙 140/170 F. 🍴 80/180 F. 🍽 60 F.
🍴 190/200 F. 🍴 140/150 F.
⊠ 10/30 oct., 1er/8 janv., lun. soir et
mar. ou midi et lun.
[icons] SP CV CB🃏 E

SAINT LOUIS
68300 Haut Rhin
18000 hab.

▲ NATIONAL ★
71, rue de Bâle. Mme Goeller
☎ 89 67 20 32
🛏 10 🌙 180/240 F. 🍴 80/185 F.
🍽 60 F. 🍴 250/280 F. 🍴 200/220 F.
⊠ 15/31 août, dim. soir et lun.
[icons] CB🃏 ⓪ E

SAINT LOUP SUR SEMOUSE
70800 Haute Saône
5000 hab.

▲▲▲ TRIANON ★★
13, place Jean Jaurès. M. Me Billon
☎ 84 49 00 45 ℻ 84 94 22 34
🛏 13 🌙 150/250 F. 🍴 68/220 F.
🍽 35 F. 🍴 240/260 F. 🍴 200/230 F.
⊠ 2ème et 3ème semaine fév., rest.
sam. midi oct./Rameaux.
[icons] CV CB🃏 E

SAINT LYE
10180 Aube
2593 hab.

▲▲ LA PERRIERE ★★
Sur R. N. 19. M. Dubois
☎ 25 76 61 38 ℻ 25 76 54 69
🛏 12 🌙 180/255 F. 🍴 75/230 F.
🍽 45 F. 🍴 280/680 F. 🍴 210/435 F.
⊠ 2ème et 3ème semaine août, ven.
après-midi et dim. soir.
[icons] CB🃏 E C▦

SAINT LYPHARD
44410 Loire Atlantique
1554 hab. 🛈

▲▲ AUBERGE DE KERHINET ★★
Village de Kerhinet. M. Pebay-Arnaune
☎ 40 61 91 46
🛏 7 🌙 240/260 F. 🍴 80/200 F. 🍽 50 F.
🍴 295 F.
⊠ 26 oct./6 nov., 15 déc./15 janv., Rest.
mar. soir et mer.
[icons] CB🃏 🅰🅴
⓪ E

SAINT MACOUX
86400 Vienne
495 hab.

⚏ LE DRAVIR
Lieu-dit Comporte. M. Rivard
☎ 49 87 31 95 FAX 49 87 69 56
🛏 8 ⚲ 200/350 F. 🍽 70/110 F. 🍴 50 F.
🍴 290/350 F. 🍴 220/275 F.
[icons] CBVISA E

SAINT MAIXENT L'ECOLE
79400 Deux Sèvres
9358 hab. ⓘ

⚏ AUBERGE DU CHEVAL BLANC ★★
8, av. Gambetta. Mme Ladaurade
☎ 49 05 50 06 FAX 49 06 51 37
🛏 32 ⚲ 180/300 F. 🍽 70/200 F.
🍴 50 F. 🍴 235/265 F. 🍴 175/205 F.
✉ Rest. dim. soir oct./mai.
[icons] SP [icons] CBVISA E ■

SAINT MALO
35400 Ille et Vilaine
48057 hab. ⓘ

⚏⚏ ARMOR ★★
8, rue du Pdt Robert Schumann.
M. Colleu
☎ 99 56 00 75
🛏 11 ⚲ 190/270 F. 🍽 72/160 F.
🍴 52 F. 🍴 300/340 F. 🍴 230/265 F.
✉ 15 déc./15 janv.
[icons] CV [icons] CBVISA E ■

⚏⚏ DE LA GROTTE AUX FEES ★★
36, chaussée du Sillon. M. Ruellan
☎ 99 56 83 30 FAX 99 40 45 91
🛏 42 ⚲ 200/450 F. 🍽 82/195 F.
🍴 40 F.
✉ 15 nov./1er fév.
[icons] CBVISA E ■

⚏ DE LA POMME D'ARGENT ★
24, bld des Talards. M. Gabor
☎ 99 56 12 39
🛏 14 ⚲ 140/180 F. 🍽 65/159 F.
🍴 45 F. 🍴 269/279 F. 🍴 182/192 F.
✉ 14 jours début déc. et sam. hiver.
[icons] SP [icons] CBVISA E

⚏⚏ DE LA PORTE SAINT PIERRE ★★
2, place du Guet. Mme Bertonnière
☎ 99 40 91 27 FAX 99 56 06 94
🛏 27 ⚲ 260/350 F. 🍽 80/250 F.
🍴 45 F. 🍴 300/320 F. 🍴 260/280 F.
✉ début déc./25 janv. Rest. mar.
[icons] CV [icons] CBVISA E C ■

⚏⚏ MANOIR DE LA GRASSINAIS ★★
12, rue de la Grassinais. M. Bouvier
☎ 99 81 33 00 FAX 99 81 60 90
🛏 29 ⚲ 220/350 F. 🍽 98/270 F.
🍴 60 F. 🍴 260/280 F.
✉ 3 premières semaines mars.
[icons] CBVISA

SAINT MARC SUR MER
44600 Loire Atlantique
5000 hab. ⓘ

⚏⚏ DE LA PLAGE ★★
37, rue Commandant Charcot.
M. Bourgine
☎

☎ 40 91 99 01 FAX 40 91 92 00
🛏 33 ⚲ 250/360 F. 🍽 78/250 F.
🍴 75 F. 🍴 330/410 F. 🍴 275/370 F.
✉ 2 janv./2 fév. et dim. soir hs.
[icons] CV [icons] CBVISA E

SAINT MARCEL
36200 Indre
1800 hab. ⓘ

⚏⚏ LE PRIEURE ★★
Rue du Président Fruchon. M. Pavy
☎ 54 24 05 19 FAX 54 24 32 28
🛏 12 ⚲ 160/260 F. 🍽 70/180 F.
🍴 45 F. 🍴 270 F. 🍴 230 F.
✉ mi-janv./mi-fév. et lun.
[icons] CV [icons] CBVISA E

SAINT MARS LA JAILLE
44540 Loire Atlantique
2046 hab. ⓘ

⚏ DU COMMERCE ★
6, place du Commerce. M. Baslande
☎ 40 97 00 32
🛏 7 ⚲ 110/200 F. 🍽 85/165 F. 🍴 45 F.
🍴 200 F. 🍴 160 F.
✉ 15 jours mi-janv., 21 jours sept. dim.
soir et lun.
[icons] CBVISA AE E

SAINT MARTIN BELLEVUE
74370 Haute Savoie
650 m. • 1200 hab. ⓘ

⚏⚏⚏ BEAU-SEJOUR ★★
M. Deprez
☎ 50 60 30 32 FAX 50 60 38 44
🛏 31 ⚲ 225/350 F. 🍽 90/235 F.
🍴 65 F. 🍴 345/400 F. 🍴 270/320 F.
✉ 12 déc./15 mars, Rest. dim. soir et lun.
[icons] CBVISA ① E

⚏ LE RELAIS SAVOYARD ★★
M. Curzillat ☎ 50 60 31 02
🛏 19 ⚲ 180/300 F. 🍽 70/160 F.
🍴 40 F. 🍴 210/250 F.
✉ fév., dim. soir et lun.
[icons] CBVISA E

SAINT MARTIN D'ARDECHE
07700 Ardèche
1500 hab. ⓘ

⚏ BELLEVUE
M. Vignal ☎ 75 04 66 72
🛏 24 ⚲ 155/250 F. 🍽 52/126 F.
🍴 39 F. 🍴 225/240 F. 🍴 185/200 F.
✉ 15 oct./15 jours avant Pâques.
[icons] CV [icons] CBVISA E

SAINT MARTIN D'ARROSSA
64780 Pyrénées Atlantiques
479 hab.

⚏⚏⚏ ESKUALDUNA ★★
M. Lagourgue
☎ 59 37 71 72 FAX 59 37 73 39
🛏 35 ⚲ 190/450 F. 🍽 65/160 F.
🍴 45 F. 🍴 230/320 F. 🍴 190/280 F.
✉ mi-janv./fin fév.
[icons] CV [icons] CBVISA ■

347

SAINT MARTIN D'AUXIGNY
18110 Cher
1700 hab.

⚑⚑ LE SAINT GEORGES ★★
Sur D. 940, à St-Georges-sur-Moulon.
M. Sochet ☎ 48 64 50 14 ☏ 48 64 13 67
🛏 10 ⊗ 150/350 F. ⫼ 85/185 F.
🍴 65 F. ⫼ 300/380 F. ☒ 210/280 F.
⊠ 4 fév./4 mars, 15/21 juil. et dim. soir
1er nov./31 mars.
🅴 🗖 ☎ 🚗 🚗 🏥 🗲 CB𝖵𝖨𝖲𝖠 E 🅲 ▦

SAINT MARTIN D'ENTRAUNES
06470 Alpes Maritimes
1050 m. • 115 hab. 🆒

⚑ LES AIGUILLES
(Val Pelens). Mme Eckart
☎ 93 05 52 83
🛏 7 ⫼ 60/100 F. ⫼ 250/270 F.
☒ 200/220 F.
⊠ 21 oct./2 nov. et 1ère semaine vac.
scol. Pâques.
🅴 🅳 🕮 🚗 🗲 ⚒ 🏂 🗲 CB𝖵𝖨𝖲𝖠

SAINT MARTIN DE CASTILLON
84750 Vaucluse
520 hab.

⚑⚑ LOU CALEU ★★
(A la Magdeleine). Sur N. 100.
M. Rondard ☎ 90 75 28 88 ☏ 90 75 25 49
🛏 16 ⊗ 220/322 F. ⫼ 88/165 F.
🍴 55 F. ⫼ 300/380 F. ☒ 250/300 F.
🅴 🗖 ☎ 🚗 🚗 🏥 🗲 🗲 ⚒ 🏂 🏂
🏂 CV 🗲 CB𝖵𝖨𝖲𝖠 ᴁᴇ ⊙ E

SAINT MARTIN DE CRAU
13310 Bouches du Rhône
12000 hab. 🆒

⚑ AUBERGE DES EPIS ★★
13, av. de Plaisance. M. Eynaud
☎ 90 47 31 17
🛏 11 ⊗ 200/265 F. ⫼ 98/185 F.
🍴 58 F. ⫼ 385 F. ☒ 278 F.
⊠ 1er fév./12 mars, dim. soir et lun.
15 oct./Pâques.
🅴 🕮 🗖 ☎ 🚗 🗲 CV 🗲 CB𝖵𝖨𝖲𝖠 E

SAINT MARTIN DE LA PLACE
49160 Maine et Loire
1200 hab. 🆒

⚑⚑ AUBERGE DU CHEVAL BLANC ★★
2, rue des Mariniers. M. Cornubert
☎ 41 38 42 96 ☏ 41 38 42 62
🛏 12 ⊗ 215/360 F. ⫼ 90/250 F.
🍴 55 F. ⫼ 340/370 F. ☒ 270/300 F.
⊠ 5 janv./5 fév., dim. soir et lun. hs.
🅴 🗖 ☎ 🚗 🗲 🏂 🗲 CB𝖵𝖨𝖲𝖠 E ▦

SAINT MARTIN DE LENNE
12130 Aveyron
610 m. • 350 hab.

⚑ MERVIEL
Mme Merviel ☎ 65 47 43 23
🛏 6 ⊗ 100/150 F. ⫼ 60/100 F. 🍴 35 F.
⫼ 200/220 F. ☒ 170/190 F.
⊠ 30 sept./31 mars.
🚗 🗲 🏂 🏂 CV 🗲

SAINT MARTIN DES BOIS
41800 Loir et Cher
603 hab. 🆒

⚑ HOSTELLERIE DU MOULIN A BOIS
Route de Saint-Jacques.
M. de Sanglier de la Bastie
☎ 54 85 06 17
🛏 6 ⊗ 200/400 F.
⊠ janv./fév. sauf réserv., mar. et mer.
🅴 ☎ 🚗 🗲 🗲 CB𝖵𝖨𝖲𝖠 E

SAINT MARTIN EN BRESSE
71620 Saône et Loire
1500 hab.

⚑⚑ AU PUITS ENCHANTE ★★
M. Château
☎ 85 47 71 96 ☏ 85 47 74 58
🛏 14 ⊗ 150/260 F. ⫼ 90/200 F.
🍴 50 F. ⫼ 280/330 F. ☒ 195/250 F.
⊠ 1ère semaine sept., 2ème quinzaine
janv., 1ère semaine vac. scol. fév., dim.
soir et mar.
🅴 🅳 🗖 ☎ 🚗 🗲 CV 🗲 🗲 CB𝖵𝖨𝖲𝖠
E 🅲

SAINT MARTIN EN HAUT
69850 Rhône
750 m. • 3160 hab. 🆒

⚑⚑ RELAIS DES BERGERS ★★
2, place Neuve. M. Cousin
☎ 78 48 51 22 ☏ 78 48 57 89
🛏 20 ⊗ 180/250 F. ⫼ 90/160 F.
🍴 50 F. ⫼ 300/320 F. ☒ 240/280 F.
⊠ 11 nov./8 déc.
🅴 ☎ 🚗 🍴 CV 🗲 🗲 CB𝖵𝖨𝖲𝖠 E ▦

SAINT MARTIN LA MEANNE
19320 Corrèze
450 hab.

⚑⚑ LES VOYAGEURS ★★
Place de la Mairie. M. Chaumeil
☎ 55 29 11 53 ☏ 55 29 27 70
🛏 8 ⊗ 220/300 F. ⫼ 90/195 F. 🍴 45 F.
⫼ 250/310 F. ☒ 210/260 F.
⊠ 2/31 janv. et lun. hs.
🅴 🗖 ☎ 🚗 🚗 🗲 🍴 🏂 🗲 CB𝖵𝖨𝖲𝖠 E

SAINT MARTIN LE BEAU
37270 Indre et Loire
2500 hab. 🆒

⚑⚑ AUBERGE DE LA TREILLE ★★
M. Coucke
☎ 47 50 67 17 ☏ 47 50 20 14
🛏 8 ⊗ 180/260 F. ⫼ 68/260 F. 🍴 50 F.
⫼ 285/320 F. ☒ 235/270 F.
⊠ 2ème quinzaine sept. et fév., dim.
soir, lun. hs.
🅴 🗖 ☎ 🚗 🚗 CV 🗲 🗲 CB𝖵𝖨𝖲𝖠 E

SAINT MARTIN SOUS
VIGOUROUX
15230 Cantal
780 m. • 385 hab.

⚑ RELAIS DE LA FORGE ★
Mme Plassart ☎ 71 23 36 90
🛏 10 ⊗ 150/160 F. ⫼ 65/110 F.
🍴 35 F. ⫼ 200/220 F. ☒ 170/180 F.
⊠ mer. après-midi hs.
🚗 🗲 🏂 CV 🗲 CB𝖵𝖨𝖲𝖠 ᴁᴇ E

SAINT MARTIN VESUBIE
06450 Alpes Maritimes
960 m. • 1156 hab. ⓘ

🏠🏠 EDWARD'S ET CHATAIGNERAIE ★★
M. Raiberti
☎ 93 03 21 22 🗎 93 03 33 99
🛏 16 ⬡ 350/440 F. 🍴 90 F.
🍴 325/370 F. 🍽 285/320 F.
⌧ 27 sept./1er juin.
🅴 🅳 🏠 🏠 🛉 ▶ CB🆅🆂🆀 AE ⓞ E

🏠🏠 LA BONNE AUBERGE ★★
M. Roberi
☎ 93 03 20 49
🛏 13 ⬡ 240/290 F. 🍴 95/130 F.
🍴 290/330 F. 🍽 230/260 F.
⌧ 15 nov./1er fév. et rest. mer.
CB🆅🆂🆀 AE E

SAINT MARTIN VESUBIE
(LE BOREON)
06450 Alpes Maritimes
960 m. • 1156 hab. ⓘ

🏠 DU BOREON
Mme Carton
☎ 93 03 20 35 🗎 93 03 34 53
🛏 6 ⬡ 180/280 F. 🍴 90/180 F. 🍴 50 F.
🍴 300/350 F. 🍽 220/270 F.
⌧ 15 oct./vac. scol. fév.
🏠 🛉 CB🆅🆂🆀 AE E

SAINT MAURICE CRILLAT
39130 Jura
800 m. • 250 hab.

🏠 AU BON SEJOUR
Mme Picard
☎ 84 25 82 80
🛏 7 ⬡ 120/200 F. 🍴 60/150 F.
🍴 160/180 F. 🍽 130/140 F.
⌧ dernière semaine sept.,
15 nov./15 déc. et dim. soir hs.
🏠 🛉 ♿ ♠ CB🆅🆂🆀 E

SAINT MAURICE EN
VALGODEMAR
05800 Hautes Alpes
1000 m. • 141 hab. ⓘ

🏠 LE BAN DE L'OURS ★★
(A Lubac). Mme Bourgeon
☎ 92 55 23 65
🛏 16 ⬡ 275/356 F. 🍴 82/120 F.
🍴 58 F. 🍴 260/320 F. 🍽 230/278 F.
⌧ oct./avr. sauf vac. scol. hiver.
🅴 🅳 🅸 🏠 🏠 ♠ CB🆅🆂🆀 E

SAINT MAURICE SOUS LES
COTES
55210 Meuse
329 hab.

🏠 DES COTES DE MEUSE ★★
Avenue du Général Lelorain.
M. Empereur
☎ 29 89 35 61
🛏 12 ⬡ 150/240 F. 🍴 60/178 F.
🍴 50 F. 🍴 300/380 F. 🍽 255/320 F.
⌧ 15 jours déc. et mer. hs.
🅳 🏠 🏠 ♿ ♠ CV 🎜 ♠ CB🆅🆂🆀 E

SAINT MAURICE SUR MOSELLE
88560 Vosges
550 m. • 1615 hab. ⓘ

🏠🏠 AU PIED DES BALLONS ★★
Route du Ballon. Mme Imard
☎ 29 25 12 54
🛏 22 ⬡ 170/240 F. 🍴 68/290 F.
🍴 40 F. 🍴 250/280 F. 🍽 210/240 F.
⌧ 28 oct./3 déc. et lun. midi sauf vac. scol.
🅴 🏠 🏠 🏠 ♠ 🎜 ♠ CB🆅🆂🆀 E

🏠🏠 DU COMMERCE ET CHALET JONQUILLES ★★
2, rue d'Alsace. M. Stella ☎ 29 25 12 38
🛏 12 ⬡ 185/250 F. 🍴 65/150 F.
🍴 38 F. 🍴 235/265 F. 🍽 185/215 F.
⌧ 5/20 janv., 15 sept./15 oct. et mer. hs.
🅸 🏠 🏠 ♠ 🛉 ♿ ♻ CV 🎜 CB🆅🆂🆀 E

🏠🏠 ROUGE GAZON ★★
(Altitude 1260 m). M. Luttenbacher
☎ 29 25 12 80 🗎 29 25 12 11
🛏 24 ⬡ 180/300 F. 🍴 70/200 F.
🍴 35 F. 🍴 230/300 F. 🍽 185/250 F.
⌧ 11 nov./3 déc.
🅴 🅳 🏠 🏠 🏠 🛉 ♿ ♻ CV 🎜 ♠
CB🆅🆂🆀 E C 🖥

SAINT MAXIMIN
83470 Var
10000 hab. ⓘ

🏠🏠 DE FRANCE ★★★
1-3, av. Albert 1er. M. Moreno
☎ 94 78 00 14 🗎 94 59 83 80
🛏 26 ⬡ 310/350 F. 🍴 105/240 F.
🍴 70 F. 🍴 390 F. 🍽 290 F.
🅴 SP 🅸 🏠 🏠 🏠 🎜 ♠ 🛉 ♿ CV
🎜 ♠ CB🆅🆂🆀 E

SAINT MERD DE LAPLEAU
19320 Corrèze
213 hab.

🏠🏠 LE RENDEZ-VOUS DES PECHEURS ★★
(Au Pont du Chambon). Mme Fabry
☎ 55 27 88 39 🗎 55 27 83 19
🛏 8 ⬡ 235/265 F. 🍴 75/195 F.
🍴 265/285 F. 🍽 230/250 F.
⌧ 12 nov./20 déc., ven. soir et sam.
midi 1er oct./31 mars.
🅴 🅳 🏠 🏠 🏠 ♿ CV CB🆅🆂🆀 E

SAINT MICHEL
64220 Pyrénées Atlantiques
300 hab.

🏠🏠 XOKO-GOXOA ★★
Mme Sabalcagaray ☎ 59 37 06 34
🛏 14 ⬡ 180/220 F. 🍴 65/140 F.
🍴 40 F. 🍴 480/520 F. 🍽 400/440 F.
⌧ 1er janv./15 mars et mar.
🏠 🏠 🛉 ♿ ♠ CB🆅🆂🆀 AE E

SAINT MICHEL DE MAURIENNE
73140 Savoie
730 m. • 3500 hab. ⓘ

🏠🏠 SAVOY HOTEL ★★
25, rue du Général Ferrie. M. Barbarot
☎ 79 56 55 12 🗎 79 59 27 00
🛏 18 ⬡ 100/250 F. 🍴 78/200 F.
🍴 45 F. 🍴 200/285 F. 🍽 150/215 F.
⌧ nov. et rest. dim. soir hs.
🅴 🅸 🏠 🏠 🏠 ♠ ♿ CV 🎜 ♠
CB🆅🆂🆀 E C 🖥

SAINT MICHEL SUR LOIRE
37130 Indre et Loire
535 hab.

▲▲ AUBERGE DE LA BONDE ★★
Sur N. 152 (La Bonde). M. Thibault
☎ 47 96 83 13 [FAX] 47 96 85 72
🛏 13 ▧ 160/270 F. 🍽 80/185 F.
🍴 55 F. 🍽 343/377 F. 🛌 234/268 F.
⊠ 23 déc./23 janv. et sam. sauf hôtel saison.
⬜ 🕿 🛋 CV ☎ CB▨ E

SAINT MIHIEL
55300 Meuse
5387 hab. 🛈

▲▲ LE RIVE GAUCHE ★★
Place de l'ancienne gare. M. Piquard
☎ 29 89 15 83
🛏 10 ▧ 200/235 F. 🍽 60/170 F.
🍴 38 F.
⬜ 🕿 🛁 🖾 🎿 🚶 ♿ CV ☎ 🛋 CB▨ E

▲▲ LE TRIANON ★★
38, rue Basse des Fosses. M. Lejeas
☎ 29 90 90 09
🛏 10 ▧ 200/230 F. 🍽 65/190 F.
🍴 40 F. 🍽 200 F. 🛌 170 F.
⊠ dim. soir.
⬜ 🕿 🚗 ☎ CB▨ E

SAINT NABORD (LONGUET)
88200 Vosges
3831 hab. 🛈

▲▲▲ RELAIS DE BELCOUR ★★
3 et 5 rue Turenne. M. Henry
☎ 29 62 06 27 \ 29 62 25 31
[FAX] 29 62 55 34
🛏 18 ▧ 225/290 F. 🍽 60/120 F.
🍴 45 F. 🍽 270/300 F. 🛌 210/240 F.
⊠ entre Noël/Nouvel An et dim. soir hs sauf réserv.
⬜ 🔲 🕿 🚗 🛌 ☎ CB▨ AE E

SAINT NAZAIRE
44600 Loire Atlantique
75000 hab. 🛈

▲▲▲ AU BON ACCUEIL ★★★
39, rue Marceau. M. Dauce
☎ 40 22 07 05 [FAX] 40 19 01 58
🛏 10 ▧ 320/380 F. 🍽 120/280 F.
🍴 48 F. 🛌 350/450 F.
⬜ 🔲 🕿 🚗 ♿ ☎ 🛋 CB▨ AE ⊕ E 🍴

SAINT NAZAIRE EN ROYANS
26190 Drôme
600 hab.

▲▲ ROME ★★
M. Rome ☎ 75 48 40 69 [FAX] 75 48 31 17
🛏 13 ▧ 180/230 F. 🍽 88/230 F.
🍴 50 F. 🍽 250/270 F. 🛌 210/230 F.
⊠ nov., dim. soir et lun. sauf juil./août.
SP ⬜ 🕿 🚗 🛏 ♿ ☎ 🛋 CB▨ AE ⊕ E

SAINT NECTAIRE
63710 Puy de Dôme
760 m. • 600 hab. 🛈

▲ LE BEL AIR ★
M. Delpeux ☎ 73 88 50 42

🛏 11 ▧ 200/230 F. 🍽 75/130 F.
🍴 48 F. 🍽 240/260 F. 🛌 210/230 F.
⊠ 15 nov./10 fév.
⬜ 🕿 🛋 CB▨ E

SAINT NICOLAS DE REDON
44460 Loire Atlantique
2951 hab.

▲▲ BONOTEL SAINT PIERRE ★★
Route de Nantes. M. Guellier
☎ 99 72 23 23 [FAX] 99 72 33 03
🛏 23 ▧ 175/250 F. 🍽 85/125 F.
🍴 40 F. 🛌 183/248 F.
⊠ Rest. sam. et dim. 1er oct./30 avr.
⬜ 🔲 🕿 🕿 🚗 ⋈ 🚶 🎿 ♿ CV ☎ 🛋 CB▨ E

SAINT NICOLAS DES EAUX
56930 Morbihan
300 hab.

▲▲ LE VIEUX MOULIN ★★
M. Troudet ☎ 97 51 81 09 [FAX] 97 51 83 12
🛏 10 ▧ 195/277 F. 🍽 68/172 F.
🍽 275/300 F. 🛌 235/260 F.
⊠ fév., dim. soir et lun. hs.
⬜ 🔲 🕿 🚗 🚶 🎿 🛌 CV ☎ 🛋 CB▨ E 🍴

SAINT NICOLAS DU PELEM
22480 Côtes d'Armor
1900 hab. 🛈

▲ AUBERGE KREISKER ★★
11, place Kreisker. M. Le Chevillier
☎ 96 29 51 20 [FAX] 96 29 53 70
🛏 12 ▧ 180/250 F. 🍽 59/179 F.
🍴 38 F. 🍽 220/295 F. 🛌 160/223 F.
⊠ dim. soir et lun. hs.
⬜ 🔲 🕿 🚗 🛌 CV ☎ 🛋 CB▨ E

SAINT OMER
62500 Pas de Calais
18000 hab. 🛈

▲▲ DE L'INDUSTRIE ᵉᶜ
22, rue Louis Martel. M. Dewaghe
☎ 21 95 76 00 [FAX] 21 95 42 20
🛏 7 ▧ 260/300 F. 🍽 82/160 F. 🍴 50 F.
🍽 300 F. 🛌 250 F.
⊠ 1ère quinzaine janv.
⬜ 🔲 🕿 ⋈ CB▨ AE ⊕ E

▲▲ LE BUFFET DU RAIL ★★
Place du 8 mai 1945. Mme Le Gouellec
☎ 21 93 59 98 [FAX] 21 93 97 50
🛏 11 ▧ 200/270 F. 🍽 58/139 F.
🍴 36 F. 🍽 210/270 F. 🛌 160/210 F.
⬜ 🔲 🕿 🚗 ⋈ 🚶 🎿 CV ☎ CB▨ E

▲▲ LES FRANGINS ★★
3, rue Carnot. MM. Lehoux
☎ 21 38 12 47 [TEL] 133 436 [FAX] 21 98 72 78
🛏 14 ▧ 310/330 F. 🍽 69/140 F.
🍴 41 F. 🍽 299/410 F. 🛌 236/346 F.
⊠ 24, 25, 31 déc. et 1er janv.
⬜ 🔲 🕿 🚗 🛏 🎿 CV ☎ 🛋 CB▨ AE ⊕ E C 🍴

▲▲ SAINT LOUIS ★★
25, rue d'Arras. M. Ducroq
☎ 21 38 35 21 [FAX] 21 38 57 26
🛏 30 ▧ 220/300 F. 🍽 68/145 F.
🍴 52 F. 🍽 290/420 F. 🛌 220/290 F.
⬜ 🔲 🕿 🚗 🚶 🎿 ☎ 🛋 CB▨ E

SAINT OMER (WISQUES)
62219 Pas de Calais
262 hab. ℹ️

▲▲ LA SAPINIERE ★★
Sur D. 208 (proximité du péage A 26).
M. Delbeke
☎ 21 95 14 59 🗚 21 93 28 72
🛏 15 ◎ 165/440 F. 🍽 66/220 F.
🍴 44 F. ⋔ 300/340 F. 🛏 240/280 F.
✉ 2ème et 3ème semaine janv. Rest.
dim. soir, lun.
[icons] CB VISA E C 📼

SAINT PALAIS
64120 Pyrénées Atlantiques
2205 hab. ℹ️

▲▲ LE TRINQUET ★★
31, rue du Jeu de Paume. M. Salaberry
☎ 59 65 73 13
🛏 12 ◎ 240/280 F. 🍽 80/150 F.
🍴 45 F. ⋔ 270 F. 🛏 230 F.
✉ 25 sept./20 oct., dim. soir et lun.
SP [icons] CB VISA E 📼

SAINT PALAIS SUR MER
17420 Charente Maritime
2450 hab. ℹ️

▲▲ DE LA PLAGE ★★
1, place de l'Océan. M. Piochaud
☎ 46 23 10 32 🗚 46 23 41 28
🛏 29 ◎ 250/300 F. 🍽 80/250 F.
🍴 42 F. ⋔ 350/410 F. 🛏 305/355 F.
✉ mi-nov./mi-fév.
[icons] CB VISA E

SAINT PARDOUX ISAAC
47800 Lot et Garonne
1373 hab.

▲ LE RELAIS DE GUYENNE ★★
Route de Paris. Mme Rodes
☎ 53 93 20 76 🗚 53 20 91 95
🛏 8 ◎ 180 F. 🍽 60/ 80 F. 🍴 40 F.
⋔ 175/190 F. 🛏 120/150 F.
✉ 5/26 déc. et sam.
[icons] CB VISA AE ⓓ E

SAINT PARDOUX LA CROISILLE
19320 Corrèze
520 m. ● 168 hab.

▲▲▲ LE BEAU SITE ★★★
M. Bidault
☎ 55 27 79 44 🗚 CCI TULL 590140
🛏 32 ◎ 200/270 F. 🍽 99/200 F.
🍴 45 F. ⋔ 252/314 F. 🛏 222/284 F.
✉ oct./1er mai.
[icons]
CB VISA E

SAINT PATERNE RACAN
37370 Indre et Loire
1450 hab.

▲▲ LE CENTRE ★★
Place de la République. M. Tessier
☎ 47 29 21 37
🛏 13 ◎ 153/226 F. 🍽 72/153 F.

🍴 37 F. ⋔ 181/201 F.
✉ 20 déc./10 janv. et ven.
[icons] CB VISA E

SAINT PAUL DE FENOUILLET
66220 Pyrénées Orientales
2350 hab. ℹ️

▲ LE CHATELET ★
Km. 2 Route de Caudiès. Mme Rauss
☎ 68 59 01 20 🗚 68 59 01 29
🛏 11 ◎ 120/220 F. 🍽 75/122 F.
🍴 50 F. ⋔ 265/292 F. 🛏 195/214 F.
[icons] CB VISA E

▲ LE RELAIS DES CORBIERES
10, av. Jean Moulin. Mme Dete
☎ 68 59 23 89
🛏 8 ◎ 155/270 F. 🍽 68/228 F. 🍴 45 F.
⋔ 225/310 F. 🛏 175/260 F.
✉ 3/18 janv., dim. soir et lun. sauf
juil./août.
[icons] CB VISA E

SAINT PAUL DE LOUBRESSAC
46170 Lot
360 hab. ℹ️

▲ RELAIS DE LA MADELEINE ★
(A 100 m. N. 20). M. Devianne
☎ 65 21 98 08
🛏 15 ◎ 130/240 F. 🍽 55/125 F.
🍴 42 F. ⋔ 200/250 F. 🛏 150/200 F.
✉ 1 semaine Toussaint, 2 semaines
Noël, sam. et dim. hiver.
[icons] CB VISA E

SAINT PAUL DE VARAX
01240 Ain
1200 hab.

▲ DE LA GARE ★★
M. Duverger
☎ 74 42 51 97
🛏 8 ◎ 175/200 F. 🍽 90/235 F. 🍴 60 F.
⋔ 300/330 F. 🛏 215/230 F.
✉ 1ère quinzaine janv., dim. soir et lun.
[icons] CB VISA E

SAINT PAUL LE JEUNE
07460 Ardèche
820 hab.

▲ LE MODERNE ★
Place de la Gare. M. Dell'erba
☎ 75 39 82 75
🛏 11 ◎ 120/170 F. 🍽 85/170 F.
🍴 50 F. 🛏 195 F.
✉ fév. et mer.
[icons] CB VISA E

SAINT PAUL LES DAX
40990 Landes
10000 hab. ℹ️

▲▲▲ RELAIS DES PLAGES ★★
158, av. de l'Océan. M. Lageyre
☎ 58 91 78 86
🛏 10 ◎ 220/300 F. 🍽 90/220 F.
🍴 50 F. ⋔ 340/400 F. 🛏 250/330 F.
✉ lun.
[icons]
[icons] ⓓ 📼

SAINT PAUL LES DAX (suite)

▲▲▲ RELAIS DES THERMES ★★
Route de Bordeaux, av. Foch.
Mme Lamathe et Fils
☎ 58 91 64 37 ⚏ 58 91 93 54
🛏 20 ⌂ 250/320 F. Ⅲ 75/170 F.
🍴 50 F. ⅰ 250/300 F. ☕ 275/330 F.
⊠ 22 déc./1er fév. et lun. hiver.
🄴 SP ▢ 🕾 🚗 ☎ 🛉 🗙 ♨ 👶 🏌 CV
▦ CB🆅🆂🅰 AE ⊕ E C ▥

SAINT PAULIEN
43350 Haute Loire
800 m. • 1950 hab. 🄸

▲▲ DES VOYAGEURS ★★
9, route d'allègre. M. Berger
☎ 71 00 40 47 ⚏ 71 00 51 05
🛏 13 ⌂ 200/240 F. Ⅲ 55/125 F.
🍴 35 F. ⅰ 215/240 F. ☕ 170/200 F.
▢ 🕾 🚗 🚗 🎜 🏌 CV ▦ ♥ CB🆅🆂🅰 AE
⊕ E

SAINT PEE SUR NIVELLE
64310 Pyrénées Atlantiques
3500 hab. 🄸

▲▲▲ DE LA NIVELLE ★★
M. Berrotaran
☎ 59 54 10 27 ⚏ 59 54 19 82
🛏 30 ⌂ 160/250 F. Ⅲ 90/150 F.
🍴 50 F. ⅰ 270/330 F. ☕ 200/260 F.
⊠ 15 déc./15 mars et lun. hs.
SP 🕾 🚗 🗙 🛉 🏌 👶 🏌 CV ▦ ♥
CB🆅🆂🅰 AE E

SAINT PERAY
07130 Ardèche
5500 hab. 🄸 ★

▲▲ DE LA GARE ★
Place de l'Europe. M. Boyer-Russier
☎ 75 40 30 06 ⚏ 75 81 02 03
🛏 14 ⌂ 120/270 F. Ⅲ 90/180 F.
🍴 60 F. ⅰ 270 F. ☕ 250 F.
⊠ août.
🄴 ▢ 🕾 🚗 🗙 🏌 ▦ ♥ CB🆅🆂🅰 E ▥

SAINT PIERRE
39150 Jura
900 m. • 250 hab.

▲ DE LA FORET ★★
Mme Thevenin
☎ 84 60 12 86
🛏 11 ⌂ 140/240 F. Ⅲ 60/200 F.
🍴 40 F. ⅰ 200/250 F. ☕ 160/210 F.
▢ 🕾 🚗 🚗 🛉 🏌 CV ▦

SAINT PIERRE D'ENTREMONT
73670 Isère
640 m. • 840 hab. 🄸

▲▲ DU CHATEAU DE MONTBEL ★★
M. Vincent
☎ 79 65 81 65
🛏 15 ⌂ 200/250 F. Ⅲ 80/180 F.
🍴 55 F. ⅰ 275/350 F. ☕ 210/255 F.
⊠ fin oct./début déc., dim. soir et lun.
hs sauf vac. scol.
🄴 🕾 🚗 ☎ 🗙 CV CB🆅🆂🅰 E

LE GRAND SOM ★★
M. Giroud
☎ 79 65 80 22 ⚏ 79 65 81 98
🛏 20 ⌂ 230/320 F. Ⅲ 98/220 F.
🍴 60 F. ⅰ 290/350 F. ☕ 230/290 F.
⊠ 30 oct./20 déc., mar. soir et mer. sauf
vac. scol.
🄴 🕾 👶 CV ▦ ♥ CB🆅🆂🅰 E

SAINT PIERRE DE CHANDIEU
69780 Rhône
4000 hab.

▲ HOSTAL ★★
Mme Hostal
☎ 78 40 30 03 ⚏ 78 40 28 26
🛏 21 ⌂ 135/210 F. Ⅲ 57/110 F.
🍴 45 F. ⅰ 205/260 F. ☕ 190/230 F.
⊠ 23 déc./8 janv., ven. soir et dim.
▢ 🕾 🚗 ▦ CB🆅🆂🅰 E

SAINT PIERRE DE CHARTREUSE
38380 Isère
900 m. • 600 hab. 🄸

▲▲ AUBERGE L'ATRE FLEURI ★★
Route du Col de Porte sur D. 512.
M. Revest
☎ 76 88 60 21
🛏 8 ⌂ 190/220 F. Ⅲ 75/200 F. 🍴 50 F.
ⅰ 260/270 F. ☕ 210/220 F.
⊠ vac. scol. Toussaint/26 déc., dernière
semaine juin, mar. soir et mer. hs.
🄴 🕾 🚗 🗙 ♥ CB🆅🆂🅰 E

▲▲ BEAU SITE ★★★
(Le Bourg). M. Sestier
☎ 76 88 61 34 ⚏ 76 88 64 69
🛏 31 ⌂ 280/380 F. Ⅲ 80/180 F.
🍴 50 F. ⅰ 335/390 F. ☕ 255/300 F.
⊠ 15 oct./15 déc. Rest. dim. soir et lun. hs.
🄴 🄳 🄸 🕾 ☎ 🗙 🏌 👶 ▦ ♥ CB🆅🆂🅰 E

▲▲ BEAUREGARD
M. Borrel
☎ 76 88 60 12
🛏 7 ⌂ 170/210 F. Ⅲ 60/180 F. 🍴 50 F.
ⅰ 257/270 F. ☕ 210/225 F.
⊠ 15 nov./1er déc. et 15/30 avr.
🕾 🚗 CB🆅🆂🅰 E

SAINT PIERRE DE CHIGNAC
24330 Dordogne
718 hab.

▲ LE SAINT PIERRE ★★
Place de la Halle. M. Dumas
☎ 53 07 55 04 ⚏ 53 08 26 47
🛏 11 ⌂ 195/290 F. Ⅲ 65/200 F.
🍴 50 F. ⅰ 215/300 F. ☕ 175/255 F.
🄴 ▢ 🕾 🚗 🗙 🏌 ▦ ♥ CB🆅🆂🅰 E C ▥

SAINT PIERRE DES ECHAUBROGNES
79700 Deux Sèvres
1253 hab.

▲ LE CHEVAL BLANC ★★
M. Hérault
☎ 49 65 50 74 ⚏ 49 65 53 58
🛏 8 ⌂ 160/200 F. Ⅲ 60/130 F. 🍴 30 F.
ⅰ 360/420 F. ☕ 300/320 F.
⊠ dim. soir.
🄴 ▢ 🕾 🚗 🗙 🏌 👶 🏌 ▦ ♥ CB🆅🆂🅰 E ▥

SAINT PIERRE DES NIDS
53370 Mayenne
1350 hab. 🛈

▲▲▲ DU DAUPHIN ★★
M. Etienne ☎ 43 03 52 12 🖷 43 03 55 49
🛏 9 ⊠ 155/275 F. ⫦ 88/258 F. 🍴 45 F.
⫿ 335 F. 🍽 290 F.
⊠ 17 août/1er sept., vac. scol. fév. et mer.
🄴 🄳 ⬚ ☎ 🚗 🛏 🕴 📷 CB🆅🆂🄰 E ▣

SAINT PIERRE LES NEMOURS
77140 Seine et Marne
5500 hab. 🛈

▲▲ LES ROCHES ★★
Av. d'Ormesson/1, av. Pelletier.
M. Paillassa
☎ (1) 64 28 01 43 🖷 (1) 64 28 04 27
🛏 13 ⊠ 170/320 F. ⫦ 95/250 F.
🍴 45 F. ⫿ 320/365 F. 🍽 245/275 F.
⊠ fév.
🄴 🆂🄿 ⬚ ☎ 🚗 🚙 🛏 🕴 CV 📷 CB🆅🆂🄰 AE E

SAINT PIERRE SUR DIVES
14170 Calvados
4500 hab. 🛈

▲ LA RENAISSANCE ★
57, rue de Lisieux. M. Me Leclerc et Fils
☎ 31 20 81 23 \ 31 20 90 01
🛏 10 ⊠ 100/230 F. ⫦ 60/ 90 F.
🍴 45 F. ⫿ 150/250 F.
⊠ 26 oct./30 nov. et dim. midi.
⬚ ☎ 🚗 🚙 CV 📷 CB🆅🆂🄰 E ▣

SAINT PIERREMONT
88700 Vosges
155 hab.

▲▲▲ LE RELAIS VOSGIEN ★★
Mme Prévost
☎ 29 65 02 46 🖷 29 65 02 83
🛏 17 ⊠ 100/300 F. ⫦ 68/230 F.
🍴 40 F. ⫿ 320/380 F. 🍽 260/320 F.
⊠ 2 semaines fin année et sam. midi.
🄳 ⬚ ☎ 🚗 🚙 ⫿ 🛏 🕴 🏊 ⚓ 🚴 CV
📷 📷 CB🆅🆂🄰 E ▣

SAINT POL DE LEON
29250 Finistère
7998 hab. 🛈

▲▲ DE FRANCE ★★
29, rue des Minimes. Mme Saillard
☎ 98 29 14 14 🖷 98 29 10 57
🛏 22 ⊠ 200/320 F. ⫦ 80/250 F.
🍴 50 F. ⫿ 290/320 F. 🍽 250/280 F.
⊠ janv. et fév., lun. hiver.
🄴 🄳 ⬚ ☎ 🚗 🛏 🕴 🚴 CV 📷 📷
CB🆅🆂🄰 AE E

SAINT POL SUR TERNOISE
62130 Pas de Calais
6507 hab. 🛈

▲▲▲ LE LION D'OR ★★
74, rue d'Hesdin. M. Theret
☎ 21 03 10 44 🖷 21 41 47 87
🛏 10 ⊠ 200/280 F. ⫦ 80/192 F.
🍴 45 F.
🄴 ⬚ ☎ 🚗 🚙 CV 📷 📷 CB🆅🆂🄰 AE E

SAINT PONS
07580 Ardèche
170 hab.

▲▲▲ HOSTELLERIE GOURMANDE MERE
BIQUETTE ★★
(Les Allignols). M. Bossy
☎ 75 36 72 61
🛏 10 ⊠ 220/450 F. ⫿ 98/160 F.
⫿ 340/380 F. 🍽 260/300 F.
⊠ fin nov./fin fév.
🄴 ☎ 🚗 🚙 🕴 🏊 🎣 ⚓ CV 📷 📷 CB🆅🆂🄰 AE E

SAINT POURCAIN SUR SIOULE
03500 Allier
5200 hab. 🛈

▲▲▲ LE CHENE VERT ★★
35, bld Ledru-Rollin. M. Siret
☎ 70 45 40 65 🖷 70 45 68 50
🛏 32 ⊠ 170/400 F. ⫦ 90/190 F.
🍴 40 F.
⊠ 3 semaines janv., dim. soir et lun.
1er oct./30 avr.
🄴 🆂🄿 ⬚ ☎ 🚗 🚙 🕴 📷 CB🆅🆂🄰 AE ⓪ E

SAINT PRIEST TAURION
87480 Haute Vienne
2000 hab.

▲▲ RELAIS DU TAURION ★★
M. Roger ☎ 55 39 70 14 🖷 55 39 67 63
🛏 11 ⊠ 180/320 F. ⫦ 95/210 F.
🍴 55 F. ⫿ 290/360 F. 🍽 230/300 F.
⊠ 1er/7 sept., 20 déc./5 janv. et lun.
🄴 ⬚ ☎ 🚗 🛏 🕴 🏊 📷 CB🆅🆂🄰 E

SAINT PRIVAT D'ALLIER
43580 Haute Loire
850 m. • 600 hab. 🛈

▲ LA VIEILLE AUBERGE ★
M. Bouchet ☎ 71 57 20 56
🛏 17 ⊠ 140/190 F. ⫦ 90/160 F.
🍴 50 F. ⫿ 210/230 F. 🍽 150/170 F.
⊠ fév. et mer. hs.
🄴 🄳 🆂🄿 🛈 ☎ CV 📷 📷 CB🆅🆂🄰 E

SAINT PROJET DE
CASSANIOUZE
15340 Cantal
35 hab.

▲ DU PONT ★
Mme Carrier ☎ 71 49 94 21
🛏 14 ⊠ 160/210 F. ⫦ 80/180 F.
🍴 45 F. ⫿ 190/250 F. 🍽 160/220 F.
⊠ 1er nov./10 avr.
☎ 🚗 🛏 🏊 CV CB🆅🆂🄰 E

SAINT QUAY PORTRIEUX
22410 Côtes d'Armor
3500 hab. 🛈

▲▲ LE GERBOT D'AVOINE ★★
2, bld du Littoral. M. Lucas
☎ 96 70 40 09
🛏 20 ⊠ 190/325 F. ⫦ 75/275 F.
🍴 48 F. ⫿ 345/425 F. 🍽 245/325 F.
⊠ 18 nov./8 déc., 6/27 janv., dim. soir
et lun. hs.
🄴 ⬚ ☎ 🚗 🚙 🛏 🕴 🚴 CV 📷 CB🆅🆂🄰 E ▣

SAINT QUENTIN SUR LE HOMME
50220 Manche
1007 hab.

▲▲ LE GUE DU HOLME ★★★
M. Leroux
☎ 33 60 63 76 ⊞ 33 60 06 77
🛏 10 ⊗ 350/490 F. Ⅲ 100/340 F.
🍴 80 F. 🍽 450/480 F.
⊠ 6/18 mars, sam. midi et dim. soir
1er oct./Pâques.
🄴 🗋 ☎ 🖃 🚗 🕹 CV 🕮 🌢 CB🆅🆂🆄 AE E

SAINT RAPHAEL
83700 Var
47000 hab. 🖈

▲▲▲ EXCELSIOR ★★★
193, bld Félix Martin.
M. Courjon-Tagliani
☎ 94 95 02 42 ⊞ 94 95 33 82
🛏 34 ⊗ 400/740 F. Ⅲ 60/140 F.
🍴 60 F. Ⅲ 450/615 F. 🍽 350/515 F.
🄴 🄳 SP 🛈 🗋 ☎ 🖃 🛄 🌡 🖾 🌀 🕹
🕮 🌢 CB🆅🆂🆄 AE ⓞ E

▲▲▲ LA POTINIERE ★★★
169, av. de Boulouris. M. Hotte
☎ 94 95 21 43 ⊞ 94 95 29 10
🛏 28 ⊗ 330/715 F. Ⅲ 120/380 F.
🍴 75 F. Ⅲ 325/598 F. 🍽 185/478 F.
⊠ jeu. midi 1er oct./30 juin.
🄴 🛈 🗋 ☎ 🖃 🖾 🌡 🌊 🕹 🌢
🚶 🌀 🚴 🕮 🌢 CB🆅🆂🆄 AE ⓞ E 🛏

▲ LES AMANDIERS ★★
874, bld Maréchal Juin. Mme Tainturier
☎ 94 95 82 42 ⊞ 94 83 00 32
🛏 10 ⊗ 200/380 F. Ⅲ 80/120 F.
🍴 40 F. Ⅲ 260/350 F. 🍽 220/300 F.
⊠ Rest. 15 nov./15 janv.
🄴 🛈 🗋 ☎ 🖃 🚗 🕹 CV CB🆅🆂🆄 AE E

SAINT RAPHAEL (LE DRAMONT)
83700 Var
657 hab. 🖈

▲ DU DEBARQUEMENT ★★
(Au Dramont), sur N. 98. M. Requena
☎ 94 82 02 51
🛏 15 ⊗ 200/300 F. Ⅲ 75/148 F.
🍴 50 F. Ⅲ 280/300 F. 🍽 230/250 F.
🄴 🄳 SP 🛈 🗋 ☎ 🖃 🚗 CV 🌢 CB🆅🆂🆄
AE E

SAINT REMY DE PROVENCE
13210 Bouches du Rhône
8000 hab. 🖈

▲ AUBERGE DE LA REINE JEANNE ★★
12, bld Mirabeau. M. Carlotti
☎ 90 92 15 33 ⊞ 90 92 49 65
🛏 10 ⊗ 250/350 F. Ⅲ 130/185 F.
⊠ 22 déc./17 avr. et mar.
🗋 ☎ CB🆅🆂🆄 AE E

▲ HOSTELLERIE LE CHALET FLEURI ★★
15, av. Frédéric Mistral. M. Poirey
☎ 90 92 03 62
🛏 12 ⊗ 160/290 F. Ⅲ 100/150 F.
🍴 50 F. Ⅲ 310/375 F. 🍽 210/275 F.
⊠ 1er nov./15 janv.
🄴 SP 🛈 🗋 ☎ 🖃 🌡 🕮 🌢 CB🆅🆂🆄 E

SAINT REMY SUR DUROLLE
63550 Puy de Dôme
680 m. ● 2300 hab. 🖈

▲ LE VIEUX LOGIS
Route de Palladuc (Pommier).
M. Mantelet
☎ 73 94 30 78 ⊞ 73 94 04 70
🛏 4 ⊗ 160 F. Ⅲ 95/155 F. 🍴 38 F.
⊠ 1ère quinzaine sept., 2ème quinzaine
fév., dim. soir et lun.
🄴 🖃 ☎ 🌢 CB🆅🆂🆄

SAINT RENAN
29290 Finistère
6700 hab. 🖈

▲ DES VOYAGEURS ★
16, rue St-Yves. M. Le Dot
☎ 98 84 21 14 ⊞ 98 84 37 84
🛏 30 ⊗ 165/225 F. Ⅲ 75/230 F.
🍴 55 F. Ⅲ 235/260 F. 🍽 170/200 F.
⊠ dim. soir hiver.
🄴 🗋 ☎ 🖃 CV 🕮 🌢 CB🆅🆂🆄 ⓞ E

SAINT ROMAIN
16210 Charente
510 hab. 🖈

▲▲ LA BRAISIERE ★★
M.Jozeleau ☎ 45 98 51 35 ⊞ 45 98 50 17
🛏 11 ⊗ 150/210 F. Ⅲ 50/210 F.
🍴 35 F. Ⅲ 220/240 F. 🍽 180/200 F.
⊠ ven. soir hs.
🄴 🄳 🗋 ☎ 🖃 🌡 🚶 🌀 🕹 CV 🕮 🌢
CB🆅🆂🆄 E

SAINT ROMAIN
21190 Côte d'Or
241 hab.

▲ LES ROCHES ★
Place de la Mairie. M. Poulet
☎ 80 21 21 63 🆃🆇 80212052
⊞ 80 21 66 93
🛏 8 ⊗ 160/350 F. Ⅲ 98/155 F. 🍴 45 F.
🍽 225/270 F.
⊠ 3ème dim. nov./15 mars, mer. et jeu.
midi hs, mer. midi saison.
🄴 ☎ 🌢 CB🆅🆂🆄 E

SAINT ROMAIN D'AY
07290 Ardèche
620 hab.

▲▲▲ DU VIVARAIS ★★
M. Poinard
☎ 75 34 42 01 ⊞ 75 34 48 23
🛏 8 ⊗ 220/300 F. Ⅲ 90/260 F. 🍴 50 F.
Ⅲ 270/290 F. 🍽 240/260 F.
⊠ 15 janv./20 fév., dim. soir et lun.
🗋 ☎ 🖃 🌡 🌊 🌀 CV 🌢 CB🆅🆂🆄

SAINT ROME DE CERNON
12490 Aveyron
850 hab.

▲ DU COMMERCE
Mme Roucayrol Gayral ☎ 65 62 33 92
🛏 13 ⊗ 120/170 F. Ⅲ 70/140 F.
🍴 50 F. Ⅲ 220/250 F. 🍽 160/180 F.
⊠ 20 déc./10 janv. et lun. hs.
🄴 🚴 🌢 CB🆅🆂🆄 AE ⓞ E

SAINT SATUR
18300 Cher
1960 hab. 📖

LE LAURIER ★★
29, rue du Commerce. Mme Decreuze
☎ 48 54 17 20 ⟨FAX⟩ 48 54 04 54
🛏 8 ⊗ 100/280 F. 🍽 70/250 F. 🔆 50 F.
🏠 215/270 F. 🍴 140/195 F.
✉ 2ème quinzaine nov. et fév., dim. soir, lun.
[E] 🗖 🕿 🛉 🎮 ▲ CB𝚅𝚂𝙰 E

SAINT SATURNIN D'APT
84490 Vaucluse
2000 hab.

DES VOYAGEURS ★
Mme Augier ☎ 90 75 42 08
🛏 12 ⊗ 170/350 F. 🍽 100 F. 🔆 50 F.
🏠 340/400 F. 🍴 240/300 F.
✉ fév., mer. et jeu. hs.
[E] [D] 📖 🕿 🕐 CB𝚅𝚂𝙰 E

SAINT SAUVES
63950 Puy de Dôme
850 m. • 1300 hab. 📖

DE LA GARE ★
Mme Brugière ☎ 73 81 11 80
🛏 9 ⊗ 115/180 F. 🍽 50/100 F. 🔆 35 F.
🏠 170/200 F. 🍴 140/170 F.
✉ sam.
🗖 🕿 🛏 🛉 🎿 CV ▲ CB𝚅𝚂𝙰 E

DE LA POSTE ★★
Mme Boivin ☎ 73 81 10 33 ⟨FAX⟩ 73 81 02 27
🛏 15 ⊗ 130/230 F. 🍽 65/160 F.
🔆 40 F. 🏠 175/230 F. 🍴 150/200 F.
✉ 20 nov./20 déc.
[E] 🗖 🕿 🛏 CV 🎮 ▲ CB𝚅𝚂𝙰 E

SAINT SAVIN
65400 Hautes Pyrénées
325 hab.

LE VISCOS ★★
M. Saint-Martin
☎ 62 97 02 28 ⟨FAX⟩ 62 97 04 95
🛏 16 ⊗ 235/300 F. 🍽 103/320 F.
🔆 53 F. 🏠 298/325 F. 🍴 238/270 F.
✉ 1er/26 déc. et lun. sauf vac. scol.
[E] [SP] 🗖 🛏 CV ▲ CB𝚅𝚂𝙰 AE E

LES ROCHERS ★★
M. Omisos
☎ 62 97 09 52 ⟨FAX⟩ 62 97 17 78
🛏 28 ⊗ 200/270 F. 🍽 58/200 F.
🔆 40 F. 🏠 230/280 F. 🍴 195/245 F.
✉ 15 oct./15 fév.
🗖 🕿 🛏 🛏 🛉 🎮 ▲ CB𝚅𝚂𝙰

SAINT SAVIN
86310 Vienne
1500 hab. 📖

DE FRANCE ★★
Place de la République. M. Deloffre
☎ 49 48 19 21 ⟍ 49 48 19 03
⟨FAX⟩ 49 48 97 07
🛏 10 ⊗ 200/260 F. 🍽 85/165 F.
🏠 210/260 F. 🍴 165/200 F.
[E] [D] [SP] 🗖 🕿 🛏 🕐 CV ▲ CB𝚅𝚂𝙰 ◉ E

DU MIDI ★★
M. Proly ☎ 49 48 00 40
🛏 9 ⊗ 150/250 F. 🍽 70/200 F. 🔆 30 F.
🏠 250/300 F. 🍴 200/250 F.
✉ 2/31 janv. dim. soir et lun.
[E] [SP] 🕿 🛏 🛏 🛉 CV ▲ CB𝚅𝚂𝙰 E

SAINT SEINE L'ABBAYE
21440 Côte d'Or
340 hab. 📖

CHEZ GUITE
Rue Carnot. Mme Frelet ☎ 80 35 01 46
🛏 12 ⊗ 130/250 F. 🍽 75 F. 🔆 45 F.
[E] 🕿 🛏 🛉 🎮 ▲ CB𝚅𝚂𝙰 E 🏠

DE LA POSTE ★★
17, rue Carnot. Mme Jacquand-Bony
☎ 80 35 00 35 ⟨FAX⟩ 80 35 07 64
🛏 20 ⊗ 145/310 F. 🍽 75/200 F.
🔆 35 F. 🏠 240/370 F. 🍴 205/290 F.
✉ 15 nov./1er mars.
[E] 📖 🗖 🕿 🛏 🛏 🛉 🕐 🛉 🎮 ▲
CB𝚅𝚂𝙰 E

SAINT SERNIN
12380 Aveyron
980 hab. 📖

CARAYON ★★
Place du fort. M. Carayon
☎ 65 99 60 26 ⟨FAX⟩ 65 99 69 26
🛏 52 ⊗ 179/349 F. 🍽 69/300 F.
🔆 49 F. 🏠 239/399 F. 🍴 189/349 F.
✉ 2/26 nov., dim. soir et lun. déc./avr.
[E] [SP] 🗖 🕿 🛏 🛏 🛉 🎿 🛐
🕐 ▶ 🛉 CV 🎮 ▲ CB𝚅𝚂𝙰 AE ◉ E 🏠

SAINT SEVER
40500 Landes
5000 hab. 📖

RELAIS DU PAVILLON ★★
M. Dumas ☎ 58 76 20 22 ⟨FAX⟩ 58 76 25 81
🛏 14 ⊗ 280/310 F. 🍽 100/300 F.
🔆 60 F. 🍴 320/335 F.
✉ dim. soir et lun. 15 sept./15 juin.
[E] 🗖 🕿 🛏 🛏 🛉 🎿 🛉 🎮 ▲ CB𝚅𝚂𝙰
AE ◉ E

SAINT SEVERIN
16390 Charente
741 hab.

DE LA PAIX
M. Andrieux ☎ 45 98 52 25 ⟨FAX⟩ 45 98 92 08
🛏 12 ⊗ 180 F. 🍽 65/145 F. 🔆 45 F.
🍽 220 F. 🍴 180 F.
✉ 20 déc./2 janv.
[E] 🗖 🕿 🛏 🛉 🛐 ♿ 🕐 🎮 ▲
CB𝚅𝚂𝙰 E

SAINT SORLIN D'ARVES
73530 Savoie
1550 m. • 310 hab. 📖

BEAUSOLEIL ★★
M. Vermeulen
☎ 79 59 71 42 ⟨FAX⟩ 79 59 75 25
🛏 23 ⊗ 210/240 F. 🍽 85/125 F.
🔆 40 F. 🏠 240/305 F. 🍴 210/275 F.
✉ 30 avr./25 juin et 10 sept./20 déc.
[E] 🕿 🛏 🛏 🛉 🎿 🛉 ▲ 🗖

SAINT SORLIN D'ARVES (suite)

DE L'ETENDARD ★★
Mme Bizel Bizellot
☎ 79 59 71 25
🛏 20 ⌧ 140/220 F. ⅠⅠ 60/100 F.
🍽 50 F. ⅠⅠ 270/300 F. 🍴 220/230 F.
⌧ 30 avr./15 juin et 30 sept./20 déc.
CB VISA E

DES NEIGES ★
M. Baudray
☎ 79 59 71 57
🛏 15 ⌧ 180/210 F. ⅠⅠ 80/ 95 F.
ⅠⅠ 220/280 F. 🍴 190/240 F.
CB VISA

LE CHARDON BLEU ★★
M. Riedle
☎ 79 59 71 47 🖷 79 59 76 02
🛏 28 ⌧ 230/250 F. ⅠⅠ 85/120 F.
🍽 65 F. ⅠⅠ 250/320 F. 🍴 220/290 F.
⌧ 15 avr./1er juil. et 31 août/15 déc.
CB VISA E

SAINT SOZY
46200 Lot
450 hab.

GRANGIER ★★
M. Destannes
☎ 65 32 20 14
🛏 12 ⌧ 150/230 F. ⅠⅠ 60/110 F.
🍽 38 F. ⅠⅠ 210/255 F. 🍴 170/210 F.
⌧ 18 nov./15 déc. et rest. lun.
CB VISA E

LA RENAISSANCE ★
M. Louradour
☎ 65 32 20 13
🛏 11 ⌧ 155/165 F. ⅠⅠ 45/170 F.
🍽 45 F. ⅠⅠ 210/220 F. 🍴 175/180 F.
⌧ janv. et sam.
CB VISA ⊙ E

SAINT SYLVAIN D'ANJOU
49480 Maine et Loire
3500 hab.

LA FAUVELAIE ★★
Route du Parc Expo. Mme Juhel
☎ 41 43 80 10 🖷 41 60 84 89
🛏 9 ⌧ 210/230 F. ⅠⅠ 80/140 F. 🍽 50 F.
ⅠⅠ 270/300 F. 🍴 200/240 F.
⌧ Rest. août, 25/31 déc., dim. soir et soir fêtes.
SP CB VISA ⊙ E

SAINT SYMPHORIEN
72240 Sarthe
500 hab.

RELAIS DE LA CHARNIE ★★
M. Gasnier
☎ 43 20 72 06 🖷 43 20 70 59
🛏 9 ⌧ 220 F. ⅠⅠ 78/190 F. 🍽 52 F.
ⅠⅠ 280/350 F. 🍴 260/300 F.
⌧ vac. scol. fév., dim. soir et lun.
CB VISA

SAINT THEGONNEC
29223 Finistère
2000 hab.

AUBERGE SAINT THEGONNEC ★★
6, place de la Mairie. M. Le Coz
☎ 98 79 61 18 🖷 98 62 71 37
🖷 98 62 71 10
🛏 19 ⌧ 270/500 F. ⅠⅠ 95/200 F.
🍽 65 F. 🍴 370/450 F.
⌧ 20 déc./5 fév., dim. soir et lun.
15 sept./15 juin.
CB VISA AE ⊙ E

SAINT THIEBAULT
52150 Haute Marne
330 hab.

AUBERGE DU CHEVAL BLANC
M. Huot
☎ 25 01 13 03
🛏 6 ⌧ 135/235 F. ⅠⅠ 53/130 F. 🍽 52 F.
ⅠⅠ 225 F. 🍴 195 F.
⌧ 20 déc./4 janv., dim. soir et lun.
CB VISA E

SAINT TROJAN LES BAINS
17370 Charente Maritime
1470 hab.

L'ALBATROS ★★
11, bld du Docteur Pineau. M. Oblin
☎ 46 76 00 08 🖷 46 76 03 58
🛏 13 ⌧ 260/292 F. ⅠⅠ 83/165 F.
🍽 60 F. ⅠⅠ 385/401 F. 🍴 275/291 F.
⌧ 15 nov./5 fév.
CB VISA E

SAINT VAAST LA HOUGUE
50550 Manche
2347 hab.

DE FRANCE ET DES FUCHSIAS ★★
18, rue Maréchal Foch. M. Brix
☎ 33 54 42 26 🖷 33 43 46 79
🛏 32 ⌧ 135 F. ⅠⅠ 73/250 F. 🍽 53 F.
ⅠⅠ 280/400 F. 🍴 210/325 F.
⌧ 10 janv./20 fév., lun. sauf
juin/mi-sept. et mar. midi nov./avr.
CB VISA AE ⊙ E

SAINT VALERY EN CAUX
76460 Seine Maritime
4595 hab.

DE LA MARINE
113, rue Saint Léger. M. Luciani
☎ 35 97 05 09
🛏 7 ⌧ 160/180 F. ⅠⅠ 60/150 F. 🍽 35 F.
ⅠⅠ 230 F. 🍴 180 F.
SP CB VISA E

LES TERRASSES ★★
22, rue le Perrey sur Front de Mer.
M. Me Vauquelin
☎ 35 97 11 22
🛏 12 ⌧ 320/350 F. ⅠⅠ 138/198 F.
🍽 50 F. 🍴 310/330 F.
⌧ 24 déc./31 janv. et mer.
CB VISA E

SAINT VALERY SUR SOMME
80230 Somme
2942 hab. 🛈

▲ LE RELAIS GUILLAUME DE NORMANDY ★★
46, quai du Romerel. MM. Dupré/Crimet
☎ 22 60 82 36 ᴍ 22 60 81 82
🛏 14 ⬦ 260/350 F. 🍴 85/200 F.
🍽 45 F. 🍴 320/350 F. 🛎 260/280 F.
⊠ déc. et mar. sept./juin.
🅵 🗔 ☎ 🚗 🕇 🕮 🦽 CB🆅🆂🅰 E

SAINT VALLIER
26240 Drôme
5425 hab. 🛈

▲ DES VOYAGEURS ★★
2, av. Jean Jaurès. M. Brouchard
☎ 75 23 04 42
🛏 9 ⬦ 140/190 F. 🍴 85/240 F. 🍽 60 F.
🛎 260/400 F.
⊠ 11 nov./2 déc. et dim. soir
1er oct./1er mars.
🅵 🗔 ☎ 🚗 🕮 ♠ CB🆅🆂🅰 AE ⓪ E

▲▲ TERMINUS Rest. LECOMTE ★★★
116, av. Jean Jaurès. M. Lecomte
☎ 75 23 01 12 ᴍ 75 23 38 82
🛏 10 ⬦ 300/380 F. 🍴 145/380 F.
🍽 70 F.
⊠ 10/25 août, vac. scol. fév., dim. soir
et lun.
🗔 ☎ 🚗 🚗 📶 ✂ 🕇 CV 🕮 ♠ CB🆅🆂🅰
AE ⓪ E

SAINT VALLIER DE THIEY
06460 Alpes Maritimes
720 m. • 1500 hab. 🛈

▲▲▲ LE PREJOLY ★★
M. Pallanca
☎ 93 42 60 86 ᴍ 93 42 67 80
🛏 17 ⬦ 250/350 F. 🍴 98/198 F.
🍽 60 F. 🍴 380/460 F. 🛎 260/340 F.
⊠ 15 déc./20 janv.
🅵 🅳 🆂🅿 🛈 🗔 ☎ 🕇 🦽 ✝ ✎ 🚶 🛴 CV
🕮 ♠ CB🆅🆂🅰 AE ⓪ E

▲▲▲ LE RELAIS IMPERIAL ★★
Sur route Napoléon, N. 85. M. Pasquier
☎ 93 42 60 07 ᴍ 93 42 66 21
🛏 30 ⬦ 200/440 F. 🍴 99/198 F.
🍽 60 F. 🍴 300/440 F. 🛎 220/360 F.
⊠ 15 nov./15 déc. sauf séjours groupes.
🅵 🅳 🆂🅿 🛈 🗔 ☎ 🛏 📶 🕇 🚶 🛴 CV
🕮 ♠ CB🆅🆂🅰 AE ⓪ E 🅲 📠

SAINT VERAN
05350 Hautes Alpes
2040 m. • 280 hab. 🛈

▲▲ BEAUREGARD ★★
M. Freychet
☎ 92 45 82 62 ᴍ 92 45 80 10
🛏 29 ⬦ 224/356 F. 🍴 90/180 F.
🍽 42 F. 🍴 280/352 F. 🛎 223/295 F.
⊠ 9 mai/9 juin et 1er oct./20 déc.
🗔 🚗 🕇 🦽 ✎ 🚶 🛴 CV 🕮 ♠ CB🆅🆂🅰 E

▲▲ LE GRAND TETRAS ★★
M. Plichon
☎ 92 45 82 42 ᴍ 92 45 85 98
🛏 21 ⬦ 206/334 F. 🍴 75/105 F.

🍽 40 F. 🍴 310/362 F. 🛎 246/298 F.
⊠ 11 avr./3 juin et 19 sept./20 déc.
🅵 ☎ 🚗 🕇 🦽 ✚ CV ♠ CB🆅🆂🅰 E

▲ LES CHALETS DU VILLARD ★★★
M. Weber
☎ 92 45 82 08
🛏 27 ⬦ 230/450 F. 🍴 95/135 F.
🍽 65 F. 🛎 250/370 F.
⊠ 20 avr./20 juin et 20 sept./20 déc.
🅵 🆂🅿 🛈 🗔 ☎ 🚗 🚗 📶 🕇 ✎ 🚶 CV 🕮
♠ CB🆅🆂🅰 E

SAINT VERAND
71570 Saône et Loire
191 hab.

▲ AUBERGE DU SAINT VERAN ★
M. Launay
☎ 85 37 16 50
🛏 11 ⬦ 120/250 F. 🍴 60/190 F.
🍽 45 F. 🛎 200/240 F.
⊠ 1er déc./15 janv. et lun.
🚗 🚗 📶 ✂ 🕇 🚶 🕮 ♠ CB🆅🆂🅰 E

SAINT VIATRE
41210 Loir et Cher
1160 hab.

▲▲ AUBERGE DE LA CHICHONE ★★
M. Clément
☎ 54 88 91 33 ᴍ 54 96 18 02
🛏 7 ⬦ 290/320 F. 🍴 145/195 F.
🍽 60 F. 🛎 320/360 F.
⊠ mars, mar. soir hs. et mer.
🅵 🗔 ☎ 🕇 🕮 ♠ CB🆅🆂🅰 AE E

SAINT VINCENT DE MERCUZE
38660 Isère
1000 hab.

▲▲▲ L'AUBERGE DE SAINT-VINCENT ★★
M. Me Dupuis
☎ 76 08 46 97 ᴍ 76 08 49 55
🛏 15 ⬦ 250/300 F. 🍴 95/350 F.
🍽 50 F. 🍴 360 F. 🛎 300 F.
⊠ 25/31 oct., 25/30 avr., 1er/6 sept.,
dim. soir et lun. 1er oct./30 avr.
🅵 🗔 ☎ 🚗 🕇 🛴 CV 🕮 ♠ CB🆅🆂🅰 AE E

SAINT VINCENT SUR JARD
85520 Vendée
520 hab. 🛈

▲▲ L'OCEAN ★★
Rue Georges Clemenceau.
Mme Bocquier
☎ 51 33 40 45
🛏 38 ⬦ 160/390 F. 🍴 78/200 F.
🍽 45 F. 🍴 230/370 F. 🛎 280/340 F.
⊠ 20 nov./15 fév. et jeu. hs.
🅵 🗔 ☎ 🚗 🚗 🕾 🦽 🚶 🛴 CV 🕮 ♠
CB🆅🆂🅰 E

SAINT VIT
25410 Doubs
2980 hab.

▲▲ LE SOLEIL D'OR ★★
2, place de la Liberté. M. Carrey
☎ 81 87 71 40 ᴍ 81 87 71 40
🛏 16 ⬦ 160/250 F. 🍴 58/150 F. 🍽 40 F.
🍴 210 F. 🛎 190 F.
⊠ semaine Noël/Nouvel an, et dim. soir.
🗔 ☎ 🚗 ♠ CB🆅🆂🅰 E

SAINTE ANNE D'AURAY
56400 Morbihan
1500 hab. ℹ️

▲▲▲ L'AUBERGE ★
M. Larvoir
☎ 97 57 61 55
🛏 6 ⊗ 220/290 F. 🍴 75/305 F. 🍳 55 F.
🍴 290/325 F. 🏨 215/250 F.
✉ 10/31 janv., 3/17 oct., mar. soir et mer.
🎛 🕿 🖂 🛏 🌴 🎿 ⛷ CV 🛎 ⬤ CB VISA
AE E 🏨

▲▲ LA CROIX BLANCHE ★★
25, rue de Vannes. M. Labiche
☎ 97 57 64 44 📠 97 57 50 60
🛏 23 ⊗ 190/350 F. 🍴 75/250 F.
🍳 50 F. 🍴 312/395 F. 🏨 216/300 F.
✉ fév., 11/22 nov., dim. soir/mardi matin hs.
🎛 🇩 🕿 🖂 🛏 🎿 CV 🛎 ⬤ CB VISA
AE ⓞ E

▲▲ LE MODERNE ★★
8, rue de Vannes. M. Bitoun
☎ 97 57 66 55 📠 97 57 67 94
🛏 34 ⊗ 200/220 F. 🍳 35 F. 🍴 270 F.
🏨 200 F.
🎛 🕿 🖂 🖂 🛎 ⬤ CB VISA E C

▲ TY PLOUZ ★
20, place Nicolazic. Mme Lemoine
☎ 97 57 65 06
🛏 8 ⊗ 150/180 F. 🍴 60/ 80 F. 🍳 35 F.
🍴 215/225 F. 🏨 175/185 F.
✉ ven. soir et sam. hs.
🎛 🕿 ⬤ CB VISA AE E

SAINTE COLOMBE
69560 Rhône
1698 hab.

▲▲ ATRIUM ★★
12, rue Nationale. M. Borel
☎ 74 85 43 33 📠 74 85 51 85
🛏 14 ⊗ 215/240 F. 🍴 65/300 F.
🍳 50 F. 🍴 395 F. 🏨 350 F.
✉ dim.
🎛 🇩 🕿 🖂 🖂 CV 🛎 ⬤ CB VISA AE ⓞ E

SAINTE CROIX
01120 Ain
340 hab. ℹ️

▲▲ CHEZ NOUS ★★
Mme Vincent
☎ 78 06 60 60 ＼ 78 06 61 20
📠 78 06 63 26
🛏 32 ⊗ 180/280 F. 🍴 75/260 F.
🍳 80 F. 🍴 260/320 F. 🏨 190/250 F.
✉ Rest. dim. soir et lun.
🎛 🇩 🕿 🖂 🖂 🛏 🎿 🛎 ⬤ CB VISA E

▲ DES CHASSEURS
M. Thévenet
☎ 78 06 61 22
🛏 6 ⊗ 95/135 F. 🍴 65/220 F. 🍳 65 F.
🍴 180 F. 🏨 150 F.
✉ dim. soir et lun.
🎛 🇩 🖂 🛏 CB VISA AE ⓞ E

SAINTE CROIX DE VERDON
04500 Alpes de Haute Provence
513 m. • 77 hab. ℹ️

▲ AUBERGE DU SANGLIER ᵉᶜ
M. Maure
☎ 92 77 85 74
🛏 6 ⊗ 250 F. 🍴 80/170 F. 🍳 35 F.
🏨 250 F.
✉ 1er déc./28 janv., lun. mars, oct. et nov.
⬤ CB VISA E

SAINTE CROIX EN JAREZ
42800 Loire
342 hab. ℹ️

▲ LE PRIEURE
Au Bourg. M. Blondeau
☎ 77 20 20 09
🛏 4 ⊗ 210/250 F. 🍴 68/200 F. 🍳 40 F.
🍴 270/300 F. 🏨 230/260 F.
✉ fév. et lun.
🎛 🕿 CV 🛎 CB VISA AE ⓞ E

SAINTE EULALIE
07510 Ardèche
1400 m. • 400 hab.

▲▲ DE LA POSTE ★★
M. Laurent
☎ 75 38 81 09
🛏 10 ⊗ 175/285 F. 🍴 78/150 F.
🍳 35 F. 🍴 235/255 F. 🏨 180/205 F.
✉ 15 oct./15 déc.
🎛 🕿 🖂 🛏 CV

SAINTE FOY LA GRANDE
33220 Gironde
3218 hab. ℹ️

▲▲ DE LA BOULE D'OR ★★
10, place Jean Jaurès. M. Pelous
☎ 57 46 00 76
🛏 23 ⊗ 160/250 F. 🍴 49/170 F.
🍳 40 F. 🍴 235/260 F. 🏨 200/220 F.
✉ 6/19 sept., 20 déc./31 janv. et lun. sauf juil./août.
🎛 🇩 🕿 🖂 🖂 ▶ 🛎 ⬤ CB VISA AE ⓞ E

SAINTE FOY LA GRANDE (PINEUILH)
33220 Gironde
3540 hab. ℹ️

▲▲ CHATEAU HOTEL DOMAINE DE LOSELLY ★★★
(A Pineuilh, Lieu-dit la Tuilerie).
M. Macq
☎ 57 46 10 59 📠 57 46 01 01
🛏 9 ⊗ 250/295 F. 🍴 95 F. 🍳 45 F.
✉ déc./janv.
🎛 🇩 SP ℹ️ 🕿 🖂 🛏 🎿 CB VISA E

SAINTE FOY TARENTAISE
73640 Savoie
1050 m. • 707 hab. ℹ️

▲▲ LE MONAL ★★
M. Marmottan
☎ 79 06 90 07 📠 79 06 94 72
🛏 24 ⊗ 230/330 F. 🍴 80/150 F.
🍳 40 F. 🍴 280/300 F. 🏨 240/260 F.
✉ 15 mai/13 juin et 14 oct./21 nov.
🎛 🇩 🕿 🎿 ⬤ CB VISA AE E

358

SAINTE GAUBURGE SAINTE COLOMBE
61370 Orne
1230 hab.

AUBERGE DU VALBURGEOIS ★★
Grande Rue. Mme Christensen
☎ 33 34 01 44
🛏 7 📻 192/225 F. 🍴 56/178 F. 🍽 48 F.
🍴 253/264 F. 🎫 228/236 F.
✉ 23 déc./10 janv., 1er/15 sept., ven. et dim. soir.

SAINTE GENEVIEVE SUR ARGENCE
12420 Aveyron
800 m. • 1175 hab.

DES VOYAGEURS ★★
Rue du Riols. M. Cruveiller
☎ 65 66 41 03
🛏 14 📻 170/220 F. 🍴 60/150 F.
🍴 30 F. 🍴 220/260 F. 🎫 190/230 F.
✉ 20 sept./10 oct., sam. et dim. soir
1er nov./30 mai.

SAINTE LIVRADE SUR LOT
47110 Lot et Garonne
6000 hab.

LE MIDI ★★
1, rue Malfourat. M. Benito
☎ 53 01 00 32 🆑 53 88 10 22
🛏 15 📻 140/230 F. 🍴 66/170 F.
🍴 40 F. 🍴 210/240 F. 🎫 180/210 F.
✉ 25 oct./3 mai.

SAINTE MARIE AUX MINES
68160 Haut Rhin
6000 hab.

DU TUNNEL ★
23, les Halles. M. Tonon
☎ 89 58 74 25 🆑 89 58 60 33
🛏 5 📻 150/180 F. 🍴 50/220 F. 🍴 42 F.
🍴 185/215 F. 🎫 155/185 F.
✉ 17 déc./2 janv., 27 juin/10 juil., ven. soir, sam. et dim. soir.

GRAND HOTEL CROMER ★★
185, Maréchal de Lattre de Tassigny.
M. Cromer
☎ 89 58 70 19 🆑 89 58 59 69
🛏 30 📻 200/290 F. 🍴 75/180 F.
🍴 40 F. 🍴 240/360 F. 🎫 175/260 F.
✉ 15 nov./25 déc., dim. soir et lun.

SAINTE MARIE DE GOSSE
40390 Landes
850 hab.

LES ROUTIERS ★
Sur N. 117. M. Deloube
☎ 59 56 32 02 🆑 59 56 34 17
🆑 59 56 36 06

🛏 15 📻 130/180 F. 🍴 50/120 F.
🍴 30 F. 🍴 180/210 F. 🎫 150/180 F.
✉ 15 oct./10 nov., ven. soir et sam. hs.

SAINTE MARIE SICHE
20190 Corse
712 hab.

LE SANTA MARIA ★★
Mme Corticchiatto
☎ 95 25 72 65 🆑 95 25 71 34
🛏 21 📻 210/345 F. 🍴 90/140 F.
🍴 50 F. 🍴 335/390 F. 🎫 245/285 F.

SAINTE MAURE DE TOURAINE
37800 Indre et Loire
3983 hab.

LA GUEULARDIERE ★★
Sur N. 10. Mme Autissier
☎ 47 65 40 71 🆑 47 65 69 47
🛏 16 📻 130/250 F. 🍴 75/200 F.
🍴 50 F. 🎫 200/230 F.
✉ 15 jours fin nov. et lun., dim. soir nov./mars.

LE CHEVAL BLANC ★★
Sur N. 10. M. Gauvin
☎ 47 65 40 27 🆑 47 65 40 31
🆑 47 65 58 90
🛏 12 📻 110/230 F. 🍴 65/175 F.
🍴 45 F. 🍴 250 F. 🎫 195 F.
✉ vac. scol. fév., 15 jours oct. et jeu., dim. soir hs.

LE VEAU D'OR ★★
13, rue du Docteur Patry. M. Lalubin
☎ 47 65 40 41
🛏 11 📻 150/220 F. 🍴 80/200 F.
🍴 50 F. 🍴 290 F. 🎫 210 F.
✉ 3 dernières semaines fév., mar. et mer., mar. soir sauf juil./août.

SAINTE MAXIME
83380 Var
10000 hab.

LE MANOIR ★★
Sur N. 98 - Le Val d'Esquières.
M. Laffont
☎ 94 49 40 90 🆑 94 49 40 85
🛏 12 📻 260/380 F. 🍴 85/170 F.
🍴 50 F. 🎫 275/355 F.
✉ 15 oct./Pâques.

SAINTE MENEHOULD
51800 Marne
6000 hab.

DE LA POSTE ★★
54, av Victor Hugo. M. Grosdemouge
☎ 26 60 80 16 🆑 26 60 97 37
🛏 10 📻 190/315 F. 🍴 60/160 F.
🍴 40 F. 🍴 230/285 F. 🎫 200/245 F.
✉ 15 déc./15 mars, ven. et sam. midi.

SAINTE MENEHOULD (suite)

▲▲ DU CHEVAL ROUGE ★★
1, rue Chanzy. M. Fourreau
☎ 26 60 81 04 Ⅲ 26 60 93 11
🛏 18 ⊡ 230/260 F. Ⅲ 90/210 F.
🍴 50 F.
✉ lun. sept./Pâques.
Ⓔ 𝖲𝖯 ⌂ ☎ 𝖢𝖵 ⅲ ● CB🆅🆂🅰 🅰🅴 ⑩ E

SAINTE MERE EGLISE
50480 Manche
1480 hab. ⓘ

▲▲ LE SAINTE MERE ★★
Sur N. 13. M. Mercier
☎ 33 21 00 30 Ⅲ 33 41 38 40
🛏 42 ⊡ 240/260 F. Ⅲ 68/155 F.
🍴 36 F. Ⅲ 300/330 F. 🍽 220/250 F.
Ⓔ ⌂ ☎ 🚗 🛏 📧 🕆 🖪 𝖢𝖵 ⅲ ●
CB🆅🆂🅰 🅰🅴 ⑩ E Ⓒ ▦

SAINTE MONTAINE
18700 Cher
233 hab.

▲ LE CHEVAL BLANC ★
Place de l'Eglise. M. Camus
☎ 48 58 06 92 Ⅲ 48 58 27 61
🛏 16 ⊡ 195 F. Ⅲ 75/220 F. 🍴 40 F.
Ⅲ 279 F. 🍽 186 F.
✉ janv., dim. soir et lun.
Ⓔ ⓘ ⌂ ☎ 🚗 🛏 𝖢𝖵 ⅲ ● CB🆅🆂🅰 🅰🅴 E

SAINTE SAVINE
10300 Aube
10700 hab. ⓘ

▲▲ MOTEL SAVINIEN ★★
87, rue Jean de La Fontaine. M. Lanord
☎ 25 79 24 90 ⅢⅢ 842504
🛏 60 ⊡ 200/220 F. Ⅲ 75/120 F.
🍴 45 F. Ⅲ 275/300 F. 🍽 195/205 F.
✉ Rest. 23 déc./4 janv., dim. et lun.
midi nov./mars.
Ⓔ ⓘ Ⓓ ⌂ ☎ 🚗 🛌 🛖 🧺 🕸 🛏 ⅲ ●
CB🆅🆂🅰 ⑩ E

SAINTES
17100 Charente Maritime
25874 hab. ⓘ

▲▲ DE FRANCE Rest. LE CHALET ★★
56, rue Frédéric Mestreau. Mme Eloy
☎ 46 93 01 16 ⅢⅢ 46 74 37 90
🛏 25 ⊡ 210/300 F. Ⅲ 68/220 F.
🍴 40 F. Ⅲ 275/320 F. 🍽 205/250 F.
⌂ ☎ 🚗 🛏 🕆 🛏 𝖢𝖵 ⅲ ● CB🆅🆂🅰 E ▦

SAINTES MARIES DE LA MER
13460 Bouches du Rhône
2150 hab. ⓘ

▲▲ HOSTELLERIE DU PONT DE GAU ★★
Route d'Arles. M. Audry
☎ 90 97 81 53 ⅢⅢ 90 97 98 54
🛏 9 ⊡ 240 F. Ⅲ 95/250 F. 🍴 70 F.
Ⅲ 450 F. 🍽 300 F.
✉ 4 janv./20 fév. et mer.
15 janv./Pâques, sauf vac. scol.
⌂ ☎ 🚗 ⅲ ● CB🆅🆂🅰 🅰🅴 E

MAS DE LAYALLE
Sur N. 570. M. Michel
☎ 90 97 94 81 ⅢⅢ 90 97 70 16
🛏 17 ⊡ 160/250 F. Ⅲ 80/120 F.
🍴 45 F. 🍽 350/440 F.
✉ 20 oct./20 déc. et 10 janv./15 mars.
🚗 ☎ 🛏 𝖢𝖵 ⅲ ● CB🆅🆂🅰 🅰🅴

SALAVAS
07150 Ardèche
400 hab.

▲ DES SITES ★
Mme Abrial
☎ 75 88 00 85
🛏 13 ⊡ 160/290 F. Ⅲ 75/120 F.
🍴 45 F. Ⅲ 160/280 F. 🍽 160/210 F.
✉ 1er oct./1er avr.
Ⓔ 𝖲𝖯 ⓘ ⌂ 🚗 🛏 𝖢𝖵 ⅲ ● CB🆅🆂🅰 E

SALBRIS
41300 Loir et Cher
6134 hab. ⓘ

▲▲▲ LA SAULDRAIE ★★
81, av. d'Orléans. M. Thomas
☎ 54 97 17 76
🛏 11 ⊡ 250/300 F. Ⅲ 100/250 F. 🍴 60 F.
✉ 28 fév./6 mars, 12/20 sept., dim. soir
et lun. hiver.
Ⓔ ⌂ ☎ 🚗 🛏 🕆 🛏 🛏 ● CB🆅🆂🅰 E

▲▲ LE DAUPHIN ★★
57, bld de la République. M. Ciszewski
☎ 54 97 04 83 ⅢⅢ 54 97 12 65
🛏 8 ⊡ 240/350 F. Ⅲ 85/195 F. 🍴 40 F.
Ⅲ 300/350 F. 🍽 230/275 F.
Ⓔ 𝖲𝖯 ⌂ ☎ 🚗 🕆 🛏 ● CB🆅🆂🅰 E

SALERS
15410 Cantal
950 m. ● 500 hab. ⓘ

▲▲▲ DES REMPARTS ET CHATEAU DE LA BASTIDE ★★
Esplanade de Barrouze. Mme Caby
☎ 71 40 70 33 ⅢⅢ 71 40 75 32
🛏 31 ⊡ 195/320 F. Ⅲ 65/130 F.
🍴 40 F. Ⅲ 260/325 F. 🍽 220/285 F.
✉ 20 oct./20 déc.
Ⓔ ⌂ ☎ 🚗 🕆 🛏 𝖢𝖵 ⅲ ● CB🆅🆂🅰 E

▲▲▲ LE BAILLIAGE ★★
Mme Bancarel
☎ 71 40 71 95 ⅢⅢ 71 40 74 90
🛏 30 ⊡ 185/350 F. Ⅲ 62/180 F.
🍴 32 F. Ⅲ 300/350 F. 🍽 240/290 F.
✉ 15 nov./1er fév.
Ⓔ ⌂ ☎ 🚗 🛏 🕆 🛏 🛏 ⊘ ⅲ ●
CB🆅🆂🅰 🅰🅴 ⑩ E

SALIES DU SALAT
31260 Haute Garonne
2300 hab. ⓘ

▲ CENTRAL HOTEL ★
Mme Ousset
☎ 61 90 50 01
🛏 15 ⊡ 140/200 F. Ⅲ 70/100 F.
🍴 45 F. Ⅲ 190/225 F. 🍽 170/200 F.
✉ mi/fin sept. - début oct., ven. soir et
sam. matin.
Ⓔ ⌂ ☎ 🚗 🕆 🛏 𝖢𝖵 ⅲ ● CB🆅🆂🅰 E

SALIGNAC (JAYAC)
24590 Dordogne
219 hab.

⌂ COULIER ★★
(A Jayac). M. Coulier
☎ 53 28 86 46 ⟨FAX⟩ 53 28 26 33
🛏 8 ⌂ 220/250 F. ⍟ 60/220 F. 🍽 40 F.
🍴 240 F.
✉ 18 déc./6 janv.
🖼 🖼 🖼 🖼 🖼 🖼 CB🅥🅢🅐 E

SALIGNAC EYVIGUES
24590 Dordogne
1035 hab. ℹ

⌂⌂ LA TERRASSE ★★
Place de la Poste. Mme Brégégère
☎ 53 28 80 38 ⟨FAX⟩ 53 97 99 67
🛏 15 ⌂ 240/400 F. ⍟ 85/210 F.
🍽 50 F. 🍴 230/310 F.
✉ 20 oct./20 mars et sam. midi sauf
juil./août.
🖼 🖼 🖼 🖼 🖼 🖼 CB🅥🅢🅐 E

SALINS LES BAINS
39110 Jura
3700 hab. ℹ

⌂⌂⌂ GRAND HOTEL DES BAINS ★★
Place des Alliés. M. Petitguyot
☎ 84 37 90 50 ⟨FAX⟩ 84 37 96 80
🛏 31 ⌂ 240/395 F. ⍟ 330/385 F.
🍴 250/300 F.
✉ 4/24 janv.
🖼 🖼 🖼 🖼 🖼 🖼 🖼 🖼 🖼 🖼
🖼 🖼 CB🅥🅢🅐 E C

⌂⌂ LES DEUX FORTS ★
Place du Vigneron. Mme Prost
☎ 84 37 93 75
🛏 17 ⌂ 120/260 F. ⍟ 86/180 F.
🍽 36 F. ⍟ 240 F. 🍴 210 F.
✉ mi-nov./mi-déc.
🖼 CB🅥🅢🅐 🅞 E

SALLANCHES
74700 Haute Savoie
600 m. • 12000 hab. ℹ

⌂⌂ BEAUSEJOUR ★★
Place de la Gare. M. Cattin
☎ 50 58 00 06 ⟨FAX⟩ 50 58 53 76
🛏 33 ⌂ 200/270 F. ⍟ 75/150 F.
🍽 70 F. ⍟ 190/240 F.
✉ 1er/15 mai et 1er/20 nov.
🖼 🖼 🖼 🖼 🖼 🖼 🖼 🖼 🖼 🖼
CB🅥🅢🅐 E

✳ SAINT JACQUES ★★
84, quai Saint-Jacques. M. Vez
☎ 50 58 01 35
🛏 9 ⌂ 130/230 F.
✉ 1er/15 juin.
🖼 🖼

SALLE LES ALPES (LA)
(SERRE CHEVALIER)
05240 Hautes Alpes
1400 m. • 1111 hab. ℹ

⌂⌂ LE CHRISTIANIA ★★
Mme Paul
☎ 92 24 76 33 ⟨FAX⟩ 92 24 83 82
🛏 28 ⌂ 300/420 F. ⍟ 98/155 F.
🍽 45 F. ⍟ 310/435 F. 🍴 250/385 F.
✉ mi-sept./début déc. et
20 avr./25 juin.
🖼 🖼 🖼 🖼 🖼 🖼 🖼 🖼 🖼 CB🅥🅢🅐 E

SALLES ARBUISSONNAS EN
BEAUJOLAIS
69460 Rhône
207 hab.

⌂⌂ HOSTELLERIE SAINT VINCENT ★★★
Mme Roman
☎ 74 67 55 50 ⟨FAX⟩ 74 67 58 86
🛏 16 ⌂ 260/350 F. ⍟ 90/240 F.
🍽 60 F. ⍟ 350 F. 🍴 275 F.
✉ dim. soir et lun. 1er oct./31 mars.
🖼 🖼 🖼 🖼 🖼 🖼 🖼 🖼 🖼 🖼 🖼
CB🅥🅢🅐 E 🖼

SALLES SUR VERDON (LES)
83630 Var
500 m. • 154 hab. ℹ

⌂⌂ AUBERGE DES SALLES ★★
M. Anot
☎ 94 70 20 04 ⟨FAX⟩ 94 70 21 78
🛏 22 ⌂ 250/310 F. ⍟ 90/220 F.
🍽 42 F. ⍟ 340/370 F. 🍴 275/305 F.
✉ environ 15 nov./Rameaux, mar. soir
et mer. hs.
🖼 🖼 🖼 🖼 🖼 🖼 🖼 CB🅥🅢🅐 E

SAMOENS
74340 Haute Savoie
714 m. • 1800 hab. ℹ

⌂⌂ GAI SOLEIL ★★
M. Coffy
☎ 50 34 40 74 ⟨FAX⟩ 50 34 10 78
🛏 24 ⌂ 225/315 F. ⍟ 75/175 F.
🍽 55 F. ⍟ 250/330 F. 🍴 215/295 F.
✉ 10 avr./11 juin et 18 sept./17 déc.
🖼 🖼 🖼 🖼 🖼 🖼 🖼 🖼 🖼 🖼 🖼
CB🅥🅢🅐 E

⌂⌂ LE MOULIN DU BATHIEU ★★
(A Vercland). M. Pontet
☎ 50 34 48 07 ⟨FAX⟩ 50 34 43 25
🛏 7 ⌂ 270/345 F. ⍟ 68/180 F. 🍽 45 F.
⍟ 280/325 F. 🍴 240/295 F.
✉ 8/30 mai, 2 nov./26 déc. et dim. hs.
🖼 🖼 🖼 🖼 🖼 🖼 🖼 CB🅥🅢🅐 E

SAMOGNAT
01580 Ain
238 hab.

⌂ AU MOULIN DU PONT ★
M. Gindre
☎ 74 76 98 46
🛏 9 ⌂ 100/150 F. ⍟ 60/180 F. 🍽 40 F.
⍟ 210/250 F. 🍴 160/190 F.
✉ 29 août/13 sept., 20/31 déc., dim.
soir et lun.
🖼 🖼 🖼 🖼 🖼 🖼 CB🅥🅢🅐 E

SAMOIS
77920 Seine et Marne
1571 hab.

♦♦ HOSTELLERIE DU COUNTRY CLUB ★★
11, quai Franklin Roosevelt. M. Plancon
☎ (1) 64 24 60 34 ᴀ (1) 64 24 80 76
🛏 16 ▨ 300/380 F. ⫯ 150/205 F.
♨ 60 F. ⫯ 400/420 F. ⌷ 300/320 F.
▨ Rest. 15 nov./1er mars sauf ven.
matin/dim. 18 h. et séminaire, groupes
sur révervation.
🄴 🄳 🆂🅿 🗂 🚗 🚐 🕆 🗡 🌀 🏕 ♠
CB▨ E

SANARY SUR MER
83110 Var
11699 hab. ℹ

♦♦ GRAND HOTEL DES BAINS ★★★
Av. d'Estienne d'Orves. Mme Lecomte
☎ 94 74 13 47 ᴀ 94 88 14 02
🛏 30 ▨ 320/520 F. ⫯ 110/230 F.
♨ 49 F. ⫯ 460/520 F. ⌷ 385/450 F.
🄴 🄳 🗂 🚗 🚐 🕆 CV 🇮🇧 ♠ CB▨
ᴁ ⓞ E

♦♦ LE CASTEL ᵉᶜ
925, route de la Canolle. M. Palacios
☎ 94 29 82 98 ᴀ 94 32 53 32
🛏 9 ▨ 295/345 F. ⫯ 140/195 F.
♨ 48 F. ⫯ 450/470 F. ⌷ 310/340 F.
▨ vac. scol. fév., dim. soir
1er oct./31 mars.
🄴 🆂🅿 ℹ 🗂 🚗 🚐 🕆 ♠ CB▨ ᴁ ⓞ E

SANCERRE
18300 Cher
3000 hab. ℹ

♦♦ DES REMPARTS ★★
M. Fleuriet
☎ 48 54 10 18 ᴀ 48 54 36 30
🛏 17 ▨ 240/290 F. ⫯ 50/165 F.
♨ 38 F. ⫯ 265/300 F. ⌷ 205/240 F.
▨ Rest. lun. oct./avr.
🄴 🗂 🚗 🚐 🗡 CV 🇮🇧 ♠ CB▨ ᴁ E

♦♦ LE SAINT MARTIN ★★
10, rue St-Martin. MM. Sivet/Bragato
☎ 48 54 21 11 ᴀ 48 54 39 55
🛏 24 ▨ 200/260 F. ⫯ 65/130 F.
♨ 40 F. ⫯ 310/340 F. ⌷ 230/260 F.
▨ début nov./début avr.
🄴 🗂 🚐 🗡 🇮🇧 ♠ CB▨ E C

SAND
67230 Bas Rhin
1000 hab.

♦♦ HOSTELLERIE DE LA CHARRUE ★★
M. Neeff
☎ 88 74 42 66 ᴀ 88 74 12 02
🛏 10 ▨ 250 F. ⫯ 85/200 F. ♨ 45 F.
⫯ 320 F. ⌷ 240 F.
▨ fév., début juil., dim. soir et lun.
🄴 🄳 🗂 🚗 🚐 🇮🇧 CB▨ ᴁ ⓞ E C

SANDILLON
45640 Loiret
2560 hab. ℹ

♦♦ AU LION D'OR ★
2, rue F. Baubault. Mme Berneau
☎ 38 41 00 22 ᴀ 38 41 07 74

🛏 20 ▨ 150/300 F. ⫯ 58/250 F.
♨ 45 F. ⫯ 220/300 F. ⌷ 180/250 F.
▨ Rest. dim.
🄴 🄳 🗂 🚗 🚐 🕆 🗡 CV 🇮🇧 ♠ CB▨ E

SANTENAY
41190 Loir et Cher
262 hab.

♦ L'UNION ★
M. Nivault
☎ 54 46 11 03 ᴀ 54 46 18 57
🛏 5 ▨ 180/200 F. ⫯ 70/220 F. ♨ 50 F.
⌷ 240/300 F.
▨ fév., dim. soir et lun.
🄴 ℹ 🚗 🕆 🇮🇧 ♠ CB▨ E

SARCEY
69490 Rhône
600 hab.

♦♦ LE CHATARD ★★
M. Chatard
☎ 74 26 85 85 ᴀ 74 26 89 99
🛏 38 ▨ 250/300 F. ⫯ 80/300 F.
♨ 50 F. ⫯ 300/320 F. ⌷ 235/250 F.
▨ 2/15 janv.
🄴 ℹ 🗂 🚗 🗡 🕆 🗡 🏑 🗡 🗡 🌀 🗡
🇮🇧 ♠ CB▨ E ▪

SARDIERES
73500 Savoie
1500 m. ● 32 hab. ℹ

♦ DU PARC ★★
Mme Gagnière
☎ 79 20 51 73 ᴀ 79 20 51 73
🛏 30 ▨ 150/260 F. ⫯ 70/135 F.
♨ 38 F. ⫯ 263/303 F. ⌷ 193/233 F.
▨ 30 avr./28 juin et 5 sept./23 déc.
🄴 ℹ 🗂 🚗 🕆 🗡 CV 🇮🇧 ♠ CB▨ E C

SARE
64310 Pyrénées Atlantiques
2000 hab. ℹ

♦♦♦ FAGOAGA-BARATCHARTEA ★★
Quartier Ihalar. M. Fagoaga
☎ 59 54 20 48
🛏 15 ▨ 220/320 F. ⫯ 90/160 F.
♨ 60 F. ⫯ 245/260 F. ⌷ 215/230 F.
▨ 2 janv./1er mars.
🆂🅿 🗂 🚗 🚐 🗡 🗡 🇮🇧 ♠ CB▨ E ▪

♦♦♦ PIKASSARIA ★★
M. Arburua
☎ 59 54 21 51 ᴀ 59 54 27 40
🛏 36 ▨ 200/300 F. ⫯ 88/165 F.
♨ 60 F. ⫯ 520 F. ⌷ 440 F.
▨ 15 nov./15 mars et mer.
🄴 🆂🅿 🗂 🚗 🚐 🗡 🇮🇧 ♠ CB▨ E

SARLAT
24200 Dordogne
11000 hab. ℹ

♦ HOSTELLERIE LA VERPERIE ★★
M. Chopin
☎ 53 59 00 20 ᴀ 53 28 58 94
🛏 22 ▨ 260/400 F. ⫯ 90/210 F.
♨ 50 F. ⫯ 300/400 F. ⌷ 270/300 F.
▨ déc. et janv.
🄴 🆂🅿 🗂 🚗 🚐 🕆 🗡 🗡 🗡 ♠ CB▨
ᴁ ⓞ E

SARLAT (suite)

AA LA COULEUVRINE ★★
1, place de la Bouquerie.
Mme Lebon-Hendult
☎ 53 59 27 80 Ⅲ 53 31 26 83
🛏 25 🍴 165/350 F. 🍽 98/210 F.
🍴 58 F. 🍽 325/415 F. 🛏 230/320 F.
⊠ 10/31 janv. et 15/30 nov.
🎬 🛏 📺 ♿ 🛎 ● CB🆚 AE ● E

AAA LA HOIRIE ★★★
Lieu dit la Giragne. Mme Sainneville de
Vienne
☎ 53 59 05 62 Ⅲ 53311575
Ⅲ 53 31 13 90
🛏 15 🍴 350/570 F. 🍽 130/300 F.
🍴 70 F. 🍽 370/480 F.
⊠ 15 nov./14 mars.
🎬 ℹ 🛏 📺 🚗 🛎 🚻 🍽 ● CB🆚 AE
● E

AAA SAINT ALBERT ET MONTAIGNE ★★
Place Pasteur. M. Garrigou
☎ 53 31 55 55 Ⅲ 53 59 19 99
🛏 65 🍴 250/320 F. 🍽 110/230 F.
🍽 380/410 F. 🛏 290/320 F.
⊠ dim. soir et lun. 1er nov./26 mars.
🎬 🛏 📺 🚗 🛎 🚻 🍽 ● CB🆚 AE
● E

SARRALBE (RECH)
57430 Moselle
4590 hab.

A AU CYGNE BLANC
(A Rech, 71, Grande Rue). M. Jamann
☎ 87 97 89 80 Ⅲ 87 97 06 51
🛏 6 🍴 190/230 F. 🍽 50/200 F. 🍴 38 F.
🍽 200/250 F. 🛏 160/220 F.
⊠ dernière semaine juil., 1ère semaine
août et sam. 16h.
📺 🚗 🚻 🛎 🚲 ♿ 🛎 CB🆚 E

SARRAS
07370 Ardèche
1800 hab. ℹ

AA LE VIVARAIS ★★
Avenue du Vivarais. M. Bertrand
☎ 75 23 01 88
🛏 10 🍴 150/215 F. 🍽 70/170 F.
⊠ 1er fév./10 mars et mar.
🚗 🚻 🍽

SARRAZAC
46600 Lot
480 hab.

A LA BONNE FAMILLE ★
Mme Guerby-Aussel
☎ 65 37 70 38 Ⅲ 65 37 74 01
🛏 14 🍴 132/265 F. 🍽 60/165 F.
🍴 45 F. 🍽 215/270 F. 🛏 170/225 F.
⊠ ven. soir et sam. hs.
🎬 SP 🛏 📺 🚗 🚻 🍽 🏊 ⛷ 🍽 🎿 CV
● CB🆚 E

SARRE UNION
67260 Bas Rhin
3130 hab. ℹ

A A LA PORTE HAUTE ★★
9, rue de Bitche. M. Grenier
☎ 88 00 22 43
🛏 9 🍴 195/220 F. 🍽 50/160 F. 🍴 48 F.
🍽 210/260 F. 🛏 170/210 F.
⊠ 3 premières semaines août et sam.
🎬 🛏 📺 🚗 🚻 🍽 CB🆚 AE ● E

AA AU CHEVAL NOIR ★★
16, rue de Phalsbourg. M. Hetzel
☎ 88 00 12 71 Ⅲ 88 00 19 09
🛏 20 🍴 130/250 F. 🍽 50/250 F.
🍴 40 F. 🍽 270/330 F. 🛏 210/260 F.
⊠ 1er/21 oct. et Rest. lun.
🎬 🛏 📺 🚗 🚻 🍽 CV 🛎 ● CB🆚 AE
● E

SARREBOURG
57400 Moselle
15000 hab. ℹ

AA DE FRANCE ★★
3, av. de France. M. Jouanneau
☎ 87 03 21 47 Ⅲ 861 844 Ⅲ 87 23 93 57
🛏 33 🍴 165/295 F. 🍽 65/185 F.
🍴 50 F. 🍽 265/345 F. 🛏 185/265 F.
🎬 🛏 📺 🚗 🚻 ♿ 🍽 🎿 CV 🛎
CB🆚 E

SARREGUEMINES
57200 Moselle
25178 hab. ℹ

AA UNION ★★
28, rue Geiger. M. Obringer
☎ 87 95 28 42 Ⅲ 87 98 25 21
🛏 22 🍴 220/270 F. 🍽 70/150 F.
🍴 40 F.
⊠ Rest. 24 déc./3 janv., sam. midi et
dim.
🎬 🛏 📺 🚗 🚗 🚗 CV 🛎 ● CB🆚
AE ● E 🛎

SARTENE
20100 Corse
3500 hab. ℹ

AA VILLA PIANA ★★
Route de Propriano. M. Abraini
☎ 95 77 07 04 Ⅲ 95 73 45 65
🛏 20 🍴 260/550 F.
⊠ 31 sept./1er avr.
🎬 ℹ 🛏 📺 🚗 🚻 🍽 🏊 ♿ 🛎 CB🆚
AE ● E

SATILLIEU
07290 Ardèche
2000 hab.

A CHALEAT-SAPET ★★
Place de la Faurie. M. Sapet
☎ 75 34 95 42
🛏 12 🍴 200 F. 🍽 60/145 F. 🍴 40 F.
🍽 220 F. 🛏 170 F.
🛏 📺 🚗 🍽 CV CB🆚 E

AA JULLIAT-ROCHE ★★
M. Julliat
☎ 75 34 95 86
🛏 10 🍴 160/290 F. 🍽 70/160 F.
🍴 40 F. 🍽 240/280 F. 🛏 190/230 F.
⊠ Dim. soir hs.
🎬 🛏 📺 🚗 🚗 🚻 🛎 ● CB🆚 AE
● E

SAUBUSSE
40180 Landes
620 hab. 🛈

▲▲▲ THERMAL **
M. Laborde
☎ 58 57 31 04 📠 58 57 37 37
🛏 54 ⊠ 133/334 F. 🍽 84/150 F.
🍴 55 F. 🍽 203/316 F. 🛌 173/286 F.
⊠ 27 nov./10 mars.
[icons]

SAUGUES
43170 Haute Loire
960 m. • 2500 hab. 🛈

▲ LA TERRASSE *
Cours Gervais. M. Fargier
☎ 71 77 83 10 📠 71 77 63 79
🛏 16 ⊠ 125/255 F. 🍴 55/180 F.
🍴 35 F. 🍽 253 F. 🛌 150/210 F.
[icons]

SAUJON
17600 Charente Maritime
4768 hab. 🛈

▲ DU COMMERCE **
7, rue de Saintonge. Mme Durivault
☎ 46 02 80 50
🛏 19 ⊠ 148/280 F. 🍴 78/145 F.
🍴 45 F. 🍽 268/340 F. 🛌 215/285 F.
⊠ 15 déc./15 mars, dim. soir et lun. hs.
[icons]

SAULCE
26270 Drôme
1199 hab.

▲▲ LES REYS DE SAULCE **
62, av. de Provence. M. Clutier
☎ 75 63 00 22 📠 75 63 12 60
🛏 19 ⊠ 190/300 F. 🍴 68/190 F.
🍴 50 F. 🍽 280/320 F. 🛌 230/270 F.
⊠ 15/23 oct., 23 déc./24 janv., lun. et
dim. soir hs.
[icons]

SAULCE (LA)
05110 Hautes Alpes
600 m. • 700 hab.

▲ MARROU *
Mme Siméon
☎ 92 54 20 02
🛏 12 ⊠ 175/235 F. 🍴 85/150 F.
🍴 47 F. 🍽 290 F. 🛌 240 F.
[icons]

SAULCY SUR MEURTHE
88580 Vosges
1866 hab.

▲ LA TOSCANE **
1, rue Raymond Panin. M. Guyot
☎ 29 50 97 19 📠 29 50 90 77
🛏 6 ⊠ 200/230 F. 🍴 75/135 F. 🍴 40 F.
🍽 375/405 F. 🛌 300/330 F.

⊠ dernière semaine sept., 15 premiers
jours oct., lun. soir et mar.
[icons]

SAULGES
53340 Mayenne
340 hab. 🛈

▲▲▲ L'ERMITAGE ***
M. Janvier
☎ 43 90 52 28 📠 43 90 56 61
🛏 36 ⊠ 280/420 F. 🍽 98/310 F.
🍴 70 F. 🍽 330/420 F.
⊠ fév., dim. soir et lun. 25 sept./10 avr.
[icons]

SAULIEU
21210 Côte d'Or
600 m. • 2900 hab. 🛈

▲▲ AUBERGE DU RELAIS
8, rue d'Argentine. Mme Taverna
☎ 80 64 13 16 📠 80 64 08 33
🛏 5 ⊠ 230/270 F. 🍽 85/215 F. 🍴 62 F.
🍽 295/335 F. 🛌 235/285 F.
[icons]

▲▲▲ DE BOURGOGNE **
9, rue Courtépée. M. Letard
☎ 80 64 08 41 📠 80 64 02 02
🛏 15 ⊠ 230/260 F. 🍽 75/200 F.
🍴 45 F. 🛌 230/260 F.
⊠ 15 nov./1er avr., mer. et jeu. midi
sauf juil./août.
[icons]

▲▲▲ DE LA POSTE ***
M. Virlouvet
☎ 80 64 05 67 📠 80 64 10 82
🛏 42 ⊠ 170/485 F. 🍽 128/298 F.
🍴 60 F. 🍽 400/550 F. 🛌 300/450 F.
[icons]

SAULT
84390 Vaucluse
760 m. • 1206 hab. 🛈

▲▲ HOSTELLERIE DU DEFFENDS **
Route de Saint-Trinit. M. Gattechaut
☎ 90 64 01 41 📠 90 64 12 74
🛏 11 ⊠ 380 F. 🍽 149/340 F.
🍽 480/520 F. 🛌 380/420 F.
⊠ 30 nov./15 mars. Rest.
15 mars/30 avr., 1er oct./30 nov., mar.
et mer. midi.
[icons]

SAULT BRENAZ
01790 Ain
1100 hab.

▲ DU RHONE *
M. Baudin
☎ 74 36 61 35
🛏 8 ⊠ 210/300 F. 🍽 100/270 F.
🍴 60 F. 🍽 210/240 F.
⊠ 15 août/15 sept., 20 déc./15 janv.,
ven. soir sauf juil./août, dim. soir et lun.
[icons]

SAULXURES
67420 Bas Rhin
400 hab. ⓘ

▲▲ BELLE-VUE ★★
M. Boulanger
☎ 88 97 60 23 ⓕⓐⓧ 88 47 23 71
🛏 14 ⓢ 200/300 F. 🍴 90/200 F.
🍽 45 F. 🏨 280/330 F. 🎫 220/270 F.
✉ janv. et mer. hs.
🄴 🄳 🛦 🛏 🛦 🏤 🏹 🎿 🌲 🌀 🎾 ⓒⓥ ⟶
ⒸⒷⓋⓘⓢⓐ Ⓔ

SAUVE
30610 Gard
1417 hab. ⓘ

▲▲ LA MAGNANERIE ★★
(L'Evesque). Mme Rousée-Rodriguez
☎ 66 77 57 44 ⓕⓐⓧ 66 77 02 31
🛏 8 ⓢ 200/350 F. 🍴 65/170 F. 🍽 40 F.
🏨 360/410 F. 🎫 290/330 F.
✉ Rest. 15 nov./15 déc. et mer. hs.
🄴 🖟 🛦 🛏 🛦 🏤 🏹 🎿 🌀 🎾 ⟶
ⒸⒷⓋⓘⓢⓐ Ⓐⓔ Ⓞ Ⓔ

SAUVETERRE DE BEARN
64390 Pyrénées Atlantiques
1900 hab. ⓘ

▲ HOSTELLERIE DU CHATEAU ★
M. Camy
☎ 59 38 52 10
🛏 8 ⓢ 100/220 F. 🍴 80/150 F. 🍽 40 F.
🏨 200/240 F. 🎫 170/200 F.
✉ 4 janv./15 fév.
🄴 🖟 🛦 🛏 🛦 🏹 🌀 ⓒⓥ 🎾 ⟶ ⒸⒷⓋⓘⓢⓐ
Ⓐⓔ Ⓞ Ⓔ

SAUZE (LE)
04400 Alpes de Haute Provence
1700 m. • 500 hab. ⓘ

▲ LE BREC ★★
(Le Super Sauze). M. Bondiau
☎ 92 81 05 14 ⓕⓐⓧ 92 81 02 87
🛏 12 ⓢ 220/280 F. 🍴 75/110 F.
🍽 48 F. 🏨 320/380 F. 🎫 280/350 F.
✉ 15 avr./18 juin et 10 sept./18 déc.
🄴 🖟 🛦 🛏 🛦 🏹 🎿 🎾 ⟶ ⒸⒷⓋⓘⓢⓐ Ⓐⓔ Ⓞ Ⓔ

SAUZET
46140 Lot
480 hab. ⓘ

▲ AUBERGE DE LA TOUR
M. Pol
☎ 65 36 90 05 ⓕⓐⓧ 65 36 92 34
🛏 8 ⓢ 140/170 F. 🍴 70/160 F. 🍽 45 F.
🏨 240 F. 🎫 200 F.
✉ janv. et lun.
🄴 🖟 ⓘ 🛏 🏹 ⓒⓥ ⟶ ⒸⒷⓋⓘⓢⓐ Ⓔ 🎾

SAVENAY
44260 Loire Atlantique
5680 hab.

▲▲ AUBERGE DU CHENE VERT ★★
10, place de l'Hôtel de Ville.
M. Boudaud
☎ 40 56 90 16 ⓕⓐⓧ 40 56 99 60

🛏 20 ⓢ 240/300 F. 🍴 57/195 F.
🍽 35 F. 🏨 300 F. 🎫 245 F.
🄴 🖟 🛦 🛏 🛦 🏤 🏹 🎿 ⓒⓥ ⟶ ⒸⒷⓋⓘⓢⓐ Ⓔ
Ⓒ 🎾

SAVERNE
67700 Bas Rhin
11000 hab. ⓘ

▲▲▲ CHEZ JEAN ★★
3, rue de la Gare. M. Harter
☎ 88 91 10 19 ⓕⓐⓧ 88 91 27 45
🛏 20 ⓢ 298/350 F. 🍴 98/220 F.
🍽 55 F. 🎫 320/340 F.
✉ 22 déc./8 janv., dim. soir et lun. sauf juil./sept.
🄴 🖟 🛦 🛏 🛦 ⓢ 🏤 ⓒⓥ 🎾 ⟶ ⒸⒷⓋⓘⓢⓐ Ⓐⓔ
Ⓞ Ⓔ 🎾

SAVIGNE L'EVEQUE
72460 Sarthe
3676 hab. ⓘ

▲ LE FLOREAL et Annexe RESIDENCE
SAINT-EDMOND ★★ & ★★★
72, Grande Rue. M. Plot
☎ 43 27 50 19
🛏 26 ⓢ 150/300 F. 🍴 68/190 F.
🍽 65 F. 🏨 190/310 F. 🎫 165/290 F.
✉ Rest. août, dim. soir et soirs fériés.
🄴 🖟 🛦 🛏 🛦 🏹 🎿 🌀 🎾 ⟶
ⒸⒷⓋⓘⓢⓐ Ⓔ 🎾

SAVIGNY SUR BRAYE
41360 Loir et Cher
2015 hab. ⓘ

▲▲ AUBERGE DU CROISSANT ★★
9, place de la Mairie.
M. Me Brennus/Hervé
☎ 54 23 75 62 ⓕⓐⓧ 54 23 73 96
🛏 8 ⓢ 190/260 F. 🍴 79/168 F. 🍽 45 F.
🏨 200/320 F. 🎫 150/270 F.
✉ 1er/20 mai, rest. 18/25 sept., dim.
soir et jeu. soir hs.
🄴 🖟 🛦 🛏 🛦 🏤 ⓢ 🌀 🎾 ⟶ ⒸⒷⓋⓘⓢⓐ
Ⓐⓔ Ⓞ Ⓔ

SAVINES LE LAC
05160 Hautes Alpes
790 m. • 850 hab. ⓘ

▲▲ EDEN LAC ★★
M. Andrzejewski
☎ 92 44 20 53 ⓕⓐⓧ 92 44 29 17
🛏 23 ⓢ 230/360 F. 🍴 90/160 F.
🍽 40 F. 🏨 320/420 F. 🎫 250/350 F.
✉ 17 nov./10 fév.
🖟 ⓘ 🛦 🛏 🛦 🏤 🏹 🎿 🎾 ▶ 🎾 ⒸⒷⓋⓘⓢⓐ
Ⓐⓔ Ⓒ 🎾

SAZE
30650 Gard
1217 hab.

▲▲ AUBERGE LA GELINOTTE ★★
Sur N. 100. Mlle Arnaud
☎ 90 31 72 13
🛏 10 ⓢ 280/340 F. 🍴 120/150 F.
🍽 45 F. 🎫 320/340 F.
✉ Rest. 20 déc./31 janv., dim. soir et
lun. hs, lun. midi saison.
🄴 🄳 🛏 🛦 🏹 🎿 🌀 🎾 ⟶

SCHAEFFERSHEIM
67150 Bas Rhin
580 hab.

🏠 A LA COURONNE ★
32, rue Principale. M. Scheeck
☎ 88 98 02 48
🛏 9 ◎ 105/195 F. ⏴ 40/155 F. 🍴 45 F.
⏴ 195/230 F. 🍴 160/185 F.
✉ Rest. ven. soir et sam.
🚗 🕿 CV 🛂 🅿 CB🆅 E

SCHIRMECK (LES QUELLES)
67130 Bas Rhin
600 m. • 15 hab. 🅸

🏠🏠 NEUHAUSER ★★
M. Neuhauser
☎ 88 97 03 77 🅵 88 97 14 29
🛏 14 ◎ 200/310 F. ⏴ 130/300 F.
🍴 70 F. ⏴ 325/350 F. 🍴 275/300 F.
✉ 15/31 janv.
🕿 🚗 🏊 🍴 CV 🛂 CB🆅 ⓪ E

SCOURY
36300 Indre
350 hab.

🏠 HOSTELLERIE DES RIVES DE LA CREUSE
M. Joly
☎ 54 37 98 01 🅵 54 37 64 77
🛏 7 ◎ 160/220 F. ⏴ 68/260 F. 🍴 45 F.
⏴ 260/300 F. 🍴 220/280 F.
✉ 15/30 nov., 20/28 fév., dim. soir et
lun. hs.
🕿 🚗 🍴 🚗 🍴 CB🆅 E

SEBOURG
59990 Nord
1590 hab. 🅸

🏠🏠 AU JARDIN FLEURI ★★
21-23, rue du Moulin. Mme Delmotte
☎ 27 26 53 31 🅵 27 26 50 08
🛏 13 ◎ 190/250 F. ⏴ 90/250 F.
🍴 50 F. 🍴 230/280 F.
✉ Rest. mer. et dim. soir.
🕿 🚗 🚗 🍴 🛂 CB🆅 🅰 ⓪ E

SECLIN
59113 Nord
13000 hab. 🅸

🏠🏠🏠 AUBERGE DU FORGERON ★★★
17, rue Roger Bouvry. M. Belot
☎ 20 90 09 52 🅵 20 32 70 87
🛏 18 ◎ 220/400 F. ⏴ 110/280 F.
🍴 70 F. ⏴ 340/400 F. 🍴 240/300 F.
✉ 8/28 août. Rest. dim.
🅴 🇩 SP 🕿 🚗 🚗 CV 🛂 🅿 CB🆅
🅰 ⓪ E 🕿

SEDAN
08200 Ardennes
24535 hab. 🅸

🏠🏠 LE SAINT-MICHEL ★
3, rue Saint-Michel. M. Copine
☎ 24 29 04 61 🅵 24 29 32 67
🛏 19 ◎ 170/210 F. ⏴ 80/140 F.
🍴 35 F. ⏴ 250/275 F. 🍴 200/225 F.
🕿 🚗 🚗 🍴 CV 🛂 🅿 CB🆅 E 🕿

SEES
61500 Orne
5243 hab. 🅸

🏠🏠🏠 DU DAUPHIN ★★
31, place des Halles. M. Bellier
☎ 33 27 80 07 🅵 33 28 80 33
🛏 7 ◎ 280/420 F. ⏴ 105/340 F.
🍴 75 F. ⏴ 310/350 F.
✉ fév., 3ème semaine nov., dim. soir et
lun. hs.
🅴 🕿 🚗 🛂 🅿 CB🆅 🅰 ⓪ E

🏠🏠 LE CHEVAL BLANC ★★
1, place St-Pierre. M. Le Gros
☎ 33 27 80 48 🅵 33 28 58 05
🛏 9 ◎ 170/270 F. ⏴ 70/185 F. 🍴 38 F.
⏴ 225/270 F. 🍴 170/210 F.
✉ 15 oct./15 nov., 25 fév./15 mars, jeu.
soir, ven. saison et ven. soir, sam.
15 sept./15 juin.
🅴 🕿 🚗 🚗 🍴 CB🆅 E

SEES (MACE)
61500 Orne
500 hab. 🅸

🏠🏠🏠 L'ILE DE SEES ★★
M. Orcier
☎ 33 27 98 65 🅵 33 28 41 22
🛏 16 ◎ 280/300 F. ⏴ 78/175 F.
🍴 55 F. 🍴 310 F.
✉ 15 fév./15 mars, dim. soir et lun.
🅴 🕿 🚗 🍴 🛂 CB🆅 E

SEEZ
73700 Savoie
904 m. • 1300 hab. 🅸

🏠🏠 MALGOVERT ★★
M. Gaymard
☎ 79 41 00 41 🅵 79 41 01 48
🛏 20 ◎ 230/290 F. ⏴ 90/115 F.
🍴 45 F. ⏴ 275/295 F. 🍴 230/260 F.
✉ 1er mai/15 juin et 1er oct./20 déc.
🅴 🇩 🕿 🚗 🚗 🍴 🛂 🅿
CB🆅 🅰

SEEZ (VILLARD DESSUS)
73700 Savoie
1000 m. • 200 hab. 🅸

🏠🏠 RELAIS DES VILLARDS ★★
Mme Merendet
☎ 79 41 00 66 🅵 79 41 08 13
🛏 10 ◎ 220/290 F. ⏴ 75/130 F.
🍴 40 F. ⏴ 280/320 F. 🍴 230/260 F.
✉ fin avr./début juin et fin sept./mi-déc.
🅴 🇩 🕿 🚗 🍴 🍴 CV 🅿 CB🆅 E

SEGUR LES VILLAS
15300 Cantal
1045 m. • 404 hab.

🏠🏠🏠 DE LA SANTOIRE ★★
M. Chabrier
☎ 71 20 70 68 🅵 71 20 73 44
🛏 26 ◎ 220/240 F. ⏴ 78/150 F.
🍴 45 F. ⏴ 265/310 F. 🍴 225/270 F.
🅴 SP 🕿 🚗 🍴 🍴 🍴 🍴 🍴
🍴 CV 🛂 CB🆅 🅰 ⓪ E

SEICHES SUR LE LOIR
49140 Maine et Loire
2207 hab. 🛈

▲▲ HOSTELLERIE SAINT-JACQUES ★★
(Matheflon). M. Dribault
☎ 41 76 20 30 🆇 41 76 61 51
🛏 10 ◲ 120/240 F. 🍴 66/190 F.
🍽 40 F. 🍷 175/235 F.
⊠ 1er nov./15 mars, dim. soir et lun.
15 mars/30 avr., oct.
🄴 🄳 ⬚ 🛎 🚗 🍴 🎚 ⬥ CB🆅🆂🅰 AE E

SEILHAC
19700 Corrèze
1440 hab. 🛈

▲▲▲ RELAIS DES MONEDIERES ★★
M. Besse
☎ 55 27 04 74 🆇 55 27 90 03
🛏 14 ◲ 180/270 F. 🍴 65/170 F.
🍽 50 F. 🍷 230/240 F. 🍷 190/220 F.
⊠ 15 déc./15 janv.
⬚ 🛎 🚗 🍴 🛏 🍴 🚵 🎚 ⬥ 🍴 CB🆅🆂🅰 E

SEINGBOUSE
57450 Moselle
1875 hab.

▲▲▲ RELAIS DIANE ★★
16, route Nationale. M. Houpert
☎ 87 89 11 10
🛏 12 ◲ 190/300 F. 🍴 65/175 F.
🍽 51 F. 🍷 215/290 F. 🍷 185/255 F.
⊠ vac. scol. fév., 16 août/4 sept. et jeu.
🄴 🄳 ⬚ 🛎 🚗 🚵 🎚 CV 🍴 ⬥ CB🆅🆂🅰
E 📶

SELESTAT
67600 Bas Rhin
16000 hab. 🛈

▲▲ AUBERGE DES ALLIES ★★
39, rue des Chevaliers. M. Roesch
☎ 88 92 09 34 🆇 88 92 12 88
🛏 19 ◲ 300/420 F. 🍴 98/225 F.
🍽 40 F. 🍷 300/350 F.
⊠ Rest. 21 juin/4 juil., dim. soir et lun.
🄴 🄳 ⬚ 🛎 🚗 🚵 CV 🍴 ⬥ CB🆅🆂🅰 E

SELLE SUR LE BIED (LA)
45210 Loiret
625 hab.

▲ LE MOULIN DU BIEF
1, rue de Bretagne. M. Blin
☎ 38 87 34 04
🛏 5 ◲ 180 F. 🍴 85/170 F. 🍽 35 F.
🍷 220/260 F. 🍷 190/210 F.
⊠ lun.
🎚 ⬥ CB🆅🆂🅰 E

SELLES SUR CHER
41130 Loir et Cher
4800 hab. 🛈

▲ LA BOULE D'OR
1, av. du T. P. G. Albert. M. Barre
☎ 54 97 56 22
🛏 11 ◲ 120/220 F. 🍴 55/140 F.
🍽 40 F. 🍷 210/310 F. 🍷 160/260 F.
⊠ mer. hs.
⬚ 🚗 🍴 ⬥ CB🆅🆂🅰 AE E

LE LION D'OR ★★
14, place de la Paix. M. Blandin
☎ 54 97 40 83 🆇 54 97 72 36
🛏 9 ◲ 180/250 F. 🍴 80/225 F. 🍽 35 F.
⊠ dim. soir et lun.
🄴 ⬚ 🛎 🚗 CV 🍴 ⬥ CB🆅🆂🅰 E

SELLIERES
39230 Jura
800 hab. 🛈

▲ DU CHAPEAU ROUGE
Mme Picard
☎ 84 85 50 20
🛏 8 ◲ 165/210 F. 🍴 60/142 F. 🍽 47 F.
🍷 210/240 F. 🍷 160/180 F.
⊠ vac. scol. Noël, fév., dim. soir et lun.
avr./sept., sam. oct./mars.
🄳 ⬚ 🛎 🚗 🍴 🎚 ⬥ CB🆅🆂🅰 E

SELONNET
04460 Alpes de Haute Provence
1060 m. • 340 hab.

▲▲ LE RELAIS DE LA FORGE ★★
M. Turrel
☎ 92 35 16 98
🛏 15 ◲ 170/255 F. 🍴 75/175 F.
🍽 40 F. 🍷 255/295 F. 🍷 185/225 F.
⊠ 15 nov./15 déc. et lun. hors vac. scol.
🄴 🄳 🄳 ⬚ 🛎 🚗 🍴 🚵 CV 🍴 ⬥
CB🆅🆂🅰 AE E

SEMBADEL (GARE)
43160 Haute Loire
1100 m. • 120 hab.

▲ MODERNE ★★
Mme Maisonneuve
☎ 71 00 90 15
🛏 23 ◲ 180/220 F. 🍴 90/140 F.
🍽 40 F. 🍷 220/240 F. 🍷 190/220 F.
⊠ 1er nov./1er mai.
🄴 ⬚ 🛎 🚗 🍴 🚵 🎚 🍴 ⬥ CB🆅🆂🅰 E

SEMBLANCAY
37360 Indre et Loire
1489 hab.

▲▲ HOSTELLERIE DE LA MERE HAMARD ★★
M. Pegue
☎ 47 56 62 04 🆇 47 56 53 61
🛏 9 ◲ 190/245 F. 🍴 98/200 F. 🍽 55 F.
🍷 245/255 F.
⊠ vac. scol. Toussaint, vac. scol.
fév., dim. soir et lun. sauf pensionnaires
15 avr./15 oct.
🄴 🄳 ⬚ 🛎 🚗 🍴 ⬥ CB🆅🆂🅰 E

SEMOY
45400 Loiret
2200 hab.

▲▲ DE LA FORET ★
106, av. Gallouedec. M. Julien
☎ 38 86 41 34 🆇 38 56 43 47
🛏 10 ◲ 150/220 F. 🍴 65/180 F.
🍽 46 F. 🍷 220/300 F. 🍷 160/240 F.
⊠ vac. scol. fév. et ven. soir sauf
1er juin/31 mars.
🄴 ⬚ 🛎 🚗 🍴 🚵 🎚 CV 🍴 ⬥ CB🆅🆂🅰 🆀 E

SEMUR EN AUXOIS
21140 Côte d'Or
6000 hab. [i]

▲▲ DE LA COTE D'OR ★★
3, place Gaveau. M. Chene
☎ 80 97 03 13 [FAX] 80 97 29 83
[🛏] 14 [S] 160/310 F. [🍴] 90/210 F.
[🍽] 50 F. [🍴] 484/624 F. [🛏] 242/312 F.
[⊠] 20 nov./5 fév. et mer. sauf hôtel
30 juin/30 sept.
[E] [🔒] [📷] [🚗] [🚗] [►] [CV] [►] CB[VISA] [AE] [◉]
[E] [■]

▲▲ HOSTELLERIE D'AUSSOIS ★★★
Route de Saulieu. Mme Jobic
☎ 80 97 28 28 [TX] 350 759 [FAX] 80 97 34 56
[🛏] 43 [S] 340/500 F. [🍴] 90/195 F.
[🍽] 45 F. [🍴] 350/385 F. [🛏] 265/285 F.
[E] [D] [SP] [📷] [📷] [🚗] [🚗] [►] [🏊] [►] [✚]
[🏊] [🏌] [🚹] [►] CB[VISA] [AE] [E] [■]

SEMUR EN AUXOIS (LAC DE PONT)
21140 Côte d'Or
105 hab.

▲▲▲ DU LAC ★★
(A Pont et Massene). M. Laurençon
☎ 80 97 11 11 [FAX] 80 97 29 25
[🛏] 23 [S] 185/330 F. [🍴] 90/240 F.
[🍽] 55 F. [🍴] 370/450 F. [🛏] 280/350 F.
[⊠] 19 déc./1er fév., dim. soir et lun.
midi sauf juil./août, lun. soir sauf
juin/sept.
[E] [D] [📷] [📷] [🚗] [🚗] [CV] [►] [►] CB[VISA] [◉] [E] [■]

SENAS
13560 Bouches du Rhône
3906 hab. [i]

▲ TERMINUS ★★
Av. Gabriel Péri. M. Eychenne
☎ 90 57 20 08 [FAX] 90 59 01 07
[🛏] 16 [S] 156/270 F. [🍴] 77/188 F.
[🍽] 55 F. [🍴] 250/328 F. [🛏] 177/255 F.
[⊠] 20 déc./6 janv., dim. soir et lun. hs.
[E] [D] [SP] [📷] [📷] [🚗] [🚗] [🏌] [🏌] [CV] [►]
[►] CB[VISA] [E] [■]

SENLIS
60300 Oise
14387 hab. [i]

▲▲ HOSTELLERIE DE LA PORTE BELLON ★★
51, rue Bellon. M. Patenotte
☎ 44 53 03 05 [FAX] 44 53 29 94
[🛏] 19 [S] 200/400 F. [🍴] 110/195 F.
[🛏] 343/543 F.
[⊠] 20 déc./10 janv.
[E] [📷] [📷] [🚗] [🏌] [►] CB[VISA] [E]

SENLISSE
78720 Yvelines
415 hab.

▲▲ LE GROS MARRONNIER ★★
3, place de l'Eglise. Mme Trochon
☎ (1) 30 52 51 69 [FAX] (1) 30 52 55 91
[🛏] 19 [S] 280/385 F. [🍴] 135/295 F.

[🍽] 55 F.
[⊠] 22/29 déc.
[E] [D] [📷] [🚗] [🚗] [►] [►] [🏊] [CV] [►] [►]
CB[VISA] [AE] [E] [C] [■]

SENONCHES
28250 Eure et Loir
3100 hab. [i]

▲▲▲ AUBERGE DE LA POMME DE PIN ★★
15, rue Michel Cauty. M. Bauer
☎ 37 37 76 62 [FAX] 37 37 86 61
[🛏] 10 [🍽] 45 F. [🍴] 260/280 F.
[🛏] 230/240 F.
[⊠] 1er/25 janv., 21/31 oct., dim. soir et
lun. midi.
[E] [D] [📷] [📷] [🚗] [🏌] [CV] [►] [►] CB[VISA] [AE]
[E] [C]

SENONES
88210 Vosges
3157 hab. [i]

▲▲ AU BON GITE ★★
3, place Vautrin. M. Thomas
☎ 29 57 92 46 [FAX] 29 57 93 92
[🛏] 7 [S] 230/300 F. [🍴] 90/150 F. [🍽] 40 F.
[🍴] 245/280 F. [🛏] 195/230 F.
[⊠] 27 fév./13 mars, 25 juil./7 août, dim.
soir et lun.
[📷] [📷] [🚗] [🏌] [CV] [►] [►] CB[VISA] [E] [■]

SENS
89100 Yonne
30000 hab. [i]

▲▲ LA CROIX BLANCHE ★★
9, rue Victor Guichard. M. Suchot
☎ 86 64 00 02
[🛏] 25 [S] 160/245 F. [🍴] 80/190 F.
[⊠] ven. soir et sam.
[📷] [📷] [🚗] [🏌] [CV] CB[VISA] [◉] [E]

SEREILHAC
87620 Haute Vienne
1400 hab.

▲▲▲ MOTEL DES TUILERIES ★★
(Les Betoulles). Mme Chambraud
☎ 55 39 10 27
[🛏] 10 [S] 230/290 F. [🍴] 68/270 F.
[🍴] 280/300 F. [🛏] 235/250 F.
[⊠] 2 dernières semaines nov.,
3 dernières janv., dim. soir et lun.
sauf juil./août.
[E] [SP] [📷] [📷] [🚗] [🏌] [🏌] [🏌] [►] CB[VISA] [E]

SEREZIN DU RHONE
69360 Rhône
2000 hab.

▲▲▲ LA BOURBONNAISE ★★
Par A7 sort. Solaise, par A46 sort.
Marennes. M. Pascual
☎ 78 02 80 58 [TX] 301456 [FAX] 78 02 17 39
[🛏] 36 [S] 169/280 F. [🍴] 69/320 F.
[🍽] 39 F. [🛏] 295/395 F.
[E] [D] [SP] [📷] [📷] [🚗] [🚗] [►] [🏌] [🏌] [🏌] [🏌]
[►] [►] CB[VISA] [AE] [◉] [E] [■]

SERIGNAC SUR GARONNE
47310 Lot et Garonne
768 hab.

LE PRINCE NOIR ★★
Sur D. 119, route de Mont de Marsan.
M. Vich ☎ 53 68 74 30 FAX 53 68 71 93
23 240/450 F. 98/250 F.
50 F. 380 F. 300 F.
dim. soir.

SERRAVAL
74230 Haute Savoie
760 m. • 430 hab.

DE LA TOURNETTE ★★
M. Tissot ☎ 50 27 50 13
18 140/280 F. 80/110 F.
55 F. 190/280 F. 160/250 F.
15 oct./15 nov. et mar. hs.

SERRE CHEVALIER
05330 Hautes Alpes
1350 m. • 1280 hab.

OLYMPIC-HOTEL ★★
M. Poggi ☎ 92 24 00 11
30 225/385 F. 90/180 F.
50 F. 295/455 F. 225/380 F.
Hôtel 1er oct./30 nov.
1er mai/15 juin., rest. 1er sept./15 déc.
et 10 avr./1er juil.

SERRIERA
20147 Corse
200 hab.

CAPANACCIA ★★
M. Ceccaldi
☎ 95 26 14 46 FAX 95 26 13 16
16 200/400 F.
15 oct./15 avr.

STELLA MARINA ★★
M. Ceccaldi
☎ 95 26 11 18 FAX 95 26 12 74
20 290/400 F. 95/98 F.
42 F. 280/340 F.
1er oct./30 avr.

SERRIERES
07340 Ardèche
1342 hab.

SCHAEFFER ★★
Quai Jules Roche. M. Mathe
☎ 75 34 00 07 FAX 75 34 08 79
12 195/285 F. 130/320 F.
70 F.
vac. scol. Toussaint, 1er/15 janv., lun.
soir et mar. sauf juil./août.

SERVOZ
74310 Haute Savoie
820 m. • 670 hab.

CHALET HOTEL LES VERGERS ★
Mme De Luzy
☎ 50 47 21 16
10 162/230 F. 80 F. 40 F.
170/210 F.
30 sept./10 fév. et 14 mars/1er juin.

SETE
34200 Hérault
40000 hab.

AMBASSADE ★★
27, av. Victor Hugo. M. Tacaille
☎ 67 74 62 67 FAX 67 74 89 81
36 230/270 F. 70/180 F.
40 F. 290/380 F. 220/280 F.
Rest. ven. soir, sam. midi et dim. soir hs.

LA JOIE DES SABLES ★★★
Plage de la Corniche. M. Spignese
☎ 67 53 11 76 TX 480 040 FAX 67 51 24 26
25 265/320 F. 55/185 F.
55 F. 391 F. 293 F.
Rest. 2 janv./15 fév. et lun. midi.

LE MISTRAL ★
19, quai Rhin et Danube. Mme Lanneau
☎ 67 74 33 28
18 130/170 F. 65 F. 38 F.
200/240 F. 160/180 F.
janv., sam. soir et dim. 15 sept./15 avr.

SEURRE
21250 Côte d'Or
3200 hab.

LE CASTEL ★★
20, av. de la Gare. Mme Deschamps
☎ 80 20 45 07
22 160/280 F.
2 janv./6 fév. et lun. 5 nov./30 avr.

SEVERAC
44530 Loire Atlantique
1318 hab.

DES VOYAGEURS
La Station. Mme Elin
☎ 40 88 74 34
12 130/160 F. 60/150 F.
45 F. 190/250 F. 170/200 F.

SEVERAC LE CHATEAU
12150 Aveyron
730 m. • 2500 hab.

DU COMMERCE ★★
M. Lafon
☎ 65 71 61 04 FAX 65 47 66 01
28 250/300 F. 65/200 F.
40 F. 250/300 F. 230/250 F.
janv. et dim. soir.

SEVERAC LE CHATEAU (suite)

▲ DU MIDI ★
Av. Aristide Briand. M. Gal
☎ 65 47 62 15 🆗 65 47 67 70
🛏 10 ⌂ 130/280 F. ⏹ 60/100 F.
🍴 40 F. ⏹ 200/255 F. 🍽 160/205 F.
✉ sam. soir et dim. 1er sept./1 juin, et jours fériés hiver.
🖧 CB VISA E

SEVIGNACQ MEYRACQ
64260 Pyrénées Atlantiques
446 hab.

▲▲ LES BAINS DE SECOURS ★★
M. Paroix
☎ 59 05 62 11 🆗 59 05 76 56
🛏 7 ⌂ 270/350 F. ⏹ 82/160 F. 🍴 65 F.
⏹ 310 F. 🍽 240 F.
✉ dim. soir et lun. hs.
🖧 CB VISA AE E C

SEVRIER
74320 Haute Savoie
3200 hab.

▲▲ LA FAUCONNIERE ★★
Lieu-dit Letraz-Chuguet. Sur N. 508.
M. Raffatin
☎ 50 52 41 18 🆗 50 52 63 33
🛏 29 ⌂ 230/290 F. ⏹ 110/200 F.
🍴 50 F. ⏹ 339/369 F. 🍽 259/289 F.
✉ janv., dim. soir et lun. midi hs.
🖧 CV CB VISA E

▲▲ LES TONNELLES ★★
Route d'Alberville. M. Curt
☎ 50 52 41 58 🆗 50 52 60 05
🛏 26 ⌂ 150/250 F. ⏹ 60/150 F.
🍴 60 F. ⏹ 250/350 F. 🍽 200/260 F.
🖧 CV CB VISA AE E

SEWEN
68290 Haut Rhin
564 hab.

▲ AUBERGE DU LANGENBERG
Route du Ballon d'Alsace. M. Fluhr
☎ 89 48 96 37
🛏 8 ⏹ 50/145 F. 🍴 35 F. ⏹ 190/230 F.
🍽 120/190 F.
✉ 1er/20 oct. et jeu. hs.
🖧 CB VISA AE E

▲▲ DES VOSGES ★★
38, Grand'rue. M. Kieffer
☎ 89 82 00 43
🛏 17 ⌂ 240/280 F. ⏹ 90/260 F.
🍴 50 F. ⏹ 280/300 F. 🍽 245/265 F.
✉ 14 nov./20 déc., dim. soir et jeu. sauf juil./août.
🖧 CB VISA AE E

▲▲ HOSTELLERIE AU RELAIS DES LACS ★★
M. Fluhr
☎ 89 82 01 42
🛏 13 ⌂ 190/300 F. ⏹ 90/210 F.

🍴 60 F. ⏹ 270/350 F. 🍽 240/310 F.
✉ 6 janv./10 fév., 25 août/8 sept., mar. soir et mer. hs.
🖧 CV CB VISA AE E

SEYNE LES ALPES
04140 Alpes de Haute Provence
1260 m. • 1500 hab.

▲ LA CHAUMIERE ★
M. Bravo
☎ 92 35 00 48
🛏 9 ⌂ 170/250 F. ⏹ 68/100 F. 🍴 38 F.
⏹ 220/250 F. 🍽 180/210 F.
SP CV CB VISA AE E

SEYNES
30580 Gard
111 hab.

▲ LA FARIGOULETTE ★★
Le Village. M. Daniel
☎ 66 83 70 56 🆗 66 83 72 80
🛏 11 ⌂ 200/230 F. ⏹ 70/160 F.
🍴 40 F. ⏹ 225 F. 🍽 175 F.
🖧 CB VISA E

SEZANNE
51120 Marne
6200 hab.

▲▲ DE LA CROIX D'OR ★★
53, rue Notre-Dame. M. Dufour
☎ 26 80 61 10 🆗 26 80 65 20
🛏 13 ⌂ 150/300 F. ⏹ 65/260 F.
🍴 55 F.
✉ 3/18 janv.
🖧 CV CB VISA AE E

▲▲▲ LE RELAIS CHAMPENOIS ET DU LION D'OR ★★
157, rue Notre-Dame. M. Fourmi
☎ 26 80 58 03 🆗 26 81 35 32
🛏 14 ⌂ 180/310 F. ⏹ 85/220 F.
🍴 45 F.
✉ 20 déc./4 janv. et dim. soir.
🖧 CB VISA E

SIAUGUES SAINTE MARIE
43310 Haute Loire
910 m. • 1000 hab.

▲ PECHAUD ★
M. Pechaud
☎ 71 74 21 19
🛏 10 ⌂ 135/200 F. ⏹ 56/140 F.
🍴 50 F. ⏹ 225/260 F. 🍽 170/220 F.
✉ 15 sept./15 oct.
🖧 CB VISA

SIERENTZ
68510 Haut Rhin
2000 hab.

▲ AUBERGE SAINT LAURENT ★
M. Arbeit
☎ 89 81 52 81 🆗 89 81 67 08
🛏 8 ⌂ 150/230 F. ⏹ 160/330 F.
🍴 80 F. ⏹ 250/280 F.
✉ lun. et mar.
🖧 CB VISA E

SIGEAN
11130 Aude
3140 hab. 🄲

🄰 LE SAINT ANNE
Route de Portel. M. Noireau
☎ 68 48 24 38
🛏 10 ◈ 150/230 F. 🍽 70/135 F.
🍴 38 F. 🛏 220/260 F. 🍽 170/205 F.
⊠ Hôtel 1er nov./1er mars, Rest. soirs
1er nov./1er mars.
🄴 🚗 🐕 🎿 CV 🐾 CB🆚 E

SIGNY L'ABBAYE
08460 Ardennes
1500 hab. 🄲

🄰🄰 AUBERGE DE L'ABBAYE ★★
Place A. Briand. Mme Lefèbvre
☎ 24 52 81 27
🛏 10 ◈ 150/300 F. 🍽 70/150 F.
🍴 60 F. 🛏 250/300 F. 🍽 200/250 F.
⊠ janv., fév. et mer. 16h/ven. 9h.
🄴 🄳 🗖 🖀 🚗 CV 🔆 🐾 CB🆚 E C 🛏

SIGOYER
05130 Hautes Alpes
1060 m. • 306 hab.

🄰 MURET ★★
M. Paul
☎ 92 57 83 02 🄵🄰🄭 92 57 92 44
🛏 25 ◈ 170 F. 🍽 80/120 F. 🍴 50 F.
🛏 220 F. 🍽 190 F.
⊠ 3/23 oct.
🄴 🆂🄿 🖀 🚗 🚗 🐕 🎿 🔆 🐾 CB🆚 E

SILLE LE GUILLAUME
72140 Sarthe
3016 hab. 🄲

🄰 DU PILIER VERT ★
1, place du Marché. M. Gaudmer
☎ 43 20 10 68 🄵🄰🄭 43 20 06 51
🛏 10 ◈ 150/260 F. 🍽 98/180 F.
🍴 46 F. 🛏 215/270 F. 🍽 185/235 F.
⊠ 20 sept./10 oct., 2 semaines vac.
scol. fév., dim. soir hiver et lun.
🄴 🗖 🖀 🚗 🐕 🐾 CB🆚

SIMANDRE SUR SURAN
01250 Ain
502 hab.

🄰 TISSOT ★
M. Tissot
☎ 74 30 65 04
🛏 9 ◈ 120/240 F. 🍽 55/200 F. 🍴 45 F.
🛏 220/240 F. 🍽 150/170 F.
⊠ dim. soir et lun. midi.
🄴 🖀 🚗 🚗 🐾 CB🆚 E

SINCENY
02300 Aisne
2226 hab.

🄰🄰 AUBERGE DU ROND D'ORLEANS ★★
M. Matthieu
☎ 23 52 26 51
🛏 20 ◈ 305/555 F. 🍽 110/250 F.
⊠ 23 déc./3 janv., 1er/14 août et dim. soir.
🄴 🗖 🖀 🚗 🐕 🐾 CB🆚 E

SIORAC EN PERIGORD
24170 Dordogne
875 hab. 🄲

🄰🄰🄰 AUBERGE DE LA PETITE REINE ★★
M. Duc
☎ 53 31 60 42 🄵🄰🄭 53 31 69 60
🛏 39 ◈ 250/300 F. 🍽 95/180 F.
🍴 35 F. 🛏 300/360 F. 🍽 260/320 F.
⊠ 31 oct./15 avr.
🄴 🄳 🗖 🖀 🚗 🐕 🔆 🎿 CV 🔆 🐾
CB🆚 E

🄰 L'ESCALE ★★
Le Port. M. Audibert
☎ 53 31 60 23 🄵🄰🄭 53 28 54 42
🛏 12 ◈ 140/260 F. 🍽 65/188 F.
🍴 55 F. 🛏 268/300 F. 🍽 235/268 F.
⊠ 1er oct./1er avr.
🄴 🆂🄿 🗖 🖀 🚗 🐕 CV 🔆 🐾 CB🆚 ⓞ E

SISTERON
04200 Alpes de Haute Provence
7000 hab. 🄲

🄰 LES CHENES ★★
Route de Grenoble, N. 85, sortie Nord.
M. Roustan
☎ 92 61 15 08 ╲92 61 13 67
🄵🄰🄭 92 61 16 92
🛏 25 ◈ 170/310 F. 🍽 85/160 F.
🍴 50 F. 🛏 285/320 F. 🍽 220/265 F.
⊠ 25 oct./8 nov., 25 déc./20 janv.,
et dim. sauf été.
🄴 🄸 🗖 🖀 🚗 🐕 ⊁ 🐕 🎿 🔆 🐾
CB🆚 E 🛏

🄰 TOURING NAPOLEON ★★
22, av. de la Libération. M. Thomas
☎ 92 61 00 06 🄵🄰🄭 92 61 01 19
🛏 28 ◈ 220/260 F. 🍽 100/150 F.
🍴 50 F. 🛏 520/560 F. 🍽 380/420 F.
🄴 🄳 🄸 🗖 🖀 🚗 CV 🔆 🐾 CB🆚 🄰🄴
ⓞ E C 🛏

SIX FOURS LES PLAGES
83140 Var
27767 hab. 🄲

🄰🄰 LE CLOS DES PINS ★★
101 bis, rue de la République. M. Rives
☎ 94 25 43 68
🛏 34 ◈ 295/320 F. 🍽 78/120 F.
🍴 39 F. 🛏 340/360 F. 🍽 240/280 F.
⊠ 1ère quinzaine nov., 1ère quinzaine
fév., rest. sam. et dim. soir hs.
🄴 🗖 🖀 🚗 🚗 ⊁ 🐕 🎿 🔆 🔆 CV
🐾 CB🆚 🄰🄴 ⓞ E C 🛏

SIX FOURS LES PLAGES (LE BRUSC)
83140 Var
27767 hab. 🄲

🄰 DU PARC ★★
(Le Brusc, 112, rue Marius Bondil).
M. Leprevost
☎ 94 34 00 15 🄵🄰🄭 94 34 16 94
🛏 17 ◈ 216/327 F. 🍽 93/145 F.
🍴 60 F. 🛏 303/360 F. 🍽 252/310 F.
⊠ 5 oct./31 mars et dim. hs.
🄴 🖀 🚗 🐕 CV CB🆚 E

SIXT FER A CHEVAL
74740 Haute Savoie
800 m. • 660 hab. Ⓘ

🏠🏠 LE PETIT TETRAS ★★
Lieu-dit Salvagny. M. Scuri
☎ 50 34 42 51 ⓕⓐⓧ 50 34 12 02
🛏 22 ⌧ 190/300 F. ⍨ 85/180 F.
🍴 55 F. ⍨ 235/320 F. 🍽 200/295 F.
⊠ 4 avr./10 mai et 20 sept./20 déc.
Ⓔ SP 🛋 🖐 🕊 🎿 🎣 🚴 🏊 CV ⦿
🐾 CB🃏 AE ⓞ E

SIZUN
29450 Finistère
1811 hab. Ⓘ

🏠🏠 DES VOYAGEURS ★★
2, rue de l'Argoat. M. Corre
☎ 98 68 80 35 ⓕⓐⓧ 98 24 11 49
🛏 28 ⌧ 140/250 F. ⍨ 60/120 F.
🍴 48 F. ⍨ 222/277 F. 🍽 160/215 F.
⊠ 9 sept./3 oct. Rest. sam. soir
1er nov./31 mars.
Ⓔ 🖐 🕊 🎣 🚴 CV 🐾 CB🃏 E

🏠 LE CLOS DES 4 SAISONS ★★
2, rue de la Paix. M. Gillette
☎ 98 68 80 19
🛏 19 ⌧ 110/230 F. ⍨ 50/120 F.
🍴 39 F. ⍨ 220/275 F. 🍽 155/210 F.
⊠ 1ère semaine sept.
Ⓔ 🖐 🕊 🎿 🎣 🚴 CV 🐾
CB🃏 AE ⓞ E 🎪

SOCCIA
20125 Corse
650 m. • 716 hab.

🏠🏠 U PAESE ★★
M. Battistelli
☎ 95 28 31 92
🛏 22 ⌧ 245 F. ⍨ 100/150 F. 🍴 50 F.
⍨ 250/260 F. 🍽 210 F.
⊠ 20 nov./20 déc.
Ⓔ 🖐 🕊 🛏

SOLERIEUX
26130 Drôme
172 hab.

🏠🏠 FERME SAINT MICHEL ★★
M. Laurent
☎ 75 98 10 66 ⓕⓐⓧ 75 98 19 09
🛏 15 ⌧ 200/450 F. ⍨ 85/170 F.
🍴 40 F. 🍽 210/335 F.
⊠ dim. soir et lun. midi.
🖐 🕊 🎣 🎿 🚴 CV 🐾 CB🃏 E

SOMBERNON
21540 Côte d'Or
600 m. • 800 hab. Ⓘ

🏠 LE SOMBERNON ★★
M. Blondelle
☎ 80 33 41 23
🛏 14 ⌧ 120/240 F. ⍨ 65/180 F.
🍴 40 F. ⍨ 200/280 F. 🍽 180/250 F.
⊠ 15 janv./15 fév. et mer.
🖐 🕊 🚴 CV 🐾 CB🃏 E

SONZAY
37360 Indre et Loire
1085 hab.

🏠 AUBERGE DU CHEVAL BLANC ★
5, place de la Mairie. M. Godeau
☎ 47 24 70 14
🛏 10 ⌧ 170/250 F. ⍨ 90/140 F.
🍴 45 F. 🍽 190 F.
⊠ 20 fév./6 mars et dim. hs.
🖐 🕊 CB🃏 E

SORGES
24420 Dordogne
1075 hab. Ⓘ

🏠🏠🏠 AUBERGE DE LA TRUFFE ★★
Mme Leymarie
☎ 53 05 02 05 ⓕⓐⓧ 53 05 39 27
🛏 19 ⌧ 200/295 F. ⍨ 70/240 F.
🍴 50 F. ⍨ 300/335 F. 🍽 235/270 F.
Ⓔ 🖐 🕊 🎿 🎣 🚴 🏊
CV ⦿ 🐾 CB🃏 AE E C 🎪

🏠🏠 DE LA MAIRIE ★★
Mme Leymarie
☎ 53 05 02 11 ⓕⓐⓧ 53 05 39 27
🛏 8 ⌧ 200/295 F. ⍨ 90/300 F. 🍴 60 F.
⍨ 300/335 F. 🍽 235/270 F.
⊠ dim. soir et lun.
Ⓔ 🖐 🕊 🎿 🚴 CV 🐾
CB🃏 AE E

SORGUES
84700 Vaucluse
17126 hab.

🏠🏠 DAVICO ★★
67, rue Saint-Pierre. M. Davico
☎ 90 39 11 02 ⓕⓐⓧ 90 83 48 42
🛏 28 ⌧ 235/323 F. ⍨ 103/215 F.
🍴 55 F. ⍨ 343/395 F. 🍽 249/294 F.
⊠ 25 déc./8 janv., rest. 17/31 août et
dim.
Ⓔ 🖐 🕊 CV ⦿ 🐾 CB🃏 ⓞ
E 🎪

🏠 VIRGINIA D'OUVEZE ★
410, av. d'Orange. M. Laborie
☎ 90 83 31 82 ⓕⓐⓧ 90 83 07 17
🛏 20 ⌧ 135/205 F. ⍨ 90/170 F.
🍴 40 F. ⍨ 250/280 F. 🍽 180/210 F.
⊠ 24 déc./2 janv. et dim. hs.
Ⓔ ⓓ SP 🖐 🕊 CV 🐾 CB🃏 AE
E 🎪

SORIGNY
37250 Indre et Loire
1800 hab.

🏠🏠 AUBERGE DE LA MAIRIE ★★
Place Marcel Gaumont. M. Baffos
☎ 47 26 07 23 ⓕⓐⓧ 47 26 91 12
🛏 16 ⌧ 120/200 F. ⍨ 70/125 F.
🍴 45 F. ⍨ 230/270 F. 🍽 160/200 F.
⊠ ven. soir 20 sept./20 mai, Rest. dim.
soir. (8 chambres non classées).
Ⓔ 🖐 🎿 CV ⦿ 🐾 CB🃏 E 🎪

SOSPEL
06380 Alpes Maritimes
2650 hab. 🄸

▲▲ DE FRANCE ★★
M. Volle
☎ 93 04 00 01
🛏 12 ⬡ 200/450 F. ⫼ 85/300 F.
🍴 40 F. 🍽 300/400 F. 🍷 250/350 F.
⊠ 20 déc./1er mars.
🄴 🄸 ⬚ ⬚ ⬚ ⬚ ⬚ ⬚ ⬚ CB𝚅𝙸𝚂𝙰 E

▲▲▲ DES ETRANGERS ★★
7, bld de Verdun. M. Domerego
☎ 93 04 00 09 🆃🆇 970439F
🆜 93 04 12 31
🛏 35 ⬡ 250/350 F. ⫼ 75/165 F.
🍴 35 F. 🍷 290/370 F.
⊠ 23 nov./20 fév.
🄴 SP 🄸 ⬚ ⬚ ⬚ ⬚ ⬚ ⬚ ⬚
⬚ CV ⬚ ⬚ CB𝚅𝙸𝚂𝙰 E

▲▲ L'AUBERGE PROVENCALE ★★
Route du Col de Castillon. Mme Luciano
☎ 93 04 00 31
🛏 9 ⬡ 170/350 F. ⫼ 75/150 F. 🍴 75 F.
🍽 325/415 F. 🍷 205/295 F.
⊠ 11 nov./11 déc. et rest. jeu. midi.
🄴 🄸 ⬚ ⬚ ⬚ ⬚

SOTTEVILLE LES ROUEN
76300 Seine Maritime
30558 hab.

▲ LE RIVE GAUCHE
277, rue Victor Hugo. M. Martin
☎ 35 73 71 47
🛏 7 ⬡ 180/230 F. ⫼ 85/170 F. 🍴 55 F.
🍽 320/370 F. 🍷 250/300 F.
⊠ août, ven. soir, sam. midi et dim.
soir.
🄴 🄳 ⬚ ⬚ ⬚ ⬚ CV ⬚ CB𝚅𝙸𝚂𝙰 E ⬚

SOUCY
89100 Yonne
1000 hab.

▲▲ AUBERGE DU REGAIN ★
11, route de Nogent. M. Milhem
☎ 86 86 64 62
🛏 5 ⬡ 130/200 F. ⫼ 95/220 F. 🍴 70 F.
🍽 250/290 F. 🍷 160/200 F.
⊠ 14/28 fév., 29 août/20 sept., dim. soir
et lun.
⬚ ⬚ ⬚ ⬚ CB𝚅𝙸𝚂𝙰 E

SOUDAN
79800 Deux Sèvres
500 hab.

▲▲▲ L'ORANGERIE ★★
Sur N. 11 (A 10 sortie 21). M. Bordage
☎ 49 06 56 06 🆜 49 06 56 10
🛏 9 ⬡ 120/210 F. ⫼ 85/180 F. 🍴 48 F.
🍷 190 F.
⊠ 31 déc./31 janv. et dim. soir. dim.
midi 11 nov./1er avr.
🄴 ⬚ ⬚ ⬚ ⬚ ⬚ CB𝚅𝙸𝚂𝙰 E ⬚

SOUDRON
51320 Marne
250 hab.

▲ DE LA MAIRIE
4, rue de l'Eglise. Mme Moncuit
☎ 26 67 40 66
🛏 7 ⬡ 100/130 F. ⫼ 55 F. 🍴 30 F.
⊠ 23 déc./2 janv., sam. et dim. sauf
réservation.
⬚ ⬚ CB𝚅𝙸𝚂𝙰 E

SOUFFELWEYERSHEIM
67460 Bas Rhin
6000 hab.

▲ HOSTELLERIE DU CERF BLANC ★★
12, route de Bischwiller. Mme Fristch
☎ 88 20 05 07 🆜 88 20 10 42
🛏 8 ⬡ 220/275 F. ⫼ 75/150 F. 🍴 35 F.
⊠ Rest. lun.
🄴 🄳 ⬚ ⬚ ⬚ CV ⬚ CB𝚅𝙸𝚂𝙰 E

SOUILLAC
46200 Lot
5000 hab. 🄸

▲▲ AUBERGE DU PUITS ★★
M. Arnal
☎ 65 37 80 32
🛏 20 ⬡ 134/290 F. ⫼ 70/280 F.
🍽 240/300 F. 🍷 180/240 F.
⊠ nov./déc., dim. soir et lun. hs.
🄴 🄳 ⬚ ⬚ ⬚ CV ⬚ CB𝚅𝙸𝚂𝙰 E

✳ BELLE VUE ★★
68, av. Jean Jaurès. M. Thion
☎ 65 32 78 23 🆜 65 37 03 89
🛏 25 ⬡ 140/235 F.
⬚ ⬚ ⬚ ⬚ ⬚ ⬚ ⬚ ⬚ CB𝚅𝙸𝚂𝙰 E

▲▲ DE LA PROMENADE et Annexe DES
ACACIAS ★★
Mme Delbreil
☎ 65 37 82 86 🆃🆇 533718 🆜 65 32 61 57
🛏 48 ⬡ 180/250 F. ⫼ 115/250 F.
🍴 38 F. 🍽 320 F. 🍷 250 F.
⊠ 5 janv./1er avr.
🄴 SP ⬚ ⬚ ⬚ ⬚ ⬚ ⬚ CB𝚅𝙸𝚂𝙰 E ⬚

▲▲ LA ROSERAIE ★★
42, av. de Toulouse. M. Fournier
☎ 65 37 82 69 🆜 65 32 60 48
🛏 28 ⬡ 220/240 F. ⫼ 70/166 F.
🍴 48 F. 🍽 319/339 F. 🍷 239/259 F.
⊠ 31 oct./1er avr.
🄴 SP ⬚ ⬚ ⬚ ⬚ ⬚ ⬚ ⬚ ⬚ CV
⬚ ⬚ CB𝚅𝙸𝚂𝙰 🄰🄴 E

▲▲▲ LA VIEILLE AUBERGE ★★
M. Veril
☎ 65 32 79 43 🆜 65 32 65 19
🛏 19 ⬡ 220/330 F. ⫼ 90/230 F.
🍴 55 F. 🍽 350/450 F. 🍷 250/350 F.
⊠ dim. soir et lun. 1er nov./1er avr.
🄴 🄳 ⬚ ⬚ ⬚ ⬚ ⬚ ⬚ ⬚ ⬚
CV ⬚ ⬚ CB𝚅𝙸𝚂𝙰 🄰🄴 ⬚ E C ⬚

▲▲▲ LE GRAND HOTEL ★★★
1, allée de Verninac. M. Me Bouyjou
☎ 65 32 78 30 🆜 65 32 66 34
🛏 30 ⬡ 175/400 F. ⫼ 70/230 F.
🍽 310/420 F. 🍷 215/325 F.
⊠ 1er nov./31 mars et mer. avr. et oct.
🄴 SP ⬚ ⬚ ⬚ ⬚ ⬚ CV ⬚ ⬚ CB𝚅𝙸𝚂𝙰
🄰🄴 E

SOUILLAC (suite)

▲▲ LES AMBASSADEURS ★★
12, av. du Général de Gaulle. M. Lelièvre
☎ 65 32 78 36 ⚏ 65 32 72 70
🛏 25 ⬚ 250/320 F. 🍴 250/320 F.
🅿 50 F. 🍴 315/350 F. 🍴 235/270 F.
[icons] CB🆅🅰🅴 ▣

▲▲▲ LES GRANGES VIEILLES ★★★
Route de Sarlat. M. Cayre
☎ 65 37 80 92
🛏 11 ⬚ 300/460 F. 🍴 80/260 F.
🍴 465/545 F. 🍴 325/405 F.
✉ 2 janv./15 fév.
[icons] CB🆅🅰🅴 E

SOULAC SUR MER
33780 Gironde
2590 hab. ℹ

▲▲ DAME DE COEUR ★★
103, rue de la Plage. M. Rouyer
☎ 56 09 80 80
🛏 16 ⬚ 150/200 F. 🍴 75/149 F.
🅿 40 F. 🍴 270/305 F. 🍴 215/245 F.
✉ 15 déc./15 janv. et dim. soir.
[icons] CB🆅🅰🅴 ⓓ E

▲▲ L'HACIENDA ★★
Av. du Perrier de Larsan. M. Laroche
☎ 56 09 81 34
🛏 11 ⬚ 180/320 F. 🍴 65/250 F.
🅿 40 F. 🍴 230/320 F. 🍴 170/250 F.
✉ Rest. dim. soir hiver.
[icons] CB🆅🅰🅴 E

SOULAIRE ET BOURG
49460 Maine et Loire
1100 hab.

▲ LE RELAIS DU PLESSIS BOURRE
7, route d'Angers. M. Lucas
☎ 41 32 06 07
🛏 6 ⬚ 105/265 F. 🍴 75/160 F. 🅿 58 F.
🍴 230/300 F. 🍴 180/245 F.
✉ 10 jours fév. et mer. hs.
[icons] CB🆅🅰🅴 E

SOULTZ
68360 Haut Rhin
6000 hab. ℹ

▲ BELLE VUE ★★
28, route de Wuenheim. M. Zinck
☎ 89 76 95 82 ⚏ 89 83 06 09
🛏 8 ⬚ 120/220 F. 🍴 38/200 F. 🅿 35 F.
🍴 260/400 F.
✉ lun. soir et mar.
[icons] CB🆅🅰🅴
ⓓ E

SOULTZBACH LES BAINS
68230 Haut Rhin
600 m. • 600 hab.

▲ SAINT CHRISTOPHE ★
4, rue de l'Eglise. M. Guthleben
☎ 89 71 13 09
🛏 7 ⬚ 140/210 F. 🍴 54/ 98 F. 🅿 26 F.
🍴 185/225 F. 🍴 155/195 F.
✉ 15 jours janv. et mer.
[icons] CB🆅🅰🅴 E

SOULTZEREN
68140 Haut Rhin
700 m. • 1200 hab. ℹ

▲ A LA VILLE DE GERARDMER ★
38, route de la Schlucht. M. Greder
☎ 89 77 31 57 ⚏ 89 77 07 75
🛏 15 ⬚ 125/230 F. 🍴 65/155 F.
🅿 40 F. 🍴 198/258 F. 🍴 180/230 F.
✉ 12 nov./10 déc. et mar. hs.
[icons] CB🆅🅰🅴 E

▲ DU PONT ★
50, route de la Schlucht. M. Fritsch
☎ 89 77 35 23
🛏 14 ⬚ 160/215 F. 🍴 59/140 F.
🅿 42 F. 🍴 195/245 F. 🍴 170/215 F.
✉ 15 nov./7 déc. et lun. hors vac. scol.
[icons] CB🆅🅰🅴 E

SOULTZMATT
68570 Haut Rhin
1924 hab.

▲▲ BETTER ★★
42, rue de la Vallée. M. Better
☎ 89 47 00 13
🛏 8 ⬚ 220/270 F. 🍴 110/260 F.
🅿 60 F. 🍴 380/400 F. 🍴 250/280 F.
[icons] CB🆅🅰🅴 E

▲▲▲ DE LA VALLEE NOBLE ★★
M. Better
☎ 89 47 65 65 ⚏ 89 47 65 04
🛏 32 ⬚ 320/350 F. 🍴 130/330 F.
🅿 65 F. 🍴 490/520 F. 🍴 340/380 F.
[icons]
[icons] CB🆅🅰🅴 E

▲▲ KLEIN ★★
44, rue de la Vallée. M. Klein
☎ 89 47 00 10 ⚏ 89 47 65 03
🛏 11 ⬚ 250/300 F. 🍴 100/250 F.
🅿 65 F. 🍴 330 F. 🍴 260 F.
✉ 15 nov./1er déc. et lun.
[icons] CB🆅🅰🅴 🅰🅴 ⓓ E

SOUMOULOU
64420 Pyrénées Atlantiques
1030 hab.

▲▲▲ DU BEARN ★★
14, rue Las Bordes. Mme Chabat
☎ 59 04 60 09 ⚏ 59 04 63 33
🛏 14 ⬚ 200/310 F. 🍴 65/195 F.
🅿 65 F. 🍴 206/240 F.
✉ 5 janv./5 fév., dim. soir et lun.
[icons] CB🆅🅰🅴
CB🆅🅰🅴 🅰🅴 ⓓ E

SOUPPES SUR LOING
77460 Seine et Marne
4851 hab. ℹ

▲▲ DE FRANCE ★★★
72, av. Maréchal Leclerc. M. Couderc
☎ (1) 64 29 81 88 ⚏ (1) 64 29 82 21
🛏 27 ⬚ 330 F. 🍴 160 F. 🅿 50 F.
🍴 340 F. 🍴 250 F.
✉ Rest. dim. soir/lun.
[icons] CB🆅🅰🅴 ⓓ E

374

SOUQUET (LE) LESPERON
40260 Landes
1500 hab.

▲▲▲ PARIS-MADRID ★★
Sur N. 10. M. Sierra
☎ 58 89 60 46 · FAX 58 89 64 11
🛏 16 ⊗ 230/310 F. 🍴 75/190 F.
🍷 50 F. 🍽 320/360 F.
⊠ 15 oct./31 déc., 1er janv./15 mars et lun. oct./juin.
🄴 SP ☎ 🛏 🛏 ⛨ ⬟ ⬟ CV ⛾ CB▥ E

SOURAIDE
64250 Pyrénées Atlantiques
950 hab.

▲▲ BERGARA ★★
M. Massonde
☎ 59 93 90 58
🛏 31 ⊗ 180/300 F. 🍴 62/160 F.
🍷 38 F.
⊠ lun.
☎ 🛏 ⛨ 🎾 ▶ ♿ CV ⛾ CB▥ E

SOUSTONS
40140 Landes
5500 hab. 🄸

▲▲ DU LAC ★★
63, av. Galleben. M. Nougue
☎ 58 41 18 80
🛏 12 ⊗ 173/285 F. 🍴 76/180 F.
🍷 55 F. 🍽 210/278 F.
⊠ 15 oct./1er avr.
🄴 SP ☎ ♿ ⛾ CB▥ E

SOUTERRAINE (LA)
23300 Creuse
6000 hab. 🄸

▲▲ DE LA PORTE SAINT JEAN ★★
2, rue des Bains. M. Jeanguenin
☎ 55 63 90 00 · FAX 55 63 77 27
🛏 32 ⊗ 160/300 F. 🍴 93/195 F.
🍷 45 F. 🍽 280/330 F. 🍽 190/290 F.
⊠ Rest. ven./28 fév.
1er nov./28 fév.
🄴 🄳 🛏 ☎ 🛏 ♿ CV ⛾ CB▥ AE
⊙ E 🄲 🛎

SOUVIGNY EN SOLOGNE
41600 Loir et Cher
400 hab.

▲▲ AUBERGE CROIX BLANCHE ★★
Place de l'Eglise. Mme Marois
☎ 54 88 40 08 · FAX 54 88 91 06
🛏 9 ⊗ 150/280 F. 🍷 60 F.
🍽 280/330 F. 🍽 220/270 F.
⊠ mi-janv./début mars, mar. soir et mer.
🄴 ☎ 🛏 ♿ ⛾ CB▥ E 🛎

SOYONS
07130 Ardèche
1551 hab.

▲▲▲ LA CHATAIGNERAIE ★★★
Domaine de la Musardière. M. Michelot
☎ 75 60 83 55 · TX 346387 · FAX 75 60 85 21
🛏 10 ⊗ 420/850 F. 🍴 115/395 F.

🍷 80 F. 🍽 445/655 F.
🄴 🄳 SP ☎ 🛏 🛏 ⛨ ⛵ ⬟ ⛅ ⛱ ⬟
⬟ ⬟ 🎾 ⛳ ♿ ⛾ CB▥ AE ⊙ E

STAINVILLE
55500 Meuse
368 hab.

▲▲ LA GRANGE ★★
M. Jung
☎ 29 78 60 15 · FAX 29 78 67 28
🛏 9 ⊗ 250 F. 🍴 85/170 F. 🍷 45 F.
🍽 330/360 F. 🍽 290/320 F.
⊠ janv. et lun.
🄴 🄳 🛏 🛏 ⛨ 🎾 ♿ ⛾ CB▥ E

STELLA PLAGE
62780 Pas de Calais
5000 hab. 🄸

▲▲ DES PELOUSES Rest. LA GRILLADE ★★
465, bld Labrasse. M. Lecerf
☎ 21 94 60 86 · FAX 21 94 10 11
🛏 30 ⊗ 220/300 F. 🍴 80/160 F.
🍷 45 F. 🍽 285/325 F. 🍽 210/250 F.
⊠ janv.
☎ 🛏 🍷 CV ⛾ CB▥ E

STENAY
55700 Meuse
3202 hab. 🄸

▲▲ DU COMMERCE ★★
9, rue Aristide Briand. M. Gilbin
☎ 29 80 30 62 · FAX 29 80 61 77
🛏 13 ⊗ 180 F. 🍴 67/250 F. 🍷 45 F.
🍽 300/340 F. 🍽 250/300 F.
⊠ 2/15 janv. et ven. soir
1er oct./1er avr.
🄴 🄳 🛏 ☎ ⬟ CV ⛾ ⛾ CB▥ E

STOSSWIHR
68140 Haut Rhin
1300 hab.

▲ AUBERGE DU MARCAIRE ★★
Rue Saegmatt. M. Peter
☎ 89 77 44 89
🛏 15 ⊗ 190/290 F. 🍴 55/145 F.
🍷 40 F. 🍽 225/255 F.
⊠ 1er oct./11 fév., 14 mars/9 avr.,
3 nov./21 déc. et mar. midi/jeu. midi hs.
🄳 ☎ 🛏 🛏 🍷 ⛨ ⬟ 🎾 🎾 ♿ ⛾
CB▥ E

▲ DES VOSGES
24, rue d'Ampfersbach. M. Riedlinger
☎ 89 77 33 29
🛏 6 ⊗ 130/150 F. 🍴 60/150 F. 🍷 30 F.
🍽 210/230 F. 🍽 190/210 F.
⊠ 1er nov./14 déc., mer., mar. soir hs.
🄳 🛏 ⛾ CB▥ AE ⊙ E

STRASBOURG
67000 Bas Rhin
300000 hab. 🄸

▲▲ AU CERF D'OR ★★
6, place de l'Hôpital. M. Erb
☎ 88 36 20 05 · FAX 88 36 68 67
🛏 37 ⊗ 265/380 F. 🍴 60/200 F.
🍷 40 F. 🍽 360/400 F. 🍽 275/310 F.
🄴 🄳 🛏 ☎ 🍷 ⬟ 🎾 ♿ ⛾ CB▥ E

SULLY SUR LOIRE
45600 Loiret
5500 hab. 🛈

▲▲ LE CONCORDE ★★
1, rue Porte de Sologne. M. Loisel
☎ 38 36 24 44 \ 38 36 24 29
🅵🅰🆇 38 36 62 40
🛏 22 ⊠ 190/250 F. 🍽 78/180 F.
🍴 50 F. 🍽 300 F. 🛌 250 F.
🄴🄳🖭🕿🚘🛏🐕 CB🆅🆂🄰 E

SUQUET (LE)
06450 Alpes Maritimes
60 hab.

▲▲▲ AUBERGE DU BON PUITS ★★
Mlle Corniglion
☎ 93 03 17 65
🛏 10 ⊠ 280/320 F. 🍽 98/150 F.
🍴 70 F. 🍽 310/360 F. 🛌 280/330 F.
⊠ début déc./Pâques et mar. sauf
juil/août.
🄴🄳🖭🄾🕿🚘🛏🛍🖭🐕🛌
🛌 🄲🆅 E

SURGERES
17700 Charente Maritime
6049 hab. 🛈

▲ LE RONSARD ★
24, av. de la Libération.
Mme Colson-Gand
☎ 46 07 00 63 🅵🅰🆇 46 07 06 61
🛏 11 ⊠ 140/230 F. 🍽 85/150 F.
🍴 45 F. 🍽 195/230 F. 🛌 140/175 F.
⊠ Rest. ven. soir et dim. soir.
🖭🕿🚘🐕 CB🆅🆂🄰 E 🏠

SUZE LA ROUSSE
26790 Drôme
1200 hab. 🛈

▲▲▲ RELAIS DU CHATEAU ★★
MM. Imbert/Mouraud
☎ 75 04 87 07 🅵🅰🆇 75 98 26 00
🛏 39 ⊠ 180/400 F. 🍽 94/320 F.
🍴 45 F. 🍽 370/410 F. 🛌 285/325 F.
⊠ 2ème quinzaine fév. et rest. dim. soir
hiver.
🄴🄳🖭🕿🚘🛏🛍🛌🐕🛌🆅🄲🆅
🛌 🐕 CB🆅🆂🄰 🄾 E

SUZE SUR SARTHE (LA)
72210 Sarthe
3710 hab.

▲ SAINT LOUIS ★★
27, place du Marché. M. Heron
☎ 43 77 31 07 🅵🅰🆇 43 77 27 66
🛏 17 ⊠ 122/220 F. 🍽 53/220 F.
🍴 42 F. 🍽 190/265 F. 🛌 170/255 F.
⊠ 3 semaines fév. et ven. soir hs.
🄴🖭🕿🄲🆅🛌🐕 CB🆅🆂🄰 E 🄲 🏠

TAIN L'HERMITAGE
26600 Drôme
6000 hab. 🛈

▲▲ L'ABRICOTINE ★★
Route de Romans. Mme Kasmadjian

☎ 75 07 44 60 🅵🅰🆇 75 07 47 97
🛏 9 ⊠ 248/308 F. 🍽 60/ 65 F. 🍴 50 F.
🛌 290/310 F.
⊠ 20 nov./10 déc. et dim. nov./mars.
🆂🅿🖭🕿🚘🛏🛌🐕 CB🆅🆂🄰 E

TALLOIRES
74290 Haute Savoie
1350 hab. 🛈

▲▲▲ LA CHARPENTERIE ★★
M. Excoffier
☎ 50 60 70 47 🅵🅰🆇 50 60 79 07
🛏 18 ⊠ 270/440 F. 🍽 105/165 F.
🍴 45 F. 🍽 330/440 F. 🛌 270/370 F.
⊠ 13 déc./11 fév.
🄴🄳🖭🕿🚘🛏🄾🄲🆅🛌🐕 CB🆅🆂🄰
🄰🄴 E

▲▲▲ VILLA DES FLEURS ★★★
Route du Port. M. Jaegler
☎ 50 60 71 14 🅵🅰🆇 50 60 74 06
🛏 8 ⊠ 420/490 F. 🍽 150/270 F.
🍴 90 F. 🍽 525/550 F. 🛌 430/460 F.
⊠ 15 nov./15 déc., dim. soir et lun.
🄴🄳🖭🕿🚘🕿🄲🆅🛌🐕 CB🆅🆂🄰 E

TALLOIRES (ANGON)
74290 Haute Savoie
1200 hab. 🛈

▲▲▲ LES GRILLONS ★★
Le Clos Devant. M. Casali
☎ 50 60 70 31 🅵🅰🆇 50 60 72 19
🛏 28 ⊠ 220/490 F. 🍽 90/180 F.
🍴 55 F. 🍽 320/455 F. 🛌 260/395 F.
⊠ 15 oct./1er mai.
🄴🆂🅿🖭🕿🚘🄾🕿🛎🛏🛍🛌🆅🄲🆅
🛌 🐕 CB🆅🆂🄰 🄰🄴 E

TAMNIES
24620 Dordogne
310 hab.

▲▲ LABORDERIE ★★
M. Laborderie
☎ 53 29 68 59 🅵🅰🆇 53 29 65 31
🛏 32 ⊠ 180/460 F. 🍽 95/250 F.
🍴 50 F. 🍽 300/425 F. 🛌 240/375 F.
⊠ 1er nov./26 mars.
🄴🖭🕿🚘🕿🛎🐕 CB🆅🆂🄰 E

TANCARVILLE
76430 Seine Maritime
1415 hab.

▲▲ DE LA MARINE ★★
(Au pied du Pont). M. Sedon
☎ 35 39 77 15 🅵🅰🆇 35 38 03 30
🛏 9 ⊠ 250/500 F. 🍽 135/215 F.
🍴 62 F. 🍽 445/650 F. 🛌 320/450 F.
⊠ 20 juil./6 août, dim. soir et lun.
🄴🖭🕿🚘🄾🕿🛎🛌🆅🛌🄾🐕 CB🆅🆂🄰
🄰🄴 🏠

TANINGES
74440 Haute Savoie
640 m. • 2756 hab.

▲▲ DE PARIS ★★
M. Le Toumelin
☎ 50 34 20 10 🅵🅰🆇 50 34 34 40
🛏 11 ⊠ 200/300 F. 🍽 75/150 F.
🍴 48 F. 🛌 200/250 F.
🄴🖭🕿🚘🆅🄲🆅 CB🆅🆂🄰 E

TANNERON
83440 Var
1210 hab.

▲ LE CHAMPFAGOU ★★
Place du Village. M. Fontaine
☎ 93 60 68 30
📞 9 🛏 250 F. 🍴 125/150 F. 🔼 65 F.
📷 300 F.
⊠ 15 oct./30 nov., mar. soir et mer.
sauf juil./août.
🅸 🖼 📞 🛏 📺 CB🆅🆂🅰 AE

TANUS
81190 Tarn
650 hab. 🅸

▲▲ DES VOYAGEURS ★★★
M. Delpous
☎ 63 76 30 06 ⅢⅢ 63 76 37 94
📞 14 🛏 200/265 F. 🍴 80/290 F.
🔼 50 F. 🍴 270/280 F. 📷 200/210 F.
⊠ 1er/8 nov., 2/10 janv., dim. soir et
lun. sauf. juil./août.
SP 📷 🖼 📞 🛏 📺 CV ⅢⅢ 📞 CB🆅🆂🅰 E

TAPONAS
69220 Rhône
400 hab.

▲▲ AUBERGE DES SABLONS ★★
M. Tardy ☎ 74 66 34 80 ⅢⅢ 74 66 35 22
📞 15 🛏 250/270 F. 🍴 98/160 F.
🔼 60 F. 🍴 260/360 F. 📷 220/300 F.
⊠ janv. et mar. hs.
🅸 📷 🖼 📞 📺 📞 🛏 🔼 📺 📞
CB🆅🆂🅰 E

TARARE
69170 Rhône
12500 hab. 🅸

▲▲ BURNICHON - GIT'OTEL ★★
Sur N. 7. M. Burnichon
☎ 74 63 44 01 ⅢⅢ 74 05 08 52
📞 33 🛏 220/275 F. 🍴 70/220 F.
🔼 40 F. 🍴 275 F. 📷 205 F.
⊠ Rest. dim.
🅸 🅳 📷 🖼 📞 📺 📞 CV ⅢⅢ 📞 CB🆅🆂🅰 AE
⊙ E 📷

TARASCON SUR ARIEGE
09400 Ariège
3950 hab. 🅸

▲▲ HOSTELLERIE DE LA POSTE ★★
16, av. Victor Pilhes. Mme Gassiot
☎ 61 05 60 41 ⅢⅢ 61 05 70 59
📞 30 🛏 150/280 F. 🍴 65/185 F.
🔼 35 F. 📷 175/250 F.
🅸 SP 📷 🖼 📞 📺 🔼 ⅢⅢ CB🆅🆂🅰 AE ⊙ E

TARBES (JUILLAN)
65290 Hautes Pyrénées
3175 hab.

▲▲▲ L'ARAGON ★★
2 ter, route de Lourdes. M. Cazaux
☎ 62 32 07 07 ⅢⅢ 62 32 92 50
📞 11 🛏 250/300 F. 🍴 110/220 F.
🔼 50 F. 📷 310/340 F.
⊠ 20 oct./3 nov., 25 fév./14 mars
et dim. soir.
🅸 🅳 🅾 SP 🅸 📷 🖼 📞 📺 📞
CB🆅🆂🅰 AE ⊙ E

TARCO
20144 Corse
400 hab.

▲▲ AU REVE ★★
Sur N. 198. M. Manca
☎ 95 73 20 93 ╲ 95 73 21 07
ⅢⅢ 95 73 22 30
📞 15 🛏 200/350 F.
🅴 SP 🅸 📷 🖼 📞 📺 🔼 🔼 CV CB🆅🆂🅰
AE ⊙ E

TARNAC
19170 Corrèze
700 m. ● 500 hab.

▲▲ DES VOYAGEURS ★★
M. Deschamps
☎ 55 95 53 12 ⅢⅢ 55 95 40 07
📞 16 🛏 153/242 F. 🍴 80/155 F.
🔼 55 F. 📷 210/258 F.
⊠ 15 déc./15 mars, dim. soir et lun.
1er oct./1er juin sauf fêtes.
🅴 SP 📷 🖼 📞 📺 📞 CB🆅🆂🅰 E

TAUSSAT
33148 Gironde
3060 hab. 🅸

▲ DE LA PLAGE ★★
20, bld de la Plage. M. Georgelin
☎ 56 82 06 01
📞 15 🛏 180/250 F. 🍴 70/150 F.
🔼 45 F. 🍴 250/320 F. 📷 180/250 F.
⊠ 4 semaines oct. et lun. 1er oct./vac.
Pâques.
🅸 🅳 📷 🖼 📞 🔼 CV 📞 CB🆅🆂🅰 E 📷

TAUVES
63690 Puy de Dôme
840 m. ● 1344 hab. 🅸

▲ LE LION D'OR ★
M. Aubert
☎ 73 21 10 11
📞 17 🛏 165/220 F. 🍴 62/120 F.
🔼 45 F.
🅸 🅳 🅾 📷 🖼 ⅢⅢ 📞

TAVEL
30126 Gard
1413 hab.

▲ LE PONT DU ROY ★★
Route de Nîmes, D. 976. MM. Schorgeré
☎ 66 50 22 03 ⅢⅢ 66 50 10 14
📞 14 🛏 280/350 F. 🍴 105/140 F.
🔼 65 F. 📷 305/475 F.
⊠ 15 oct./15 mars sauf sur réserv.
🅸 📷 🖼 📞 📺 🔼 🔼 🅾 📞 ⅢⅢ CB🆅🆂🅰 E

TEIL (LE)
07400 Ardèche
7800 hab. 🅸

▲ DE L'EUROPE ★★
45, Av. Paul Langevin. M. Charrier
☎ 75 49 01 96
📞 7 🛏 240/280 F. 🍴 60/135 F. 🔼 40 F.
📷 220 F. 📷 170 F.
⊠ dim. soir.
🅸 📷 🖼 📞 CV 📞 CB🆅🆂🅰 E

TEILLEUL (LE)
50640 Manche
1534 hab.

▲▲ LA CLE DES CHAMPS ★★
Route de Domfront. Mme Bouillault
☎ 33 59 42 27
🛏 20 🍴 126/288 F. 🍽 73/178 F.
🍴 268/346 F. 🍴 220/310 F.
⊠ 21 fév./7 mars et dim. soir
1er oct./1er avr.
[icons] CB VISA
AE ⊙ E

TENDE
06430 Alpes Maritimes
815 m. • 2045 hab.

▲ LE MIRAMONTI ★
5-7, rue Vassalo. Mme Amendola
☎ 93 04 61 82
🛏 9 🍴 148/248 F. 🍽 85/145 F. 🍴 45 F.
⊠ 1 semaine fin oct./début nov.,
1 semaine en mai et dim. hs.
[icons] CB VISA E

TERMIGNON
73500 Savoie
1300 m. • 340 hab.

▲ AUBERGE DE LA TURRA ★★
M. Peaquin
☎ 79 20 51 36
🛏 13 🍴 150/240 F. 🍽 80/145 F.
🍴 40 F. 🍴 225/300 F. 🍴 175/245 F.
⊠ 10 avr./3 juin et 18 sept./23 déc.
[icons] CB VISA E

TESSOUALLE (LA)
49280 Maine et Loire
2680 hab.

▲▲ LE GARDEN ★★
1, rue de l'Industrie. Mme Audouin
☎ 41 56 38 95 🆎 41 56 46 71
🛏 25 🍴 205/260 F. 🍽 78/160 F.
🍴 50 F. 🍴 285/350 F. 🍴 290/300 F.
⊠ 1er/20 août, sam. et dim. sauf réserv.
[icons] CB VISA
E

TESTE DE BUCH (LA)
33260 Gironde
22000 hab.

▲▲ BASQUE ★
36, rue Maréchal Foch. Mme Goudriaan
☎ 56 66 26 04 🆎 56 54 24 67
🛏 9 🍴 175/339 F. 🍽 69/220 F. 🍴 45 F.
🍴 262/362 F. 🍴 206/306 F.
⊠ 30 sept./1er déc. Rest. dim. soir et lun.
[icons] CB VISA E

TEULET (LE)
19430 Corrèze
524 hab.

▲▲ LE RELAIS DU TEULET ★★
Sur N. 120. Mme Marty
☎ 55 28 71 09 🆎 55 28 74 39
🛏 10 🍴 140/230 F. 🍽 58/150 F.
🍴 40 F. 🍴 200/230 F. 🍴 180/190 F.
[icons] CB VISA
AE ⊙ E

THANN
68800 Haut Rhin
7751 hab.

▲ AUX SAPINS ★★
3, rue Jeanne-d'Arc. Mme Arnold
☎ 89 37 10 96 🆎 89 37 23 83
🛏 17 🍴 140/250 F. 🍽 46/160 F.
🍴 40 F. 🍴 195/280 F. 🍴 175/250 F.
⊠ sam.
[icons] CB VISA ⊙ E

▲▲ DU PARC ★★
23, rue Kléber. M. Neufsel
☎ 89 37 37 47 🆎 89 37 56 23
🛏 20 🍴 180/380 F. 🍽 90/180 F.
🍴 45 F. 🍴 280/360 F. 🍴 200/300 F.
⊠ 1er/15 janv.
[icons]
CB VISA E

▲▲ KLEBER ★★
39, rue Kléber. M. Mangel
☎ 89 37 13 66 🆎 89 37 39 67
🛏 26 🍴 165/295 F. 🍽 85/180 F.
🍴 50 F. 🍴 300/320 F. 🍴 260/290 F.
⊠ Rest. 3/17 juil., 24 déc./15 janv., sam. midi et dim.
[icons] CB VISA
E

▲ MOSCHENROSS ★★
42, rue Général de Gaulle. M. Thierry
☎ 89 37 00 86 🆎 89 37 52 81
🛏 24 🍴 150/290 F. 🍽 60/170 F.
🍴 45 F. 🍴 220/270 F. 🍴 185/230 F.
⊠ 30 janv./10 fév. et lun.
[icons] CB VISA E

THANNENKIRCH
68590 Haut Rhin
600 m. • 400 hab.

▲▲ LA MEUNIERE ★★
M. Dumoulin
☎ 89 73 10 47 🆎 89 73 12 31
🛏 15 🍴 260/310 F. 🍽 95/195 F.
🍴 40 F. 🍴 300/340 F. 🍴 230/270 F.
⊠ 15 nov./30 mars.
[icons]
CB VISA AE E

▲▲ TOURING-HOTEL ★★
Route du Haut-Koenigsbourg.
M. Stoeckel
☎ 89 73 10 01 🆎 89 73 11 79
🛏 48 🍴 238/324 F. 🍽 69/169 F.
🍴 47 F. 🍴 299/360 F. 🍴 250/299 F.
⊠ 4 nov./30 mars.
[icons] CB VISA E

THEMES
89410 Yonne
210 hab.

▲▲ LE P'TIT CLARIDGE ★★
2, route de Joigny. M. Balduc
☎ 86 63 10 92 🆎 86 63 01 34
🛏 13 🍴 90/200 F. 🍽 90/260 F. 🍴 60 F.
🍴 226/280 F. 🍴 150/200 F.
⊠ 15 jours fév., 15 jours sept., dim. soir et lun.
[icons] CB VISA AE E

THENIOUX
18100 Cher
584 hab.

⚑ AUBERGE DE LA COQUELLE
Route de Tours. M. Galopin
☎ 48 52 03 17
🛏 5 ◈ 150 F. ◫ 95/175 F. ⫚ 45 F.
🍽 270 F.
✉ 20 sept./15 oct., dim. soir et lun.
⬜⤬🛎👤 CB🆅🆂🅰 E

THESEE LA ROMAINE
41140 Loir et Cher
1200 hab.

⚑⚑ HOSTELLERIE DU MOULIN DE LA
RENNE ★★
15, impasse des Varennes. M. Suraud
☎ 54 71 41 56
🛏 14 ◈ 144/295 F. ◫ 85/220 F.
⫚ 48 F. ◫ 287/320 F. 🍽 197/273 F.
✉ fin janv./début mars, dim. soir et lun.
hs.
⬜🛎👤♿👤 CB🆅🆂🅰 E

⚑ LA MANSIO ★
9, rue Nationale. M. Delain
☎ 54 71 40 07
🛏 9 ◈ 165/175 F. ◫ 68/140 F. ⫚ 50 F.
◫ 220 F. 🍽 185 F.
✉ 3 janv./4 fév., mar. soir et mer. hs.
⬜👤👤 CB🆅🆂🅰

THIBERVILLE
27230 Eure
1800 hab.

⚑ DE LA LEVRETTE
10, rue Lieurey. M. Furet
☎ 32 46 80 22
🛏 7 ◈ 160/250 F. ◫ 65/130 F. ⫚ 65 F.
✉ 25 janv./18 fév., 17 août/2 sept., dim.
soir et jeu.
⬜👤 CB🆅🆂🅰 E

THIEBLEMONT
51300 Marne
490 hab. ℹ

⚑⚑ LE CHAMPENOIS ★★
Sur N. 4. M. Vie
☎ 26 73 81 03 🆆🅰🆇 26 73 80 95
🛏 9 ◈ 240/260 F. ◫ 95/195 F. ⫚ 48 F.
🍽 270/310 F.
✉ 1er/15 oct., 1er/15 fév., dim. soir et
lun. sauf fêtes.
⬜◫👤🛎👤👤 CB🆅🆂🅰
🅰🅴 ◉ E

THIEFOSSE
88290 Vosges
600 hab. ℹ

⚑ AUBERGE DU CROSERY
M. Desloges
☎ 29 61 76 35
🛏 12 ◈ 146/200 F. ◫ 65/140 F.
⫚ 38 F. ◫ 215/242 F. 🍽 158/187 F.
⬜👤👤 CB🆅🆂🅰 ◉ E

THIERS (PONT DE DORE)
63920 Puy de Dôme
1500 hab.

⚑⚑ ELIOTEL ★★
Route de Maringues. Mme Crespy
☎ 73 80 10 14
🛏 13 ◈ 260 F. ◫ 85/210 F. ⫚ 45 F.
🍽 300 F. 🍽 220 F.
✉ Rest. 2/8 mai, 22/28 août,
18 déc./9 janv. sam. et dim. soir.
⬜◫👤👤👤👤 CB🆅🆂🅰 🅰🅴 E

THIEZAC
15800 Cantal
800 m. ● *720 hab.* ℹ

⚑⚑ L'ELANCEZE ET BELLE VALLEE ★★
M. Lauzet
☎ 71 47 00 22 🆆🅰🆇 71 47 02 08
🛏 41 ◈ 205/255 F. ◫ 83/180 F.
⫚ 45 F. ◫ 235/270 F. 🍽 205/240 F.
✉ 12 nov./22 déc.
⬜👤👤👤👤👤♿ 🆅🅲 🛎👤
CB🆅🆂🅰 E 🏠

THILLOT (LE)
88160 Vosges
550 m. ● *4300 hab.* ℹ

⚑ DE LA PLACE DU 8 MAI ★★
18, rue Charles de Gaulle.
M. Thiebautgeorges
☎ 29 25 01 18 🆆🅰🆇 29 25 32 11
🛏 8 ◈ 170/260 F. ◫ 60/105 F. ⫚ 45 F.
◫ 200/250 F. 🍽 155/195 F.
✉ dim.
⬜ℹ👤👤👤👤 🆅🅲 👤 CB🆅🆂🅰 E

THILLOT (LE) (COL DES CROIX)
88160 Haute Saône
750 m. ● *3000 hab.* ℹ

⚑⚑ LE PERCE NEIGE ★★
Au Col des Croix. M. Leclerc de Ruy
☎ 29 25 02 63＼84 20 43 90
🆆🅰🆇 29 25 13 51
🛏 12 ◈ 245 F. ◫ 75/200 F. ⫚ 45 F.
🍽 290 F. 🍽 215 F.
✉ 5 janv./2 fév., dim. soir et lun. hs
sauf vac. scol. et fériés.
⬜👤👤👤⤬👤♿ 🆅🅲 🛎👤 CB🆅🆂🅰 E

THIONVILLE
57100 Moselle
41450 hab. ℹ

⚑⚑ DES AMIS ᵉᶜ
40, av. Comte de Berthier. M. Guerin
☎ 82 53 22 18 🆆🅰🆇 82 54 32 40
🛏 12 ◈ 140/250 F. ◫ 60/140 F.
⫚ 35 F. ◫ 260 F. 🍽 200 F.
⬜◫👤👤👤♿ 🆅🅲 🛎👤 CB🆅🆂🅰 ◉
E 🏠

THOLLON LES MEMISES
74500 Haute Savoie
920 m. ● *533 hab.* ℹ

⚑⚑⚑ BELLEVUE ★★
M. Vivien
☎ 50 70 92 79 🆆🅰🆇 50 70 97 63
🛏 37 ◈ 320/390 F. ◫ 78/160 F.
⫚ 45 F. ◫ 290/340 F. 🍽 240/290 F.
⬜ SP 👤👤👤👤🏊👤👤♿ 🆅🅲
🛎👤 CB🆅🆂🅰 E

THOLLON LES MEMISES (suite)

▲▲ LES GENTIANES ★★
M. Forget ☎ 50 70 92 39 \ 50 70 92 03
FAX 50 70 95 51
🛏 22 ⊗ 250/300 F. 🍴 90/160 F.
🍴 60 F. 🍴 300/350 F. 🍴 250/300 F.
⊠ 30 oct./10 déc.
[icons] CB VISA AE E

THOLY (LE)
88530 Vosges
605 m. • 1600 hab. ⓘ

▲ AUBERGE DU PIED DE LA GRANDE CASCADE ★
12, chemin des Cascades. M. Bergeret
☎ 29 33 21 18
🛏 12 ⊗ 140/290 F. 🍴 100 F. 🍴 50 F.
🍴 230/310 F. 🍴 170/250 F.
⊠ 11 nov./20 déc. et mer. hs.
[icons] CB VISA E

▲▲▲ DE LA GRANDE CASCADE ★★
Rte du Col Bonnefontaine, sortie Epinal.
M. Me Pierre
☎ 29 33 21 08 FAX 29 66 37 17
🛏 33 ⊗ 160/320 F. 🍴 65/190 F.
🍴 40 F. 🍴 280/330 F. 🍴 220/270 F.
⊠ 13/25 déc.
[icons] CB VISA AE ⊕ E 🏠

▲▲▲ GERARD ★★
1, place Général Leclerc. M. Gérard
☎ 29 61 81 07 FAX 29 61 82 92
🛏 23 ⊗ 180/300 F. 🍴 65/150 F.
🍴 45 F. 🍴 300/320 F. 🍴 250/260 F.
⊠ 30 sept./4 nov., sam. et dim. soir, sam. et dim. soir hs.
[icons] CB VISA AE ⊕ E 🏠

THOMERY
77810 Seine et Marne
2300 hab. ⓘ

▲ AUX TILLEULS
2, route de Champagne. M. Bellivier
☎ (1) 60 70 06 62 FAX 64 70 80 32
🛏 35 ⊗ 140/210 F. 🍴 60/120 F.
🍴 40 F. 🍴 195/215 F. 🍴 165/185 F.
⊠ 6/28 août., ven. soir et sam.
[icons] CB VISA E

THONAC
24290 Dordogne
250 hab.

▲▲ ARCHAMBEAU ★★
Place de l'Eglise. M. Archambeau
☎ 53 50 73 78
🛏 16 ⊗ 185/290 F. 🍴 70/160 F.
🍴 45 F. 🍴 240/280 F. 🍴 190/240 F.
⊠ fin oct./mi-déc.
[icons] CB VISA E

THONES
74230 Haute Savoie
630 m. • 4800 hab. ⓘ

▲▲ L'HERMITAGE ★★
Av. du Vieux Pont. M. Bonnet
☎ 50 02 00 31 FAX 50 02 04 86
🛏 40 ⊗ 200/250 F. 🍴 60/150 F.
🍴 40 F. 🍴 230/260 F. 🍴 190/220 F.
⊠ 1er/10 mai, 15 oct./7 nov. et ven. midi hs.
[icons] CB VISA E

▲▲▲ NOUVEL HOTEL DU COMMERCE ★★
5, rue des Clefs. M. Bastard-Rosset
☎ 50 02 13 66 FAX 50 32 16 24
🛏 25 ⊗ 220/385 F. 🍴 70/300 F.
🍴 48 F. 🍴 266/380 F. 🍴 209/310 F.
⊠ 31 oct./3 déc., rest. dim. soir et lun. hs.
[icons] CB VISA E C

THONON LES BAINS
74200 Haute Savoie
30000 hab. ⓘ

▲ BELLEVUE ★
Av. de la Dame. (Les Fleyssets).
M. Angles
☎ 50 71 02 53
🛏 10 ⊗ 140/230 F. 🍴 75/160 F.
🍴 45 F. 🍴 220/240 F. 🍴 190/210 F.
⊠ 20 sept./10 oct. et dim. soir sauf juil./août.
[icons] CB VISA

▲▲ DUCHE DE SAVOIE ★★
43, av. Général Leclerc. Mme Lamy
☎ 50 71 40 07 FAX 50 71 14 00
🛏 15 ⊗ 250/290 F. 🍴 100/240 F.
🍴 60 F. 🍴 320/350 F. 🍴 265/290 F.
⊠ 9 oct./15 nov., dim. soir et lun. oct./avr.
[icons] CB VISA AE ⊕ E C

▲ L'OMBRE DES MARRONNIERS ★
17, place de Crète. Mme Bordet
☎ 50 71 26 18
🛏 18 ⊗ 170/280 F. 🍴 75/200 F.
🍴 50 F. 🍴 265/320 F. 🍴 195/250 F.
⊠ Hôtel week-ends 6 nov./18 déc., rest. nov., dim. soir et lun. 1er oct. /31 mai.
[icons] CB VISA AE ⊕ E 🏠

▲▲ LE TERMINUS ★★
Place de la Gare. M. Ducrot
☎ 50 26 52 52 FAX 50 26 00 92
🛏 40 ⊗ 180/270 F. 🍴 65/150 F.
🍴 45 F. 🍴 265/300 F. 🍴 215/250 F.
[icons] CB VISA ⊕ E

▲▲ TRIANON DU LEMAN ★★
Av. de Corzent-Port des Clerges.
M. Dubouloz-Monnet
☎ 50 71 25 78 FAX 50 26 51 26
🛏 16 ⊗ 200/350 F. 🍴 90/220 F.
🍴 55 F. 🍴 330/430 F. 🍴 250/340 F.
⊠ fin sept./fin mars.
[icons] CB VISA E

✳ VILLA DES FLEURS ★★
4, av. des Jardins. M. Bordet
☎ 50 71 11 38
🛏 11 ⊗ 250/320 F.
⊠ 30 sept./1er mai.
[icons] CB VISA AE ⊕ E

THORAME HAUTE
04170 Alpes de Haute Provence
1130 m. • 187 hab.

🏠 DE LA GARE ★
M. Bianco
☎ 92 89 02 54
🛏 15 ⊜ 125/290 F. 🍴 60/125 F.
🍽 45 F. 🍴 252/305 F. 🛎 205/252 F.
⊠ fin sept./1er mai.
🅴 🇮 ☎ 🕎 🐾 CB🆅🆂🅰 E

THORENC
06750 Alpes Maritimes
1250 m. • 120 hab.

🏠 AUBERGE LES MERISIERS ★
Rue de l'Eglise. M. Maurel
☎ 93 60 00 23 🆕 93 60 02 17
🛏 11 ⊜ 200 F. 🍴 77/134 F. 🍽 38 F.
🍴 280/300 F. 🛎 220/240 F.
⊠ mar. hs.
🅴 🇮 🕎 🐾 CB🆅🆂🅰 E

🏠🏠 DES VOYAGEURS ★★
M. Rouquier
☎ 93 60 00 66 \ 93 60 00 18
🆕 93 60 01 53
🛏 14 ⊜ 150/300 F. 🍴 91/145 F.
🍽 65 F. 🍴 350/400 F. 🛎 250/310 F.
⊠ 15 nov./1er fév. et jeu. hs.
🅴 🆂🅿 🖥 🛏 🕎 CV 🐾 CB🆅🆂🅰 E

THORENS GLIERES
74570 Haute Savoie
670 m. • 1800 hab. 🇮

🏠🏠 LA CHAUMIERE SAVOYARDE ★★
M. Gonnet
☎ 50 22 40 39 🆕 50 22 81 84
🛏 36 ⊜ 180/230 F. 🍴 90/140 F.
🍽 50 F. 🍴 230/260 F. 🛎 200/230 F.
⊠ 20 sept./20 oct.
🅴 ☎ 🛏 🍴 🕎 🛎 🧍 ♿ CV 🐾
CB🆅🆂🅰 E

THORIGNE SUR DUE
72160 Sarthe
1900 hab. 🇮

🏠🏠🏠 SAINT JACQUES ★★
Place du Monument. M. Binoist
☎ 43 89 95 50 🆕 72 93 91
🆕 43 76 58 42
🛏 15 ⊜ 280/420 F. 🍴 98/275 F.
🍽 65 F. 🍴 290/420 F. 🛎 270/390 F.
⊠ 5/26 janv., 1/12 oct., dim. soir et lun
oct./1er juin.
🅴 🖥 ☎ 🛏 🕎 🧍 ♿ CV 🐾
CB🆅🆂🅰 🅾 E 🅲 📠

THORONET (LE)
83340 Var
1087 hab. 🇮

🏠🏠 HOSTELLERIE DE L'ABBAYE ★★
Chemin du Château. Mme Espitalier
☎ 94 73 88 81 🆕 94 73 89 24
🛏 20 ⊜ 260/310 F. 🍴 75/160 F.
🍽 40 F. 🍴 315/355 F. 🛎 240/280 F.
🖥 🛏 🛏 🕎 🍴 🧍 ♿ CV 🐾
🐾 CB🆅🆂🅰 🅰🅴 E 🅲 📠

THOUARS
79100 Deux Sèvres
12000 hab. 🇮

🏠🏠 DU CHATEAU ★★
Route de Parthenay. M. Ramard
☎ 49 96 12 60 🆕 49 96 34 02
🛏 20 ⊜ 210/230 F. 🍴 62/185 F.
🍽 45 F. 🍴 300 F. 🛎 220 F.
⊠ dim. soir.
🅴 🖥 ☎ 🛏 🕎 CV 🔆 🐾 CB🆅🆂🅰 E 🅲 📠

THUEYTS
07330 Ardèche
1100 hab. 🇮

🏠🏠 DES MARRONNIERS ★★
M. Labrot ☎ 75 36 40 16 🆕 75 36 48 02
🛏 19 ⊜ 170/280 F. 🍴 82/180 F.
🍽 50 F. 🍴 250/300 F. 🛎 220/250 F.
⊠ 20 déc./5 mars.
🅴 🅳 🖥 ☎ 🛏 🕎 🔆 CV 🔆 🐾
CB🆅🆂🅰

🏠🏠🏠 LES PLATANES ★★
M. Me Fayette/Serret
☎ 75 93 78 66 \ 75 36 41 67
🛏 25 ⊜ 140/250 F. 🍴 75/150 F.
🍽 45 F. 🍴 220/290 F. 🛎 190/240 F.
⊠ début nov./mi-fév.
🅴 🖥 ☎ 🛏 🛏 🌡 🍴 🕎 🧍 ♿ CV
🔆 🐾 CB🆅🆂🅰 E

THURINS
69510 Rhône
2059 hab.

🏠 BONNIER ★
(Le Pont). MM. Bonnier
☎ 78 48 92 06
🛏 16 ⊜ 70/170 F. 🍴 70/150 F. 🍽 35 F.
🍴 170/240 F. 🛎 130/190 F.
⊠ août et sam.
🛏 🕎 🐾 CB🆅🆂🅰 E

THURY HARCOURT
(GOUPILLIERES)
14210 Calvados
90 hab.

🏠🏠 AUBERGE DU PONT DE BRIE ★★
Mme Dri ☎ 31 79 37 84 🆕 31 79 87 22
🛏 8 ⊜ 150/300 F. 🍴 85/230 F. 🍽 45 F.
🛎 220/280 F.
⊠ 12/28 nov., 3/20 janv. et mer. 1er
sept./1er juil.
🅴 🇮 🖥 ☎ 🛏 🕎 🔆 CB🆅🆂🅰 E

TIL CHATEL
21120 Côte d'Or
755 hab.

🏠🏠 DE LA POSTE ★★
Rue d'Aval. M. Girodet
☎ 80 95 03 53 🆕 80 95 19 90
🛏 9 ⊜ 210/300 F. 🍴 65/170 F. 🍽 56 F.
🍴 235/280 F. 🛎 182/227 F.
⊠ vac. scol. Toussaint, Noël. Hôtel sam.
et dim. 1er nov/31mars Rest. sam. midi
1er avr./31oct., sam. et dim. soir
1er nov/31mars
🅴 🖥 ☎ 🛏 🕎 🔆 CB🆅🆂🅰 E

TILLY SUR SEULLES
14250 Calvados
1100 hab.

▲▲ JEANNE D'ARC ★★
2, rue de Bayeux. M. Belfie
☎ 31 80 80 13
🛏 12 📶 240/360 F. 🍴 60/195 F.
🍴 50 F. 🍴 335/400 F. 🍴 245/300 F.
⊠ fév., dim. soir et lun. hs.
[icons] CB🈸 AE E C

TINTENIAC
35190 Ille et Vilaine
3500 hab. ℹ

▲▲▲ AUX VOYAGEURS ★★
Rue Nationale. M. Couppey
☎ 99 68 02 21
🛏 15 📶 190/260 F. 🍴 78/195 F.
🍴 49 F. 🍴 240/290 F. 🍴 200/250 F.
⊠ 19 déc./15 janv., dim. soir et lun. sauf juil./août lun. midi seulement.
[icons] CB🈸 AE ⓪ E

TIUCCIA
20111 Corse
800 hab. ℹ

▲▲ ROC E MARE ★★
M. Penocci
☎ 95 52 23 86 📠 95 52 29 87
🛏 17 📶 200/350 F.
⊠ 15 oct./15 avr.
[icons] CB🈸 AE
⓪ E

TOMBEBOEUF
47380 Lot et Garonne
600 hab.

▲▲ DU NORD ★★
M. Ajas
☎ 53 88 83 15 📠 53 88 25 28
🛏 12 📶 200 F. 🍴 60/120 F. 🍴 38 F.
🍴 215/225 F. 🍴 165/175 F.
⊠ 7/22 janv. et ven. soir sauf juil./août.
[icons] CB🈸 AE E

TOUFFREVILLE
14940 Calvados
254 hab.

▲▲▲ LA GRANDE BRUYERE ★★
(A Grande Bruyère, D. 37). M. Juin
☎ 31 23 32 74 📠 31 23 69 79
🛏 20 📶 290/590 F. 🍴 115/175 F.
🍴 80 F. 🍴 285/430 F.
⊠ 1er fév./15 mars, dim. soir et lun.
[icons] CB🈸 AE
⓪ E

TOUQUES
14800 Calvados
2962 hab. ℹ

▲ LE VILLAGE ★★
64, rue Louvel et Brière. M. Cenier
☎ 31 88 01 77 📠 31 88 99 24
🛏 8 📶 208/358 F. 🍴 120/190 F.

🍴 55 F. 🍴 374/452 F. 🍴 254/332 F.
⊠ janv., mar. soir et mer. sauf vac. scol.
[icons] CB🈸 AE E

TOUR D'AIGUES (LA)
84240 Vaucluse
3260 hab. ℹ

▲▲ LES FENOUILLETS ★★
(Quartier Revol). M. Mondello
☎ 90 07 48 22 📠 90 07 34 26
🛏 10 📶 250/320 F. 🍴 70/250 F.
🍴 50 F. 🍴 335/370 F. 🍴 245/280 F.
⊠ mer.
[icons] CB🈸 AE E

TOUR D'AUVERGNE (LA)
63680 Puy de Dôme
950 m. • 1000 hab. ℹ

▲ DU LAC ★
Route de Bort. M. Sciauveaux
☎ 73 21 52 19
🛏 12 📶 120/250 F. 🍴 55/130 F.
🍴 35 F. 🍴 190/240 F. 🍴 150/180 F.
⊠ 1er oct./20 déc.
[icons] CB🈸 E

▲ LA TERRASSE ★★
M. Mampon
☎ 73 21 50 29
🛏 28 📶 145/250 F. 🍴 50/120 F.
🍴 35 F. 🍴 230/250 F. 🍴 190/210 F.
⊠ 30 sept./20 déc.
[icons] CB🈸 AE ⓪ E

TOUR DU PIN (LA)
38110 Isère
8000 hab. ℹ

▲▲ DE FRANCE Rest. LE BEC FIN ★★
Place Champ de Mars. Mme Meyer
☎ 74 97 00 08 📠 74 97 36 47
🛏 30 📶 150/220 F. 🍴 65/170 F.
🍴 45 F. 🍴 200/220 F. 🍴 150/170 F.
⊠ Rest. dim. soir.
[icons] CB🈸 E

TOURNAY (OZON)
65190 Hautes Pyrénées
350 hab.

▲ L'AUBERGE BASQUE ★
Sur N. 117. Mme Dauga
☎ 62 35 71 66
🛏 9 📶 145/165 F. 🍴 58/130 F.
🍴 215/225 F. 🍴 155/165 F.
⊠ 27 fév./7 mars, 1ère quinzaine oct. et sam.
[icons] CB🈸 AE E

TOURNOIS
45310 Loiret
344 hab.

▲ RELAIS SAINT-JACQUES ★
M. Pinsard
☎ 38 80 87 03 📠 38 80 81 46
🛏 5 📶 160/220 F. 🍴 69/179 F. 🍴 47 F.
🍴 270/400 F. 🍴 210/320 F.
⊠ vac. scol. fév., dim. soir et lun. sauf juil./août.
[icons] CB🈸

TOURNON
07300 Ardèche
10000 hab. ℹ️

🏠🏠 AZALEES ★★
Av. de la Gare. M. Couix
☎ 75 08 05 23 **FAX** 75 08 18 27
🛏 35 ◎ 180/210 F. 🍽 76/139 F.
🍴 45 F. 🍲 300 F. 🍴 220 F.
✉ 23 déc./4 janv.
📺🗓🏠🛏🦅🕐♿ CV 🏪 🔌 CB**VISA** E

🏠🏠🏠 DU CHATEAU ★★★
Quai Marc-Seguin M. Gras
☎ 75 08 60 22 **FAX** 75 07 02 95
🛏 14 ◎ 320/370 F. 🍽 120/310 F.
🍴 55 F.
✉ 1er/15 nov., sam. et dim. hs.
📺🗓🏠🛏 CV 🏪 🔌 CB**VISA** **AE** ⊙ E 🖼

🏠🏠 LA CHAUMIERE ★★
Quai Farconnet. M. Fereire
☎ 75 08 07 78
🛏 10 ◎ 220/360 F. 🍽 68/250 F.
🍴 50 F. 🍲 320/390 F. 🍴 240/320 F.
✉ 31 janv./6 fév., lun. après midi et mar.
🗓🏠🚗🔌 CB**VISA** **AE** ⊙ E

TOURNON SAINT MARTIN
36220 Indre
1506 hab.

🏠🏠 AUBERGE DU CAPUCIN GOURMAND ★★
8, rue Bel Air. M. Pelegrin
☎ 54 37 66 85 **FAX** 54 37 87 54
🛏 7 ◎ 170/250 F. 🍽 60/186 F. 🍴 45 F.
🍲 215/260 F. 🍴 160/205 F.
✉ 1 semaine oct., 1 semaine mars
et lun. 15 sept./15 avr.
📺🗓🏠🚗🛏🎣🦅♿ CV 🔌 CB**VISA**
AE ⊙ E

TOURNUS
71700 Saône et Loire
7800 hab. ℹ️

🏠🏠 AUX TERRASSES ★★
18, av. du 23 Janvier. M. Carrette
☎ 85 51 01 74 **FAX** 85 51 09 99
🛏 18 ◎ 250/280 F. 🍽 90/220 F.
🍴 50 F.
✉ 4 janv./4 fév., dim. soir et lun.
📺 SP 🗓🏠🚗🚗🍲🦅🔌 CB**VISA** E

🏠🏠 DE LA PAIX ★★
9, rue Jean-Jaurès. M. Giger
☎ 85 51 01 85 **FAX** 85 51 02 30
🛏 23 ◎ 252/312 F. 🍽 80/220 F.
🍴 46 F. 🍲 313/355 F. 🍴 241/283 F.
✉ 16/25 avr., 22/31 oct., 10 janv./6 fév.,
mer. midi et mar. 15 sept./15 juin.
📺📀ℹ️🗓🏠🚗🦅🏪🔌 CB**VISA**
AE ⊙ E

🏠🏠 LE TERMINUS ★★
21, av. Gambetta. M. Rigaud
☎ 85 51 05 54 **FAX** 85 32 55 15
🛏 13 ◎ 200/350 F. 🍽 82/260 F.
🍴 50 F. 🍴 320 F.
✉ 6/25 janv., 25 nov./5 déc., mar. soir
et mer. hs.
🗓🏠🚗🛏🔌 CB**VISA**

🏠 NOUVEL HOTEL
1 bis, av. des Alpes. Mme Grandvaux
☎ 85 51 04 25
🛏 4 ◎ 110/180 F. 🍽 70/150 F. 🍴 42 F.
✉ 22 déc./2 janv., dim. sam. midi hs.
🚗🚗🔌 CB**VISA** E

TOUROUVRE
61190 Orne
1650 hab. ℹ️

🏠🏠 DE FRANCE ★★
19, rue du 13 Août 1944. M. Feugueur
☎ 33 25 73 55 **FAX** 33 25 69 43
🛏 10 ◎ 220/275 F. 🍽 68/150 F.
🍴 55 F. 🍲 310/360 F. 🍴 250/300 F.
✉ 20/31 déc., dim. soir et lun. midi hs.
📺🗓🏠🚗🛏🦅 CV 🏪 🔌 CB**VISA**
⊙ E C 🖼

TOURRETTE LEVENS
06690 Alpes Maritimes
3000 hab.

🏠 AUBERGE CHEZ LUCIEN ★
Place de l'Eglise. Mme Giordano
☎ 93 91 00 71
🛏 7 ◎ 190/210 F. 🍽 75/120 F. 🍴 40 F.
🍲 230/250 F. 🍴 190/210 F.
🔌 CB**VISA** **AE** E

TOURRETTES SUR LOUP
06140 Alpes Maritimes
2700 hab. ℹ️

🏠🏠 AUBERGE BELLES TERRASSES ★★
Route de Vence, N° 1315. M. Ferrando
☎ 93 59 30 03 **FAX** 93 59 31 27
🛏 14 ◎ 200/240 F. 🍽 85/140 F.
🍲 285/305 F. 🍴 215/235 F.
✉ Rest. 3 semaines environ 11 nov.,
2 semaines environ 7 janv. et lun.
📺 SP 🗓🚗🛏 CB**VISA** E

🏠 LA GRIVE DOREE ★★
Route de Grasse. M. Smeteck
☎ 93 59 30 05
🛏 14 ◎ 190/260 F. 🍽 100/180 F.
🍴 55 F. 🍲 315/340 F. 🍴 215/240 F.
📺🗓 CV 🔌

TOURS
37000 Indre et Loire
130000 hab. ℹ️

🏠🏠 MODERNE ★★
1-3, rue Victor Laloux. M. Me Malliet
☎ 47 05 32 81 **TX** 750008 **FAX** 47 05 71 50
🛏 23 ◎ 172/330 F. 🍽 90 F. 🍴 60 F.
🍲 240/265 F.
✉ Rest. 20 déc/25 janv. et dim.
📺🗓🏠 CV 🔌 CB**VISA** **AE** E

TOURS SUR MARNE
51150 Marne
1245 hab.

🏠🏠 LA TOURAINE CHAMPENOISE ★★
2, rue du magasin. Mme Schosseler
☎ 26 58 91 93 **FAX** 26 58 95 47
🛏 9 ◎ 255/290 F. 🍽 90/260 F. 🍴 60 F.
🍲 345/363 F. 🍴 252/265 F.
✉ 4 jours vac. scol. Noël.
📺📀🗓🚗🍲🔌 CB**VISA** **AE** ⊙ E

TOURTOUR
83690 Var
650 m. • 384 hab. ℹ️

▲▲ LE MAS DES COLLINES ᶜᶜ
Camp Fournier. Mme Josis
☎ 94 70 59 30 ℻ 94 70 57 62
📱 7 ⊗ 320/370 F. 🍽 80/180 F. ⏰ 50 F.
🛏 390/430 F. 🍴 315/350 F.
✉ mar. midi hs sauf vac. scol. et fériés.
🄴 🄳 ⬛ ☎ ⬛ ⬛ ⬛ ⬛ ⬛ ⬛ CV ⬛
CB🆚 E

TOURVES
83170 Var
1900 hab. ℹ️

▲ HOSTELLERIE LE PARADOU ⋆
Sur N. 7. M. Ventre
☎ 94 78 70 39 ℻ 94 78 71 38
📱 5 ⊗ 145/180 F. 🍽 110/170 F.
⏰ 60 F. 🛏 320/330 F. 🍴 222/230 F.
✉ Hôtel 25 oct./20 mars, rest. vac. scol.
Toussaint, fév., dim. soir et lun. hs.
⬛ ⬛ ⬛ ⬛ ⬛ CB🆚 E

TOUSSUIRE (LA)
73300 Savoie
1800 m. • 603 hab. ℹ️

▲▲ DU COL ⋆⋆
M. Collet
☎ 79 56 73 36 ℻ 79 56 78 61
📱 28 ⊗ 240/270 F. 🍽 80/150 F.
⏰ 45 F. 🛏 240/340 F. 🍴 200/280 F.
✉ fin avr./fin juin et fin août/20 déc.
🄴 🄸 ⬛ ☎ ⬛ ⬛ ⬛ ⬛ ⬛ ⬛
CB🆚 🄰🄴 ⓪ E

▲▲ LE GENTIANA ⋆⋆
M. Truchet
☎ 79 56 75 09 ℻ 79 83 02 99
📱 24 ⊗ 160/300 F. 🍽 70/130 F.
⏰ 42 F. 🛏 220/330 F. 🍴 180/290 F.
✉ 15 avr./14 juil. et 31 août/15 déc.
☎ ⬛ ⬛ ⬛ ⬛ CV CB🆚 🄰🄴 ⓪ E

▲▲▲ LES AIRELLES ⋆⋆⋆
M. Gilbert-Collet
☎ 79 56 75 88 ℻ 79 83 03 48
📱 31 ⊗ 160/240 F. 🍽 85/170 F.
⏰ 52 F. 🛏 225/365 F. 🍴 190/330 F.
✉ juil./août.
🄴 ⬛ ☎ ⬛ ⬛ ⬛ CV ⬛ ⬛ CB🆚

▲▲ LES MARMOTTES ⋆⋆
M. Gilbert-Collet
☎ 79 56 74 07 ℻ 79 83 00 65
📱 14 ⊗ 200/250 F. 🍽 85/ 95 F.
⏰ 55 F. 🛏 220/350 F. 🍴 210/220 F.
✉ 15 avr./30 juin et 30 août/19 déc.
⬛ ⬛ ⬛ ⬛ ⬛ ⬛ ⬛ ⬛ CV ⬛
CB🆚 🄰🄴 ⓪ E

▲▲▲ LES SOLDANELLES ⋆⋆
M. Dupuis
☎ 79 56 75 29 ℻ 79 56 71 56
📱 37 ⊗ 200/250 F. 🍽 95/215 F.
⏰ 50 F. 🛏 235/350 F. 🍴 215/320 F.
✉ 1er mai/30 juin et 31 août/15 déc.
🄴 🆂🄿 ⬛ ☎ ⬛ ⬛ ⬛ ⬛ ⬛ ⬛
CB🆚 E

TOUVET (LE)
38660 Isère
2000 hab.

▲ DU GRAND SAINT JACQUES
Place de l'Eglise. M. Ollinet
☎ 76 08 43 26
📱 21 ⊗ 110/210 F. 🍽 65 F. ⏰ 48 F.
🛏 220/280 F. 🍴 170/230 F.
✉ Rest. dim. et jours fériés.
⬛ ⬛ CB🆚 E

TOUZAC
46700 Lot
700 hab.

▲▲▲ LA SOURCE BLEUE ⋆⋆⋆
Moulin de Leygues. M. Bouyou
☎ 65 36 52 01 ℻ 65 24 65 69
📱 12 ⊗ 280/445 F. 🍽 135/200 F.
⏰ 65 F. 🛏 375/457 F. 🍴 305/385 F.
✉ 1er janv./20 mars et rest. mar. sauf
résidents.
🄴 🄳 🆂🄿 🄸 ⬛ ☎ ⬛ ⬛ ⬛ ⬛ ⬛ ⬛
⬛ 🄶 ⬛ ⬛ CB🆚 🄰🄴 E

TRANCHE SUR MER (LA)
85360 Vendée
2065 hab. ℹ️

▲▲ DE L'OCEAN ⋆⋆
49, rue Anatole France. M. Guicheteau
☎ 51 30 30 09 ℻ 51 27 70 10
📱 50 ⊗ 230/480 F. 🍽 80/250 F.
⏰ 60 F. 🛏 306/445 F. 🍴 305/395 F.
✉ 1er oct./31 mars.
🄴 🄳 🆂🄿 ☎ ⬛ ⬛ ⬛ ⬛ CV ⬛ ⬛
CB🆚 🄰🄴 ⓪ E

▲▲ LE REVE ⋆⋆
8, rue de l'Aunis. M. Neau
☎ 51 30 34 06 ℻ 51 30 15 80
📱 42 ⊗ 310/450 F. 🍽 90/185 F.
⏰ 45 F. 🛏 300/435 F. 🍴 260/390 F.
✉ 1er oct./fin mars.
🄴 🄳 ☎ ⬛ ☎ ⬛ CV ⬛ ⬛ CB🆚
E Ⓒ

TREBEURDEN
22560 Côtes d'Armor
4000 hab. ℹ️

▲ FAMILY HOTEL ⋆⋆
Les Plages. Mme Le Gall
☎ 96 23 50 31 ℻ 741 987 F.
📱 25 ⊗ 140/380 F. 🍽 80/160 F.
⏰ 60 F. 🛏 285/400 F. 🍴 250/365 F.
✉ Rest. 31 oct./30 mars.
🄴 ⬛ ☎ ⬛ ⬛ ☎ ⬛ ⬛ CB🆚 🄰🄴 E

▲ KER AN NOD ⋆⋆
Rue de Pors-Termen. M. Le Penven
☎ 96 23 50 21 ℻ 96 23 63 30
📱 20 ⊗ 150/300 F. 🍽 78/145 F.
⏰ 55 F. 🛏 295/365 F. 🍴 220/290 F.
✉ 4 janv./20 fév. et 15 nov./20 déc.
Rest. mar. hs.
🄴 🄳 ☎ ⬛ ⬛ CB🆚 🄰🄴 E

TREBEURDEN (suite)

▲▲▲ TI AL LANNEC ★★★
Allée de Mezo-Guen. M. Jouanny
☎ 96 23 57 26 ᴲᴬˣ 96 23 62 14
🛏 29 ⊗ 600/950 F. ⊞ 125/370 F.
🍴 85 F. ⬚ 695/880 F. 🍽 535/720 F.
⊠ mi-nov./mi-mars.
🄴🄳🗖🕾🖨🖋🏝🛌❀⚘🅏
🅒🅥 ▦ ⬅ CB🆅🆂🆀 AE ⊙ E

TREFFIAGAT
29730 Finistère
2360 hab. 🄸

▲▲ DU PORT ★★
Lieu-dit Lechiagat, 53, av. du Port.
M. Struillou
☎ 98 58 10 10 ᵀˣ 941200 ᴲᴬˣ 98 58 29 89
🛏 40 ⊗ 225/310 F. ⊞ 85/340 F.
🍴 55 F. ⬚ 350/390 F. 🍽 295/335 F.
⊠ 31 déc./3 janv.
🄴🗖🕾⚘🄰🍴🅒🅥 ⬅ CB🆅🆂🆀 AE ⊙
E ▥

TREFFORT
38650 Isère
618 hab.

▲▲▲ CHATEAU D'HERBELON ★★
M. Castillan ☎ 76 34 02 03 ᴲᴬˣ 76 34 05 44
🛏 9 ⊗ 300/430 F. ⊞ 95/255 F. 🍴 55 F.
⬚ 400/490 F. 🍽 320/385 F.
⊠ 2 janv./15 mars et mar. hs.
🄴🄳🗖🕾🖨🝙🅣🄰🄻🅙▦ CB🆅🆂🆀 E

TREGASTEL
22730 Côtes d'Armor
2000 hab. 🄸

▲ AUBERGE DE LA VIEILLE EGLISE
M. Le Fessant
☎ 96 23 88 31 ᴲᴬˣ 96 47 33 75
🛏 5 ⊗ 130/160 F. ⊞ 70/250 F. 🍴 55 F.
⬚ 270 F. 🍽 250 F.
⊠ 26 fév./20 mars, dim. soir et lun.
1er sept./30 juin.
🄴🄳🚗🖐 CB🆅🆂🆀 E

▲▲ BEAU SEJOUR ★★
M. Laveant
☎ 96 23 88 02 ᵀˣ 741 705 CODE R
ᴲᴬˣ 96 23 49 73
🛏 16 ⊗ 260/320 F. ⊞ 85/130 F.
🍴 50 F. ⬚ 350/400 F. 🍽 280/340 F.
⊠ 30 sept./1er avr.
🄴🗖🚗🖨🖐🅥 ⬅ CB🆅🆂🆀 AE ⊙ E

▲▲▲ BELLE-VUE ★★★
20, rue des Calculots. Mme Le Goff
☎ 96 23 88 18 ᴲᴬˣ 96 23 89 91
🛏 31 ⊗ 320/470 F. ⊞ 105/295 F.
🍴 65 F. ⬚ 455/590 F. 🍽 355/490 F.
⊠ Hôtel 16 oct./31 mars et rest.
10 et/22 avr.
🄴🄸🗖🚗🖨🅣🅥 ⬅ CB🆅🆂🆀 AE E

▲ DES BAINS ★★
Bld du Coz Pors. Mme Ropars
☎ 96 23 88 09 ᴲᴬˣ 96 47 33 86
🛏 30 ⊗ 168/320 F. ⊞ 68/160 F.
🍴 45 F. ⬚ 295/375 F. 🍽 220/300 F.
⊠ 5 oct./Pâques.
🄴🄳🗖🚗🅣 ⬅ CB🆅🆂🆀 AE E

TREGUIER
22220 Côtes d'Armor
3500 hab. 🄸

▲▲ KASTELL DINEC'H ★★★
M. Pauwels
☎ 96 92 49 39 ᴲᴬˣ 96 92 34 03
🛏 14 ⊗ 350/480 F. ⊞ 120/320 F.
🍴 50 F. ⬚ 400/430 F.
⊠ 10/24 oct., 31 déc./15 mars, mar. soir
et mer. hs.
🄴🄳🗖🕾🖨🅣🛌⊙🅙 CB🆅🆂🆀 E

TREGUNC
29910 Finistère
6200 hab. 🄸

▲▲ LE MENHIR ★★
Mme Kerangal
☎ 98 97 62 35
🛏 20 ⊗ 150/300 F. ⊞ 82/230 F.
🍴 50 F. ⬚ 220/280 F.
⊠ 1er oct./1er avr. et lun.
🄳🚗 CB🆅🆂🆀 E

▲▲▲ LES GRANDES ROCHES ★★★
Route de Keralhon. Mme Henrich
☎ 98 97 62 97 ᴲᴬˣ 98 50 29 19
🛏 22 ⊗ 290/520 F. ⊞ 95/260 F.
🍴 50 F. ⬚ 300/420 F.
⊠ Hôtel vac. scol Noël, fév. . Rest.
mi-nov./fin mars, lun. et tous les midis
sauf weekends et fériés.
🄴🄳🆂🄿🗖🚗🖨🅣🄰🄻 ⬅ CB🆅🆂🆀 E

TREIGNAC
19260 Corrèze
1800 hab. 🄸

▲ DU LAC ★
(A 4 km). M. Roger
☎ 55 98 00 44
🛏 20 ⊗ 120/200 F. ⊞ 55/120 F.
🍴 40 F. ⬚ 340/415 F. 🍽 270/350 F.
⊠ 15 oct./Pâques et jeu. sauf juil./août.
🄴🚗🄰 ⬅

TREMBLADE (LA)
17390 Charente Maritime
4687 hab. 🄸

▲ LA CUISINE DE MAGUY
15, bld Joffre. Mme Dive
☎ 46 36 05 38
🛏 6 ⊗ 230/240 F. ⊞ 79/168 F. 🍴 49 F.
⬚ 360/380 F. 🍽 300/320 F.
⊠ vac. scol. sauf été, mar. soir et mer.
sauf juil/août.
🄴🆂🄿🗖🅥 ⬅ CB🆅🆂🆀 E

TREMONT SUR SAULX
55000 Meuse
429 hab.

▲▲▲ AUBERGE DE LA SOURCE ★★
M. Rondeau
☎ 29 75 45 22 ᴲᴬˣ 29 75 48 55
🛏 25 ⊗ 300/430 F. ⊞ 90/300 F.
🍴 65 F. ⬚ 360/410 F.
⊠ 1er/24 août, 26 déc./6 janv., dim. soir
et lun. midi.
🄴🄳🗖🕾🖨🖐🛌❀🄻🅥▦ ⬅
CB🆅🆂🆀 AE ⊙ E ▥

TRESCLEOUX
05700 Hautes Alpes
670 m. • 225 hab.

△ AUBERGE DE TRESCLEOUX
M. Mesnil
☎ 92 66 26 04
🛏 5 ⊗ 110 F. 🍽 65/ 90 F. 🍴 30 F.
🍴 190 F. 🍽 150 F.
⊠ 30 oct./15 avr.
🖼 🖼 CV 🖼 CB🖼 E

TRETS
13530 Bouches du Rhône
8200 hab. 🅲

△△ DE LA VALLEE DE L'ARC ★★
1, av. Jean Jaurès. M. Me Ponzio
☎ 42 61 46 33 🅵🅰🅇 42 61 46 87
🛏 22 ⊗ 220/250 F. 🍽 60/ 80 F.
🍴 320 F. 🍽 250 F.
⊠ Rest. mar.
🖼 🖼 🖼 🖼 CB🖼

TREVE
22600 Côtes d'Armor
1200 hab.

△ LES GENETS D'OR ★
1, rue Jean Sohier. Mme Legoff
☎ 96 28 13 89
🛏 14 ⊗ 160/220 F. 🍽 55/165 F.
🍴 45 F. 🍴 230 F. 🍽 180 F.
⊠ 1ère quinzaine fév., ven. soir et sam.
midi.
🖼 🖼 🖼 🖼 🖼 CB🖼 AE ⊙ E

TREVIERES
14710 Calvados
844 hab.

△ SAINT AIGNAN
Rue de la Halle. M. Ribet
☎ 31 22 54 04
🛏 4 ⊗ 75/172 F. 🍽 62 F. 🍴 52 F.
🍽 117/165 F.
⊠ 14 nov./28 fév. et dim.
🖼 🖼 🖼

TREVOU TREGUIGNEC
22660 Côtes d'Armor
1210 hab. 🅲

△△△ KER BUGALIC ★★
1, Côte de Trestel. M. Meunier
☎ 96 23 72 15 🅵🅰🅇 96 23 74 71
🛏 18 ⊗ 260/380 F. 🍽 100/260 F.
🍴 60 F. 🍽 290/365 F.
⊠ Oct./Pâques sauf vac. Toussaint.
(Rest. ouvert sur commande durant la
période de fermeture).
🖼 SP 🖼 🖼 🖼 🖼 🖼 CV 🖼 CB🖼 E

TRIE SUR BAISE
65220 Hautes Pyrénées
1200 hab. 🅲

△△ DE LA TOUR ★★
1, rue de la Tour. M. Cazaux
☎ 62 35 52 12 🅵🅰🅇 62 35 59 92
🛏 10 ⊗ 170/240 F. 🍽 65/105 F.
🍴 45 F. 🍴 260/265 F. 🍽 210/220 F.
⊠ Rest. lun. midi.
🖼 SP 🖼 🖼 🖼 🖼 🖼 CV 🖼 CB🖼 E 🖼

TRIGANCE
83840 Var
800 m. • 122 hab. 🅲

△△ LE VIEIL AMANDIER ★★
Montée de Saint-Roch. M. Clap
☎ 94 76 92 92 🅵🅰🅇 94 47 58 65
🛏 12 ⊗ 260/330 F. 🍽 125/320 F.
🍴 50 F. 🍽 260/310 F.
⊠ 3 janv./1er mars et mar. sauf
mai/sept.
🖼 🖼 🖼 🖼 🖼 🖼 🖼 🖼 🖼 CB🖼 E

TRILPORT
77470 Seine et Marne
8000 hab.

△ LE RELAIS DE LA MARNE
7, av. Maréchal Joffre. M. Demongeot
☎ (1) 64 33 27 27 🅵🅰🅇 (1) 60 25 16 53
🛏 18 ⊗ 125/200 F. 🍴 50 F.
🍴 220/265 F. 🍽 190/235 F.
⊠ 1ère semaine fév., 1ère semaine nov.
🖼 🖼 🖼 🖼 🖼 CB🖼 E 🖼

TRINITE SUR MER (LA)
56470 Morbihan
1470 hab. 🅲

△△ LE ROUZIC ★★
17, cours des Quais. M. Santamans
☎ 97 55 72 06 🅵🅰🅇 97 55 82 25
🛏 32 ⊗ 290/320 F. 🍽 90/140 F.
🍴 90 F. 🍴 390/410 F. 🍽 310/330 F.
⊠ 15 nov./15 déc., 1ère quinzaine
janv., rest. dim. soir et lun. fin
sept./début juin.
🖼 🖼 🖼 🖼 🖼 🖼 🖼 CB🖼 AE ⊙ E 🖼

TRIZAC
15400 Cantal
940 m. • 1000 hab.

△ DES CIMES
M. Chassagnard
☎ 71 78 60 30
🛏 10 ⊗ 130/220 F. 🍽 55/120 F.
🍴 190/200 F. 🍽 170/180 F.
🖼 🖼 🖼 🖼 🖼

TROARN
14670 Calvados
3000 hab. 🅲

△ CLOS NORMAND ★
10, rue Pasteur. M. Malhaire
☎ 31 23 31 28 🅵🅰🅇 31 23 15 72
🛏 21 ⊗ 160/230 F. 🍽 74/220 F.
🍴 52 F. 🍴 205/260 F. 🍽 155/195 F.
⊠ dim. soir 1er sept./30 mai sauf fériés.
🖼 🖼 🖼 CB🖼 ⊙ E

TROIS EPIS
68410 Haut Rhin
650 m. • 150 hab. 🅲

△△ LA CHENERAIE ★★
M. Rinn
☎ 89 49 82 34 🅵🅰🅇 89 49 86 70
🛏 19 ⊗ 260/280 F. 🍴 55 F. 🍽 285 F.
⊠ 1er janv./1er fév. et mer.
🖼 🖼 🖼 🖼 🖼 🖼 CB🖼 E

TROIS EPIS (suite)

⚤ VILLA ROSA ★★
Mme Denis
☎ 89 49 81 19
🛏 9 ⌘ 250/300 F. ⅲ 80/140 F. ⌘ 50 F.
🍴 250/270 F.
⊠ 1er janv./31 mars et jeu.
🄴 🄳 🛆 🕯 🛁 👥 🏃 ⌛ CV 🏠
CB🆅🆂🅰 E

TRONGET
03240 Allier
1050 hab.

⚤ DU COMMERCE ★★
Sur D. 945. M. Auberger
☎ 70 47 12 95 ⊠ 70 47 32 53
🛏 11 ⌘ 240/280 F. ⅲ 70/160 F.
🍴 40 F. ⅲ 280 F. ⌘ 220 F.
🄳 🛆 🛁 🚗 🕯 🍴 🏠 CB🆅🆂🅰 ⓪ E

⚤ DU NORD ★
Sur D. 33. (A 3 km de l'axe Est-Ouest).
Mme Lepée
☎ 70 47 12 12
🛏 13 ⌘ 110/210 F. ⅲ 60/150 F.
🍴 40 F. ⅲ 180/220 F. ⌘ 140/190 F.
⊠ 1er oct./1er nov. et sam. nov./mars.
🛆 🛁 🚗 🕯 🏃 🏂 CV 🍴 🏠 CB🆅🆂🅰 🅰🅴 E

TROO
41800 Loir et Cher
337 hab.

⚤⚤ DU CHEVAL BLANC ★★
Rue Auguste Arnault. M. Coyault
☎ 54 72 58 22 ⊠ 54 72 55 44
🛏 9 ⌘ 270/420 F. ⅲ 120/260 F.
🍴 60 F. ⌘ 350 F.
⊠ Rest. lun. et mar. midi.
🄳 🛆 🕯 🛁 🏠 CB🆅🆂🅰 E

TROUVILLE
14360 Calvados
6500 hab. ⓘ

⚤⚤ CARMEN ★★
24, rue Carnot. M. Bude
☎ 31 88 35 43 ⊠ 31 88 08 03
🛏 16 ⌘ 200/360 F. ⅲ 95/190 F.
🍴 55 F. ⅲ 310/410 F. ⌘ 220/310 F.
⊠ janv., 2ème semaine avr.,
2ème semaine oct. Rest. lun. soir et
mar. sauf vacances.
🄴 🄳 🛆 🛆 CV CB🆅🆂🅰 🅰🅴 ⓪ E 📷

TROYES
10000 Aube
59255 hab. ⓘ

⚤⚤⚤ ROYAL HOTEL ★★★
22, bld Carnot. M. De Vos
☎ 25 73 19 99 ⊠ 842964 ⊠ 25 73 47 85
🛏 37 ⌘ 315/425 F. ⅲ 98/185 F.
🍴 65 F. ⅲ 360/390 F. ⌘ 265/295 F.
⊠ 18 déc./9 janv. Rest. dim. soir et lun.
midi.
🄴 🄳 🛆 🛆 🛏 🕯 🛁 🏠 CB🆅🆂🅰 🅰🅴 ⓪ E

TRUYES
37320 Indre et Loire
1588 hab. ⓘ

⚤ AUBERGE DE LA PECHERAIE ★★
13, rue Nationale. M. Barrassin
☎ 47 43 40 15 ⊠ 47 43 04 58
🛏 7 ⌘ 160/280 F. ⅲ 75/230 F. ⌘ 50 F.
ⅲ 260/340 F. ⌘ 180/260 F.
⊠ 18/25 mai, 5/29 déc., dim. soir et
lun. sauf juil./août.
🛆 🛆 🕯 CV 🏠 CB🆅🆂🅰 E

TULLE
19000 Corrèze
20643 hab. ⓘ

⚤⚤ DE LA GARE ★★
25, av. Winston Churchill. M. Farjounel
☎ 55 20 04 04 ⊠ 55 20 15 87
🛏 14 ⌘ 150/210 F. ⅲ 84/130 F.
🍴 50 F. ⌘ 220 F.
⊠ 1er/15 sept. et 1 semaine fév.
🄴 🄳 🛆 🛆 🛏 🏠 CB🆅🆂🅰

TULLINS
38210 Isère
6000 hab. ⓘ

⚤⚤⚤ AUBERGE DE MALATRAS ★★
Sur N. 92. Mme Fortunato
☎ 76 07 02 30 ⊠ 76 07 76 48
🛏 19 ⌘ 220/290 F. ⅲ 95/330 F.
🍴 75 F. ⅲ 360/420 F. ⌘ 240/280 F.
🄴 ⓘ 🄳 🛆 🛆 🛏 🏂 CV 🍴 🏠 CB🆅🆂🅰
E 🄲 📷

TURBALLE (LA)
44420 Loire Atlantique
3600 hab.

⚤⚤ LES CHANTS D'AILES ★★
11, bld Bellanger. M. Delestre
☎ 40 23 47 28
🛏 17 ⌘ 240/340 F. ⅲ 80/220 F.
🍴 52 F. ⅲ 290/340 F. ⌘ 240/275 F.
⊠ 2ème quinzaine nov., et Rest. dim.
soir 1er oct./31 mars.
🄴 🄳 🛆 🛆 🛏 🏂 CV 🍴 🏠 CB🆅🆂🅰
E 📷

TURCKHEIM
68230 Haut Rhin
3700 hab. ⓘ

⚤⚤ AUBERGE DU BRAND ★★
8, Grand'Rue. M. Zimmerlin
☎ 89 27 06 10 ⊠ 89 27 55 51
🛏 8 ⌘ 170/320 F. ⅲ 86/250 F. ⌘ 42 F.
⌘ 215/285 F.
⊠ 19/27 fév., 1er/10 juil., mer. et mar.
soir sauf juil./août.
🄴 🄳 🛆 🛆 🕯 🏠 CB🆅🆂🅰 E

⚤ AUX PORTES DE LA VALLEE ★★
29, rue Romaine. Mme Graff
☎ 89 27 27 15 ⊠ 89 27 40 71
🛏 16 ⌘ 165/400 F. ⅲ 80 F. ⌘ 45 F.
⌘ 192/290 F.
⊠ Rest. dim. soir.
🄴 🄳 🛆 🛆 🛆 🛆 🕯 🕯 🏃 🏂 CV 🍴
🏠 CB🆅🆂🅰 E 📷

TURCKHEIM (suite)

AA DES DEUX CLEFS ★★
3, rue du Conseil. Mme Planel-Arnoux
☎ 89 27 06 01 ▥ 881 720 POSTE 2
🛏 48 ⬛ 180/400 F. 🍴 130/170 F.
🍽 45 F. 🍴 380/390 F. 🖼 250/310 F.
🅴 🅳 ◻ 🕿 🚗 🛎 🐾 🦌 CV 🎱 🖐
CB🆅🆂🅰 🅰🅴 ⓪ E ▪

AA DES VOSGES ★★
Place de la République. M. Chevillard
☎ 89 27 02 37 ▥ 880852 ▥ 89 27 23 40
🛏 32 ⬛ 250/310 F. 🍴 75/180 F.
🍽 48 F. 🍴 330/350 F. 🖼 260/280 F.
⊠ 15 nov./Pâques.
🅴 🅳 ◻ 🕿 🚗 CV 🖐 CB🆅🆂🅰 🅰🅴 E

TURINI (CAMP D'ARGENT)
06440 Alpes Maritimes
1750 m. • 10 hab.

AA LE YETI ᵉᶜ
Camp d'Argent. Mme Maniccia
☎ 93 91 57 01 ▥ 93 91 58 88
🛏 6 ⬛ 250/300 F. 🍴 85/190 F. 🍽 38 F.
🍴 250/280 F. 🖼 230/250 F.
🅴 ⓘ ◻ 🕿 🛎 🦌 🦽 🖐 CB🆅🆂🅰 E

AA RELAIS DU CAMP D'ARGENT
M. Chiavarino
☎ 93 91 57 58
🛏 9 🍴 88/170 F. 🍽 45 F. 🍴 270 F.
🖼 220 F.
🅴 ⓘ ◻ 🚗 🦌 🦽 🖐 CB🆅🆂🅰 ⓪ E

TURINI (COL DE)
06440 Alpes Maritimes
1607 m. • 20 hab.

AA LES CHAMOIS ★★
M. Martos
☎ 93 91 57 42 ▥ 93 79 53 62
🛏 11 ⬛ 260/320 F. 🍴 70/160 F.
🍽 45 F. 🍴 335/365 F. 🖼 250/280 F.
⊠ 14/26 mars, 14/26 nov. et ven.
🅴 🆂🅿 ◻ 🕿 🚗 🛎 🦽 🖐 CB🆅🆂🅰 E

AAA LES TROIS VALLEES ★★
Col de Turini. M. Lhommède
☎ 93 91 57 21 ▥ 93 79 53 62
🛏 18 ⬛ 280/480 F. 🍴 125/320 F.
🍽 70 F. 🍴 400/520 F. 🖼 300/420 F.
🅴 🆂🅿 ◻ 🕿 🚗 🛎 🦽 🎱 🖐 CB🆅🆂🅰 🅰🅴
⓪ E

Ü

UFFHOLTZ
68700 Haut Rhin
1300 hab.

AA AUBERGE DU RELAIS ★★
Mme Dick
☎ 89 75 56 19 ▥ 89 39 90 13
🛏 23 ⬛ 190/275 F. 🍴 45/120 F.
🍽 40 F. 🍴 260/295 F. 🖼 220/255 F.
⊠ sam. midi et dim. (week-ends hiver).
🅴 🅳 ◻ 🕿 🚗 🛎 🦌 🖐 CB🆅🆂🅰 E

AA FRANTZ ★★
41, rue de Soultz. Mme Fahrer
☎ 89 75 54 52 ▥ 881 465 F
▥ 89 75 70 51
🛏 48 ⬛ 140/270 F. 🍴 45/320 F.
🍽 38 F. 🍴 210/320 F. 🖼 175/280 F.
⊠ 20/30 déc. et rest. lun.
🅴 🅳 ◻ 🕿 🚗 🛎 🦌 CV 🎱 🖐 CB🆅🆂🅰
🅰🅴 ⓪ E

URCAY
03360 Allier
300 hab.

A L'ETOILE D'OR
Sur N. 144. M. Blanchet
☎ 70 06 92 66
🛏 6 ⬛ 135 F. 🍴 65/160 F. 🍽 40 F.
🍴 200 F. 🖼 175 F.
⊠ mer.
🚗 🛎 🖐 CB🆅🆂🅰 E

URDOS EN BEARN
64490 Pyrénées Atlantiques
784 m. • 162 hab. ⓘ

AA LE PAS D'ASPE ★★
Sur N. 134, Col du Somport. M. Cazères
☎ 59 34 88 93
🛏 14 ⬛ 200/250 F. 🍴 65/130 F.
🍽 45 F. 🍴 230/250 F. 🖼 185/200 F.
⊠ 10/30 oct., lun. sauf hs et vac.
scol., rest. midi lun./ven.
🆂🅿 🕿 🚗 CV 🎱 🖐 CB🆅🆂🅰 🅰🅴 ⓪ E

URIAGE LES BAINS
38410 Isère
1800 hab. ⓘ

AA LE MANOIR ★★
M. Huchon
☎ 76 89 10 88 ▥ 76 89 20 63
🛏 15 ⬛ 145/360 F. 🍴 70/220 F.
🍽 55 F. 🍴 230/365 F. 🖼 180/300 F.
⊠ 20 nov./10 fév., dim. soir et lun. fév.,
mars, nov.
🅴 ◻ 🕿 🚗 🛎 🦌 🦽 🎱 🖐 CB🆅🆂🅰 E

URMATT
67280 Bas Rhin
1092 hab.

AA DE LA POSTE ★★
74, rue Gal de Gaulle. M. Gruber
☎ 88 97 40 55 ▥ 88 47 38 32
🛏 13 ⬛ 220/240 F. 🍴 90/330 F.
🍽 50 F. 🖼 450/500 F.
⊠ 12/19 mars, 4/17 juil., 19/31 déc. et
lun. sauf fériés.
🅴 🅳 ◻ 🕿 🚗 🛎 🦌 🦽 🎱 🖐 CB🆅🆂🅰 🅰🅴
⓪ E

URT
64240 Pyrénées Atlantiques
1422 hab. ⓘ

AA L'ESTANQUET ★★
Place du Marché. M. Arbulo
☎ 59 56 24 93 ▥ 59 56 24 92
🛏 13 ⬛ 200/300 F. 🍴 65/220 F.
🍴 280/320 F. 🖼 210/240 F.
⊠ dim. soir hiver sauf fêtes.
🅴 🆂🅿 ◻ 🕿 ⋈ 🦽 🖐 CB🆅🆂🅰 E

USSEL
19200 Corrèze
630 m. • 12000 hab. 🛈

🏠 DU MIDI ⋆⋆
24, av. Thiers. M. Jallut
☎ 55 72 17 99 📠 55 72 87 58
🛏 15 ⌧ 150/250 F. 🍽 58/135 F.
🍴 38 F.
⌧ vac. Toussaint - début janv. et dim. hs.
🛈 SP ⬜ ☎ 🚗 🚗 ⛱ ♿ 🛒 CB☑ E 📷

🏠 L'AUBERGE
6, av. Gambetta. M. Renaudie
☎ 55 96 17 30
🛏 5 ⌧ 200 F. 🍽 70/150 F. 🍴 40 F.
⌧ dim. soir et lun.
⬜ ☎ 🛒 CB☑

USSEL
46240 Lot
71 hab.

🏠🏠 RELAIS DU POUZAT ⋆
Sur N. 20. M. Griaux-Ladsous
☎ 65 36 86 54 📠 65 36 84 72
🛏 13 ⌧ 190/280 F. 🍽 72/160 F.
🍴 35 F. 🍽 290/360 F. 🛎 240/320 F.
⌧ 15 oct./30 mars.
🛈 ⬜ ☎ 🚗 ⛱ ♿ CV 🎱 🛒 CB☑ E

USSEL (SAINT DEZERY)
19200 Corrèze
630 m. • 11391 hab.

🏠🏠🏠 LES GRAVADES ⋆⋆⋆
Sur N. 89. M. Fraysse
☎ 55 72 21 53 📠 55 72 82 49
🛏 20 ⌧ 250/340 F. 🍽 100/160 F.
🍴 60 F. 🍽 260/300 F.
⌧ fin déc./début janv., ven. soir et sam. midi.
🛈 ⬜ ☎ 🚗 ⛱ 🏊 ♿ 🛒 CB☑ E

USSON EN FOREZ
42550 Loire
950 m. • 1200 hab. 🛈

🏠🏠 RIVAL ⋆
Rue Centrale. M. Rival
☎ 77 50 63 65
🛏 12 ⌧ 140/280 F. 🍽 63/220 F.
🍴 50 F. 🍽 210/270 F. 🛎 165/215 F.
⌧ 7/15 mars, 27 juin/9 juil. et lun. sauf juil./août.
🛈 ⬜ ☎ 🚗 ⛱ 🏊 CV 🎱 🛒 CB☑ AE 🅾 E

UTELLE
06450 Alpes Maritimes
800 m. • 450 hab.

🏠🏠 BELLEVUE ⋆
Route de la Madone. M. Martinon
☎ 93 03 17 19
🛏 17 ⌧ 180/260 F. 🍽 60/150 F.
🍴 35 F. 🍽 300/340 F. 🛎 270/310 F.
⌧ mer.
🛈 🚗 ⛱ 🏊 🎱 🛒

UZERCHE
19140 Corrèze
3500 hab. 🛈

🍴 MODERNE ⋆⋆
Av. de Paris. M. Léonard
☎ 55 73 12 23
🛏 7 ⌧ 150/240 F.
⌧ fév. et mar.
🛈 ☎ 🚗 🚗 🛒

🏠🏠 TEYSSIER ⋆⋆
Rue du Pont Turgot. M. Teyssier
☎ 55 73 10 05 📠 55 98 43 31
🛏 17 ⌧ 170/370 F. 🍽 110/500 F.
🍴 70 F. 🍽 360/400 F. 🛎 270/320 F.
⌧ mer. sauf soir août et sept.
🛈 SP ⬜ ☎ 🚗 🚗 ⛱ ♿ CV 🛒 CB☑ AE 🅾 E

UZES
30700 Gard
7825 hab. 🛈

🏠 DU CHAMP DE MARS ⋆⋆
1087, route de Nîmes. Mme Reynaud
☎ 66 22 36 55
🛏 7 ⌧ 190/220 F. 🍽 60/199 F. 🍴 35 F.
🍽 305/324 F. 🛎 220/235 F.
⌧ sam. midi et dim. soir.
🛈 🛈 ⬜ ☎ 🚗 🗲 🛒 CB☑ E

VAGNEY (LE HAUT DU TOT)
88120 Vosges
900 m. • 150 hab. 🛈

🏠🏠 AUBERGE DE LA CROIX DES HETRES ⋆⋆
(Le Haut du Tôt). M. Gros
☎ 29 24 71 59
🛏 12 ⌧ 190/260 F. 🍽 80/110 F.
🍴 50 F. 🍽 245/280 F. 🛎 190/245 F.
⌧ 1er nov./15 déc. et mar.
⬜ ☎ ⛱ 🏊 🚴 🌳 CV 🎱 CB☑ 📷

VAIGES
53480 Mayenne
977 hab.

🏠🏠🏠 DU COMMERCE ⋆⋆⋆
M. Oger
☎ 43 90 50 07 📞 722520 📠 43 90 57 40
🛏 30 ⌧ 280/495 F. 🍽 98/240 F.
🍴 65 F. 🍽 320/440 F. 🛎 270/370 F.
⌧ dim. soir oct./mars.
🛈 ⬜ ☎ 🚗 🚗 🛎 🗲 🚴 🌳 CV
🎱 CB☑ AE 🅾 E

VAILLY SUR SAULDRE
18260 Cher
950 hab.

🏠 DU CERF
Mme Chestier
☎ 48 73 71 53
🛏 9 ⌧ 130/240 F. 🍽 60/160 F. 🍴 42 F.
🍽 240 F. 🛎 190 F.
⌧ 15 jours sept., 15 jours fin année, dim. soir et lun. soir.
⬜ 🚗 🚗 CV 🛒 CB☑ E

VAISON LA ROMAINE
84110 Vaucluse
6000 hab. 🛈

⌂ DU THEATRE ROMAIN ★
Av. Général de Gaulle. Mme Raffin
☎ 90 36 05 87
🛏 21 ⊠ 140/235 F. ⏸ 75/160 F.
🍴 45 F. ⏸ 250/275 F. 🍽 175/223 F.
⊠ vac. scol. Noël, Nouvel An. Rest. dim.
soir 1er oct./30 juin et sam.
1er déc./28 fév.
▣ ▢ ⏚ ☎ CV ✆ CB𝗩𝗜𝗦𝗔 E

⌂⌂⌂ LE LOGIS DU CHATEAU Rest. LE
DOLIUM ★★
(Les Hauts de Vaison). M. Beliando
☎ 90 36 09 98 \ 90 36 24 24
🖷 90 36 10 95
🛏 46 ⊠ 250/430 F. ⏸ 95/158 F.
🍴 50 F. ⏸ 340 F. 🍽 250/343 F.
▣ ▢ ⏚ ☎ 🚗 ⏸ 🏊 ⚲ ⛷ ⚴ CV
▦ ✆ CB𝗩𝗜𝗦𝗔 E C 🕮

VAISSAC
82800 Tarn et Garonne
650 hab.

⌂⌂⌂ TERRASSIER ★★
Mme Cousseran
☎ 63 30 94 60 🖷 63 30 87 40
🛏 12 ⊠ 140/200 F. ⏸ 70/210 F.
🍴 35 F. ⏸ 245/270 F. 🍽 175/200 F.
⊠ 1 semaine nov., 15 jours janv., dim.
soir et lun. sauf juil./août.
▣ ▢ ⏚ ☎ 🚗 ⏸ ⚴ CV ▦ ✆ CB𝗩𝗜𝗦𝗔
E 🕮

VAL D'AJOL (LE)
88340 Vosges
5000 hab. 🛈

⌂⌂⌂ LA RESIDENCE ★★★ & ★★
5, rue des Mousses. M. Bongeot
☎ 29 30 68 52 \ 29 30 64 60
🖷 29 66 53 00
🛏 60 ⊠ 180/360 F. ⏸ 65/300 F.
🍴 45 F. ⏸ 290/395 F. 🍽 210/320 F.
▣ ▢ ⏚ ☎ 🚗 ⏌ ⏸ ⚲ 🏊 ⚴ CV
▦ ✆ CB𝗩𝗜𝗦𝗔 AE ⦿ E

VAL D'ISERE
73150 Savoie
1850 m. • 1300 hab. 🛈

⌂⌂ VIEUX VILLAGE ★★
Mme Roche
☎ 79 06 03 79 🕮 980 077 🖷 79 06 07 73
🛏 24 ⊠ 300/640 F. ⏸ 120 F. 🍴 60 F.
🍽 355/460 F.
⊠ mai/juin et 1er sept./1er déc.
▣ ▢ 🛈 ☎ 🚗 ✆ CB𝗩𝗜𝗦𝗔 E

VAL SUZON
21121 Côte d'Or
194 hab.

⌂ LA CHAUMIERE ᵉᶜ
R. N. 71. M. Me Mourlet
☎ 80 35 60 83
🛏 8 ⊠ 170/250 F. ⏸ 75/175 F. 🍴 55 F.
⏸ 300 F. 🍽 225 F.
▣ 🛈 🚗 ▦ ✆ CB𝗩𝗜𝗦𝗔 E 🕮

VALBONNE
06560 Alpes Maritimes
7374 hab. 🛈

⌂⌂ LA CIGALE ★★
Route d'Opio. M. Marquebielle
☎ 93 12 24 43
🛏 14 ⊠ 310/400 F. ⏸ 85/150 F.
🍴 50 F. ⏸ 265/320 F.
⊠ Rest. 10 janv./5 fév. et mar.
▣ SP 🛈 ▢ ⏚ ☎ ⚴ ✆ CB𝗩𝗜𝗦𝗔 E

VALDAHON
25800 Doubs
650 m. • 4472 hab.

⌂⌂⌂ RELAIS DE FRANCHE COMTE ★★
Rue Charles Schmitt. M. Frelin
☎ 81 56 23 18 🖷 81 56 44 38
🛏 20 ⊠ 225/250 F. ⏸ 62/250 F.
🍴 47 F. ⏸ 265/290 F. 🍽 230/250 F.
⊠ 20 déc./15 janv., ven. soir et sam.
midi sauf juil./août.
▣ ▢ ⏚ ☎ 🚗 🚗 ⏌ ⏸ ⛷ ⚴ CV ▦
✆ CB𝗩𝗜𝗦𝗔 AE ⦿ E

VALENCE
26000 Drôme
75000 hab. 🛈

⌂⌂ CALIFORNIA ★★
174, av. Maurice Faure.
Mme Guragossian
☎ 75 44 36 05 🖷 75 41 20 25
🛏 30 ⊠ 230/255 F. ⏸ 86/ 96 F.
🍴 40 F. ⏸ 338/348 F. 🍽 250/265 F.
⊠ 28 déc./12 janv.
▣ ▢ ⏚ ☎ 🚗 ⏸ ⚲ ⚴ ⛷ CV ▦ ✆
CB𝗩𝗜𝗦𝗔 AE ⦿ E C 🕮

⌂⌂ SAINT JACQUES ★★
9, faubourg Saint-Jacques. M. Fadda
☎ 75 42 44 60
🛏 29 ⊠ 130/250 F. ⏸ 72/176 F.
⏸ 525 F. 🍽 390 F.
▣ ▢ ⏚ ☎ ⏸ CV CB𝗩𝗜𝗦𝗔 AE ⦿ E

VALENCE (BOURG LES VALENCE)
26500 Drôme
18000 hab. 🛈

⌂⌂⌂ SEYVET ★★
24, av. Marc Urtin sur N. 7. M. Hervo
☎ 75 43 26 51 🖷 75 55 61 49
🛏 34 ⊠ 250/320 F. ⏸ 94/220 F.
🍴 52 F. ⏸ 349 F. 🍽 255 F.
⊠ dim. soir nov./mars.
▣ ▢ ⏚ ☎ 🚗 🚗 ⏌ ⏸ T CV ▦ ✆
CB𝗩𝗜𝗦𝗔 AE ⦿ E

VALENCE D'AGEN
82400 Tarn et Garonne
4734 hab. 🛈

⌂ DE FRANCE ★★
Cours de Verdun. M. Robin
☎ 63 39 63 31
🛏 12 ⊠ 180/240 F. ⏸ 55/150 F.
🍴 45 F. ⏸ 220/255 F. 🍽 180/200 F.
⊠ ven. soir et dim. soir.
▣ ▢ ☎ ⚴ CV ▦ ✆ CB𝗩𝗜𝗦𝗔 E

VALENCE D'AGEN (POMMEVIC)
82400 Tarn et Garonne
403 hab. 🛈

🏨 LA BONNE AUBERGE ★★
Route de Toulouse. M. Hume
☎ 63 39 56 69
🛏 15 ⌨ 180/260 F. 🍴 65/150 F.
🍴 35 F. 🛏 220/270 F. 🛏 180/220 F.
⊠ 1er/15 juil., 22 oct./1er nov. et sam.

VALENCE D'ALBIGEOIS
81340 Tarn
1280 hab. 🛈

🏨 L'ESCAPADE ★
Grand'Rue. Mme Herail
☎ 63 56 40 57
🛏 10 ⌨ 140/190 F. 🍴 60/198 F.
🍴 40 F. 🍴 175/220 F. 🛏 135/180 F.

VALENCE EN BRIE
77830 Seine et Marne
500 hab.

🏨 AUBERGE SAINT GEORGES ★★
1, place de l'Eglise. M. Coquillat
☎ (1) 64 31 81 12
🛏 10 ⌨ 145/205 F. 🍴 95/145 F.
🍴 50 F. 🍴 230 F. 🛏 190 F.
⊠ ven. soir, sam. midi et dim. soir.

VALENCIENNES
59300 Nord
40880 hab. 🛈

🏨 AUBERGE DU BON FERMIER ★★★★
64-66, rue de Famars. M. Paul
☎ 27 46 68 25 📋 810343 📠 27 33 75 01
🛏 16 ⌨ 430/700 F. 🍴 120/200 F.
🍴 60 F.

VALENSOLE
04210 Alpes de Haute Provence
600 m. • 1950 hab. 🛈

🏨 PIES ★★
M. Pies
☎ 92 74 83 13
🛏 16 ⌨ 280 F. 🍴 75/200 F. 🍴 50 F.
🍴 230 F. 🛏 300 F.
⊠ 6 janv./6 fév.

VALFRAMBERT
61250 Orne
1000 hab.

🏨 AUBERGE NORMANDE ★★
Route de Paris. Mme Edet
☎ 33 29 43 29
🛏 10 ⌨ 110/180 F. 🍴 70/160 F.
🍴 40 F. 🍴 200/250 F. 🛏 160/200 F.
⊠ dim. soir et lun.

VALGORGE
07110 Ardèche
432 hab. 🛈

🏨 CHEZ MICHEL ★
Mme Michel ☎ 75 88 98 90
🛏 19 ⌨ 120/220 F. 🍴 55/100 F.
🍴 40 F. 🍴 180/220 F. 🛏 140/180 F.
⊠ 20 déc./15 janv.

🏨 LE TANARGUE - CHEZ COSTE ★★
M. Coste ☎ 75 88 98 98 \ 75 88 98 20
📠 75 88 96 09
🛏 25 ⌨ 245/360 F. 🍴 92/190 F.
🍴 50 F. 🛏 260/355 F.
⊠ janv./10 mars.

VALLAURIS
06220 Alpes Maritimes
14000 hab. 🛈

🏨 SIOU AOU MIOU ★★
Quartier Saint-Sébastien "Les Fumades".
Mme Isoardi ☎ 93 64 39 89
🛏 10 ⌨ 250/290 F. 🍴 80/140 F.
🍴 45 F. 🍴 350 F. 🛏 310 F.
⊠ Rest. soirs hiver sauf pensionnaires.

VALLERAUGUE
30570 Gard
1040 hab. 🛈

🏨 LES BRUYERES ★★
Rue André Chamson. M. Bastide
☎ 67 82 20 06
🛏 28 ⌨ 190/230 F. 🍴 78/130 F.
🍴 45 F. 🍴 300 F. 🛏 220 F.
⊠ 1er oct./30 avr.

VALLET
44330 Loire Atlantique
6000 hab. 🛈

🏨 DE LA GARE ★
44, rue Saint-Vincent. M. Jouy
☎ 40 33 92 55
🛏 15 ⌨ 150/210 F. 🍴 58/ 85 F.
🍴 32 F. 🍴 200 F. 🛏 155 F.
⊠ Rest. sam. soir dim. et fériés.

🏨 DON QUICHOTTE ★★
35, route de Clisson. M. Sauzereau
☎ 40 33 99 67
🛏 12 ⌨ 256/286 F. 🍴 79/240 F.
🍴 60 F. 🍴 365 F. 🛏 315 F.

VALLIERES LES GRANDES
41400 Loir et Cher
556 hab.

🏨 LES CLOSEAUX ★★
Mme Vivien ☎ 47 57 32 73
🛏 10 ⌨ 190 F. 🍴 70/180 F. 🍴 50 F.
🍴 270 F. 🛏 210 F.
⊠ mar.

VALLIGUIERES
30210 Gard
240 hab.

⌂ LA VIEILLE AUBERGE ★
A 8 km de Remoulins, sur N. 86.
Mme Buthod ☎ 66 37 16 13
🛏 8 ⌸ 130 F. 🍽 85/145 F. 🍴 45 F.
🍴 280/290 F. 🔲 175/180 F.
CV CB𝗩𝗜𝗦𝗔 ⦿

VALLOIRE
73450 Savoie
1450 m. • 1000 hab. 𝑖

⌂⌂ CHRISTIANIA HOTEL ★★
Mme Chinal
☎ 79 59 00 57 📠 79 59 00 06
🛏 26 ⌸ 170/320 F. 🍽 80/170 F.
🍴 45 F. 🍴 250/400 F. 🔲 220/350 F.
⊠ 24 juin/20 juin et 10 sept./4 nov.
CB𝗩𝗜𝗦𝗔 E

⌂⌂ CRET ROND ★★
(Les Verneys). Mlle Martin
☎ 79 59 01 64 📠 79 83 33 24
🛏 19 ⌸ 190/270 F. 🍽 80/140 F.
🍴 35 F. 🍴 250/360 F. 🔲 230/290 F.
⊠ 1er mai/30 juin et 1er oct./20 déc.
CB𝗩𝗜𝗦𝗔 E

⌂⌂ DE LA POSTE ★★
Mme Magnin
☎ 79 59 03 47 📠 79 83 31 44
🛏 28 ⌸ 180/300 F. 🍽 70/170 F.
🍴 50 F. 🍴 230/370 F. 🔲 200/340 F.
⊠ 20 avr./11 juin et 26 sept./20 déc.
CV CB𝗩𝗜𝗦𝗔 E

⌂⌂ DU CENTRE ★★
Mme Magnin/Serafini
☎ 79 59 00 83 📠 79 59 06 87
🛏 36 ⌸ 180/300 F. 🍽 87/158 F.
🍴 40 F. 🍴 220/380 F. 🔲 200/360 F.
⊠ 20 avr./20 juin et 15 sept./20 déc.
CB𝗩𝗜𝗦𝗔 E

⌂⌂⌂ LA SETAZ Rest. LE GASTILLEUR ★★★
M. Villard ☎ 79 59 01 03 📠 79 59 00 63
🛏 22 ⌸ 300/380 F. 🍽 105/180 F.
🍴 38 F. 🍴 350/440 F. 🔲 300/400 F.
⊠ 25 avr./5 juin et 22 sept./15 déc.
CB𝗩𝗜𝗦𝗔

⌂⌂ RELAIS DU GALIBIER ★★
(Les Verneys - 1550 m). M. Rapin
☎ 79 59 00 45 📠 79 83 31 89
🛏 26 ⌸ 250/320 F. 🍽 90/140 F.
🍴 45 F. 🍴 260/380 F. 🔲 220/340 F.
⊠ avr./15 juin et 20 sept./1er déc.
CB𝗩𝗜𝗦𝗔 E

VALLON PONT D'ARC
07150 Ardèche
2000 hab. 𝑖

⌂ DES TOURISTES ★
(A la Rouvière - à 6 km). M. Labrot
☎ 75 88 00 01
🛏 14 ⌸ 170/290 F. 🍽 50/130 F.

🍴 38 F. 🍴 240/275 F. 🔲 210/240 F.
⊠ fin oct./fin mars.
CB𝗩𝗜𝗦𝗔 E

⌂⌂ DU TOURISME ★★
Bld Peschaire Alizon. M. Berneron
☎ 75 88 02 12 📠 75 88 12 90
🛏 29 ⌸ 250/395 F. 🍽 80/140 F.
🍴 49 F. 🍴 295/390 F. 🔲 255/340 F.
⊠ 15 nov./31 janv.
CV CB𝗩𝗜𝗦𝗔 E

⌂⌂ LE BELVEDERE ᵉᶜ
Route des Gorges. M. Saulnier
☎ 75 88 00 02 ╲75 88 00 27
📠 75 88 12 22
🛏 27 ⌸ 260/500 F. 🍽 80/150 F.
🍴 45 F. 🍴 300/420 F. 🔲 250/350 F.
⊠ 15 nov./15 mars.
CV CB𝗩𝗜𝗦𝗔 E

⌂⌂ LE MANOIR DU RAVEYRON ᵉᶜ
Rue du Raveyron. MM. Bourdat/Gauthier
☎ 75 88 03 59
🛏 14 ⌸ 160/260 F. 🍽 95/220 F.
🍴 45 F. 🍴 260/300 F. 🔲 210/280 F.
⊠ 15 oct./15 mars.
SP CV CB𝗩𝗜𝗦𝗔 E

VALLORCINE
74660 Haute Savoie
1265 m. • 303 hab. 𝑖

⌂⌂ CHALET HOTEL L'ERMITAGE ★★
(Le Chante). Mme Berguerand
☎ 50 54 60 09
🛏 14 ⌸ 300/350 F. 🍽 120/180 F.
🍴 70 F. 🍴 340/400 F. 🔲 280/340 F.
CB𝗩𝗜𝗦𝗔 E

⌂ MONT BLANC ★
MM. Ancey/Gil
☎ 50 54 60 02
🛏 24 ⌸ 170/340 F. 🍽 74/128 F.
🍴 53 F. 🍴 220/325 F. 🔲 180/275 F.
⊠ 3 avr./19 mai, 24 mai/17 juin et
18 sept./22 déc.
SP CV CB𝗩𝗜𝗦𝗔 E

VALLOUISE
05290 Hautes Alpes
1200 m. • 550 hab. 𝑖

⌂⌂ LES VALLOIS ★★
M. Morand
☎ 92 23 33 10
🛏 15 ⌸ 275/295 F. 🍽 78/150 F.
🍴 38 F. 🍴 295/330 F. 🔲 265/295 F.
⊠ 9 mai/3 juin et 1er oct./17 déc.
CV CB𝗩𝗜𝗦𝗔 AE ⦿ E

VALMONT
76540 Seine Maritime
860 hab. 𝑖

⌂⌂ DE L'AGRICULTURE ★★
Place du Docteur Dupont. M. Guerin
☎ 35 29 03 63 📠 35 29 45 59
🛏 18 ⌸ 220/340 F. 🍽 95/195 F.
🍴 55 F. 🍴 300/360 F. 🔲 220/280 F.
⊠ mi-janv./mi-fév., rest. dim. soir et lun.
CV CB𝗩𝗜𝗦𝗔 E

VALOGNES
50700 Manche
7000 hab. 🛈

⌂ DE L'AGRICULTURE ★
16-18, rue Léopold Delisle.
Mme Boucher-Botton
☎ 33 95 02 02 33 95 29 33
🛏 36 ⌧ 116/250 F. ⫴ 70/155 F.
🍴 38 F. ⫼ 224/350 F. 🍽 165/258 F.
⊠ Rest. lun. sauf jours fériés.
🔲 🅳 🆂🅿 ⬜ ⬜ ⬜ ⬜ 🕴 ⬜ CV ⬜ ⬜
CB𝚅𝚂𝙰 E ⬛

VALRAS PLAGE
34350 Hérault
2935 hab. 🛈

⌂ DE LA PLAGE ★★
3, bld Saint-Saens. M. Granier
☎ 67 32 08 37 67 39 70 91
🛏 18 ⌧ 200/300 F. ⫴ 72/230 F.
🍴 35 F. ⫼ 290 F. 🍽 250 F.
⊠ 1er janv./15 fév. et rest. ven. oct./mars.
🔲 ⬜ ⬜ CV ⬜ ⬜ CB𝚅𝚂𝙰 E

⌂⌂ MEDITERRANEE ★★
Mme Auriac ☎ 67 32 38 60 67 32 30 91
🛏 12 ⌧ 240/270 F. ⫴ 80/250 F.
🍴 80 F. ⫼ 300 F. 🍽 250 F.
⊠ Hôtel fin oct./Pâques,
rest. 2ème quinzaine nov., 2 semaines
fév. et lun. hs.
🔲 🆂🅿 ⬜ ⬜ ⬜ 🕴 ⬜ ⬜ CB𝚅𝚂𝙰 E ⬛

VALREAS
84600 Vaucluse
10000 hab. 🛈

⌂⌂ GRAND HOTEL ★★
28, av. Général de Gaulle. M. Gleize
☎ 90 35 00 26 90 35 60 93
🛏 13 ⌧ 280/400 F. ⫴ 95/300 F.
🍴 50 F. ⫼ 300/370 F. 🍽 260/290 F.
⊠ 24 déc./28 janv. Rest. sam. soir et
dim. hs.
🔲 🛈 ⬜ ⬜ ⬜ 🕴 🕴 ⬜ ⬜
CB𝚅𝚂𝙰 E

VALROS
34290 Hérault
1000 hab.

⌂⌂ AUBERGE DE LA TOUR ★★
M. Grasset ☎ 67 98 52 01
🛏 18 ⌧ 250/280 F. ⫴ 95/224 F.
🍴 55 F. 🍽 250/265 F.
⊠ 20 déc./5 janv. et mer. hs.
🔲 🅳 🆂🅿 ⬜ ⬜ ⬜ ⬜ 🕴 ⬜ 🕴 ⬜ ⬜
CB𝚅𝚂𝙰 ⬤ E

VALS LES BAINS
07600 Ardèche
4300 hab. 🛈

⌂⌂⌂ GRAND HOTEL DE LYON ★★★
11, av. Paul Ribeyre. M. Bonneton
☎ 75 37 43 70 75 37 59 11
🛏 35 ⌧ 300/420 F. ⫴ 105/180 F.
🍴 50 F. ⫼ 300/480 F. 🍽 270/360 F.
⊠ 1er janv./1er avr. et 7 oct./31 déc.
🔲 ⬜ ⬜ ⬜ 🕴 🕴 🕴 CV ⬜ CB𝚅𝚂𝙰
⬤ E 🅲

⌂ PERFUN ★
2, rue des Prades. Mme Perfun
☎ 75 37 43 90
🛏 13 ⌧ 160/220 F. ⫴ 75/140 F.
🍴 45 F. ⫼ 240/265 F. 🍽 190/220 F.
⊠ 1er oct./1er avr.
⬜ ⬜ CB𝚅𝚂𝙰 ⬤ E

⌂⌂ SAINT-JACQUES ★★
Rue Auguste Clément. M. Fontbonne
☎ 75 37 46 02 75 37 47 33
🛏 24 ⌧ 200/360 F. ⫴ 88/180 F.
🍴 48 F. ⫼ 280/350 F. 🍽 240/300 F.
⊠ Rest. 1er oct/Pâques.
🔲 ⬜ ⬜ ⬜ 🕴 CV ⬜ CB𝚅𝚂𝙰

VALTIN (LE)
88230 Vosges
750 m. • 102 hab.

⌂⌂ AUBERGE DU VAL JOLI ★★
12 bis, le Village. M. Laruelle
☎ 29 60 91 37 29 60 81 73
🛏 12 ⌧ 145/275 F. ⫴ 57/230 F.
🍴 35 F. ⫼ 238/300 F. 🍽 165/224 F.
⊠ 14 nov./12 déc., dim. soir et lun.
🅳 ⬜ ⬜ ⬜ 🕴 ⬜ 🕴 CB𝚅𝚂𝙰 E

VANCELLE (LA)
67730 Bas Rhin
244 hab.

⌂⌂ ELISABETH ★★
5, rue Général de Gaulle. M. Hertling
☎ 88 57 90 61 88 57 91 51
🛏 12 ⌧ 200/250 F. ⫴ 70/210 F.
🍴 40 F. ⫼ 250/280 F. 🍽 210/240 F.
⊠ 2/31 janv., dim. soir et lun.
🔲 🅳 ⬜ ⬜ ⬜ 🕴 🕴 🕴 CV ⬜ ⬜
CB𝚅𝚂𝙰 E ⬛

⌂ FRANKENBOURG ★★
13, rue du Général de Gaulle.
M. Buecher
☎ 88 57 93 90 88 57 91 31
🛏 7 ⌧ 190/210 F. ⫴ 100/260 F.
🍴 60 F. ⫼ 270/290 F. 🍽 220/240 F.
⊠ 18 fév./12 mars et mer.
🅳 ⬜ ⬜ 🕴 🕴 CV ⬜ CB𝚅𝚂𝙰 E ⬛

VANNES
56000 Morbihan
45397 hab. 🛈

⌂⌂ A L'IMAGE SAINTE ANNE ★★
8, place de la Libération. M. Ligeour
☎ 97 63 27 36 97 40 97 02
🛏 30 ⌧ 300/350 F. ⫴ 78/170 F.
🍴 45 F. ⫼ 340 F. 🍽 265/275 F.
⊠ Rest. dim. soir 1er nov./1er avr.
⬜ ⬜ ⬜ 🕴 ⬜ CB𝚅𝚂𝙰 E ⬛

⌂⌂⌂ AQUARIUM HOTEL ★★★
Le Parc du Golfe. M. Vigo
☎ 97 40 44 52 950826 97 63 03 20
🛏 48 ⌧ 390/460 F. ⫴ 85/220 F.
🍴 55 F. ⫼ 495/513 F. 🍽 375/393 F.
⊠ Rest. dim. soir janv./15 avr. et
1er oct./31 déc.
🔲 🆂🅿 ⬜ ⬜ ⬜ 🕴 🕴 🕴 ⬜ ⬜
CB𝚅𝚂𝙰 ⬤ E ⬛

VANNES (SAINT AVE)
56890 Morbihan
7000 hab. 🛈

▲▲ LE TY LANN ★★
(A St-Ave 3 km, 11, rue Joseph Le Brix).
M. Langlo ☎ 97 60 71 79 ⅢX 97 44 58 98
🛏 18 ⌧ 245/380 F. Ⅲ 78/190 F.
🍴 45 F. Ⅲ 295/325 F. 🍽 235/265 F.
⌧ vac. scol. fév., Toussaint, sam. et dim.
soir hs sauf réservations sam.
🔲 ⬜ 🕿 🚗 🚗 🕨 🕉 🔅 CV 🔆 🔴 CB🆅🆂🅰
E 🔲

VARENGEVILLE SUR MER
76119 Seine Maritime
1000 hab. 🛈

▲▲ DE LA TERRASSE ★★
M. Delafontaine
☎ 35 85 12 54 ⅢX 35 85 11 70
🛏 22 ⌧ 245/290 F. Ⅲ 82/180 F.
🍴 45 F. Ⅲ 275/295 F. 🍽 225/260 F.
⌧ 4 oct./15 mars.
🔲 🕿 🚗 🕨 🕉 🔅 🔴 CB🆅🆂🅰 E

VARENNES LE GRAND
71240 Saône et Loire
1000 hab.

▲ LE VIRAGE FLEURI ★★
(Au Pont de Grosne). M. Dressler
☎ 85 44 21 07 ⅢX 85 44 17 02
🛏 25 ⌧ 245/260 F. Ⅲ 96/145 F.
🍴 60 F. Ⅲ 350 F. 🍽 250 F.
🔲 ⬜ 🕿 🚗 🚗 🕨 🕨 🕉 🔅 🔅 🔆 🔴 CB🆅🆂🅰

VARENNES SUR ALLIER
03150 Allier
5046 hab. 🛈

▲▲ AUBERGE DE L'ORISSE ★★★
Les Cailloux, sur N. 7. M. Paget
☎ 70 45 05 60 ⅢX 70 45 18 55
🛏 23 ⌧ 250/300 F. Ⅲ 75/200 F.
🍴 60 F.
⌧ 5 jours fév., ven. soir, sam. midi et
dim. soir.
🔲 SP ⬜ 🕿 🚗 🕨 🕨 🕉 🔅 🔅 CV 🔆
🔴 CB🆅🆂🅰 🅰🅴 🅾 E 🔲

VARENNES SUR ALLIER
(SAINT LOUP)
03150 Allier
700 hab.

▲ RELAIS DE LA ROUTE BLEUE ★★
RN 7 N° 74. M. Me Genet
☎ 70 45 07 73 ⅢX 70 45 06 36
🛏 18 ⌧ 135/230 F. Ⅲ 79/155 F.
🍴 40 F. Ⅲ 225 F. 🍽 177 F.
⌧ 15 Déc./15 janv., sam. soir et dim.
nov./mars.
🔲 ⬜ 🕿 🚗 🚗 🕨 🕨 🕉 🔅 🔆 🔴 CB🆅🆂🅰
🅰🅴 🅾 E 🔲

VARENNES SUR FOUZON
36210 Indre
679 hab.

▲ DE FRANCE ET MON REPOS ★★
M. Guilpain ☎ 54 41 10 23
🛏 10 ⌧ 160/350 F. Ⅲ 70/180 F.

Ⅲ 250/280 F. 🍽 220/250 F.
⌧ fév. et mer.
🔲 ⬜ 🕿 🚗 🚗 🕨 🕉 CV 🔆 🔴 CB🆅🆂🅰
🅰🅴 🅾 E

VARS LES CLAUX
05560 Hautes Alpes
1850 m. • 1500 hab. 🛈

▲▲ LES ESCONDUS ★★
M. David ☎ 92 46 50 35 ⅢX 92 46 50 47
🛏 22 ⌧ 273/460 F. Ⅲ 65/135 F.
🍴 65 F. Ⅲ 315/510 F. 🍽 275/470 F.
⌧ 10 sept./15 déc. et 1er mai/1er juil.
🔲 🛈 ⬜ 🕿 🚗 🕨 🕉 🔅 🔆 🔴 CB🆅🆂🅰
🅰🅴 E

VARS SAINTE MARIE
05560 Hautes Alpes
1650 m. • 880 hab. 🛈

▲▲ LA MAYT ★★
Mme Risoul
☎ 92 46 50 07 ⅢX 92 46 63 92
🛏 21 ⌧ 220/320 F. Ⅲ 88/120 F.
🍴 60 F. Ⅲ 290/380 F. 🍽 260/350 F.
⌧ 15 avr./1er juil. et 1er sept./20 déc.
🛈 🕿 🚗 🕨 🔅 🔴 CB🆅🆂🅰 E

▲▲ LE VALLON ★★
M. Rostollan
☎ 92 46 54 72 ⅢX 92 46 61 62
🛏 34 ⌧ 235/420 F. Ⅲ 98 F. 🍴 52 F.
Ⅲ 265/380 F. 🍽 225/340 F.
⌧ 25 avr./24 juin et 5 sept./3 déc.
🔲 🛈 ⬜ 🕿 🚗 🕨 🔅 CV 🔆 🔴 CB🆅🆂🅰 E

VARZY
58210 Nièvre
1600 hab. 🛈

▲ DE LA POSTE ★★
Faubourg de Marcy. M. Langlois
☎ 86 29 41 89 ＼86 29 41 72
ⅢX 86 29 72 67
🛏 10 ⌧ 150/250 F. Ⅲ 100/250 F.
🍴 60 F. Ⅲ 360/380 F. 🍽 260/280 F.
⌧ fév., dim. soir et lun. hs.
⬜ 🕿 🚗 🕨 🔴 CB🆅🆂🅰 🅰🅴 E 🔲

VASSIEUX EN VERCORS
26420 Drôme
1057 m. • 310 hab. 🛈

▲▲ ALLARD ★★
M. Allard ☎ 75 48 28 04 ⅢX 75 48 26 90
🛏 22 ⌧ 180/350 F. Ⅲ 70/200 F.
🍴 50 F. Ⅲ 220/350 F. 🍽 220/310 F.
⌧ nov.
🔲 🕿 🛏 🌢 🕉 🔅 CV 🔆 🔴 CB🆅🆂🅰 E

VAUCIENNES (LA CHAUSSEE)
51480 Marne
300 hab.

▲ AUBERGE DE LA CHAUSSEE ★
5, av. de Paris. M. Lagarde
☎ 26 58 40 66
🛏 9 ⌧ 120/190 F. Ⅲ 80/135 F. 🍴 40 F.
Ⅲ 205/240 F. 🍽 155/190 F.
⌧ 25 fév./4 mars, 19 août/9 sept.
et rest. lun. soir.
🔲 🕿 🚗 🔴 CB🆅🆂🅰 E

394

VAUCLAIX
58140 Nièvre
143 hab.

⚑⚑ DE LA POSTE Rest. DESBRUERES ★★
M. Desbruères
☎ 86 22 71 38 ᴍ 86 22 76 00
🛏 18 ◈ 185/315 F. ᴐᴐ 70/250 F.
🍴 50 F. ◨ 240/320 F. ◫ 220/290 F.
⬛◨▣☎🛏🍴⬛◑⬤👶⚓🎱👟♠
CB▥ E C ⬛

VAUCOULEURS
55140 Meuse
2554 hab. 𝑖

⚑⚑ LE RELAIS DE LA POSTE ★★
12, av. Maginot. M. Blanchet
☎ 29 89 40 01 ᴍ 29 89 40 93
🛏 10 ◈ 240/260 F. ᴐᴐ 78/160 F.
🍴 50 F. ◨ 280 F. ◫ 220 F.
⬛ 25 déc./25 janv., dim. soir et lun.
◨ ▣ ◨ ☎ 🛏 🛏 CV CB▥ E ⬛

VAUGINES
84160 Vaucluse
325 hab.

⚑⚑ L'HOSTELLERIE DU LUBERON ★★
Cours Saint-Louis. M. Lefranc
☎ 90 77 27 19 ᴍ 90 77 13 08
🛏 16 ◈ 300/350 F. ᴐᴐ 85/160 F.
🍴 50 F. ◫ 270/295 F.
⬛ jan./fév. et mar. midi/mer. midi.
◨ 𝑖 ☎ 🛏 🍴 🔥 ▦ 👟 👶 👟 ♠
CB▥ AE ⓞ E C ⬛

VAUJANY
38114 Isère
1250 m. • 250 hab. 𝑖

⚑⚑ DU RISSIOU ★★
Mme Manin ☎ 76 80 71 00 ᴍ 77 80 77 58
🛏 16 ◈ 210/240 F. ᴐᴐ 70/150 F.
🍴 38 F. ◨ 250/280 F. ◫ 220/250 F.
⬛ 1er déc./30 avr.
◨ ☎ 🛏 🔥 👶 CV ♠ CB▥ E

VAUVENARGUES
13126 Bouches du Rhône
650 hab.

⚑ AU MOULIN DE PROVENCE ★
Mme Yemenidjian
☎ 42 66 02 22 ᴍ 42 66 01 21
🛏 12 ◈ 210/280 F. ᴐᴐ 110/170 F.
🍴 60 F. ◨ 335/370 F. ◫ 245/280 F.
⬛ 1er nov./1er mars et rest. mar.
◨ ▣ SP 𝑖 ☎ 🛏 ◉ ♠ CB▥ E

VAYRES
33870 Gironde
2491 hab.

⚑⚑ GANGLOFF HOTEL Rest. LE VATEL ★★
M. Gangloff
☎ 57 74 80 79 ᴍ 57 74 71 38
🛏 12 ◈ 250/290 F. ᴐᴐ 70/160 F.
🍴 60 F. ◨ 270/320 F. ◫ 200/250 F.
⬛ sam. midi et dim. soir.
◨ ▣ 𝑖 ◨ ☎ 🛏 🍴 🔥 👶 CV ◉ ♠
CB▥ E ⬛

VEIGNE
37250 Indre et Loire
4500 hab. 𝑖

⚑⚑⚑ LE MOULIN FLEURI ★★
Route du Ripault. M. Me Chaplin
☎ 47 26 01 12
🛏 12 ◈ 180/270 F. ᴐᴐ 160 F. 🍴 55 F.
ᴐᴐ 303/390 F. ◫ 250/340 F.
⬛ 1er fév./9 mars et lun. sauf fériés.
◨ ▣ SP 𝑖 ☎ 🛏 🛏 ◨ ☎ CV ◉ ♠
CB▥ AE E

VELLEMINFROY
70240 Haute Saône
221 hab.

⚑ HOSTELLERIE DU CHATEAU GRENOUILLE
Mme Renet
☎ 84 74 30 08
🛏 7 ◈ 100/170 F. ᴐᴐ 55/150 F.
ᴐᴐ 420 F.
⬛ janv., lun. soir et mar. soir.
🛏 ☎ CB▥ E

VELLUIRE
85770 Vendée
400 hab.

⚑⚑ AUBERGE DE LA RIVIERE ★★
M. Pajot
☎ 51 52 32 15 ᴍ 51 52 37 42
🛏 11 ◈ 330/390 F. ᴐᴐ 90/210 F.
🍴 60 F. ᴐᴐ 415/445 F. ◫ 335/365 F.
⬛ 20 déc./30 janv. et mar. sauf
15 juin/15 sept.
◨ ☎ CV ◉ ♠ CB▥ E

VENAREY LES LAUMES (LES LAUMES)
21150 Côte d'Or
3700 hab. 𝑖

⚑⚑ DE LA GARE ★★
6, av. de la Gare. Mme Lesprit
☎ 80 96 00 46
🛏 18 ◈ 200/300 F. ᴐᴐ 100/200 F.
🍴 60 F. ᴐᴐ 365 F. ◫ 285 F.
⬛ ven. et dim. soir.
◨ ▣ SP ◨ ☎ 🛏 🛏 ◨ ☎ 👶 ◉ ♠
CB▥ E

VENASQUE
84210 Vaucluse
650 hab. 𝑖

⚑⚑ LA GARRIGUE ★★
Route de l'Appie. Mme Montico
☎ 90 66 03 40
🛏 16 ◈ 300/400 F. ◫ 300/360 F.
⬛ 15 oct./Pâques et mar.
𝑖 ☎ 🛏 ◨ ☎ 🔥 CB▥ E

⚑ LES REMPARTS
Rue Haute. M. Le Men
☎ 90 66 02 79
🛏 5 ◈ 280 F. ᴐᴐ 85/215 F. 🍴 65 F.
ᴐᴐ 300 F. ◫ 220 F.
⬛ 2 janv./15 mars et mer.
◨ ▣ CV ♠ CB▥ AE E

VENCE
06140 Alpes Maritimes
15000 hab. [i]

▲▲▲ LA ROSERAIE **
Av. Henri Giraud. M. Ganier
☎ 93 58 02 20 [FAX] 93 58 99 31
[♚] 12 [bed] 370/470 F. [fork] 180 F. [x] 60 F.
[☒] janv.
[E][D][i][□][☎][🚗][🛏][👤][🏊][📺][☎]
CB[VISA] [AE] E

▲ LE COQ HARDI *
Route de Cagnes. M. Maume
☎ 93 58 11 27
[♚] 10 [bed] 180 F. [fork] 75/ 98 F. [plate] 250 F.
[🍴] 180 F.
[☒] 5 janv./5 fév. et mar.
[E][D][🚗][👤][🏊][📺]

▲▲▲ MAS DE VENCE **
539, av. Emile Hugues. M. Grazzini
☎ 93 58 06 16 [FAX] 93 24 04 21
[♚] 41 [bed] 410/425 F. [fork] 135/140 F.
[x] 90 F. [plate] 460/475 F. [🍴] 360/375 F.
[E][D][SP][i][□][☎][🚗][🛏][👤][🏊][📺]
[🏊][📺][☎] CB[VISA] [AE] [◎]

VENDAYS MONTALIVET
33930 Gironde
1636 hab. [i]

▲▲ L'ARBERET **
Route de Soulac. Mme Grams
☎ 56 41 71 29 [FAX] 56 41 77 77
[♚] 25 [bed] 229/269 F. [fork] 95/240 F.
[x] 50 F. [plate] 278/310 F. [🍴] 230/273 F.
[☒] ven. soir et dim. soir 1er oct./1er juin.
[E][D][🚗][👤][🏊][🏂][📺][CV][☎][♻]
CB[VISA] E

VENDENHEIM
67550 Bas Rhin
3539 hab.

▲ DE LA FORET
Sur D. 64. Mme Eckly
☎ 88 20 01 15 [FAX] 88 20 55 09
[♚] 10 [bed] 160/220 F. [fork] 50/200 F.
[x] 40 F. [plate] 200/240 F. [🍴] 180/220 F.
[☒] 24 déc./2 janv. et rest. lun.
[E][D][□][☎][🚗][🛏][CV][♻] CB[VISA] E

VENDEUIL
02800 Aisne
900 hab.

▲▲ AUBERGE DE VENDEUIL **
Sur N. 44. Mme Ranson
☎ 23 07 85 85 [FAX] 23 07 88 58
[♚] 22 [bed] 325 F. [fork] 85/180 F. [x] 58 F.
[plate] 350/550 F. [🍴] 260/360 F.
[E][□][☎][🚗][🛏][🏂][CV][♻] CB[VISA] [AE]
[◎] E [🛎]

VENDOME
41100 Loir et Cher
20000 hab. [i]

▲ AUBERGE DE LA MADELEINE Rest. LE
JARDIN DU LOIR
6, place de la Madeleine. M. Maubouet
☎ 54 77 20 79

[♚] 9 [bed] 130/250 F. [fork] 75/200 F. [x] 45 F.
[plate] 240/280 F. [🍴] 200/220 F.
[☒] vac. scol. fév. et mer.
[E][□][☎][👤][📺][♻] CB[VISA] E

▲▲ CAPRICORNE **
8, bld de Tremault. M. Beauvallet
☎ 54 80 27 00 [TX] 750 147 [FAX] 54 77 30 63
[♚] 31 [bed] 190/269 F. [fork] 65/240 F.
[x] 80 F. [plate] 280/380 F. [🍴] 210/280 F.
[☒] 10 jours Noël. Rest. sam.
1er nov./15 mars.
[E][i][□][☎][🚗][🛏][👤][🏂][🏊][♻][CV]
[📺][♻] CB[VISA] [AE] [◎] E

VENEJAN
30200 Gard
778 hab.

▲ AUBERGE LOU CALEOU **
Mme Beaumet
☎ 66 79 25 16 [FAX] 66 79 21 50
[♚] 13 [bed] 235/255 F. [fork] 65/155 F.
[x] 48 F. [plate] 370/470 F. [🍴] 270/370 F.
[☒] 15 jours sept., sam. midi et dim hs.
[E][□][☎][🚗][🛏][CV][♻] CB[VISA] E

VENERE
70100 Haute Saône
127 hab.

▲ COMTOIS **
M. Oudot
☎ 84 31 53 60 [FAX] 84 31 58 33
[♚] 13 [bed] 120/210 F. [fork] 48/130 F.
[x] 38 F. [plate] 160/205 F. [🍴] 110/155 F.
[☒] dim. soir.
[□][☎][🚗][♻] CB[VISA] E

VENOSC
38520 Isère
1000 m. • 862 hab. [i]

▲▲ LES AMIS DE LA MONTAGNE *
M. Durdan
☎ 76 80 06 94 [FAX] 76 80 20 56
[♚] 23 [bed] 230/300 F. [fork] 84/120 F.
[x] 42 F. [plate] 270/350 F. [🍴] 230/310 F.
[☒] 16 avr./18 juin et 17 sept./17 déc.
[E][☎][🛏][👤][🏊][🏂][CV][📺][♻] CB[VISA] E

VENTRON
88310 Vosges
650 m. • 950 hab. [i]

▲▲ DE L'ERMITAGE FRERE JOSEPH **
(Altitude 900 m). Mme Leduc
☎ 29 24 18 29 [TX] 850490 [FAX] 29 24 16 57
[♚] 40 [bed] 170/420 F. [fork] 60/130 F.
[x] 44 F. [plate] 255/416 F. [🍴] 185/336 F.
[☒] 20 oct./20 nov.
[E][D][□][☎][🚗][🛏][👤][🏊][📺][🏂][♻]
[🏂][🏊][🏂][CV][📺][♻] CB[VISA] [◎] E

▲ FRERE JOSEPH *
Place de l'Eglise. M. Humbert
☎ 29 24 18 23
[♚] 11 [bed] 150 F. [fork] 50/130 F. [x] 35 F.
[plate] 220 F. [🍴] 190 F.
[♻] CB[VISA]

396

VENTRON (suite)

LES BRUYERES ★★
9, route de Remiremont. M. Guenot
☎ 29 24 18 63 **FAX** 29 24 23 15
🛏 19 ⬚ 200 F. ⊞ 78/165 F. ♨ 42 F.
⊞ 270 F. 🍽 230 F.
✉ 1er/26 déc. et rest. lun. hs.
◻ ▯ 🛋 🗲 🛎 🐕 🏄 CV ▥ 🅿 CB▨ AE
E 📞

VENTRON (CHAUME DU GRAND VENTRON)
88310 Vosges
1202 m. • 8 hab.

AUBERGE A LA FERME
(Altitude 1200 m). M. Valdenaire
☎ 29 25 52 53
🛏 5 ⬚ 200/250 F. ⊞ 50/ 80 F. ♨ 35 F.
⊞ 200/250 F. 🍽 160/210 F.
✉ 1er mai/11 nov., Noël, vac. scol.,
week-ends hiver.
◻ 🛋 🐕 CB▨ AE ◉ E

VERCEL
25530 Doubs
650 m. • 1500 hab.

DE LA COURONNE ★★
Grande Rue. M. Blondeau ☎ 81 58 31 82
🛏 9 ⬚ 175/220 F. ⊞ 65/250 F. ♨ 32 F.
⊞ 225/235 F. 🍽 195/205 F.
✉ 5 janv./5 fév., dim. soir et lun.
E 🛎 🗲 CV ▥ CB▨ ◉ E

VERCHAIX
74440 Haute Savoie
800 m. • 296 hab. ℹ

LE VUAIRNEIGE ★
M. Senéchal ☎ 50 90 12 67 **TX** 319274 F
🛏 16 ⬚ 180/260 F. ⊞ 85/160 F.
♨ 48 F. ⊞ 260/300 F. 🍽 230/280 F.
✉ 15 nov./15 déc., dim. soir et lun.
▯ 🛎 🛋 CV 🅿 CB▨ E

VERETZ
37270 Indre et Loire
2700 hab.

LE SAINT-HONORE ★
10, place Paul Louis. M. Dubois
☎ 47 50 30 06
🛏 9 ⬚ 160/220 F. ⊞ 85/190 F. ♨ 45 F.
⊞ 250/280 F. 🍽 180/210 F.
✉ 2/31 janv., dim. soir et lun. sauf
juil./août.
E ▯ 🅿 CB▨ E

VERGEZE
30310 Gard
3000 hab.

LA PASSIFLORE ★★
1, rue Neuve. M. Booth
☎ 66 35 00 00 **FAX** 66 35 09 21
🛏 11 ⬚ 195/300 F. ⊞ 125 F. ♨ 40 F.
🍽 230/290 F.
✉ Rest. 24 oct./5 déc., lun. avr./juin et
sept./nov., dim. et lun. déc./mars.
E ▯ 🛋 🗲 🐕 CV 🅿 CB▨ AE E
C 📞

VERN SUR SEICHE
35770 Ille et Vilaine
5602 hab.

LES MARAIS ★★
10, rue des Marais. Mme Berthier
☎ 99 62 71 42
🛏 12 ⬚ 190 F. ⊞ 60/180 F. ♨ 35 F.
⊞ 300/450 F. 🍽 260/300 F.
✉ dim. soir.
E SP ▯ 🛎 🛋 🗲 🐕 CV ▥ 🅿 CB▨
AE E 📞

VERNAREDE (LA)
30530 Gard
440 hab.

LOU CANTE PERDRIX ★★
Le Château. Mme Tresch
☎ 66 61 50 30 **FAX** 66 61 43 21
🛏 15 ⬚ 260/300 F. ⊞ 85/180 F.
♨ 46 F. ⊞ 275/305 F. 🍽 210/230 F.
✉ mar. hs.
E ▯ 🛎 🛋 🗲 🐕 🏄 🐕 CV ▥ 🅿
CB▨ AE E 📞

VERNET (LE)
31810 Haute Garonne
2027 hab.

HOSTELLERIE LE ROBINSON
348, av. de Toulouse. M. Faure
☎ 61 08 39 39
🛏 10 ⬚ 190/250 F. ⊞ 90/150 F.
♨ 50 F. ⊞ 250/290 F. 🍽 210/250 F.
✉ dim. soir et lun.
E SP ▯ 🛎 🛋 🗲 🐕 🏄 🐕 CV ▥ 🅿
CB▨ AE ◉ E 📞

VERNET LES BAINS
66820 Pyrénées Orientales
650 m. • 2000 hab. ℹ

EDEN ★★
2, promenade du Cady. Mme Ferré
☎ 68 05 54 09 **FAX** 68 05 60 50
🛏 23 ⬚ 190/300 F. ⊞ 75/160 F.
♨ 50 F. ⊞ 265/340 F. 🍽 210/270 F.
✉ 1er nov./31 mars et rest. lun.
E SP ▯ 🛎 🛋 🗲 🐕 🏄 🅿 CB▨ E

PRINCESS ★★
Rue des Lavandiers. M. Deffobis
☎ 68 05 56 22 **FAX** 68 05 62 45
🛏 32 ⬚ 260/320 F. ⊞ 80/195 F.
♨ 60 F. ⊞ 300/330 F. 🍽 240/270 F.
✉ 3 janv./3 fév.
E SP ▯ 🛎 🛋 🗲 🐕 🏄 ♂ 🐕 CV ▥
🅿 CB▨ AE E 📞

VERNEUIL SUR AVRE
27130 Eure
7000 hab. ℹ

DU SAUMON ★★
89, place de la Madeleine. M. Simon
☎ 32 32 02 36 **TX** 172770 **FAX** 32 37 55 80
🛏 28 ⬚ 210/350 F. ⊞ 60/250 F.
♨ 60 F.
✉ 23 déc./5 janv.
E ▯ 🛎 🐕 ▥ 🅿 CB▨ E C 📞

VERNOUILLET
28500 Eure et Loir
12000 hab.

▲▲▲ AUBERGE DE LA VALLEE VERTE ★★
6, rue L. Dupuis. M. Paillé
☎ 37 46 04 04 ⁜ 37 42 91 17
🛏 11 ⊗ 230 F. 🍽 135/300 F. 🍴 50 F.
🏠 310 F. 🍴 210 F.
⊠ 1er/24 août, ven. soir, dim. soir et lun.
🅴 🅸 🖸 🕾 🚗 🛆 🕇 ⬠ CB🆅🆂🅰 🅴 ▣

VERRIERES DE JOUX (LES)
25300 Doubs
1200 m. • 375 hab.

▲▲ LE TILLAU ★★
(Le Mont des Verrières). M. Parent
☎ 81 69 46 72 ⁜ 81 69 49 20
🛏 9 ⊗ 195/280 F. 🍽 70/200 F. 🍴 40 F.
🏠 255/295 F. 🍴 205/245 F.
⊠ 15 avr./1er mai, 15 nov./15 déc.,
dim. soir et lun. hs.
🅴 🅸 🕾 🚗 🕇 ⚒ ✠ 🛆 CV 🕮 ⬠
CB🆅🆂🅰 🅰🅴 ⓪ 🅴

VERS
46090 Lot
380 hab. 🅸

▲ LA TRUITE DOREE ★
M. Marcenac
☎ 65 31 46 13 ⁜ 65 31 47 43
🛏 19 ⊗ 170/300 F. 🍽 88/220 F.
🍴 35 F. 🏠 230/300 F. 🍴 190/270 F.
⊠ 20 déc./10 fév., dim. soir et lun.
oct./avr.
🅴 🕾 🚗 🕇 ⚒ 🛅 🛆🍴 CV ⬠ CB🆅🆂🅰 🅰🅴 🅴

▲▲▲ LES CHALETS ★★
M. Mauries-Belou
☎ 65 31 40 83 ⁜ 65 31 46 96
🛏 23 ⊗ 230/280 F. 🍽 90/250 F.
🍴 45 F. 🏠 400/440 F. 🍴 280/320 F.
⊠ 15 janv./1er mars, dim. soir et lun.
hiver.
🅴 🆂🅿 🅸 🖸 🕾 🚗 🚁 🕇 ⬠ 🛆 CV 🕮
⬠ CB🆅🆂🅰 🅰🅴 🅴 ▣

VERS EN MONTAGNE
39300 Jura
640 m. • 220 hab. 🅸

▲ LE CLAVELIN ★★
M. Carrey ☎ 84 51 44 25
🛏 7 ⊗ 165/180 F. 🍽 60/180 F. 🍴 35 F.
🏠 290/480 F. 🍴 250/370 F.
⊠ 15 sept./15 oct., dim. soir et lun.
🕾 🚗 🕇 🛆 CV 🕮 ⬠ CB🆅🆂🅰 🅴

VERTEUIL
16510 Charente
775 hab.

▲ LA PALOMA ★
Mme Tyssandier
☎ 45 31 41 32 ⁜ 45 31 56 48
🛏 9 ⊗ 160/240 F. 🍽 66/160 F. 🍴 35 F.
🏠 220/240 F. 🍴 180 F.
⊠ fév., dim. soir et lun.
🕾 🚗 🕇 🛆 ⬠ CB🆅🆂🅰

RELAIS DE VERTEUIL ★★
(Les Nègres) Sur N. 10. M. Marmey
☎ 45 31 41 14 ⁜ 45 31 40 71
🛏 9 ⊗ 140/180 F. 🍽 65/160 F. 🍴 45 F.
🏠 250/280 F. 🍴 200/220 F.
🅴 🆂🅿 🖸 🕾 🚗 🕇 🕮 ⬠ CB🆅🆂🅰 🅰🅴
⓪ 🅴

VERTOLAYE
63480 Puy de Dôme
900 hab.

▲▲ DES VOYAGEURS ★★
M. Asnar-Blondelle
☎ 73 95 20 16 ⁜ 73 95 23 85
🛏 28 ⊗ 120/240 F. 🍽 80/190 F.
🍴 53 F. 🏠 210/240 F. 🍴 180/210 F.
⊠ 1er/24 oct., ven. soir et sam. juil.
/août sauf veilles fêtes.
🅴 🖸 🕾 🚗 🕇 ⚒ 🛆 🕮 ⬠ CB🆅🆂🅰 🅴

VERTUS
51130 Marne
2870 hab.

▲▲▲ LE THIBAULT IV ★★
M. Lepissier
☎ 26 52 01 24 ⁜ 26 52 16 59
🛏 17 ⊗ 250/270 F. 🍽 65/180 F.
🍴 35 F. 🍴 245 F.
⊠ 19 fév./7 mars.
🅴 🅳 🖸 🕾 🖂 CV ⬠ CB🆅🆂🅰 🅴 🅲 ▣

VERTUS (BERGERES LES VERTUS)
51130 Marne
510 hab.

▲▲▲ HOSTELLERIE DU MONT AIME ★★★
M. Sciancalepore
☎ 26 52 21 31 ⁜ 26 52 21 39
🛏 30 ⊗ 280/380 F. 🍽 100/350 F.
🍴 60 F. 🍴 320 F.
🅴 🅳 🖸 🕾 🚗 🕇 ⚒ 🛆 🕮 ⬠
CB🆅🆂🅰 🅰🅴 ⓪ 🅴

VERVINS
02140 Aisne
2989 hab. 🅸

▲ LE CHEVAL NOIR ★★
31-35, rue de la Liberté. Mme Pointier
☎ 23 98 04 16
🛏 14 ⊗ 260/300 F. 🍽 70/200 F.
🍴 50 F. 🏠 300/350 F. 🍴 250/300 F.
⊠ 20 déc./15 janv., dim. soir et lun.
midi.
🅴 🅳 🖸 🕾 🚗 🖃 🖂 🕮 ⬠ CB🆅🆂🅰 🅴

VESOUL
70000 Haute Saône
20000 hab. 🅸

▲▲ AUX VENDANGES DE BOURGOGNE ★★
49, bld Général de Gaulle. Mme Prudon
☎ 84 75 81 21\84 75 12 09
🛏 30 ⊗ 160/240 F. 🍽 68/180 F.
🍴 40 F. 🏠 346/406 F. 🍴 258/300 F.
🖸 🕾 🚗 CV 🕮 ⬠ CB🆅🆂🅰 🅰🅴 ⓪ 🅴

VESOUL (suite)

▲▲▲ RELAIS N 19 ★★★
Sur N. 19, Rocade Ouest. M. Walter
☎ 84 76 42 42 📠 361766 📠 84 76 81 94
🛏 20 ⌂ 260/390 F. 🍽 90/150 F.
🍴 60 F. 🍽 360/420 F. 🏃 260/320 F.
⊠ 1er/9 janv., 23/31 déc., sam. midi et
week-ends hiver.
📺 🅳 🗄 ☎ 🚗 🚗 🐾 🛎 CV 🔌 CB VISA
E 🏨

VEULETTES SUR MER
76450 Seine Maritime
350 hab. 🛈

▲▲ LES FREGATES ★★
Rue de la Plage. M. Martin
☎ 35 97 51 22 📠 35 57 05 60
🛏 16 ⌂ 245/290 F. 🍽 90/180 F.
🍴 45 F. 🍽 310 F. 🏃 240 F.
⊠ dim. soir.
📺 SP 🗄 ☎ 🚗 🦽 CV 🔌 🔌 CB VISA
🔌 E C 🏨

VEURDRE (LE)
03320 Allier
720 hab.

▲▲▲ DU PONT NEUF ★★
Rue du Faubourg de Lorette. M. Ducroix
☎ 70 66 40 12 📠 392978 📠 70 66 44 15
🛏 36 ⌂ 260/390 F. 🍽 80/220 F.
🍴 40 F. 🍽 290/350 F. 🏃 250/290 F.
⊠ 25/31 oct., 15/31 déc. et dim. soir
15 sept./30 mars.
📺 SP 🗄 ☎ 🚗 🚗 🐾 🛎 🔌 🦽 🦽
CV 🔌 🔌 CB VISA AE 🔌 E 🏨

VEYRINS THUELLIN
38630 Isère
1315 hab.

▲ DE LA GARE ★★
M. Jullien
☎ 74 33 74 69
🛏 9 ⌂ 175/295 F. 🍽 55/120 F. 🍴 50 F.
🍽 220/260 F. 🏃 190/240 F.
⊠ 1 semaine fin année.
📺 🗄 ☎ 🚗 🦽 🦽 CV 🔌 CB VISA E

VEZELAY
89450 Yonne
580 hab. 🛈

▲▲ RELAIS DU MORVAN ★
M. Lopez
☎ 86 33 25 33
🛏 13 ⌂ 140/300 F. 🍽 82/185 F.
🍴 50 F.
⊠ 15 janv./15 fév., mar. soir et mer.
📺 SP 🗄 🦽 CV CB VISA E

VEZELAY (SERMIZELLES)
89200 Yonne
201 hab. 🛈

▲▲ LE RELAIS DE VEZELAY ★★
Allée des Platanes. M. Malaisy de Mally
☎ 86 33 41 36 📠 86 34 47 11
🛏 7 ⌂ 260/370 F. 🍽 85/210 F. 🍴 55 F.
🍽 300/400 F. 🏃 260/340 F.
⊠ 1er janv./15 mars.
📺 🗄 ☎ 🚗 🐾 🛎 🦽 🔌 🔌 CB VISA AE

VEZENOBRES
30360 Gard
1500 hab. 🛈

▲▲ LE SARRASIN ★★
Route de Nîmes. Mme Paulin
☎ 66 83 55 55 📠 66 83 66 83
🛏 18 ⌂ 150/300 F. 🍽 60 F. 🍴 35 F.
🍽 250/300 F. 🏃 200/250 F.
🗄 ☎ 🚗 🐾 🛎 🐾 🦽 🦽 🔌 🔌
CB VISA AE 🔌 E

VEZINS
49340 Maine et Loire
1300 hab.

▲ LE LION D'OR ★★
8, rue Nationale. M. Brottier
☎ 41 64 40 06 📠 41 64 90 50
🛏 10 ⌂ 130/210 F. 🍽 65/155 F.
🍴 38 F. 🍽 210/295 F. 🏃 165/240 F.
⊠ 1 semaine janv., 1 semaine
sept., dim. soir et ven. soir oct./avr.
📺 🗄 ☎ 🚗 🚗 🔌 🔌 CB VISA E

VIADUC DU VIAUR
12800 Aveyron
6 hab.

▲▲ HOSTELLERIE DU VIADUC DU VIAUR ★★
M. Angles ☎ 65 69 23 86
🛏 10 ⌂ 160/270 F. 🍽 100/200 F.
🍴 60 F. 🍽 290/350 F.
⊠ 1er oct./3 avr., mar. et mer. midi hs.
📺 🅳 SP 🗄 🚗 🚗 🐾 🦽 ▶ 🦽 🔌 🐾
CB VISA AE 🔌 E

VIARMES
95270 Val d'Oise
3883 hab.

▲▲ AUBERGE LA RENAISSANCE ᵉᶜ
16, av. Kennedy. M. Belacel
☎ (1) 30 35 40 54
🛏 9 ⌂ 200/330 F. 🍽 55/150 F. 🍴 55 F.
🍽 225/265 F. 🏃 185/235 F.
⊠ 23 déc./1er janv., ven. et dim. soir.
📺 🗄 ☎ 🚗 🐾 🐾 CB VISA E C 🏨

VIAS SUR MER
34450 Hérault
2582 hab. 🛈

▲▲ MYRIAM ★★
Vias Plage, av. de la Méditerranée.
Mme Fourcade ☎ 67 21 64 59
🛏 24 ⌂ 220/250 F. 🍽 70/105 F.
🍴 45 F. 🏃 200/215 F.
⊠ 30 sept./15 avr.
📺 SP ☎ 🚗 🐾 🦽 🦽 CV CB VISA E

VIBRAC
16120 Charente
300 hab.

▲▲ LES OMBRAGES ★★
M. Ortarix ☎ 45 97 32 33
🛏 10 ⌂ 200/300 F. 🍽 68/190 F.
🍴 50 F. 🍽 252/300 F. 🏃 190/252 F.
⊠ 27 oct./7 nov., 23 déc./15 janv., dim.
soir et lun. oct./avr.
🗄 ☎ 🚗 🐾 🦽 🦽 🦽 CV 🔌 CB VISA E 📺

VIBRAYE
72320 Sarthe
2650 hab. 🛈

▲▲ AUBERGE DE LA FORET ★★
M. Renier
☎ 43 93 60 07 **FAX** 43 71 20 36
🛏 7 ⌧ 205/285 F. 🍽 85/270 F. ⅋ 55 F.
🏠 320 F. 🛎 240 F.
⌧ 2ème quinzaine fév., dim. soir et lun.
sauf juil./août.
[icons] CB📇
E

▲▲ LE CHAPEAU ROUGE ★★
Place Hôtel de Ville. M. Cousin
☎ 43 93 60 02 **FAX** 43 71 52 18
🛏 16 ⌧ 130 F. 🍽 75/190 F. ⅋ 65 F.
🏠 260/330 F. 🛎 230/280 F.
⌧ 15/30 janv., 15/30 août, dim. soir et lun.
[icons] CB📇 E

VIC FEZENSAC
32190 Gers
3987 hab. 🛈

▲▲ RELAIS DE POSTES ★★
23, rue Raynal. M. Noël
☎ 62 06 44 22
🛏 10 ⌧ 167/218 F. 🍽 50/180 F.
🏠 35 F. 🛎 230 F. 🛎 210 F.
⌧ lun. soir.
[icons] CV CB📇 E

VIC LA GARDIOLE
34110 Hérault
1607 hab. 🛈

▲▲ HOTELLERIE DE BALAJAN ★★★
Sur N. 112. Mme Deneu
☎ 67 48 13 99 **FAX** 67 43 06 62
🛏 19 ⌧ 160/395 F. 🍽 80/235 F.
🏠 55 F. 🍽 300/415 F. 🛎 220/330 F.
⌧ fév., 25 déc./3 janv. et rest. sam. midi.
[icons] CV CB📇
AE E C

VIC SUR CERE
15800 Cantal
680 m. • 2045 hab. 🛈

▲▲ BEAUSEJOUR ★★
Av. André Mercier. M. Albouze
☎ 71 47 50 27 **FAX** 71 49 60 04
🛏 60 ⌧ 180/340 F. 🍽 75/150 F.
🏠 220/325 F. 🛎 190/270 F.
⌧ 1er oct./1er mai.
[icons] CB📇 AE E

▲▲ BEL HORIZON ★★
Rue Paul Doumer. M. Bouyssou
☎ 71 47 50 06 **FAX** 71 49 63 81
🛏 24 ⌧ 190/250 F. 🍽 65/250 F.
🏠 30 F. 🍽 200/280 F. 🛎 180/260 F.
⌧ nov.
[icons] SP
CB📇

▲▲▲ FAMILY HOTEL ★★
Av. Emile Duclaux. M. Courbebaisse
☎ 71 47 50 49 **FAX** 71 47 51 31
🛏 50 ⌧ 200/410 F. 🍽 80/120 F.

🏠 42 F. 🍽 210/375 F. 🛎 190/325 F.
[icons]
CV [icons] CB📇 AE E C

VICHY
03200 Allier
27000 hab. 🛈

▲▲ DE BIARRITZ ★★
3, rue Grangier. M. Pialasse
☎ 70 97 81 20
🛏 22 ⌧ 130/250 F. 🍽 55/ 89 F.
🏠 38 F. 🍽 330/516 F.
⌧ 17/31 déc.
[icons] CB📇 AE E 🏠

▲▲▲ DE BREST ET SAINT-GEORGES ★★
27, rue de Paris. M. Soulier
☎ 70 98 22 18 **FAX** 70 98 28 70
🛏 38 ⌧ 210/295 F. 🍽 110/230 F.
🏠 50 F. 🍽 265/350 F. 🛎 230/300 F.
⌧ Fév.
[icons] CB📇 E

▲ DU RHONE ★★
8, rue de Paris. Mme Gerber
☎ 70 97 73 00 **TX** 483155 **FAX** 70 97 48 25
🛏 40 ⌧ 110/250 F. 🍽 59/180 F.
🏠 39 F. 🍽 230/300 F. 🛎 180/250 F.
⌧ Toussaint/Pâques.
[icons] SP 🛈 [icons] CV [icons]
CB📇 AE E 🏠

▲▲ LE FREJUS - LOU RECANTOU ★★
Rue du Presbytère. M. Buraud
☎ 70 32 17 22 **FAX** 70 32 42 10
🛏 31 ⌧ 216/291 F. 🍽 58/160 F.
🏠 50 F. 🍽 243/308 F. 🛎 193/253 F.
⌧ 16 oct./15 avr.
[icons] D SP 🛈 [icons] CV [icons]
CB📇 AE E C

▲▲▲ PAVILLON D'ENGHIEN ★★★
32, rue Callou. M. Bélabed
☎ 70 98 33 30 **FAX** 70 31 67 82
🛏 22 ⌧ 300/450 F. 🍽 110/160 F.
🏠 50 F. 🍽 320/400 F. 🛎 280/360 F.
⌧ 20 déc./1er fév., Rest. dim. soir et
lun.
[icons] CB📇 AE ⊙
E 🏠

▲▲ TIFFANY ★★
59, av. Paul Doumer. M. Moinel
☎ 70 97 92 92 **FAX** 70 31 33 40
🛏 10 ⌧ 200/320 F. 🍽 75/145 F.
🏠 50 F. 🍽 270/300 F. 🛎 240/265 F.
⌧ Rest. dim. soir et lun.
[icons] D [icons] CB📇 AE ⊙ E

VICHY (ABREST)
03200 Allier
2260 hab.

▲▲▲ LA COLOMBIERE ᵉᶜ
Route de Thiers. M. Sabot
☎ 70 98 69 15 **FAX** 70 31 50 89
🛏 4 ⌧ 200/260 F. 🍽 95/270 F. ⅋ 40 F.
⌧ 1 semaine oct., mi-janv./mi-fév., lun.
soir sauf juil/août, dim. soir et lun. hs.
[icons] CB📇 AE ⊙ E

VICHY (BELLERIVE SUR ALLIER)
03700 Allier
7610 hab. 📖

AA DU PONT ET DES CHARMILLES ★★
2, av. de la République. M. Rougelin
☎ 70 32 29 11 📠 70 32 54 34
🛏 18 ⊗ 125/255 F. 🍴 68/160 F.
🍽 25 F. 🍲 175/230 F. 🍴 125/200 F.
⊠ janv., dim. soir et lun. midi hiver.
🄵 🗔 🖀 🖨 🗚 🕭 🕹 CV 🕼 🖄 CB🅥🅸🅂🄰
🄰🄴 E 🛎

VICHY (SAINT YORRE)
03270 Allier
3100 hab.

AA AUBERGE BOURBONNAISE ★★
2, av. de Vichy à St-Yorre. M. Debost
☎ 70 59 41 79 📠 70 59 24 94
🛏 23 ⊗ 170/300 F. 🍴 69/220 F.
🍽 39 F. 🍲 250/300 F. 🍴 200/250 F.
⊠ fév., Rest. dim. soir et lun.
🄵 🗔 🖀 🖨 🗚 🛋 🕹 CV 🕼 🖄 CB🅥🅸🅂🄰
E 🄲 🛎

VIEILLE BRIOUDE
43100 Haute Loire
770 hab.

AA LE PANORAMA ★★
M. Roux ☎ 71 50 92 09
🛏 7 ⊗ 160/300 F. 🍴 73/190 F.
🍲 290 F.
🄵 🗔 🖀 🖨 🗚 🛋 🕹 🕼 🖄 CB🅥🅸🅂 🄰🄴
🄾 E

VIEILLEVIE
15120 Cantal
160 hab.

A DE LA VALLEE
Mme Sayrolles
☎ 71 49 94 57
🛏 16 ⊗ 110/210 F. 🍴 75/120 F.
🍽 40 F. 🍲 170/210 F. 🍴 145/195 F.
🖨 🗚 🛋 CV 🖄 CB🅥🅸🅂 E

AA LA TERRASSE ★★
Mme Bruel
☎ 71 49 94 00 📠 71 49 92 23
🛏 32 ⊗ 210/270 F. 🍴 70/175 F.
🍲 230/300 F. 🍴 200/270 F.
⊠ 15 nov./1er avr. et 15 nov./31 déc.
🄵 🖀 🖨 🖨 🗚 🕭 🛋 🛋 🖄 CB🅥🅸🅂 🄾 E

VIERVILLE SUR MER
14710 Calvados
292 hab. 📖

AA DU CASINO ★
M. Piprel
☎ 31 22 41 02
🛏 12 ⊗ 225/335 F. 🍴 85/220 F.
🍽 50 F. 🍲 295/360 F. 🍴 265/325 F.
⊠ 15 nov./10 fév.
🄵 🗔 🖀 🖨 🗚 🕼 🖄 CB🅥🅸🅂 E

VIEUX BOUCAU
40480 Landes
1200 hab. 📖

AA COTE D'ARGENT ★★
4, Grande Rue. M. Dulon

☎ 58 48 13 17 📠 58 48 01 15
🛏 36 ⊗ 260/330 F. 🍴 92/180 F.
🍽 60 F. 🍲 340/390 F. 🍴 270/330 F.
⊠1er oct./15 nov. et lun. 15 nov./31 mai.
🄵 🆂🅿 🗔 🖀 🖨 CV 🕼 🖄 CB🅥🅸🅂 🄾 E

A D'ALBRET
18, av. de la Plage. M. Houttekint
☎ 58 48 14 09
🛏 16 ⊗ 180/250 F. 🍴 85/170 F.
🍽 40 F. 🍲 280/300 F. 🍴 250/280 F.
⊠ nov./mars.
🄵 🖨 🖨 CV 🖄 CB🅥🅸🅂 E

AA LA POMME DE PIN ★★
Rond Point de la Plage. M. Audu
☎ 58 48 00 57 📠 58 48 18 48
🛏 30 ⊗ 220/450 F. 🍴 65/140 F.
🍽 35 F. 🍲 300/440 F. 🍴 270/370 F.
⊠ nov., dim. soir et lun. oct./mars.
🄵 🆂🅿 🗔 🖀 🖨 🗚 🛋 🛋 CV 🕼 🖄
CB🅥🅸🅂 🄰🄴 E 🛎

VIEUX MAREUIL
24340 Dordogne
400 hab. 📖

AA AUBERGE DE L'ETANG BLEU ★★★
M. Colas
☎ 53 60 92 63 📠 53 56 33 20
🛏 11 ⊗ 290/350 F. 🍴 85/300 F.
🍽 65 F. 🍲 450/470 F. 🍴 340/350 F.
⊠ 15 janv./1er avr., dim. soir et lun.
16 oct./Pâques, lun. Pâques/31 mai
sauf fériés.
🄵 🄳 🗔 🖨 🗚 🛋 CV 🖄 CB🅥🅸🅂 🄰🄴 🄾 E

VIEUX VILLEZ
27600 Eure
110 hab.

AA LE CLOS CORNEILLE ★★
Rue de l'Eglise. M. Jolun
☎ 32 53 88 00 📠 32 52 45 14
🛏 24 ⊗ 290 F. 🍴 80/155 F. 🍽 80 F.
🍴 260 F.
⊠ sam. midi et dim. soir.
🄵 🆂🅿 🗔 🖀 🖨 🛋 🖅 🗚 🛋 🕼 🖄
CB🅥🅸🅂 🄰🄴 E

VIF
38450 Isère
5600 hab.

A DE LA PAIX ★★
Place des 11 otages. M. Antouly
☎ 76 72 46 75 📠 76 72 74 99
🛏 7 ⊗ 220/250 F. 🍴 65/155 F. 🍽 45 F.
🍲 250 F. 🍴 205 F.
⊠ 1er/21 mars et 15 oct./15 nov.
🗔 🖀 🖨 🗚 🕼 🖄 CB🅥🅸🅂 E

VIGEANT (LE)
86150 Vienne
1120 hab.

A DU BARRAGE
(A Bourpeuil). M. Rousseau
☎ 49 48 70 31
🛏 7 ⊗ 100/160 F. 🍴 55/160 F. 🍽 35 F.
🍲 190 F. 🍴 160 F.
⊠23 déc./4 janv., mer. soir et ven. soir.
🄵 🖨 🖨 🗚 🕼 🖄 CB🅥🅸🅂 E

401

VIGEN (LE)
87110 Haute Vienne
1263 hab.

⬧ LES TOURISTES
M. Leday
☎ 55 00 52 11
🛏 6 ☒ 90/220 F. ⫿ 50/150 F. 🍴 35 F.
⫿ 180/250 F. 🚗 160/200 F.
✉ dim.
🎋 📶 🏠 🛏 🚗 🚕 🌴 🐾 CV 🐾 CB🆅🆂🅰 AE ⓞ E

VIGEOIS
19410 Corrèze
1380 hab. 🆔

⬧⬧ DU MIDI **
M. Cassagne
☎ 55 98 90 45
🛏 11 ☒ 180/200 F. ⫿ 75/180 F.
🍴 55 F. ⫿ 265/290 F. 🚗 225/250 F.
✉ 15 sept./10 oct., 22 déc./2 janv., dim.
soir saison, ven. soir, sam. et dim. soir
hs.
🎋 🏠 🌴 🍴 CV 🐾 CB🆅🆂🅰 AE ⓞ E

VIGNORY
52320 Haute Marne
350 hab.

⬧ LE RELAIS VERDOYANT **
Quartier de la Gare. M. Guglielmino
☎ 25 02 44 49
🛏 7 ☒ 180/230 F. ⫿ 62/130 F. 🍴 45 F.
🚗 195/235 F.
✉ mi-oct./mi-nov., dim. soir et lun. hs.
🎋 🏠 🛏 🚗 🚕 🌴 🍴 ⓞ 🐾 CV 🐾
CB🆅🆂🅰 E 🏧

VILLANDRY
37510 Indre et Loire
776 hab.

⬧⬧ LE CHEVAL ROUGE **
Rue Principale. M. Rody
☎ 47 50 02 07 🆄 47 50 08 77
🛏 19 ☒ 295/305 F. ⫿ 80/150 F.
🍴 50 F. ⫿ 470/480 F. 🚗 370/380 F.
✉ 2 janv./15 mars et lun., dim. soir
1er oct./30 avr.
🎋 🏠 🛏 🖼 🚕 🌴 🍴 ⓞ 🐾 CB🆅🆂🅰 E

VILLAR D'ARENE
05480 Hautes Alpes
1650 m. • 150 hab. 🆔

⬧⬧ LE FARANCHIN **
Mme Amieux
☎ 76 79 90 01 🆄 76 79 92 88
🛏 39 ☒ 140/285 F. ⫿ 66/160 F.
🍴 45 F. ⫿ 235/320 F. 🚗 170/255 F.
✉ 2 nov./20 déc. et 20 mai/15 juin.
🎋 🆔 🏠 🛏 🚗 🚕 🌴 🍴 CV 🐾 CB🆅🆂🅰 E

VILLARD DE LANS
38250 Isère
1050 m. • 4000 hab. 🆔

⬧⬧ GEORGES **
M. Me Ferrero

☎ 76 95 11 75 🆄 76 95 92 66
🛏 17 ☒ 200/310 F. ⫿ 95/120 F.
🍴 60 F. ⫿ 300/340 F. 🚗 250/280 F.
✉ 25 sept./20 déc. et 25 avr./1er juin.
🎋 SP 🆔 🏠 🛏 🚗 🚕 🌴 🐾 🍴 CV
🐾 CB🆅🆂🅰 E

⬧⬧ LA ROCHE DU COLOMBIER et Annexe
L'ARC EN CIEL **
Route de Bois Barbu. M. Ravix
☎ 76 95 10 26 🆃🆇 320125 🆄 76 95 56 31
🛏 39 ☒ 280/365 F. ⫿ 100/150 F.
🍴 70 F. ⫿ 300/385 F. 🚗 250/325 F.
✉ 30 sept./20 déc.
🎋 🆔 🏠 🛏 🚗 🚕 🌴 🍴 ⓓ CV 🎬 🐾
CB🆅🆂🅰 E

⬧⬧ LE PRE FLEURI **
(Les Cochettes). M. Cach
☎ 76 95 10 96 🆄 76 95 56 23
🛏 18 ☒ 340/360 F. ⫿ 90/195 F.
🍴 60 F. ⫿ 340/370 F. 🚗 300/320 F.
✉ 20 avr./1er juin et 1er oct./20 déc.
🎋 🆔 🏠 🛏 🚗 🚕 🌴 🍴 CV CB🆅🆂🅰 E

⬧⬧ LES BRUYERES **
Rue Victor-Hugo. M. Etain
☎ 76 95 11 83 🆄 76 95 58 76
🛏 20 ☒ 240/280 F. ⫿ 95/185 F.
🍴 40 F. ⫿ 290/340 F. 🚗 250/300 F.
🎋 🆔 🏠 🛏 🚗 🚕 🌴 🍴 CV 🎬 🐾 CB🆅🆂🅰
AE E

VILLARD DU PLANAY
73350 Savoie
900 m. • 347 hab.

⬧ L'AVENIR **
M. Barberis-Négra
☎ 79 55 02 24
🛏 10 ☒ 260 F. ⫿ 72/158 F. 🍴 50 F.
⫿ 290/300 F. 🚗 240/250 F.
✉ 2ème quinzaine mars, 1ère quinzaine
avr., 1ère quinzaine oct., sam. soir et
dim. hs.
🏠 🛏 🌴 🍴 🚕 CB🆅🆂🅰 AE ⓞ E

VILLARDS SUR THONES (LES)
74230 Haute Savoie
900 m. • 700 hab. 🆔

⬧ LE VIKING **
M. Matcharaze
☎ 50 02 11 78 🆄 50 02 98 20
🛏 26 ☒ 140/200 F. 🚗 60/ 80 F.
🍴 35 F. ⫿ 210/240 F. 🚗 170/210 F.
✉ 15 oct./2 nov.
🎋 🆔 🏠 🛏 🚗 🌴 🐦 🍴 CV 🎬 CB🆅🆂🅰 AE
ⓞ E

VILLAREMBERT (LE CORBIER)
73300 Savoie
1292 m. • 213 hab. 🆔

⬧ LE GRILLON **
Mme Duverney-Guichard
☎ 79 56 72 59
🛏 8 ☒ 220/250 F. ⫿ 65/180 F. 🍴 40 F.
⫿ 260/280 F. 🚗 220/240 F.
✉ lun. après-midi.
🏠 🛏 🚗 🍴 🚕 CV 🐾 CB🆅🆂🅰 AE E

VILLARODIN BOURGET
73500 Savoie
1163 m. • 476 hab.

⌂⌂ AUBERGE PASTORALE
25, rue de l'Eglise. M. Pinon
☎ 79 05 02 63 �📠 309 740 📠 79 20 36 55
🛏 7 🛏 225 F. � 65/140 F. 🍴 35 F.
ⅰ 250/280 F. 🛏 210/230 F.
⊠ sam. midi et dim. soir sauf
réservations.
🄴 SP ⅰ 🖵 🕿 🖐 CB🆅🆂🅰 E

VILLE
67220 Bas Rhin
1550 hab. ⅈ

⌂⌂ LA BONNE FRANQUETTE ★★
6, place du Marché. M. Schreiber
☎ 88 57 14 25
🛏 10 🛏 200/270 F. � 42/255 F.
🍴 38 F. ⅰ 300/450 F. 🛏 240/350 F.
⊠ 15/31 janv., 1er/15 janv., 1er/8 juin,
rest. mer. soir et jeu.
🄴 🄳 🕿 CV 📶 🖐 CB🆅🆂🅰 E

VILLE EN TARDENOIS
51170 Marne
500 hab.

⌂ DE LA PAIX
M. Thery ☎ 26 61 81 45
🛏 6 🛏 140/190 F. � 60/180 F. 🍴 40 F.
ⅰ 200/230 F. 🛏 150/175 F.
⊠ 20 déc./10 janv. et lun.
🄴 🄳 🕿 🖐 🍴 CV 🖐 CB🆅🆂🅰 E

VILLEDIEU LES POELES
50800 Manche
4688 hab. ⅈ

⌂⌂ LE FRUITIER ★★
Place des Costils. M. Lebargy
☎ 33 90 51 00 📠 33 90 51 01
🛏 48 🛏 260/270 F. � 75/180 F.
🍴 45 F. 🛏 239/267 F.
⊠ 20 déc./2 janv.
🄴 🖵 🕿 🖐 🛏 🖐 🍴 🔧 CV 📶 🖐
CB🆅🆂🅰 E

⌂⌂ SAINT-PIERRE ET SAINT-MICHEL ★★
12, place de la République. Mme Duret
☎ 33 61 00 11 📠 33 61 06 52
🛏 23 🛏 180/320 F. � 95/225 F.
🍴 45 F. 🛏 250/300 F.
⊠ 3/28 janv. et ven. 3 nov./30 mars.
🄴 SP 🖵 🕿 🖐 🛏 🔧 📶 🖐 CB🆅🆂🅰 ⓓ E

VILLEDIEU LES POELES
(SAINTE CECILE)
50800 Manche
664 hab.

⌂⌂⌂ MANOIR DE L'ACHERIE ★★
M. Cahu ☎ 33 51 13 87 📠 33 61 89 07
🛏 14 🛏 250/330 F. � 85/210 F.
🍴 50 F. 🛏 300/330 F.
⊠ 1er/7 mars, 26 juin/4 juil., lun., sauf lun.
midi juil./août, dim. soir 1er nov./1er avr.
🄴 🖵 🕿 🖐 🕿 🛏 🔧 CB🆅🆂🅰 E

VILLEFORT
48800 Lozère
600 m. • 792 hab. ⅈ

BALME ★★
Place Portalet. M. Gomy
☎ 66 46 80 14 📠 66 46 85 26
🛏 20 🛏 150/300 F. � 100/250 F.
🍴 50 F. ⅰ 270/350 F. 🛏 210/300 F.
⊠ 15 nov./1er fév., 5/10 oct., dim. soir
et lun. hs.
🄴 SP 🖵 🕿 🖐 🕿 🖐 🖐 CB🆅🆂🅰 🅰 ⓓ E

VILLEFRANCHE D'ALBIGEOIS
81430 Tarn
850 hab.

⌂⌂ LE BARRY ★★
47, av. de Millau. M. Mouyen
☎ 63 55 30 52
🛏 7 🛏 190/220 F. � 60/210 F. 🍴 50 F.
ⅰ 220/250 F. 🛏 180/195 F.
⊠ fin janv./mi-fév., dim. soir et lun.
🄴 SP 🖵 🕿 🖐 🕿 🖐 📶 🖐 CB🆅🆂🅰 E

VILLEFRANCHE D'ALLIER
03430 Allier
1350 hab.

⌂⌂ LE RELAIS BOURBONNAIS ★★
1, rue de la Gare. M. Patet
☎ 70 07 40 01 📠 70 07 48 36
🛏 14 🛏 230/250 F. � 65/210 F.
🍴 45 F. ⅰ 290 F. 🛏 260 F.
⊠ dim. soir.
🄴 🖵 🕿 🖐 🕿 🖐 🖐 🔧 📶 🖐 CB🆅🆂🅰

VILLEFRANCHE DE CONFLENT
66500 Pyrénées Orientales
295 hab. ⅈ

⌂⌂⌂ AUBERGE DU CEDRE ★★
M. Belengri
☎ 68 96 37 37
🛏 10 🛏 195/270 F. � 75/185 F.
🍴 65 F. ⅰ 294/332 F. 🛏 204/242 F.
⊠ Rest. mer. oct./Pâques.
🄴 🄳 SP 🖵 🕿 🖐 🕿 🔧 🛏 CV 🖐
CB🆅🆂🅰 🅰 ⓓ E

VILLEFRANCHE DE LAURAGAIS
31290 Haute Garonne
2950 hab.

⌂⌂ DES VOYAGEURS ★★
127, rue de la République. M. Fernandez
☎ 61 27 02 27
🛏 18 🛏 175 F. � 60/160 F. 🍴 35 F.
ⅰ 340 F. 🛏 240 F.
⊠ dim. soir 1er oct./1er avr.
🄴 SP 🖵 🕿 🖐 🕿 🗃 CV 📶 🖐 CB🆅🆂🅰 E

VILLEFRANCHE DE LAURAGAIS
(MONTGAILLARD LAURAGAIS)
31290 Haute Garonne
459 hab.

⌂⌂⌂ HOSTELLERIE DU CHEF JEAN ★★
Sortie A 61 Villefranche Lauragais, à
2 km. M. Lanau
☎ 61 81 62 55\61 27 01 79
📠 61 27 25 44
🛏 10 🛏 140/360 F. � 80/195 F.
🍴 40 F. ⅰ 280/385 F. 🛏 190/295 F.
🄴 🄳 SP 🖵 🕿 🖐 🕿 🖐 🖐 🗃 🛏
🖐 🔧 🛏 ▶ CV 📶 🖐 CB🆅🆂🅰 🅰 ⓓ E

403

VILLEFRANCHE DE ROUERGUE
12200 Aveyron
13000 hab. ℹ️

🔺🔺 L'UNIVERS ★★
2, place de la République. Mme Bourdy
☎ 65 45 15 63 🆑 65 45 02 21
🛏 30 ⬚ 200/350 F. 🍽 80/295 F.
🍴 65 F. 🍽 300/350 F. 🛏 245/290 F.
⬚ Rest. 18/26 mars, 11/18 juin,
19 nov./3 déc., 15/30 janv., ven. soir
et sam. sauf juil./sept. et veilles de
fêtes.

🔺 LAGARRIGUE ★★
Place Bernard Lhez. M. Coustellier
☎ 65 45 01 12 🆑 65 81 22 89
🛏 16 ⬚ 180/280 F. 🍽 65/140 F.
🍴 50 F. 🍽 260/300 F. 🛏 200/250 F.
⬚ 1 semaine vac. Mardi Gras,
1er/15 oct. et mer.

🔺🔺🔺 LE RELAIS DE FARROU ★★★
(A 4 km route de Figeac). M. Boulliard
☎ 65 45 18 11 🆑 65 45 32 59
🛏 27 ⬚ 310/400 F. 🍽 105/350 F.
🍴 69 F. 🍽 360/405 F. 🛏 285/330 F.
⬚ 27 fév./14 mars, 22 oct./7 nov.,
18/26 déc., dim. soir et lundi hs.

VILLEFRANCHE DU PERIGORD
24550 Dordogne
800 hab. ℹ️

🔺🔺 LES BRUYERES ★★
Route de Cahors. M. Davy
☎ 53 29 97 97
🛏 10 ⬚ 200/220 F. 🍽 55/230 F.
🍴 40 F. 🍽 230/280 F. 🛏 210/260 F.
⬚ quinzaine nov., quinzaine fév. et lun.

VILLEFRANCHE DU PERIGORD
(MAZEYROLLES)
24550 Dordogne
380 hab. ℹ️

🔺🔺 LA CLE DES CHAMPS ★★
M. Pinchelimouroux
☎ 53 29 95 94 🆑 53 28 42 96
🛏 13 ⬚ 275/315 F. 🍽 80/275 F.
🍴 40 F. 🍽 225/350 F. 🛏 180/280 F.
⬚ 30 nov./31 mars sauf réservation.

VILLEFRANCHE SUR MER
06230 Alpes Maritimes
7000 hab. ℹ️

🔺🔺 LA FLORE ★★
Bld Princesse Grace de Monaco.
Mme Desnos
☎ 93 76 30 30 🆑 93 76 99 99
🛏 18 ⬚ 400/800 F. 🍽 95/160 F.

🍴 60 F. 🛏 390/470 F.
⬚ janv./25 mars 94 (travaux).

VILLENAUXE LA GRANDE
10370 Aube
2000 hab. ℹ️

🔺 DU CHATEAU
50, rue du Château. Mme Eichert
☎ 25 21 31 66
🛏 5 ⬚ 98/150 F. 🍽 55/135 F. 🍴 35 F.
🍽 200/300 F. 🛏 160/200 F.
⬚ sept., dim. soir et lun.

VILLENEUVE DE MARSAN
40190 Landes
2100 hab. ℹ️

🔺🔺 DE L'EUROPE ★★★
Place de la Boiterie. M. Me Garrapit
☎ 58 45 20 08 🆑 58 45 34 14
🛏 12 ⬚ 150/420 F. 🍽 130/300 F.
🍴 70 F. 🍽 300/400 F. 🛏 260/350 F.

VILLENEUVE LES AVIGNON
30400 Gard
10000 hab. ℹ️

🔺 COYA ★★
(Pont d'Avignon). M. Lacroix
☎ 90 25 52 29 🆑 90 25 68 90
🛏 15 ⬚ 160/327 F.

🔺🔺 RESIDENCE LES CEDRES ★★
39, av. Pasteur Bellevue. M. Grimonet
☎ 90 25 43 92 🆑 432868 🆑 90 25 14 66
🛏 23 ⬚ 290/350 F. 🍽 95/128 F.
🍴 60 F. 🛏 265/295 F.
⬚ 15 nov./15 mars et Rest. midi.

VILLENEUVE LES BEZIERS
34420 Hérault
2981 hab. ℹ️

🔺🔺 AZUROTEL ★★★
Echangeur Béziers Est, route de Valras.
M. Lubac
☎ 67 39 83 03 🆑 67 39 82 78
🛏 21 ⬚ 250/400 F. 🍽 80/140 F.
🍴 60 F. 🍽 310/330 F. 🛏 250/270 F.
⬚ Rest. dim. oct./avr.

🔺 LAS CIGALAS ★★
28, bld Gambetta. Mme Moussairoux
☎ 67 39 45 28 🆑 499490 🆑 67 39 81 66
🛏 15 ⬚ 159/179 F. 🍽 69/ 95 F.
🍴 37 F. 🍽 245 F. 🛏 180 F.
⬚ Rest. dim. hs.

VILLENEUVE LOUBET
06270 Alpes Maritimes
8210 hab.

LA FRANC-COMTOISE ★★
(Grange Rimade). M. Poinsot
☎ 93 20 97 58 ⊠ 92 02 74 76
🛏 29 ⊗ 370 F. ⊞ 135/160 F. 🍴 45 F.
🍽 370 F. 🛎 310 F.
⊠ 15 oct./1er déc. et mer. sauf juil.,
août, sept.
CB VISA E C

VILLENEUVE LOUBET PLAGE
06270 Alpes Maritimes
8210 hab.

RELAIS IMPERIAL ★
Route du Bord de Mer. M. Aime
☎ 93 73 73 10
🛏 11 ⊗ 180/200 F. ⊞ 80/120 F.
🍴 45 F. 🍽 240/260 F. 🛎 190/200 F.
⊠ environ 1er/15 déc. et lun hs.
CB VISA E

VILLEPERROT
89140 Yonne
177 hab.

LE MANOIR DE L'ONDE ★★
33, rue du Barrage. M. Lablonde
☎ 86 67 05 93 ⊠ 86 96 37 25
🛏 7 ⊗ 250/350 F. ⊞ 120/250 F.
🍴 80 F. 🍽 410/480 F. 🛎 340/410 F.
CB VISA AE ⊕ E

VILLEPREUX
78450 Yvelines
8850 hab.

AUBERGE SAINT VINCENT ★★
36-38, rue Amedée Brocard.
Mme Couturier
☎ (1) 30 56 20 09 ⊠ (1) 34 62 36 03
🛏 10 ⊗ 200/230 F. ⊞ 110/200 F.
🍴 45 F. 🍽 360/390 F. 🛎 290/320 F.
⊠ août, dim. soir et lun.
CB VISA AE

VILLEROY
89100 Yonne
227 hab.

RELAIS DE VILLEROY ★★
Route de Nemours. M. Clément
☎ 86 88 81 77
🛏 8 ⊗ 195/270 F. ⊞ 130/300 F.
🍴 65 F.
⊠ 15 déc./15 janv, dim. soir et lun.
CB VISA E

VILLERS BOCAGE
14310 Calvados
2600 hab.

LES TROIS ROIS ★★
M. Martinotti
☎ 31 77 00 32 ⊠ 31 77 93 25
🛏 14 ⊗ 200/400 F. ⊞ 120/300 F.
🛎 300/350 F.

⊠ 3 janv./1er fév., 20/27 juin, dim. soir
et lun. sauf fériés.
CB VISA AE ⊕ E

VILLERS LE LAC
25130 Doubs
750 m. • 4000 hab.

DE FRANCE ★★★
8, place M. Cupillard. M. Droz
☎ 81 68 00 06 ⊠ 81 68 09 22
🛏 14 ⊗ 260/350 F. ⊞ 155/450 F.
🍽 385/410 F. 🛎 275/305 F.
⊠ 1er déc./15 janv., rest. dim. soir et lun.
CB VISA AE ⊕ E

VILLERS SOUS SAINT LEU
60340 Oise
2100 hab.

LE RELAIS SAINT-DENIS ★★
7, rue de l'Eglise. M. Bordinat
☎ 44 56 31 87
🛏 9 ⊗ 150/250 F. ⊞ 140/200 F.
🍴 45 F. 🍽 250/290 F. 🛎 205/225 F.
⊠ 15 juil./15 août, dim. soir et lun.
CB VISA E

VILLERSEXEL
70110 Haute Saône
1500 hab.

DE LA TERRASSE ★★
M. Eme ☎ 84 20 52 11 ⊠ 84 20 56 90
🛏 15 ⊗ 170/270 F. ⊞ 60/250 F.
🍴 39 F. 🍽 210/260 F. 🛎 180/230 F.
⊠ 20 déc./4 janv., ven. soir et dim. soir hs.
CB VISA E C

DU COMMERCE ★★
1, rue du 13 Septembre. M. Mougin
☎ 84 20 50 50 ⊠ 84 20 59 57
🛏 17 ⊗ 190/320 F. ⊞ 54/220 F.
🍴 35 F. 🍽 215/240 F. 🛎 185/220 F.
⊠ 1ère quinzaine janv. et 1ère semaine
oct.
CB VISA E

VILLERVILLE
14113 Calvados
850 hab.

BELLEVUE HOTEL ★★
Route d'Honfleur M. Lorant
☎ 31 87 20 22
🛏 18 ⊗ 145/325 F. ⊞ 98/180 F.
🍴 55 F. 🍽 260/350 F. 🛎 180/270 F.
⊠ Rest. 15 nov./20 déc., 5/20 janv. et
mar. 30 sept./1er avr.
CB VISA AE ⊕ E

VILLEVALLIER
89330 Yonne
359 hab.

LE PAVILLON BLEU ★★
31, rue de la République. Mme Millet
☎ 86 91 12 17 ⊠ 86 91 17 74
🛏 13 ⊗ 150/260 F. ⊞ 78/195 F.
🍴 68 F. 🍽 215/284 F. 🛎 160/206 F.
⊠ 3 semaines janv., dim. soir et lun.
midi sauf juin/août.
CB VISA AE ⊕ E

VILLIERS EN BOIS
79360 Deux Sèvres
300 hab.

⚲ AUBERGE DES CEDRES
M. Bodard
☎ 49 76 79 53
🛏 5 ▨ 130/200 F. 🍴 55/164 F. ⌷ 43 F.
▥ 280/300 F. 🞖 210/230 F.
⌧ 1er/25 fév., dim. soir et lun.
▨ ▨ ⛱ ⛷ ⛳ CV ⬛ ⬗ CB𝕍𝕊𝔸 E

VILOSNES
55110 Meuse
242 hab. 🛈

⚲ DU VIEUX MOULIN ⋆
Mme Martin
☎ 29 85 81 52 ⬛ 29 85 88 19
🛏 8 ▨ 180/240 F. 🍴 75/220 F. ⌷ 50 F.
▥ 250/300 F. 🞖 205/215 F.
⌧ fév., lun. soir et mar. hs.
E ▢ ▨ ▨ ▨ ⛱ ⬗ CV ⬗ CB𝕍𝕊𝔸
AE ⓪ E

VIMOUTIERS
61120 Orne
5000 hab. 🛈

⚲⚲ L'ESCALE DU VITOU ⋆⋆
Route d'Argentan. M. Blondeau
☎ 33 39 12 04 ⬛ 33 36 13 34
🛏 17 ▨ 180/250 F. 🍴 68/195 F.
⌷ 45 F. ▥ 235/255 F. 🞖 180/200 F.
⌧ Rest. janv., dim. soir et lun.
▨ ▢ ▨ ▨ ⛱ ⬗ ⬗ ⛷ CV ⬗
CB𝕍𝕊𝔸 E ⬛

⚲ LE SOLEIL D'OR ⋆
16, place de Mackau. M. Tanquerel
☎ 33 39 07 15 ╲ 33 39 31 94
🛏 16 ▨ 130/210 F. 🍴 65/160 F.
⌷ 45 F. ▥ 240/300 F. 🞖 180/260 F.
⌧ fév., 1ère semaine mars, rest. ven. et
dim. soir.
E ▢ ▨ ▨ CV ⬛ ⬗ CB𝕍𝕊𝔸 E

VINASSAN
11110 Aude
1510 hab.

⚲⚲ AUDE HOTEL ⋆⋆
Aire de Repos Narbonne-Vinassan Nord.
M. Castaing
☎ 68 45 25 00 ⬛ 500 712 ⬛ 68 45 25 20
🛏 59 ▨ 290/360 F. 🍴 70/110 F.
⌷ 42 F. 🞖 250/300 F.
E ▢ SP ▢ ▨ ▨ ▨ ⬛ ▥ ⬛ ⛱
⛱ ⛷ ⛳ CV ⬗ CB𝕍𝕊𝔸 AE E C ⬛

VINCELOTTES
89290 Yonne
288 hab.

⚲⚲ LES TILLEULS
12, quai de l'Yonne. M. Renaudin
☎ 86 42 22 13 ⬛ 86 42 23 51
🛏 5 ▨ 250/380 F. 🍴 105/250 F.
⌷ 65 F.
⌧ 20 déc./20 fév., mer. soir et jeu. hs.
E ▢ ▢ ⬛ ⬗ CB𝕍𝕊𝔸 E

VINON SUR VERDON
83560 Var
2196 hab. 🛈

⚲⚲ LA CROIX DE MALTE ⋆⋆
Route d'Aix. Mme Grocholski
☎ 92 78 88 10
🛏 6 ▨ 250 F. 🍴 98/248 F. ⌷ 50 F.
▥ 320 F. 🞖 270 F.
⌧ sam. midi.
▢ ▨ ▨ ▨ ⛱ ⬗ CB𝕍𝕊𝔸 E

⚲⚲ OLIVIER HOTEL ⋆⋆⋆
Route de Manosque. M. Berton
☎ 92 78 86 99 ⬛ 92 78 89 65
🛏 20 ▨ 360/420 F. 🍴 95/165 F.
⌷ 70 F. 🞖 360/420 F.
⌧ 1er nov./28 fév.
▢ ▨ ▨ ▨ ⛱ ⛱ ⛷ ⛳ ⬛ ⬗ CB𝕍𝕊𝔸
AE ⓪ E

⚲ RELAIS DES GORGES ⋆⋆
6, av. de la République. M. Givaudan
☎ 92 78 80 24 ⬛ 92 78 96 47
🛏 10 ▨ 200/230 F. 🍴 90/420 F.
⌷ 60 F. ▥ 260 F. 🞖 190 F.
⌧ 20 déc./20 janv.
E ▢ ▨ ▨ ⬗ CB𝕍𝕊𝔸 ⓪ E

VIOLAY
42780 Loire
830 m. • 1400 hab. 🛈

⚲ PERRIER ⋆⋆
Place de l'Eglise. M. Clot
☎ 74 63 91 01 ⬛ 74 63 91 77
🛏 10 ▨ 150/220 F. 🍴 55/178 F.
⌷ 50 F. ▥ 215/265 F. 🞖 160/180 F.
▨ ▨ CV ⬛ ⬗ CB𝕍𝕊𝔸 E

VIRE
14500 Calvados
15000 hab. 🛈

⚲⚲⚲ DE FRANCE ⋆⋆
4, rue d'Aignaux. M. Carnet
☎ 31 68 00 35 ⬛ 31 68 22 65
🛏 20 ▨ 160/350 F. 🍴 60/250 F.
⌷ 48 F. ▥ 300/320 F. 🞖 240/260 F.
⌧ 18 déc./12 janv.
E ▢ ▨ ▨ ⬛ ▥ ▥ ⛱ CV ⬛ ⬗
CB𝕍𝕊𝔸 E ⬛

⚲ DES VOYAGEURS ⋆
47, av. de la Gare. Mme Deniau
☎ 31 68 01 16
🛏 13 ▨ 152/220 F. 🍴 55/150 F.
⌷ 45 F. ▥ 200/250 F. 🞖 180/200 F.
E ▢ ▨ ▨ ▨ ⛳ ⬛ ⬗ CB𝕍𝕊𝔸 E

VISAN
84820 Vaucluse
1210 hab.

⚲ DU MIDI ᵉᶜ
Av. des Alliés. M. Guirao
☎ 90 41 90 05
🛏 8 ▨ 165/280 F. 🍴 65/150 F. ⌷ 40 F.
▥ 250/280 F. 🞖 220/250 F.
⌧ 1er/15 fév., 4/18 oct. et mer.
E SP ▢ ▨ ⛳ ⬛ ⬗ CB𝕍𝕊𝔸 E

VISCOMTAT
63250 Puy de Dôme
700 m. • 1000 hab.

▲ DU CENTRE
M. Girard
☎ 73 51 91 55
🛏 10 🅂 110/160 F. 🍴 48/150 F.
🍴 40 F. 🍴 200/250 F. 🍴 150/200 F.
✉ 15 sept./15 oct. et mer. hs.
🖥 🚗 🛎 🐾 CB🆅🆂🅰 🅰🅴 E

VITARELLE (LA)
12210 Aveyron
900 m. • 25 hab.

▲ RELAIS DE LA VITARELLE
Mme Falguier
☎ 65 44 36 01
🛏 6 🅂 130/160 F. 🍴 75/150 F. 🍴 45 F.
🍴 190/210 F. 🍴 150/160 F.
✉ sam. hs.
🚗 🐾 CB🆅🆂🅰 E

VITRAC
15220 Cantal
283 hab.

▲▲▲ AUBERGE DE LA TOMETTE ★★
Mme Chausi
☎ 71 64 70 94 📠 71 64 77 11
🛏 19 🅂 250/440 F. 🍴 65/180 F.
🍴 50 F. 🍴 280/355 F. 🍴 220/295 F.
✉ 20 déc./1er avr.
🖥 🛎 🚗 🐾 🏊 🎾 🎿 CV 🖥 🐾
CB🆅🆂🅰 🅰🅴 E

VITRAC
24200 Dordogne
676 hab.

▲▲▲ DE PLAISANCE ★★
Le Port. M. Taverne
☎ 53 28 33 04 📠 53 28 19 24
🛏 42 🅂 200/350 F. 🍴 70/230 F.
🍴 50 F. 🍴 300/340 F. 🍴 260/300 F.
✉ 20 nov./6 fév. et ven. hs.
🖥 🛎 🚗 🚗 🐾 🏊 🎿 🐾 🏊 🎿 CV
🖥 🐾 CB🆅🆂🅰 🅰🅴 E

VITRE (SAINT DIDIER)
35220 Ille et Vilaine
3000 hab.

▲▲▲ PEN'ROC ★★★
Lieu-dit "La Peinière". M. Froc
☎ 99 00 33 02 📠 99 62 30 89
🛏 33 🅂 320/480 F. 🍴 148/255 F.
🍴 70 F. 🍴 335/360 F.
✉ 1 semaine vac. scol. Toussaint, dim.
soir et ven. soir hs.
🖥 SP 🛎 🚗 🚗 🐾 🏊 🎾 🎿 🐾
🎿 🚗 🐾 🖥 🐾 CB🆅🆂🅰 🅰🅴 🅾 E

VITRY LA VILLE
51240 Marne
350 hab.

▲ DE LA PLACE
Mme Picard
☎ 26 67 73 65

🛏 7 🅂 120/210 F. 🍴 75 F. 🍴 45 F.
✉ 23 déc./3 janv. et sam.
🖥 🚗 🚗 🐾 CB🆅🆂🅰 E

VITRY LE FRANCOIS
51300 Marne
18820 hab. ⓘ

▲▲ DE LA CLOCHE ★★
34, rue Aristide Briand. M. Sautet
☎ 26 74 03 84 📠 26 74 15 52
🛏 24 🅂 210/300 F. 🍴 95/260 F.
🍴 65 F.
✉ 1ère quinzaine janv.
🖥 SP 🛎 🚗 🚗 🐾 🖥 🐾 CB🆅🆂🅰 🅰🅴
🅾 E

▲▲ DE LA POSTE ★★★
Place Roger Collard. M. Latriche
☎ 26 74 02 65 📠 26 74 54 71
🛏 31 🅂 310/370 F. 🍴 98/220 F.
🍴 60 F.
✉ 24 déc./4 janv. et dim.
🖥 🛎 🚗 🚗 🐾 🎿 🖥 🐾 CB🆅🆂🅰 🅰🅴
🅾 E

VITTEL
88800 Vosges
8000 hab. ⓘ

▲▲▲ BELLEVUE ★★★
503, av. de Chatillon. M. Giorgi
☎ 29 08 07 98 📠 29 08 41 89
🛏 36 🅂 305/365 F. 🍴 110/180 F.
🍴 50 F. 🍴 320/380 F. 🍴 255/315 F.
✉ 15 nov./15 avr.
🖥 🛎 🚗 🚗 🐾 🎿 🎿 CV 🖥 🐾
CB🆅🆂🅰 🅰🅴 🅾 E

▲▲▲ L'OREE DU BOIS ★★
Sur D. 18. Lieu-dit "l'Orée du Bois".
Mme Ferry
☎ 29 08 88 88 📠 29 08 01 61
🛏 36 🅂 216/257 F. 🍴 58/164 F.
🍴 37 F. 🍴 315/417 F. 🍴 236/338 F.
✉ dim. soir nov./mars.
🖥 🅳 🛎 🚗 🚗 🚗 🐾 🎿 🏊 🐾 🎿
🎿 🚗 CV 🖥 🐾 CB🆅🆂🅰 🅰🅴 E 🅲 🖥

▲▲ LE CHALET ★★
70, av. Georges Clemenceau.
M. Marquaire
☎ 29 08 07 21
🛏 10 🅂 200/280 F. 🍴 90/200 F.
🍴 40 F. 🍴 400 F. 🍴 320 F.
✉ 25 nov./1er janv. et sam. hs.
🖥 🅳 🛎 🚗 🚗 🐾 🎿 🐾 CB🆅🆂🅰
E 🖥

VIUZ EN SALLAZ
74250 Haute Savoie
670 m. • 2500 hab. ⓘ

▲ CLAIR MATIN ★
M. Pellet-Bourgeois
☎ 50 36 81 21
🛏 14 🅂 160/210 F. 🍴 70/150 F.
🍴 50 F. 🍴 210/230 F. 🍴 165/190 F.
✉ 20 oct./15 nov. et sam. hs.
🖥 🚗 🎿 🐾 CB🆅🆂🅰 E

VIVIER SUR MER (LE)
35960 Ille et Vilaine
1000 hab.

△ BEAU RIVAGE ★★
21, rue de la Mairie. M. Bréard
☎ 99 48 90 65 ⟨FAX⟩ 99 48 85 40
🛏 11 ⟨⟩ 185/250 F. 🍴 65/220 F.
🍽 50 F. 🍴 290/350 F. 🛏 210/240 F.
✉ 25 oct./25 nov., 1 semaine mi-janv. et mer. oct./1er avr.
[icons] CB𝖵𝖨𝖲𝖠 AE ⊙ E C

△△ DE BRETAGNE ★★
MM. Bunoult
☎ 99 48 91 74 ⟨FAX⟩ 99 48 81 10
🛏 25 ⟨⟩ 200/320 F. 🍴 120/250 F.
🍽 55 F. 🛏 300/340 F.
✉ début déc./fin fév., Rest. lun. midi saison, dim. soir et lun. hs.
[icons] CB𝖵𝖨𝖲𝖠 AE ⊙ E

VIVIERS DU LAC
73420 Savoie
1000 hab.

△△ CHAMBAIX ★★
M. Gros
☎ 79 61 31 11 ⟨FAX⟩ 79 88 43 69
🛏 29 ⟨⟩ 240/300 F. 🍴 70/150 F.
🍽 50 F. 🍴 300/330 F. 🛏 240/270 F.
[icons] CB𝖵𝖨𝖲𝖠 AE ⊙ E

△△ WEEK-END HOTEL ★★
139, rue Colonel Bachetta. M. Charvet
☎ 79 54 40 22 ⟨FAX⟩ 79 54 46 70
🛏 13 ⟨⟩ 200/290 F. 🍴 98/220 F.
🍽 50 F. 🍴 325/335 F. 🛏 265/275 F.
✉ déc. et lun.
[icons] CB𝖵𝖨𝖲𝖠 E

VIZILLE
38220 Isère
7200 hab. ⓘ

△ LESDIGUIERES
100, rue Général de Gaulle. M. Maurin
☎ 76 68 04 84
🛏 14 ⟨⟩ 110/190 F. 🍴 65/100 F.
🍽 45 F. 🍴 200 F. 🛏 150 F.
✉ sam. et dim. oct./fin avr.
[icons] CB𝖵𝖨𝖲𝖠

VOGUE
07200 Ardèche
550 hab.

△△△ DES VOYAGEURS ★★
Route de Ruoms. M. Costes
☎ 75 37 71 13 ⟨FAX⟩ 75 37 01 25
🛏 11 ⟨⟩ 200/290 F. 🍴 70/230 F.
🍽 38 F. 🛏 270/340 F.
✉ 10/31 janv. et dim. soir 15 oct./15 mars.
[icons] CB𝖵𝖨𝖲𝖠 AE ⊙ E

VOIRON
38500 Isère
23000 hab. ⓘ

△△ LA CHAUMIERE ★★
Rue de la Chaumière, dir. Criel.
M. Stephan
☎ 76 05 16 24 ⟨FAX⟩ 76 05 13 27
🛏 24 ⟨⟩ 120/250 F. 🍴 75/180 F.
🍽 50 F. 🍴 240/300 F. 🛏 160/230 F.
✉ 21 déc./4 janv., ven. soir et sam.
[icons] CB𝖵𝖨𝖲𝖠 E

VOISINS DE MOUROUX
77120 Seine et Marne
3000 hab. ⓘ

△ LA RAYMONDINE ★
758, av. Général de Gaulle. M. Haeuw
☎ (1) 64 20 65 62
🛏 8 ⟨⟩ 140 F. 🍴 72/125 F. 🍽 58 F.
🍴 250/400 F. 🛏 200/300 F.
✉ août, dim. soir et lun.
[icons] CB𝖵𝖨𝖲𝖠 E

VOITEUR
39210 Jura
810 hab.

△ DU CERF ★
M. Trontin
☎ 84 85 24 41
🛏 11 ⟨⟩ 110/200 F. 🍴 65/170 F.
🍽 42 F. 🍴 220/262 F. 🛏 200/240 F.
✉ 28 nov./4 janv., dim. soir et lun. hs.
[icons] CB𝖵𝖨𝖲𝖠 E

VOUE
10150 Aube
373 hab. ⓘ

△△ LE MARAIS ★★★
36-39, route Impériale. M. Grenet
☎ 25 37 55 33 ⟨FAX⟩ 25 37 53 29
🛏 20 ⟨⟩ 280/370 F. 🍴 80/140 F.
🍽 35 F.
✉ dim. soir sauf réservations.
[icons] CB𝖵𝖨𝖲𝖠 AE E

VOUGY
74130 Haute Savoie
520 hab.

△△ LA POMME D'OR ★★
M. Mangin
☎ 50 34 58 23 ⟨FAX⟩ 50 34 08 91
🛏 7 ⟨⟩ 180/230 F. 🍴 68/260 F. 🍽 50 F.
🍴 280/320 F. 🛏 210/230 F.
✉ 1er/20 août et dim. soir.
[icons] CB𝖵𝖨𝖲𝖠 E

VOUILLE
86190 Vienne
2800 hab. ⓘ

△△ AUBERGE DU CHEVAL BLANC ET LE CLOVIS ★★
M. Blondin
☎ 49 51 81 46 ⟨FAX⟩ 49 51 96 31
🛏 34 ⟨⟩ 110/290 F. 🍴 66/215 F.
🍽 48 F. 🍴 200/250 F. 🛏 160/210 F.
[icons] CB𝖵𝖨𝖲𝖠 AE ⊙ E

VOULAINES LES TEMPLIERS
21290 Côte d'Or
400 hab.

⚜ LA FORESTIERE ★★
Lieu-dit "Le Fourneau". Mme Langinieux
☎ 80 81 80 65
🛏 10 ⊗ 180/270 F.
🔲 🛏 🚗 ⬛ CV 🔲 CB📶 ⊙ E

VOULTE SUR RHONE (LA)
07800 Ardèche
6000 hab. ⓘ

🏠 DE LA VALLEE ★★
Quai Anatole France. M. Lavenent
☎ 75 62 41 10 ⬛ 75 62 26 22
🛏 17 ⊗ 130/270 F. 🔲 70/200 F.
🍴 40 F. 🔲 240/280 F. 🔲 220/260 F.
⊠ janv. et sam. sauf juil./août.
🔲 🛏 🚗 ⬛ CV 🔲 CB📶 E

🏠🏠 LE MUSEE ★★
Place du 4 Septembre. M. Blanchot
☎ 75 62 40 19 ⬛ 75 85 35 79
🛏 15 ⊗ 130/280 F. 🔲 69/180 F.
🍴 50 F. 🔲 200/250 F.
⊠ fév. et sam. oct./Pâques.
🔲 🔲 🛏 🚗 ⬛ CV 🔲 CB📶 E

VOUVANT
85120 Vendée
860 hab. ⓘ

🏠🏠 AUBERGE DE MAITRE PANNETIER ★★
Place du Corps de Garde. M. Guignard
☎ 51 00 80 12
🛏 8 ⊗ 200/350 F. 🔲 65/350 F. 🍴 40 F.
🔲 320 F. 🔲 260/290 F.
⊠ 15 fév./15 mars, dim. soir et lun. hs.
🔲 🔲 🛏 ⬛ CV 🔲 🔲 CB📶 E

VOUVRAY
37210 Indre et Loire
2950 hab. ⓘ

🏠🏠 AUBERGE DU GRAND VATEL ★★
8, rue Brule. M. Copin
☎ 47 52 70 32 ⬛ 47 52 74 52
🛏 7 ⊗ 200/270 F. 🔲 125/220 F.
🍴 80 F. 🔲 255/280 F.
⊠ 1er/15 mars, 1er/15 déc., dim. soir
et lun. hs. juil./août
🔲 🛏 🚗 🔲 ⬛ CB📶 E

VOVES
28150 Eure et Loir
2800 hab.

🏠🏠🏠 AU QUAI FLEURI ★★★
15, rue Texier Gallas. M. Chadorge
☎ 37 99 15 15 ⬛ 37 99 11 20
🛏 17 ⊗ 245/440 F. 🔲 79/260 F.
🍴 55 F. 🔲 295/390 F. 🔲 235/290 F.
⊠ 20 déc./8 janv., dim. soir et soirs
fériés, ven. 1er nov./30 avr.
🔲 🔲 🛏 🚗 ⬛ 🔲 🔲 🔲 CV 🔲
🔲 CB📶 AE E C 🔲

VRINE (LA)
25520 Doubs
900 m. • 500 hab.

🏠🏠 FERME HOTEL DE LA VRINE ★★
M. Salomon
☎ 81 39 47 74 ⬛ 81 39 21 87
🛏 33 ⊗ 210 F. 🔲 80/230 F. 🍴 40 F.
🔲 310 F. 🔲 230 F.
⊠ Rest. dim. soir et lun. sauf juil./août.
🔲 🔲 🛏 🚗 🚗 ⬛ 🔲 🔲 🔲 🔲 🔲
CB📶 E

WAHLBACH
68130 Haut Rhin
211 hab.

🏠🏠 AU SOLEIL ★★
10, rue du Maréchal Foch. M. Martin
☎ 89 07 81 48
🛏 14 ⊗ 150/200 F. 🔲 40/200 F.
🍴 35 F. 🔲 210/250 F. 🔲 160/210 F.
⊠ Rest. jeu.
🔲 🛏 🚗 🔲 🔲 🔲 CB📶 AE ⊙ E

WANGENBOURG
67710 Bas Rhin
350 hab. ⓘ

🏠🏠 DU FREUDENECK ★★
(3 Freudeneck). Mme Wagner
☎ 88 87 32 91 ⬛ 88 87 36 78
🛏 9 ⊗ 305/325 F. 🔲 80/280 F. 🍴 50 F.
🔲 325/345 F. 🔲 285/305 F.
🔲 🔲 🛏 🚗 🔲 🔲 🔲 🔲 CV 🔲 🔲
CB📶 ⊙ E C 🔲

🏠🏠🏠 PARC HOTEL ★★★
M. Gihr
☎ 88 87 31 72 ⬛ 88 87 38 00
🛏 21 ⊗ 329/396 F. 🔲 112/260 F.
🍴 60 F. 🔲 316/367 F. 🔲 296/347 F.
⊠ 3 nov./22 déc. et 2 janv./20 mars.
🔲 🔲 🔲 🔲 🛏 🚗 🚗 🔲 🔲 🔲 🔲
🔲 🔲 🔲 CB📶 E

WARMERIVILLE
51110 Marne
2000 hab.

🏠🏠 AUBERGE DU VAL DES BOIS ★★
3, rue du 8 Mai 1945. M. Capitaine
☎ 26 03 32 09 ⬛ 26 03 37 84
🛏 21 ⊗ 230 F. 🔲 68/140 F.
🔲 240/300 F. 🔲 180/240 F.
⊠ 20 déc./5 janv., sam. midi et dim.
🔲 🔲 🛏 🚗 🔲 🔲 🔲 CB📶 E

WASSELONNE
67310 Bas Rhin
5000 hab. ⓘ

🏠🏠 AU SAUMON ★★
69, rue Général de Gaulle. M. Welty
☎ 88 87 01 83 ⬛ 88 87 46 69
🛏 12 ⊗ 140/240 F. 🔲 75/195 F.
🍴 45 F. 🔲 200/250 F.
⊠ 4/17 fév., 22/28 déc., lun. et dim.
soir hs.
🔲 🔲 🔲 🛏 🚗 🔲 🔲 🔲 CV 🔲 🔲
CB📶 AE ⊙ E 🔲

WAST (LE)
62142 Pas de Calais
250 hab.

▲▲ HOSTELLERIE DU CHATEAU DES
TOURELLES ★★
Sur D. 127. M. Feutry
☎ 21 33 34 78 ☒ 21 87 59 57
📶 16 ⬛ 240/300 F. ⬛ 80/200 F.
🍴 80 F. ⬛ 300 F. ⬛ 230 F.
⊠ 15 fév./8 mars et 1er/15 sept.
📶 ▤ ▥ ▦ ▧ ▨ CV ▩ ▪ CB𝘝𝘐𝘚𝘈 ▦
◉ E

WESTHALTEN
68250 Haut Rhin
800 hab.

▲▲▲ AUBERGE DU CHEVAL BLANC ★★★
20, rue de Rouffach. M. Koehler
☎ 89 47 01 16 ☒ 89 47 64 40
📶 12 ⬛ 360/430 F. ⬛ 160/420 F.
🍴 70 F. ⬛ 420/450 F.
⊠ 8 fév./3 mars, 19/28 juil., dim. soir
et lun.
▤ ▥ ▦ ▧ ▨ ▩ ▪ ▫ ▬ ▭ ▮
CB𝘝𝘐𝘚𝘈 E

WETTOLSHEIM
68920 Haut Rhin
1600 hab.

▲ AU SOLEIL
20, rue Sainte Gertrude. Mme Dietrich
☎ 89 80 62 66
📶 11 ⬛ 170/195 F. ⬛ 35 F. ⬛ 210 F.
⊠ 17 juin/7 juil., 22 déc./5 janv. et jeu.
▤ ▥ ▦ CV ▪ CB𝘝𝘐𝘚𝘈 ▦ ▪

▲▲▲ AUBERGE DU PERE FLORANC ★★ & ★★★
9, rue Herzog. M. Floranc
☎ 89 80 79 14 ☒ 89 79 77 00
📶 32 ⬛ 310/535 F. ⬛ 95/380 F.
🍴 70 F. ⬛ 420/560 F.
⊠ 4/18 juil., 7 nov./12 déc., lun et dim.
soir hs.
▤ ▥ ▦ ▧ ▨ ▩ ▪ ▫ ▬ ▭ ▮ CB𝘝𝘐𝘚𝘈
▦ ◉ E

WIERRE EFFROY
62720 Pas de Calais
700 hab.

▲▲▲ FERME DU VERT ★★★
Route du Paon. M. Bernard
☎ 21 87 67 00 ☒ 21 83 22 62
📶 16 ⬛ 320/550 F. ⬛ 140/180 F.
🍴 60 F. ⬛ 300/400 F.
⊠ 15 déc./15 janv. Rest. dim.
▤ ▥ ▦ ▧ ▨ ▩ ▪ CB𝘝𝘐𝘚𝘈 ▦ E

WIMEREUX
62930 Pas de Calais
7023 hab. ⓘ

▲ SPERANZA ★★
43, rue Général de Gaulle. M. Lebrun
☎ 21 32 46 09 ☒ 21 87 52 09
📶 8 ⬛ 250 F. ⬛ 80/180 F. 🍴 50 F.
⊠ janv. et mar.
▤ ▥ ▦ ▪ CB𝘝𝘐𝘚𝘈 E

WINGEN SUR MODER
67290 Bas Rhin
1600 hab.

▲▲ WENK ★★
1, rue Principale. M. Leichtnam
☎ 88 89 71 01 ☒ 88 89 85 80
📶 14 ⬛ 190/200 F. ⬛ 68/187 F.
🍴 66 F. ⬛ 320 F. ⬛ 265 F.
⊠ 2 janv./7 fév., lun. et mer. soir.
▤ ▥ ▦ ▧ ▨ ▩ ▪ ▫ CV ▬ CB𝘝𝘐𝘚𝘈 E

WINTZENHEIM
68920 Haut Rhin
6700 hab.

▲ A LA VILLE DE COLMAR ★
17, rue Clemenceau. M. Tisserand
☎ 89 27 00 58
📶 8 ⬛ 140/195 F. ⬛ 95/180 F. 🍴 50 F.
⬛ 180/200 F.
⊠ 7/22 nov., dim. soir hs et lun.
▤ ▥ ▦ ▧ ▨ CB𝘝𝘐𝘚𝘈 E

WISEMBACH
88520 Vosges
430 hab.

▲▲ DU BLANC RU ★★
M. Long
☎ 29 51 78 51 ☒ 29 51 70 67
📶 7 ⬛ 190/320 F. ⬛ 98/200 F. 🍴 55 F.
⬛ 310/340 F. ⬛ 220/250 F.
⊠ 8 fév./9 mars, 20/28 sept., dim. soir
et lun.
▤ ▥ ▦ ▧ ▨ ▩ ▪ ▫ ▬ ▭ CB𝘝𝘐𝘚𝘈 ◉ E

WISSANT
62179 Pas de Calais
1247 hab. ⓘ

▲ LE VIVIER ★
Place de l'Eglise. M. Gest
☎ 21 35 93 61 ☒ 21 82 10 99
📶 10 ⬛ 207/302 F. ⬛ 82/177 F.
🍴 50 F. ⬛ 299/346 F. ⬛ 220/268 F.
⊠ mi-janv./mi-fév. Rest. mar. soir et
mer.
▤ ▥ ▦ ▧ ▨ ▩ ▪ ▫ ▬ CB𝘝𝘐𝘚𝘈 E

WISSEMBOURG
67160 Bas Rhin
7000 hab. ⓘ

▲▲ DE LA WALK ★★
2, rue de la Walk. M. Schmidt
☎ 88 94 06 44 ☒ 88 54 38 03
📶 25 ⬛ 250/350 F. ⬛ 150/250 F.
⬛ 420/450 F. ⬛ 320/350 F.
⊠ Rest. 15/30 juin, 10/30 janv., dim.
soir et lun.
▤ ▥ ▦ ▧ ▨ ▩ ▪ ▫ CV ▬ ▭
CB𝘝𝘐𝘚𝘈 E

▲▲ DU CYGNE ★★
3, rue du Sel. M. Kientz
☎ 88 94 00 16 ☒ 88 54 38 28
📶 16 ⬛ 275/400 F. ⬛ 120/300 F.
🍴 65 F. ⬛ 400 F. ⬛ 310 F.
⊠ fév., 1ère quinzaine juil., Rest. mer.
et jeu. midi, Hôtel mer.
▤ ▥ ▦ ▧ ▨ ▩ ▪ ▫ CB𝘝𝘐𝘚𝘈 E

WITTENHEIM
68270 Haut Rhin
13380 hab.

⚐ LE BOREAL ★★
1 et 48, rue d'Ensisheim. M. Demarche
☎ 89 52 77 89 \ 89 52 43 73
🛏 24 ⌧ 225/245 F. ⏍ 60/250 F.
🍴 45 F. ⏲ 240/260 F. ⏲ 190/200 F.
⌧ 15 août/3 sept., 23 déc./3 janv., dim.
et sam. matin.
📺 🅓 🗔 ☎ 🚗 🚗 CV 🛏 📶 CB📟 AE
⊕ E 🖥

WOLFISHEIM
67200 Bas Rhin
2186 hab.

⚐ AU LION ROUGE ★★
29, rue des Seigneurs. M. Fuchs
☎ 88 78 18 19 ⏎ 88 77 33 85
🛏 15 ⌧ 160/240 F. ⏍ 65 F. 🍴 42 F.
⏲ 230/265 F. ⏲ 170/205 F.
⌧ juil. et Rest. jeu.
📺 🅓 🅘 🗔 ☎ 🚗 CV 📶 📶 CB📟 E

XEUILLEY
54990 Meurthe et Moselle
647 hab.

⚐ DU LION D'OR ★★
M. Grosclaude
☎ 83 47 02 31 ⏎ 83 47 77 76
🛏 10 ⌧ 120/220 F. ⏍ 60/140 F.
🍴 40 F. ⏲ 175/215 F. ⏲ 130/170 F.
⌧ 16/28 août, dim. soir et lun., jours
fériés 20h.
🗔 ☎ 📶 CB📟 AE E

YAUDET EN PLOULECH (LE)
22300 Côtes d'Armor
850 hab.

⚐ AR-VRO ★★
(Le Yaudet). M. Minne
☎ 96 35 24 21 ⏎ 96 35 28 82
🛏 8 ⌧ 260 F. ⏍ 48/158 F. 🍴 48 F.
⏲ 330 F. ⏲ 290 F.
⌧ dim. soir et lun. hs.
📺 🗔 ☎ 🚗 🔧 🔧 CV 📶 📶 CB📟 AE
E 🖥

YDES CENTRE
15210 Cantal
2300 hab.

⚐ DES VOYAGEURS
M. Fayolle
☎ 71 40 82 20
🛏 10 ⌧ 175/245 F. ⏍ 70/175 F.
🍴 45 F. ⏲ 205/240 F. ⏲ 165/200 F.
⌧ 24 déc./3 janv. et dim.
15 nov./1er mars.
🗔 🚗 CV CB📟 AE ⊕ E

YENNE
73170 Savoie
2170 hab. 🅘

⚐ DU FER A CHEVAL ★★
Rue des Prêtres. M. Laurent
☎ 79 36 70 33
🛏 14 ⌧ 150/230 F. ⏍ 90/180 F.
🍴 50 F. ⏲ 200/230 F. ⏲ 180/200 F.
📺 🅓 ☎ 🚗 CV 📶 CB📟 AE E

YGRANDE
03160 Allier
980 hab.

⚐ LA TAVERNE
Place E. Guillaumin. M. Avignon
☎ 70 66 32 67
🛏 7 ⌧ 160/260 F. ⏍ 58/160 F. 🍴 40 F.
⏲ 200/220 F. ⏲ 150/170 F.
⌧ Rest. ven. soir et sam.
🚗 CB📟

YPORT
76111 Seine Maritime
1200 hab. 🅘

⚐ NORMAND ★★
2, place J. Paul Laurens. M. Langlois
☎ 35 27 30 76
🛏 13 ⌧ 160/280 F. ⏍ 80/165 F.
⌧ 15 jours oct., 3 semaines janv./fév.,
mer. soir et jeu.
🗔 ☎ 🍴 📶 CB📟 E

YSSINGEAUX
43200 Haute Loire
860 m. • 6800 hab. 🅘

⚐⚐⚐ LE BOURBON ★★
Place de la Victoire. M. Perrier
☎ 71 59 06 54 ⏎ 71 59 00 70
🛏 10 ⌧ 250/360 F. ⏍ 90/300 F.
⏲ 230/280 F.
⌧ 24 juin/4 juil., 29 sept./24 oct., dim.
soir et lun. hs. (juil./août dim. soir).
📺 🗔 ☎ 🍴 🔧 CV 📶 📶 CB📟 AE E 🖥

YVETOT
76190 Seine Maritime
10895 hab. 🅘

⚐⚐ DU HAVRE ★★
2, rue G. de Maupassant - place des
Belges. M. Maître
☎ 35 95 16 77 ⏎ 35 95 21 18
🛏 28 ⌧ 195/350 F. ⏍ 110/175 F.
🍴 50 F. ⏲ 325/340 F. ⏲ 245/260 F.
⌧ Rest. dim. soir sauf fêtes.
📺 🗔 ☎ 🚗 🚗 📶 📶 CB📟 AE E C 🖥

YVETOT (CROIX MARE)
76190 Seine Maritime
577 hab. 🅘

⚐⚐⚐ AUBERGE DU VAL AU CESNE
Sur D. 5, route de Duclair. M. Carel
☎ 35 56 63 06 ⏎ 35 56 92 78
🛏 5 ⌧ 320 F. ⏍ 150 F. 🍴 60 F.
⏲ 350 F. ⏲ 300 F.
📺 🗔 ☎ 🍴 🔧 🔧 📶 📶 CB📟 E

411

YVOIRE
74140 Haute Savoie
432 hab.

▲▲▲ LE PRE DE LA CURE ★★
M. Me Magnin
☎ 50 72 83 58 ⅢⅩ 50 72 91 15
🛏 20 ⬡ 300/320 F. ⑪ 92/250 F.
🍴 55 F. 🛎 320/330 F.
⌧ 1er nov./10 mars. Rest. mer. hs
(mars, avr. et oct).
🅴 🗇 🕾 🛏 ⚓ 🖂 �🇹 🎿 CV ⬆ CB🆅 E

▲▲ LE VIEUX LOGIS ★★
M. Jacquier
☎ 50 72 80 24 ⅢⅩ 50 72 90 76
🛏 12 ⬡ 270 F. ⑪ 98/180 F. 🍴 35 F.
⌧ 1er nov./31 mars et lun.
🅴 SP 🕾 🚗 ⍏ CV ⬆ CB🆅 AE ⓜ E

▲▲ LES FLOTS BLEUS ★★
M. Blanc
☎ 50 72 80 08 ⅢⅩ 50 72 84 28
🛏 11 ⬡ 280/360 F. ⑪ 96/300 F.
🍴 48 F. 🛎 330/380 F.
⌧ fin sept./début avr.
🅴 ⓘ 🗇 🕾 ⍏ CV 🎛 ⬆ CB🆅 E

YZEURES SUR CREUSE
37290 Indre et Loire
1800 hab. ⓘ

▲▲ LA PROMENADE ★★★
Mme Bussereau
☎ 47 94 55 21 ⅢⅩ 47 94 46 12

🛏 17 ⬡ 240/300 F. ⑪ 149/295 F.
🍴 65 F. 🛎 270 F.
⌧ mi-janv./mi-fév. et Rest. mar. midi.
🅴 🗇 🕾 🚗 🚿 🎛 ⬆ CB🆅 E

Z

ZELLENBERG
68340 Haut Rhin
350 hab.

▲▲ AU RIESLING ★★
5, route du Vin. Mme Rentz
☎ 89 47 85 85 ⅢⅩ 89 47 92 08
🛏 36 ⬡ 280/420 F. ⑪ 95/185 F.
🍴 45 F. 🛎 330 F. 🛎 290 F.
⌧ janv., dim. soir, lun.
1er nov./1er avr.
🅴 🗇 🕾 🚗 🚗 🛏 ⍏ 🎿 CB🆅 AE
ⓜ E

ZONZA
20124 Corse
800 m. • 1000 hab.

▲▲ L'INCUDINE ★★
M. Me Guidicelli
☎ 95 78 67 71
🛏 18 ⬡ 220/300 F. ⑪ 80/140 F.
🍴 50 F. ⑪ 250/320 F. 🛎 190/260 F.
⌧ 15 oct./Pâques.
🅴 ⓘ 🕾 🚗 CV CB🆅 AE ⓜ E

suivi qualité

Afin d'améliorer votre confort et votre accueil, la FNLF dispose d'un Service Suivi Qualité. Merci de bien vouloir lui faire parvenir vos appréciations en adressant cette fiche au:

Service Suivi Qualité

Fédération nationale des Logis de France
83, avenue d'Italie 75013 Paris (France)

---

nom de l'hôtel ────────────────────────

name of hotel / Name des Hotels / naam van het hotel

localité ──────────────────────────────

location / Ort / plaatsnaam

département ─────────────────────────

---

nom du client ─────────────────────────

name of guest / Name des Gastes / naam inzender

occupation ──────────────────────────

profession / Beruf / beroep

adresse ──────────────────────────────

address / Anschrift / adres

dates de séjour ───────────────────────

dates of stay / Aufenthaltsdaten / datum verblijf

êtes-vous satisfait de l'accueil? oui - non

were you satisfied by the hospitality? yes - no

Waren sie mit der Aufnahme zufrieden? ja - nein

bent U tevreden met de ontvangst? ja - nee

le classement de l'hôtel (cheminées) vous semble-t-il convenable? oui - non

do you think that the hotel's grading (number of fireplaces) is correct? yes - no

Erscheint Ihnen die "kamin" -Kategorie des Hotels angemessen? ja - nein

bent U het eens met de classificatie van het hotel ? ja - nee

les prix pratiqués correspondent-ils à la qualité des prestations fournies? oui - non

do you think that the prices are in line with the quality of the service? yes - no

Entsprechen die Preise der Qualität der angebotenen Leistungen? ja - nein

komen de toegepaste prijzen volgens u met de kwaliteit van de dienstverleningen overeen? ja - nee

autres observations

other comments / weitere Bemerkungen / andere opmerkingen

────────────────────────────────────

────────────────────────────────────

────────────────────────────────────

date et signature

date / Datum - signature / Unterschrift / handtekening

Service Suivi Qualité
Fédération nationale des Logis de France

■

83 avenue d'Italie - 75013 Paris
France

suivi qualité

Afin d'améliorer votre confort et votre accueil, la FNLF dispose d'un Service Suivi Qualité. Merci de bien vouloir lui faire parvenir vos appréciations en adressant cette fiche au:

Service Suivi Qualité

**Fédération nationale des Logis de France
83, avenue d'Italie 75013 Paris (France)**

nom de l'hôtel _____

name of hotel / Name des Hotels / naam van het hotel

localité _____

location / Ort / plaatsnaam

département _____

nom du client _____

name of guest / Name des Gastes / naam inzender

occupation _____

profession / Beruf / beroep

adresse _____

address / Anschrift / adres

dates de séjour _____

dates of stay / Aufenthaltsdaten / datum verblijf

êtes-vous satisfait de l'accueil? oui - non

were you satisfied by the hospitality? yes - no

Waren sie mit der Aufnahme zufrieden? ja - nein

bent U tevreden met de ontvangst? ja - nee

le classement de l'hôtel (cheminées) vous semble-t-il convenable? oui - non

do you think that the hotel's grading (number of fireplaces) is correct? yes - no

Erscheint Ihnen die "kamin" -Kategorie des Hotels angemessen? ja - nein

bent U het eens met de classificatie van het hotel ? ja - nee

les prix pratiqués correspondent-ils à la qualité des prestations fournies? oui - non

do you think that the prices are in line with the quality of the service? yes - no

Entsprechen die Preise der Qualität der angebotenen Leistungen? ja - nein

komen de toegepaste prijzen volgens u met de kwaliteit van de dienstverleningen overeen? ja - nee

autres observations

other comments / weitere Bemerkungen / andere opmerkingen

_____

_____

_____

date et signature

date / Datum - signature / Unterschrift / handtekening

Service Suivi Qualité
Fédération nationale des Logis de France

83 avenue d'Italie – 75013 Paris
France

Fiche à retourner avant le 31 décembre 1994 à :

Fédération nationale des Logis de France

83, avenue d'Italie 75013 Paris

• Veuillez citer 1 à 3 hôtels-restaurants figurant dans ce guide, où vous avez tout particulièrement apprécié la cuisine du terroir traditionnelle ou créative.

• Vos réponses nous aideront à valoriser la table Logis de France. De plus, elles vous permettront, peut-être, de gagner un séjour dans un établissement Logis de France.

nom du client _____

nationalité _____ **téléphone** (facultatif) : _____

profession _____

adresse _____

date et signature _____

━━━

nom et numéro du département _____

nom de l'hôtel _____

localité et code postal _____

━━━

nom et numéro du département _____

nom de l'hôtel _____

localité et code postal _____

━━━

nom et numéro du département _____

nom de l'hôtel _____

localité et code postal _____

Symbol	Meaning
	tourist office
	English spoken
	open-air heated swimming pool
	rooms suitable for the disabled
	"fireplace" classification
	German spoken
	open-air unheated swimming pool
	rooms and restaurant suitable for the disabled
	no restaurant
	Spanish spoken
	indoor heated swimming pool
	"Cheques Vacances" accepted
	hotel telephone number
	Italian spoken
	Sauna turkish bath jacuzzi
	meeting and seminar facilities
	hotel telex number (TX)
	TV in rooms
	fitness centre
	dogs allowed in restaurant
	hotel fax number (FAX)
	Telephone in rooms
	tennis court
	dogs allowed in rooms
	number of rooms
	covered car park
	children's playground
	dogs allowed in rooms ans restaurant
	price of rooms
	car park
	bicycle rental
	Carte bleue Visa (CB VISA)
	set menu prices
	lift
	Miniature golf
	American Express (AE)
	children's menu prices (from)
	air-conditioning
	9-hole golf course
	Diners Club
	full board price
	soundproofing
	18-hole golf course
	Eurocard (E)
	half board price
	park or garden
	restaurant suitable for the disabled
	hotel represented par Logis de France Services (C)
	closing days and periods
	business stop

m altitude in meters
hab number of inhabitants
vac scol school holidays
* official grading
ec official grading (pending)
hs off season